Zoon van de Schaduw

Van Juliet Marillier is verschenen:
Dochter van het Woud
Trilogie van de Zeven Wateren – Boek Een

Juliet Marillier

Zoon van de Schaduwen

Trilogie van de Zeven Wateren

Boek Twee

Uitgeverij Luitingh ~ Sijthoff

Voor meer informatie: kijk op **www.boekenwereld.com**

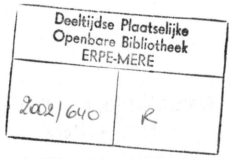
© Juliet Marillier 2000
All rights reserved
© 2001 Nederlandse vertaling
Uitgeverij Luitingh ~ Sijthoff B.V., Amsterdam
Alle rechten voorbehouden
Oorspronkelijke titel: *Son of the Shadows*
Vertaling: Pauline Moody
Omslagontwerp: Karel van Laar
Omslagillustratie: Neal Armstrong

CIP/ISBN 90 245 3883 1
NUGI 335

Voor Godric, reiziger en man van de aarde;
en voor Ben, een echte zoon van Manannán mac Lir

OPMERKING VAN DE AUTEUR

Keltische godheden

Dit boek bevat tal van verwijzingen naar goden, godinnen en helden uit de Ierse mythologie. De lezer heeft wellicht baat bij een korte inleiding in deze materie en bij wat hulp bij de uitspraak van het Ierse Gaelic, waarbij mag worden aangetekend dat er van een bepaalde naam verschillende spellings- en uitspraakvarianten kunnen bestaan, die alle zijn toegestaan.

Túatha Dé Danann   *toe*-a-ha dee *dann*-an
(Het Feeënvolk)
Dit volk van de godin Dana of Danu was het laatste geslacht van Anderwereldse wezens dat in Ierland gewoond heeft. Zij hadden twee oude geslachten verslagen, de Fir Bolg en de Fomhóire, in de twee veldslagen van Moytirra, maar werden na de komst van de eerste Kelten zelf verdreven naar verscholen gedeelten van het landschap, zoals grotten en grafheuvels.

Fomhóire   fo-*vo*-reh
(De Ouden)
Een oud geslacht dat uit de zee kwam om Ierland te bewonen. Zij worden in latere geschriften ten onrechte beschreven als lelijk en mismaakt. Later werden ze verslagen door de Túatha Dé Danann en verbannen.

Brighid   *brie*-jid
Een jeugdige lentegodin die verbonden is met vruchtbaarheid en
voeding. In latere christelijke geschriften werd zij gelijkgesteld aan
de heilige Brigid, de stichteres van een klooster in Kildare.

Dana (Danu)   *dan*-a, *dan*-oe
Moedergodin van de Túatha Dé Danann, verbonden met de aarde.

Morrigan   *morr*-i-gan
Een godin van oorlog en dood. Nam onder andere graag de vorm
aan van een kraai of raaf.

Lugh   *loe*
Keltische zonnegod. In Lugh stroomde het bloed van zowel Túatha Dé als Fomhóire. Een held met veelzijdige vermogens.

Dagda   *dog*-da
Een gerespecteerd leider en aanvoerder van de Túatha Dé.

Díancécht   di-an *kjecht*
God van de genezing en opperarts van de Túatha Dé. Hij maakte een zilveren hand voor de geslagen held Nuada.

Manannán mac Lir   *man*-un-aun mac lier
Een zeegod, zeeman en krijger, die tevens genezende vermogens
bezat.

Keltische feestdagen

Keltische godheden worden vaak verbonden aan de grote feesten
die de keerpunten van het druïdische jaar markeren. Deze dagen
hebben niet alleen rituele betekenis, maar zijn nauw verbonden
met de cyclus van zaaien, telen, oogsten en bewaren van gewassen, en hebben een tegenhanger in de levenscycli van mens en dier.

Samhain   (1 november) *Sow*an
Geeft het begin van het Keltische nieuwe jaar aan. De donkere

7

maanden beginnen; het zaad is in afwachting van het ontkiemen van nieuw leven. Dit is een tijd van bezinning en het opmaken van de balans; een tijd om de doden te eren, een tijd waarin de grenzen tussen leven en dood gemakkelijker kunnen worden overgegaan, zodat er communicatie tussen mensenwereld en geestenwereld mogelijk is.

Imbolc (1 februari) Imulk, Imbulk
Feest van de melkgevende ooien, gewijd aan de godin Brighid. Een dag van nieuw begin, waarop vaak begonnen werd met ploegen.

Beltaine (1 mei) *Bjal*tena
Op deze dag begint de lichte helft van het jaar. Een zeer betekenisvolle dag, die in verband staat met zowel vruchtbaarheid als dood. De dag waarop de Túatha Dé Danann voor het eerst voet aan wal zetten in Ierland. Rond Beltaine zijn veel gewoonten en gebruiken ontstaan, zoals meipaal en werveldansen, het neerleggen van geschenken zoals melk, eieren en cider voor Anderwereldse wezens, en, net als met Imbolc, het doven en opnieuw ontsteken van de vuren in huis.

Lugnasad (1 augustus) *Loenasa*
Dit aan de god Lugh gewijde oogstfeest ontstond uit de begrafenisspelen die hij hield ter ere van zijn pleegmoeder Tailtiu. Ook de moedergodin Dana wordt met Lugnasad geëerd. Veel gebruiken worden toegepast om te zorgen voor een goede en veilige oogst. Hiertoe behoort vaak het rituele snijden van de laatste schoof graan. Er worden ook vaak wedstrijden en spelen gehouden.

Naast de vier bovengenoemde vuurfeesten zijn de zonnewenden en equinoxen belangrijke keerpunten in het jaar, en elk ervan wordt op speciale wijze ritueel gevierd. Het zijn:
Meán Geimhridh (21 december) winterzonnewende
Meán Earraigh (21 maart) voorjaarsequinox
Meán Samhraidh (21 juni) zomerzonnewende
Meán Fómhair (21 september) najaarsequinox

Een paar andere namen en termen die in dit boek voorkomen:

Aengus Óg	*een*-gus *ohg*
Caer Ibormeith	kair *ie*-vor-mee
Cú Chulainn	koe *choe*-lin
Scáthach	*skah*-thuch
Aisling	*ash*-ling
Ciarán	*kie*-ur-aun
Fionn Uí Néill	fjun ie *nee*-il
Liadan	*lie*-a-dan
Niamh	*nie*-av
Sídhe Dubh	shie dov

bogle
Een koboldachtig wezen.

Bran mac Feabhail   bran mak *fev*-il
Een achtste-eeuwse tekst beschrijft de reis van deze held naar verre, wonderlijke gebieden. Bij zijn terugkeer naar Ierland ontdekte Bran dat er intussen in het aardrijk eeuwen verstreken waren.

brithem
Rechter.

clurichaun   *kloe*-ri-chaun
Een kleine, ondeugende geest, een soort kabouter.

Deosil   *dzjesh*-il
Met de zon mee; met de klok mee.

fianna   *fien*-ja
Bende jonge jagers/krijgers. Van een bepaalde groep fianna werd
gezegd dat ze werden aangevoerd door de legendarische held
Fionn mac Cumhaill. Het woord werd gebruikt voor zwervende
vechtersbendes die in de bossen en velden leefden en er hun eigen
regels op na hielden.

9

filidh   *fil*-ie
Extatische, visionaire dichters en zieners binnen de druïdische traditie.

grimoire
Tovenaarsboek met toverkunsten.

nemeton
Heilig gedeelte van het bos waar druïden wonen.

riastradh   *rie*-a-strath
Razernij in de strijd.

selkie
Dit woord kan op een zeehond slaan of op een lid van het geslacht van zeehondmensen, die hun huid kunnen afleggen om een
tijdlang mens te worden. Als de huid gestolen wordt of verloren
gaat, kan de selkie niet terug naar de zee.

Tir Na n'Og   *tier* na *nohg*
Land van jeugd. Een Anderwerelds rijk aan de andere kant van
de westelijke zee.

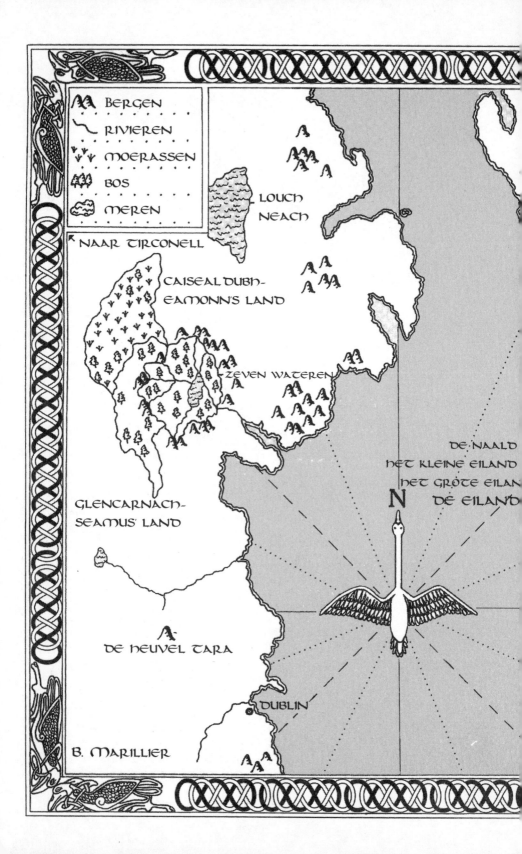

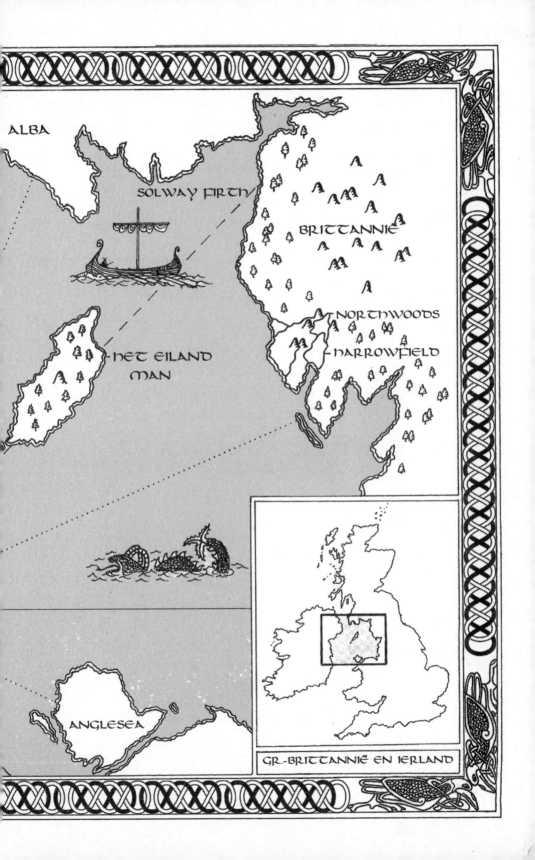

HOOFDSTUK EEN

Mijn moeder kende alle verhalen die ooit in Erin bij het haardvuur waren verteld, en nog veel meer. De mensen stonden zwijgend rond de haard om te luisteren terwijl zij vertelde, na een lange dag hard werken, en genoten van de kleurige wandtapijten die ze met haar woorden weefde. Ze verhaalde de vele avonturen van de held Cú Chulainn, en ze vertelde over Fionn MacCumhaill, die een groot krijger was en listig bovendien. In sommige huishoudens waren zulke verhalen alleen voor mannen bestemd. Maar niet in het onze, want mijn moeder kon zo met woorden toveren dat iedereen erdoor betoverd werd. Maar er was één verhaal dat ze nooit wilde vertellen, en dat was haar eigen verhaal. Mijn moeder was het meisje dat haar broers had gered van de vervloeking van een tovenares, en daarbij bijna haar eigen leven had verloren. Zij was het meisje wier zes broers drie lange jaren als dieren in het wild hadden doorgebracht en alleen door haar zwijgen en lijden waren teruggehaald. Het was niet nodig dit verhaal te vertellen en weer te vertellen, want het had een plaats gekregen in de hoofden van de mensen. Bovendien waren er in elk dorp wel een of twee die de broer hadden gezien die gedurende korte tijd was teruggekeerd met de glanzende vleugel van een zwaan op de plaats van zijn linkerarm. Zelfs zonder dit bewijs wist iedereen dat het verhaal waar was, en ze zagen mijn moeder voorbijgaan, een tengere gestalte met haar mand vol zalven en dranken, en knikten met diep respect in hun ogen.
Als ik mijn vader vroeg of hij een verhaal wilde vertellen, lachte

hij altijd, haalde zijn schouders op en zei dat hij niet overweg kon met woorden, en bovendien kende hij maar één verhaal, of misschien twee, en die had hij al verteld. Dan keek hij even naar mijn moeder, en zij keek naar hem, zoals ze wel vaker deden, op een bepaalde manier waardoor het leek alsof ze zonder woorden praatten, en dan leidde mijn vader me met iets anders af. Hij leerde me houtsnijden met een klein mes, hij leerde me hoe je een boom moest planten en hij leerde me vechten. Mijn oom vond dat heel vreemd. Dat mijn broer Sean leerde vechten was goed, maar waarom zouden Niamh en ik onze vuisten en onze voeten moeten kunnen gebruiken, en een stok of een kleine dolk kunnen hanteren? Waarom daar tijd aan verspillen terwijl er nog zoveel andere dingen waren die we konden leren?

'Geen dochter van mij zal zich onbeschermd buiten deze bossen wagen,' had mijn vader tegen mijn oom Liam gezegd. 'Mannen zijn niet te vertrouwen. Ik zou geen krijgers van mijn meisjes willen maken, maar ik zal hun ten minste de middelen geven om zich te verdedigen. Heb je zo'n slecht geheugen?'

Ik vroeg niet wat hij bedoelde. We hadden allemaal al vroeg ontdekt dat het niet verstandig was om op zulke momenten tussen Liam en hem te komen.

Ik leerde snel. Ik volgde mijn moeder op haar rondgang door de dorpen en leerde van haar hoe ik een wond moest hechten, een spalk moest maken en kroep of netelroos moest behandelen. Ik keek naar mijn vader en ontdekte hoe je een uil, een hert en een egel maakte uit een mooi stuk eikenhout. Ik oefende de vechtkunst met Sean, wanneer ik hem zover kon krijgen, en kreeg allerlei kunstjes onder de knie die werkten, ook al was je tegenstander groter en sterker. Het leek vaak of iedereen op Zeven Wateren groter was dan ik. Mijn vader maakte een stok voor me die precies de goede maat had, en ik mocht zijn kleine dolkmes hebben. Daarover was Sean een paar dagen uit zijn humeur. Maar het was niets voor hem om een wrok te koesteren. Bovendien was hij een jongen en had hij zijn eigen wapens. Wat mijn zus Niamh betreft, je wist nooit wat zij dacht.

'Denk erom, kleintje,' zei mijn vader ernstig tegen me, 'dit mes kan doden. Ik hoop dat je het nooit voor een dergelijk doel hoeft te gebruiken; maar als het moet, gebruik het dan op een snelle en doortastende manier. Hier op Zeven Wateren heb je weinig van het kwaad gezien, en ik hoop dat je met dit mes nooit een man hoeft te treffen om jezelf te verdedigen. Maar misschien zul je dit op een dag nodig hebben; houd het scherp en blinkend en oefen je vaardigheden voor het geval dat er zo'n dag komt.'

Ik had de indruk dat er een schaduw over zijn gezicht trok, en zijn ogen kregen een verre uitdrukking, zoals weleens meer gebeurde. Ik knikte zwijgend en stak het kleine, dodelijke wapen weg in zijn schede.

Deze dingen leerde ik van mijn vader, die door de mensen Iubdan werd genoemd, al heette hij eigenlijk anders. Als je de oude verhalen kende, begreep je dat zijn naam een grap was, die hij minzaam accepteerde. Want de Iubdan uit de verhalen was een piepklein mannetje, dat in moeilijkheden raakte toen hij in een kom pap viel, al kon hij zich later wreken. Mijn vader was heel lang en krachtig gebouwd, en zijn haar had de kleur van herfstbladeren in de middagzon. Hij was een Brit, maar dat vergaten de mensen. Toen hij zijn nieuwe naam kreeg, ging hij deel uitmaken van Zeven Wateren, en degenen die zijn naam niet gebruikten, noemden hem de Grote Man.

Ik had zelf ook wel wat langer willen zijn, maar ik was klein, mager en donker van haar, het soort meisje dat mannen nauwelijks bekeken. Niet dat dat me iets uitmaakte. Ik had meer dan genoeg om me bezig te houden, zonder zover vooruit te denken. Niamh was degene die ze met hun ogen volgden, want zij was lang en breedgeschouderd, gemaakt naar het beeld van onze vader, en ze had een lange vracht glanzend haar en een lichaam dat op de juiste plaatsen weelderige welvingen had. Zonder het zelf te weten liep ze op een manier die de mannen deed kijken.

'Dat wordt me nog wat met haar,' mompelde onze keukenmeid Janis boven haar potten en pannen. Maar Niamh was niet zo tevreden met zichzelf.

'Is het niet erg genoeg dat ik een halve Brit ben,' zei ze boos, 'zonder er ook nog zo uit te zien? Zie je dit?' Ze trok aan haar dikke vlecht en de rood-gouden strengen vielen uiteen tot een glanzend gordijn. 'Wie zou mij voor een dochter van Zeven Wateren houden? Ik had wel een Saks kunnen zijn, met deze kop met haar! Waarom kon ik niet klein en sierlijk zijn zoals moeder?'

Ik bestudeerde haar een paar tellen, terwijl ze felle slagen met de haarborstel begon te maken. Voor iemand die zo ontevreden was over haar uiterlijk besteedde ze wel veel tijd aan het uitproberen van nieuwe haardrachten en andere jurken en linten.

'Schaam je je omdat je de dochter van een Brit bent?' vroeg ik aan haar.

Ze keek me woest aan. 'Dat is nou echt weer iets voor jou, Liadan. Altijd zeggen waar het op staat, hè? Jij hebt gemakkelijk praten, jij bent zelf een kleine kopie van moeder, haar kleine rechterhand. Geen wonder dat vader zo dol op je is. Voor jou is het eenvoudig.'

Ik liet haar woorden over me heen gaan. Zo kon ze soms zijn, alsof er te veel gevoelens in haar waren die op de een of andere manier naar buiten moesten. De woorden zelf betekenden niets. Ik wachtte.

Niamh gebruikte haar haarborstel alsof ze zichzelf ermee wilde kastijden. 'En Sean ook,' zei ze, terwijl ze woest naar zichzelf in de spiegel van gepolijst brons staarde. 'Hoorde je wat vader over hem zei? Hij zei dat hij de zoon is die Liam nooit heeft gehad. Hoe vind je die? Sean past hier, hij weet precies waar hij heen gaat. Erfgenaam van Zeven Wateren, geliefde zoon met niet één maar twee vaders – en zo ziet hij er ook uit. Hij zal alles precies doen zoals het hoort – met Aisling trouwen, waar iedereen erg blij mee zal zijn, aanvoerder zijn van de mannen, misschien zelfs degene worden die de Eilanden voor ons terugverovert. Zijn kinderen zullen in zijn voetsporen treden, enzovoort, enzovoort. Brighid bewaar me, wat is het vervelend! Zo voorspelbaar allemaal.'

'Je kunt het niet allebei tegelijk hebben,' zei ik. 'Of je wilt hier passen, of niet. Bovendien zijn we nu eenmaal de dochters van Zeven Wateren, of je het leuk vindt of niet. Ik weet zeker dat Eamonn graag met je zal trouwen, als het zover is, met of zonder goudblond haar. Ik heb niet gehoord dat hij bezwaar maakte.'

'Eamonn? Huh!' Ze liep naar het midden van de kamer, waar een lichtbundel de eiken vloerplanken goud kleurde, en op deze plek begon ze langzaam rond te draaien, zodat haar witte gewaad en haar schitterend glanzende haar als een wolk om haar heen bewogen. 'Verlang jij er ook niet naar dat er eens iets anders gebeurt, iets wat zo opwindend en nieuw is dat het je meevoert als een grote golf, iets waardoor je leven een vlammende gloed krijgt zodat de hele wereld het kan zien? Iets wat je vreugde of doodsangst inboezemt, wat je van je veilige paadje optilt en je op een grote, woeste weg zet waarvan niemand weet waar hij heen leidt? Verlang jij daar nooit naar, Liadan?' Ze draaide en draaide, en ze had haar armen om zichzelf heen geslagen alsof dit de enige manier was om haar gevoelens te beheersen.

Ik ging op de rand van het bed zitten en bleef rustig naar haar kijken. Na een poos zei ik: 'Je moet wel oppassen. Zulke woorden zouden de Feeën kunnen verleiden zich in je leven te mengen. Dat gebeurt. Je kent moeders verhaal. Zij kreeg zo'n kans en ze greep hem aan, en het was alleen aan haar moed en die van vader te danken dat ze niet gestorven is. Om hun spelletjes te overleven moet je heel sterk zijn. Voor haar en voor vader is het goed afgelopen. Maar in dat verhaal waren er ook verliezers. Haar zes broers bijvoorbeeld. Van hen zijn er nog maar twee over, of misschien drie. Wat er gebeurd is, heeft hen allemaal beschadigd. En er zijn nog anderen omgekomen. Je zou er beter aan doen bij de dag te leven. Ik vind het spannend genoeg te helpen een lammetje op de wereld te laten komen, of kleine eikjes sterk te zien worden in de voorjaarsregens. Een pijl precies in de roos te schieten of een kind te genezen van kroep. Waarom zou je meer vragen, als het zo goed is wat we hebben?'

Niamh maakte haar armen los en haalde een hand door haar haar, waarmee het werk van de borstel in een oogwenk ongedaan was gemaakt. Ze zuchtte. 'Je praat net als vader, jij, het is soms om misselijk van te worden,' zei ze, maar haar stem klonk niet onvriendelijk. Ik kende mijn zus goed. Ik liet me niet vaak door haar van mijn stuk brengen.

'Ik heb nooit begrepen hoe hij het heeft kunnen doen,' vervolgde ze. 'Alles zomaar opgeven. Zijn landerijen, zijn macht, zijn positie, zijn familie. Gewoon alles weggeven. Hij zal nooit meester van Zeven Wateren zijn, dat is Liams plaats. Zijn zoon zal het waarschijnlijk erven; Iubdan zelf zal nooit meer zijn dan de Grote Man, die heel rustig zijn bomen plant en zijn kuddes verzorgt, en de wereld aan zich voorbij laat gaan. Hoe heeft een echte man ervoor kunnen kiezen om het leven zo te laten schieten? Hij is zelfs nooit meer teruggeweest naar Harrowfield.'

Ik glimlachte in mezelf. Was ze blind, dat ze niet zag hoe het tussen die twee was, tussen Sorcha en Iubdan? Hoe kon ze hier dag in dag uit leven, en zien hoe ze naar elkaar keken, en dan niet begrijpen waarom hij gedaan had wat hij had gedaan? Bovendien zou Zeven Wateren zonder zijn beheer niet meer zijn dan een goed bewaakt fort. Onder zijn leiding waren onze landerijen welvarend geworden. Iedereen wist dat wij het beste rundvee fokten en de fijnste gerst verbouwden van heel Ulster. Door het werk van mijn vader kon mijn oom Liam zijn vazalschappen opbouwen en zijn veldtochten voeren. Ik dacht niet dat het erg zinvol was om dit aan mijn zus uit te leggen. Als ze het nu nog niet wist, zou ze het nooit weten.

'Hij houdt van haar,' zei ik alleen. 'Zo eenvoudig ligt dat. En toch is het meer. Ze praat er nooit over, maar het Feeënvolk heeft er van meet af aan de hand in gehad. En het zal zich er weer in mengen.'

Eindelijk had ik Niamhs aandacht. Met haar mooie blauwe ogen een beetje toegeknepen keek ze me recht aan. 'En nu praat je net als zij,' zei ze op beschuldigende toon. 'Als ze op het punt staat een verhaal te vertellen. Een leerrijk verhaal.'

'Dat ga ik niet doen,' zei ik. 'Je bent er niet voor in de stemming. Wat ik alleen wilde zeggen, was dat we verschillend zijn, jij en ik en Sean. Door iets wat het Feeënvolk deed, hebben onze ouders elkaar ontmoet en zijn ze getrouwd. Omdat dat gebeurd is, zijn wij drieën er gekomen. Misschien is het volgende deel van het verhaal voor ons.'

Niamh huiverde terwijl ze naast me kwam zitten en haar rokken over haar knieën gladstreek.

'Omdat wij niet van Brittannië en niet van Erin zijn, maar tegelijkertijd van beide,' zei ze langzaam. 'Denk jij dat een van ons het kind uit die profetie is? Degene die de Eilanden aan ons volk zal teruggeven?'

'Ik heb het wel horen zeggen.' Het werd zelfs vaak gezegd, nu Sean bijna een man was en zich ontpopte als een even goed vechter en leider als zijn oom Liam. Bovendien waren de mensen toe aan wat spanning. De vete om de Eilanden smeulde al sinds ver voor de tijd van mijn moeder, want het was lange jaren geleden dat de Britten deze geheimste der geheime plekken op ons volk hadden veroverd. De verbittering van de mensen was alleen maar groter geworden, omdat we er zo dichtbij waren geweest te herwinnen wat ons rechtens toekwam. Want toen Sean en ik kinderen waren, nog geen zes jaar oud, hadden Liam en twee van zijn broers, geholpen door Seamus Roodbaard, met vereende krachten een dappere veldtocht ondernomen die het betwiste gebied tot doel had. Ze waren er dichtbij gekomen, tergend dichtbij. Ze hadden voet aan wal gezet op het Kleine Eiland en daar in het geheim hun kamp opgeslagen. Ze hadden de grote vogels zien zweven en zwenken boven de Naald, de kale rotspunt die gegeseld werd door ijzige winden en spattend oceaanschuim. Ze hadden vanuit zee een felle aanval uitgevoerd op het Britse kamp op het Grote Eiland, en uiteindelijk waren ze teruggeslagen. In deze slag waren twee broers van mijn moeder omgekomen. Cormack was geveld door een zwaardslag die zijn borst spleet tot aan zijn hart en was in Liams armen gestorven. En Diarmid, die het verlies van zijn broer wilde wreken, vocht als bezeten en werd na een langdurig gevecht door de Britten gevangengenomen. Liams mannen vonden zijn lichaam later, drijvend in het ondiepe water, toen ze aan boord gingen van hun kleine boot en vluchtten voor de enorme overmacht, uitgeput en ongelukkig. Hij was door verdrinking gestorven, maar pas nadat de vijand zich met hem had vermaakt. Ze wilden zijn lichaam niet aan mijn moeder laten zien toen ze hem thuisbrachten.

Deze Britten waren het volk van mijn vader. Maar Iubdan had geen deel aan deze oorlog. Hij had ooit gezworen dat hij nooit de wapenen zou opnemen tegen zijn eigen mensen, en hij was een man van zijn woord. Voor Sean was het anders. Mijn oom Liam was nooit getrouwd, en mijn moeder zei dat dat ook nooit zou gebeuren. Er was ooit een meisje geweest dat hij had liefgehad. Maar toen waren hij en zijn broers onder de betovering gekomen. Drie jaar is een lange tijd wanneer je pas zestien bent. Toen hij eindelijk weer de gedaante van een man kreeg, was zijn liefste getrouwd en al moeder van een zoon. Ze had de wens van haar vader gehoorzaamd, omdat ze geloofde dat Liam dood was. Daarom zou hij geen vrouw nemen. En hij had geen eigen zoon nodig, want hij hield met evenveel hartstocht van zijn neef als welke vader ook zou kunnen, en voedde hem zonder het te weten op naar zijn eigen beeld. Sean en ik waren op dezelfde dag geboren, hij iets eerder dan ik. Maar nu we zestien waren, was hij ruim een hoofd groter. Hij was al bijna een man, met sterke schouders en een strak, hard lichaam. Liam had ervoor gezorgd dat hij zeer bedreven was in de krijgskunsten. Ook had Sean geleerd een veldtocht op te zetten, een rechtvaardig oordeel te vellen, het denken van vazal en vijand te doorgronden. Liam had soms iets aan te merken op het jeugdig ongeduld van zijn neef. Maar Sean was een toekomstig leider, daar twijfelde niemand aan.

Wat onze vader betreft, die glimlachte en liet hen begaan. Hij begreep het gewicht van de erfenis die Sean eens op zijn schouders moest nemen. Maar hij had zijn zoon niet helemaal afgestaan. Er was ook tijd voor hen beiden om te voet of te paard langs de velden, stallen en schuren van de boerderijen van Zeven Wateren te gaan; Iubdan leerde zijn zoon niet alleen hoe hij zijn mensen en zijn land moest beschermen, maar ook hoe hij voor hen moest zorgen. Ze praatten lang en vaak met elkaar en hadden respect voor elkaar. Alleen ik zag dat moeder soms naar Niamh keek, en naar Sean en naar mij, en ik wist wat haar zorgen baarde. Vroeg of laat zou het Feeënvolk besluiten dat het tijd was. Tijd om zich weer in ons leven te mengen, tijd om het half voltooide wandtapijt op te pakken en er weer enkele ingewikkelde patronen in te weven. Wie van ons zouden ze uitkiezen? Was een van ons het kind van de profetie, dat eindelijk vrede zou brengen tussen ons volk en de Britten van Northwoods, dat de Eilanden met hun mystieke grotten en de heilige bomen zou terugveroveren? Ik dacht eigenlijk niet dat ik dat zelf zou zijn. Als je het Feeënvolk ook maar een beetje kende, wist je dat ze altijd omzichtig en subtiel te werk gingen. Hun spelletjes waren complex, hun keuzes nooit voor de hand liggend. Trouwens, hoe zat het met het tweede gedeelte van de profetie, dat de mensen voor het gemak maar waren vergeten? Werd daarin niet iets gezegd over iemand die het teken van de raaf droeg? Niemand wist echt wat dat betekende, maar het leek op geen van ons te passen. Bovendien waren er vast wel meer huwelijken geweest tussen zwervende Britten en Ierse vrouwen. Wij waren vast niet de enige kinderen die het bloed van beide volken in ons hadden. Dit hield ik mezelf voor; en dan zag ik de ogen van mijn moeder naar ons kijken, groen, met een visionaire blik, waakzaam, en een onheilspellend voorgevoel deed me huiveren. Ik voelde dat het tijd was. Tijd dat alles weer veranderde.

Dat voorjaar kregen we bezoekers. Hier in het hart van het grote woud waren de oude gewoonten nog stevig geworteld ondanks de gemeenschappen van mannen en vrouwen die zich door ons land verspreidden, met hun christelijke kruisen als grimmige symbolen van een nieuw geloof. Van tijd tot tijd kwamen reizigers van overzee met verhalen over vreselijke dingen die mensen werden aangedaan die het waagden de oude tradities in ere te houden. Er waren wrede straffen, zelfs de doodstraf, voor degenen die bijvoorbeeld een offergave neerlegden voor de oogstgoden, voor hen die zich met een eenvoudige bezwering van een goede afloop wilden verzekeren of voor hen die een drank wilden gebruiken om een trouweloze geliefde terug te krijgen. De druïden waren daar allemaal vermoord of verbannen. De macht van het nieuwe geloof was groot. Het werd gesteund met een ruime beurs en met dodelijk geweld, dus hoe kon het verliezen?
Maar wij, hier op Zeven Wateren, in deze uithoek van Erin, waren van een ander ras. De heilige paters die hier kwamen, waren meestal rustige, geleerde mannen die met een open geest over een onderwerp debatteerden, en evenveel luisterden als spraken. Bij hen kon een jongen leren lezen, zowel in het Latijn als in het Iers; hij leerde duidelijk schrijven, kleuren mengen en ingewikkelde patronen schilderen op perkament of fijn velijn. Bij de zusters kon een meisje bijvoorbeeld de geneeskunst leren, of leren zingen als een engel. In hun huizen van contemplatie was plaats voor armen en berooiden. Zij waren wezenlijk goede mensen. Maar van ons huishouden was niemand bestemd om zich bij hen aan te sluiten. Toen mijn grootvader wegging en Liam heer van Zeven Wateren werd, met alle verantwoordelijkheden die dat met zich meebracht, werden veel draden samengetrokken om het weefsel van ons huishouden te versterken. Liam verenigde de naburige families, bouwde een sterk leger op en werd de leider die onze mensen zo nodig hadden. Hij plantte eiken op een plek waar vroeger onvruchtbare grond was. Ook gaf hij nieuwe moed aan mensen die de wanhoop nabij waren. Mijn moeder was een symbool van wat door

geloof en kracht bereikt kon worden; een levend aandenken aan de andere wereld onder de oppervlakte. Via haar ademden ze dagelijks de waarheid in over wie ze waren en waar ze vandaan kwamen; de helende boodschap van het geestenrijk.

Dan was er nog haar broer Conor. Zoals het verhaal zegt, waren er zes broers. Over Liam heb ik verteld, en over de twee die ongeveer even oud waren als hij en die in de eerste slag om de Eilanden zijn gesneuveld. De jongste, Padriac, was een reiziger, die maar zelden hier terugkeerde. Conor was de vierde broer en hij was een druïde. Hoewel het oude geloof elders vervaagde en uitdoofde, zagen wij het licht ervan in ons woud steeds krachtiger stralen. Het was alsof elke feestdag, elke keer dat het verstrijken van het seizoen werd geaccentueerd met gezangen en rituelen, iets terugbracht van de eenheid van ons volk, die bijna verloren was gegaan. Elke keer kwamen we een stap dichterbij. Waren we er dichterbij om terug te eisen wat door de Britten van ons was gestolen, vele generaties geleden. De Eilanden waren het hart van ons mysterie, de wieg van ons geloof. Profetie of geen profetie, de mensen begonnen te geloven dat Liam ze terug zou veroveren, en als hij het niet deed, dan zou Sean het doen, die na hem meester van Zeven Wateren zou zijn. Die dag kwam naderbij, en de mensen waren zich daar het sterkst van bewust wanneer de wijzen uit het woud kwamen om de overgang van de seizoenen kracht bij te zetten. Zo was het ook met Imbolc in het jaar waarin Sean en ik zestien werden, een jaar dat diep in mijn geheugen gebrand is. Conor kwam, en met hem een groep mannen en vrouwen, sommige in witte gewaden en sommige in de grove gewaden van zelfgesponnen wol van degenen die nog in hun leertijd waren. Zij voerden de ceremonie uit ter ere van het feest van Brighid, diep in de bossen van Zeven Wateren.

Ze kwamen 's middags aan, stil als altijd. Twee heel oude mannen en een oude vrouw kwamen op eenvoudige sandalen het bospad aflopen. Hun haar was tot een groot aantal vlechtjes gevlochten, elk omwonden met gekleurd garen. Er waren jonge mensen met grove gewaden, zowel jongens als meisjes, en er waren mannen van middelbare leeftijd, van wie mijn oom Conor er een was. Hij had zich pas laat verdiept in de leer van de grote mysteriën, maar was nu hun leider. Hij was een bleke, ernstige man van gemiddelde lengte, met lang, grijs dooraderd kastanje-bruin haar en een diepe, kalme oogopslag. Hij groette ons allen kalm en beleefd, mijn moeder, Iubdan, Liam en toen ons drieën. En onze gasten, want verscheidene huishoudens waren hier voor de festiviteiten bijeengekomen. Seamus Roodbaard, een robuuste oude man met sneeuwwit haar dat in tegenspraak was met zijn naam. Zijn nieuwe vrouw, een lief meisje dat niet veel ouder was dan ik. Niamh was geschokt geweest toen ze deze verbintenis zag. 'Hoe kán ze?' fluisterde ze me achter haar hand toe. 'Hoe kan ze met hem slapen? Hij is oud, ontzettend oud. En dik. En hij heeft een rode neus. Kijk, ze lacht naar hem! Ik was nog liever dood!' Ik keek haar een beetje zuur aan. 'Dan kun je maar beter Eamonn nemen en blij zijn met het aanbod, als jij zo nodig een mooie jon-geman wilt,' fluisterde ik terug. 'Je zult niet gauw een betere vrij-er vinden. Bovendien is hij rijk.'

'Eamonn? Huh!'

Zo leek ze elke keer te reageren wanneer ik dit voorstelde. Ik vroeg me niet voor het eerst af wat Niamh dan wél wilde. Het was on-mogelijk om te zien wat er in dat hoofd omging. Anders dan tus-sen Sean en mij. Misschien kwam het doordat we tweelingen wa-ren, of misschien door iets anders, maar wij beiden hadden er nooit moeite mee zonder woorden met elkaar te praten. Het was soms zelfs noodzakelijk om je eigen gedachten af te schermen, zo-dat de ander ze niet kon lezen. Het was tegelijkertijd een nuttige en lastige vaardigheid.

Ik keek naar Eamonn; hij stond naast zijn zus Aisling en groette Conor en de rest van de in lange gewaden gehulde stoet. Ik be-greep eigenlijk niet waar Niamh problemen mee had. Eamonn had de goede leeftijd, hij was maar een jaar of twee ouder dan mijn zus. Hij was best knap; misschien een beetje ernstig, maar daar viel wat aan te doen. Hij was goed gebouwd, met glanzend bruin haar en mooie, bruine ogen. Hij had een mooi gebit. Met hem sla-pen zou – nou ja, ik wist niet veel van die dingen af, maar ik stel-de me voor dat het niet weerzinwekkend zou zijn. En het zou een verbintenis zijn die beide families goedkeurden. Eamonn had zijn erfdeel al heel jong gekregen, een uitgestrekt domein omringd door verraderlijke moerassen, dat ten oosten van het land van Seamus Roodbaard lag en eromheen boog tot dicht bij de pas naar het noorden. Eamonns vader, die dezelfde naam droeg, was een paar jaar geleden onder tamelijk geheimzinnige omstandigheden gedood. Mijn oom Liam en mijn vader waren het niet altijd eens, maar ze waren eensgezind in hun weigering om over dit onderwerp te praten. Eamonns moeder was gestorven bij de geboorte van Aisling. Eamonn was dus opgegroeid met enorme rijkdom en macht, en met een groot aantal invloedrijke adviseurs: Seamus, die zijn grootvader was; Liam, die ooit met zijn moeder verloofd was geweest; en mijn vader, die op de een of andere manier bij dit alles betrokken was geraakt. Het was misschien verrassend dat Eamonn toch een heel zelfstandig man was geworden en ondanks zijn jeugdige leeftijd zelf de leiding had over zijn landerijen en zijn niet onaanzienlijke leger. Dat verklaarde misschien waarom hij zo'n ernstige jongeman was. Ik merkte dat ik hem al een tijdlang onderzoekend stond te bekijken toen hij een gesprek met een van de jongere druïden beëindigde en mijn kant op keek. Hij lachte me even toe, als om mijn beoordeling te logenstraffen, en ik wendde mijn blik af, terwijl ik voelde dat een blos me naar de wangen steeg. Niamh was dom, dacht ik. Het was niet waarschijnlijk dat ze een beter huwelijk zou kunnen doen, en omdat ze al zeventien was, moest ze snel beslissen, eer iemand anders het voor haar deed. Het zou een sterke verbintenis zijn, nog sterker door de verwantschapsband met Seamus, die het land ertussenin bezat. De man die dat allemaal onder zich had, kon de Britten een zware klap toebrengen, wanneer het tijd was.

De druïden bereikten het einde van de rij en beëindigden hun begroetingen. De zon stond laag aan de hemel. In het veld achter onze boerderij lagen de ploegen en hooivorken en de andere gereedschappen voor het werk van het nieuwe seizoen keurig in rijen klaar. We liepen over paden die nog glad waren van de lentebuien om onze plaatsen in te nemen in een grote cirkel om het veld, en onze schaduwen waren langgerekt in het namiddaglicht. Ik zag Aisling stilletjes weglopen van haar broer en even later als bij toeval weer verschijnen naast Sean. Als ze dacht dat dit onopgemerkt bleef, had ze het mis, want haar wolk kastanjebruin haar trok de aandacht, ook al deed ze nog zo haar best die weelde met linten te temmen. Toen ze aankwam naast mijn broer, blies de opstekende wind een lange, rosse krul over haar gezichtje, en

Sean stak zijn hand uit om hem voorzichtig achter haar oor weg te stoppen. Ik hoefde niet meer naar hen te kijken om te voelen dat haar hand in de zijne schoof en dat de vingers van mijn broer zich er met een bezittersgebaar vast omheen sloten. Hij is tenminste iemand die weet wat hij wil, dacht ik. Misschien maakte het niet uit wat Niamh besloot te doen, want het zag ernaar uit dat het verbond toch wel tot stand zou komen, op de ene manier of op de andere.

De druïden vormden een halve cirkel om de rijen gereedschap, en in de opening stond Conor, wiens witte gewaad met een gouden rand was afgebiesd. Hij had zijn kap naar achteren geschoven, zodat de gouden *torque* die hij om zijn hals droeg zichtbaar was, als teken van zijn leiderschap binnen deze mystieke broederschap. Hij was naar hun maatstaven nog jong, maar zijn gezicht was een oeroud gelaat; in de diepte van zijn serene blik lag de kennis van meer dan één leven vervat. Hij had een lange weg afgelegd in de achttien jaar dat hij in het woud had geleefd.

Nu kwam Liam naar voren, als hoofd van het huishouden, en hij gaf zijn broer een zilveren kelk aan, gevuld met onze beste mede. Deze was gemaakt van de fijnste honing en gebrouwen met water uit een bepaalde bron waarvan de ligging een zorgvuldig bewaard geheim was. Conor knikte ernstig. Vervolgens begon hij langzaam tussen de ploegen en sikkels, de hooivorken en zware spaden, de scharen en schoppen door te lopen en besprenkelde ze in het voorbijgaan stuk voor stuk met een paar druppels van het krachtige brouwsel.

'Een mooi kalf in de buik van de fokkoe. Een rivier van zoete melk uit haar spenen. Een warme vacht op de ruggen van de schapen. Een overvloedige oogst van de lenteregen.'

Conor liep met gelijkmatige tred en zijn witte gewaad zwaaide om hem heen alsof het een eigen leven leidde. Hij droeg de zilveren kelk in zijn ene hand en zijn berkenstaf in de andere. We zwegen allemaal eerbiedig. Zelfs de vogels leken hun gekwetter te staken in de bomen rondom. Achter me staken een paar paarden hun hoofd over het hek, hun vochtige ogen gericht op de man met de rustige stem.

'Moge Brighids zegen het komende seizoen op onze velden rusten. Moge Brighids hand zich uitstrekken over onze jonge gewassen. Moge zij leven geven; moge ons zaad bloeien. Hart der aarde; leven van het hart; alles is een.'

Zo ging hij voort, en boven elk van de eenvoudige werktuigen stak hij zijn hand uit en liet hij een beetje van de kostbare mede vallen. Het licht werd goudkleurig toen de zon achter de toppen van de eiken zakte. Als laatste was de ploeg voor acht ossen aan de beurt, die de mannen jaren geleden op aanwijzingen van Iubdan hadden gemaakt. Hiermee was het hardste veld zacht en vruchtbaar gemaakt. We hadden hem versierd met slingers van jong groen, en Conor bleef ervoor staan en hief zijn staf.

'Laat geen kwaad onze arbeid treffen,' zei hij. 'Laat geen ziekte onze gewassen aantasten, geen ziekte onze kuddes treffen. Laat het werk van deze ploeg en van onze handen een goede oogst en een voorspoedig seizoen opleveren. Wij danken voor de aarde die onze moeder is, voor de regen die het leven uit haar te voorschijn roept. Wij eren de wind die het zaad uit de grote eiken schudt; we vereren de zon die het jonge gewas verwarmt. In alle dingen eren wij u, Brighid, die de lentevuren ontsteekt.'

De kring van druïden herhaalde zijn laatste zin met diepe, resonerende stemmen. Toen liep Conor terug naar zijn broer en plaatste de beker in zijn handen, en Liam zei dat ze misschien na het avondmaal het restant in de flacon samen konden opdrinken. De plechtigheid was bijna afgelopen.

Conor draaide zich om en deed een, twee, drie stappen naar voren. Hij strekte zijn rechterhand uit. Een lange, jonge novice met een hoofd vol krullen van het diepste rood dat je ooit hebt gezien, kwam snel naar voren en nam de staf van zijn meester aan. Hij deed een stap opzij en sloeg Conor gade met zo'n intens strakke blik, dat er een rilling langs mijn ruggengraat ging. Conor hief zijn handen.

'Nieuw leven! Nieuw licht! Nieuw vuur!' zei hij, en zijn stem was nu niet zacht meer maar krachtig en helder, zodat hij door het bos weerklonk als een plechtige klok. 'Nieuw vuur!'

Hij had zijn handen boven zijn hoofd geheven en reikte naar de hemel. Er trilde iets, we hoorden een vreemd zoemend geluid, en plotseling was er licht boven zijn handen, vuur, een gloed zo fel dat onze ogen werden verblind en onze zinnen geschokt. De druïde liet langzaam zijn armen zakken, en in de holte van zijn handen gloeide nog vuur, een vuur zo echt dat ik met ontzag toekeek, in de verwachting dat ik zijn handen zou zien schroeien, dat er blaren op zouden komen vanwege de intense hitte. De jonge novice liep naar hem toe met een niet-brandende toorts in zijn hand. Terwijl wij gebiologeerd toekeken, stak Conor zijn hand uit en raakte de toorts met zijn vingers aan, en die vlamde op tot een rijke, gouden gloed. En toen Conor zijn handen wegnam, waren het slechts de handen van een man en was het geheimzinnige vuur eruit verdwenen. Het gezicht van de jongeman was een toonbeeld van trots en ontzag terwijl hij zijn kostbare toorts naar het huis droeg, waar de haardvuren opnieuw zouden worden ontstoken. De ceremonie was voltooid. Morgen zou het werk van het nieuwe seizoen beginnen. Ik ving flarden van gesprekken op terwijl we terugliepen naar het huis, waar bij zonsondergang een feestmaal zou aanvangen.

'... was dit nu wel verstandig? Er waren toch ook wel anderen die voor deze taak gekozen hadden kunnen worden?'

'Het was tijd. We kunnen hem niet eeuwig blijven wegstoppen.'

Dat waren Liam en zijn broer. Toen zag ik mijn moeder en mijn vader, die samen het pad opliepen. Haar voet gleed weg in de modder en ze wankelde; hij ving haar onmiddellijk op, bijna voordat het gebeurde, zo snel was hij. Hij legde zijn arm om haar schouders en ze keek naar hem op. Ik had het gevoel dat er een schaduw over hen viel en voelde me opeens niet op mijn gemak. Sean rende me lachend voorbij, met Aisling niet ver achter hem. Ze volgden de lange jongeman die de toorts droeg. Mijn broer zei niets, maar in mijn geest ving ik zijn geluksgevoel op toen hij me passeerde. Alleen deze avond was hij pas zestien jaar oud, en verliefd, en was alles goed in zijn wereld. En weer voelde ik die plotselinge vlaag kou. Wat had ik toch? Het was alsof ik mijn familie kwaad toewenste, op een mooie lentedag waarop alles stralend en sterk was. Ik zei tegen mezelf dat ik niet zo raar moest doen. Maar de schaduw was er nog steeds, aan de rand van mijn denken.

Jij voelt het ook.

Ik verstijfde. Er was maar één persoon met wie ik op deze manier, zonder woorden, kon spreken en dat was Sean. Maar het was niet de innerlijke stem van mijn broer die nu contact maakte met mijn geest.

Schrik niet, Liadan. Ik zal niet in je gedachten binnendringen. Als ik in al die jaren iets heb geleerd, is het om dit vermogen te beheersen. Je voelt je niet gelukkig. Je bent ongerust. Wat gebeurt zal niet door jouw toedoen zijn. Dat moet je goed onthouden. Ieder van ons kiest zijn eigen weg.

Ik liep nog steeds naar het huis, de mensen om me heen kwebbelden en lachten, jonge mannen droegen hun zeis over hun schouder, jonge vrouwen hielpen een spade of sikkel te dragen. Hier en daar zochten handen elkaar en sloten zich om elkaar heen, en een paar achterblijvers verdwenen stilletjes in het bos, om iets te doen wat niemand aanging. Voor me liep mijn oom langzaam over het pad terwijl de gouden rand van zijn gewaad de laatste stralen van de ondergaande zon ving.

Ik... ik weet niet wat ik voel, oom. Iets donkers – iets akeligs en verkeerds. En toch is het net alsof ik het over ons afroep door eraan te denken. Hoe kan ik dit doen, nu alles zo goed is, nu iedereen zo gelukkig is?

Het is tijd. Niet eens door zijn hoofd om te draaien liet mijn oom merken dat hij op deze manier met me sprak. *Verbaas je je over het feit dat ik je kan horen? Dan moet je eens met Sorcha praten, als je haar kan bewegen antwoord te geven. Zij en Finbar waren vroeger degenen die hier goed in waren. Maar misschien doet het haar pijn om eraan terug te denken.*

U zei dat het tijd was. Tijd waarvoor?

Als er een manier was om te zuchten zonder geluid te maken, was dat wat Conor nu aan me doorgaf. *Tijd voor hun handen om in de pap te roeren. Tijd voor hun vingers om nog wat in het patroon te weven. Tijd voor hun stemmen om het lied te hervatten. Je hoeft je niet schuldig te voelen, Liadan. Ze gebruiken ons allemaal, en we kunnen er weinig tegen doen. Ik heb dat op de harde manier ontdekt. En jij zult dat ook doen, vrees ik.*

Wat bedoelt u?

Dat zul je gauw genoeg merken. Waarom zou je niet vrolijk en jong zijn, zolang er nog tijd is?

En dat was alles. Hij sloot zijn gedachten even plotseling en beslist voor me af alsof er een valdeur dichtsloeg. Voor me zag ik hem stilstaan en wachten tot mijn moeder en Iubdan bij hem waren, en met zijn drieën gingen ze naar binnen. Ik was niet veel wijzer geworden van dit vreemde gesprek.

Mijn zusje was die avond heel mooi. De haardvuren in het huis waren opnieuw aangestoken en er was een groot vreugdevuur buiten, en cider, en er werd gedanst. Het was helemaal niet warm. Ik had een omslagdoek om me heen geslagen en rilde toch nog van de koude. Maar Niamhs schouders waren bloot boven haar diepblauwe japon en haar gouden haar was geraffineerd doorvlochten met zijden linten en vroege viooltjes. Terwijl ze danste, gloeide haar huid in het licht van het vuur en haar ogen keken uitdagend rond. De jongemannen konden hun ogen haast niet van haar afhouden, terwijl ze nu eens met de een, dan weer met de ander rondzwierde. Zelfs de jonge druïden hadden moeite om niet met hun voeten op de maat te tikken en met een serieuze blik rond te kijken. Seamus had de muzikanten meegebracht. Ze waren goed; een fluitspeler, een vedelaar en een die uitblonk in alles wat hij bespeelde, bodhran, fluit of dwarsfluit. Er waren tafels op de binnenplaats gezet, en houten banken, en daar gingen de oudere druïden zitten met de leden van het huishouden om te praten en verhalen uit te wisselen, en toe te kijken terwijl de jongelui plezier maakten.

Er was er een die zich afzijdig hield, en dat was de jonge druïde, de man met het donkerrode haar, die de met mystiek vuur opnieuw aangestoken toorts had vastgehouden. Hij had als enige niet deelgenomen aan het feestmaal. Hij gaf er geen blijk van plezier te hebben, terwijl iedereen om hem heen het uitschaterde. Zijn voet tikte niet mee met een oud wijsje, hij verhief zijn stem niet in een lied. In plaats daarvan stond hij recht en zwijgend achter het gezelschap, en lette op. Dat vond ik op zich verstandig. Het was verstandig om een paar mannen te hebben die niet van het sterke bier dronken, die luisterden of er ongewenste indringers waren, die gespitst waren op geluiden van gevaar. Ik wist dat Liam mannen had uitgezet om op strategische punten rondom het huis de wacht te houden, naast de gewone schildwachten en wachtposten. Als er vandaag een aanval op Zeven Wateren werd gedaan, konden niet alleen de heren van de drie machtigste families in het noordoosten worden uitgeschakeld, maar ook

hun geestelijk leiders. Er werd dus geen enkel risico genomen.
Maar deze jongeman was geen wacht, en als het wel de bedoeling
was dat hij de wacht hield, deed hij het nogal slecht. Want zijn
donkere ogen waren op slechts één ding gevestigd, en dat was mijn
mooie, lachende zus Niamh, die in het licht van het vuur danste
met haar gordijn van roodgouden haren om haar heen zwierend.
Ik zag hoe roerloos hij daar stond en hoe zijn ogen haar verslon-
den. Toen keek ik een andere kant op en zei tegen mezelf dat ik
niet zo stom moest doen. Dit was immers een druïde; ik nam aan
dat die hun begeertes hadden, net als elke andere man, en dat zijn
belangstelling dus heel natuurlijk was. Daarmee te leren omgaan
hoorde ongetwijfeld bij de discipline die hun werd bijgebracht. En
ik had er trouwens niets mee te maken. Toen keek ik naar mijn
zus, en ik zag de blik die ze in zijn richting wierp, van onder haar
lange, prachtige wimpers. *Dans met Eamonn, stom kind*, zei ik
tegen haar, maar ze was nooit in staat geweest mijn innerlijke stem
te horen.
De muziek veranderde van een *reel* in een trage, sierlijke elegie.
Er waren woorden op, en de mensen hadden intussen genoeg gedronken om met de fluitspeler mee te zingen.
'Wil je met me dansen, Liadan?'
'O.' Ik was van Eamonn geschrokken, zo plotseling stond hij naast
me in het donker. In het licht van het vuur zag ik dat zijn gezicht
even ernstig en beheerst stond als altijd. Als hij genoot van het
feest, liet hij dat niet merken. Trouwens, nu ik erover nadacht, ik
had hem niet zien dansen.
'O. Als je… maar misschien kun je beter mijn zus vragen. Zij danst
veel beter dan ik.' Het klonk onhandig, bijna onbeleefd. We keken samen over de zee van dansende jongens en meisjes naar
Niamh, die daar glimlachend in een kring van bewonderaars stond
en nonchalant een hand door haar haar haalde. Een lange, goudkleurige gestalte in het flakkerende licht.
'Ik vraag het jou.' Er was geen spoor van een glimlach om Eamonns
lippen. Ik was blij dat hij mijn gedachten niet kon lezen zoals mijn
oom Conor. Ik had eerder op de avond wel erg snel mijn oordeel
over hem geveld. Mijn wangen gloeiden als ik eraan dacht. Ik herinnerde mezelf aan het feit dat ik een dochter van Zeven Wateren
was en dat ik bepaalde beleefdheidsplichten moest vervullen. Ik

stond op en liet mijn omslagdoek van me afglijden, en Eamonn verraste me door hem van me aan te nemen en hem netjes op te vouwen voordat hij hem op een tafel neerlegde. Toen vatte hij mijn hand en leidde me de kring van dansers binnen.

Het was een langzame dans waarbij de paren naar elkaar toe kwamen en weer uiteengingen, ruggelings om elkaar heen draaiden, elkaars handen pakten en weer loslieten. Een dans die goed paste bij het feest van Brighid, dat immers over nieuw leven gaat en over de drift in het bloed die er vorm aan geeft. Ik zag Sean en Aisling, die volmaakt in de pas om elkaar heen bewogen, alsof ze samen één adem ademden. De uitdrukking van verwondering in hun ogen deed mijn hart stilstaan. Ik merkte dat ik in stilte zei: *Laat hen dit behouden. Laat hen dit behouden.* Maar tegen wie ik dat zei, wist ik niet.

'Wat is er, Liadan?' Eamonn had de verandering in mijn gezicht gezien toen hij naar me toe kwam, mijn rechterhand in de zijne nam en me onder zijn arm liet doordraaien. 'Is er iets?'

'Niets,' loog ik. 'Er is niets. Ik denk dat ik moe ben, dat is alles. We zijn vroeg opgestaan om bloemen te verzamelen, het eten voor het feest klaar te maken, de gewone dingen.'

Hij knikte goedkeurend.

'Liadan...' Hij begon iets te zeggen, maar werd onderbroken door een uitgelaten paar dat ons omver dreigde te duwen terwijl ze in wilde vaart langs tolden. Handig trok mijn danspartner me voor het gevaar weg en heel even had hij zijn beide armen om mijn middel en was mijn gezicht dicht bij het zijne.

'Liadan. Ik moet met je praten. Ik wil je iets zeggen.'

Het ogenblik was voorbij; de muziek speelde door en hij liet me weer los toen we weer terug werden getrokken in de kring.

'Nou, zeg het dan,' zei ik niet erg hoffelijk. Ik zag Niamh nergens; ze was toch nog niet naar bed gegaan? 'Wat wil je dan zeggen?'

Het bleef lang stil. We waren inmiddels voor aan de rij gekomen; hij legde zijn ene hand om mijn middel en ik legde mijn hand op zijn schouder en we maakten een paar draaien terwijl we onder een boog van gestrekte armen weer naar de andere kant van de rij dansten. Maar plotseling leek het alsof Eamonn genoeg had gekregen van het dansen. Hij bleef mijn hand vasthouden en trok me naar de rand van de kring.

'Niet hier,' zei hij. 'Dit is niet de geschikte tijd en ook niet de geschikte plaats. Morgen. Ik wil je alleen spreken.'

'Maar...'

Ik voelde zijn handen op mijn schouders, heel even, terwijl hij de omslagdoek om me heen sloeg. Hij was heel dichtbij. Iets in mij liet een soort waarschuwing horen, maar ik begreep het nog niet. 'Morgenochtend,' zei hij. 'Je gaat vroeg in de tuin werken, hè? Ik zal daar bij je komen. Ik dank je voor de dans, Liadan. Misschien moet je het oordeel over je vaardigheden maar aan mij overlaten.' Ik keek naar hem op en probeerde erachter te komen wat hij bedoelde, maar zijn gezicht verried niets. Toen werd hij door iemand geroepen, en met een kort knikje verdween hij.

Ik werkte de volgende ochtend in de tuin, want het was goed weer. Het was nog wel koud, maar er was altijd meer dan genoeg te doen aan de bedden met kruiden of in de distilleerkamer. Mijn moeder kwam niet naar buiten om ook in de tuin te werken, en dat was niet gewoon. Misschien, dacht ik, was ze moe na de feestelijkheden. Ik wiedde, maakte schoon en veegde de vloer, en ik maakte een aftreksel van klein hoefblad om later mee te nemen naar het dorp; ook maakte ik bundels van kruiden om ze te laten drogen. Het was een drukke morgen. Ik vergat de hele Eamonn tot mijn vader tegen de middag de distilleerkamer binnenkwam; hij trok zijn hoofd in voor de lateibalk en ging zitten op de brede vensterbank, met zijn lange benen voor zich uitgestrekt. Hij was ook aan het werk geweest en had zijn laarzen voor buiten nog niet uitgetrokken; er zaten flinke kluiten versgeploegde aarde aan. Maar die waren zo weer op te vegen.

'Heb je het druk?' vroeg hij, terwijl hij keek naar de ordelijke bossen drogende kruiden, de flessen die klaar stonden om weggebracht te worden en de gereedschappen voor mijn handwerk die nog op de werkbank lagen.

'Druk genoeg,' zei ik, en ik bukte me om mijn handen te wassen in de emmer die ik bij de buitendeur had staan. 'Ik heb moeder vandaag gemist. Rustte ze nog?'

Er verscheen een kleine frons op zijn gezicht. 'Ze is vroeg opgestaan. Ze heeft eerst met Conor gepraat. Later ook met Liam. Maar ze moet wel rusten.'

Ik borg de messen, de vijzel en stamper, de schepjes en het twijndraad op in de kast waar ze hoorden. 'Dat doet ze niet,' zei ik. 'Dat weet u ook wel. Zo is het altijd wanneer Conor er is. Het is alsof ze nooit genoeg tijd hebben, omdat er altijd zoveel te bespreken is. Alsof ze de jaren die ze verloren hebben nooit in kunnen halen.'

Vader knikte, maar hij zei niets. Ik haalde de gierstbezem te voorschijn en begon te vegen.

'Ik ga straks wel naar het dorp,' zei ik tegen hem. 'Dan hoeft zij dat niet te doen. Misschien probeert ze wel te slapen als u het tegen haar zegt.'

Iubdans ene mondhoek trok wat omhoog tot een scheve glimlach. 'Ik zeg nooit tegen je moeder wat ze moet doen,' zei hij. 'Dat weet je toch.'

Ik grijnsde hem toe. 'Nou, dan zeg ik het wel tegen haar. De druïden blijven hier een paar dagen. Ze heeft tijd genoeg om te praten.'

'Dat doet me ergens aan denken,' zei vader, en hij hield zijn gelaarsde voeten omhoog terwijl ik de vloer eronder veegde. Toen hij ze weer neerzette, regende het weer aarde op de vloerstenen. 'Ik moest een boodschap aan je overbrengen.'

'O?'

'Van Eamonn. Hij vroeg me je te zeggen dat hij een dringende oproep heeft gekregen om naar huis te komen. Hij is vanmorgen heel vroeg vertrokken, te vroeg om met goed fatsoen naar je toe te gaan om met je te praten, zo zei hij het. Hij zei dat ik moest zeggen dat hij met je zou praten wanneer hij terugkwam. Begrijp jij wat hij bedoelt?'

'Niet erg,' zei ik, terwijl ik het laatste beetje vuil de deur uit- en het trapje afveegde. 'Hij heeft nooit gezegd waar het over ging. Waarom is hij weggeroepen? Wat was er zo dringend? Is Aisling ook meegegaan?'

'Aisling is nog hier; zij is veiliger onder onze bescherming. Het was een kwestie die leiderschap en snelle beslissingen vereiste. Hij heeft zijn grootvader meegenomen en diegenen van zijn mannen die in staat waren om op een paard te rijden. Ik heb begrepen dat er een nieuwe aanval is gedaan op zijn grensposities. Maar door wie, dat schijnt niemand zeker te weten. Een vijand die ongemerkt kwam en zonder mededogen doodde, even doeltreffend als een roofvogel, zo werd het beschreven. De man die het verhaal kwam brengen, leek bijna gek van angst. Ik neem aan dat we er meer over zullen horen wanneer Eamonn terugkomt.'

We gingen naar buiten, de tuin in. In dit koude jaargetijde was de lente nog niet veel meer dan een gedachte; kleine, iele sprietjes die uit de harde grond kwamen, een vermoeden van zwellende knoppen aan de takken van de jonge eik. Wormkruid en lavendel vormden een grijsgroene bekleding van de oude bank. Het rook koel en fris. Alle stenen paden waren schoongeveegd, en de kruidenbedden lagen er netjes bij onder hun mulchlaag van stro.

'Kom even bij me zitten, Liadan,' zei mijn vader. 'Ze hebben ons nog niet nodig. Het zal nog moeilijk genoeg worden je moeder en haar broers over te halen binnen te komen om wat te eten en te drinken. Ik wil je iets vragen.'

'U ook al?' zei ik terwijl we samen op de stenen bank gingen zitten. 'Het lijkt wel of iedereen me iets wil vragen.'

'Mijn vraag is meer algemeen. Heb je al eens aan een huwelijk gedacht? Aan je toekomst?'

Dit had ik niet verwacht.

'Niet echt. Ik denk... ik denk dat ik, als jongste dochter, hoopte dat ik nog een paar jaar thuis zou kunnen blijven,' zei ik. Ik had het plotseling koud. 'Ik heb geen haast om van Zeven Wateren weg te gaan. Misschien... misschien dacht ik dat ik hier wel zou kunnen blijven, weet u, om voor mijn ouders te zorgen als ze oud en zwak zijn. Dat ik misschien helemaal geen man hoef te hebben. Niamh en Sean zullen immers allebei een goed huwelijk doen, een sterk verbond sluiten. Moet ik dan ook trouwen?'

Vader keek me recht in de ogen. Zijn ogen waren licht, maar heel intens blauw; hij probeerde erachter te komen hoeveel van wat ik gezegd had ernstig bedoeld was en hoeveel als grap.

'Je weet dat ik je dolgraag hier bij ons zou houden, liefje,' zei hij langzaam. 'Afscheid van je nemen zou me zwaar vallen. Maar er zullen aanzoeken komen. Ik zou niet willen dat je mogelijkheden uitsluit vanwege ons.'

Ik fronste mijn voorhoofd. 'Misschien kunnen we het een tijdje laten rusten. Niamh zal tenslotte als eerste trouwen. Er zullen vast geen aanzoeken komen tot dat achter de rug is.' Mijn geest vormde zich een beeld van mijn zus, gloeiend en goudglanzend in haar blauwe jurk bij het vuur, schuddend met haar glanzende haar, omringd door knappe jongemannen. 'Niamh moet echt het eerst trouwen,' zei ik beslist. Ik had het gevoel dat dit belangrijk was, maar ik kon hem niet zeggen waarom.

Er viel een stilte, alsof hij wachtte tot ik een of ander verband zou leggen dat me ontging.

'Waarom zeg je dat? Dat er geen aanzoeken voor jou zullen komen tot je zuster getrouwd is?'

Dit begon moeilijk te worden, moeilijker dan het had moeten zijn, want mijn vader en ik hadden een goed contact en spraken altijd open en eerlijk met elkaar.

'Welke man vraagt nu om mijn hand, wanneer hij Niamh kan krijgen?' vroeg ik. Er lag absoluut geen afgunst besloten in mijn vraag. Het leek me gewoon zo logisch dat ik nauwelijks kon geloven dat hij dat zelf niet had bedacht.

Mijn vader trok zijn wenkbrauwen op. 'Als Eamonn jou een huwelijksaanzoek doet, moet je die vraag misschien aan hem stellen,' zei hij zacht. Er lag iets van spot in zijn stem.

Ik was verbijsterd. 'Eamonn? Mij een aanzoek doen? Dat denk ik niet. Hij is toch voor Niamh bestemd? U vergist zich, dat weet ik haast zeker.' Maar in mijn achterhoofd speelde de gebeurtenis van gisteravond zich weer af, hoe hij tegen me had gesproken, hoe we samen hadden gedanst, en er was een spoor van twijfel gezaaid. Ik schudde mijn hoofd; ik wilde niet geloven dat dit mogelijk was. 'Het zou niet juist zijn, vader. Eamonn moet met Niamh trouwen. Dat is wat iedereen verwacht. En... en Niamh heeft iemand als Eamonn nodig. Een man die... die haar ferm aanpakt, maar ook rechtvaardig is. Niamh moet het zijn.' Toen bedacht ik tot mijn opluchting nog iets. 'Bovendien,' zei ik, 'zou Eamonn nooit zoiets aan een meisje vragen zonder eerst toestemming aan haar vader te vragen. Hij wilde vanmorgen vroeg met me spreken. Het ging vast over iets anders.'

'En als ik je nou vertelde,' zei Iubdan behoedzaam, 'dat je jonge vriend vanmorgen ook een ontmoeting met mij had afgesproken? Hij werd alleen verhinderd die afspraak na te komen doordat hij plotseling naar huis werd geroepen om zijn grens te verdedigen.'

Ik zweeg.

'Wat voor soort man zou je voor jezelf kiezen, Liadan?' vroeg hij.

'Een man die betrouwbaar is en zijn principes niet verloochent,' antwoordde ik onmiddellijk. 'Een man die onbevreesd zegt wat hij op het hart heeft. Een man die zowel een vriend kan zijn als een echtgenoot. Daar zou ik tevreden mee zijn.'

'Zou je met een lelijke oude man zonder een grein zilver op zak trouwen als hij aan jouw beschrijving voldeed?' vroeg mijn vader geamuseerd. 'Je bent een wonderlijke jonge vrouw, dochter.'

'Ik zal eerlijk zijn,' zei ik droog. 'Als hij daarbij nog jong, knap en rijk was, zou ik dat zeker waarderen. Maar die dingen zijn minder belangrijk. Als ik het geluk zou hebben... als ik zo fortuinlijk zou zijn uit liefde te trouwen, zoals u en moeder... maar dat is niet waarschijnlijk, dat weet ik wel.' Ik dacht aan mijn broer en Aisling, die samen in een eigen betoverde cirkel dansten. Het was te veel om zoiets ook voor mezelf te verwachten.

'Het brengt een ongeëvenaarde tevredenheid met zich mee,' zei Iubdan zacht. 'En tevens een angst die toeslaat wanneer je er het minst op bedacht bent. Wanneer je zo liefhebt, ben je afhankelijk van de fortuin. Het wordt steeds moeilijker te accepteren wat het noodlot brengt. Tot nu toe hebben we geluk gehad.'

Ik knikte. Ik wist waar hij het over had. Het was iets waarover we niet openlijk spraken; nog niet.

We stonden op en liepen langzaam door de tuinpoort naar buiten en over het pad naar de grote binnenplaats. Een eind verderop zag ik in de beschutting van een hoge sleedoornhaag mijn moeder zitten op een lage stenen muur, een klein, tenger figuurtje met een bleek gezicht, omlijst door een massa donkere krullen. Liam stond naast haar met zijn ene gelaarsde voet op de muur terwijl hij met zijn elleboog op zijn knie leunde. Hij legde haar met spaarzame gebaren iets uit. Aan haar andere kant zat Conor, roerloos in zijn witte gewaad, aandachtig te luisteren. We lieten hen met rust.

'Ik denk dat je zult merken of ik gelijk heb wanneer Eamonn terugkomt,' zei mijn vader. 'Hij is zeker een heel geschikte partij voor je zus, of voor jouzelf. Je zou er in de tussentijd tenminste je gedachten over kunnen laten gaan.'

Ik antwoordde niet.

'Je moet begrijpen dat ik je nooit een beslissing zou afdwingen, Liadan, en je moeder ook niet. Wanneer je een echtgenoot neemt, zul je hem zelf kiezen. Wij willen je alleen vragen erover na te denken, je erop voor te bereiden, en elk aanzoek dat gedaan wordt in overweging te nemen. We weten dat je een verstandige keus zult doen.'

'Maar Liam dan? U weet wat hij zou willen. Het gaat om ons grondgebied en om de sterkte van onze bondgenootschappen.'

'Je bent de dochter van je moeder en van mij, niet van Liam,' zei mijn vader. 'Hij zal al heel tevreden zijn omdat Sean precies de vrouw heeft gekozen die Liam voor hem had gewild. Jouw keuze zal je eigen keuze zijn, kleintje.'

Ik kreeg op dat moment een heel vreemd gevoel. Het was net alsof een onhoorbare stem fluisterde: *deze woorden zullen hem later door het hoofd komen spoken.* Een koud, donker gevoel. Het was in een oogwenk voorbij en toen ik naar vader keek, was zijn gezicht kalm en rustig. Wat het ook was, hij had het niet gehoord.

De druïden bleven een aantal dagen op Zeven Wateren. Conor voerde lange gesprekken met zijn zuster en zijn broer, en soms zag ik hem ook alleen met mijn moeder en stonden ze of zaten ze bij elkaar zonder iets te zeggen. Dan communiceerden ze stilzwijgend met de taal van de geest en was het niet duidelijk wat ertussen hen voorviel. Zo had ze vroeger gesproken met Finbar, de broer die haar het naast aan het hart lag. Hij was na jaren van afwezigheid teruggekomen met een zwanenvleugel in plaats van een arm en met een geest die niet helemaal in orde was. Zij had met hem net zo'n band gehad als ik met Sean. Ik kende het verdriet en de vreugde van mijn broer zonder woorden nodig te hebben. Hoe ver hij ook weg was, ik kon hem altijd bereiken met een boodschap die niemand ooit zou horen behalve hij. Daarom begreep ik hoe het voor mijn moeder, voor Sorcha, moest zijn om die ander verloren te hebben, degene die zo dicht bij haar was dat hij bijna een deel was van haarzelf. Want, zo luidde het verhaal, Finbar kon nooit meer helemaal een mens worden. Toen hij terugkwam, was er een deel van hem dat nog wild was, afgestemd op de behoeften en instincten van een wezen van de wijde hemel en de bodemloze diepte. En daarom was hij gewoon op een nacht naar de oever van het meer gelopen en doorgelopen, de koude omhelzing van het water in. Zijn lichaam was nooit gevonden, maar het leed geen twijfel, zeiden de mensen, dat hij die nacht was verdronken. Want hoe zou zo'n wezen nou kunnen zwemmen, met de rechterarm van een jongeman en aan de linkerkant een zich spreidende, witgevederde vleugel?

Ik begreep het verdriet van mijn moeder, de lege plek die ze ook na al die tijd nog vanbinnen moest voelen, al sprak ze nooit over deze dingen, zelfs niet met Iubdan. Maar ik was ervan overtuigd dat ze haar verdriet met Conor deelde tijdens die lange perioden dat ze samen zwegen. Ik vermoedde dat ze hun gave gebruikten om elkaar kracht te geven, alsof hun verdriet iets gemakkelijker te dragen werd door het met elkaar te delen.

Wanneer het werk van de dag gedaan was, kwam het hele huishouden altijd bijeen voor het avondmaal, en na het eten werd er gezongen en gedronken en werden er verhalen verteld. Onze familie stond bekend om haar getalenteerde verhalenvertellers, een gave die in de wijde omtrek bekend was en gewaardeerd werd. Mijn moeder was de beste van ons allemaal; zij wist de woorden zo te hanteren dat ze je een tijdlang deze wereld kon doen vergeten en je meevoerde in een andere. Maar de anderen wisten ook aardig weg met woorden. Conor was een fantastische verhalenverteller. Zelfs Liam droeg af en toe een of ander heldenverhaal bij, vol met precieze beschrijvingen van veldslagen en technische bijzonderheden van het gewapende en het ongewapende gevecht. Deze verhalen hadden een enthousiaste aanhang bij de mannen. Iubdan vertelde nooit een verhaal, zoals ik al zei, maar hij luisterde aandachtig. Daardoor werden de mensen er weer aan herinnerd dat hij een Brit was, maar hij werd toch gerespecteerd om zijn rechtvaardigheid, zijn edelmoedigheid en bovenal omdat hij hard kon werken, en dus namen ze hem zijn afkomst niet kwalijk.

Maar op de avond van Imbolc was het geen lid van ons huishouden dat het verhaal vertelde. Mijn moeder werd gevraagd een verhaal te vertellen, maar ze excuseerde zich.

'Met zulk geleerd gezelschap in ons midden,' zei ze vriendelijk, 'moet ik vanavond beleefd weigeren. Conor, we weten hoe goed jouw slag voor zo'n taak berekend is. Misschien wil jij ons plezieren met een verhaal voor Brighidsdag?'

Toen ik naar haar keek, vond ik dat ze er nog steeds vermoeid uitzag, met een vage schaduw om de lichtende groene ogen. Ze was altijd bleek, maar vanavond had haar huid iets doorschijnends dat me een ongerust gevoel gaf. Ze zat naast Iubdan op een houten bank en haar kleine hand was opgeslokt door zijn grote hand. Zijn andere arm lag om haar schouders en ze zat tegen hem aangeleund. Weer kwamen de woorden tot me: *laat hen dit behouden*, en ik kromp ineen. Ik zei streng tegen mezelf dat ik met deze onzin moest ophouden. Wat dacht ik dat ik was, een zieneres soms? Eerder gewoon een meisje met een aanval van zwaarmoedigheid.

'Dank je,' zei Conor ernstig, maar hij stond niet op. In plaats daarvan keek hij naar de andere kant van de zaal en gaf een haast onmerkbaar knikje. En dus was het de jonge druïde, degene die de vorige avond de toorts had gedragen om onze haardvuren opnieuw aan te steken, die naar voren kwam en zich gereedmaakte om ons te onderhouden. Hij was beslist een goedgebouwde jonge kerel, lang en recht van rug, zoals een druïde betaamde. Zijn krullende haar was niet zo vurig rood als dat van mijn vader en Niamh, maar had een diepere tint, de kleur in de kern van een winterse zonsondergang. En zijn ogen waren donker, zo donker als rijpe moerbeien, en de uitdrukking erin was moeilijk te lezen. Hij had een kloofje in zijn kin en twee ondeugende kuiltjes in zijn wangen, als hij ze toestond zichtbaar te worden. Het is maar goed, dacht ik, dat hij tot de broederschap behoort. Anders zou de helft van de jonge meisjes van Zeven Wateren om hem vechten. Ik heb zo'n gevoel dat hij dat wel leuk zou vinden.

'Welk verhaal is beter geschikt voor Imbolc,' begon de jonge druïde, 'dan dat van Aengus Óg en de schone Caer Ibormeith? Een verhaal over liefde, en mysterie, en transformatie. Als u het goedvindt, zal ik vanavond dit verhaal vertellen.'

Ik had verwacht dat hij misschien zenuwachtig zou zijn, maar zijn stem was krachtig en vast. Ik nam aan dat dat te danken was aan lange jaren van afzondering en studie. Het duurt lange tijd om te leren wat een druïde moet weten, en er zijn geen boeken om je te helpen. Vanuit mijn ooghoek zag ik dat Liam naar Sorcha keek met een ietwat gefronst voorhoofd en een vraag in zijn ogen. Ze knikte even, als om te zeggen: het geeft niet, laat hem maar doorgaan. Want dit verhaal was een verhaal dat wij hier op Zeven Wateren niet vertelden. Het kwam te dichtbij. Ik vermoedde dat deze jongeman weinig van onze geschiedenis af wist, anders zou hij het nooit gekozen hebben. Conor had vast niet geweten dat hij dit van plan was, anders zou hij hem tactvol hebben aangeraden een ander verhaal te nemen. Maar Conor zat rustig naast zijn zuster en scheen zich er niet aan te storen.

'Zelfs een zoon van Túatha Dé Danann,' begon de jongeman, 'kan ziek worden van liefde. Zo gebeurde het met Aengus. Hij was jong, sterk en knap en had al een zekere naam als krijger, dus zou men niet verwachten dat hij zo gemakkelijk door de knieën zou gaan. Maar toen hij op een middag op de hertenjacht was, werd hij plotseling bevangen door een diepe vermoeidheid en hij legde zich te slapen op het gras in de schaduw van een groep taxusbomen. Hij viel onmiddellijk in slaap en in zijn slaap droomde hij. O, wat droomde hij. In zijn droom verscheen zij: een vrouw zo schoon dat de sterren aan de hemel bij haar verbleekten. Een vrouw van hartverscheurende schoonheid. Hij zag haar blootsvoets lopen langs een verre kust, lang en recht van gestalte, met borsten die zich zo blank als maanlicht op sneeuw welfden boven de donkere plooien van haar jurk, met haar dat glansde als licht op beukenblad in de herfst, als het stralende rood-goud van gepolijst koper. Hij zag haar bewegingen, de lieflijke bekoorlijkheid van haar lichaam, en toen hij wakker werd, wist hij dat hij haar moest hebben, anders zou hij sterven.'

Dit klonk volgens mij veel te persoonlijk. Maar toen ik om me heen keek terwijl de verteller adem schepte, leek het alsof ik de enige was die de vorm van zijn woorden had opgemerkt. Ik en nog iemand. Sean stond naast Aisling bij het raam, en zij schenen even aandachtig te luisteren als ik, maar ik wist dat hun gedachten bij elkaar waren en dat al hun aandacht in beslag werd genomen door de manier waarop zijn hand losjes om haar middel rustte en de manier waarop haar vingers zacht zijn mouw beroerden. Iubdan keek naar de jonge druïde, maar zijn blik stond afwezig; mijn moeder had haar hoofd tegen zijn schouder gelegd en haar ogen waren gesloten. Conor zag er kalm uit, Liam afstandelijk. De rest van het huishouden luisterde beleefd. Alleen mijn zus Niamh zat als gehypnotiseerd op het puntje van haar stoel, met een diepe blos op haar wangen, en haar mooie blauwe ogen straalden geboeid. Het verhaal was voor haar bestemd, dat was wel zeker; was ik de enige die dit kon zien? Het was haast alsof hij het vermogen bezat onze reacties met zijn woorden te sturen.

'Op deze wijze leed Aengus een jaar en een dag,' vervolgde de jongeling. 'Elke nacht verscheen zij hem in visioenen, soms vlak naast zijn sponde, haar lieflijke lichaam gekleed in ragdunne witte stof. Ze was zo dichtbij dat het leek alsof hij haar met zijn hand kon aanraken. Hij verbeeldde zich, wanneer ze zich over hem heen boog, dat hij haar lange haren langs zijn naakte lichaam voelde strijken. Maar als hij zijn hand uitstak, was ze in een oogwenk verdwenen. Hij werd verteerd door verlangen naar haar, zozeer dat hij koorts kreeg en zijn vader, de Dagda, vreesde voor zijn leven, of in elk geval voor zijn verstand. Wie was zij? Bestond het meisje werkelijk of was het een wezen dat uit de diepten van Aengus' geest werd opgeroepen en dat in het leven nooit de zijne kon zijn?

Aengus was stervende; zijn lichaam brandde, zijn hart sloeg als een strijdtrom, zijn ogen brandden koortsig. Daarom riep de Dagda de hulp van de koning van Munster in. Ze zochten in het oosten en ze zochten in het westen, en langs alle wegen en weggetjes van Erin, en uiteindelijk kwamen ze de naam van het meisje te weten. Ze heette Caer Ibormeith en ze was de dochter van Eathal, een heer van de Túatha Dé, die ergens in de Andere Wereld leefde in de provincie Connacht.

Toen ze dit nieuws aan Aengus vertelden, stond hij van zijn ziekbed op en vertrok om haar te gaan zoeken. Hij maakte de lange reis naar de plek die Drakenmuil wordt genoemd. Op de verre oever van dit meer had hij voor het eerst zijn geliefde gezien. Daar wachtte hij drie dagen en drie nachten, zonder te eten of te drinken, en ten slotte kwam ze, blootsvoets lopend over het zand zoals hij haar in zijn visioen had gezien. Haar lange haren werden om haar heen geblazen door de wind die over het meer kwam, als slangen van levend vuur. Zijn begeerte dreigde hem te overmeesteren, maar het lukte hem haar beleefd tegemoet te gaan, en hij stelde zichzelf voor met zoveel kalmte als hij kon opbrengen.

Het meisje, Caer Ibormeith, droeg een zilveren halsband om haar hals, en nu zag hij dat ze met een ketting verbonden was met een ander meisje, en dat weer aan een ander, en langs het strand liepen zo driemaal vijftig jonge vrouwen, ieder met de volgende verbonden door middel van gesmede zilveren kettingen. Maar toen Aengus Caer vroeg de zijne te zijn, toen hij zijn verlangen naar haar uitsprak, verdween ze even geluidloos als ze gekomen was, en met haar alle meisjes. En van hen allen was zij de grootste en de mooiste. Zij was waarlijk de vrouw van zijn hart.'

Hij zweeg even, maar keek niet één keer in de richting van Niamh, die daar zat als een mooi standbeeld, met een blik van verwondering in haar diepblauwe ogen. Ik had haar nog nooit zo lang stil zien zitten.

'Hierna ging de Dagda naar de vader van Caer, die in Connacht woonde, en hij wenste de waarheid te weten. Hoe kon zijn zoon Aengus deze vrouw veroveren, want zonder haar zou hij zeker niet kunnen leven? Hoe was zo'n vreemd wezen te krijgen? Eathal wilde aanvankelijk zijn medewerking niet verlenen; later werd hij zodanig onder druk gezet dat hij niet kon weigeren. De schone Caer, zei haar vader, had ervoor gekozen elk tweede jaar als zwaan te leven. Vanaf Samhain zou ze haar vogelgedaante weer aannemen, en op de dag dat ze van gedaante veranderde, moest Aengus haar tot zich nemen, want op dat moment was ze het kwetsbaarst. Maar hij moest voorbereid zijn, waarschuwde Eathal. Om haar te veroveren zou hij een prijs moeten betalen.

Het gebeurde zoals Eathal had gezegd. Op de vooravond van Samhain reisde Aengus terug naar de Drakenmuil, en daar zag hij op het strand driemaal vijftig prachtige zwanen, elk met een halsband van gesmeed zilver. Driemaal vijftig plus één, want hij wist dat de zwaan met de fierste pluimage en de langste, sierlijkste hals zijn mooie Caer Ibormeith was. Aengus ging naar haar toe en viel voor haar op zijn knieën, en zij legde haar hals over zijn schouder en hief haar brede vleugels. Op dat moment voelde hij dat hij veranderde. Een rilling voer door zijn lichaam, van de punten van zijn tenen tot aan het haar op zijn hoofd, van zijn pink tot zijn kloppend hart. En toen zag hij zijn huid veranderen en glanzen, en uit zijn armen zag hij sneeuwwitte veren groeien, en zijn gezichtsvermogen werd helder en verziend, en hij wist dat hij nu ook een zwaan was.

Ze vlogen driemaal om het meer, zingend van vreugde, en die zang was zo lieflijk dat mijlen in de omtrek allen erdoor in vredige slaap werden gesust. Daarna keerden Caer Ibormeith en Aengus terug naar huis, en of ze in de gedaante van man en vrouw of als twee zwanen gingen, is uit de verhalen niet duidelijk. Maar ze zeggen wel dat als je op Samhainavond naar Loch Béal Dragan reist en bij avondschemer heel stil op het strand gaat staan, je het geluid van hun roepende stemmen kunt horen, ver in het donker boven het meer. Wanneer je dat lied eenmaal hebt gehoord, zul je het nooit vergeten, zolang je leeft.'

Het stilzwijgen dat volgde, was een teken van respect dat alleen aan de beste verhalenvertellers werd gegund. Hij had zijn verhaal zeker kundig verteld, bijna even goed als iemand van onze eigen familie het had kunnen doen. Ik keek niet naar Niamh. Ik hoopte maar dat haar rode wangen geen ongewenste aandacht zouden trekken. Uiteindelijk was het mijn moeder die iets zei.

'Kom naar voren, jongeman,' zei ze zacht, en ze stond op, maar haar hand lag nog steeds in die van mijn vader. De jonge druïde deed een paar stappen naar voren, met een iets bleker gezicht dan zo-even. Misschien was dit, ook al deed hij zich zelfverzekerd voor, toch een beproeving voor hem geweest. Hij was er jong genoeg voor, amper twintig, dacht ik.

'Je vertelt je verhaal met geestdrift en verbeeldingskracht. Dank je voor de aangename avond die je ons hebt bereid.' Ze lachte hem vriendelijk toe, maar ik zag dat ze Iubdans vingers achter haar rug stevig vasthield, als om er steun aan te hebben.

De jongeman boog even het hoofd. 'Dank u, vrouwe. Ik stel het zeer op prijs lof te ontvangen van een zo befaamd verhalenverteller als u. Ik dank mijn vertelkunst aan de best denkbare leraar.' Hij keek even naar Conor.

'Hoe is je naam, jongen?' Dit was Liam, vanaf de andere kant van de zaal, waar hij temidden van zijn mannen zat. De jongen wendde zich tot hem.

'Ciarán, heer.'

Liam knikte. 'Je bent welkom in mijn huis, Ciarán, altijd wanneer het mijn broer belieft je hierheen mee te nemen. Wij hechten grote waarde aan onze verhalen en onze muziek, die ooit nagenoeg verdwenen waren uit deze zalen. En ook de hele broederschap en zusterschap die ons vanavond, op Brighidsavond, met hun gezelschap verblijden, zijn altijd van harte welkom. En nu, wie wil er op harp of fluit spelen, of voor ons een mooi lied zingen over gewonnen en verloren veldslagen?'

Ik had de indruk dat mijn oom, als meesterlijk tacticus, hen met opzet op veiliger terrein bracht. De jongeman Ciarán werd weer opgenomen in de groep mensen in grijze gewaden die rustig in een hoek bij elkaar zaten. En met het rondgeven van kruiken mede en het opklinken van fluiten en vedel werd de avond in volmaakte harmonie voortgezet.

Na een poos zei ik tegen mezelf dat ik niet zo raar moest doen. Mijn verbeelding was met me op de loop gegaan, meer was het niet. Het was heel natuurlijk dat Niamh koketteerde, ze deed dat zonder erbij na te denken. Ze bedoelde er niets mee. Nu zat ze te lachen en grappen te maken met een stel jonge krijgers van Liam. En wat dat verhaal aanging, het was niet ongebruikelijk om de beschrijving van een held, of van een vrouwe, te baseren op iemand die je kende. Een jongen die was opgegroeid in de heilige bossen, ver van de zalen waar heer en hoofdman zetelden, zou natuurlijk weinig hebben om op af te gaan wanneer hij over een weergaloze schoonheid moest spreken. Dan was het dus niet vreemd dat hij de mooie dochter des huizes als voorbeeld nam. Heel onschuldig. Ik was dom. De druïden zouden teruggaan naar hun woud en Eamonn zou hier terugkomen en met Niamh trouwen, en alles zou zijn zoals het hoorde te zijn. Zoals het onafwendbaar moest zijn. Ik had mezelf bijna overtuigd toen het tegen middernacht liep en we ons gereedmaakten om ons terug te trekken en naar bed te gaan. Bijna. Toen ik met de kaars in mijn hand bij de trap aankwam, keek ik toevallig de zaal in en keek recht in de ogen van mijn oom Conor. Hij stond stil temidden van een groep mensen die praatten en lachten en hun kaars aanstaken aan de lamp. Hij stond zo stil dat hij van steen had kunnen zijn, behalve zijn ogen.

Onthoud dit, Liadan. Het ontvouwt zich zoals het moet gaan. Volg je weg met moed. Dat is het enige wat we kunnen doen.

Maar – maar...

Hij was al doorgelopen en ik kon zijn gedachten niet meer opvangen. Maar ik zag dat Sean zijn hoofd plotseling in mijn richting draaide, omdat hij mijn verwarring voelde zonder het te begrijpen. Het was te veel. Naamloze gevoelens van het kwade; plotselinge rillingen; cryptische waarschuwingen van de geest. Ik had behoefte aan mijn stille kamer, aan een slok water, aan een goede nachtrust. Eenvoudige, veilige dingen. Ik greep mijn blaker stevig vast, nam mijn rokken op en liep de trap op om naar bed te gaan.

HOOFDSTUK TWEE

Het is best lastig om een tinctuur van stinkende gouwe te maken. De methode is eigenlijk heel eenvoudig; het probleem is om de hoeveelheden precies goed te krijgen. Mijn moeder liet me zien hoe het moest op beide manieren, met verse en met gedroogde blaadjes. Haar kleine, vaardige handen stampten de droge blaadjes fijn in de vijzel, terwijl ik het vers geplukte blad in stukjes scheurde, in een ondiepe kom deed en er een beetje van hetzelfde kostbare brouwsel bij goot dat Conor had gebruikt om de zegen van Brighid over onze velden af te roepen, tot het net bedekt was. Ik volgde mijn moeders aanwijzingen op en was blij dat ik niet tot de mensen behoorde die last kregen van pijnlijke zwellingen van de huid wanneer ze met dit kruid werkten. De handen van mijn moeder waren slank, glad en blank, ook al werkte ze dagelijks in de distilleerkamer. Het enige sieraad dat ze droeg, was de ring die haar man voor haar had gesneden, vele lange jaren geleden. Vandaag had ze een oude jurk aan die ooit blauw was geweest, en haar lange haar was met een eenvoudige reep linnen naar achteren gebonden. Deze jurk, deze ring en deze handen hadden elk hun eigen verhaal, en mijn gedachten waren daarmee bezig terwijl ik mijn kom vulde met kruiden die moesten trekken.

'Goed,' zei moeder die keek naar wat ik deed. 'Ik wil dat je dit goed leert, zodat je het even goed kunt met andere grondstoffen. Deze tinctuur zal de meeste maagkwalen verlichten, maar ze is heel sterk. Je mag haar maar één keer bij je patiënt gebruiken, anders is het middel erger dan de kwaal. Leg nu die mousselinen doek over je kom en zet hem netjes weg. Ja, zo. Laat het zo een-entwintig nachten staan, zeef dan de vloeistof en bewaar hem in het donker, stevig afgesloten met een kurk. Zo blijft de tinctuur enkele maanden goed. Hiermee kom je de winter wel door.'

'Ga toch even zitten, moeder.' De pot stond te koken op het vuurtje; ik pakte twee aardewerken kommen en opende potten met gedroogde blaadjes.

'Je verwent me, Liadan,' zei ze met een glimlach, maar ze ging wel zitten, een tengere figuur in haar oude werkjurk. Zonlicht stroomde naar binnen door het raam achter haar, zodat ik kon zien hoe bleek ze was. In het sterke licht kon je nog sporen van verbleekt borduursel bij de halsopening en de zoom van haar jurk zien. Klimopbladeren, bloemetjes, hier en daar een klein, gevleugeld insect. Ik goot voorzichtig heet water in de twee kommen.

'Is dit een nieuw mengsel?'

'Ja,' zei ik, terwijl ik begon de messen, kommen en gereedschappen die we hadden gebruikt, schoon te maken en weg te bergen. 'Ik ben benieuwd of u me kunt zeggen wat erin zit.' De geur van de kruidendrank begon zich in de koele, droge lucht van de distilleerkamer te verspreiden.

Moeder snoof aandachtig. 'Ik ruik brunel, de gedroogde bloemetjes dan; er zit helmkruid in, misschien ook een snuifje sint-janskruid, en... guldentak?'

Ik pakte een pot met onze beste honing en lepelde een beetje in elke kom. 'U bent de kunst beslist nog niet verleerd,' zei ik. 'Maar u hoeft zich niet ongerust te maken. Ik weet hoe ik dat kruid moet verzamelen, en ook hoe ik het moet gebruiken.'

'Een sterke combinatie, dochter.'

Ik keek haar snel aan en ze keek me recht in de ogen.

'Je weet het, hè?' zei ze zacht.

Ik knikte; spreken was onmogelijk. Ik zette een kom met de geneeskrachtige thee op de stenen vensterbank naast haar en ik zette mijn eigen kom bij de plek waar ik bezig was.

'Je hebt de kruiden goed gekozen. Maar het is te laat; zo'n geneesmiddel geeft maar even respijt. Dat weet je ook.' Ze nam een teugje van de thee, trok een vies gezicht en glimlachte even. 'Het is een bitter drankje.'

'Bitter is het zeker,' zei ik terwijl ik van mijn eigen thee dronk, waar alleen pepermunt in zat. Het lukte me nog net om mijn stem te beheersen.

'Ik zie wel dat we je goed hebben opgevoed, Liadan,' zei mijn moeder, terwijl ze me nauwlettend opnam. 'Je hebt mijn gave als genezeres en je vaders talent voor liefde. Hij verzamelt alle mensen om zich heen onder zijn beschermende schaduw, als een grote boom in het bos. Ik zie diezelfde kracht in jou, dochter.'

Ditmaal probeerde ik maar niet te spreken.

'Het zal zwaar zijn voor hem,' ging ze verder. 'Heel zwaar. Hij is niet een van ons, niet echt, al vergeten we dat weleens. Hij begrijpt niet dat dit geen werkelijk scheiden is, maar alleen een verder gaan, een veranderen.'

'Het rad draait en keert terug,' zei ik.

Moeder glimlachte weer. Ze had de thee bijna onaangeroerd neergezet. 'Je hebt ook iets van Conor in je,' zei ze. 'Kom eens even zitten, Liadan. Ik moet je iets zeggen.'

'U ook al?' Ik wist een waterige grijns te produceren.

'Ja, je vader heeft me verteld van Eamonn.'

'En wat vond u ervan?'

Een lichte frons plooide haar voorhoofd. 'Dat weet ik niet,' zei ze. 'Daarin kan ik je niet raden. Maar... maar ik zou willen zeggen, maak maar geen haast. Je zult hier nog een tijd nodig zijn.'

Ik vroeg niet waarom. 'Hebt u het aan vader verteld?' vroeg ik ten slotte.

Moeder zuchtte. 'Nee. Hij zal het me niet vragen, want hij weet dat mijn antwoord de waarheid zal zijn. Ik hoef het niet uit te spreken. Voor Red hoeft dat niet. Dat hij het weet blijkt uit de aanraking van zijn hand, uit de haast waarmee hij naar huis komt na het ploegen, uit de manier waarop hij naast het bed zit als hij denkt dat ik slaap, en mijn hand vasthoudt, en in het donker staart. Hij weet het.'

Ik huiverde. 'Wat wilde u me zeggen?'

'Iets wat ik nog nooit aan iemand heb verteld. Maar ik geloof dat de tijd gekomen is om het door te geven. Je bent er de laatste tijd door aangeraakt, dat heb ik in je ogen gezien. Niet alleen... niet alleen dit, maar iets groters.'

Ik hield mijn kom tussen mijn handpalmen om ze te warmen. 'Ik heb... soms krijg ik een heel vreemd gevoel. Alsof alles plotseling koud wordt, en... en dan hoor ik een stem...'

'Ga door.'

'Ik zie... ik heb een gevoel alsof er iets vreselijks aankomt. Ik kijk naar iemand en ik voel een... een soort noodlot dat op diegene rust. Conor weet het. Hij zei dat ik me niet schuldig moet voelen. Daar had ik niet bepaald veel aan.'

Moeder knikte. 'Mijn broer was ongeveer van jouw leeftijd toen hij het voor het eerst voelde. Finbar, bedoel ik. Conor herinnert zich dat. Het is een pijnlijk vermogen, een vermogen dat weinig mensen zich zouden wensen.'

'Wat is het dan?' vroeg ik huiverend. 'Is het het Gezicht? Waarom krijg ik dan geen toevallen, en krijs ik niet om daarna helemaal slap te worden, zoals Biddy O'Neill beneden bij de Crossing? Die is helderziend, ze heeft twee winters geleden de grote overstroming voorspeld, en de dood van de man die met zijn wagen van Fergals Klif is gestort. Dit is... anders.'

'Anders maar toch hetzelfde. De manier waarop het werkt, hangt af van je eigen kracht en je eigen talenten. En wat je ziet, kan ook misleidend zijn. Finbar zag het vaak goed, en hij voelde zich schuldig over het feit dat hij de dingen die zouden gebeuren niet kon tegenhouden. Maar wat zijn visioenen betekenden, was allesbehalve gemakkelijk te interpreteren. Het is een wrede gave, Liadan. En er hoort nog een tweede gave bij, die je nog niet hebt hoeven ontwikkelen.'

'Wat is dat dan?' Ik wist eigenlijk niet of ik het wel wilde weten. Was één zo'n gave, als je het al een gave mocht noemen, niet meer dan genoeg?

'Dat kan ik niet uitleggen, niet volledig. Hij heeft haar een keer op mij gebruikt. Hij en ik... hij en ik hadden samen net zo'n band als jij en Sean, een contact waardoor je van geest tot geest met elkaar kunt spreken, dat je afstemt op het meest innerlijke zelf van de ander. Finbar kon meer dan ik; in die laatste dagen lukte het hem heel goed mij buiten te houden. Er waren momenten dat ik dacht dat hij zich niet durfde blootgeven; zijn geest was diep verwond en dat wilde hij met niemand delen, zelfs niet met mij. Maar hij had ook dat andere vermogen, om de kracht van zijn geest te gebruiken om te helen. Toen ik... toen ik gekwetst was en dacht dat de wereld nooit meer goed zou worden, heeft hij... heeft hij mij met zijn geest aangeraakt, hij heeft de nare dingen uitgebannen en mijn gedachten met de zijne vastgehouden tot de nacht voorbij was. Later heeft hij datzelfde vermogen gebruikt bij mijn vader, wiens geest ernstig beschadigd was door toedoen van de tovenares, vrouwe Oonagh. Zij heeft vader drie lange jaren naar haar pijpen laten dansen, terwijl mijn broers betoverd waren. En heer Colum was geen zwakke man; hij worstelde met zijn eigen schuldgevoel en schaamte, maar toch kon hij haar niet afwijzen. Toen wij uiteindelijk thuiskwamen, herkende hij ons amper. Het kostte vele geduldige dagen en nachten om hem weer zichzelf te laten worden. Het gebruiken van dit helende vermogen eist een zware tol. Na afloop was Finbar... leeg, uitgeput. Nauwelijks zichzelf. Hij was als een man die de zwaarste beproevingen van lichaam en geest heeft ondergaan. Alleen de sterksten overleven dit.'

Ik keek haar aan met een vraag in mijn ogen.

'Jij bent sterk, Liadan. Ik kan je niet zeggen of en wanneer er een beroep op jou zal worden gedaan om deze gave te gebruiken. Misschien zal het nooit gebeuren maar het is beter als je ervan weet. Hij zou je er waarschijnlijk meer over kunnen vertellen.'

'Hij? U bedoelt... Finbar?' Nu bevonden we ons werkelijk op glad ijs.

Moeder draaide zich zo dat ze uit het raam kon kijken. 'Het is weer heel mooi aangegroeid,' zei ze. 'Het eikje dat Red voor me heeft geplant, dat eens hoog en edel zal zijn. De sering, de geneeskrachtige kruiden. De tovenares heeft ons niet kunnen vernietigen. Samen waren we te sterk voor haar.' Ze keek me weer aan. 'De toverkracht is sterk in jou, Liadan. En er is nog iets wat in jouw voordeel is.'

'Wat dan?' vroeg ik. Haar woorden waren zowel fascinerend als beangstigend.

'Hij heeft het me een keer laten zien. Finbar. Ik had hem bijna gevraagd wat de toekomst voor mij in petto had. Hij liet me een ogenblik in de tijd zien. Daar was Niamh, die over een bospad danste met haar haar als gouden vuur. Een kind met een gave voor geluk. En Sean, die achter haar aan holde om haar in te halen. Ik zag de kinderen van Red en mij. En... en er was nog een kind. Een kind dat... buitengesloten was. Aan de rand, zodat ik het niet goed kon zien. Maar jij was dat kind niet, dochter. Daar ben ik zeker van. Als jij het was geweest, zou ik het geweten hebben op het moment dat je geboren was en in mijn armen werd gelegd.'

'Maar... maar waarom was ik er niet bij? Sean en ik zijn even oud. Waarom zou ik niet ook in uw visioen voorkomen?'

'Ik had datzelfde visioen al eerder gezien,' zei mijn moeder langzaam. 'Toen ik... maar beide keren was jij er niet bij. Alleen dat andere kind, dat net buiten beeld bleef. Ik geloof dat jij op de een of andere manier buiten het patroon valt, Liadan. Als dat zo is, zou jij over een grote macht kunnen beschikken. Een gevaarlijke macht. Het zou jou de mogelijkheid geven om... dingen te veranderen. In deze visioenen werd niet voorspeld dat Seans geboorte een tweede kind zou voortbrengen. Dat maakt jou tot een apart geval. Ik heb lange tijd geloofd dat het Feeënvolk onze stappen leidt. Dat zij hun grote plannen door middel van ons realiseren. Maar jij behoort niet tot hun ontwerp. Misschien heb jij een bepaalde sleutel in handen.'

Het was te veel om te bevatten. Toch moest ik haar wel geloven, want mijn moeder vertelde altijd de waarheid, niet meer en niet minder.

'Maar dat derde kind in het visioen dan?' vroeg ik. 'Het kind aan de rand, in de schaduwen?'

'Ik heb geen idee wie dat was. Alleen... het was een kind dat elke hoop had laten varen. Dat is iets vreselijks. Waarom ik dit te zien kreeg, weet ik echt niet. Misschien zul jij het ooit te weten komen.'

Ik huiverde weer. 'Ik weet niet of ik dat wel wil.'

Moeder glimlachte en stond op. 'Deze dingen hebben de gewoonte je te overkomen, of je het nu leuk vindt of niet,' zei ze. 'Conor heeft gelijk. Het heeft geen zin je schuldig te voelen, of je zorgen te maken over wat er misschien gaat gebeuren. Zet de ene voet voor de andere en volg je weg. Dat is het enige wat we kunnen doen.'

'Hm.' Ik keek nog eens naar haar. Het klonk alsof mijn eigen weg een stuk gecompliceerder zou kunnen worden dan ik had gewild. Ik vroeg niet veel. De veiligheid en rust van Zeven Wateren, de gelegenheid om mijn vakkennis goed te gebruiken, en de warmte te ervaren van de liefde van mijn familie. Ik wist niet of ik het wel in me had om meer te doen. Ik kon mezelf niet zien als iemand die de loop van het lot zou kunnen beïnvloeden. Sean zou hartelijk lachen om dat idee, als ik het hem vertelde.

Het seizoen vorderde en Eamonn kwam niet terug. De druïden vertrokken weer en wandelden in de avondschemering met onhoorbare tred het bos in. Niamh werd ongewoon stil en nam de gewoonte aan om op het leien dak te gaan zitten, waar ze zacht neuriënd over de bomen uitstaarde naar de verte. Vaak was ze nergens te vinden, wanneer ik haar zocht om me te helpen met naaiwerk of om met me mee te gaan naar de nederzetting. 's Avonds wilde ze nooit meer praten, maar lag op haar bed met een verstolen glimlach om haar mond, tot haar oogleden dichtvielen over haar mooie ogen en ze sliep als een kind. Zelf sliep ik minder goed. We hoorden tegenstrijdige berichten uit het noorden. Eamonn vocht aan twee fronten. Hij was het gebied van zijn buurman binnengetrokken. Hij was teruggedrongen tot aan zijn binnengrens. De indringers waren Noormannen die teruggekomen waren om een kust te bestoken die we lange tijd als veilig hadden beschouwd. Ver naar het zuiden hadden ze nederzettingen, aan de monding van een grote rivier, en ze wilden hun gebied uitbreiden langs de kust en zelfs tot midden in ons eigen gebied. Het waren helemaal geen Noormannen, maar Britten. Het waren Noormannen noch Britten, maar een vreemd volk, mannen die hun identiteit op hun huid droegen in een patroon met een geheime betekenis. Mannen met gezichten als vreemde vogels, grote, woeste katten, herten en wilde zwijnen; mannen die zwijgend aanvielen en genadeloos doodden. Er was er een die een gezicht had zo zwart als de nachthemel. Het waren misschien zelfs geen mannen, maar krijgers uit de Andere Wereld. Hun wapens waren even vreemd als hun verschijning: listige pijpen waardoor een pijl met een giftige punt in de lucht kon worden geblazen; kleine, met punten bezette metalen bollen, die snel vlogen en diep insloegen. Behendig gebruik van een fijn koord. Geen zwaarden of speren, geen eerlijke wapens.
We wisten niet welke verhalen we moesten geloven, al hielden Sean en Liam de theorie over Noormannen voor de meest waarschijnlijke. Zij waren immers het best toegerust voor een snelle

aanval, gevolgd door een terugtocht, want op zee hadden ze vooralsnog hun gelijke niet; ze gebruikten zowel riemen als zeil om sneller dan de wind over het water te gaan. Misschien hadden hun gehoornde helmen aanleiding gegeven tot die vreemde verhalen. Alleen, zei Liam, vochten de Noormannen onbehouwen, met slagzwaard, knots en bijl. Verder stonden ze niet bekend om hun handigheid op bebost terrein, en verdedigden ze liever hun posities aan de kust dan zich in het binnenland te wagen. De theorie paste dus niet zo goed als we wel hadden gewild.

Toen, omstreeks de tijd dat dag en nacht even lang duurden en vader druk bezig was met zaaien, stuurde Eamonn een boodschapper om hulp te vragen, en Liam zond een legertje van dertig goedbewapende mannen naar het noorden. Sean had graag meegewild, en volgens mij was mijn oom zelf ook graag gegaan. Maar beiden werden ergens door tegengehouden. Een van de redenen was dat Aisling, die nog bij ons in huis woonde omdat ze daar veilig was, bezorgd was over de veiligheid van haar broer. Dat was genoeg om Sean voorlopig thuis te houden. Een andere reden was dat Liam het te riskant vond als een van hen beiden tegelijk met zowel Eamonn als diens grootvader aan het front zou zijn terwijl de aard van de dreiging nog niet duidelijk was. Ze zouden wachten tot ze bericht kregen van Eamonn zelf, of van Seamus. Dan hadden ze feiten en geen fantasie om op af te gaan. Dan zou het tijd zijn om te beslissen of er actie moest worden ondernomen.

Het viel me echter wel op dat ze 's avonds vaak lang en ernstig zaten te praten, en hun landkaarten bestudeerden. En Iubdan ook. Mijn vader had gezworen dat hij nooit de wapenen op zou nemen als de vijand tot zijn eigen volk zou kunnen behoren, maar Liam wist dat de echtgenoot van zijn zuster bijzonder bedreven was in het kaartlezen en in het beramen van aanval en verdediging, en maakte daar gebruik van. Ik hoorde hem zeggen dat het erg jammer was dat Padriac nog niet was teruggekomen. Na zijn laatste bezoek was hij uitgevaren om onbekende streken te zoeken en nieuwe avonturen te beleven. Dat was nu nog eens een man die een boot kon bouwen en er beter mee om kon gaan dan welke Noorman ook. En ook een man die tien verschillende oplossingen voor een probleem wist te bedenken. Maar het was nu al drie jaar geleden dat Liam zijn jongste broer voor het laatst had gezien. Na al die tijd had niemand meer veel hoop op zijn behouden terugkeer. Ik herinnerde me deze oom heel goed. Wie zou hem ook kunnen vergeten? Hij was vaak een tijdlang thuis, vol prachtige verhalen, en dan vertrok hij weer op een of andere nieuwe queeste. Hij was bruinverbrand als een noot, met zijn haar in een vlecht op zijn rug, en hij droeg drie ringen in zijn ene oor. Hij had een vreemde, veelkleurige vogel die op zijn schouder zat en beleefd aan je vroeg of je zin had in een scharreltje, schat? Ik wist dat mijn moeder net zo min geloofde dat hij dood was als ze dat van Finbar geloofde. Ik vroeg me af of ze het wist. Ik vroeg me af of ik het zou weten als Sean ten strijde trok en de dood vond doordat een vreemdeling hem aan het zwaard geregen had. Zou ik dat in mijn eigen hart voelen, het moment dat het bloed tot stilstand komt in de aderen, dat de adem stokt en er een waas voor de ogen trekt, terwijl ze zonder iets te zien naar de wijde hemel opkijken?

Het was helemaal niet mijn bedoeling Niamh te bespioneren. Wat mijn zus in haar vrije tijd deed, moest ze zelf weten. Ik maakte me alleen zorgen. Ze was zo anders dan anders, zo stil en teruggetrokken, en zo vaak alleen. Zelfs Aisling zei er iets over, heel aardig.
'Niamh lijkt zo stil,' zei ze op een middag toen wij tweeën naar de velden liepen die hoger op de helling achter het huis lagen, om paardenbloemen te plukken waar we een drank van zouden brouwen. In sommige huishoudens vond men het ongepast als de dochters van de heer dat soort handarbeid verrichtten; daar werd dit soort werk overgelaten aan de bedienden. Maar op Zeven Wateren was dat nooit zo geweest, tenminste niet voor zover ik me kon herinneren. Hier werkte iedereen. Natuurlijk deden Janis en haar vrouwen het zwaardere werk; zij tilden de reusachtige ijzeren stoofpot, schrobden de vloeren en slachtten de kippen. Maar Niamh en ik hadden beiden onze dagelijkse werkjes en onze seizoentaken, waar we ons kundig van kweten. Hiermee volgden we het voorbeeld van onze ouders, want Sorcha was meestal de hele dag bezig, hetzij in de distilleerkamer, hetzij in het dorp, waar ze de zieken verzorgde, en mijn vader, die vroeger heer van Har-

rowfield was geweest, vond het niet bezwaarlijk zelf te hand ploegen als de situatie dat vereiste. Niamh en ik zouden goede echtgenotes worden; we zouden goed in staat zijn leiding te geven aan het huishoudelijke werk in het huis van onze echtgenoot. Hoe kun je ook een goede meesteres zijn als je niets weet van het werk dat je mensen moeten doen? Hoe het Niamh lukte haar vaardigheden te verwerven, weet ik eigenlijk niet, want ze bleef nooit lang ergens mee bezig. Maar ze was een slim meisje, en als ze iets vergat, duurde het niet lang of ze had Janis of mij of iemand anders overgehaald haar te helpen.

Maar nu we paardenbloemen gingen plukken, was ze er niet. Aisling plukte de bloemen zorgvuldig en hield af en toe op om haar weerbarstige rosse krullen terug te stoppen onder de haarband waar ze onderuit wilden komen. Nu het warmer weer was, was haar neus licht bespikkeld met sproeten.

'Zorg er wel voor dat er genoeg planten blijven staan om zaad te maken,' waarschuwde ik.

'Ja, moeder,' grinnikte Aisling terwijl ze nog een paar gele bloemen in haar tenen mand deed. Zij was altijd bereid om mee te helpen met dit soort werkjes. Misschien dacht ze dat ze zo een goede vrouw voor Sean zou worden. Ik had haar kunnen vertellen dat die kant van de zaak voor hem helemaal niets uitmaakte. Mijn broer had zijn besluit allang genomen.

'Maar echt, Liadan, denk je dat Niamh wel helemaal in orde is? Ik vroeg me af of... nou ja, of het soms iets met Eamonn te maken heeft.'

'Met Eamonn?' herhaalde ik sullig.

'Nou ja,' zei Aisling nadenkend, 'hij is nu al een hele tijd weg en niemand hier weet wat er gebeurd is. Ik weet niet precies hoe het ervoor staat tussen die twee, maar ik dacht dat ze zich misschien zorgen maakt over hem. Ik maak me in elk geval wel zorgen.'

Ik omhelsde haar om haar gerust te stellen. 'Ik ben ervan overtuigd dat dat niet nodig is. Als iemand op zichzelf kan passen, is het Eamonn wel. Binnenkort komt je broer in levenden lijve aanrijden, vast en zeker als overwinnaar.' En ik wil er een lief ding om verwedden, zei ik bij mezelf, dat mijn zus niet over hem piekert, als ze al ergens over piekert. Ik betwijfel of ze ook maar een ogenblik aan hem heeft gedacht sinds hij weg is. Hij heeft mijn gedachten waarschijnlijk vaker beziggehouden dan de hare.

We hielden op met plukken en we bereidden de lentewijn met honing en jasmijn als tegenwicht tegen de bitterheid van de paardenbloem. We zetten de wijn donker weg om te trekken, en nog steeds was er geen spoor van Niamh te bekennen. Aisling en ik gingen naar boven en wasten onze handen en ons gezicht; we kamden en vlochten elkaars haar en deden ons grove werkschort af. Het was bijna etenstijd; buiten trok een koele schemering over de hemel en kleurde hem paars en vaalgrijs. Toen zag ik haar eindelijk door mijn smalle raam vanaf de bosrand over het veld hollen, terwijl ze snel naar links en naar rechts keek of ze soms door nieuwsgierige ogen werd gezien. Ze verdween uit mijn gezichtsveld. Niet lang daarna stond ze bij de deur, hijgend naar adem, met haar rokken nog in haar ene hand, en met vuurrode wangen. Ik keek naar haar, en Aisling keek naar haar, en geen van ons beiden zei iets.

'Gelukkig, ik ben nog niet te laat.' Ze liep rechtstreeks naar de eiken kist, lichtte het deksel op en zocht in de kist naar een schone jurk. Toen ze gevonden had wat ze zocht, maakte ze de jurk die ze aanhad los en trok hem uit, evenals haar hemd, zonder een woord van excuus. Aisling liep tactvol naar het raam en keek naar buiten; ik bracht mijn zus de kom water en een haarborstel, terwijl ze zich in schone onderkleren wurmde en de jurk over haar hoofd trok. Ze draaide me haar rug toe en ik begon de vele haakjes voor haar vast te maken. Ze hijgde nog steeds, wat dit werkje er niet gemakkelijker op maakte.

'Je kunt weer kijken, Aisling,' zei ik droog. 'Misschien kun jij even helpen met Niamhs haar. Het is vast al bijna etenstijd.' Aisling was handig en had een grotere kans van slagen om in de korte tijd die ons nog restte iets aanvaardbaars te maken van de woeste, verwarde bos haar van mijn zus. Ze begon kalme, gelijkmatige slagen te maken met de haarborstel.

'Waar ben je in 's hemelsnaam geweest, Niamh?' vroeg ze verbaasd. 'Er zit stro in je haar, en wat zijn dit voor blauwe bloemetjes?' Ze borstelde rustig door, en haar gezicht stond even onschuldig als altijd.

'We hebben je vanmiddag gemist,' zei ik op vlakke toon; ik was nog steeds met de jurk bezig. 'We hebben de lentewijn gemaakt zonder jou.'

'Is dat soms als kritiek bedoeld?' zei Niamh, terwijl ze heen en weer kronkelde om haar rokken goed te laten vallen, en een pijnlijk gezicht trok toen de borstel in een knoop bleef haken.

'Ik constateer alleen een feit, ik stel geen vraag,' zei ik. 'Ik denk niet dat je afwezigheid door iemand anders dan Aisling en mij is opgemerkt. Deze keer. En we konden het heel goed af zonder jou, dus hoef je je niet schuldig te voelen.'

Ze keek me strak aan, maar ze zei niets; zeker niet nu Aisling erbij was. Aisling zag alleen het goede in mensen en had geen idee van heimelijkheid of slinkse streken. Ze was zo argeloos als een schaap, al was dit misschien geen eerlijke vergelijking. Het meisje was wel eenvoudig, maar niet dom.

Ik kreeg die avond weer dat onrustige gevoel, toen we met de hele familie bij elkaar aan het avondeten zaten. Onze maaltijd was niets bijzonders. Ten dele omdat mijn moeder nooit vlees aanraakte, aten we heel eenvoudig, en gebruikten hoofdzakelijk de granen en groenten van onze eigen boerderijen. Janis beschikte over vele recepten van hartige soepen en goede, voedzame broden, en we aten er goed van. De mannen kregen soms een paar gebraden vogels voorgezet, en af en toe werd er een schaap geslacht, want ze werkten hard. Ze maakten of repareerden wapens of zwoegden op de boerderij en in de stal, en ze hadden niet altijd genoeg aan een maaltijd van rapen, bonen en roggebrood. Die avond zag ik tot mijn genoegen dat moeder een beetje soep en een paar stukjes gerstebrood at. Ze was erg mager geworden, de noordenwind kon haar meevoeren als hij er zin in kreeg, en het was nooit gemakkelijk geweest haar over te halen om iets te eten. Terwijl ik naar haar keek, voelde ik dat Iubdans ogen op mij gericht waren. Ik keek even naar hem maar wendde mijn blik weer snel af, want ik kon de uitdrukking op zijn gezicht niet verdragen. Die uitdrukking zei: dit is een langgerekt afscheid, maar toch heb ik niet genoeg tijd. Ik ben hier niet geschikt voor. Ik kan dit niet leren. Ik zou haar het liefste vasthouden, en blijven vasthouden, tot mijn handen een leegte omklemmen.

Niamh zat er keurig bij; ze dronk van haar soep, met neergeslagen ogen. Er zat geen haartje verkeerd. De veelzeggende blos was weg en haar huid was effen goudkleurig in het licht van de olielampen. Tegenover haar zat Sean, met Aisling naast hem, en ze fluisterden met elkaar en hielden onder de tafel elkaars hand vast. Die avond waren er na het eten geen verhalen. In plaats daarvan trok de familie zich op verzoek van Liam terug in een kleine, stille kamer waar we onder ons konden zijn. We lieten de mannelijke en vrouwelijke bedienden over aan hun liederen en hun bier bij de keukenvuren.

'Je hebt bericht gekregen,' zei mijn vader zodra we allemaal zaten. Ik schonk wijn uit de karaf op de tafel en bediende eerst mijn moeder, toen mijn oom, mijn vader, Sean en ten slotte de twee andere meisjes.

'Dank je, Liadan.' Liam gaf me een goedkeurend knikje. 'Inderdaad, ik heb nieuws ontvangen, dat ik tot nu heb bewaard, want Aisling dient het als eerste te horen. Goed nieuws, hoor, kind,' voegde hij er snel aan toe toen Aisling geschrokken opkeek, ongetwijfeld omdat ze het ergste vreesde. 'Je broer maakt het goed en zal waarschijnlijk voor Beltaine hier zijn om je op te halen. De dreiging is voorlopig afgewend.'

'En de onbekende vijand?' vroeg Sean gretig. 'Is er nieuws over de strijd?'

Liam fronste zijn voorhoofd. 'Heel weinig. Er zijn een paar mannen gevallen. De ruiter die het bericht kwam brengen, wist niet veel, want hij had het weer van een ander gekregen. Ik weet dat Eamonn zijn grenzen weer veilig heeft gesteld, maar hoe precies en tegen wie lijkt nog steeds in mysteriën gehuld. Dat moet wachten tot hij terug is. Ook ik wil er graag meer over weten. Het zou onze hele strategie met betrekking tot de Britten kunnen beïnvloeden. Het zou dwaasheid zijn om een overwinning te verwachten in een zeeslag tegen Noormannen.'

'Zo is het,' zei Sean. 'Ik zou niet aan een dergelijke onderneming denken, tenzij ik de vaardigheden van hun volk aan mijn kant had. Maar de Noormannen zijn niet geïnteresseerd in onze Eilanden; als ze daar over een veilige rede hadden willen beschikken, zouden ze de Eilanden allang op de Britten hebben veroverd. Maar de Eilanden zijn te onvruchtbaar om er gewassen te telen, te ver afgelegen om er een nederzetting te stichten en vormen een gebied dat sinds jaar en dag door iedereen verlaten is, behalve door de Ouden. De Britten houden ze alleen bezet als springplank naar ons land.'

'En volgens mij ook als lokaas voor jullie,' vulde Iubdan kalm aan.

'Ik heb weleens gehoord dat je zo een reactie van een man van Erin uit kunt lokken. Je begint een gevecht door iets te stelen dat hem het dierbaarst is: zijn paard misschien, of zijn vrouw. Een oorlog begin je door weg te nemen wat hem het naast aan zijn hart ligt: zijn erfgrond, zijn mysteriën. Misschien is dat hun enige reden.'

'Hun pogingen om een basis op deze kust te vestigen zijn in elk geval niet indrukwekkend geweest,' zei Liam. 'Net als wij zijn zij niet goed uitgerust voor een oorlog op zee. En toch hebben ze de Eilanden al ruim drie generaties in hun bezit. Als ze hulp krijgen van een bondgenoot met een sterke vloot en met het vermogen van de Noorman om die te gebruiken, zouden ze ik weet niet wat kunnen doen.'

'Maar dat lijkt me toch een onwaarschijnlijk bondgenootschap.' Sean krabde nadenkend op zijn hoofd. 'De Britten van de westelijke zeekust hebben geen reden om de Noormannen te vertrouwen. Ze hebben door de rooftochten van de vikingen nog zwaardere verliezen geleden dan wij. Ze zijn al vele tientallen jaren getuige geweest van de gruweldaden van deze invallers. Dat zou werkelijk een verschrikkelijk verbond zijn.'

'Als onze oude vijand Richard van Northwoods een maatstaf is,' meesmuilde Liam, 'acht ik de Britten tot alles in staat.'

'We kunnen beter wachten,' merkte mijn moeder tactvol op. 'Eamonn zal ons meer vertellen wanneer hij terug is. Ik ben blij dat ik je weer zie glimlachen, lieverd,' voegde ze eraan toe terwijl ze Aisling aankeek.

'Je bezorgdheid om je broer strekt je tot eer,' zei Liam. 'Die jongen is een leider, dat staat buiten kijf. Ik neem aan dat zijn verliezen niet te zwaar zijn geweest. En nu heb ik nog een bericht. Een bericht dat jou wel zal interesseren, Niamh.'

'Mm...? Wat?' Ze was ver weg geweest met haar gedachten.

'Een brief,' zei mijn oom ernstig. 'Van een man die ik nooit ontmoet heb, maar over wie ik veel heb gehoord. Jij zult zijn naam wel kennen, Iubdan. Het is Fionn van de clan Uí Néill, de tak die zich in het noordwesten heeft gevestigd. Ze zijn nauw verwant aan de Hoge Koning van Tara. Maar de twee takken van die familie kunnen elkaar niet uitstaan. Fionn is de oudste zoon van het clanhoofd in Tirconnell, een man met veel invloed en aanzienlijke rijkdom.'

'Ik heb over hem horen spreken, ja,' zei vader. 'Hij staat in hoog aanzien. Het is niet echt plezierig om zoals wij precies tussen de twee gebieden van Uí Néill in te liggen. Ze zijn allemaal belust op macht.'

'Dat feit maakt deze brief des te interessanter,' zei mijn oom. 'Deze Fionn en zijn vader wensen een nauwere band met Zeven Wateren. Hij doet rechtstreeks een aanbod om dat doel te bereiken.'

'Is dit jouw omslachtige manier om ons te vertellen dat hij een van de dochters van dit huis wil huwen?' Mijn moeder had de gewoonte haar broer scherp tot de orde te roepen wanneer hij zich een beetje te formeel uitdrukte. 'Heeft hij om de hand van een van onze meisjes gevraagd?'

'Inderdaad. In de brief staat dat hij heeft gehoord dat er in het huishouden van Zeven Wateren een dochter is van uitzonderlijke schoonheid en grote kundigheid, dat hij een vrouw zoekt, en dat zijn vader van mening is dat een dergelijke verbintenis ons beiden van nut zou zijn. Hij zinspeelt in bedekte termen op onze vete met de Britten van Northwoods en wijst op de strijdkrachten die hem ter beschikking staan en die op een gunstige plaats, dicht bij ons gelegerd zijn. Ook zegt hij dat Zeven Wateren een strategische positie inneemt ten opzichte van zijn familie in het zuiden, voor het geval hij van die kant bedreigd zou worden. Er staat heel wat in voor zo'n korte brief.'

'Wat is die Fionn voor een man?' zei Aisling tamelijk dapper. 'Is hij jong of oud? Onooglijk of goed gebouwd?'

'Hij zal van middelbare leeftijd zijn,' zei Liam. 'Dertig jaar misschien. Een krijger. Ik weet niets over zijn uiterlijk.'

'Dertig jaar!' Aisling was duidelijk geschokt bij de gedachte dat een van ons misschien met zo'n stokoude man zou trouwen.

Sean grijnsde. 'Een dochter van uitzonderlijke schoonheid,' mompelde hij. 'Dat moet natuurlijk Niamh zijn.' Hij wierp me een blik toe, met opgetrokken wenkbrauwen, en ik trok een vuil gezicht naar hem.

'Het aanzoek is inderdaad voor Niamh bedoeld,' beaamde Liam; ons onderonsje ging totaal aan hem voorbij. 'Wat zeg je ervan, nicht?'

'Ik...' Niamh leek niet in staat te zijn een woord uit te brengen, wat heel ongebruikelijk was. Ze was plotseling doodsbleek geworden. 'Ik…' Toch kon het nauwelijks een grote schok geweest zijn. Met haar zeventien jaar was het zelfs vreemd dat dit de eerste keer was dat er formeel om haar hand werd gevraagd.

'Dit is voor een jong meisje te veel om meteen te bevatten, Liam,' zei mijn moeder vlug. 'Niamh heeft tijd nodig om erover na te denken, en wij ook. Ik kan deze brief misschien onder vier ogen aan haar voorlezen, als je daar geen bezwaar tegen hebt.'

'Volstrekt niet,' zei Liam.

'We zullen er nog over moeten praten.' Mijn vader had tot nu toe gezwegen, maar de klank van zijn stem maakte duidelijk dat niemand anders zijn beslissingen voor hem hoefde te nemen. 'Is deze Fionn nog van plan ons persoonlijk met een bezoek te vereren of moeten we zijn kwaliteiten uitsluitend uit zijn schrijfstijl afleiden?' Op momenten als dit herinnerde men zich weer wie mijn vader was, en vroeger geweest was.

'Hij wil eerst weten of wij de zaak in overweging willen nemen. Als dat het geval is, zal hij voor midzomer hierheen reizen om zich voor te stellen en dan zou hij zonder verder uitstel willen trouwen, als we het eens worden.'

'Het is niet nodig haast te maken,' zei Iubdan kalm. 'Dergelijke zaken zijn belangrijk en moeten goed worden afgewogen. Wat aanvankelijk de beste keus lijkt, kan op langere duur minder waarde blijken te hebben.'

'Dat mag zo zijn,' zei Liam, 'maar je dochter is in haar achttiende jaar. Ze had al twee of drie zomers geleden getrouwd kunnen zijn. Mag ik je eraan herinneren dat Sorcha op deze leeftijd getrouwd en moeder van drie kinderen was? En een aanzoek van een clanhoofd met een dergelijke status krijgt men niet elke dag.'

Niamh stond plotseling op, en nu zag ik wel dat ze toch geluisterd had en dat ze trilde van top tot teen.

'Jullie kunnen stoppen met over mij te praten alsof ik een… een of andere prijskoe ben die jullie met winst willen verkopen,' zei ze met bevende stem. 'Ik trouw niet met die Uí Néill, ik kan het niet. Zo… zo is het gewoon. Het kan gewoon niet. Waarom vragen jullie hem niet of hij in plaats van mij Liadan wil nemen? Het is het beste aanzoek dat ze waarschijnlijk ooit zal krijgen. En nu, als jullie me willen excuseren…' Ze beende haastig naar de deur en ik kon zien dat de tranen over haar wangen liepen terwijl ze struikelend de gang in liep, de familie in verbijsterde stilte achterlatend.

Ze wilde niet met mij praten. Ze wilde niet met moeder praten.
Ze wilde zelfs niet met Iubdan praten, die beter kon luisteren dan
wie ook. Liam ging ze helemaal uit de weg. De toestand begon
akelig gespannen te worden, want de dagen gingen voorbij en
Fionns brief bleef onbeantwoord. Er was niets wat erop wees dat
ze bij zou draaien, en mijn oom begon prikkelbaar te worden. Iedereen zag wel in dat Niamhs reactie verder ging dan wat te verwachten viel (dat was geschokt en verrast, maar gevleid doen, gevolgd door enig vertoon van maagdelijke terughoudendheid, en
ten slotte een blozend accepteren). Wat niemand begreep was
waarom ze zo reageerde. Mijn zus was, zoals Liam al had gezegd,
eigenlijk al te oud om nog ongetrouwd te zijn, en dat terwijl ze
zo'n schoonheid was. Waarom greep ze een dergelijk aanzoek niet
met twee handen aan? De Uí Néill! En dan nog een toekomstig
clanhoofd! Er werd gefluisterd dat ze eigenlijk Eamonn wilde hebben en dat ze haar antwoord uitstelde tot hij terugkwam. Ik had
hun wel anders kunnen vertellen, maar ik hield mijn mond. Ik had
wel een idee van wat er in haar hoofd omging. Ik had een vermoeden waar ze heen ging op de dagen dat ze van zonsopgang
tot avondschemer nergens te vinden was. Maar de gedachten van
mijn zuster waren voor mij ondoordringbaar; ik kon alleen naar
de waarheid gissen en ik hoopte vurig dat mijn bange voorgevoelens onjuist waren.

Ik probeerde met haar te praten, maar bereikte niets. Eerst deed
ik vriendelijk en tactvol, want ze huilde veel, terwijl ze op haar
bed naar het plafond lag te staren of terwijl ze bij het raam stond
en uitkeek over het bos, met haar betraande gezicht badend in het
licht van de maan. Toen de vriendelijke benadering niet werkte,
besloot ik te zeggen waar het op stond.

'Ik denk niet dat je een erg goede druïde zou zijn, Niamh,' zei ik
op een avond tegen haar terwijl we alleen in onze kamer zaten,
met een brandend kaarsje op de kist tussen onze smalle bedden.

'Wát?' Hiermee had ik in elk geval haar aandacht getrokken. 'Wát
zei je daar?'

'Je hebt het goed gehoord. Er zijn geen warme dekens, geen voor-
komende bedienden, geen zijden jurken in de nemetons. Het is

een leven van discipline, van leren, van ascese. Het is een leven van de geest, niet van het lichaam.'

'Houd je mond!' Haar woedende reactie vertelde me dat ik dicht bij de waarheid was gekomen. 'Wat weet jij er nou van? Wat weet je waar dan ook van? Mijn lelijke zusje, altijd maar in de weer met haar kruiden en drankjes en haar gezellige huiselijke werkjes! Welke man zou jou nou willen, behalve een boer met grote handen en modder aan zijn schoenen?' Ze liet zich op het bed neervallen met haar handen voor haar gezicht, en ik vermoedde dat ze huilde.

Ik ademde diep in en liet de lucht langzaam ontsnappen. 'Moeder heeft ook gekozen voor een boer met grote handen en modder aan zijn schoenen,' zei ik kalm. 'Er waren heel wat vrouwen op Zeven Wateren die hem heel aantrekkelijk vonden toen hij jong was. Dat zeggen ze tenminste.'

Ze verroerde zich niet en maakte geen geluid. Ik voelde wel dat ze diep ongelukkig was en dat ze daardoor zulke gemene dingen had gezegd.

'Je kunt met mij praten, Niamh,' zei ik. 'Ik zal mijn best doen het te begrijpen. Je weet dat het zo niet door kan gaan. Iedereen is van de kook. Ik heb het huishouden nog nooit zo verscheurd gezien. Waarom vertel je het me niet? Misschien kan ik je helpen.'

Ze hief haar hoofd op om me aan te kijken. Ik schrok ervan hoe bleek ze was; onder haar ogen stonden donkere schaduwen.

'O, nu is het opeens mijn schuld,' zei ze met verstikte stem. 'Iedereen is van de kook, en dat komt door mij, hè? En wie heeft besloten me uit te huwelijken, zodat ze de een of andere stomme veldslag zouden kunnen winnen? Dat was niet mijn idee, hoor!'

'Soms kun je niet krijgen wat je wilt,' zei ik neutraal. 'Dat moet je misschien maar accepteren, ook al lijkt dat nu vreselijk moeilijk. Die Fionn valt misschien best mee. Je zou op zijn minst met hem kunnen kennismaken.'

'Dat moet jij nodig zeggen! Jij zou nog niet weten wat een echte man was als je er een zag. Was jij het niet die vond dat Eamonn een goede keus voor me zou zijn? Eámonn!'

'Het leek... een mogelijkheid.'

Er viel een langdurige stilte. Ik bleef roerloos in kleermakerszit op mijn bed zitten in mijn onversierde linnen nachthemd. Ik nam aan dat het waar was wat ze over mij had gezegd; ik vroeg me weer af of mijn vader zich vergist had wat Eamonn betrof. Ik probeerde mezelf te bekijken zoals een man me zou zien, maar dat was moeilijk. Te klein, te mager. Te bleek. Te stil. Dat kon je allemaal over me zeggen. Toch was ik niet ontevreden over mijn gezicht en lichaam, die ik beide van mijn moeder had geërfd. Ik was tevreden met wat Niamh verachtelijk mijn gezellige huiselijke werkjes had genoemd. Ik verlangde niet naar avonturen. Ik zou best tevreden zijn met een boer.

'Waar lach je om?' Mijn zus keek me van de andere kant van de kamer woedend aan. De kaars wierp een reusachtige, dreigende schaduw van haar op de muur achter haar toen ze ging zitten en met een fel gebaar de tranen uit haar ogen veegde. Ook al was haar gezicht gezwollen van het huilen, het was nog steeds oogverblindend mooi.

'Nergens om.'

'Hoe kun je nu lachen, Liadan? Het kan je allemaal niets schelen, hè? Hoe kun je je verbeelden dat ik jou ooit iets zou vertellen? Zodra jij het weet, weet Sean het ook, en dan weet iedereen het.'

'Dat is niet eerlijk. Er zijn dingen die ik voor Sean verborgen houd, en hij houdt dingen voor mij verborgen.'

'O ja?'

Ik antwoordde niet en Niamh ging weer liggen met haar gezicht naar de muur. Toen ze weer iets zei, klonk haar stem anders, beverig en huilerig.

'Liadan?'

'Mmm?'

'Het spijt me.'

'Wat spijt je?'

'Dat ik dat zei. Het spijt me dat ik zei dat je lelijk was. Ik meende het niet.'

Ik zuchtte. 'Het geeft niet.' Ze had de gewoonte kwetsende dingen te zeggen wanneer ze overstuur was en alles later te herroepen. Niamh was als een herfstdag, vol verrassingen: regen en zonneschijn, schaduw en licht. Zelfs wanneer ze gemene dingen zei, kon je moeilijk boos op haar zijn, want ze meende het niet kwaad. 'Ik hoef trouwens niet zo nodig een man te hebben,' zei ik, 'dus het doet er eigenlijk niet zoveel toe.'

Ze haalde luidruchtig haar neus op en trok de deken over haar hoofd, en daarmee waren we uitgepraat.

Het begon al tegen Beltaine te lopen. Het werk op de boerderij ging gewoon door, maar Niamh trok zich steeds verder in zichzelf terug. Achter gesloten deuren werden verhitte gesprekken gevoerd. De sfeer in huis was heel anders dan normaal. Toen Eamonn eindelijk terugkwam, werd hij buitengewoon hartelijk verwelkomd, want ik geloof dat we blij waren met alles wat de groeiende spanning kon verlichten. Het verhaal dat hij meebracht was zeker zo vreemd als de geruchten hadden doen vermoeden. We kregen het op de avond van zijn aankomst te horen, terwijl we na het avondeten in de grote zaal zaten. Het was koud voor de tijd van het jaar, en Aisling en ik hadden Janis geholpen warme wijn te maken. Wij hadden een veilig huis, iedereen was te vertrouwen, en Eamonn vertelde zijn verhaal dus openlijk, want hij wist dat iedereen geïnteresseerd was in wat hem en Seamus en hun strijdmacht overkomen was. Van de dertig mannen die Liams garnizoen telde, waren er slechts zevenentwintig teruggekeerd. Eamonn had zelf veel zwaardere verliezen geleden, evenals Seamus Roodbaard. Er waren huilende vrouwen in drie huishoudens. Niettemin was Eamonn als overwinnaar teruggekeerd, maar niet helemaal op de manier die hij gewild had. Ik keek naar hem terwijl hij zijn verhaal vertelde, met hier en daar een gebaar om iets te illustreren. Af en toe viel er een lok bruin haar over zijn voorhoofd, die hij met een automatische beweging terugduwde. Ik vond dat zijn gezicht meer lijnen vertoonde dan vroeger; hij droeg een zware verantwoordelijkheid voor zo'n jonge man. Geen wonder dat sommigen vonden dat hij geen humor had.
'Jullie weten al,' zei hij, 'dat we bij deze veldslag meer goede mannen verloren hebben dan we ons eigenlijk konden permitteren. Ik kan jullie verzekeren dat hun levens niet lichtvaardig zijn opgeofferd. We hebben hier te maken met een vijand van geheel andere aard dan de vijanden die we al kennen, de Britten, de Noormannen en de vijandige clanhoofden van ons eigen land. Van de eenentwintig krijgers die in mijn dienst zijn omgekomen, zijn er geen twee op dezelfde wijze gedood.'
Er werd gemompeld in de zaal.

'Jullie hebben de verhalen waarschijnlijk al gehoord,' vervolgde Eamonn. 'Het is mogelijk dat zij de verhalen zelf hebben verspreid, om de angst te vergroten. Maar deze geruchten zijn op de werkelijkheid gebaseerd, zoals we zelf ontdekten toen we de vijand uiteindelijk ontmoetten.' Vervolgens vertelde hij van een buurman in het noorden, van een allang bestaand geschil dat tot strijd was opgelaaid, van geroofd vee, van wraakacties.

'Hij kende de sterkte van mijn strijdmacht. In het verleden zou hij nooit meer hebben gedaan dan een paar dieren roven, of te dicht bij een van mijn wachttorens een klein vuur ontsteken. Hij wist dat hij in de strijd geen partij voor me was en dat elke door hem ondernomen actie zou resulteren in snelle en dodelijke vergelding. Maar hij aast op een stuk land van mij dat grenst aan het vruchtbaarste deel van zijn gebied. Hij is al heel lang bezig te bedenken hoe hij dat stuk grond in bezit kan krijgen. Hij heeft een keer geprobeerd om het van me te kopen, maar ik heb hem afgewezen. Maar nu heeft hij een andere manier gevonden om zijn zilverstukken te gebruiken.'

Eamonn nam een slok van zijn wijn en veegde zijn mond af met zijn hand. De uitdrukking op zijn gezicht was somber.

'We hoorden dat er door een ongeziene vijand bliksemovervallen werden uitgevoerd. De wachttorens bleven onbeschadigd en er werden geen dorpen geplunderd of schuren in brand gestoken. Er werden alleen mannen gedood. Heel doeltreffend. Op vindingrijke wijze. Eerst een afgelegen post, waar twee mannen dood werden gevonden. Daarna een meer gedurfde hinderlaag. Een troep wachten patrouilleerde langs de westelijke grens van het moerasland en werd tot de laatste man gedood. Een gruwelijk tafereel. Ik zal de dames de bijzonderheden besparen.' Hij wierp een snelle blik in mijn richting en wendde zijn ogen weer af. 'Geen wreedheden overigens. Ze waren niet gemarteld. Alleen... buitengewoon doeltreffend gedood, en... en anders dan normaal. We konden er niet uit opmaken waar we mee te maken hadden. We konden ons nergens op voorbereiden. En mijn dorpelingen, mijn boeren waren buiten zichzelf van angst. Zij dachten dat deze stille moordenaars een verschijnsel uit de Andere Wereld waren, wezens die in een flits konden verschijnen en verdwijnen, half mens, half dier, gespeend van elk gevoel van goed en kwaad.' Hij zweeg, en ik was ervan overtuigd dat hij een beeld voor ogen had dat hij het liefst uit zijn geest had willen wissen.

'Je zou zo denken,' vervolgde hij ten slotte, 'dat het op ons eigen terrein, gesteund door Seamus' mannen, niet moeilijk zou zijn welke indringer dan ook te verdrijven. Mijn mannen zijn gedisciplineerd. Ervaren. Ze kennen die moerassen van haver tot gort; ze weten er elk bospad, elke schuilplaats, elke potentiële valkuil te vinden. We deelden onszelf op in drie groepen en probeerden de vijand af te zonderen in het gebied waarvan we dachten dat hij er zich vooral ophield. Eerst ging dat goed. We namen een groot aantal mannen van mijn noordelijke buurman gevangen en dachten dat de dreiging zo goed als geweken was. Het was alleen vreemd dat onze gevangenen zo nerveus leken; ze keken telkens achterom. Ik denk dat ik zelfs al voor die tijd al wist dat de aanvallen niet allemaal door één vijand werden uitgevoerd. Met zijn zilver had mijn buurman zich voorzien van een strijdmacht die hij zelf nooit bijeen had kunnen brengen. Een strijdmacht zoals niemand van ons hier tot zijn beschikking heeft.'

'Wie waren ze dan?' vroeg Sean, die aan Eamonns lippen hing. Ik voelde zijn opwinding; dit was een uitdaging die hij zelf graag tegemoet was getreden.

'Ik heb hen maar één keer gezien,' zei Eamonn langzaam. 'We reden door het meest verraderlijke gedeelte van het moerasland en keerden met de lichamen van onze gesneuvelde mannen terug naar ons basiskamp. Het is onmogelijk om daar een aanval in te zetten. Dat dacht ik tenminste. Eén verkeerde beweging en de grond begint te trillen en te schudden en te slurpen, en je hoort alleen het water even lispelen terwijl het een man opslokt. Maar het is volkomen veilig als je er de weg kent.

We waren met zijn tienen,' ging hij verder. 'We reden in een rij achter elkaar, want het pad was smal. We hadden de lichamen van onze doden over onze zadelboog gelegd. Het was nog middag, maar door de nevelen daar lijkt de dag schemerig, en de schemering lijkt er nacht. De paarden kenden de weg en hadden geen leiding nodig. We reden zwijgend, want onze waakzaamheid mocht niet verslappen, zelfs niet in dat verlaten oord. Ik heb goede oren en scherpe ogen. Mijn mannen waren speciaal geselecteerd. Maar het ontging me, het ontging ons allemaal. Heel even de zachte roep van een moerasvogel, het kwaken van een kikvors. Een geluidje, een signaal, en daar waren ze. Ze kwamen uit het niets, maar rezen elk precies tegelijk omhoog, voor elk van ons één, die zijn man uit het zadel wierp en hem keurig en zwijgend doodde, de een met het mes, de ander met het koord, weer een ander met de uitgekiende duimdruk in de nek. Wat mij betreft, mijn straf was speciaal uitgekozen. Ik kon de man die me van achteren vasthield niet zien, hoewel ik al mijn kracht gebruikte om uit zijn greep los te komen. Ik voelde mijn eigen dood in mijn rug. Maar dat was de bedoeling niet. In plaats daarvan werd ik vastgehouden en moest ik toekijken en luisteren hoe mijn mannen voor en achter me stierven, hoe hun paarden in paniek van het pad afsprongen en verzwolgen werden door het trillende water van het moeras. Mijn eigen ros bleef stevig staan en werd met rust gelaten. Ik moest de gelegenheid krijgen om naar huis terug te keren. Ik moest hulpeloos getuige zijn van het afslachten van mijn eigen mannen en vervolgens vrijgelaten worden.'

'Maar waarom?' zei Sean ademloos.

'Ik weet nog steeds de reden niet,' zei Eamonn toonloos. 'De man die mij vasthield, had me stevig in zijn greep; hij hield zijn mes tegen mijn keel en hij had genoeg kracht in zijn handen om me te verhinderen me langdurig te verzetten. Hij was onvoorstelbaar bedreven in dit soort gevechten. Ik had niet de minste hoop dat ik me zou kunnen bevrijden. Mijn hart deed pijn terwijl ik wachtte tot de laatste van mijn mannen dood was. En... en ik dacht bijna dat de geruchten waar waren, toen de mist even verwoei en ik hier en daar een glimp opving van degenen die mijn mannen zo koelbloedig en afstandelijk van het leven beroofden.'

'Waren ze werkelijk half mens, half dier?' vroeg Aisling aarzelend. Ze was natuurlijk bang om dom te lijken, maar niemand lachte. 'Het waren mannen,' zei Eamonn, maar in zijn stem klonk toch enige twijfel. 'Maar ze droegen helmen, of maskers, die daarmee in strijd waren. Je dacht dat je een arend zag, of een hert; sommigen hadden zelfs een tekening op hun huid, op hun voorhoofd of op hun kin, die deed denken aan het verenkleed of de kop van een wild dier. Sommigen hadden een met veren versierde helm, sommigen een mantel van wolfsvacht. Hun ogen... hun ogen stonden zo kalm. Dodelijk kalm. Alsof… alsof het wezens waren zonder menselijke gevoelens.'

'En de man die jou vasthield?' vroeg Liam. 'Wat was dat voor een man?'

'Moeilijk te zeggen. Hij zorgde ervoor dat ik zijn gezicht niet te zien kreeg. Maar ik hoorde zijn stem, en die zal ik nooit vergeten. Toen hij me ten slotte losliet, zag ik zijn ontblote arm toen hij zijn mes van mijn keel haalde. Een arm die van de schouder tot de vingertoppen getekend was met een patroon, een ingewikkeld weefsel van veren, spiralen en in elkaar sluitende schakels, een ingewikkelde en onuitwisbare tekening die diep in de huid was geëtst. Daaraan zal ik deze moordenaar herkennen, wanneer ik de moord op mijn goede mannen zal wreken.'

'Wat zei hij tegen je?' Ik kon me onmogelijk langer stil houden, want het was een verschrikkelijk, maar fascinerend verhaal.

'Zijn stem was… heel gelijkmatig. Heel kalm. Op die plek, met de dood rondom, sprak hij alsof het over een zakelijke overeenkomst ging. Dat duurde maar heel even. Hij liet me los, en terwijl ik adem schepte en me omdraaide om achter hem aan te gaan, verdween hij in de mist om ons heen, en hij zei: *Leer hiervan, Eamonn. Leer je les goed. Ik ben nog niet klaar met jou.* Toen was ik alleen. Alleen, met mijn trillende paard en de gebroken lichamen van mijn mannen.'

'Geloof je nog steeds dat het geen… geen wezens van de Andere Wereld waren?' vroeg mijn moeder. Haar stem klonk onvast, wat me zorgen baarde.

'Het zijn mannen.' Eamonns stem was beheerst, maar ik kon de boosheid erin horen. 'Mannen die ontzaglijk bedreven zijn in het veld; daarop zou elke krijger jaloers kunnen zijn. Hoe sterk onze strijdmacht ook was, we hebben niet een van hen gedood of gevangengenomen. Maar ze zijn niet onsterfelijk. Dat ontdekte ik toen ik weer iets van hun leider hoorde.'

'Zei je niet dat je die man nooit hebt gezien?' vroeg Liam.

'Gezien heb ik hem niet. Hij heeft me een boodschap gestuurd. Dat was een tijd later, en we waren niet meer van hen tegengekomen. Jouw versterkingen waren intussen gekomen en gezamenlijk ruimden we de rest van het schamele legertje van mijn buurman op en joegen hen op de vlucht. We bewezen onze doden de laatste eer en begroeven hen. Er werd voor hun weduwen gezorgd. De invallen hielden op. De dreiging scheen afgewend te zijn, al huiverden de mensen nog van angst bij de herinnering aan wat er gebeurd was. Ze hadden de moordenaar een naam gegeven. Ze noemden hem de Beschilderde Man. Ik dacht dat zijn bende mijn gebied had verlaten. Toen werd mij die boodschap gebracht.'

'Wat voor boodschap?'

'Geen gewone uitdaging in woorden; zo eerlijk gaat deze onverlaat niet te werk. De boodschap bestond... misschien kan ik dit beter niet hier vertellen. Het is niet geschikt voor damesoren.'

'Je kunt het ons beter wel vertellen,' zei ik botweg. 'We zullen het toch wel horen, hoe dan ook.'

Hij keek me weer aan. 'Daar heb je natuurlijk gelijk in, Liadan. Maar het is... het is niet prettig om te horen. Dit hele verhaal is niet prettig om te horen. Ze brachten me... ze brachten me een leren buidel, die ergens was achtergelaten waar mijn mannen hem zeker zouden vinden. In deze buidel zat een hand. Een afgehakte hand.'

Het bleef volkomen stil.

'De ringen aan de vingers vertelden ons dat deze hand van een van de onzen was. Ik interpreteer dit gebaar als een uitdaging. Hij wil hiermee zeggen dat hij sterk is; dat hij aanmatigend is, weet ik al. Zijn diensten, en die van de mannen die onder zijn leiding staan, zijn hier nu te koop. Daar moeten we rekening mee houden bij tochten die we willen ondernemen.'

We bleven een tijdlang verbijsterd zitten. Ten slotte zei mijn vader: 'Denk je dat deze kerel de euvele moed zou hebben om ons zijn diensten aan te bieden na wat hij gedaan heeft? En betaling te vragen?'

'Hij kent de waarde van wat hij heeft,' zei Liam droog. 'En hij heeft gelijk. Er zijn genoeg clanhoofden die geen scrupules hebben om zo'n aanbod aan te nemen, als ze tenminste voldoende middelen hebben om hem te betalen. Ik stel me zo voor dat hij niet goedkoop is.'

'Dat zou men toch nauwelijks in ernst kunnen overwegen,' zei mijn moeder. 'Wie zou zo'n man ooit kunnen vertrouwen? Het ziet ernaar uit dat zijn loyaliteit van het ene ogenblik op het andere kan omslaan.'

'Een huurling kent geen loyaliteit,' zei Eamonn. 'Hij behoort toe aan de man met de dikste beurs.'

'Maar toch,' zei Sean, en hij sprak langzaam, alsof hij iets bedacht, 'zou ik willen weten of ze op het water even handig kunnen manoeuvreren als vanuit een hinderlaag. Zo'n legertje, gebruikt in combinatie met een grotere troep goed gedisciplineerde krijgers, zou je een groot voordeel opleveren. Weet je ook hoeveel mannen hij heeft?'

'Je denkt er toch niet serieus over om dergelijk tuig in dienst te nemen?' vroeg Liam geschokt.

'Tuig? Naar wat Eamonn ons vertelt is dit geen ongeregelde bende pummels. Ze lijken zeer beheerst toe te slaan en beramen hun overvallen met uitgekiend inzicht.' Sean dacht nog steeds diep na.

'Ze werken misschien slim, maar ze zijn erger dan fianna, want ze voeren hun missies uit zonder trots, zonder ergens anders op gericht te zijn dan de daad zelf, en de betaling,' zei Eamonn. 'Deze man heeft mij helemaal verkeerd ingeschat. Wanneer hij sterft, zal het door mijn hand zijn. Hij zal met bloed betalen als hij zich op mijn gebied waagt of iets aanraakt wat van mij is. Dat heb ik gezworen. En ik zal ervoor zorgen dat mijn voornemen hem ter ore komt. Als onze wegen elkaar weer kruisen, is zijn leven niets meer waard.'

Nu was Sean zo verstandig er het zwijgen toe te doen, hoewel ik zijn onderdrukte opwinding kon voelen. Eamonn nam nog een bokaal met wijn en werd weldra omringd door gretige vraagstellers. Ik dacht dat dit waarschijnlijk wel het laatste was dat hij wilde, nu zijn verhaal de herinnering aan zijn verliezen weer bij hem had opgerakeld. Maar ik was niet zijn hoedster.

Ik geloof dat ik die avond voor het eerst zag dat Eamonn bijna toegaf dat hij een situatie niet meester was. Als hij één eigenschap had waarin hij zich onderscheidde, was dat gezag, en als tweede zijn toewijding aan datgene waarin hij geloofde. Het was daarom geen wonder dat de precisie en de gedurfdheid van de aanval van de Beschilderde Man, en de arrogantie van wat erop was gevolgd, hem ernstig van zijn stuk hadden gebracht. De volgende dag zou hij zijn zuster naar huis begeleiden, want er waren veel zaken waaraan aandacht besteed moest worden. Het was dus een verrassing voor me toen hij me in mijn tuin opzocht, kort nadat ik de volgende ochtend aan het werk was gegaan, alsof onze vorige afspraak alleen een tijdje was uitgesteld.

'Goedemorgen, Liadan,' zei hij beleefd.

'Goedemorgen,' antwoordde ik, terwijl ik doorging de uitgebloeide bloemen uit mijn oude hondsroos te snijden. Als ik ze nu terugsnoeide, zouden ze later in de zomer nog veel meer bloemen geven. De rozenbottels konden daarna gebruikt worden voor een krachtige drank die op allerlei manieren kon worden toegepast, en je kon er ook een lekkere gelei van maken.

'Je bent bezig. Ik wil je niet storen in je werk. Maar we zullen gauw vertrekken en ik wil graag nog voor die tijd met je praten.' Ik keek even naar hem op. Hij zag inderdaad nogal bleek en keek buitengewoon ernstig. Deze veldtocht had hem veel ouder gemaakt dan hij was.

'Je zult, denk ik, wel een vermoeden hebben waarover ik met je wil spreken.'

'Eh, ja,' zei ik, en ik besefte dat ik moest ophouden met te doen alsof ik werkte en dat ik moest luisteren naar wat hij te zeggen had. Het zou handig zijn geweest als ik enig idee had van hoe mijn antwoord zou luiden. 'Misschien wil je hier even komen zitten?' We liepen naar de stenen bank, en ik ging zitten, met mijn mand op mijn schoot en het snoeimes nog in mijn hand, maar Eamonn wilde niet gaan zitten. In plaats daarvan begon hij met gebalde vuisten heen en weer te lopen. Hoe kan hij hier nou zenuwachtig voor zijn, dacht ik, na alles wat hij heeft meegemaakt? Maar hij was zenuwachtig, dat was overduidelijk.

'Je hebt mijn verhaal gisteravond gehoord,' zei hij. 'Deze verliezen hebben me aan het denken gezet, en ik heb diep nagedacht over veel dingen. Dood, wraak, bloed. Donkere dingen. Ik dacht niet dat ik het in me had om zo te haten. Het is geen prettig gevoel.'

'Deze man heeft je iets misdaan, dat staat vast,' zei ik langzaam. 'Maar misschien moet je het achter je laten en verder gaan. Haat kan je opvreten, als je het toelaat. Het kan je hele leven gaan beheersen.'

'Dat zou ik liever niet zien gebeuren,' zei hij, en hij draaide zich om zodat hij me aan kon kijken. 'Mijn vader heeft van mensen

74

die zijn bondgenoten hadden moeten zijn, bittere vijanden gemaakt; zo heeft hij zijn eigen ondergang bewerkstelligd. Ik wil niet dat deze haat me opvreet. Maar ik kan het hier niet bij laten. Ik hoopte dat... misschien moet ik weer opnieuw beginnen.'

Ik keek naar hem op.

'Ik moet nodig trouwen,' zei hij onomwonden. 'Na deze gebeurtenis lijkt dat nog belangrijker dan eerst. Het is... het geeft evenwicht, tegenover die donkere dingen. Ik heb er genoeg van bij mijn thuiskomst een koude haard en holklinkende zalen te vinden. Ik wil een kind om de toekomst van mijn naam veilig te stellen. Mijn land is omvangrijk, zoals je weet, en veilig, afgezien van deze brutale boef en zijn moordenaarsbende, en met hen zal ik gauw genoeg afrekenen. Ik heb veel te bieden. Ik heb... ik bewonder je al heel lang, al sinds je nog te jong was om over een verbintenis na te denken. Je ijver, je toewijding aan het werk dat je doet, je vriendelijkheid, je loyaliteit jegens je familie. We zouden goed bij elkaar passen. En het is niet zo'n verre reis hiervandaan; je zou je familie vaak kunnen opzoeken.' Tot mijn schrik kwam hij dichterbij en viel naast me op zijn knieën. 'Wil je mijn vrouw worden, Liadan?'

Voor een aanzoek was het... zakelijk geweest. Ik nam aan dat hij precies de juiste dingen had gezegd. Maar ik vond dat er op de een of andere manier iets ontbrak. Misschien had ik te veel naar de oude verhalen geluisterd.

'Ik ga je een vraag stellen,' zei ik kalm. 'Bedenk, als je antwoordt, dat ik niet het soort vrouw ben dat vleierijen of valse complimentjes verwacht. Ik verwacht de waarheid van jou, altijd.'

'Je zult de waarheid krijgen.'

'Vertel me dan,' zei ik, 'waarom je niet de hand van mijn zus Niamh vraagt, in plaats van de mijne? Dat verwachtte iedereen.'

Eamonn nam mijn hand in de zijne en bracht hem naar zijn lippen.

'Je zuster is zeker heel mooi,' zei hij met een spoor van een glimlach. 'Een man zou heel goed van zo'n vrouw kunnen dromen. Maar wanneer hij wakker werd, zou hij jouw gezicht op zijn kussen willen zien.'

Ik voelde dat ik vreselijk begon te blozen en wist helemaal niets meer te zeggen.

'Het spijt me, ik heb je beledigd,' zei hij snel, maar hij bleef mijn hand vasthouden.

'O nee... helemaal niet,' bracht ik uit. 'Ik ben alleen... verbaasd.'

'Ik heb met je vader gesproken,' zei hij. 'Hij heeft geen bezwaar tegen ons huwelijk. Maar hij heeft gezegd dat het jouw beslissing is. Hij gunt je veel vrijheid.'

'Keur je dat af?'

'Dat hangt van je antwoord af.'

Ik ademde diep in, in de hoop dat ik inspiratie zou krijgen. 'Als dit een van de oude verhalen was,' zei ik langzaam, 'zou ik je vragen drie opdrachten te vervullen, of drie monsters voor me te doden. Maar het is niet nodig jou zo op de proef te stellen. Ik erken dat dit een heel... passende verbintenis zou zijn.'

Eamonn had mijn hand teruggelegd en bestudeerde de grond bij mijn voeten, waar hij nog steeds voor geknield zat.

'Ik hoor daar onuitgesproken woorden,' zei hij fronsend. 'Een voorbehoud. Je kunt me beter zeggen wat het is.'

'Het is te snel,' zei ik eerlijk. 'Ik kan geen antwoord geven, nu nog niet.'

'Waarom niet? Je bent zestien jaar oud, een vrouw. Ik ben zeker van mijn standpunt. Je weet wat ik je kan aanbieden. Waarom kun je geen antwoord geven?'

Ik haalde diep adem. 'Je weet dat mijn moeder erg ziek is. Zo ziek dat ze niet zal herstellen.'

Eamonn keek me scherp aan, toen stond hij op en kwam naast me op de bank zitten. De spanning tussen ons werd iets minder. 'Ik heb gezien hoe bleek ze is en me afgevraagd of ze ziek was,' zei hij zacht. 'Ik wist niet dat het zo ernstig was. Ik vind het heel erg voor je, Liadan.'

'Er wordt niet over gepraat,' zei ik. 'Niet veel mensen weten dat wij elk seizoen, elke maancyclus, elke dag die voorbijgaat tellen. Dit is de reden waarom ik geen toezegging kan doen, aan jou of aan een ander.'

'Is er een ander?' Zijn stem klonk plotseling fel.

'Nee, Eamonn,' zei ik haastig. 'Daarover hoef je je geen zorgen te maken. Ik besef hoe bevoorrecht ik ben dat ik zelfs maar één aanzoek zoals het jouwe krijg.'

'Je onderschat jezelf, zoals altijd.'

Er viel weer een stilte. Eamonn staarde naar zijn handen en fronste zijn voorhoofd.

'Hoelang moet ik op je antwoord wachten?' vroeg hij na enige tijd.

Het was moeilijk om te antwoorden, want daarmee stelde ik een limiet aan Sorcha's tijd.

'Omwille van mijn moeder zal ik geen beslissing nemen voor volgend jaar Beltaine,' zei ik. 'Dat is lang genoeg, denk ik. Dan zal ik je een antwoord geven.'

'Het is te lang,' zei hij. 'Hoe kan een man zo lang wachten?'

'Ik moet hier zijn, Eamonn. Ze zullen me steeds meer nodig hebben. Bovendien ken ik mijn eigen hart niet. Het spijt me als ik je daarmee kwets, maar ik wil jouw eerlijkheid beantwoorden door er de zuivere waarheid tegenover te stellen.'

'Een heel jaar,' zei hij. 'Je verwacht wel veel van me.'

'Het is een lange tijd. Maar het is niet mijn bedoeling je gedurende deze vier seizoenen aan mij te binden. Je bent me niets verplicht. Als je in deze tijd een ander ontmoet, als je van gedachten verandert, ben je volkomen vrij om je aan haar te geven, om te trouwen, om te doen wat je maar wilt.'

'Daar is geen kans op,' zei hij heel beslist, 'niet de minste kans.'

Op dat moment voelde ik een schaduw over me glijden, en opeens had ik het koud. Of het nu kwam door de intense klank van zijn stem, of door de uitdrukking in zijn ogen, of door iets heel anders, maar heel even werd het donker in de vredige, zonnige tuin. Er veranderde kennelijk ook iets in de uitdrukking op mijn gezicht.

'Wat is er?' vroeg hij bezorgd. 'Wat is er met je?'

Ik schudde mijn hoofd. 'Niets,' zei ik. 'Maak je niet ongerust. Het is niets.'

'Het is bijna tijd om te gaan,' zei hij terwijl hij opstond. 'Ze verwachten me waarschijnlijk al. Ik had het prettiger gevonden als we tenminste een of andere... overeenkomst hadden. Een verloving misschien, waarbij het huwelijk zou worden uitgesteld tot... tot jij eraan toe bent. Of... zou vrouwe Sorcha niet willen dat jij gelukkig getrouwd bent voor ze... zou ze niet op je huwelijksfeest aanwezig willen zijn?'

'Zo eenvoudig is het niet, Eamonn.' Opeens voelde ik me doodmoe. 'Ik kan niet toestemmen in een verloving. Ik wil me niet vastleggen. Ik heb je gezegd wanneer ik een antwoord zal geven en dat blijft zo. Een jaar zal misschien niet eens zo lang lijken.'

'Het lijkt een eeuwigheid. Er kan heel veel veranderen in een jaar.'

'Ga nu maar,' zei ik. 'Aisling wacht waarschijnlijk al op je. Ga naar huis. Breng je huishouden in orde, doe wat je doen moet voor je mensen. Ik zal nog altijd hier zijn volgend jaar aan de vooravond van Beltaine. Ga naar huis, Eamonn.'

Ik dacht dat hij weg zou gaan zonder nog iets te zeggen, zo lang bleef hij zwijgend staan met zijn armen over elkaar en zijn hoofd gebogen in gedachten. Toen zei hij: 'Het zal pas een thuis voor me zijn wanneer ik jou daar in de deuropening zie wachten, met mijn kind in je armen. Eerder niet.' En hij beende weg door de poort in de muur zonder om te kijken.

HOOFDSTUK DRIE

Mijn gedachten bleven hier niet lang mee bezig, want ons huishouden werd algauw door allerlei gebeurtenissen overspoeld, met een snelheid die ons bijna overrompelde. We waren toch al niet gelukkig, want we waren onderling verdeeld vanwege Niamhs houding. Ze weigerde om het huwelijksaanzoek van Fionn ook maar in overweging te nemen, en hulde zich in stilzwijgen over de redenen daarvoor. Liam was boos en mijn vader was gefrustreerd omdat hij niet in staat was Liam en Niamh met elkaar te verzoenen. Mijn moeder was ongelukkig over de onderlinge onenigheid tussen haar manvolk. Sean miste Aisling en snauwde iedereen bij het minste of geringste af. In mijn wanhoop ging ik op een zoele middag kort voor midzomer alleen het bos in. Daar was een plek waar we als kind vaak kwamen, een diepe, afgezonderde poel waarvan de oevers waren begroeid met varens. Ze werd gevoed door een bruisende waterval en beschut door de zachte schaduw van treurwilgen. We hadden daar vaak op warme zomerdagen met ons drieën gezwommen en gespeeld, en de lucht vervuld met ons geroep, geplens en gelach. Daar waren we nu natuurlijk te oud voor. We waren nu mannen en vrouwen, zoals Eamonn me had helpen herinneren. Te oud om pret te maken. Maar ik herinnerde me de zoete kruiden die daar welig in het wild groeiden, peterselie, kervel en overvloedige massa's waterkers, en ik vatte het plan op om een kleine pastei met eieren en zachte kaas te maken, die misschien de gebrekkige eetlust van mijn moeder zou opwekken. Ik pakte een mand, bond

mijn haar naar achteren en ging alleen het bos in, blij even verlost te zijn van de gespannen sfeer in huis.

Het was een warme dag en er was een overvloed aan kruiden. Ik
plukte stevig door, zacht neuriënd, en even later was mijn mand
vol. Ik ging met mijn rug tegen een wilg zitten om uit te rusten.
In het bos zinderde het van leven; overal waren geluidjes te horen: het ritselen van eekhoorns in het onderhout en de zang van
een lijster boven mijn hoofd, maar ook vreemdere stemmen, vage fluisteringen in de lucht waarvan ik de woorden niet kon verstaan. Als ze al een boodschap bevatten, was die waarschijnlijk
niet voor mij bedoeld. Ik bleef roerloos zitten en beeldde mij in
dat ik hen zag: vage, etherische vormen die tussen de takken door
bewogen, een fragment van een zwevende sluier, een vleugel, door-
schijnend en fragiel als die van een libel, haar dat bestond uit glinsterende gouden en zilveren draden. Misschien een smalle hand,
die wenkte. En klokjesachtig gelach. Ik knipperde met mijn ogen
en keek weer. De zon had me zeker parten gespeeld, want nu zag
ik niets. Ik moest terug naar het huis, mijn pastei maken, en hopen dat mijn familie weer vrede zou sluiten.

Er was iemand. Daar beneden tussen de lijsterbessen, een flits van
diepblauw, even snel verdwenen als hij gekomen was. Had ik voetstappen gehoord op het zachte pad? Ik stond op, hing mijn mand
aan mijn arm en liep geruisloos die kant op. Het pad liep over de
helling naar beneden, naar de beschutte poel, slingerend onder de
bomen en tussen dicht struikgewas door. Ik riep niet of er iemand
was. Ik kon niet zeggen of dat wat ik gezien had, veroorzaakt was
door het spel van het licht op het donkere gebladerte of dat het
iets meer was. En ik had geleerd me onhoorbaar door het bos te
bewegen. Het was van levensbelang dat te kunnen, zei vader. Daar
was het weer, vlak voor me achter de lijsterbessen, een zweem
blauw als van een geplooid kleed, en een flits wit, een lange, fijn-
gebouwde hand. Ditmaal was het gebaar onmiskenbaar. Hierheen, wenkte het. Kom deze kant op. Ik liep zachtjes verder het
pad af.

Niamh wilde later niet geloven dat ik niet met opzet daarheen was
gekomen om haar geheim te ontdekken. Ik liep geruisloos verder
onder de wilgen door, tot het kalme oppervlak van de poel in het
gezicht kwam. Toen bleef ik staan, verstard van schrik. Ze had

me niet gezien. En hij evenmin. Ze hadden alleen oog voor elkaar, terwijl ze tot aan hun middel in het water stonden. Hun lichamen werden weerspiegeld in het water onder het baldakijn van bomen, hun huid werd getekend met lichtplekken door het zonlicht dat door het zomerse gebladerte viel. Haar blanke armen waren stevig om zijn hals geslagen; zijn roodbruin gelokte hoofd was gebogen om haar blote schouder te kussen, en haar rug kromde zich met een primitieve gratie in reactie op de aanraking van zijn lippen. Het lange, lichtende gordijn van haar haar viel om haar heen, als een echo van het goudkleurige zonlicht, maar het verhulde niet volledig het feit dat ze naakt was.

In mij streden verschillende gevoelens met elkaar. Schrik, angst, een vurige wens dat ik ergens anders heen was gegaan om mijn kruiden te plukken. Het besef dat ik onmiddellijk moest ophouden met kijken. Het totale onvermogen om mijn ogen af te wenden. Want wat ik zag, hoe vreselijk verkeerd ook, was tevens ongelooflijk mooi. Het spel van licht op water, van schaduw op parelblanke huid, de verstrengeling van hun twee lichamen, de manier waarop ze volkomen in elkaar opgingen – dit te zien was even wonderschoon als diep verontrustend. Als dit was wat ik geacht werd voor Eamonn te voelen, dan had ik er goed aan gedaan hem te laten wachten. Er kwam een moment, toen de handen van de jonge druïde langs het lichaam van mijn zus naar beneden gingen en hij haar optilde en gretig tegen zich aan trok, dat ik wist dat ik niet langer kon blijven kijken. Ik trok me geruisloos terug onder de wilgen en liep blindelings in de richting van het huis, terwijl mijn hoofd tolde van verwarring. Van de vreemde gids die me had gewenkt, zodat ik hen had gevonden, was geen spoor meer te bekennen.

Het trof ongelukkig. Ik had een verkeerd tijdstip gekozen. Of misschien was het juist de bedoeling dat de eerste die ik nu tegenkwam, mijn broer was. Dat dit uitgerekend gebeurde toen ik halverwege de weiden van de boerderij was, terwijl mijn hoofd nog vol was van het beeld van die twee jonge lichamen die zo verstrengeld waren alsof ze maar aan één levend wezen toebehoorden. Misschien had het Feeënvolk hier de hand in, of misschien was het, zoals Niamh later zei, allemaal mijn schuld omdat ik haar had bespioneerd. Ik heb verteld hoe het tussen mijn broer en mij was. Toen we jonger waren, deelden we onze gedachten en geheimen vaak rechtstreeks met elkaar, van geest tot geest, zonder dat we daarbij hoefden te spreken. Alle tweelingen hebben een nauwe band met elkaar, maar tussen ons ging die band veel dieper. We konden elkaar op elk moment oproepen, bijna alsof we een bepaald gedeelte van onze ziel hadden gedeeld voor wij beiden ooit de buitenwereld hadden gezien. Maar sinds kort hadden we, zonder erover te praten, ervoor gekozen om die schakeling af te sluiten. De geheimen van een jongeman die zijn eerste liefje het hof maakt zijn te gevoelig om ze met zijn zus te delen. En voor mij gold dat ik hem niets wilde vertellen van mijn ongerustheid over Niamh, of van mijn bange voorgevoelens over de toekomst. Maar nu kon ik het niet tegenhouden. Want mensen die elkaar zo na staan als Sean en ik kunnen iets wat zo aangrijpend, verdrietig of juist vreugdevol is, niet wegdrukken. Die gevoelens zijn zo krachtig dat ze overstromen, waardoor de ander ze wel moet voelen. Ik was niet bij machte hem bij zulke gelegenheden buiten te sluiten, ik beschikte niet over de middelen om een schild voor mijn geest te plaatsen. Ik kon het kleine, kristalheldere beeld van mijn zus en haar druïde, in elkaars armen weerspiegeld in het stille water, niet wegduwen. En wat ik zag en voelde, zag mijn broer ook.

'Wat is dit?' riep Sean ontzet. 'Is dit vandaag? Is dit nu?'

Ik knikte diep ongelukkig.

'Bij de Dagda, ik maak die kerel met mijn blote handen koud! Hoe durft hij mijn zuster zo te bezoedelen!'

Ik had de indruk dat hij meteen het bos in wilde rennen om de straf te voltrekken.

'Niet doen. Houd op, Sean. Met boosheid zul je hier niets bereiken. Misschien is dit niet zo heel erg.'

Hij pakte me bij de schouders, terwijl we daar midden in het veld stonden, en dwong me hem recht in de ogen te kijken. Op zijn gezicht zag ik weerspiegeld wat ik in zijn geest las: geschoktheid, woede, verontwaardiging.

'Ik kan dit niet geloven,' mompelde hij. 'Hoe kan Niamh zich bereidwillig overgeven aan zoiets doms? Weet ze niet dat ze hiermee het hele bondgenootschap in de waagschaal stelt? Genadige goden, hoe hebben we zo blind kunnen zijn? Blind, allemaal! Kom,

Liadan, we moeten teruggaan naar het huis om het aan de anderen te vertellen.'

'Nee! Vertel het niet, nog niet. Laat me dan in elk geval eerst met Niamh praten. Ik zie... ik zie kwaad dat hieruit voortkomt. Een vreselijker kwaad dan je je kunt voorstellen. Sean. Sean, niet doen.'

'Het is te laat. Veel te laat.' Seans beslissing stond vast en hij luisterde niet meer naar mij. Hij draaide zich om in de richting van het huis en gaf met een gebaar te kennen dat ik hem moest volgen. 'Ik moet het hun vertellen, en nu meteen. Misschien valt er nog iets te redden, als er geen ruchtbaarheid aan wordt gegeven. Waarom heb je me dit niet verteld? Hoelang weet je het al?'

Terwijl we naar het huis liepen, Sean voorop met grote passen en een somber gezicht, en ik onwillig achter hem aan, had ik het gevoel dat we een schaduw meenamen, een uiterst donkere schaduw. 'Ik wist het niet. Ik weet het nog maar net. Ik had er een vermoeden van, maar ik wist niet dat het al zo ver was gekomen. Sean. Moet je het echt aan de anderen vertellen?'

'Ik heb geen keus. Ze moet met de Uí Néill trouwen. Onze hele onderneming hangt van die verbintenis af. Ik durf er niet aan te denken hoe moeder hierop zal reageren. Hoe kon Niamh zoiets doen? Het is gewoonweg onbegrijpelijk.'

Vader was niet thuis; hij was in een van de groentetuinen aan het werk. Moeder rustte. Maar Liam was er wel, en daarom was hij degene die het nieuws als eerste hoorde. Ik was voorbereid op verontwaardigde afkeuring, op boosheid. En daarom was ik volkomen verrast door de manier waarop het gezicht van mijn oom veranderde toen Sean hem vertelde wat ik had gezien. De uitdrukking in zijn ogen was meer dan geschokt. Ik zag afkeer, en... was dat angst? Dat kon toch niet. Liam bang?

Toen mijn oom eindelijk iets zei, was het duidelijk dat hij zijn uiterste best deed om zijn stem te beheersen. Toch beefde die terwijl hij sprak.

'Sean. Liadan. Ik moet jullie hulp inroepen. Deze kwestie mag niet buiten de familie bekend worden. Dat is van het allergrootste belang. Sean, ik wil dat je Conor gaat halen. Ga zelf, en ga alleen. Zeg tegen hem dat het dringend is, maar zeg verder tegen niemand iets over de reden. Je kunt het beste meteen vertrekken. En beheers je boosheid, omwille van ons allemaal. Liadan, ik betrek je

83

hier met tegenzin bij, want zulke zaken zijn ongeschikt voor de ogen of oren van een jonge vrouw. Maar je bent familie, en je bent er tegen wil en dank toch al bij betrokken. De goden zij dank dat Eamonn en zijn zuster niet meer op Zeven Wateren zijn. Ik wil dat jij naar buiten gaat en op Niamh wacht; houd de wacht bij de ingang van je tuin tot je haar ziet komen. Breng haar dan meteen bij mij in de afgesloten kamer. En ook jij, dat kan ik niet sterk genoeg benadrukken, mag tegen niemand iets zeggen. Ik zal je vader laten halen en hem dit nieuws zelf meedelen.'

'En moeder?' kon ik niet nalaten te vragen.

'Het moet haar verteld worden,' zei hij nuchter. 'Maar nu nog niet. Laat haar nog even vrede hebben voor ze het moet weten.'

Ik ging naar buiten om op Niamh te wachten, en terwijl ik daar stond, zag ik Sean onder de bomen wegrijden in de richting van de plek waar de druïden hun onderkomen hadden, diep in het hart van het woud. De aarde vloog op onder de hoeven van zijn paard. Ik wachtte lang, tot het al bijna schemerde. Ik had het koud, mijn hoofd deed pijn en ik voelde een vreemd soort angst in me die helemaal niet in verhouding leek te staan tot het probleem. Ik had het in gedachten telkens weer van alle kanten bekeken. Misschien hield ze echt van hem, en hij van haar. Zo had het er in elk geval wel uitgezien. Misschien was hij de zoon van een goede familie, en misschien deed het er eigenlijk niet toe of hij een druïde bleef of niet, en... maar dan dacht ik weer aan de uitdrukking op Liams gezicht en wist ik dat mijn gedachten volkomen zinloos waren. Er was hier veel meer in het geding dan ik kon begrijpen.

Het was erg moeilijk om het tegen Niamh te zeggen. Ze straalde van geluk, haar huid gloeide, haar ogen schitterden als sterren. Ze droeg een krans van bloemen op haar glanzende haar en haar voeten waren bloot onder de zoom van haar witte jurk.

'Liadan! Wat doe jij in vredesnaam hier buiten? Het is al bijna donker.'

'Ze weten het,' zei ik maar meteen, en ik zag haar gezicht veranderen terwijl het licht uit haar ogen verdween, even snel gedoofd als een uitgeknepen kaars. 'Ik... ik was kruiden aan het plukken, en ik zag jullie, en...'

'Je hebt het gezegd! Je hebt het tegen Sean gezegd! Liadan, hoe heb je zoiets kunnen doen?' Ze greep mijn armen vast en drukte haar vingers in mijn vlees tot ik kreunde van de pijn. 'Je hebt alles bedorven! Alles! Ik haat je!'

'Niamh. Houd op. Ik heb niets gezegd, dat zweer ik je. Maar je weet hoe het gaat tussen mij en Sean. Ik kon het niet voor hem weghouden,' zei ik diep ongelukkig.

'Spion! Stiekemerd! Je gebruikt dat stomme gedachtegepraat van jullie, of wat het ook is, als uitvlucht. Je bent gewoon jaloers, omdat je zelf geen man kunt krijgen! Nou, dat kan me niets schelen. Ik houd van Ciarán en hij houdt van mij, en niemand kan ons tegenhouden als we samen willen zijn! Hoor je? Niemand!'

'Liam zei dat ik op je moest wachten en je meteen naar hem toe moest brengen,' bracht ik uit, en nu merkte ik dat het me moeite kostte om niet te huilen. Ik slikte mijn tranen in. Daar had niemand iets aan. 'Hij zei dat we dit stil moesten houden. Het moet binnen de familie blijven.'

'O, ja, de familie-eer. Geweldig. We mogen de kans op een bondgenootschap met de Uí Néill niet verspelen, hè? Maak je niet druk, zusje. Nu ik die o zo belangrijke familie te schande heb gemaakt, ben jij misschien degene die met de doorluchtige Fionn, hoofdman van Tirconnell mag trouwen. Dan word jij misschien ook nog eens iemand.'

Liams reactie had me heel erg van mijn stuk gebracht, en ik was bevangen door een angst waarvan ik de oorzaak niet begreep. Ik had geprobeerd kalm te blijven, sterk te zijn voor mijn zus. Maar Niamhs woorden kwetsten me en ik merkte dat ik mijn boosheid niet kon bedwingen.

'Brighid bewaar ons!' snauwde ik. 'Wanneer zul jij ooit eens leren dat er op de wereld nog meer mensen bestaan dan alleen jij? Je bent echt in moeilijkheden, Niamh. Je moet er eens mee ophouden mensen te beledigen die je willen helpen. Kom nu mee. Dan is het maar gebeurd.'

Ik liep naar de deur van de distilleerkamer. Hiervandaan konden we via de achtertrap bij de kamer komen waar Liam wachtte, en als we geluk hadden, zouden we onopgemerkt blijven. Niamh zei niets meer. Ik draaide me om, in de hoop dat ik haar niet mee zou hoeven sleuren. 'Kom je?'

We hoorden hoefslagen achter de tuinmuur, die naar de hoofdingang galoppeerden. Laarzen knerpten op het grind toen de mannen afstegen. Voor Sean was het niet mogelijk geweest onopgemerkt van zijn missie terug te keren.

'Liadan.' Mijn zus zei het met een iel stemmetje.

'Wat?'

'Beloof me iets. Beloof me dat je mee naar binnen gaat. Beloof dat je me zult verdedigen.'

Ik liep meteen weer naar haar toe en legde mijn arm om haar heen. Ze stond te rillen in haar dunne jurk en er glinsterde een traan in een van haar blauwe, langbewimperde ogen. 'Natuurlijk blijf ik bij je, Niamh. Kom nu. Ze wachten waarschijnlijk al op ons.'

Tegen de tijd dat we de kamer boven bereikten, waren ze er allemaal al. Allemaal behalve moeder. Liam, Conor, Sean en mijn vader, allevier; hun gezichten leken nog grimmiger door het flauwe licht, want er brandde maar één kleine lamp op de tafel, en buiten was het donker. De spanning was te snijden. Ik voelde dat ze in gesprek waren geweest en het gesprek hadden gestaakt toen wij binnenkwamen. Als er iets was waar ik echt bang van werd terwijl ik daar naast mijn zus stond, was dat Conors gezicht. De uitdrukking die daarop lag, was een herhaling van wat ik kort tevoren op het gezicht van zijn broer had gezien. Misschien niet echt angst. Meer iets als de herinnering aan angst.

'Sluit de deur, Liadan.' Ik deed wat Liam zei en ging weer naast mijn zus staan, die daar met geheven hoofd stond als de een of andere tragische prinses in een oud verhaal. Haar haar leek in het licht van de lamp op gloeiend goud. Haar ogen glansden van ingehouden tranen.

'Ze is jouw dochter,' zei mijn oom kortaf. 'Misschien kun jij het beste beginnen haar toe te spreken.'

Vader stond achter in de kamer, met zijn gezicht in de schaduw. 'Je weet waar dit over gaat, Niamh.' Zijn stem was tamelijk effen.

Niamh zei niets, maar ik zag dat ze haar rug rechtte en haar hoofd nog iets hoger hief.

'Ik heb altijd van mijn kinderen verwacht dat ze de waarheid spraken, en ik wil nu van jou de waarheid horen. Wij hadden gehoopt op een goed huwelijk voor jou. Misschien heb ik je meer vrijheid gegund dan sommigen verstandig vonden. Vrijheid om je eigen keuzes te maken. Als tegenprestatie verwachtte ik... eerlijkheid, op zijn minst. Gezond verstand. Dat je daar althans enig gebruik van zou maken.'

Ze zei nog steeds niets.

'Nu kun je het ons maar beter vertellen, en naar waarheid. Heb je jezelf aan deze jongeman gegeven? Heeft hij met je geslapen?'

Ik voelde de trilling die door het lichaam van mijn zuster voer en wist dat die door boosheid werd veroorzaakt en niet door angst.'

'En als dat zo was, wat dan nog?' snauwde ze.

Er viel een korte stilte, en toen zei Liam bars: 'Geef antwoord op je vaders vraag.'

Niamhs ogen straalden uitdagend terwijl ze hem woedend aankeek.

'Wat hebt u daarmee te maken?' vroeg ze tartend met een stem die wat omhoogging, en ze kneep zo hard in mijn hand dat ik dacht dat ze hem zou breken. 'Ik ben niet uw dochter en dat ben ik ook nooit geweest. Ik geef niets om uw familie-eer en uw stomme bondgenootschappen. Ciarán is een goede man en hij houdt van me, en dat is het enige wat belangrijk is. De rest gaat u niet aan, en ik ga het niet bezoedelen door het voor een kamer vol mannen te onthullen! Waar is mijn moeder? Waarom is zij niet hier?'

O, Niamh. Ik wrong mijn hand los uit de hare en wendde me af. Er drukte een gewicht als een koude steen op mijn hart.

Nu kwam Sean naar voren, en ik had nog nooit zoveel boosheid in zijn ogen gezien, of in mijn ziel zo'n stortvloed van woede en verdriet gevoeld als ik op dat moment van hem opving. Ik kon hem niet tegenhouden. Op geen enkele manier.

'Hoe durf je!' zei hij met een stem die koud was van woede, en hij hief zijn hand op en gaf Niamh een klap op haar mooie, betraande wang. Er verscheen onmiddellijk een rode vlek op de goudkleurige huid. 'Hoe durf je dat te vragen, hoe durf je te verwachten dat ze dit doorstaat? Heb je enig idee van wat je haar met je zelfzuchtige dwaasheid zult aandoen? Weet je niet dat onze moeder stervende is?'

En, hoe ongelooflijk het ook mag lijken, het was duidelijk dat ze het niet had geweten. Al die tijd dat Sean, ik, Iubdan en haar broers Sorcha elke dag een klein beetje zwakker hadden zien worden, de koude om ons hart hadden gevoeld terwijl ze bij elke afnemende maan weer een stap verder van ons wegging, had Niamh, zorgeloos in haar eigen wereldje, helemaal niets gezien. Ze werd zo wit als perkament, behalve de afdruk op haar wang, en perste haar lippen stijf op elkaar.

'Genoeg, Sean.' Iubdan zag eruit als een oude man nu hij uit de schaduw naar voren kwam, en het licht de lijnen en groeven van verdriet op zijn gezicht toonde. Hij kwam naar mijn broer toe, pakte hem bij de arm en leidde hem terug, weg van Niamh, die verstijfd midden in de kamer stond. 'Genoeg, zoon. Een man van Zeven Wateren heft zijn hand niet in boosheid tegen een vrouw. Ga zitten. Laten we allemaal gaan zitten.' Hij was een sterke man, mijn vader. Zo sterk dat hij ons soms beschaamd deed staan. 'Misschien moet jij maar weggaan, Liadan. Dan kunnen we je dit tenminste besparen.'

'Nee!' Niamhs stem klonk schril van paniek. 'Nee. Ik wil dat ze hier blijft. Ik wil dat mijn zus erbij is!'

Vader wierp me een blik toe en trok zijn wenkbrauwen op.

'Ik blijf hier,' zei ik, en mijn stem leek wel die van een vreemde. 'Ik heb het haar beloofd.' Ik keek even naar Conor. Hij had een asgrauw gezicht en zijn mond was samengeperst tot een streep. Hij had me gezegd dat ik me niet schuldig moest voelen over wat onafwendbaar moest gebeuren. Maar dit had hij niet kunnen voorzien. Ik trok een verwijtend gezicht naar hem. *U had niet gezegd dat het zo zou zijn!*

Ik wist het niet. Ik had alles willen doen om dit te voorkomen. Maar hoe dan ook, het gaat zoals het moet gaan.

'Nu,' zei vader op vermoeide toon toen we allemaal zaten, Niamh en ik samen op een houten bank, want ze had mijn hand weer gepakt en zou me nu niet meer loslaten. 'We zullen vanavond niet meer uit je krijgen, dat is me wel duidelijk. Ik begrijp ook wat het antwoord op mijn vraag is, al heb je het niet gegeven. Maar het is me duidelijk dat je de gevolgen van wat je hebt gedaan niet beseft. Als dit niet meer was dan een jeugdige escapade, een toegeven aan de wilde stemming van Imbolc, een overgave aan de drang van het lichaam, zou het gemakkelijker te accepteren zijn, zo niet te verontschuldigen. Zo'n misstap komt vaak genoeg voor en valt door de vingers te zien, als hij maar een enkele keer plaatsvindt.'

'Maar...' begon Niamh.

'Zwijg, meisje.' Haar mond klapte dicht toen Liam het woord

nam, maar haar ogen keken boos. 'Je vader spreekt verstandige woorden. Je moet ook horen wat Conor te zeggen heeft. Hij draagt hier natuurlijk ook enige verantwoordelijkheid voor; het is voor een deel zijn onjuiste oordeel dat dit kwaad over ons heeft gebracht. Wat heb je ons te zeggen, broer?'

Ik had mijn oom nog nooit een woord van kritiek tegen zijn broers of zuster horen uitspreken, nog nooit in al die jaren sinds mijn vroegste jeugd. Er speelde hier een oud zeer waarnaar ik slechts kon gissen.

'Inderdaad,' zei Conor heel zacht, en hij richtte zijn kalme grijze ogen rechtstreeks op Niamh, die ogen die zoveel zagen en alles in hun diepte vasthielden. 'Ik was degene die besloot hem hierheen mee te nemen; ik was degene die meende dat het tijd was dat hij naar buiten trad en gezien werd. Ondanks de ellende die hij heeft veroorzaakt, ondanks wie hij is, is Ciarán een fijn jongmens, die tot nu toe de broederschap eer heeft aangedaan. Hij is heel kundig. Heel talentvol.'

'Mooie eer,' gromde Sean. 'Je geeft hem één kans om zich in het openbaar te vertonen en het eerste wat hij doet, is de dochter des huizes verleiden. Dat noem ik nog eens talentvol.'

'Zo is het genoeg, Sean.' Iubdan had hoorbaar moeite om zijn stem onder controle te houden. 'Je jeugd geeft je onbezonnen woorden in. Dit is evengoed Niamhs schuld als die van de jongeman. Hij is in afzondering opgevoed en begreep misschien niet ten volle wat zijn daden betekenden.'

'Ciarán is al vele jaren bij de broederschap, ook al is hij pas eenentwintig.' Conor keek nog steeds naar Niamh, en in het licht van de lamp was zijn langwerpige, ascetische gezicht even bleek als zijn gewaad. 'Hij is, zoals ik al zei, een voorbeeldige leerling geweest. Tot nu toe. Leergierig. Toegewijd. Gedisciplineerd. Vaardig met woorden, en met andere talenten die hij nog maar nauwelijks in zichzelf onderkent. Niamh, deze jongeman is niet voor jou bestemd.'

'Hij heeft gezegd...' zei Niamh, en haar stem brak. 'Hij heeft tegen me gezegd dat hij van me houdt. En ik houd van hem. Er is niets wat zo belangrijk is. Niets!' Haar woorden klonken uitdagend, maar daaronder was ze bang. Bang voor wat Conor niet had gezegd.

'Er kan geen verbintenis zijn tussen jou en deze jongeman.' Liam sprak met moeite, alsof er een onuitgesproken verdriet op hem drukte. 'Je zult zo spoedig mogelijk een gepast huwelijk aangaan en je zult Zeven Wateren verlaten. Niemand mag hiervan weten.'

'Wat!' Niamh werd vuurrood van verontwaardiging. 'Met een andere man trouwen, nadat... dat kunt u niet zeggen! Dat mag u niet! Zeg het tegen hen, Liadan! Ik trouw met niemand behalve Ciarán! Wat geeft het of hij een druïde is, dat hoeft toch niet uit te maken, hij kan daarom toch nog wel een vrouw nemen, dat zei hij...'

'Niamh.'

Bij het geluid van vaders stem kwam haar woordenstroom plotseling en hikkend tot stilstand.

'Je zult niet met deze man trouwen. Dat is niet mogelijk. Dit lijkt in jouw ogen misschien niet eerlijk. Misschien heb jij de indruk dat we onze beslissing te snel nemen, zonder alle argumenten in overweging te nemen. Dat is niet zo. We kunnen onze redenen niet volledig aan jou bekend maken, want geloof me, dat zou jouw verdriet alleen maar vergroten. Maar Liam heeft gelijk, dochter. Dit is een verbintenis die nooit kan zijn. En nu je hebt toegegeven aan je lusten, moet je zo snel mogelijk een echtgenoot nemen, uit voorzorg voor het geval... je moet huwen, anders zou een erger kwaad dit huis kunnen treffen.'

Zijn stem klonk ongelooflijk vermoeid, en ik vond zijn woorden vreemd. Wat mijn zuster had gedaan, was misschien dom en onnadenkend, maar het leek toch nauwelijks zo'n strenge behandeling te verdienen. En mijn vader was toch altijd zo'n evenwichtige man, die zijn beslissingen baseerde op een zorgvuldige afweging van alle relevante zaken.

'Mag ik iets zeggen?' zei ik ietwat aarzelend.

De reactie was niet bemoedigend. Sean keek me woest aan; Liam fronste zijn voorhoofd. Vader keek helemaal niet naar me. Niamh stond er versteend bij, afgezien van de tranen die over haar wangen rolden.

'Wat is er, Liadan?' vroeg Conor. Hij had zijn gedachten stevig afgeschermd; ik had geen flauw idee van wat er in zijn hoofd omging, maar ik voelde een diepe gekwetstheid. Nog meer geheimen.

'Ik wil Niamh of de jonge druïde niet verontschuldigen,' zei ik zacht. 'Maar is uw oordeel niet te hard? Ciarán lijkt een man die goed bekendstaat, met goede manieren, intelligent en eerlijk. Hij behandelde mijn moeder met veel eerbied. Zou zo'n verbintenis niet tenminste enige overweging waard zijn? Toch wijst u die mogelijkheid zonder meer af.'

'Het kan niet zijn.' Ik wist aan de toon waarop Liam sprak dat het oordeel definitief was. Het had geen zin er verder op door te gaan. 'Zoals je vader zegt, zijn wij onderling tot de slotsom gekomen dat we alleen datgene kunnen doen wat we moeten doen om de situatie te redden. Het is een heel ernstige zaak; een zaak waarvan we jou de precieze omstandigheden niet kunnen meedelen. Dit mag niet buiten deze vier muren bekend worden. Het is noodzakelijk dat het geheim blijft.'

Ik had de indruk dat er iets donkers was ontwaakt en dat het in deze kamer temidden van ons aanwezig was. Het was aanwezig in de rode vlek die de wang van mijn zus ontsierde. Het was aanwezig in Liams kritiek op zijn wijze broer. Het was aanwezig in de lijnen en groeven die scherp afgetekend stonden op het gezicht van mijn vader. Het was aanwezig in Niamhs ogen toen ze zich woedend tegen mij keerde.

'Dit is jouw schuld!' snikte ze. 'Als jij je erbuiten had gehouden, als jij me niet gevolgd was om me te bespieden, zou niemand het geweten hebben. We zouden zijn weggegaan, we hadden samen kunnen zijn...'

'Houd je mond, Niamh,' zei Iubdan met een stem die ik hem nog nooit had horen gebruiken. Haar stem stokte, haar schouders gingen schokkend op en neer.

'Ik wil naar moeder toe,' zei ze met een iel stemmetje.

'Vanavond niet,' zei vader, nu heel zacht. 'Ik heb haar hierover verteld terwijl we op Conors komst wachtten, en ze is erg van streek. Ze heeft op mijn aandringen een slaapdrank ingenomen en ze rust nu. Ze heeft naar jou gevraagd, Liadan. Ik heb gezegd dat je nog even bij haar zou komen voor je je terugtrok voor de nacht.' Zijn stem klonk verschrikkelijk vermoeid.

'Ik wil naar haar toe,' zei Niamh weer, als een klein kind dat iets lekkers wordt geweigerd.

'Je hebt het recht om je eigen keuzes te maken verspeeld.' De woorden van mijn vader bleven hangen in een wrede stilte.

Ik had nooit gedacht dat ik hem zoiets zou horen zeggen. Hij sprak vanuit de diepten van zijn gekwetstheid, en mijn hart bloedde voor hem. Niamh bleef zwijgend en onbeweeglijk staan.

'We zullen hier later verder over spreken,' vervolgde vader. 'Nu ga je naar je kamer en daar blijf je tot we besloten hebben wat ons te doen staat. We zullen snel een beslissing moeten nemen, en hoe die ook uitvalt, je zult je eraan houden, Niamh. Ga nu. Het is genoeg geweest voor vanavond. En hierover wordt niet gepraat, tegen niemand, begrijp je dat? Liam heeft gelijk, dit moet binnenskamers blijven, of er komt nog meer narigheid van.'

'En de jongen?' vroeg Liam.

'Ik zal vanavond met hem gaan praten,' antwoordde Conor, en ook zijn stem klonk dodelijk vermoeid. 'Hoe hij hiermee omgaat, zal een maat zijn voor zijn waarde.'

Ik ging naar moeder en bleef bij haar zitten tot ze in een onrustige slaap viel. We spraken niet over wat er gebeurd was, maar ik kon zien dat ze gehuild had. Toen ging ik naar mijn kamer, waar Niamh stijf rechtop op haar bed naar de muur zat te staren. Het had geen zin te proberen met haar te praten. Ik ging liggen en deed mijn ogen dicht, maar kon geen rust vinden. Ik voelde me akelig en machteloos, en ondanks de wijze woorden die Conor had gesproken, kon ik me niet onttrekken aan het gevoel dat ik mijn zus op de een of andere manier had verraden. Er was werkelijk een schaduw over ons huis gevallen, alsof iets donkers uit het verleden weer tot leven was gekomen. Ik begreep niet wat het was, maar ik voelde de greep ervan om mijn hart en zag de aanraking ervan op het bleke, betraande gezicht van mijn zus.

'Liadan!'

Mijn ogen gingen open toen ik Niamh dringend hoorde fluisteren. Ze stond bij het raam.

'Hij is hier! Ciarán. Hij is gekomen om me te halen!'

'Wat?'

'Kijk dan. Daar beneden bij de bomen.'

Het was donker en ik kon maar weinig zien, maar ik hoorde gedempt hoefgetrappel toen een eenzame ruiter heel snel, te snel vanaf de bosrand kwam aanrijden. De hoeven van het paard knerpten op het grind, daarna hield het geluid op. Er werd op de buitendeur gebonsd en ik zag het schijnsel van een lamp.

'Hij is hier,' zei mijn zus weer, en haar stem was vol hoop.

'Daar gaat Liams plannetje om hier geen ruchtbaarheid aan te geven,' zei ik droogjes.

'Ik moet gaan. Ik moet naar beneden, naar hem toe...'

'Heb je dan helemaal niets gehoord van wat ze zeiden?' vroeg ik. 'Je kunt niet naar beneden gaan. Je mag niet naar hem toe. Het is verboden. En zei vader niet dat je in je kamer moest blijven?'

'Maar ik moet naar hem toe! Liadan, je moet me helpen!' Ze richtte haar grote, smekende ogen op mij, zoals ze al zo vaak had gedaan.

'Ik help je ditmaal niet, Niamh. Trouwens, je vergist je. Je jongeman is niet gekomen om je heimelijk weg te voeren. Een vrijer doet dat niet door op de deur van haar vader te bonken. Hij is hier omdat hij het nieuws heeft gehoord en het niet begrijpt. Hij is hier omdat hij gekwetst en boos is, en antwoorden wil horen.'

Beneden was de nachtelijke bezoeker binnengelaten en de deur was achter hem gesloten. Het was weer stil.

'Ik moet het weten,' siste Niamh, en ze greep me weer bij de armen, precies op dezelfde plekken die ze al eerder beurs had geknepen. 'Ga jij dan, Liadan. Ga naar beneden en luister. Probeer erachter te komen wat er gebeurt, vertel me wat ze zeggen. Ik moet het weten.'

'Niamh...'

'Alsjeblieft. Alsjeblieft, Liadan. Je bent mijn zusje. Ik zal de regels niet overtreden, ik blijf hier, dat beloof ik. Alsjeblieft.'

Ondanks al haar gebreken hield ik van mijn zus, en ik had het nooit gemakkelijk gevonden om haar iets te weigeren. Bovendien moest ik toegeven dat ook ik wel graag wilde weten wat er achter de gesloten deuren werd gezegd. Ik vond het niet prettig in een huis vol geheimen te wonen. Maar ik had de uitdrukking op Liams gezicht gezien en de boosheid in de stem van mijn vader gehoord. Ik had weinig zin betrapt te worden op een plaats waar ik niet hoorde te zijn.

'Alsjeblieft, Liadan. Je moet me helpen. Je moet.'

Zo ging ze nog een tijdje door, huilend en smekend, tot haar stem hees werd van de tranen. Uiteindelijk kon ik er niet meer tegen. Ik deed een omslagdoek over mijn nachthemd en sloop door de gang tot ik een streep flauw licht zag onder de deur van de kamer waar we die avond hadden gepraat. Er was niemand in huis. Het leek erop dat Liam snel had gehandeld om een openlijke scène te vermijden.

Ik hoorde stemmen in de kamer, maar ik kon de woorden niet verstaan. Zo te horen waren ze daarbinnen met zijn vieren. Liam, kortaf en beslist; de meer ingehouden toon van Conor. De stem van mijn vader was lager en zachter. Sean was er blijkbaar niet bij. Misschien vonden ze hem te jong en onbesuisd voor zo'n beraad. Ik stond rillend boven aan de trap. Nu hoorde ik Ciaráns stem; de woorden waren onduidelijk, de toon scherp van verdriet en verontwaardiging. Ik bespeurde beweging in de kamer en wilde me terugtrekken. Maar ik was niet snel genoeg. De deur werd opengesmeten en de jonge druïde beende naar buiten met een krijtwit gezicht en ogen die vuur schoten. Terwijl de deur weer dicht zwaaide, hoorde ik Liam zeggen: 'Nee. Laat hem maar.'

Ciarán bleef stokstijf staan en staarde me aan terwijl ik daar bewegingloos stond in mijn oude nachthemd en mijn wollen omslagdoek. Ik dacht dat hij nauwelijks zag wie hij voor zich had; zijn ogen waren vol spoken. Maar hij wist wie ik was.

'Hier,' zei hij terwijl hij zijn hand in de buidel stak die aan zijn gordel hing. 'Zeg tegen haar dat ik wegga. Zeg haar... geef haar dit.' Hij liet iets kleins in mijn hand vallen, en toen was hij weg, zonder geluid te maken, de trap af en verdween in het donker.

Toen ik veilig terug was in mijn kamer gaf ik Niamh de gladde witte kiezelsteen met een keurig gat erdoorheen. En ik vertelde haar wat hij had gezegd, en ik hield haar in mijn armen terwijl ze huilde en huilde alsof ze nooit meer zou ophouden. En diep in mijn ziel hoorde ik het geluid van hoefslagen toen Ciarán wegreed, verder en verder weg, zoveel mijlen van Zeven Wateren als zijn paard hem tot zonsopgang zou brengen.

Nog voor midzomer huwde mijn zuster Fionn, de zoon van het clanhoofd van de Uí Néill, en hij nam haar diezelfde dag nog mee naar Tirconnell. Ik reed tot het dorpje Littlefolds met hen mee. Dat was tenminste de bedoeling. Niamh, zwijgzaam, verstard en onbenaderbaar in haar verdriet, had om één ding gevraagd, en dat was dat ik haar een eind zou begeleiden.

'Weet u zeker dat het kan?' had ik aan moeder gevraagd.

'We redden ons wel,' glimlachte ze, maar er was de laatste tijd verdriet in haar ogen. 'Je moet je eigen leven leiden, dochter. Het zal best een tijdje gaan zonder jou.'

Ik had haar willen vragen wat het kon betekenen dat een gids van de Andere Wereld me naar de ontdekking van Niamhs geheim had geleid, waardoor zij een weg was ingeslagen die wegging van Zeven Wateren en uit het woud. Want ik twijfelde er niet aan dat het Feeënvolk daar de hand in had gehad, maar ik had geen idee van hun beweegredenen. Mijn moeder zou het misschien weten, want zij had deze machtige wezens meer dan eens ontmoet en was geleid door hun wensen. Maar ik vroeg het niet. Moeder had al genoeg te dragen. Bovendien was het toch te laat. Te laat voor Niamh, en te laat voor Ciarán, die was weggegaan, niemand wist waarheen.

Vader was minder gelukkig me te zien wegrijden, maar hij zag wel in hoe het er met Niamh voorstond en gaf met tegenzin toestemming. 'Blijf niet te lang weg, lieverd,' zei hij. 'Hoogstens vijf of zes nachten. En ga nergens heen zonder bescherming. Liam zal je gewapende mannen meegeven om je behouden thuis te brengen.'

Als huwelijksgeschenk maakte ik een mooi, sterk koord voor mijn zuster dat ze om haar hals kon dragen. Terwijl ik het vlocht, vertelde ik mezelf het verhaal van Aengus Óg en de schone Caer Ibormeith, en ik voelde ingehouden tranen zwaar achter mijn ogen prikken. In dit koord vlocht ik een gouden draad uit het kleed van mijn oom Conor. Ik verwerkte er ook vezels in van heide en lavendel, speenkruid en jeneverbes; ik streefde ernaar haar zo goed mogelijk te beschermen. Er zaten eenvoudige sliertjes linnen in uit mijn eigen werkkleding, en een blauwe draad uit mijn moeders stokoude lievelingsjurk. Seans rijmantel leverde donkere wol, en de repen leer waarmee ik de uiteinden van het koord vastbond, waren van een oud paar werkschoenen van Iubdan gesneden. De bemodderde schoenen van een boer. Ik maakte van dit alles een koord dat mooi en glad was, en dat zo gevlochten was dat er bovenmenselijke kracht voor nodig zou zijn om het te breken. Ik zei niets toen ik het in Niamhs hand drukte, en zij zei ook niets. Maar ze wist waar het voor diende. Ze haalde de kleine witte steen uit haar zak, stak het koord door het gaatje en hing het om haar nek.

Ik lichtte de enorme bos mooi, vurig haar op en knoopte de leren uiteinden stevig aan elkaar. Toen ze de steen onder haar jurk liet glijden, was er niets meer van te zien.

Sinds die nacht, waarin ze geleerd had dat het de mannen zijn die beslissingen nemen en dat de vrouwen ze moeten gehoorzamen, had mijn zus de naam van Ciarán niet één keer genoemd. Ze had helemaal weinig meer gesproken. Dat waren haar laatste tranen geweest; haar laatste tekenen van zwakheid. Ik zag de bittere wrok in haar ogen toen ze tegen Liam zei dat ze volgens zijn wens met Fionn zou trouwen. Ik zag het verdriet in haar gezicht terwijl ze haar jurken, schoenen en sluiers gereedmaakte, terwijl ze naar de vrouwen keek die haar trouwjurk maakten, terwijl ze uit het raam keek over de zachte zomerse bossen van Zeven Wateren. Ze zei bijna niets meer, zelfs niet tegen moeder. Vader probeerde met haar te praten, maar ze perste haar lippen strak op elkaar en wilde niet luisteren naar de zacht uitgesproken woorden waarmee hij probeerde uit te leggen dat dit toch echt het beste voor haar was en dat ze op den duur zou ontdekken dat de goede keuze was gemaakt. Daarna nam vader de gewoonte aan lang buiten op de velden te blijven, zodat hij met niemand van ons hoefde te praten. Sean hield zich bezig met de mannen op het oefenveld en liep met een wijde boog om zijn beide zusters heen.

Ik voor mij hield van Niamh en wilde haar helpen. Maar ze wilde me niet toelaten. Eén keer maar, de avond voor haar huwelijk, toen we voor het laatst samen in onze slaapkamer in bed lagen. We konden geen van beiden slapen, en ze zei heel zacht:

'Liadan?'

'Wat is er, Niamh?'

'Hij zei dat hij van me hield. Maar hij is weggegaan. Hij heeft tegen me gelogen, Liadan. Als hij werkelijk van me had gehouden, zou hij me nooit in de steek hebben gelaten. Dan zou hij het niet zo gemakkelijk hebben opgegeven.'

'Ik denk toch niet dat het gemakkelijk is geweest,' zei ik, want ik herinnerde me de uitdrukking op het gezicht van de jonge druïde in de schaduw van de gang en de scherpe klank van verdriet in zijn stem.

'Hij zei dat hij altijd van me zou houden.' De stem van mijn zus klonk strak en koel. 'Alle mannen zijn leugenaars. Ik heb tegen hem gezegd dat ik alleen de zijne zou zijn. Hij verdiende die belofte niet. Ik hoop dat hij lijdt wanneer hij hoort dat ik met een ander ben getrouwd en ver van het woud ben gaan wonen. Misschien zal hij dan weten hoe het voelt om verraden te zijn.'

'O, Niamh,' zei ik, 'hij houdt wel van je, daar ben ik van overtuigd. Hij had ongetwijfeld zijn redenen om weg te gaan. Er zit meer achter dan wij weten; geheimen die nog niet zijn onthuld. Je mag Ciarán niet haten om wat hij gedaan heeft.'

Maar ze had haar gezicht naar de muur gekeerd en ik wist niet of ze me wel had gehoord.

Fionn was een man van middelbare leeftijd, zoals mijn oom had gezegd, welgemanierd, kordaat en vergezeld van het gevolg dat bij een man van zijn stand te verwachten was. Hij volgde mijn zuster met zijn ogen en hij deed geen poging de begeerte erin te verbloemen. Maar zijn mond was koel. Ik vond hem niet sympathiek. Wat de rest van mijn familie van hem vond, was niet te zeggen, want we wendden overtuigend voor dat dit een blijde feestdag was, en op de huwelijksdag ontbrak het niet aan muziek, bloemen en lekker eten. De Uí Néills waren een christelijk huishouden, en dus was het een christelijke priester die de woorden uitsprak en de beloften van de jonggehuwden aanhoorde. Aisling was er ook, en Eamonn was bij haar. Het was een opluchting voor me dat er geen gelegenheid was om alleen met hem te praten. Hij zou in mijn ogen hebben gelezen dat ik ongelukkig was, en hij zou de reden daarvan willen weten. Conor was er niet, evenmin als andere druïden. Onder alle vrolijkheid was ik me er voortdurend met een ijzingwekkende zekerheid van bewust dat dit verkeerd was, en ik kon er hoegenaamd niets aan doen. Na afloop reden we weg in noordwestelijke richting, Niamh en haar echtgenoot, de mannen van Tirconnell en de zes gewapende mannen van ons eigen huishouden met mij in hun midden; ik voelde me een tikje belachelijk.

Het dorpje Littlefolds ligt beschut onder aan een heuvel, in een plooi van het landschap dat daar dichtbebost en golvend is. Het ligt ten westen van Eamonns landerijen en ten noordwesten van zijn grens met Seamus Roodbaard. Onze reis had ons tot zover door bekend en vriendschappelijk gebied gevoerd. Nu was het tijd om afscheid te nemen van mijn zuster en terug te keren naar huis.

Het was de derde dag. We hadden onderweg kamp gemaakt en er was goed voor ons gezorgd. Niamh, ik en de kamenier die haar vergezelde, hadden samen overnacht in een baldakijntent, terwijl de mannen voor hun eigen onderdak zorgden. Ik nam aan dat Fionn met het inwijden van het huwelijk zou wachten tot ze in Tirconnell waren. Omwille van mijn zuster hoopte ik dat hij zou wachten.

We namen afscheid. Er was geen tijd, we konden niet alleen zijn. Fionn wilde snel verder reizen. Ik omhelsde Niamh en keek haar in de ogen, en die waren leeg, leeg als de ogen van een mooi, uit licht getinte steen gehouwen beeld.

'Ik kom je opzoeken,' fluisterde ik. 'Zodra ik kan. Wees sterk, Niamh. Ik koester je in mijn hart.'

'Dag, Liadan,' zei ze met een strak stemmetje, en ze draaide zich zo dat Fionn haar op het paard kon helpen, en ze reden weg zonder nog een woord te zeggen. Ik huilde niet. Mijn tranen zouden niemand helpen.

Nu de mannen van Tirconnell vertrokken waren, ontdooide de sfeer een beetje. Mijn zes gewapende mannen hadden precies gedaan wat Liam hun had opgedragen. Op de weg reden ze met barse gezichten aan alle kanten om me heen, zodat ik tegen een mogelijke aanval beschermd was; op alle andere momenten hielden ze oplettend en goed bewapend de wacht. Een van de mannen maakte een grapje terwijl ze bezig waren paarden en bagage in gereedheid te brengen voor de terugreis naar Zeven Wateren, en de anderen lachten. Een van hen vroeg heel vriendelijk aan mij of ik me goed voelde en of het me zou schikken om halverwege de ochtend te vertrekken. Was ik moe? Kon ik misschien een halve dag rijden voor we stilhielden om uit te rusten? Ik zei ja, want ik wilde niets liever dan weer thuis zijn en beginnen te herstellen van de pijn van de afgelopen nare tijd. Ik ging op een platte steen zitten en keek toe terwijl ze hun ordelijke voorbereidingen troffen. De lucht was zwaar van wolken; het zou nog voor zonsondergang gaan regenen.

'Vrouwe!' Het was een van de dorpelingen, een jonge vrouw met een verweerd, gegroefd gezicht, het haar gebonden in een oude, groene doek. 'Vrouwe!' Ze kwam naar me toe hollen, buiten adem van het haasten. Liams mannen verstonden hun vak. Voor ze ook maar bij me in de buurt was, stonden er al twee naast me, met hun handen op het gevest van hun zwaard. Ik stond op.

'Wat is er? Wat is er aan de hand?'

'O, vrouwe,' hijgde ze, met haar hand tegen haar zij gedrukt. 'Wat ben ik blij dat u nog niet weg bent. Ik ben nog op tijd. Het gaat om mijn zoontje, Dan. Ik heb gehoord... ze zeggen dat u de dochter bent van een grote genezeres. Vrouwe, Danny heeft een koorts gevat die maar niet wil zakken. Hij beeft en trilt, en hij ijlt, en ik ben vreselijk ongerust over hem. Wilt u niet even naar hem komen kijken, heel even maar voor u gaat?'

Ik keek al om me heen om mijn kleine zak te zoeken, want ik reisde nooit zonder de eerste benodigdheden voor een genezeres.

'Dit lijkt me geen goed idee, vrouwe.' De aanvoerder van de gewapende mannen keek bedenkelijk. 'We kunnen beter meteen vertrekken, als we tegen de avond een veilige beschutte plek willen bereiken. Liam zei rechtstreeks heen en rechtstreeks terug.'

'Hebben jullie zelf geen genezeressen?' vroeg een andere man.

'Niet zulke als deze vrouwe,' zei de vrouw met een hoopvolle klank in haar stem. 'Ze zeggen dat zij toverkracht in haar handen heeft.'

'Het bevalt me niet,' zei de aanvoerder.

'Alstublieft, vrouwe. Hij is mijn enige zoon, en ik ben gek van ongerustheid, want ik weet echt niet wat ik voor hem kan doen.'

'Ik blijf niet lang weg,' zei ik beslist tegen de mannen. Ik raapte de zak op en begon terug te lopen naar het dorp. De mannen keken elkaar aan.

'Jullie beiden gaan met vrouwe Liadan mee,' baste de aanvoerder. 'Jullie bewaken de deuren voor en achter en laten er niemand in of uit, behalve deze vrouw en de vrouwe zelf. Jullie houden ogen en oren open en je wapen in de aanslag. Jij houdt de wacht op een plek waar je het pad langs het huisje kunt zien. Jij gaat aan het andere uiteinde van het pad staan. Fergus en ik zullen de paarden bewaken. Maakt u alstublieft voort, vrouwe. Je kunt tegenwoordig niet voorzichtig genoeg zijn. Er zwerft veel gespuis rond.'

Het was donker in het huisje, dat niet meer was dan een raamloze hut van tenen en leem, gedekt met plaggen. Er stond een afgeschermde brandende kaars bij de strozak waar de jongen op lag. De wachten deden wat hun was opgedragen. De man bij de achterdeur was voor mij niet te zien; de ander stond vlak buiten de voordeur, waar hij zowel mij als de ingang in het oog kon houden. Ik voelde aan het voorhoofd van de jongen en legde mijn vinger op zijn pols waar het bloed klopte.

'Hij is niet zo erg ziek; een op de juiste wijze toegediende kruidenthee zal waarschijnlijk wel helpen,' zei ik. 'Hier, maak het hiervan, een handvol in een grote kom heet water. Laat het trekken tot het een mooie, goudbruine kleur heeft; zeef het dan en laat het afkoelen tot je er een vinger in kunt houden. Geef de jongen tweemaal daags een beker. Probeer niet hem te laten eten; hij zal gauw genoeg weer voedsel tot zich nemen, wanneer hij eraan toe is. Deze zomerkoorts komt veel voor. Het verbaast me eigenlijk dat je...'

Ik zag de ogen van de jongen veranderen toen hij over mijn schouder naar iets achter me keek, en ik zag de vrouw zich zwijgend terugtrekken, met een stilzwijgende verontschuldiging op haar verweerde gezicht. Ik wilde opstaan en me omdraaien, maar terwijl ik opstond, werd er een grote hand over mijn mond gelegd en een gespierde arm greep me om mijn borstkas beet; het werd me duidelijk dat ik in de val was gelokt. Iubdans lessen hadden ervoor gezorgd dat ik me in zo'n situatie kon verweren. Ik zette mijn tanden in de hand van de man die me vast had, zodat zijn greep een ogenblik verslapte, net lang genoeg om hem met mijn voet een trap tussen de benen te geven. Als ik had verwacht dat hij me nu los zou laten, kwam ik bedrogen uit. Hij zoog zijn adem naar binnen, dat was alles. Ik proefde zijn bloed. Mijn beet stond in zijn hand. Maar hij gaf geen kik. Waar waren mijn wachten? Hoe was hij binnengekomen? Nu was zelfs de vrouw nergens meer te bekennen. De man begon te lopen en probeerde me naar de achterdeur te slepen. Ik hield me helemaal slap; hij zou me moeten dragen om me hier weg te krijgen. Ik voelde de druk op mijn mond iets minder worden, terwijl hij zijn greep aanpaste. Ik haalde diep adem, om dadelijk om hulp te kunnen schreeuwen. Een ogenblik later voelde ik een harde klap op mijn achterhoofd en werd alles donker.

Mijn hoofd stond in brand. Mijn mond was zo droog als kaf in de zomerwind. Er was nauwelijks een deel van mijn lichaam dat geen pijn deed, want het leek erop dat men me op de grond had laten vallen en zo had laten liggen, met mijn ene arm onder me en mijn lichaam languit op de harde aarde met mijn gezicht naar beneden. Ik was niet vastgebonden. Misschien zou er een kans zijn om te ontsnappen wanneer ik wist wat er aan de hand was. Ze hadden het kleine mes uit mijn gordel weggenomen. Dat verbaasde me niet. Ik bleef stil liggen, met gesloten ogen. Ik kon geluiden van vogels horen, veel vogels, en de wind in gebladerte, en water dat over stenen stroomde. Ik was dus ergens buiten, ergens in het uitgestrekte beboste gebied voorbij het dorp. Het was niet meer midden op de dag; toen ik mijn ogen op een kiertje opende, leek het me dat het tegen de schemering liep. Hoe lang zou het duren, vroeg ik me af, voor iemand alarm zou slaan? Hoe lang zou het duren voor iemand me kwam zoeken? Het was een doeltreffende klap geweest, berekend om me uit te schakelen en me lang genoeg te laten zwijgen zonder blijvende schade toe te brengen. In zekere zin was dat een gunstig teken. De vraag was: lang genoeg waarvoor?

'Ze komen bij zonsondergang terug.'

'Nou en?'

'Nou, wie gaat het dan tegen de Baas zeggen? Wie gaat dit uitleggen? Ik niet, reken maar.'

'Jammer dat we het niet stil kunnen houden. Ervoor zorgen dat hij bijvoorbeeld ergens voor weggeroepen wordt, zo ver mogelijk hiervandaan. Begint ze al bij te komen?'

'Ze verroert geen vin. Weet je zeker dat je haar niet hebt doodgemept, Hond?'

'Wie, ik? Zo'n klein vrouwtje doodslaan? Met mijn gevoelige inborst?'

Toen hoorde ik een vreselijk kreunend geluid, als van een man in doodsstrijd. Daar schrok ik zo van dat ik vergat te doen alsof en snel ging zitten. Een grote vergissing. De pijn in mijn hoofd was zo hevig dat er een vlaag van misselijkheid door me heen sloeg, en even zag ik alleen nog maar dansende sterretjes. Ik drukte mijn handen tegen mijn slapen, met mijn ogen dicht, tot het bonzen in mijn hoofd wat minder werd. Het vreselijke gekreun ging door.

'Hier,' zei een stem. Ik deed voorzichtig mijn ogen open. Er zat een man naast me gehurkt met een kom in zijn hand. De kom was van simpel donker metaal. De hand die hem vasthield, was nog donkerder. Ik keek in het gezicht van de man, en hij grijnsde en toonde blinkend witte tanden, waarvan er twee ontbraken. Zijn gezicht was zo zwart als de nacht. Ik vergat al mijn manieren en gaapte hem verbijsterd aan.

'Je hebt vast dorst,' zei hij. 'Hier.'

Ik nam de kom water aan en dronk hem helemaal leeg. Langzaam werd het beeld helder. We bevonden ons op een vlak stukje grond naast een beek, dat iets minder dicht begroeid was met struiken en bomen. Er lagen grote met mos begroeide stenen langs de oever, en er groeide een massa varens. Het had geregend, maar wij werden beschut door overhangende wilgen. Er waren nog twee andere mannen, die nu allebei met hun handen in de zij op me neer stonden te kijken. Ze waren alle drie heel buitenissig om te zien, stof voor fantastische verhalen. De ene had de helft van zijn schedel kaalgeschoren en de andere helft niet verzorgd, zodat het haar dat daar groeide lang en verward was; zijn haar was donker behalve een streep wit bij zijn slaap. Om zijn nek droeg hij een reep leer die door drie grote nagels geregen was, misschien van een wolfsklauw, hoewel dit dan een grotere wolf was geweest dan de meeste mannen in hun leven zouden zien, of zouden willen zien. Deze man had een pokdalig gezicht vol kleine littekens, en gelige ogen als van een wild dier. Zijn kin was in een keurig patroon geëtst; de inkt was in gearceerde ruitjes in de huid aangebracht van de lip tot de kaaklijn. De tweede man droeg een patroon om zijn polsen, als van om elkaar gestrengelde slangen, en over zijn tuniek droeg hij een vreemd kledingstuk dat uit slangenhuid gemaakt leek te zijn. Ook bij hem was de gelaatshuid geëtst en gekleurd, ditmaal op het voorhoofd. Een patroon van kunstig in elkaar sluitende schubben, en een gespleten, giftige tong die over de neusrug naar beneden was getekend. Hij was jonger, misschien nog geen vijfentwintig, maar was net als de anderen een man met een hard uiterlijk, een man die alleen door een domoor zou worden lastig gevallen. De donkere man was eenvoudiger gekleed, en als er een patroon op zijn inktzwarte huid was gemaakt, kon ik dat niet zien. Zijn enige versiering was zijn dichtgekrulde haar, dat hij in vele vlechtjes tot op zijn schouders droeg. Achter het linkeroor was een veer gestoken die een lichtere vlek tegen het zwart vormde. Hij zag dat ik ernaar keek.

'Meeuw,' zei hij. 'Herinnert me aan de zee.' Hij knikte beurtelings naar de anderen. 'Hond. Slang. Andere namen hebben we hier niet.'

'Heel goed,' zei ik beleefd, blij dat mijn stem redelijk vast klonk. Het leek belangrijk dat ze niet merkten hoe bang ik was. 'Dan hoef ik de mijne niet te zeggen. Wie van jullie heeft me deze hoofdpijn bezorgd?'

Twee van de drie keken naar de man met de wolfsklauwen en het half kaalgeschoren hoofd. Het was een heel grote man.

'Had niet gedacht dat je zou vechten,' zei hij bars. 'Had een hele klus aan je. Je mocht niet gaan gillen. Vrouwen gillen.'

Het gekreun begon weer. Het kwam van de rotsen achter ons.

'Iemand heeft pijn,' zei ik terwijl ik voorzichtig opstond.

'Precies,' zei de zwarte, Meeuw. 'Je bent toch die genezeres? Die misschien door het dorp zou komen, zeiden ze?'

'Ik weet er wel iets van,' zei ik behoedzaam, want ik wilde niet te veel prijsgeven. Als ze waren wie ik dacht dat ze waren, zou ik er verstandig aan doen uiterst voorzichtig te zijn. 'Wat is er met die man aan de hand? Mag ik naar hem kijken?'

'Daarvoor ben je hier,' zei Hond. 'Maar doe het een beetje snel. De Baas kan dadelijk terug zijn, en we moeten hem een goed antwoord kunnen geven, anders zal die man de zon niet meer zien opgaan.' De taal die ze gebruikten, was heel vreemd, een mengelmoes van Iers en de taal van de Britten, waaruit ze toevallige woorden en zinnen leken te kiezen. Ze spraken vloeiend maar met een accent; Slang was misschien afkomstig uit Ulster, maar ik betwijfelde of de anderen een van deze talen als moedertaal hadden. Het kwam goed uit dat mijn ouders Iers en Brits waren; zo kon ik ze redelijk volgen, als ik me concentreerde, hoewel ze er af en toe een woord tussendoor gooiden waarvan de betekenis me volstrekt onbekend was, alsof er nog een derde taal was die deel uitmaakte van dit wonderlijke taaltje.

Ik had heel wat verwondingen gezien en verzorgd, waarvan sommige ernstig. Een zwerende messteek; een akelig ongeluk met een hooivork. Maar ik had nog nooit iets gezien dat hierop leek. De man lag op een beschutte plek in een soort halve grot, onbereikbaar voor de regen en wind en de hitte van de zon. Er was een poging gedaan om hem een beetje gemakkelijk te laten liggen op een geïmproviseerde strozak. Verder zag ik een ruwe kruk, water, een hoeveelheid besmeurd linnen en op de grond nog een fles en zo'n kom van donker metaal. De man lag nu te hijgen en draaide zijn hoofd naar links en rechts van de pijn, terwijl op zijn bleke huid zweetdruppeltjes parelden. Zijn rechterarm was van de schouder tot de vingertoppen verbonden, en het verband was helemaal rood van het bloed. Ook zonder de bebloede doek los te maken kon je zien dat de arm meer dan gebroken was. Het vlees van zijn ontblote borstkas en schouder vertoonde lelijke doffe, donkerrode strepen.

'Wat hebben jullie hem gegeven tegen de pijn?' vroeg ik kordaat, terwijl ik mijn mouwen oprolde.

'Hij kan niets binnenhouden,' zei Hond. 'Er zit sterke wijn in die fles; dat hebben we geprobeerd, maar hij kan het niet inslikken, en als hij het inslikt, kotst hij het binnen vijf tellen weer uit.'

'We spelen hier altijd zelf voor dokter, en dat gaat heel goed,' zei Meeuw. 'Maar dit... dit kunnen we niet aan. Kun jij hem helpen?' Ik was bezig de bebloede doeken los te wikkelen en probeerde mijn gezicht niet te vertrekken bij de lucht die eraf kwam.

'Wanneer is dit gebeurd?' vroeg ik.

'Twee dagen geleden.' Slang was er ook bij gekomen; hij hield tegelijkertijd een oog op mij en mijn patiënt gericht en zocht met het andere oog de omgeving af. Of de Baas er al aankwam, nam ik aan. 'Hij past meestal goed op. Maar dit keer hield hij het niet. Hij probeerde zelf een lading op de kar te verschuiven. Hij kreeg het volle gewicht van een hoop oud ijzer op zijn arm, die was totaal verbrijzeld. Hij was eraan gegaan als Hond hier hem niet op tijd had weggetrokken.'

'Toch nog te laat,' zei Hond, terwijl hij op de kale kant van zijn hoofd krabde.

Ik wikkelde het laatste stuk bevlekt en stinkend linnen los, terwijl de gewonde man op zijn lip beet, met zijn koortsige ogen op mijn gezicht gericht. Hij was bij bewustzijn, maar volgens mij besefte hij niet wat er gebeurde, en hoorde hij nauwelijks iets van de woorden die werden gesproken. Ik wendde me af van het deerniswekkende, verpletterde restant van zijn arm.

'Deze man heeft weinig kans,' zei ik zacht. 'Kwade sappen verspreiden zich al vanuit deze verwonding door zijn lichaam. De arm is niet te redden. Hij zal dagenlang vreselijk lijden. Daar kan ik iets aan doen. Maar het is niet waarschijnlijk dat ik zijn leven kan redden. Het was misschien zelfs beter geweest als hij toen meteen was gestorven. Jullie hebben je best gedaan, dat zie ik wel. Maar deze man is er misschien zo erg aan toe dat geen enkele genezeres er nog iets aan kan doen.'

Ze zwegen alledrie. Buiten werd het al donkerder.

'Ik kan er wel voor zorgen dat hij zich wat beter voelt,' zei ik ten slotte. 'Ik hoop dat jullie het benul hebben gehad mijn spullen mee te nemen.' De moed zonk me in de schoenen bij het vooruitzicht een dergelijke verwonding hier buiten te behandelen zonder instrumenten en zonder de krachtige kruidenmengsels die ik nodig zou hebben.

'Hier,' zei Hond, en daar was mijn zakje al, keurig ingepakt en dichtgebonden. Hij liet het voor mijn voeten vallen.

'Wat is er met mijn wachten gebeurd?' vroeg ik terwijl ik neerhurkte om het zakje open te maken en te pakken wat ik nodig had.

'Het is beter als je dat niet weet,' zei Slang vanaf de plek waar hij op de uitkijk stond. 'Hoe minder je weet hoe beter. Als je tenminste naar huis wilt.'

Ik stond op. Ze hielden me alle drie nauwlettend in het oog. Dat zou me bang hebben gemaakt als ik niet zo op mijn taak gericht was geweest.

'We hadden gehoopt dat je meer zou kunnen doen,' zei Meeuw onomwonden. 'Zijn leven redden, als het met de arm niet lukt. Deze man is een goede man. Sterk. Betrouwbaar.'

'Ik ben geen wonderdoener. Ik heb jullie gezegd wat ik denk. Ik kan niet meer beloven dan dat ik zijn laatste dagen zal verlichten. Kunnen jullie nu voor heet water zorgen, en is er nog schoon linnen? Haal dit hier weg en verbrand het, want het is niet meer te wassen. Ik heb ook een soort kan nodig, als jullie zoiets hebben, en een emmer of kom.'

'Niet nu,' zei Slang scherp. 'De Baas komt eraan.'

'Vervloekt.' Hond en Slang waren in een oogwenk verdwenen. Meeuw bleef aarzelend bij de ingang van de grot staan.

'Ik neem aan dat deze Baas niet blij zal zijn met mijn komst?' vroeg ik, terwijl ik probeerde niet te laten merken hoe bang ik was. 'Jullie hebben een regel overtreden door mij hierheen te halen?'

'Meer dan een,' zei Meeuw. 'Mijn schuld. Je kunt het beste je mond houden. De Baas heeft iets tegen vrouwen. Ik praat wel met hem.' Toen was hij ook vertrokken. Ik hoorde stemmen, verder weg. Mijn patiënt ademde uit en zoog toen plotseling de lucht naar binnen, waarna zijn hele lichaam begon te trillen.

'Rustig maar, rustig maar,' zei ik, maar in stilte verwenste ik deze afgelegen plek en het feit dat er niets voorhanden was om mee te werken en dat ik geen betrouwbare hulp had. Ze mochten de pokken krijgen. Mij vragen hier iets uit te richten was net zoiets als... als verwachten dat een man met zijn blote handen een veld omploegde. Hoe konden ze me dit aandoen? Hoe konden ze het een van hun eigen mensen aandoen?

'... help... help me...' De gewonde man keek me nu recht aan, en ik zag een soort herkenning in de te fel schitterende ogen. Zijn gezicht was zo bleek en afgemat dat ik moeilijk kon zeggen wat voor man hij was, hoe oud hij was en waar hij vandaan kwam. Hij was lang en krachtig gebouwd. Zijn linkerarm was stevig gespierd, de hijgende borstkas fors als een biervat. Dit maakte de erbarmelijke bundel vlees en bot aan zijn rechterkant alleen maar meelijwekkender. Hij zou er lang over doen om te sterven.

'... vrouwe... help...'

De stemmen buiten kwamen dichterbij en ik kon nu de woorden onderscheiden.

'Het is niet te geloven. Ik geef jullie twee dagen om me te bewijzen dat jullie het bij het rechte eind hebben, hoewel dat helemaal tegen mijn gezonde verstand indruist. Nu is de tijd om. Zijn toestand is niet verbeterd. Jullie hebben alleen het onvermijdelijke uitgesteld. En dan halen jullie ook nog een vrouw hierheen. Een meisje dat jullie zomaar van de weg ontvoeren. Zonder ook maar te weten wie ze is. Ik heb je verkeerd beoordeeld, Meeuw. Het heeft er alle schijn van dat je minder waarde hecht aan je plaats in mijn troep dan ik dacht.'

'Baas.'

'Vergis ik me? Is hij vooruitgegaan? Heeft dit vrouwmens een wonder verricht en hem genezen?'

'Nee, Baas, maar...'

'Waar zit je verstand, Meeuw? En dat van jullie? Wat hebben jullie opeens? Jullie weten hoe dit had moeten aflopen toen hij gewond raakte. Ik had niet mogen toelaten dat jullie me tegenhielden. Als jullie dit soort beslissingen niet aan kunnen, is hier geen plaats voor jullie.'

Ze waren nu dicht bij de rotsen, ik kon ze bijna zien. Ik pakte de hand van mijn patiënt en dwong mezelf langzaam en gelijkmatig te ademen.

'Baas. Het is toch niet zomaar iemand. Het gaat toch om Evan.'

'Nou en?'

'Een vriend, Baas. Een vriend en een goede man.'

'Trouwens,' zei Hond, 'wie zal onze wapens herstellen als hij er niet meer is? Evan is de beste smid die buiten Gallië te vinden is. Je kunt hem niet gewoon...' Zijn stem stierf weg, alsof er een gedachte bij hem was opgekomen. Het bleef even stil.

'Een eenarmige smid heeft weinig nut.' De stem klonk koel, onbewogen. 'Heb je er wel aan gedacht wat de man zelf zou willen?' Op dat moment kwamen ze achter de rotsen vandaan en verschenen onder het overhangende gedeelte, waar ik bij de gewonde man zat. Ik ging staan en maakte me zo lang mogelijk, terwijl ik mijn best deed om er kalm en zelfverzekerd uit te zien. Het had nauwelijks gehoeven. De ogen van de Baas gleden achteloos aan mij voorbij en bleven rusten op de man die naast me lag. Alsof ik er niet was, zo weinig aandacht besteedde hij aan mij. Ik keek naar hem toen hij dichterbij kwam en zijn hand op het voorhoofd van de smid legde. Een hand die vanaf de mouw van zijn hemd tot aan de vingertoppen getekend was met een patroon van veren, spiralen en in elkaar sluitende schakels, even ingewikkeld en fascinerend als een of andere oude puzzel. Ik keek op, en heel even keek hij me recht aan over de strozak. Ik staarde hem met open mond aan. Zo'n gezicht had ik nog nooit gezien, zelfs niet in mijn meest wilde dromen. Het gezicht was op zichzelf een kunstwerk. Want het was licht en donker, nacht en dag, deze wereld en de Andere Wereld. Aan de linkerkant zag ik het gezicht van een tamelijk jonge man, met een verweerde, maar lichte huid, een grijs, helder oog en een goedgevormde mond die iets onverzettelijks had. De hele rechterkant vertoonde vanuit een onzichtbaar punt iets onder het midden een tekening van lijnen, bogen en veerachtige patronen, als het masker van een woeste roofvogel. Een arend? Een havik? Nee, het was volgens mij een raaf, tot en met de ringen om het oog en de aanduiding van een roofvogelsnavel om de neusvleugel. Het teken van de raaf. Als ik niet zo bang was geweest, had ik om de ironie ervan kunnen lachen. Het patroon zette zich naar beneden voort over de hals tot onder de rand van zijn leren wambuis en het linnen hemd dat hij eronder droeg. Zijn hoofd was geheel kaalgeschoren en de schedel was op dezelfde wijze getekend, half man, half wild dier; een groot kunstenaar had hier met inkt en naald vele dagen aan gewerkt, en ik stelde me zo voor dat dit behoorlijk pijnlijk moest zijn geweest. Wat voor man had zo'n versiering nodig om zijn identiteit te vinden? Ik stond hem aan te gapen. Dat was hij waarschijnlijk wel gewend. Met moeite wendde ik mijn blik af en keek naar Meeuw, Hond en Slang, die zwijgend temidden van een groep andere mannen stonden. Hun kleding was van een bonte verscheidenheid, die overeenkwam met Eamonns beschrijving: hier zag ik een ruige vacht, daar veren, kettingen, stukken leer, riemen en gespen, zilveren halsbanden en armbanden, en veel gespierde lichamen in verschillende tinten. Ik bedacht, wat aan de late kant, dat dit misschien geen gunstige plek was voor een jonge vrouw alleen. Ik kon haast de stem van mijn vader horen. *Heb je dan helemaal niet geluisterd naar wat ik heb gezegd, Liadan?*

De aanvoerder had een mes uit zijn gordel getrokken. Het was een scherp, dodelijk mes.

'Laten we een eind maken aan deze klucht,' zei hij. 'Jullie hadden me er nooit van mogen weerhouden. Deze man is verder nutteloos. Hij kan geen bijdrage meer leveren, hier of ergens anders. Het enige wat jullie hebben gedaan, is nodeloos zijn lijden rekken.' Hij bewoog behoedzaam, zodat de gewonde man zijn handen niet kon zien, en greep het mes stevig vast. De anderen stonden zwijgend toe te kijken. Niemand bewoog. Niemand zei iets. Hij hief het mes op.

'Nee!' Ik stak mijn hand uit over de strozak, zodat ik de hals van de gewonde man afschermde. 'U mag dit niet doen! U mag hem niet zomaar... afmaken, alsof hij een konijn in een strik is of een schaap dat geslacht moet worden voor de maaltijd. Dit is een man. Een van uw eigen mannen.'

De Baas trok haast onmerkbaar zijn wenkbrauwen op. De dunne streep van zijn mond veranderde niet. De ogen stonden koel.

'Zou jij de genadestoot niet toedienen als het je hond was, of je havik, of je merrie die zo leed aan een dodelijke verwonding? Je zou toch niet willen dat zo'n gruwelijk lijden zonder reden werd gerekt? Maar nee, ik neem aan dat er altijd wel een man was om het vuile werk voor je te doen. Wat weet een vrouw nou van dit soort dingen? Neem je hand weg.'

'Dat doe ik niet,' antwoordde ik. Ik begon boos te worden. 'U zegt dat deze man verder geen nut heeft, alsof hij niet meer is dan... een stuk gereedschap, een wapen in uw arsenaal. U zegt dat hij geen bijdrage meer kan leveren. Dat klopt misschien waar het uw doeleinden betreft. Maar hij leeft nog. Hij kan een vrouw liefhebben en een kind verwekken. Hij kan lachen en zingen en verhalen vertellen. Hij kan genieten van de vruchten van de velden en van een pul goed bier 's avonds. Hij kan zien hoe zijn zoon smid wordt, zoals hij zelf eens was. Deze man kan een leven hebben. Er is een toekomst na...' – ik keek om me heen, naar de kring van mannen met sombere gezichten – 'hierna.'

'Waar heb jij je kennis van het leven opgedaan?' vroeg de raafman me op sombere toon. 'Uit een of ander sprookje soms? Wij leven volgens de ongeschreven wet. Wij hebben geen namen, geen verleden, geen toekomst. Wij hebben opdrachten uit te voeren, en daarin zijn we de besten. Buiten dat is er geen leven, voor deze man of voor wie van ons ook. Er kan geen leven zijn. Ga bij dat bed weg.' Het was langzamerhand helemaal donker geworden, en een van de mannen had een kleine lantaarn aangestoken. Grillige schaduwen vielen over de rotswanden vol holtes, en op het gezicht van de aanvoerder lag een dreiging die even reëel was als het wapen in zijn hand. Je kon zien wat voor een angstaanjagende uitwerking dit op een vijand zou kunnen hebben, want door het spel van het ongelijkmatige licht leek hij werkelijk voor de helft een raaf, met een oog dat doordringend en gevaarlijk schitterde temidden van de wervelingen en spiralen van het fijngetekende patroon.

'Ga daar weg,' zei hij weer.

'Dat doe ik niet,' zei ik. En hij hief zijn linkerhand op alsof hij me een klap in het gezicht wilde geven. Met een uiterste wilsinspanning lukte het me niet weg te duiken. Ik bleef hem strak aankijken en hoopte dat hij niet kon zien dat ik stond te beven van angst.

De man staarde terug met zijn sombere ogen en liet toen zijn hand langzaam weer zakken.

'Baas,' begon Meeuw, de enige die het aandurfde iets te zeggen.

'Houd je mond! Je begint week te worden, Meeuw. Eerst vraag je twee dagen genade voor een man van wie je weet dat hij niet in leven kan blijven, en die zelfs niet zou willen blijven leven als het kon. Dan haal je een of ander onnozel meisje hierheen. Waar heb je haar gevonden? Ze is goed van de tongriem gesneden, dat staat buiten kijf. Kunnen we nu verder gaan? Er is werk te doen.' Hij dacht misschien dat ik uit angst niets meer zou durven zeggen.

'Hij heeft nog wel een kans,' zei ik, erg opgelucht dat hij had besloten me niet te slaan, want ik had nog hoofdpijn van de klap die ik eerder had gekregen. 'Een kleine kans, maar toch een reële kans. Hij zal zijn arm kwijtraken. Die kan ik niet redden. Maar ik kan misschien zijn leven redden. Ik geloof niet dat hij liever dood zou willen zijn. Hij heeft me gevraagd hem te helpen. Laat me het tenminste proberen.'

'Waarom?'

'Waarom niet?'

'Omdat, vervloekt, vrouw, ik heb tijd noch zin om met jou in discussie te gaan. Ik weet niet waar je vandaan komt of waar je heen gaat, maar hier ben je alleen maar tot last; je loopt ons voor de voeten. Een vrouw heeft hier geen plaats.'

'Geloof me, ik ben hier niet uit vrije wil. Maar nu uw mannen me zo ver hebben gebracht, kunt u me het tenminste laten proberen. Ik zal u laten zien wat ik kan. Zeven dagen... acht; lang genoeg om de man behoorlijk te verzorgen en hem een redelijke kans te geven. Meer vraag ik niet.' Ik zag het gezicht van Meeuw, een en al verbazing. Ik had immers tegengesproken wat ik eerder had gezegd. Misschien was dat dom. Op het lelijke gezicht van Hond was een hoopvolle uitdrukking verschenen; de anderen keken naar de rotswand, naar de grond, naar hun handen, overal naar behalve naar hun aanvoerder. Iemand achterin liet een zacht gefluit horen, alsof hij wilde zeggen: *ze heeft het klaargespeeld.*

De raafman bleef even onbeweeglijk staan terwijl hij me door half toegeknepen ogen bekeek, en toen stak hij het akelige mes heel terloops terug in zijn schede.

'Zeven dagen,' zei hij. 'Denk je dat dat genoeg is?'

Ik kon de zwoegende ademhaling van de smid horen en de cynische klank in de stem van de vraagsteller.

'De arm moet eraf,' zei ik. 'Vanavond nog, zo snel mogelijk. Daar zal ik hulp bij nodig hebben. Ik kan jullie zeggen hoe het moet, maar ik heb niet genoeg kracht voor het snijden. Daarna zal ik hem verzorgen. Tien dagen zou beter zijn.'

'Zes dagen,' zei hij op effen toon. 'Over zes dagen gaan we hier weg. Later kan niet; men heeft ons ergens anders nodig en we hebben tijd nodig voor de reis. Als Evan niet met ons mee kan reizen, wordt hij hier achtergelaten.'

'U vraagt het onmogelijke,' fluisterde ik, 'dat weet u ook wel.'

'Je wilde het proberen. Dit is je proeve van bekwaamheid. Als je ons nu wilt excuseren, we hebben werk te doen. Jij, Meeuw, en jij,' – hij knikte naar Hond – 'aangezien het door jullie domheid komt dat ze hier is, mogen jullie haar met die klus helpen. Haal wat ze nodig heeft. Doe wat ze zegt. En de rest...' Hij keek de kring met mannen rond, en ze zwegen allemaal. 'De vrouw is verboden terrein. Dat hoef ik jullie natuurlijk niet te vertellen. Wie haar met een vinger aanraakt, zal de volgende dag de grootste moeite hebben zijn wapen op te pakken. Ze zal hier blijven en er zal te allen tijde een wacht buiten staan. Als ik ook maar een gerucht hoor dat iemand zich hier niet aan houdt, zal het jullie lelijk opbreken.'

HOOFDSTUK VIER

Ik hield mijn gezicht strak, maar daaronder was ik versteend van angst. Ik, het meisje dat niets anders wilde dan thuisblijven en voor haar kruidentuintje zorgen, ik, het meisje dat niets liever deed dan 's avonds na het eten verhalen uitwisselen met haar familie, ik gaf vreemde, woeste mannen aanwijzingen hoe ze de arm van een stervende man moesten afhakken en hoe ze de wond met gloeiend ijzer moesten dichtschroeien. Ik, de dochter van Zeven Wateren, alleen in het leger van de Beschilderde Man en zijn bende dierlijke moordenaars; want het was me wel duidelijk geworden dat dit de bandieten waren over wie Eamonn had gesproken. Ik, Liadan, die het op een akkoordje gooide met een man die – wat had Eamonn ook weer gezegd? Dat hij zijn opdrachten uitvoerde zonder trots, zonder betrokkenheid? Inmiddels twijfelde ik eraan of deze beschrijving klopte. Ik meende dat beide eigenschappen wel aanwezig waren, al voldeden ze misschien niet helemaal aan de definitie die Eamonn ervan zou geven. De man was buitengewoon onvriendelijk, dat leed geen twijfel. Maar waarom had hij met mijn voorstel ingestemd als hij dacht dat ik het helemaal verkeerd zag?

Ik dacht hierover na terwijl ik Hond opdroeg buiten een komfoor klaar te zetten en dat goed heet te stoken. En om een breed mes te verhitten; zo mogelijk roodgloeiend. Meeuw haalde de andere benodigdheden. In het bijzonder een kleine kom met warm water en een zeer scherp mes met een getande snede. Slang haalde meer lantaarns en zette ze rond de beschutte plaats onder de overhangende rots neer. Intussen ging ik bij de smid, Evan, zitten en probeerde tegen hem te praten. Hij verloor telkens het bewustzijn en kwam dan weer bij; het ene ogenblik praatte hij wartaal in zijn koorts, dan was hij weer bij kennis en staarde hij me aan met een mengeling van hoop en doodsangst. In deze korte momenten van helderheid probeerde ik hem te vertellen wat er zou gebeuren.

'... je arm is niet meer te redden... om je leven te redden, moeten we je arm eraf halen... ik zal je zo goed mogelijk in slaap brengen, maar je zult het waarschijnlijk toch voelen. Het zal een tijdlang heel erg pijn doen... probeer niet te bewegen. Vertrouw op mij. Ik weet wat ik doe...' Ik wist niet of hij me begreep en of hij me geloofde. Ik wist niet of ik mezelf wel geloofde. Buiten klonken geluiden van kalme, ordelijke activiteiten. De verzorging van paarden. Het gekletter van emmers. Het slijpen van wapens. Weinig gepraat.

'We zijn zover,' zei Meeuw.

Ik had uit de diepste hoek van mijn zak een sponsje gehaald, dat een tijdje in de kleine kom had liggen weken, niet te lang. Meeuw snoof de geur op.

'Dat doet me denken aan lang geleden. Aan de drankjes van mijn moeder. Behoorlijk sterk spul. Moerbei, bilzekruid, sap van hop, alruin? Waar zou een braaf meisje zoals jij geleerd hebben zo'n drank te maken? Daarmee zou je een man evengoed kunnen doden als genezen, lijkt me.'

'Daarom hebben we die azijn nodig,' zei ik tegen hem, terwijl ik hem nieuwsgierig opnam. Had een man zonder verleden een moeder? 'De kruiden zitten gedroogd in de spons. Heel handig als je op reis bent. Jij weet er dus ook wel wat van?'

'Ik ben het meeste vergeten. Het is vrouwenwerk.'

'Het zou nuttig kunnen zijn als je het opnieuw leerde. Voor mannen die zulke risico's nemen, lijken jullie weinig hulpmiddelen te hebben om verwondingen te behandelen.'

'Het komt niet zo vaak voor,' zei Hond. 'Wij zijn de besten. Meestal komen we er ongedeerd vanaf. Dit was gewoon een ongeluk.'

'Zijn eigen schuld,' vond ook Meeuw. 'Bovendien heb je gehoord wat de Baas zei. Wij lossen zoiets op onze eigen manier op. Geen potverteerders in deze ploeg.'

Ik huiverde. 'Hebben jullie dat zelf ook gedaan? Een man de keel doorsnijden, in plaats van hem proberen te redden?'

Hond keek me met zijn half toegeknepen gele ogen aan. 'Andere wereld. Dat kun jij toch niet begrijpen. Als je zo erg gewond bent dat je je werk niet meer kunt doen, is er geen plaats voor je in de troep. Buiten de troep kun je nergens naartoe. De Baas heeft gelijk. Vraag het maar aan de anderen. Als wij in Evans schoenen stonden, zouden we smeken om het mes.'

Ik dacht hierover na terwijl ik de smid probeerde te verleiden een paar uit het sponsje geknepen druppels in te slikken.

'Er klopt iets niet,' zei ik. 'Misschien hoort het bij die ongeschreven wet, hoe die ook luidt. Maar waarom hebben jullie dan geprobeerd het leven van deze man te redden, tegen het bevel van jullie hoofdman in? Waarom hebben jullie het niet gewoon beëindigd, zoals hij gedaan zou hebben?'

Ze schenen weinig zin te hebben om te antwoorden. Ik kneep in de spons, en er druppelde nog wat van het zeer giftige mengsel in Evans mond. Zijn oogleden vielen dicht. Uiteindelijk zei Meeuw halfluid:

'Bij hem ligt het anders. Evan is een smid, geen krijger. Hij kent een vak. Hij heeft een kans op een leven buiten, als hij genoeg gespaard heeft om weg te gaan. Hij zou wel ver weg moeten; naar Armorica, naar Gallië, overzee. Hij heeft een vrouw die in Brittannië op hem wacht; hij kan weg zodra hij genoeg zilver heeft voor steekpenningen om hem een veilige overtocht te verzekeren. Er staat een prijs op zijn hoofd, net als bij ons allemaal. Maar hij heeft in elk geval nog iets om op te hopen.'

'Dat konden we niet tegen de Baas zeggen,' zei Slang mompelend. 'Het was al moeilijk genoeg om een paar dagen voor hem af te smeken. Ik hoop maar dat je wonderen kunt verrichten, meisje. Want dat zul je nodig hebben, een wonder.'

'Ik heet Liadan,' zei ik gedachteloos. 'Zo kun je me noemen, dat is wel zo gemakkelijk voor ons allemaal. Laten we nu maar beginnen. Wie neemt het snijden voor zijn rekening?'

Meeuw keek naar Hond, en Slang keek naar Hond, en Hond keek naar het dodelijke, getande mes.

'Het ziet ernaar uit dat ik de klos ben,' zei hij.

'Dat je groot en sterk bent is nog niet genoeg,' waarschuwde ik. 'Je moet ook heel beheerst kunnen werken. De snede moet netjes en snel gemaakt worden. En hij gaat schreeuwen. Deze drank is wel sterk, maar niet zo sterk.'

'Ik zal het doen.'

Niemand had de Baas horen aankomen. Zijn mannen waren goed, maar hij was beter. Ik hoopte dat hij niet lang had meegeluisterd. Zijn koele grijze ogen keken een keer de ruimte rond, toen kwam hij naar ons toe en pakte het mes. Op het gezicht van Hond verscheen een opgeluchte uitdrukking.

'Zo gemakkelijk kom je er niet vanaf,' zei ik tegen hem. 'Jij schijnt de grootste te zijn, dus kun jij het beste zijn schouders vasthouden. Houd je handen uit de buurt van de – van de plek waar deze man snijdt. Jullie tweeën pakken zijn benen. Hij lijkt wel buiten bewustzijn, maar hij zal de pijn zeker voelen, en de napijn. Wanneer ik het zeg, moeten jullie je volle gewicht gebruiken om hem in bedwang te houden.'

Ze namen hun plaatsen in, afgericht op het gehoorzamen van bevelen.

'Heb jij dit ooit eerder gedaan?' vroeg ik aan de man met het mes.

'Precies hetzelfde als dit, nee. Je zult me ongetwijfeld gaan vertellen hoe het moet.'

Ik nam de snelle beslissing om niet boos te worden, hoe arrogant hij ook deed.

'Ik zal je stap voor stap begeleiden. Wanneer we beginnen, moet je steeds dadelijk doen wat ik zeg. Het zal veel gemakkelijker zijn als ik je bij een naam kan noemen. Ik ben niet van plan je Baas te noemen.'

'Noem me hoe je wilt,' zei hij met opgetrokken wenkbrauwen. 'We hebben hier geen namen, behalve de namen die je gehoord hebt.'

'Ik ken verhalen over een man die Bran heette,' zei ik. 'Die naam betekent raaf. Zo zal ik je noemen. Is het mes verhit? Je moet het halen zodra ik het zeg, Hond.'

'Het is klaar.'

'Heel goed. Nu dan. Bran, zie je dit punt bij de schouder waar het bot nog heel is?'

De man die ik naar een legendarische reiziger had genoemd, knikte; zijn mond was strak van afkeuring.

'Hier moet je snijden om een schone wond te krijgen. Laat je mes niet afglijden tot dit punt, want de wond zal nooit genezen als we er botsplinters in laten zitten. Concentreer je op je werk. Laat de anderen hem stevig vasthouden. Ik zal eerst het spierweefsel opensnijden met mijn kleine mes... waar is mijn kleine mes?'

Meeuw bukte en haalde het uit zijn laars, waar hij het in had gestoken.

'Dank je. Nu ga ik beginnen.'

Ik vroeg me later af hoe het mogelijk was dat ik zo beheerst bleef. Hoe ik erin slaagde kalm en deskundig te klinken terwijl mijn hart drie keer zo snel klopte als normaal en het koude zweet me over mijn hele lichaam uitbrak; terwijl ik vervuld was van angst. Angst dat het zou mislukken. Angst voor de gevolgen van een mislukking, niet alleen voor de ongelukkige Evan, maar ook voor mezelf. Niemand had met zoveel woorden gezegd wat er zou gebeuren als ik dit niet goed deed, maar ik kon het me wel voorstellen. Het eerste gedeelte ging nog wel. Netjes door lagen weefsel snijden en de huid terugstropen tot aan de plek waar iemand de arm heel stijf had afgebonden met een smalle reep linnen, net onder de schouder. Mijn handen waren algauw tot aan mijn polsen rood gekleurd. Tot nu toe ging het goed. De smid schokte en trilde, maar werd niet wakker.

'Ziezo,' zei ik. 'Nu moet jij snijden, Bran. Hier recht door het bot. Hond, houd hem stevig vast. Zorg ervoor dat hij niet beweegt. Dit moet snel gebeuren.'

Op zulke momenten is de beste helper misschien een man die geen begrip heeft van menselijke gevoelens. Een man die levend bot even netjes en beslist kan doorzagen als een plank hout. Een man op wiens gezicht niets te zien is wanneer zijn slachtoffer plotseling rukt en spartelt, zich verzet tegen de gespierde armen die hem vasthouden en een bevend gekreun laat horen dat regelrecht uit de ingewanden lijkt te komen.

'Christenzielen,' fluisterde Slang, en hij drukte met zijn volle gewicht op de benen van de smid om hem in bedwang te houden. Het gruwelijke zagende geluid ging rustig door. De snede was even recht als de rand van een zwaard. Naast me drukte Hond met zijn massieve onderarmen op de linkerarm en op de bovenkant van de borstkas.

'Voorzichtig, Hond,' zei ik. 'Hij moet wel kunnen ademen.'

'Volgens mij begint hij bij te komen.' De handen van Meeuw drukten zwaar op Evans rechterzij. 'Het wordt moeilijk hem stil te laten liggen. Kun je hem niet nog wat geven van dat...?'
'Nee,' zei ik. 'Hij heeft zoveel gekregen als hij veilig kan innemen. We zijn bijna klaar.' We hoorden een werkelijk afgrijselijk geluid toen de laatste botsplinter werd doorgesneden en de gehavende resten van de arm op de grond vielen. Tegenover mij aan de andere kant van de strozak keek Bran op. Zijn armen waren tot aan de ellebogen bebloed en de voorkant van zijn hemd was rood bespat. De uitdrukking op zijn gezicht was niet zichtbaar veranderd. Zijn wenkbrauwen gingen vragend omhoog.
'Haal het mes van het vuur.' Díancécht sta me bij, dit zal ik zelf moeten doen. Ik wist wat er zou gebeuren en zette me mentaal schrap. Bran liep naar buiten en kwam terug met het wapen in zijn hand. Het heft was omwikkeld met een doek, het lemmet gloeide fel als een halfgesmeed zwaard. Zijn ogen stelden weer een vraag. 'Nee,' zei ik. 'Geef het aan mij. Wat nu komt, is mijn werk. Maak die knevel los. Dan zal het gaan bloeden. Kom dan naar deze kant en help Hond hem in bedwang te houden. Hij zal schreeuwen. Houd hem dan stevig vast en probeer ervoor te zorgen dat hij niet beweegt.'
De knevel werd losgemaakt en het bloed begon te stromen, maar minder hevig dan ik verwachtte. Dat was geen goed teken, want dit kon erop wijzen dat het vlees al begon af te sterven. Zonder een woord te zeggen ging ik naar de andere kant terwijl Bran mijn plaats innam, om de smid vast te houden zodra hij zou bewegen. 'Nu,' zei ik, en drukte het roodgloeiende ijzer tegen de open wond. Er volgde een akelig gesis en een misselijkmakende geur van geroosterd vlees. De smid krijste. Het was een afgrijselijk, onaards gekrijs dat je nog jaren later in je dromen zou kunnen achtervolgen. Zijn hele lichaam begon in doodsnood te stuiptrekken, zijn borst ging zwoegend op en neer en zijn ledematen sloegen alle kanten op; zijn hoofd en schouders werden alleen stilgehouden door de gezamenlijke inspanning van Hond en Bran, die hem met een enorme krachtsinspanning neerdrukten. Hond, die grote, lelijke man, was zo wit als een geest.
'Lieve Jezus,' mompelde Slang.
'Het spijt me, ik ben nog niet klaar,' zei ik terwijl ik tranen weg-

knipperde. Ik hield het mes weer tegen de wond en drukte het op verschillende plaatsen aan, zodat het hele gebied werd dichtgeschroeid. Ik dwong mezelf om het lang genoeg aan te drukken, terwijl een volgende bevende gil de lucht van de kleine schuilplaats vervulde. Toen, eindelijk, nam ik het hete ijzer weg en bleef daar staan terwijl de stem van de smid afzwakte tot een gierend, hijgend gejammer. De vier mannen lieten hem los en kwamen langzaam overeind. Ik leek me niet meer te kunnen bewegen. Na een poos nam Meeuw het mes uit mijn handen en ging ermee naar buiten. Hond begon zwijgend dingen van de grond op te rapen en in een emmer te doen, en Slang nam de kleine kom met azijn en begon, na een knik van mij, met de spons een paar druppels tegelijk tussen Evans gezwollen lippen aan te brengen.

'Ik zal niet vragen waar je dat hebt geleerd,' merkte Bran op. 'Ben je tevreden dat je hem dit hebt aangedaan? Ben je er nog van overtuigd dat je gelijk hebt?'

Ik keek naar hem op. Zijn strenge gelaatstrekken met hun vreemde halve tekening vervaagden voor mijn ogen, het verenpatroon bewoog en wervelde in het licht van de lamp. Ik voelde plotseling hoe moe ik was.

'Ik blijf bij mijn beslissing,' zei ik zwakjes. 'De tijd die je me hebt gegeven, is te kort. Maar ik weet dat ik gelijk heb.'

'Je zult er misschien niet meer zo zeker van zijn als je zes dagen in ons kamp hebt doorgebracht,' zei hij op onheilspellende toon. 'Wanneer je iets meer van de echte wereld hebt gezien, zul je erachter komen dat iedereen gemist kan worden. Er zijn geen uitzonderingen, of het nu gaat om een kundige smid of om een kleine genezeres. Je lijdt en sterft, en wordt snel vergeten. Het leven gaat toch wel door.'

Ik slikte. De rotswanden rondom me bewogen.

'Er zullen mensen naar me komen zoeken,' fluisterde ik. 'Mijn oom, mijn broer, mijn... ze zijn waarschijnlijk nu al naar me op zoek, en ze hebben hulp.'

'Ze zullen je niet vinden.' Zijn toon liet geen twijfel toe.

'En het escorte dat met me meereisde?' Ik greep nu naar strohalmen, want ik vermoedde dat de mannen allemaal dood waren. 'Zij kunnen niet ver weg zijn. Iemand heeft vast gezien wat er gebeurd is... iemand zal achter me aankomen...'

Mijn stem stierf weg en ik stak een hand uit om mijn evenwicht te bewaren, want ik zag alleen nog dansende sterretjes.

'Het spijt me,' mompelde ik dwaas, alsof ik me excuseerde bij een beleefd gezelschap. Plotseling voelde ik een stevige greep om mijn arm en werd ik naar de houten kruk gevoerd, waar ik zonder omhaal op werd neergedrukt.

'Slang. Laat hem nu maar los. Hij ademt nog, hij redt het wel. Haal schone kleren voor het meisje, als je tenminste iets kunt vinden dat klein genoeg is. Een deken en water, zodat ze zich kan wassen. Ga naar het vuur, eet wat en breng wat te eten voor haar mee als je terugkomt. In goede conditie is ze al van weinig nut; als we haar laten verhongeren, hebben we helemaal niets meer aan haar.' Hij wendde zich weer naar mij. 'Eerste regel voor het gevecht. Alleen de meest geharde krijger kan goed functioneren op weinig voedsel en nog minder slaap. Dat komt pas na langdurige oefening. Wil je je werk goed doen, dan moet je je er behoorlijk op voorbereiden.' Ik was veel te moe om er iets tegen in te brengen.

'Je zult voor vannacht twee wachten krijgen. Een voor buiten en een om op hem te letten terwijl jij slaapt. Maar denk niet dat dat je toekomt. Je hebt er zelf voor gekozen om dit te doen, en na deze nacht moet je jezelf maar redden.'

Eindelijk ging hij weg. Ik sloot mijn ogen en zwaaide op mijn kruk heen en weer van uitputting. De smid lag voorlopig rustig op zijn strozak.

'O, en nog iets.'

Mijn ogen gingen weer open.

'Hiermee zul je een zeker… respect hebben verworven. Bij de mannen. Zorg er vooral voor dat je dat niet laat uitgroeien tot iets meer. Elke man die de regel overtreedt staat de strengste straf te wachten. Je zult al genoeg op je geweten hebben zonder dat dat er nog bij komt.'

'Wat heeft een man als jij nou voor benul van een geweten?' mompelde ik terwijl hij zich omdraaide en wegliep. Als hij al hoorde wat ik zei, liet hij dat niet merken.

Het was een vreemde tijd. Er gaan verhalen over mannen en vrouwen die op een maanverlichte nacht in het bos worden ontvoerd door het Feeënvolk, die een reis naar de Andere Wereld maken en daar een leven leren kennen dat zo anders is dat ze bij hun terugkeer nauwelijks weten wat werkelijkheid is en wat een droom. De Beschilderde Man en zijn bonte troep volgelingen stonden ongeveer zo ver van de visionaire wezens van de Andere Wereld af als maar mogelijk was, maar toch voelde ik me ongelooflijk ver verwijderd van mijn gewone leven. En hoewel dit misschien moeilijk te geloven is, dacht ik tijdens mijn verblijf in dit verscholen kampement zelden aan mijn huis of aan mijn ouders, en vroeg ik me zelfs nauwelijks af hoe het mijn zuster Niamh verging, die helemaal alleen was en het bed deelde met een vreemde. Er waren ogenblikken dat de angst me koud om het hart greep, wanneer ik me Eamonns verhaal herinnerde. Ik zag wel in dat ik in een gevaarlijke situatie verkeerde. De wachten die Liam met me mee had gestuurd, waren vrijwel zeker met meedogenloze doeltreffendheid gedood. Zo gingen deze mannen te werk. Wat hun regel betrof, die zou me misschien beschermen, maar misschien ook niet. Als het erop aankwam, zou mijn overleving waarschijnlijk afhangen van de vraag of de smid bleef leven of niet. Maar mijn vader had een keer tegen me gezegd dat met angst geen veldslagen gewonnen werden. Ik rolde mijn mouwen op en hield mezelf voor dat ik geen tijd had voor flauwtes. Het leven van een man stond op het spel. Bovendien moest ik iets bewijzen en ik was vastbesloten dat te doen.

Die eerste nacht en dag bewaakten ze me zo nauwlettend dat het was alsof ik voortdurend een grote, zwaarbewapende schaduw achter me had. Ik moest hen er zelfs aan herinneren dat vrouwen bepaalde lichamelijke behoeften hebben waaraan ze het liefst alleen voldoen. Toen kwamen we tot een compromis: ik mocht even ongezien weg, op voorwaarde dat ik er niet te lang over deed en dan direct terugkwam naar de plaats waar Hond, Meeuw of Slang op me wachtte, met het wapen in de hand. Niemand hoefde me erop te wijzen dat het volstrekt zinloos was een ontsnappingspoging te ondernemen. Ze brachten me eten en water, ze brachten me een emmer zodat ik me kon wassen. Ik droeg iemands oude onderhemd, dat nog een eind onder mijn knieën hing, en een soort ruime tuniek met hier en daar handige zakken. Ik vlocht mijn haar in een stevige vlecht die op mijn rug hing, zodat hij me niet in de weg zat, en ging aan de slag met wat er gedaan moest worden. Zorgvuldig afgemeten drankjes tegen de pijn; mengsels die op het komfoor moesten worden verhit, bedoeld om de kwade sappen ertoe aan te zetten het lichaam te verlaten. Zalven voor de gemene brandplek. Kompressen voor het voorhoofd. Vaak ging ik gewoon naast de strozak zitten met Evans hand in de mijne en praatte ik zacht tegen hem of zong liedjes voor hem zoals je voor een koortsig kind deed.

De tweede nacht mocht ik naar buiten, tot bij het kookvuur. Hond liep naast me door het kampement, waar her en der tussen de bomen en struiken allerlei kleine, tijdelijke onderkomens waren opgetrokken, tot we bij een open plek kwamen waar keurig tussen stenen een heet, rookloos vuur brandde. Eromheen zaten, stonden of leunden mannen die hun eten met de hand opschepten uit de kleine kommen die de meeste reizigers ergens in hun bepakking meevoeren. Het rook er naar gestoofd konijn. Ik had genoeg honger om niet al te veel eisen te stellen, en nam een kom aan die me in de handen werd geduwd. Het was stil, afgezien van het sjirpen van nachtkrekels en het zachte murmelen van een vogel die in de takken boven ons in slaap viel.

'Hier,' zei Hond. Hij gaf me een kleine, uit been gesneden lepel die niet bepaald schoon was. In het halfduister waren er vele ogen op me gericht.

'Dank je wel,' zei ik, in het besef dat mij een zeldzaam privilege werd gegund. De anderen gebruikten hun vingers om te eten, of misschien een stuk hard brood. Er werd niet gelachen en weinig gesproken. Misschien had mijn aanwezigheid hun gesprek doen verstommen. Zelfs toen er bier werd geschonken en bekers werden rondgedeeld, was er nauwelijks een geluid te horen. Ik at mijn eten op en bedankte voor een tweede portie. Iemand bood me een beker bier aan, en ik nam hem aan.

'Goed gedaan hoor,' zei iemand kortaf.

'Heel netjes,' vond een ander ook. 'Niet makkelijk. Heb het ook weleens zien verknoeien. Een man kan sneller doodbloeden dan een... ik wil maar zeggen, zoiets moet goed gedaan worden.'

'Dank je,' zei ik ernstig. Vanwaar ik zat, op een wal bij het vuur, keek ik op naar een kring van gezichten. Ze hielden allemaal een afstand van drie of vier pas tot me aan. Ik vroeg me af of dit ook bij hun regel hoorde. Ze vormden een wonderlijk mengelmoes; hun bizarre veeltalige woordgebruik wees op een herkomst uit allerlei streken en op een langdurig samenzijn. Van het hele stel waren er volgens mij maar twee of drie hier in Erin geboren. 'Ik had hulp,' zei ik. 'Ik had zoiets nooit alleen kunnen doen.'

Een heel lange man nam me nauwlettend op, met een fronsend gezicht.

'Maar,' zei hij na een tijdje, 'het zou niet gedaan zijn, als jij er niet was geweest. Toch?'

Ik keek snel om me heen, want ik wilde niemand in moeilijkheden brengen. 'Misschien niet,' zei ik maar.

'Nu maakt hij nog een kans, hè?' vroeg de lange man terwijl hij zich naar voren boog, met zijn lange, magere armen op zijn benige knieën. Er volgde een afwachtende stilte.

'Een kans, ja,' zei ik voorzichtig. 'Meer niet. Ik zal mijn best voor hem doen.'

Sommigen knikten. Toen maakte iemand een zacht geluidje dat het midden hield tussen sissen en fluiten, en plotseling keken ze allemaal een andere kant op, overal heen behalve naar mij.

'Hier, Baas.' Er werd een kom doorgegeven en een volle beker.

'Het is hier wel erg stil,' merkte ik na een tijdje op. 'Zingen jullie nooit, vertellen jullie 's avonds na het eten geen verhalen?'

Iemand snoof verachtelijk, maar hield er meteen weer mee op.

'Verhalen?' zei Hond verbluft, terwijl hij op de kale kant van zijn hoofd krabbelde. 'Wij kennen geen verhalen.'

'Je bedoelt over reuzen en monsters en zeemeerminnen?' vroeg de lange, slungelige kerel. Ik meende een vonkje van iets in zijn ogen te zien.

'Díe verhalen, en andere,' zei ik aanmoedigend. 'Er bestaan ook verhalen over helden, over grote veldslagen en over reizen naar verre en wonderbaarlijke landen. Veel verhalen.'

'Ken jij zulke verhalen?' vroeg de lange man.

'Stil toch, Spin,' siste iemand hem binnensmonds toe.

'Genoeg om er elke avond van het jaar een te vertellen, en er dan nog een paar over te houden,' zei ik. 'Zouden jullie het leuk vinden als ik er een vertelde?'

Het bleef lang stil, terwijl de mannen elkaar aankeken en met hun voeten schuifelden.

'Je bent hier om iets te doen, niet om gratis amusement te leveren.' Ik hoefde niet op te kijken om te weten wie dit zei. 'Deze mannen zijn geen kinderen.' Interessant: wanneer deze man het tegen mij had, gebruikte hij gewoon Iers, vloeiend en vrijwel accentloos.

'Is een verhaal vertellen tegen de regel?' vroeg ik zacht.

'Hoe zit het met die Bran?' merkte Meeuw heel moedig op. 'Ik wil wedden dat er verhalen over hem bestaan. Daar zou ik er wel een van willen horen.'

'Dat is een erg lang verhaal, dat alleen in vele avonden verteld kan worden,' zei ik. 'Ik zal hier niet lang genoeg zijn om het uit te vertellen. Maar er zijn meer dan genoeg andere.'

'Toe dan, Baas,' zei Meeuw. 'Het kan toch geen kwaad?'

'Laat ik gewoon beginnen,' zei ik, 'en als je denkt dat mijn woorden gevaarlijk zijn, kun je me laten ophouden wanneer je maar wilt. Dat lijkt me redelijk.'

'O ja?'

Maar hij had geen nee gezegd, en er hing een sfeer van zwijgende verwachting over de vreemde bende die om het vuur zat. Ik begon dus maar.

'Voor een bende krijgers zoals jullie,' zei ik, 'weet ik geen verhaal dat toepasselijker is dan het verhaal over de grootste van alle krijgers, Cú Chulainn, de kampioen van Ulster. Ook zijn geschiedenis is lang en samengesteld uit vele verhalen. Maar ik zal vertellen over de manier waarop hij zijn kunst leerde en die zo vervolmaakte dat niemand hem te velde kon verslaan, ook al was dat de beste strijder van zijn stam. Deze Cú Chulainn was geen gewone man, zie je. Er deden geruchten de ronde, en daarin school misschien een kern van waarheid. Geruchten dat hij een kind was van Lugh, de zonnegod, bij een sterfelijke vrouw. Niemand kon dit met zekerheid zeggen, maar één ding was zeker: altijd wanneer Cú Chulainn ging vechten, kwam er een verandering over hem. Ze noemden het riastradh, de strijdrazernij. Dan begon zijn hele lichaam te beven en werd het heet; zijn gezicht werd vuurrood, zijn hart bonsde als een grote trom in zijn borst, en zijn haar ging overeind staan en er vlogen gloeiende vonken af. Het was werkelijk net of zijn vader, de zonnegod, hem dan inspireerde, want voor zijn vijanden leek het alsof er een woest en verschrikkelijk licht om hem heen straalde wanneer hij met het zwaard in de hand op hen afkwam. En ze zeggen dat er, nadat de slag gewonnen was, drie vaten ijskoud rivierwater nodig waren om hem af te koelen. Wanneer ze hem in het eerste vat dompelden, barstten daarvan de ringen en viel het vat in duigen uiteen. Het water in het tweede vat kookte over; het derde vat dampte en dampte tot de hitte uit hem was en Cú Chulainn weer zichzelf was.

Deze grote krijger had uitzonderlijke vaardigheden, ook als jongen al. Hij kon springen als een zalm en zwemmen als een otter. Hij kon sneller lopen dan een hert en in het donker zien zoals een kat. Maar er brak een tijd aan dat hij zijn kunst wilde verfijnen, met het doel een schone vrouwe te veroveren die Emer heette. Toen hij bij Emers vader om haar hand vroeg, zei de oude man dat hij zich niet bewezen had als krijger en dat hij zich verder moest bekwamen onder leiding van de beste leraar. Wat de vrouwe betreft, die zou hem ook zo hebben geaccepteerd, want wie kon er nou weerstand bieden aan zo'n prachtige man? Maar ze was een braaf meisje en volgde de wil van haar vader. Daarom ging Cú Chulainn op zoek, en hij vroeg het aan deze en hij vroeg het aan gene en uiteindelijk hoorde hij dat de beste leraar in de krijgskunsten een vrouw was, Scáthach, een vreemd schepsel dat op een eilandje voor de kust van Alba woonde.'

'Een vrouw?' herhaalde iemand schamper. 'Hoe kon dat nou?'

'Tja, dit was geen gewone vrouw, zoals onze held weldra bemerkte. Toen hij bij de woeste kust van Alba aankwam en over de woedende wateren uitkeek naar het eiland waar zij met haar krijgsvrouwen woonde, zag hij dat het al moeilijk zou worden nog voordat hij daar een voet aan wal had gezet. Want de enige manier om over het water te komen was een hoge, smalle brug die zo breed was dat er net één man over kon lopen. Zodra hij een voet op de brug zette, begon die over zijn hele, aanzienlijke lengte te schudden en te kronkelen en op en neer te springen. Iedereen die dom genoeg was om zich er verder overheen te wagen, zou er onmiddellijk af geworpen worden en op de messcherpe klippen of in de kolkende branding belanden.'

'Waarom gebruikte hij dan geen boot?' vroeg Spin met een verbaasde frons.

'Heb je dan niet gehoord wat Liadan zei?' antwoordde Meeuw spottend. 'Woedende wateren? Kolkende branding? Geen boot zou die zee hebben kunnen oversteken, denk ik zo.'

'Inderdaad,' zei ik met een glimlach naar hem. 'Velen hadden het geprobeerd, en allen waren omgekomen, verzwolgen door de zee of door de reusachtige wezens met lange tanden die erin huisden. Maar wat moest Cú Chulainn nu doen? Hij was er niet de man naar om het op te geven, en hij begeerde Emer met een verlangen dat zijn lichaam tot in de kleinste hoekjes vervulde. Met zijn scherpe blik mat hij de afstand over de brug, en toen ademde hij diep in en uit, en ademde weer in, en de riastradh kwam over hem tot zijn hart uit zijn borstkas dreigde te springen; elke ader onder zijn huid zwol op en werd zo dik als een strakgespannen hennepen koord. Toen verzamelde Cú Chulainn al zijn krachten en maakte een geweldige sprong, als van een zalm die tegen een grote waterval opspringt, en hij kwam licht neer, precies midden op de schuddende brug, keurig op de bal van zijn linkervoet. De brug hopste en bokte en probeerde hem af te werpen, maar hij was te snel en maakte weer een sprong, zo groot dat toen zijn voet de grond raakte, hij op de kust van Scáthachs eiland was.

Hoog op de borstwering van Scáthachs woning, een versterkte toren van massief graniet, stond de strijdster met haar dochter te kijken.

"Zo te zien een geschikte kerel," mompelde ze. "Die kent al een paar kunstjes. Hem zou ik wel het een en ander kunnen leren."

"Ik zou hem zelf ook best een paar kunstjes willen leren," zei de dochter, maar zij bedoelde iets heel anders.'

Er klonk gelach. Deze mannen mochten dan niet gewend zijn aan verhalen, maar ze leken een verhaal wel te kunnen waarderen. Wat mezelf betreft, ik begon op gang te komen en vroeg me terloops af wat Niamh zou zeggen als ze me nu kon zien. Ik ging verder met het verhaal.

'"Nou goed," zei de moeder, "als jij hem wilt, mag je hem hebben. Drie dagen krijg je om hem de kunsten van de liefde te leren. Daarna is hij voor mij."

Het was dus de dochter van Scáthach die naar beneden ging om de held welkom te heten, en ze bereidde hem een hartelijk welkom, zodat er na drie dagen weinig was dat hij niet wist over de behoeften van een vrouw en hoe hij haar kon behagen. Daar kon Emer nog plezier van hebben. Toen was het de beurt van de moeder, en toen zijn lessen begonnen, besefte Cú Chulainn algauw dat

Scáthach inderdaad de beste lerares was. Ze onderrichtte hem gedurende een jaar en een dag, en van haar leerde hij zijn strijdsprong waarmee hij hoog boven een speer uit kon vliegen die door zijn tegenstander door de lucht was geworpen. Hij leerde hoe hij een man moest scheren met snelle halen van het zwaard, een kunst die misschien weinig praktisch nut had, maar die een vijand zeker angst zou inboezemen.'

Hond streek nerveus met zijn hand over de kale kant van zijn schedel.

'Cú Chulainn kon de grond onder de voeten van de vijand wegmaaien, waarbij zijn zwaard zo snel bewoog dat je het amper kon zien. Hij kon zo licht als een veertje opspringen tegen het schild van zijn tegenstander. Hij leerde een strijdwagen met messen aan de wielen te besturen; zijn tegenstanders zouden niet eens weten wat hen trof, tot ze stervend op het slagveld lagen. Hij leerde tevens de kunst van het jongleren, wat hij even behendig kon met scherpe messen of vlammende toortsen als met de lederen jongleursballen. Terwijl hij op dat eiland was, sliep Cú Chulainn met een krijgsvrouw, Aoife, en zij schonk hem een zoon, Conlai, en daarmee begon een ander verhaal, een heel treurig verhaal. Maar Cú Chulainn zelf keerde naar huis terug, na een jaar en een dag, en vroeg weer om de hand van de schone Emer.'

'En?' zei Meeuw ongeduldig toen ik even zweeg. Het was laat. Van het vuur was nog slechts een massa gloeiende sintels over, terwijl een netwerk van sterren zich over de donkere hemel had gespreid. Het was afnemende maan.

'Welnu, Emers vader, Fogall, had nooit verwacht dat de jongeman zou terugkomen. Hij had gehoopt dat Scáthach hem zou doden, als de brug en de zee dat al niet hadden gedaan. Cú Chulainn werd dus geconfronteerd met gewapend verzet. Maar hij was niet voor niets in de leer geweest bij de beste van de wereld. Met zijn kleine groep zorgvuldig uitgekozen krijgers versloeg hij het leger van Fogall zonder veel moeite. Hij achtervolgde Fogall zelf tot op de uiterste rand van de kliffen, en vocht daar met hem van man tegen man. Het duurde niet lang of Fogall, die zich volstrekt niet met hem kon meten, viel te pletter op de stenen in de diepte. Toen nam Cú Chulainn de schone Emer tot bruid, en ze vonden veel vreugde in elkaar.'

'Ik wil wedden dat hij haar het een en ander leerde,' zei iemand met gedempte stem.

'Genoeg.' Bran kwam van achter me te voorschijn, en zijn stem bracht de mannen onmiddellijk tot zwijgen. 'Het verhaal is uit. De mannen die de wacht aflossen, naar je post. De rest, naar bed. Verwacht geen herhaling van dit optreden.'

Ze vertrokken zonder nog een woord te zeggen. Ik vroeg me af hoe het zou voelen om zo bang te zijn voor een man dat je al zijn bevelen opvolgde zonder vragen te stellen. Zo'n bestaan kon toch weinig voldoening geven.

'En jij, weer aan je werk.'

Het duurde enkele ogenblikken voor ik besefte dat Bran het tegen mij had.

'Wat word ik geacht daarop te antwoorden? Ja, Baas?' Ik stond op. Hond was vlak achter me, een voortdurende schaduw.

'Als je nou je mond eens hield en deed wat je gezegd wordt? Dat zou voor ons allemaal gemakkelijker zijn.'

Ik wierp hem een onvriendelijke blik toe. 'Ik hoef aan jou geen verantwoording af te leggen,' zei ik. 'Ik zal het werk doen waarvoor ik hier ben. Dat is alles. Ik ben niet van plan me te laten rondcommanderen als een van je mannen. Als zij ervoor kiezen je als doodsbange slaven te volgen, dan moeten ze dat zelf weten. Maar ik kan niet werken als ik in angst rondloop en de hele tijd word ingeperkt. En je hebt zelf gezegd: wees goed voorbereid, zodat je je werk doeltreffend kunt doen. Zoiets.'

Hij gaf een tijdlang geen antwoord. Iets wat ik had gezegd had kennelijk een gevoelige snaar geraakt, hoewel in dat vreemde gezicht, zomer en winter, nauwelijks een spiertje vertrok.

'Het zal ook helpen als je mijn naam gebruikt,' voegde ik er streng aan toe. 'Ik heet Liadan.'

'Die verhalen,' zei Bran afwezig, alsof hij met iets heel anders bezig was. 'Die zijn gevaarlijk. Daardoor gaan mannen dromen over dingen die ze niet kunnen krijgen. Over dingen die ze nooit kunnen worden. Daardoor gaan mannen zich afvragen wie ze zijn en waarnaar ze zouden kunnen streven. Mijn mannen mogen zulke verhalen niet horen.'

Ik was even sprakeloos.

'Ach, toe, Baas,' protesteerde Hond onverstandig. 'En Cú Chulainn en zijn zoon Conlai dan? Een heel treurig verhaal, zei ze. En zeemeerminnen en monsters en reuzen dan?'

'Je praat als een klein kind.' Brans stem klonk verachtelijk. 'Dit is een troep geharde mannen, die geen tijd hebben voor zulke triviale onzin.'

'Misschien zou je er tijd voor moeten maken,' zei ik, vastbesloten mijn standpunt duidelijk te maken. 'Als je de overwinning wilt behalen, waarmee zou je je mannen dan beter kunnen inspireren dan met een heldenverhaal, een verhaal over een strijd tegen een grote overmacht die door middel van kundigheid en moed gewonnen werd? En als je mannen vermoeid of terneergeslagen zijn, wat is er dan beter geschikt om hen op te vrolijken dan een mal verhaal – bijvoorbeeld het verhaal van het kleine mannetje Iubdan en het bord pap, of van de boer die drie wensen mocht doen en ze allemaal verspilde? Wat zou beter werken om hun hoop te geven dan een liefdesverhaal?'

'Je neemt een risico door over liefde te praten. Ben je zo onschuldig, of zo dom, dat je je niet kunt voorstellen wat voor uitwerking zulke woorden kunnen hebben in dit gezelschap van mannen? Of misschien wil je dat juist. Je kunt kiezen. Elke nacht een ander. Of twee, misschien.'

Ik voelde dat ik bleek werd.

'Je toont wat voor man je bent door me zo te beledigen,' zei ik heel kalm.

'En wat voor man is dat?'

'Een man zonder gevoel voor goed en kwaad. Een man die niet kan lachen en die heerst door middel van angst. Een... een man zonder respect voor vrouwen. Er zijn er die zich gruwelijk zouden willen wreken als ze je zo tegen mij hoorden spreken.'

Het bleef even stil.

'En waarop baseer je dit oordeel?' vroeg hij ten slotte. 'Je hebt maar een uiterst korte tijd in mijn gezelschap doorgebracht. Toch geloof je nu al dat ik een soort monster ben. Je kunt de aard van een man wel heel snel bepalen.'

'En jij velt al even snel een oordeel over een vrouw,' zei ik meteen.

'Ik hoef je niet te kennen om te zien wat je bent,' zei hij op sombere toon. 'Jullie zijn allemaal hetzelfde. Je vangt een man in je net, haalt hem binnen, berooft hem van zijn wil en zijn beoordelingsvermogen. Het gaat zo subtiel dat hij verloren is voor hij het gevaar ook maar ziet. Vervolgens worden er na hem anderen binnengehaald, en het patroon van duisternis strekt zich steeds verder uit, zodat er zelfs voor onschuldigen geen ontsnapping mogelijk is.' Opeens zweeg hij; kennelijk had hij spijt van wat hij had gezegd.

'Jij,' zei hij tegen Hond, die met open mond had staan luisteren. 'Breng haar terug naar haar patiënt en ga dan zelf naar bed. Meeuw houdt vannacht de wacht.'

'Ik zou het ook kunnen, Baas. Ik kan nog gemakkelijk een wacht...'

'Meeuw heeft vannacht de wacht.'

'Ja, Baas.'

Dat was de tweede dag. Evan, de smid, hield het goed vol, al was ik niet tevreden over de manier waarop zijn lichaam trilde en rilde, en ook niet over zijn gloeiende voorhoofd, dat niet wilde afkoelen, hoe vaak ik hem ook afsponsde met koel water waarin ik paardenbloem en vijfvingerkruid had laten weken. Er ontwikkelde zich een zekere mate van competitie tussen mijn drie helpers. Ze wilden alle drie erg graag helpen bij het verpleegwerk, en hoewel ze geen ervaring hadden, was ik blij met hun kracht bij het optillen en keren van de patiënt.

Brans mannen leken altijd druk bezig met vechtoefeningen, de verzorging van paarden of tuig, het schoonmaken en slijpen van wapens. Eamonn had het in één opzicht mis gehad. Ze gebruikten het conventionele wapentuig: zwaard, speer, pijl en boog en mes, en daarnaast een ruim assortiment van andere strijdmiddelen waarvan ik de namen en werkingen niet zo nodig hoefde te weten. Het kamp was zelfvoorzienend en zeer georganiseerd. Op de derde ochtend trof ik tot mijn verbazing buiten op een steen bij mijn schuilplaats mijn jurk en hemd aan, keurig opgevouwen, gewassen en gedroogd en bijna zo goed als nieuw. Er was ten minste één goede kok, en het ontbrak niet aan kundige jagers die een voorraad vers vlees voor de pot konden leveren. Waar de wortelen en rapen vandaan kwamen, vroeg ik niet.

Er was maar weinig tijd. Zes dagen, tot ze verder zouden trekken. De smid had pijn en had slaapverwekkende kruiden nodig om die te bestrijden. Maar als hij straks zonder mij verder moest reizen, moest hij de waarheid weten. Er waren momenten dat hij keek naar de plaats waar eens zijn sterke arm aan zijn krachtige schouder had gezeten. Maar in zijn koortsige ogen was geen begrip wanneer ik hem vertelde wat er gebeurd was, en hoe het in de toekomst zou zijn.

Op de derde dag liep ik door het kamp met Slang naast me. Mijn geleende kleren moesten nodig gewassen worden, want ook deze waren nu bevlekt met het bloed van mijn patiënt, en hier en daar ook met drankjes die hij maar tien tellen binnenhield voor hij ze weer uitbraakte.

Toen we bij de oever van de beek aankwamen, zagen we de lange man, Spin, en een ander die ze Otter noemden, op het gras worstelen. Otter was aan de winnende hand, want bij het worstelen geeft lengte je weinig voordeel als je tegenstander snel en slim is. Er weerklonk een luide plons, en daar lag Spin languit in het water, met een beteuterd gezicht. Otter veegde zijn handen af aan zijn leren broek. Zijn bovenlijf was naakt en hij had een ingewikkeld patroon op zijn borst: vele schakels die een gedraaide cirkel vormden.

'Morgen, Slang. Morgen, vrouwe. Hier, sukkel. Sta op. Je moet nog wat meer oefenen, hoor.' Otter stak zijn arm uit en trok de beschaamde Spin uit het water.

'Idioten,' merkte Slang vriendelijk op. 'Laat de Baas jullie niet betrappen op dat gerotzooi.'

Ik rolde mijn bundeltje uit en begon het bevlekte textiel in het ondiepe gedeelte over de stenen te wrijven.

'Ga maar liever terug naar het kamp, of waar jullie horen te zijn,' ging Slang verder. 'Baas zou niet blij zijn als hij jullie met de vrouwe hier zag praten.'

'Jij hebt makkelijk praten,' mompelde Spin, die het duidelijk erg vervelend vond zo gezien te worden, druipnat en verslagen. 'Hoe heb jij het eigenlijk voor elkaar gekregen dat je haar permanent mag bewaken?'

'Dat gaat je niets aan.'

'Waarom zijn jullie allemaal zo bang voor hem?' vroeg ik, terwijl ik even ophield met wassen om naar het drietal op te kijken. Het was jammer dat hier nergens in de buurt zeepkruid groeide. Ik moest eens vragen hoe ze mijn jurk zo mooi schoon hadden gekregen.

'Bang?' Spin begreep het niet.

Slang fronste zijn voorhoofd. 'Dat zie je verkeerd,' zei hij. 'Baas is een man om te respecteren, niet te vrezen.'

'Wat?' Ik ging verbaasd op mijn hurken zitten. 'Terwijl jullie allemaal zwijgen zodra hij ook maar iets zegt? Terwijl hij dreigt jullie streng te bestraffen als jullie een of andere regel overtreden die hij ongetwijfeld zelf heeft bedacht? Terwijl jullie op de een of andere manier aan hem gebonden zijn in een broederschap waaruit jullie blijkbaar nooit kunnen ontsnappen? Is dat iets anders dan een schrikbewind?'

'Sst,' zei Slang verschrikt. 'Praat niet zo hard.'

'Zie je wel?' zei ik uitdagend, maar wel zachter. 'Je durft hierover niet eens openlijk te praten, uit angst dat hij jullie zal horen en bestraffen.'

'Dat is wel waar,' zei Spin, terwijl hij met zijn lange stuntelige ledematen op de rotsen naast me ging zitten, maar nog steeds zorgvuldig op zo'n drie of vier pas van me af. 'Hij weet regels te stellen en ze door te voeren. Maar het is eerlijk. De regel is er om ons te beschermen. Tegen elkaar. Tegen onszelf. Iedereen begrijpt dat. Als we de regel overtreden, is dat onze eigen keus en dragen we de gevolgen.'

'Maar waarom blijven jullie hier, als het niet is uit angst voor hem?' vroeg ik. Ik begreep het echt niet. 'Wat is dit voor leven, te moorden voor geld, je nooit in de echte wereld te kunnen begeven, nooit te kunnen... liefhebben, nooit je kinderen zien opgroeien of een boom die je geplant hebt zien groeien tot hij je huis beschaduwt, nooit vechten in een strijd waar je het recht aan je kant hebt? Dat is geen leven.'

'Ik denk niet dat je het zou begrijpen,' zei Slang op onverschillige toon.

'Probeer het me dan uit te leggen,' zei ik.

'Zonder de Baas,' het was Otter die dit zei, 'zouden we niets zijn. Niets. Dood, opgesloten of erger. We zijn het schuim der aarde, stuk voor stuk. Je kunt niet zeggen dat dit geen leven is. Hij heeft ons een leven gegeven.'

'Otter heeft gelijk,' zei Slang. 'Vraag het aan Hond. Vraag hem om zijn verhaal, vraag of je de littekens op zijn handen mag zien.'

'Wij zijn de mannen die niemand kon gebruiken,' zei Spin. 'De Baas heeft ons nut gegeven; hij heeft ons een plek en een doel gegeven.'

'En Meeuw?' vervolgde Slang. 'Die komt uit een vreemd land, Meeuw, ergens ver weg waar het heet is als hellevuur en waar niets anders is dan zand. Een land vol zwarte mensen zoals hij. Maar goed, iemand had hem daar echt zwaar aangepakt. Hij heeft zijn mensen voor zijn ogen zien afslachten. Zijn vrouw, kinderen, oude mensen. Hij wilde alleen nog maar dood. Baas heeft hem eruit gehaald, hem bepraat. Dat viel niet mee. Nu is Meeuw de beste die we hebben, afgezien van de Baas zelf.'

Ik had mijn wasgoed helemaal vergeten en het dreigde weg te drijven. Slang boog zich voor me langs om het te pakken. Hij gaf het aan me en trok zich weer drie tot vier passen terug.

'Elke man hier heeft een verhaal,' zei Otter. 'Maar we proberen te vergeten. Geen verleden, geen toekomst, alleen het heden. Dat is gemakkelijker. We zijn allemaal uitgestoten. Niemand van ons kan teruggaan, behalve misschien de smid. Dit is ons bestaan, hier in deze bossen, of daar buiten om een klus te doen, in de wetenschap dat wij de besten zijn in wat we doen. Dat is onze identiteit: de bende van de Beschilderde Man. Hij bedingt een goede prijs en deelt de opbrengst met ons. Ik voor mij werk liever hier voor hem, dan dat ik in het uniform van het leger van een of ander omhooggevallen heertje zou moeten werken.'

'Wie zou jou willen hebben?' grinnikte Slang. 'Jij zit veel te vol met rare grappen. Je zou al in moeilijkheden zijn voor je de kans had je eerste bevel te ontvangen.'

'Ik ben altijd bereid om zijn bevelen te ontvangen,' antwoordde Otter ernstig. 'De Baas heeft mijn leven gered. Maar het leven is nog een goedkoop ding, vergeleken met wat ik van hem heb teruggekregen: mijn zelfrespect.'

'Maar...' Ik wist niet hoe ik het had. Ik begon de kleren uit te wringen. 'Maar... ik begrijp het niet. Zien jullie dan niet dat wat jullie doen... monsterachtig is? Slecht? Gewetenloos moorden, voor geld? Hoe kunnen jullie dat een vak noemen, alsof het niets anders is dan... dan varkens fokken of boten bouwen?'

'Je fokt varkens om ze op te eten,' zei Otter. 'Dat is eigenlijk niet zo heel anders.'

'O!' Het was alsof ik tegen een stenen muur praatte. 'We hebben het wel over mannen, niet over dieren die voor de pot worden gefokt. Vinden jullie het niet bezwaarlijk om je brood te verdienen met niets anders dan doden? Doden waar en hoe jullie Baas het bepaalt, waar hij maar de beste prijs kan bedingen? De ene keer krijgen jullie je opdracht misschien van een Brit, de volgende keer van een heer uit Connacht of van een Pictisch opperhoofd. Er zit geen lijn in.'

'We zullen nooit een bepaalde kant kiezen,' zei Spin, kennelijk verbaasd. 'Niet voor vast, begrijp je. Wij zijn van allerlei slag. Saksen, Picten, zuiderlingen, en sommigen zoals Meeuw komen uit plaatsen waarvan je de naam niet eens kunt uitspreken. Een allegaartje, dat zijn we.'

'Maar dat betekent nog niet dat jullie... o!' Ik gaf het maar op.

'En Cú Chulainn dan?' vroeg Slang. Dit kwam onverwacht. 'Die doodde de vader van zijn vriendin. Ik vraag me af hoe zij dat vond? Zijn mannen doodden het leger van haar vader. Waarom? Opdat hij een vrouw kon krijgen, zijn begeerte kon bevredigen. Opdat hij kon laten zien dat hij de sterkste was. Is dat zoveel anders dan doden tegen betaling? Niet zoveel anders, volgens mij.'

Op dit moment had ik geen antwoorden meer. Bovendien was het tijd om terug te gaan. De smid mocht niet te lang aan de hoede van Hond worden overgelaten, gezien zijn beperkte verplegende vermogens.

Maar toen we in de buurt van de schuilplaats kwamen, was de zachte stem die ik hoorde niet die van Hond. Ik beduidde Slang dat hij stil moest zijn.

'... een man wiens naam je niet hoeft te weten... vanaf de kust van Wessex oversteken naar Gallië... ik kan regelen dat je dan doorreist naar... nee, dat hoef je niet te vragen, daarvoor wordt gezorgd...'

'Baas.' Evan antwoordde met zwakke stem, maar zo te horen had hij het wel begrepen. Hij was dus wakker en zijn geest was weer helder, op dit moment. Slang was een eind doorgelopen langs de helling en was ergens mee bezig. Ik wachtte, terwijl ik net uit het gezicht bleef; mijn nieuwsgierigheid was te sterk.

'Wat hield je tegen?' vroeg Evan. 'Toen je zag wat er van me over was... wat weerhield je?'

Het bleef even stil.

'Ik zal niet tegen je liegen, Evan,' zei Bran zacht. 'Ik zou het gedaan hebben. En ik ben er tot nu toe nog niet van overtuigd dat dit goed is.'

Het bleef weer stil. Het gesprek was vermoeiend voor de smid.

'Het is wel een bazig meidje, hè?' zei hij na verloop van tijd, en ik hoorde een vaag gegrinnik. 'Ze neemt graag de leiding. Met haar gepraat heeft ze me erdoorheen gesleept. Ik wist meestal niet of ik waakte of sliep, maar haar hoorde ik heel goed. Ze heeft me gezegd waar het op stond. Je arm is eraf, zei ze. Niet het einde van de wereld, zei ze. Ze zei wat ik zonder arm kon doen. Bracht me op een paar ideeën, dingen waaraan ik nooit zou hebben gedacht. Als je het me gisteren had gevraagd, had ik je vervloekt omdat je er toen niet meteen een eind aan hebt gemaakt. Nu weet ik het eigenlijk niet.'

'Je kunt beter uitrusten,' zei Bran. 'Anders word ik er natuurlijk van beschuldigd dat ik haar plannen ondermijn.'

'Ze heeft haar eigen ideeën, die kleine. Echt jouw type, Baas. Ziet er ook aardig uit.'

Het duurde even voor Bran hierop antwoordde. Toen hij dat deed, was de warmte uit zijn stem verdwenen. 'Je kent me wel beter, smid.'

'Uh-huh.'

Hij kwam naar buiten. Plotseling was ik druk bezig de natte kleren uit te spreiden op de meidoornstruiken die daar stonden. Hij bleef bij de ingang staan.

'Waar is Hond?' vroeg ik zonder om te kijken.

'Niet ver weg. Ik blijf hier tot hij terug is.'

'Dat hoeft niet,' zei ik. 'Slang is hier nog. Eén wacht is meer dan genoeg. Je kunt erop vertrouwen dat ik mijn patiënt niet in de steek zal laten. Ik zou deze taak nooit op me hebben genomen als ik van plan was geweest om er bij de eerste de beste gelegenheid vandoor te gaan.'

Ik keek naar hem op. Hij stond ernstig naar me te kijken, en ik werd weer getroffen door zijn vreemde dubbele gezicht. De verfijnde, ingewikkelde tekening aan de rechterkant gaf zijn oog een dreigende uitdrukking, zijn neusvleugel een hooghartige trek en zijn mond een strenge, ingehouden strakheid. En toch, als je alleen naar de linkerkant keek, zag je een blanke huid, een mooie, rechte neus en een vast, heldergrijs oog als het water van een meer op een winterochtend. Alleen de mond was hetzelfde, hard en onbuigzaam. Hij was als het ware twee mannen in één lichaam. Ik stond hem weer aan te gapen. Ik dwong mezelf om mijn ogen af te wenden.

'Vertrouwen?' zei hij. 'Dat woord is zonder betekenis.'

'Zoals je wilt,' zei ik, en wilde teruggaan naar de schuilplaats.

'Nog niet,' zei Bran. 'Je hebt het zeker gehoord? Dat de smid praatte?'

'Ik heb er iets van gehoord. Het doet me genoegen dat hij helder is. Hij lijkt vooruit te gaan.'

'Mm.' Het klonk niet overtuigd. 'Dankzij jou heeft hij nog enige hoop voor de toekomst. Die heb je met je woorden voor hem geschilderd, denk ik zo, net zoals je het gisteravond voor mijn mannen hebt gedaan. Een rooskleurig nieuw begin, vol liefde, leven en zonneschijn. Dat doe je, en toch durf je over ons een oordeel te vellen.'

'Wat bedoel je?' vroeg ik zacht. 'Ik heb hem alleen de waarheid verteld. Ik heb de feiten niet verhuld, en geen geheim gemaakt van de ernst van zijn verwonding en de mate waarin hij erdoor beperkt zal worden. Zoals ik al eerder heb gezegd, hoeft zijn leven nog niet voorbij te zijn. Er zijn veel dingen die hij nog kan.'

'IJdele hoop,' zei hij somber, en met een gefronst voorhoofd schopte hij met de teen van zijn laars in de aarde. 'Dat is geen leven voor een actief man. Op jouw zachte manier ben je wreder dan de moordenaar die zijn slachtoffer snel en zonder omhaal doodt. Die prooi hoeft niet lang te lijden. De jouwe is misschien levenslang bezig te leren dat niets ooit meer hetzelfde kan zijn.'

'Ik heb niet tegen hem gezegd dat alles hetzelfde zal zijn. Het zal goed zijn, maar anders, dat heb ik gezegd. En ik heb hem gezegd dat hij sterk zal moeten zijn, eerder sterk van geest en wil dan van lichaam. Dat hij tegen de wanhoop zal moeten vechten. Je oordeel over mij is onredelijk. Ik ben eerlijk tegen hem geweest.'

'Jij moet niets zeggen over een oordeel,' zei Bran. 'Je vindt mij een soort monster, dat is wel duidelijk.'

Ik keek hem met vlakke blik aan. 'Geen mens is een monster,' zei ik. 'Maar mensen doen monsterlijke dingen, dat staat vast. En ik heb mijn oordeel niet te snel geveld, zoals jij. Ik wist van jouw bestaan voor ik met geweld werd gegrepen en tegen mijn wil hierheen werd gebracht. Je reputatie snelt je vooruit, maar dat weet je ongetwijfeld zelf ook wel.'

'Wat heb je gehoord, en van wie?'

Ik had al spijt van mijn woorden. 'Het een en ander, van mensen in en om huis,' zei ik voorzichtig. 'Geruchten over moorden, schijnbaar willekeurig gepleegd, op een manier die zowel doeltreffend als... buitenissig was. Verhalen over een bende huurlingen die zich in hun werk niet lieten belemmeren door onnozele overwegingen zoals loyaliteit, eer of rechtvaardigheid. Mannen met het uiterlijk van wilde dieren of van wezens uit de Andere Wereld. Onder aanvoering van een schimmige hoofdman die ze de Beschilderde Man noemden. Je kunt dit soort verhalen overal horen.'

'En in welk huishouden kwamen deze geruchten je ter ore?'

Ik antwoordde niet.

'Geef antwoord op mijn vraag,' zei hij, nog steeds met zachte stem. 'Het wordt tijd dat je me eens vertelt wie je bent en waar je vandaan komt. Mijn mannen hadden een wonderlijk vaag verhaal over hoe ze je hadden gevonden, en wie je op de weg vergezelden. Ik wacht nog steeds op een bevredigende uitleg van hen.'

Ik bleef zwijgen, terwijl ik hem met vaste blik aankeek.

'Geef antwoord, vervloekt!'

'Ga je me nu slaan?' vroeg ik zonder mijn stem te verheffen.

'Breng me niet in verzoeking. Hoe heet je?'

'Ik dacht dat we hier geen namen hadden.'

'Jij hoort hier niet, je kunt hier niet horen,' snauwde Bran. 'Ik kan je zo nodig dwingen me deze informatie te geven. Het zal voor ons beiden gemakkelijker zijn als je het me gewoon vertelt. Het verbaast me dat je niet beseft hoe gevaarlijk de situatie is waarin je je bevindt. Misschien ben je een tikje traag van begrip.'

'Heel goed,' zei ik. 'Gelijk oversteken. Ik zal jou mijn naam zeggen en je vertellen waar ik vandaan kom als jij mij de jouwe vertelt, je echte naam, bedoel ik, en waar je geboren bent. Ik zou denken dat je oorspronkelijk uit Brittannië komt, al spreek je onze taal vloeiend. Maar geen moeder zal haar zoon de naam Baas geven.'

Het bleef even stil. Toen zei hij: 'Je begeeft je op gevaarlijk terrein.'

'Mag ik je eraan herinneren,' antwoordde ik met bonzend hart, 'dat ik hier niet uit vrije wil ben. Er zullen mensen van mijn huishouden naar mij op zoek zijn, en die zijn goed bewapend en bekwaam. Denk je dat ik hun zoektocht in gevaar ga brengen door aan jou te vertellen wie zij zijn en waar ze vandaan komen? Ik mag dan traag van begrip zijn, maar zo traag nu ook weer niet. Ik heb je verteld dat mijn naam Liadan is, en dat moet voor jou genoeg zijn, tot je mij de jouwe geeft.'

'Ik kan me niet voorstellen waarom iemand de moeite zou nemen om naar jou te gaan zoeken,' zei hij geërgerd. 'Hebben jouw mensen niet gauw genoeg van je gezelschap, met die gewoonte van jou om terug te bijten als een bemoeizuchtige terriër?'

'Helemaal niet,' zei ik vriendelijk. 'Thuis sta ik bekend als een rustig, plichtsgetrouw meisje. Welgemanierd, ijverig, gehoorzaam. Ik denk dat jij het slechtste in mij naar boven haalt.'

'Mm,' zei hij. 'Rustig, plichtsgetrouw. Dat betwijfel ik toch ten zeerste. Daarvoor moet de verbeelding toch wel een erg grote sprong maken. Ik denk eerder dat je, zoals bij jouw slag past, liegt wanneer het je uitkomt. Voor een verhalenverteller zoals jij is dat waarschijnlijk niet moeilijk.'

'Je beledigt me,' zei ik, terwijl ik steeds meer moeite had om mijn stem kalm te houden. 'Ik had liever gehad dat je me een klap in mijn gezicht had gegeven. Verhalen zijn geen leugens, en ook geen waarheid; ze zijn iets ertussenin. Ze kunnen zo waar of vals zijn als de toehoorder ze wil maken, of zoals de verteller hem wil laten geloven. Het is een teken van de nauwe cirkel die je om jezelf trekt, om anderen buiten te houden, dat je dit niet kunt begrijpen. Ik lieg niet gemakkelijk, en ik zou het zeker niet doen om zo'n oppervlakkige reden.'

Hij keek me woest aan, met ijskoude grijze ogen. Ik had tenminste een reactie weten uit te lokken.

'Bij god, vrouw, jij kunt een onderwerp tot de laatste vezel uitkauwen met je verwrongen logica!' zei hij ongeduldig. 'Genoeg. We hebben werk te doen.'

'Zo is het,' zei ik rustig, en ik draaide me om en ging naar binnen naar mijn patiënt, en keek niet om.

Evan ging vooruit; hij ijlde niet meer en kon zonder hulp in slaap komen. Ik zorgde er wel voor dat niemand zag dat dit een grote verrassing voor mij was. Meeuw had die avond de wacht en ik vroeg hem hoe de zieke man veilig vervoerd kon worden wanneer het zover was, maar hij antwoordde ontwijkend. Toen stuurde ik hem een tijdje naar buiten, zodat ik me kon wassen en me gereed kon maken voor de avondmaaltijd. De smid sliep bijna; zijn ogen waren vernauwd tot spleetjes, en zijn ademhaling was weer kalm na het pijnlijke verschonen van zijn verbanden. Hij had een beetje bouillon gedronken.

'Dit is een beetje gênant,' zei ik tegen hem. 'Doe je ogen dicht en draai je hoofd de andere kant op, en beweeg niet tot ik zeg dat het mag.'

'Ik zwijg als het graf,' fluisterde hij met een zekere ironie, en sloot zijn ogen.

Ik kleedde me vlug uit, sponsde mijn lichaam rillend af met water uit de emmer en gebruikte de snipper grove zeep die Hond voor me had weten te vinden. Toen ik me weer afspoelde, voelde ik overal kippenvel, ook al was het zomer. Ik draaide me om om de ruwe handdoek te pakken, wilde me zo snel mogelijk weer aankleden, en keek recht in de diepliggende bruine ogen van Evan. Hij lag achterover op zijn strozak en keek zijn ogen uit. Hij grijnsde van oor tot oor.

'Schaam je wat!' riep ik uit terwijl een blos zich over mijn naakte lichaam verspreidde. Er zat niets anders op dan me zo snel mogelijk af te drogen en me in mijn kleren te wurmen, hemd en jurk, blij dat ik de sluiting op de rug zonder hulp kon bereiken. 'Een volwassen man als jij, die zich gedraagt als een... een slecht opgevoede jongeman die de meisjes bespiedt. Ik zei toch...'

'Het is niet kwaad bedoeld,' zei Evan en de grijns ontspande zich tot een lach die zijn grove trekken iets verrassend liefs gaf. 'Het was voor mij volstrekt onmogelijk om niet te kijken. En het was een aangenaam schouwspel, als ik het zeggen mag.'

'Nee, dat mag je niet zeggen,' beet ik hem toe, maar ik had het hem al vergeven. 'Doe het niet nog eens, hoor je? Het is al erg genoeg dat ik hier de enige vrouw ben, zonder dat...'

Hij werd plotseling ernstig.

'Deze mannen zouden je nooit kwaad doen, meidje,' zei hij zacht.

'Het zijn geen barbaren die voor de aardigheid verkrachten en ver-
nielen. Als ze een vrouw begeren, hoeven ze haar niet met geweld
te nemen. Er zijn er heel wat die zich graag aanbieden, en geloof
me, ze vragen er niet allemaal een beloning voor. Bovendien weten ze dat ze jou niet mogen aanraken.'
'Omdat hij dat gezegd heeft? De Baas?'
'Ja, hij heeft gezegd dat ze hun poten thuis moeten houden, schijnt
het hoor. Maar hij had zich de moeite kunnen besparen. Iedereen
met ogen in zijn kop kan zien dat jij een vrouw voor het huwe-
lijksbed bent, geen meid voor een vluggertje, als ik zo vrij mag
zijn. Je hebt zeker een man thuis?'
'Niet precies,' zei ik, niet wetend hoe ik hierop het beste kon antwoorden.
'Wat betekent dat? Je hebt een man of je hebt er geen. Een echtgenoot? Een liefje?'
'Ik heb een... een vrijer zou je hem denk ik kunnen noemen. Maar
ik heb niet toegestemd in een huwelijk. Nog niet.'
Evan zuchtte diep terwijl ik de deken stevig om hem instopte en
de geïmproviseerde peluw gladstreek.
'Arme kerel,' zei hij slaperig. 'Laat hem niet te lang wachten.'
'De volgende keer dat ik zeg dat je je ogen dicht moet doen, houd
je ze dicht,' zei ik streng.
Hij mompelde iets en ging in slaaphouding liggen, nog steeds met
een spoor van een grijns op zijn gezicht.

Die avond vertelde ik verhalen om hen aan het lachen te maken.
Grappige verhalen. Gekke verhalen. Over Iubdan en het bord pap.
Hij zette het de grote mensen later betaald, reken maar. Het verhaal van de man die van het Feeënvolk drie wensen mocht doen,
zodat hij gezondheid, rijkdom en geluk had kunnen krijgen. Arme sukkel, het enige wat hij eraan overhield, was een worst. Tegen het eind van het verhaal brulden de mannen van het lachen
en smeekten om nog een verhaal. Alle mannen, behalve de Baas
natuurlijk. Ik negeerde hem maar zoveel mogelijk.
'Nog een verhaal,' zei ik. 'Eentje maar. En nu is het tijd om weer
nuchter te worden en stil te staan bij de kwetsbaarheid van alle
levende wezens. Ik heb jullie gisteravond verteld over een van onze grote helden, Cú Chulainn van Ulster. Jullie zullen je herinne-

ren dat hij sliep met de krijgsvrouw Aoife, en dat ze hem een zoon baarde, lang nadat hij van die kust was vertrokken. Maar hij had haar niet achtergelaten zonder een tastbaar aandenken. Hij gaf haar een kleine, gouden ring voor haar pink en ging toen weg om met zijn liefje Emer te trouwen.'

'Nobel van hem,' merkte iemand droogjes op.

'Daar was Aoife aan gewend. Ze was een zelfstandige en sterke vrouw en ze had weinig op met de zelfzuchtige aard van mannen. Op een dag baarde ze haar kind, en de volgende dag was ze alweer op pad en zwaaide ze met de strijdbijl in het rond. Ze noemde de jongen Conlai, en zoals je wel zult begrijpen, raakte hij bedreven in alle krijgskunsten, zodat er niet veel waren die hem in het veld evenaarden. Toen hij twaalf jaar oud was, gaf zijn moeder, de krijgs-vrouw, hem het gouden ringetje om aan een ketting om zijn hals te dragen, en ze vertelde hem de naam van zijn vader.'

'Is dat niet goed?' waagde Slang te vragen.

'Dat hangt ervan af. Een jongen heeft er behoefte aan te weten wie zijn vader is. En wie zal zeggen dat dit verhaal anders afge-lopen zou zijn als Aoife hem zijn vaders naam niet had verteld? In zijn aderen stroomde het bloed van Cú Chulainn, of hij nu zijn naam droeg of niet. Hij was een jongeling die bestemd was om krijger te worden, om risico's te nemen, vol van de onstuimige moed van zijn vader.

Ze hield hem tegen zo lang ze kon, maar de dag kwam waarop Conlai veertien jaar oud werd; nu beschouwde hij zichzelf als een man en ging op weg om zijn vader te zoeken en hem te laten zien wat voor flinke zoon hij had verwekt. Aoife had bange voorge-voelens en wilde de jongen beschermen. Hij moest, zo redeneer-de ze, oppassen dat hij niet liet merken dat hij het nageslacht was van de grootste held die Ulster ooit had gekend. Althans, niet voor-dat hij bij het kasteel van zijn vader aankwam. Daar zou hij vei-lig zijn; maar onderweg kon hij mensen ontmoeten van wie de zo-nen, broers of vaders slaags waren geraakt met Cú Chulainn, en wie kon zeggen dat zij zich niet op de vader zouden wreken door de zoon te doden? Daarom zei ze tegen Conlai: "Zeg je naam te-gen geen enkele krijger. Beloof me dat." En hij beloofde het, want zij was zijn moeder. Op deze manier bezegelde zij zijn noodlot, terwijl ze alleen zijn veiligheid wilde verzekeren.'

Het was doodstil, afgezien van een briesje dat de duistere bomen boven ons beroerde. Het was nieuwe maan.

'Vanaf Alba stak Conlai de zee over, en hij reisde door het land van Erin tot hij Ulster bereikte. Ten slotte bereikte hij het huis van zijn vader, de grote held Cú Chulainn. Hij was een grote, sterke jongen, en wat zijn helm en wapenrusting betrof was hij niet te onderscheiden van een ervaren krijger. Hij reed naar de poort en hief uitdagend zijn zwaard; en in antwoord kwam Conall naar buiten, de halfbroer van Cú Chulainn.

"Welke naam draag jij, brutale aap?" schreeuwde Conall. "Zeg het, zodat ik zal weten wiens zoon na afloop van dit tweegevecht verslagen aan mijn voeten ligt!"

Maar Conlai zei geen woord, want hij hield zijn belofte aan zijn moeder. Er volgde een kort, fel gevecht, dat hoog boven hen vanaf de borstwering met belangstelling werd gadegeslagen door Cú Chulainn en zijn krijgers. En het was niet de uitdager die na afloop verslagen op de grond lag.'

Vervolgens vertelde ik hoe de jongen elke man versloeg die met zwaard, staf of mes op hem afkwam, tot Cú Chulainn zelf besloot op de uitdaging in te gaan, want de fiere schouders van de jongeman en zijn keurige voetenwerk bevielen hem, ongetwijfeld omdat hij er iets van zichzelf in terugzag.

"Ik ga naar beneden om zelf tegen deze jongeman in het strijdperk te treden," zei hij. "Hij lijkt me een waardige tegenstander, al is hij wel wat arrogant. We zullen zien wat hij tegen Cú Chulainns vechtkunst kan uitrichten. Als hij me kan weerstaan tot de zon achter die olmen wegzinkt, zal ik hem in mijn huis en in mijn krijgsbende verwelkomen, als hij dat wil."

Hij ging naar beneden en liep door de poort naar buiten, en hij vertelde de jongen wie hij was en wat hij van plan was te doen. Vader, fluisterde Conlai bij zichzelf, maar hij sprak geen woord, want dat had hij zijn moeder beloofd en hij wilde zijn belofte niet breken. Cú Chulainn was verbolgen omdat de uitdager niet de hoffelijkheid had zijn naam te zeggen, en dus was hij al boos toen hij aan het gevecht begon, wat nooit goed is.'

De mannen lieten een instemmend gemompel horen. Ik keek naar Bran; dat was onvermijdelijk, want hij zat vlakbij. Hij staarde in het vuur, zodat zijn gezicht, waarop een heel vreemde uitdrukking lag, werd verlicht. Iets in dit verhaal had zijn aandacht gevangen, meer dan die van de anderen, en als ik niet had geweten wat voor man hij was, zou ik gezegd hebben dat ik in de uitdrukking op zijn gezicht iets zag dat leek op angst. Het kwam waarschijnlijk door het spel van het licht, zei ik bij mezelf, en ik ging verder.

'Nu, dat was een gevecht zoals je maar zelden ziet: de geharde, ervaren zwaardvechter tegen de snelle, onstuimige jongeling. Ze vochten met het zwaard en het mes, draaiden om elkaar heen, naderden en weken terug, alle kanten op. Ze doken weg en ontweken elkaar, sprongen en wendden zich zodat het soms moeilijk te zien was wie wie was. Een van de mannen die van bovenaf toekeken zei dat de twee mannen van gestalte op elkaar leken als twee druppels water. De zon daalde steeds verder en raakte de top van de hoogste olm. Cú Chulainn dacht erover de strijd te staken, want eigenlijk speelde hij alleen maar met de brutale uitdager. Zijn eigen vechtkunst was veel beter, en het was alleen maar zijn bedoeling geweest om de ander op de proef te stellen tot de afgesproken tijd om was, waarna hij hem vriendschappelijk de hand wilde reiken.

Maar Conlai wilde zich beslist bewijzen en met een behendige zwaardbeweging had hij plotseling een vuurrode lok haar in zijn hand, het haar van Cú Chulainn, dat hij zo van zijn schedel had gesneden. Een ogenblik, heel even maar werd Cú Chulainn overmeesterd door de strijdwoede, en voor hij wist wat hij deed, stiet hij een luide brul uit en boorde zijn zwaard diep in de ingewanden van zijn tegenstander.'

Ik hoorde gemompel om me heen; sommigen onder mijn gehoor hadden dit aan zien komen, maar allen voelden plotseling de zwaarte van dit afschuwelijke gebeuren.

'Zodra hij dit had gedaan, kwam Cú Chulainn weer bij zinnen. Hij rukte het zwaard uit Conlais lichaam, waarna het bloed de grond rood begon te kleuren. Cú Chulainns mannen kwamen naar beneden en namen de vreemdeling zijn helm af, en daar was hij, een jongen nog maar, een jongeling wiens ogen al verduisterd werden door de schaduw van de dood en wiens gezicht bleker en bleker werd terwijl de zon wegzonk achter de olmen. Toen maakte Cú Chulainn de kleding van de jongen los, in een poging zijn einde te verzachten. En daar zag hij het ringetje dat aan zijn ketting om Conlais hals hing. Het ringetje dat hij bijna vijftien jaar eerder aan Aoife had gegeven.'

Bran hield zijn hand tegen zijn voorhoofd, zodat zijn ogen niet te zien waren. Hij staarde nog steeds in de vlammen. Wat had ik gezegd?

'Hij doodde zijn eigen zoon,' fluisterde iemand.

'Zijn jongen,' zei iemand anders. 'Zijn eigen kind.'

'Het was te laat,' zei ik nuchter. 'Te laat om het goed te maken. Te laat om afscheid te nemen, want op hetzelfde moment dat Cú Chulainn inzag wat hij gedaan had, blies zijn zoon zijn laatste adem uit en ontsteeg Conlais ziel aan zijn lichaam.'

'Dat is verschrikkelijk,' zei Hond met geschokte stem.

'Het is inderdaad een treurig verhaal,' zei ik, terwijl ik me afvroeg of ook maar een van deze mannen op het idee kwam het verhaal in verband te brengen met hun eigen activiteiten. 'Ze zeggen dat Cú Chulainn de jongen zelf naar binnen droeg en hem later een plechtige begrafenis gaf. Maar wat hij erbij voelde en wat hij zei, daar zegt het verhaal niets over.'

'Een man kan niet zo'n daad begaan en het dan achter zich laten,' zei Meeuw heel zacht. 'Het zou hem altijd blijven vergezellen, of hij wilde of niet.'

'En zijn moeder?' vroeg Hond. 'Wat zei die ervan?'

'Zij was een vrouw,' zei ik droog. 'Zij komt verder in het verhaal niet voor. Ik neem aan dat ze haar verlies droeg en verder ging met haar leven, zoals vrouwen plegen te doen.'

'In zekere zin was het haar schuld,' vond iemand. 'Als hij zijn naam had kunnen zeggen, zouden ze hem met open armen hebben ontvangen, in plaats van met hem te vechten.'

'Het was een mannenhand die het zwaard door zijn lichaam stootte. Het was mannentrots die Cú Chulainn ertoe bracht zo'n uitval te doen. Je mag de moeder niet de schuld geven. Zij wilde alleen haar zoon beschermen, want ze wist hoe mannen zijn.'

Mijn woorden werden met zwijgen begroet. Het verhaal had hen in elk geval aan het denken gezet. Na de vrolijkheid van zo-even was de stemming erg somber geworden.

'Denken jullie dat ik jullie te streng beoordeel?' vroeg ik terwijl ik opstond.

'Niemand van ons heeft ooit zijn eigen zoon gedood,' zei Spin verontwaardigd.

'Jullie hebben de zoon van een andere man gedood,' zei ik kalm.
'Elke man die sterft onder jullie mes, of in jullie handen, of door
dat handige wurgkoord van jullie, is de geliefde van een vrouw,
de zoon van een vrouw. Zonder uitzondering.'

Niemand zei iets. Ik dacht dat ze beledigd waren. Na een poos ging
iemand rond om de bekers weer te vullen met bier, en iemand gooide meer hout op het vuur, maar niemand praatte. Ik wachtte tot
Bran iets zou zeggen, misschien dat ik mijn mond moest houden
en dat ik ermee op moest houden zijn prachtige krijgsbende van
streek te maken. In plaats daarvan stond hij op, draaide zich om
en liep weg zonder ook maar een woord te spreken. Ik staarde hem
na, maar hij was als een schaduw onder de bomen verdwenen. Het
was een heel donkere nacht. Geleidelijk aan begonnen de mannen
met zachte stemmen met elkaar te praten.

'Ga nog even zitten, Liadan,' zei Meeuw vriendelijk. 'Drink nog
een beker bier met ons.'

Ik ging langzaam zitten. 'Wat is er met hem?' fluisterde ik. 'Wat
heb ik gezegd?'

'Beter hem met rust laten,' mompelde Hond, die had gehoord wat
ik zei. 'Hij houdt vannacht de wacht.'

'Wat?'

'Nieuwe maan,' zei Meeuw. 'In die nachten neemt hij altijd de
wacht. Hij zei dat wij onze rust moesten nemen. Hij is waarschijnlijk Slang gaan aflossen. Is ook logisch. Als hij toch wakker
ligt, kan hij net zo goed de wacht houden.'

'Waarom slaapt hij dan niet? Jullie gaan me toch hopelijk niet vertellen dat hij bij afnemende maan in een soort monster verandert?
Half mens, half wolf misschien?'

Meeuw grinnikte. 'Hij niet. Hij slaapt alleen niet. Ik weet ook niet
waarom. Dat is al zo sinds ik hem ken. Een jaar of zeven. Hij
zorgt dat hij wakker blijft tot de dag aanbreekt.'

'Durft hij niet te gaan slapen?'

'Hij? Niet durven?' Het idee alleen al was blijkbaar belachelijk.

Meeuw liep met me mee terug naar de beschutte plaats en liet me
daar achter. Bran was binnen; hij had zijn hand op het voorhoofd
van de smid gelegd en praatte zacht. Er brandde een lantaarn, die

een gouden gloed verspreidde over de rotsmuren en de man die daar op de strozak lag. Het schijnsel tekende Brans beschilderde trekken met licht en schaduw, en verzachtte de grimmige trek om de mond.

'Hij is wakker,' zei hij toen ik binnenkwam. 'Is er nog iets waar je hulp bij nodig hebt voor ik naar buiten ga?'

'Ik kan het zelf wel af,' zei ik. Slang had op mijn aanwijzingen een kom water bereid met wat van mijn snel slinkende voorraad geneeskrachtige kruiden; ik zette de kom op de kruk bij het bed.

'Je bent een goed kind,' zei Evan zwakjes. 'Dat heb ik al tegen je gezegd, maar ik zeg het nog eens.'

'Met vleierij bereik je niets,' zei ik, terwijl ik zijn bezwete hemd losknoopte.

'Misschien toch wel.' Hij vertrok zijn mond tot een scheve grijns. 'Het gebeurt niet elke dag dat een prachtige vrouw zoals jij mijn kleren uittrekt. Het is bijna het verliezen van een arm waard.'

'Houd je op!' zei ik, terwijl ik de vochtige doek over zijn lichaam haalde. Hij was verontrustend mager geworden; ik kon de ribben direct onder de huid voelen en de diepe holtes onder aan de hals zien. 'Je bent trouwens toch te mager naar mijn smaak,' zei ik. 'Ik zal je moeten vetmesten. Je weet wat dat betekent. Nog wat bouillon voor je mag gaan slapen.'

Zijn ogen keken me met het vertrouwen van een jachthond aan terwijl ik zijn voorhoofd afwiste.

'Bran. Slang heeft de pot met bouillon waarschijnlijk naast het komfoor gezet om af te koelen. Kun je me er wat van brengen in een beker?'

'Bouillon!' zei Evan walgend. 'Bouillon! Heb je geen echt eten voor een man?'

Maar zelfs de paar lepels die hij hiervan nam, kon hij maar met moeite wegslikken. En ik moest Bran toch vragen me te helpen en het hoofd van de smid met zijn arm te ondersteunen terwijl ik de bouillon beetje bij beetje tussen zijn lippen lepelde. Evan kokhalsde, ook al deed hij echt zijn best.

'Adem langzaam in en uit, zoals ik heb gezegd,' zei ik zacht. 'Je moet proberen dit binnen te houden. Nog een lepel.'

Hij was algauw uitgeput. En hij had maar heel weinig binnengekregen. Het zweet parelde alweer op zijn voorhoofd. Ik zou wat aromatische kruiden moeten verbranden, want het was uitgesloten dat ik genoeg slaapdrank bij hem naar binnen kreeg om hem verlichting te geven. Hij sprak nooit over de pijn, behalve als hij er grappen over maakte, maar ik wist dat hij heel veel pijn had. 'Kun je het kleine komfoor wat meer naar binnen zetten?'

Bran zei niets, maar voerde mijn opdrachten uit. Hij sloeg me zwijgend gade terwijl ik uit mijn zak haalde wat ik nodig had, en het mengsel over de nog gloeiende kolen strooide. Er was niet veel meer over. Maar drie dagen was ook niet lang meer. Ik stond mezelf niet toe verder vooruit te denken. De sterke geur steeg op in de nachtlucht. Jeneverbes, dennennaalden, hennepblad. Had ik maar een aftreksel van lavendel en berkenblad kunnen maken, want al een halve beker van deze drank verlicht de pijn en zorgt voor een genezende slaap. Maar ik had niet de ingrediënten om zo'n brouwsel te maken, en Evan zou ook niet voldoende energie hebben gehad om het in te nemen. Bovendien was het na midzomer. Berkenblad is voor dit doel alleen geschikt als het vers gebruikt wordt en in het voorjaar geplukt is. Ik zou willen dat mijn moeder hier was. Zij zou geweten hebben wat ze moest doen. De smid werd rustig, zijn ogen waren tot spleetjes gesloten, maar zijn ademhaling ging moeizaam. Ik wrong de doek uit en begon op te ruimen.

'En als Conlai de naam van zijn vader nu eens nooit te weten was gekomen?' zei Bran plotseling vanuit de ingang. 'Stel dat hij bijvoorbeeld in het gezin van een boer was opgegroeid, of bij heilige broeders in een klooster? Wat zou er dan gebeurd zijn?'

Ik werd er zo door verrast dat ik helemaal niets zei. Mijn handen werkten mechanisch door; ik leegde de kom en veegde hem droog, en rolde mijn deken uit op de harde aarde.

'Je zei dat het bloed van zijn vader in zijn aderen stroomde, dat de wil van zijn vader om krijger te worden ook diep in hem huisde. Maar zijn moeder onderrichtte hem in de krijgskunsten, zij zette hem op die koers lang voor hij wist wat Cú Chulainn was. Zeg je dat de jongen, ongeacht hoe hij werd opgevoed, voorbestemd was om net zo te worden als zijn vader? Dus dat de manier waarop hij stierf, al bepaald was op het moment van zijn geboorte?'

'O, nee!' Zijn woorden schokten me. 'Dat te zeggen is hetzelfde als zeggen dat we helemaal geen keus hebben over hoe onze weg zal gaan. Dat zeg ik niet. Ik zeg alleen dat we door onze moeder en onze vader gemaakt worden, en dat we iets van hen in ons diepste wezen meedragen, hoe dan ook. Als Conlai zou zijn opgegroeid als een heilige broeder, zou het misschien veel langer hebben geduurd voor de moed van zijn vader en zijn wilde, krijgszuchtige ziel in hem waren ontwaakt. Maar hij zou het hoe dan ook in zichzelf hebben ontdekt. Zo'n man was hij, en niets kon daar iets aan veranderen.'

Bran leunde tegen de rotsmuur, met zijn gezicht in de schaduw. 'En als...' zei hij. 'Het... het wezen, die vonk, wat het ook is, het deeltje van zijn vader dat hij in zich droeg... het kon ook verloren gaan, vernietigd worden, nog voor hij wist dat het er was. Het zou... het zou van hem afgenomen kunnen worden.'

Ik voelde een vreemd soort kilte en mijn nekhaartjes gingen overeind staan. Het was alsof een donkere schaduw zich over me neerlegde, over ons beiden. En ik zag beelden, die zo snel voor mijn ogen langstrokken dat ik ze nauwelijks kon onderscheiden voor ze alweer weg waren.

... donker, zo donker. De deur gaat dicht. Ik kan niet ademen. Wees stil, slik je tranen in, maak geen geluid. Pijn, brandende kramp. Ik moet me bewegen. Ik mag niet bewegen, ze zullen me horen... waar ben je? Waar ben je... waar ben je heen gegaan?

Ik rukte me van de beelden los om terug te keren naar de werkelijke wereld; ik beefde heftig en mijn hart bonsde.

'Wat is er?' Bran trad uit de schaduw naar voren, met zijn ogen strak op mijn gezicht gericht. 'Wat is er aan de hand?'

'Niets,' fluisterde ik. 'Niets.' En ik draaide me weg, want ik wilde hem niet in de ogen kijken. Wat dat donkere visioen ook was, het was van hem gekomen. Onder de oppervlakte lagen bij hem diepe, ongepeilde wateren; vreemde en gevaarlijke domeinen.

'Je zult je slaap nodig hebben,' zei hij, en toen ik me uiteindelijk omdraaide, was hij weg. Het komfoor brandde laag. Ik zette de lamp lager, maar doofde hem niet helemaal, voor het geval dat de smid wakker zou worden en me nodig zou hebben. Toen legde ik me te rusten.

HOOFDSTUK VIJF

Iets maakte me wakker. Ik ging snel rechtop zitten, met bonzend hart. Het vuur in het komfoor was uitgegaan; de lantaarn brandde laag en wierp rondom een flauwe lichtkring. Buiten was het volkomen donker. Het was doodstil. Ik stond op en ging met de lantaarn in mijn hand naar de strozak. Evan sliep. Ik stopte de dekens om hem in en draaide me om. Ik wilde weer in bed kruipen. Voor een zomernacht was het behoorlijk koud.

Toen hoorde ik het. Een geluid als een ingehouden snik, niet meer dan het inzuigen van adem. Zou ik zo plotseling wakker zijn geworden van zoiets kleins? Ik ging naar buiten, weifelend op mijn blote voeten en in het geleende onderhemd dat ik gebruikte om in te slapen. Ik huiverde licht en dat niet alleen van de kou. Het was een diepe, diepe duisternis, die intens aanwezig was. Zelfs de nachtvogels zwegen erdoor. Met mijn kleine, zwakke lantaarn had ik het gevoel dat ik het enige levende wezen was dat in deze donkere, ondoordringbare wereld bewoog.

Ik deed een stap naar voren, en nog een, en zag dat Bran bij de ingang van de beschutte plaats tegen de rotsen zat en recht voor zich uit in het donker staarde. Misschien had hij ook iets gehoord. Ik deed mijn mond open om het hem te vragen, maar zijn hand schoot naar voren en greep me krachtig bij de arm, zonder naar me te kijken, zonder een woord te zeggen. Ik verbeet een gil van schrik, en kon slechts met moeite de lantaarn vasthouden. De hand die me vasthad, kneep zo hard dat ik dacht dat mijn arm zou breken. Hij zei nog altijd niets, maar ik hoorde het weer in mijn geest, een stem als van een angstig kind; de stem van een jongen die zo lang heeft gehuild dat hij geen tranen meer over heeft. *Ga niet weg. Niet weggaan.* En in het licht van de lantaarn, die nu gevaarlijk wiebelde in mijn vrije hand, kon ik zien dat Bran mij niet echt zag. Hij hield me vast, maar zijn ogen staarden naar voren, ongericht, blind in deze maanloze nacht.

Ik voelde de pijn van zijn greep door mijn hele arm. Maar dat leek niet meer van belang. Ik bedacht dat ik tenslotte genezeres was. Ik liet mezelf voorzichtig zakken tot ik naast hem op de grond zat. Zijn ademhaling was snel en onregelmatig; hij rilde. Het leek alsof hij wakend een soort nachtmerrie doormaakte.

'Het is goed,' zei ik; ik wilde hem niet laten schrikken, want dat zou het alleen maar erger maken. Ik zette de lantaarn neer. 'Ik ben bij je. Nu is alles weer goed.' Ik wist heel goed dat ik niet degene was naar wie hij verlangde. Het kind dat ik hoorde, riep om iets wat er al heel lang niet meer was. Maar ik was hier. Ik vroeg me af hoeveel van zulke nachten hij had doorgemaakt, nachten waarin hij niet wilde slapen uit angst dat deze donkere visioenen hem zouden overrompelen.

Ik probeerde zijn vingers los te maken waar ze in mijn vlees drukten, maar de greep was niet losser te krijgen. Integendeel, toen ik de hand aanraakte kneep hij nog harder, als de hand van een man die verdrinkt en die in zijn paniek zijn redder bijna met zich mee de diepte in trekt. De tranen sprongen me in de ogen van de pijn. 'Bran,' zei ik zacht. 'Je doet me pijn. Alles is nu goed. Je kunt me nu loslaten.'

Maar hij gaf geen antwoord en kneep alleen nog harder, zodat ik ondanks mezelf kermde van pijn. Ik wilde hem niet wekken uit de trance waarin hij gevangen was. Ik wist dat het onverstandig was om in te grijpen, want zulke 'dromen' hebben een doel, en moeten hun verloop hebben. Toch was het niet nodig dat hij er alleen tegen streed, hoewel het erop leek dat hij dat nu juist had willen doen.

Daarom bleef ik daar zitten en zorgde ik ervoor dat mijn ademhaling langzaam en kalm werd Ik hield mezelf hetzelfde voor wat ik anderen zo vaak had gezegd: adem door, Liadan. De pijn zal voorbij gaan. Het was een doodstille nacht; het donker leek een levend iets wat om ons beiden heen sloop. Ik voelde hoe gespannen zijn lichaam was, ik voelde zijn angst, en hoe hij vocht om die te overwinnen. Ik had niet de hoop dat ik zijn geest zou kunnen bereiken, en ik wilde ook niet meer zien van de donkere beelden die hij bevatte. Maar ik kon nog wel spreken, en het leek me dat woorden het enige gereedschap waren waarover ik beschikte om het donker buiten te sluiten.

'De dag zal komen,' zei ik zacht tegen hem. 'De nacht kan erg donker zijn; maar ik zal bij je blijven tot de zon opkomt. Deze schaduwen kunnen je niet aanraken zolang ik er ben. Binnenkort zullen we de eerste vleug grijs in de hemel zien, de kleur van het verenkleed van een duif, daarna de subtiele aanraking van de vinger van de zon, en een enkele vogel zal de moed hebben om als eerste wakker te worden en te zingen over hoge bomen en de open hemel en vrijheid. Dan zal alles lichter worden, en kleur zal over de aarde uitstromen en er zal een nieuwe dag zijn. Tot zolang zal ik bij je blijven.'

Langzamerhand werd de greep van zijn vingers iets losser en werd de pijn in mijn arm draaglijker. Ik had het erg koud, maar ik was beslist niet van plan dichter bij hem te gaan zitten. Dat zou vrijwel zeker tegen de regel zijn. Hij zou dit straks al buitengewoon pijnlijk vinden, als de morgen aanbrak. De tijd verstreek en ik praatte maar door, over onschuldige, veilige dingen, ik schilderde beelden van licht en warmte. Ik weefde met mijn woorden een dicht web van bescherming, om de schaduwen weg te houden. Uiteindelijk werd het zo koud dat ik moest toegeven dat het niet meer ging. Ik schoof dichter naar hem toe en leunde tegen zijn schouder, terwijl ik mijn andere hand over de vingers legde die me nog steeds stijf vasthielden. Binnen in de beschutte plaats had Evan zich niet verroerd.

We zaten daar lange tijd, terwijl ik voortdurend praatte, en Bran stil was. Hij ademde alleen af en toe huiverend in of mompelde iets. Ik vond het heel vreemd. Ik kon nauwelijks geloven dat ergens binnen in deze strenge bandiet een klein kind school dat bang was om alleen te zijn in het donker. Ik wilde het graag begrijpen. Maar ik zou het hem nooit kunnen vragen.

Op het moment dat ik had beschreven, toen de eerste, uiterst vage sporen grijs aan de hemel verschenen, kwam hij plotseling weer tot zichzelf. Het huiveren hield op; hij bewoog helemaal niet meer en zijn ademhaling werd bewust vertraagd. Het duurde nog even voor hij zich er blijkbaar van bewust werd dat hij niet alleen was. Hij voelde waarschijnlijk mijn hand op de zijne, het gewicht van mijn hoofd op zijn schouder, de warmte van mijn lichaam tegen het zijne. De lantaarn stond voor ons op de grond en gloeide nog zwak in het schemerdonker voor de dageraad. Een tijdlang zeiden we geen van beiden iets. We bewogen geen van beiden. Bran was degene die de stilte verbrak.

'Ik weet niet wat je denkt dat je aan het doen bent,' zei hij, 'of wat je hiermee denkt te bereiken. Ik raad je aan rustig op te staan en weer naar binnen te gaan naar je werk, en je in de toekomst minder als een goedkoop straathoertje te gedragen en meer als de genezeres die je heet te zijn.'

Mijn tanden klapperden van de kou. Ik wist niet of ik moest lachen of huilen. Het zou heel bevredigend zijn geweest om hem een klap in het gezicht te geven, maar zelfs dat was onmogelijk.

'Als je mijn arm los zou willen laten,' zei ik zo beleefd mogelijk, maar ik kon niet verhelpen dat mijn stem toch een beetje beefde, 'zou ik dolgraag doen wat je zegt. Het is hier buiten tamelijk koud.'

Hij keek naar zijn hand alsof hij hem voor het eerst zag. Toen strekte hij heel langzaam zijn vingers en de klemmende greep waarmee hij me de hele nacht had vastgehouden ging los. Ik had een kurkdroge keel van het praten, ik had geen gevoel meer in mijn hand en er verspreidde zich een doffe pijn door mijn arm. Herinnerde hij zich niets? Hij draaide zijn hoofd en keek naar me in het zwakke licht van de vroege dageraad, zoals ik daar zat, blootsvoets in mijn oude hemd. Ik bewoog mijn hand heen en weer om er weer leven in te krijgen. Bij Díancécht, wat deed het een pijn. Ik kwam stram overeind, want ik wilde geen ogenblik langer in zijn gezelschap blijven dan noodzakelijk was.

'Nee, wacht,' zei hij. En terwijl de eerste vogel zijn parelende roep door de frisse ochtendlucht liet schallen, stond hij op, deed zijn mantel af en legde hem om mijn schouders. Heel even hief ik mijn gezicht op en keek hem recht in de ogen, en wat ik op dat moment voelde, beangstigde me meer dan alle demonen die ik daar op de loer zag liggen. Ik draaide me geluidloos om en vluchtte naar binnen. Ik was net op tijd, want de smid begon juist wakker te worden. Een nieuwe dag was begonnen; de vierde dag.

Ik kreeg het druk die morgen. Hond hielp me de smid op te tillen en zijn lichaam weer te wassen, de bezwete kledingstukken uit te trekken en ze te vervangen door schone. Ze merkten allebei op dat ik zoveel geeuwde. Ik antwoordde niet. Mijn arm deed pijn. Mijn hoofd was in verwarring. Ik probeerde me voor te stellen hoe het zou zijn wanneer ik uiteindelijk naar huis ging. Als ik naar huis zou gaan. Het meisje dat op Zeven Wateren terugkeerde, zou, dacht ik, een ander meisje zijn dan het meisje dat daar nog niet zo heel lang geleden was weggereden. Wat zouden vader, moeder en Sean zeggen wanneer ze me zagen? Wat zou Eamonn zeggen? Ik probeerde me een beeld te vormen van Eamonn toen hij zenuwachtig in de tuin rondliep terwijl hij me probeerde te zeggen wat hij voelde. Zijn gezicht wilde me niet helder voor de geest komen. Het leek wel of ik vergeten was hoe hij eruitzag. Mijn hand beefde; er klotste water over de rand van de kom die ik vasthield.

'Hela! Ho!' Hond stak snel zijn hand uit om de kom te pakken en stootte daarbij tegen mijn arm. Ik kreunde onwillekeurig van de pijn. Evan keek vanaf zijn ligplaats naar me, en ook Hond keek naar me terwijl hij de kom voorzichtig neerzette.

'Wat is er, meidje?' Evans stem was zwak, maar zijn ogen namen me schattend op.

'Niets. Ik heb kramp of zo; het zal zo wel overgaan.'

'Jaja, kramp,' zei Hond; hij nam mijn mouw voorzichtig tussen zijn grote vingers en schoof hem een eindje omhoog zodat de grote blauwe plekken op de blanke huid van mijn arm zichtbaar werden.

'Wie heeft dit gedaan, Liadan?' Het was maar goed dat de smid te zwak was om op te staan.

'Het is niets,' zei ik weer. 'Vergeet het.'

Ze keken elkaar aan, allebei met een even verontwaardigd gezicht.

'Alsjeblieft,' voegde ik eraan toe. 'Het gebeurde per ongeluk. Het was niet de bedoeling me pijn te doen.'

'Een man hoort ervoor te zorgen dat zulke... ongelukken niet gebeuren,' gromde Evan. 'Een man hoort zijn handen thuis te houden.'

'Hij zou beter moeten weten,' zei ook Hond meesmuilend. 'Zo'n fijn poppetje als jij, een windvlaag zou je wegblazen. Gauw bezeerd. Hij had beter moeten weten.'

'Het gaat wel weer over,' zei ik. 'Laten we dit nou maar vergeten, hè, en verder gaan met ons werk. Misschien wat bouillon, en een paar stukjes geweekt brood?'

Evan sloeg zijn ogen ten hemel. 'Genade! Ze vermoordt me nog eens met die eeuwige bouillon. Komt er nooit een eind aan?'

Hij at een beetje en viel weer in slaap. Ik praatte wat met Hond en speelde een geïmproviseerd spelletje ringsteen op de grond. Het was niet gemakkelijk. We zochten de platste stenen die we konden vinden, maar ze waren niet goed stapelbaar, en uiteindelijk kregen we de slappe lach en hadden allebei jammerlijk verloren. Tot slot graaide ik de stenen bij elkaar en maakte er een stapeltje van, terwijl mijn handen de keurig getrokken cirkel en het netwerk van snijdende lijnen daarbinnen wegveegden. Toen ik opkeek, zat Hond me aan te staren, weer ernstig geworden.

'Je hebt een man thuis, hoor ik,' zei hij.

'Niet precies,' antwoordde ik voorzichtig. 'Een aanzoek. Meer niet.'

'Misschien zou je over een ander kunnen denken.' Hij liet zijn stem opzettelijk terloops klinken. 'Een ander aanzoek, bedoel ik. Ik heb aardig wat gespaard. Ben intussen een jaar of vier bij de Baas. Ik heb genoeg opzij gezet om een flink stuk land te kopen, wat vee, een huis te bouwen. Ergens flink ver weg. Op de eilanden in het noorden misschien. Of een boot, wegvaren en opnieuw beginnen. Ik heb nog nooit een vrouw zoals jij ontmoet. Ik zou voor je zorgen. Ik zie er misschien niet zo knap uit, maar ik ben sterk. Ik kan werken. Bij mij zou je veilig zijn. Wat vind je ervan?' Hij betastte een van de lange nagels die om zijn hals hingen; met zijn gele ogen keek hij me onzeker aan.

Ik staarde hem stomverbaasd aan. Ik zag me al teruggaan naar Zeven Wateren met Hond achter me aan. Ik zag de uitdrukking op het gezicht van mijn vader al wanneer hij het half kaalgeschoren hoofd, de tekening op de kin, de ogen als van een wild dier, de mantel van wolfsvacht en de barbaarse halsketting in ogenschouw nam.

'Je lacht me uit,' zei Hond, met een verslagen uitdrukking op zijn grove gezicht. 'Ik wist natuurlijk dat het antwoord nee zou zijn. Ik vond alleen dat ik het toch moest vragen.'

'Het spijt me,' zei ik zacht, en ik vouwde mijn hand om de zijne.

153

'Ik lach niet, echt niet. Ik wil je niet kwetsen. Ik waardeer je aanzoek, heus waar, want ik kan zien dat je een goede man bent. Maar ik wil nog geen echtgenoot kiezen, niet voor de volgende zomer. Jou niet, en ook geen ander.' Onder mijn vingers was zijn handpalm hard en geribbeld. Ik draaide de hand om en keek naar de vreselijke eeltige littekens die er dwars overheen liepen.

'Waar heb je deze littekens opgelopen?' Iemand had gezegd, vraag Hond naar zijn verhaal. Een deel ervan kon ik wel proberen te raden.

'Op een vikingschip,' zei hij. 'Ik kom uit Alba, net als die krijgsheldin van jou, Scáthach. Mijn broer en ik hadden een haringboot en we verdienden netjes ons brood. De Noormannen overvielen het dorp. Ze namen ons beiden mee als roeiers, want ze zagen dat we sterk waren, zie je. Dat was een barre tijd, hoor.' Zijn ogen werden mistig en hij haalde een hand over zijn schedel. 'We hebben een hele tijd voor hen geroeid. Te lang. Ze gebruiken meestal hun eigen bemanning, maar dit schip had mannen te kort. Ze hadden zes paar roeiers in de ketenen, die hielden ze vast. Dougal en ik hadden het altijd met ze aan de stok. Maar ze lieten ons leven; wij waren de sterkste mannen die ze hadden. Op een keer ging Dougal te ver, hij kreeg een zweepslag in zijn gezicht. Toen is-ie doodgegaan. Misschien maar beter ook. Hij had zijn vrouw en dochters zien weghalen. Zat vol met haat. Ik ging gewoon maar door. Ik ben sterker dan goed voor me is.'

'Hoe ben je dan ontsnapt?'

'Ah, dat is een heel verhaal. De Baas heeft me bevrijd. Ik dacht toen dat-ie krankzinnig was. We lagen in een haven in het Oosten, gloeiend warm, je kon de lucht snijden. We zaten aan onze plaats vastgeketend, dat deden ze altijd, terwijl de bemanning aan de wal ging. Je kon er zo van hitte en dorst doodgaan. Goed, we zitten daar op een nacht te slapen, zo goed en zo kwaad als dat ging, met je kont op de bank en je hoofd op wat voor plek je maar kunt vinden; geen comfortabele slaapplaats natuurlijk. Het stonk er naar pis en zweet, met permissie. Opeens horen we gerinkel van sleutels, en daar komt een zwarte man tussen de banken door lopen, doodrustig, en die zegt tegen ons: wie wil er met ons in zee gaan? We staren hem aan, verwachten elk ogenblik dat de Noormannen terug zullen komen en hem zullen afmaken, maar er gebeurt niets, behalve dat het schip begint te kraken en kreunen alsof het de haven uitvaart. Maar er roeit niemand. Wij zeggen niks. Sommige van de mannen kunnen niet eens verstaan wat hij zegt; ze spreken allerlei talen, zie je. Dan zegt die zwarte man (dat was Meeuw, snap je, met de veer in zijn haar en al): de Baas is boven aan dek en hij vaart dadelijk uit. Jullie zullen je Noormannen niet terugzien. Jullie hebben de keus. Roei deze schuit naar Gallië en wanneer we daar aan wal gaan, is er een zakje zilver voor jullie, en de vrijheid. Jullie mogen zonder ketenen roeien, als jullie je koest houden. Wat zeggen jullie ervan?

Nou, ik zeg: wat is de andere keus die we hebben? En dan komt er een andere man achter hem staan, dat is de Baas, maar zijn gezicht was toen nog wat gewoner. Hij is jong, niet veel meer dan een jongen, en ik denk: wat stelt die snotneus zich voor? Dan zegt de Baas, dat hangt ervan af hoe je denkt dat je het er hier vanaf zult brengen, geketend en wel. De Noormannen komen niet terug. Hoelang zal het duren voor iemand ontdekt dat er een paar dooie vikingen als vissenvoer onder de pier liggen? Misschien niet lang. Misschien een tijdje. Het is een drukke haven, en het maakt niemand een zier uit wat er met jullie gebeurt. Dat is jullie keus, zegt-ie. Hij laat het ook in gebarentaal zien, zodat alle mannen het kunnen begrijpen. Als jullie goed roeien voor mij, zegt-ie, dan zijn jullie voor de volgende maan vrij man. En ik denk bij mezelf: die kerel is gek. Als we nou onderweg worden aangevallen? Of als de Noormannen de hunnen komen wreken? Bovendien, zij zijn met z'n tweeën en wij met z'n twaalven, want de plek van mijn broer was ingenomen door een man uit Ulster met zo'n lang smoel. Wie zal ons weerhouden hen overboord te zetten zodra ze de ketenen hebben losgemaakt? We zeggen natuurlijk allemaal ja. De geur van de vrijheid, zie je. Die geeft algauw de doorslag.

Hij hield woord. We hadden een paar avontuurtjes op weg naar Gallië, maar we kwamen er, en hij gaf me de keus om bij hem te blijven of weg te gaan. Sindsdien ben ik altijd bij hem gebleven.'

'Hoe oud is… hoe oud is de Baas nu? Je zei dat je al een jaar of vier bij hem was; maar je zei ook dat hij nog een jongen was toen je hem voor het eerst zag. Hoe kan dat?'

Hond zat op zijn vingers te tellen.

'Dat kan wel kloppen,' zei hij na enige tijd. 'Tweeëntwintig, drieëntwintig. Dat zal-ie ongeveer zijn. Hij is niet zoveel ouder dan jij, meidje.'

'Maar...' Ik wist niet hoe ik het had. 'Hij lijkt veel ouder dan ik. Ik bedoel... hoe kan zo'n jonge man zijn wat hij is? Het is alsof hij al evenveel heeft beleefd als een andere man in een heel leven. Hij is erg jong om al zo'n leider te zijn. Hij is ook heel erg jong om zo... verbitterd te zijn.'

'Die man was als kind al oud,' zei Hond droog.

Tegen de middag was er een ongewone drukte in het kampement; het geluid van rammelend paardentuig, van geordende maar gehaaste activiteit. Ik kon niet veel zien, maar wat ik zag, was verontrustend. Tenten werden afgebroken, zadeltassen ingepakt. De sporen van het verblijf werden kalm uitgewist. Ze vertrokken. Ze gingen weg, en niemand had het tegen mij gezegd. Hij had me zes dagen beloofd. Zelfs dat zou nauwelijks genoeg zijn geweest.

'Je kunt maar beter gauw gaan kijken wat er aan de hand is,' zei ik tegen Hond. Ik hield mijn stem in bedwang, want ik voelde angst en woede in me opkomen. Ik ging weer naar binnen en ging aan het werk, terwijl ik mijn oren gespitst hield op de terugkeer van Hond. Ik voelde de bezorgde blik van Evan op me rusten, maar hij vroeg niets. De tijd verstreek en Hond kwam niet terug. Ik zat op mijn knieën op de grond, waste schalen af in de emmer en probeerde me te concentreren op wat er in de herfst moest worden ingezaaid in mijn tuin op Zeven Wateren, toen ik achter me een bekende stem hoorde.

'De plannen zijn veranderd.'

Ik stond langzaam op, met druipende handen en mijn mouwen opgerold tot aan de elleboog. 'Dat zie ik. Ik zie ook hoe gemakkelijk je je woord breekt. Deze man kan niet reizen. Dat heb ik al eerder gezegd. Er is hier niets veranderd.'

Bran wierp een blik op de smid, die wakker was en meeluisterde. 'Hij zal moeten reizen, anders wordt hij achtergelaten,' zei hij streng. 'Er is geen keus. Het is noodzakelijk om vandaag te vertrekken.'

'We hadden een afspraak. Zes dagen, zei je. Ik neem aan dat je nooit van plan bent geweest om je woord te houden.'

'Je staat weer erg snel met je oordeel klaar, zoals altijd. Ik ben verantwoordelijk voor deze mannen. Ik ga hen niet bevelen hier te blijven zitten en zich te laten vangen, wanneer ik hen hier heimelijk weg kan krijgen voor anderen hier aankomen. Ik houd hen niet tegen wanneer men elders dringend behoefte heeft aan hun diensten. De hele troep op te offeren ten behoeve van het leven van één man zou uitermate dwaas zijn.'

Ik dacht hier een tijdlang zwijgend over na. 'De smid kan niet reizen,' zei ik ten slotte. 'Je ziet hoe zwak hij nog is. Hij kan amper zelfstandig zitten. Hoe kun je hem veilig vervoeren? Wie zal er dan voor hem zorgen?'

'Daarover hoef jij je niet meer druk te maken.' Hij keek achterom. 'Pak deze dingen in,' beval hij Hond, die bezorgd achter hem was opgedoken.

'Wacht eens even,' zei ik. 'Ik ben hier gebleven en heb deze man verpleegd omdat we iets waren overeengekomen. Een eerlijke ruil. Jij hebt je niet aan jouw kant van de overeenkomst gehouden. Maar ik ben verantwoordelijk voor hem, zoals jij verantwoordelijk bent voor de anderen. Dit is mijn werk. Dat laat ik niet tenietdoen voor... voor een gril van jou.'

Bran leek nauwelijks te luisteren. In plaats daarvan staarde hij naar mijn arm, waar de opgerolde mouw de blauwe plekken onthulde die zijn vingers hadden gemaakt. Boos trok ik de mouw van mijn jurk omlaag om ze te bedekken. Hond begon al met een uitgestreken gezicht dingen in te pakken.

'Ga zitten,' zei Bran op bevelende toon. Ik staarde hem boos aan. 'Ga zitten,' zei hij zachter, terwijl hij zijn armen over elkaar vouwde en met zijn schouder tegen de rotswand leunde. Ik ging zitten. 'Het is geen gril,' zei hij. 'Ik handel niet in een opwelling; zo'n luxe kan ik me niet permitteren. Het was niet mijn bedoeling mijn woord te breken; waarom heb ik het je anders gegeven? De gebeurtenissen hebben ons ingehaald, dat is alles. Je moet begrijpen dat mijn mannen en ik in veel delen van dit land, en tot voorbij zijn kusten, allesbehalve welkom zijn. We hebben veel vijanden gemaakt. Daarom verplaatsen we ons ongezien, en veelvuldig. Door de verwonding van de smid en jouw aanwezigheid in ons midden zijn we hier al veel langer gebleven dan de bedoeling was, en hebben daardoor een groot risico genomen. Nu krijg ik een melding dat er een aanzienlijke groep gewapende mannen onderweg is, terwijl we maar een beperkte tijd hebben om veilig weg te komen. Hier blijven is vragen om de dood. Wat mezelf betreft zou ik die gelaten tegemoet treden. Maar om zo'n triviale reden wil ik het leven van mijn mannen niet op het spel zetten. Bovendien is onze volgende opdracht in het noorden, en degenen voor wie we die vervullen hebben ons gevraagd ons vertrek naar die streken te bespoedigen. Ik heb de beslissing genomen, en die zal snel worden uitgevoerd. Als de zon vanavond ondergaat, zal hier geen spoor van ons meer te vinden zijn.'

Het bleef even stil.

'Triviaal,' zei ik, terwijl ik naar hem opkeek. 'Je ziet Evans leven en mijn veiligheid als triviale zaken.'

'Als vrouw,' antwoordde Bran zorgvuldig, 'kun je dat natuurlijk niet begrijpen. In het grote geheel is één leven, of zelfs twee, van weinig belang. Ik laat mijn mannen niet onnodig gevaar lopen voor jou of voor hem. En ik ga hun volgende opdracht ook niet in gevaar brengen. Ik sta nu al tijd te verdoen met luisteren naar jouw drogredenen. Als jij er niet geweest was, zouden we nu al veilig op weg zijn. Ik had nooit naar je moeten...'

'Baas.' De smid probeerde te gaan zitten. Zijn gezicht was bleek en er parelden zweetdruppeltjes op.

'Wat is er?'

'Ik kan op een paard rijden. Ben nog sterk. Ik kan het aan. Bind me stevig vast achter Hond hier, ik houd het vol tot zover als het moet. Maar Baas, wat moet er met het meisje gebeuren?'

Er viel een geladen stilte. Hond hield op met pakken en ging rechtop staan. Hij staarde zijn aanvoerder woest aan. 'Nou?' gromde hij.

Bran keek nog steeds naar mij. 'Kun je begrijpen wat ik tegen je zeg?' vroeg hij overdreven geduldig. 'Dit is een zorgvuldig genomen beslissing, waarbij alle keuzemogelijkheden zijn afgewogen. Het is geen gril.'

Ik haalde mijn schouders op. 'Ik begrijp dat een man zoals jij zijn krijgers als eenheden ziet die een bepaalde waarde hebben, als stukken in het een of andere dodelijke spel, waarover hij kan beschikken zoals het hem het beste uitkomt; stukken die beschermd moeten worden vanwege hun waarde voor de speler. Ik weet ook dat vrouwen degenen zijn die wachten tot het spel afgelopen is, om dan de gebroken stukken op te rapen en te proberen er nog iets van te redden.'

'O, nee.' Zijn stem klonk koel. 'Dat is een halve waarheid, zoals van jouw soort te verwachten was. Vrouwen zijn degenen die de ergste schade toebrengen; die hun mannen op een pad van vernietiging zetten. Mijn leven is hierdoor gevormd. Je hoeft niet tegen me te preken over de genezende vermogens van een vrouw. Je weet er niets van. Je begrijpt er niets van.' Hij had zijn handen tot vuisten gebald, al had hij zijn armen nog ontspannen over elkaar.

De koude, taxerende ogen staarden recht in de mijne. 'Het is duidelijk dat je weinig weet van wat er in de echte wereld gebeurt,' merkte hij op. 'Je begrijpt het nog altijd niet, hè? Misschien verklaart dat waarom je niet bang bent. Vertel het haar, Hond.'

'Baas...'

'Vertel het haar.'

'Het zit zo,' mompelde Hond. 'De Baas wil zeggen dat hij met een probleem zit. Hij kan je niet meenemen, want dat is niet veilig; het zou ons ophouden, het zou de mannen maar afleiden, en zo meer. Hij kan je ook niet achterlaten. Bezoekers in het kamp van de Beschilderde Man, die bestaan niet. Als een man hier komt om zaken te doen, wordt hij geblinddoekt. Jij hebt te veel gezien en gehoord. Dat is het probleem.'

'Maar...' Mijn hart begon te bonzen. Ze bedoelden toch niet... dat konden ze toch niet bedoelen... Grote Dana sta me bij, de Baas had gelijk. Ik was echt oliedom. 'Je probeert me te zeggen,' fluisterde ik, 'dat het gaat om de oplossing die je voor Evan gebruikt zou hebben als ik er niet tussen was gekomen. De oplossing van het scherpe mesje, een snelle snede en opgeruimd staat netjes? Heb je dat met me voor?'

'Over mijn lijk,' gromde de smid.

'Geloof me, daar heb ik aan gedacht,' zei Bran effen. 'Jullie zijn allebei verdomd lastig, en ik heb spijt als haren op mijn hoofd dat ik er ooit mee heb ingestemd dit te proberen. Wat jou betreft,' nu keek hij naar mij, 'mijn mannen hebben me in een buitengewoon moeilijke positie gebracht. Ze hebben namelijk gevraagd of je voorlopig bij ons mag blijven. Ze hebben me zelfs duidelijk te verstaan gegeven dat een weigering mijnerzijds aanleiding kon zijn tot een of andere vorm van muiterij. En dat allemaal onder invloed van een paar buitenissige verhalen, verteld door iemand die de vrouwelijke overredingskunst verstaat, die haar gezicht en haar lichaam en haar honingzoete woorden gebruikt om een man iets te laten doen wat hij niet zou moeten doen.'

'Dat is echt belachelijk!' riep ik boos uit; de verontwaardiging had de angst verdreven. 'Hoe durf je me te kritiseren? Ik heb geen lage motieven zoals je insinueert! Ik heb alleen geprobeerd te helpen; alles wat ik hier heb gedaan, was daarop gericht. Alles. Ik ben geen... geen verleidster, kijk dan naar me, hoe kun je ook maar denken...? Bovendien heb jíj je belofte gebroken. Jij hebt zelf geen recht van spreken.'

'Nee hoor,' zei Bran zacht. 'Ik houd me zo goed als ik kan aan mijn kant van de overeenkomst. Je blijft bij ons en zorgt voor je patiënt, als hij de reis overleeft. Mijn mannen laten me geen andere keus. En wat je ook van mij denkt, als het mogelijk is, respecteer ik hun wensen. Een goede leider moet daartoe bereid zijn. Maar je zult begrijpen dat er later nog een beslissing genomen zal moeten worden. Hoe langer je bij ons blijft, hoe meer je ziet, hoe onmogelijker het wordt om je terug te laten gaan. Wil je dat soms?'

'Heeft wat ik wilde hier ooit enig gewicht in de schaal gelegd?' vroeg ik, en tranen van woede dreigden uit mijn ogen te rollen. Ik knipperde met mijn oogleden om ze binnen te houden. Ik had tot dit moment niet beseft hoe ik ernaar verlangde mijn moeder terug te zien. Wat bedoelde Bran, dat ik nooit meer naar huis zou mogen gaan? Ik zag Sorcha's fragiele gestalte en overschaduwde ogen voor me; en de standvastige, waakzame aanwezigheid van mijn vader. Ik dacht aan Sean en aan Aisling, en aan de lange, vredige dagen die ik in de diepe rust van het woud had doorgebracht of besteed had aan huishoudelijke werkjes die ik graag deed: bakken, naaien, kruiden drogen. Ik keek om me heen. Dit sombere kamp was geen thuis; dit heimelijke, gevaarlijke bestaan was geen leven. Voor het eerst drong in zijn volle omvang tot me door wat dit misschien voor mijn familie had betekend, en een enkele traan ontsnapte toch nog en droop over mijn wang omlaag. 'Daarmee zul je niets bereiken,' zei Bran. 'De tranen van een vrouw stromen even gemakkelijk als het water uit een pomp. Bij mij bereik je daar niets mee.'

Maar voor anderen gold dat blijkbaar niet. Ik voelde de grote hand van Hond op mijn schouder, en Evan zei: 'Huil maar niet, meidje. Wanneer het voorbij is, zul je gauw genoeg weer thuis zijn, en daar wacht je man op je.'

Bran keek naar Hond. 'Haal je hand van haar af,' zei hij met een angstwekkend zachte stem. Hond trok zijn hand terug alsof hij door een zweepslag getroffen was.

'We verdoen onze tijd,' zei ik terwijl ik met een snelle beweging de tranen uit mijn ogen veegde. 'Laat me zien hoe jullie deze man gaan vervoeren. Ik kan jullie misschien nog raad geven. Ik hoop dat je niet van me verwacht dat ik geblinddoekt ga rijden. Je zult me onderweg waarschijnlijk nodig hebben.'

'Kun je dan paardrijden?'

'Ik deed het zelfs helemaal niet slecht voor jouw mannen me van de weg plukten. Je zult wel merken dat ik niet helemaal hulpeloos ben.'

Hij reageerde hier niet op en gaf alleen met een ruk van zijn hoofd te kennen dat ik hem naar buiten moest volgen. Ik kwam niet voor het eerst in de verleiding iets te zeggen waar ik later spijt van zou kunnen krijgen. Maar ik slikte mijn woede in en liep braaf achter hem aan terwijl hij met grote stappen door het kampement beende. Eigenlijk was het allemaal onbelangrijk; het enige wat telde, was Evan in leven houden. Ik was genezeres en had een taak te vervullen. Later zou er misschien tijd zijn om vragen te stellen.

De reis was een ware nachtmerrie. Ik hield mijn mond dicht en mijn ogen open. Ik merkte wel dat we ongeveer in noordoostelijke richting reisden, maar ik zou de afstand niet bij benadering kunnen schatten. Het tempo was meedogenloos; we reden zo snel als we konden, vrijwel geluidloos, langs beboste, verscholen paden, gebruikmakend van beekbeddingen en moerasland om onze sporen te verbergen. Er reed altijd een man voor ons uit, en een achter ons aan. Het werd donkerder, en we reden nog steeds door. Mijn rug deed pijn en mijn mond was uitgedroogd, maar ik hield mijn mond en dwong mezelf om door te gaan. Mijn eigen ongemak was niets in vergelijking met dat van Evan, die vastgebonden was aan de brede rug van Hond en hulpeloos door elkaar werd gerammeld door de snelle gang van het paard over ongelijk terrein. Zijn wond werd alleen beschermd door een laag linnen doeken die ik voor ons haastige vertrek nog snel had aangebracht. Ik had gehoopt dat we onderweg zouden stoppen, zodat ik hem kon helpen. Dat zou blijkbaar niet gebeuren. Ik kon het niet vragen, want de mannen zwegen en communiceerden alleen door middel van subtiele gebaren, en met reden. Op een gegeven moment reden we langs een met bomen begroeide richel boven een stuk open terrein. Onder ons zagen we andere ruiters, die in een geordende, goed bewapende groep evenwijdig aan ons pad reden, alleen in tegenovergestelde richting. Bran liet ons met een klein handgebaar stilhouden en we bleven zwijgend wachten tot de ruiters ons ruimschoots gepasseerd waren. De mannen droegen over hun veldharnas een donkergroene tuniek met het embleem van een zwarte toren. De kleuren van Eamonn. Of ze naar mij op zoek waren of een ander doel hadden, kon ik niet zeggen. Ik herinnerde me wat Eamonn had gezegd over de Beschilderde Man en zijn arrogante uitdaging, en wist dat ik een gevaarlijke weg bewandelde.

Toen ik zo moe was geworden dat ik uit het zadel dreigde te vallen, en Evan met een grauw gezicht bewegingloos in de riemen hing waarmee hij was vastgebonden, hielden we eindelijk halt. We bevonden ons onder hoge bomen, bij de ingang van een soort bouwsel. Blijkbaar hadden we onze bestemming bereikt, want er werden lantaarns ontstoken en gefluisterde instructies gegeven. Hond was afgestegen, en ik zag dat ze het slappe lichaam van Evan op een deken legden. Ik wilde van het paard afstijgen, ze hadden me nodig, maar mijn verkrampte ledematen wilden me niet gehoorzamen. Het paard bleef gedwee staan.

'Hier.' Ik voelde stevige handen om mijn middel en werd met evenveel gemak op de grond getild alsof ik een klein kind was. Hij liet me onmiddellijk los, en mijn knieën knikten. Ik greep snel het tuig van het paard om niet te vallen en hijgde van de pijn.

'Je huilt om anderen, maar niet om jezelf,' zei Bran. 'Waarom niet, vraag ik me af? Iemand heeft je zelfbeheersing bijgebracht.'

Ik ademde diep in, en nog een keer. 'Het zou niet veel zin hebben, toch?' fluisterde ik met droge mond. 'Kun je me misschien laten zien waar ze de smid heen brengen? Ze zullen me waarschijnlijk nodig hebben.'

'Kun je lopen?'

Ik probeerde een stap te doen, maar bleef met mijn ene hand het tuig vasthouden. Het paard stapte opzij.

'Niet erg overtuigend,' zei Bran. 'Tweede regel voor het gevecht. Bluf nooit als je het niet kunt waarmaken. Je vijand kan je zwakheid van een mijl afstand zien. Als je niet sterk genoeg bent om te vechten, moet je dat toegeven en je terugtrekken. Hergroepeer je of maak gebruik van je slimheid. Accepteer hulp, als het niet anders kan. Hier.'

Hij stak me een hand toe, en opeens werd ik ondersteund en in de richting van een lage deur geleid; het was niet veel meer dan een houten lateibalk op twee ruwe palen. Achter de opening leek een oude gang regelrecht in een met gras begroeide heuvel te verdwijnen. De nacht werd steeds vreemder. Er kraste een uil en ik keek omhoog. Boven ons, tussen een wirwar van takken, hing een piepjong maansikkeltje aan de zwarte hemel. Ik kon het gewicht van Brans blik op me voelen terwijl hij me hielp bij het lopen, maar ik zei niets. We kwamen bij de ingang waardoor de anderen verdwenen waren, en opeens voelde ik me gedwongen om te blijven staan.

'Volgens mij zouden we hier niet mogen zijn,' zei ik, en ik voelde een kilte over me neerdalen. Het leek wel of een donkere nevel ons beiden omhulde terwijl we daar voor de deur stonden. 'Deze plek is... dit is heel oud, het is een plek van de Ouden. We horen hier niet te zijn.'

Bran had zijn voorhoofd gefronst. 'Deze heuvel heeft ons al vele malen tot schuilplaats gediend,' zei hij, en zijn hand rustte nonchalant op de oeroude lateibalk, vanwaar kleine ondoorgrondelijke gezichtjes ons aanstaarden tussen wervelende en spiralende patronen die diep in het hout waren uitgesneden. Als iemands hand daar mocht liggen, was het de zijne wel. 'Degene die dit onderkomen heeft gebruikt, is sinds lang verdwenen; nu is het ideaal voor ons, geheim, veilig, gemakkelijk te bewaken, met verborgen uitgangen om snel weg te kunnen komen. Het is volkomen veilig.'

Maar ik was vervuld van vrees, van een ijskoud gevoel van naderend onheil dat ik niet goed kon verklaren, en al helemaal niet aan hem. 'De dood is hier,' zei ik. 'Ik zie het. Ik voel het.'

'Wat bedoel je?'

Toen keek ik naar hem op en heel even zag ik in plaats van het gezicht van een harde, vitale jongeman, half getekend, half gewoon, een afgrijselijk masker, askleurig, de mond vertrokken in een gruwelijke doodsgrimas, de heldere ogen starend en levenloos. Ergens hoorde ik een kind schreeuwen. Je hebt me laten gaan... je laat me los... Een kleine hand die zich uitstrekte, wanhopig grijpend, maar ik kon er niet bij, ze namen me mee, ik kon hem niet bereiken...

'Wat is er? Wat zie je?' Zijn handen lagen op mijn schouders; zijn krachtige greep trok me terug in het heden.

'Ik... ik...'

'Zeg het. Wat zag je?'

Ik deed mijn uiterste best om mijn ademhaling te beheersen. Er was werk te doen, ik mocht me hierdoor niet laten overweldigen. 'N-niets. Het is niets.'

'Liegen gaat je niet goed af. Zeg het. Waardoor raak je zo van streek? Je kijkt naar mij en je ziet... iets waar je doodsbang van wordt. Zeg het.'

'De dood,' fluisterde ik. 'Angst. Pijn. Droefenis en verlies. Ik kan niet zeggen of ik het verleden zie of de toekomst, of beide.'

'Wiens verleden? Wiens toekomst?'

'Van jou. Van mij. Deze schaduw ligt over ons beiden. Ik beleef jouw nachtmerrie ook. Ik zie een pad dat stukgeslagen is. Ik zie een weg die het duister in leidt.'

We stonden daar zwijgend, met de nacht achter ons en de open deur voor ons.

'Dit hier is ons enige onderdak,' zei hij na een tijdje. 'We hebben geen andere keus dan naar binnen gaan.'

Ik knikte. 'Het spijt me,' zei ik.

'Het hoeft je niet te spijten,' zei Bran. 'Dit komt op je af zonder dat je erom gevraagd hebt. Je zult bij ons veilig zijn. Maar daar ben je ook niet bang voor, hè?'

'Veilig,' herhaalde ik. 'Ik maak me geen zorgen over mijn eigen veiligheid.'

'Van wie dan? Je bedoelt toch niet die van mij? Waarom zou je je daar druk over maken?'

Ik kon niet antwoorden.

'Zie je mijn dood? Zit je daarover in? Dat is niet nodig. Ik ben er

niet bang voor. Het overkomt me wel dat ik er blij mee zou zijn.'
'Je zou er wel bang voor moeten zijn,' zei ik heel zacht. 'Sterven voor je je ware ik hebt leren kennen, dat is iets vreselijks.'

Ik had de last van mijn vreemde gave nog nooit zo zwaar voelen drukken als in die nacht, en terwijl we via de deuropening de onderaardse ruimte binnengingen, maakte ik een teken voor me in de lucht, een teken dat ik Conor had zien gebruiken, en ik stuurde een stilzwijgende roep uit naar de oude geesten die misschien nog in deze kille ruimte woonden. *Wij respecteren deze ruimte en de donkere dingen erin. Wij hebben geen kwaad in de zin. We willen niet oneerbiedig zijn door deze plaats als schuilplaats te gebruiken.* En ik hoorde diep in me de stem van mijn moeder. *Jij valt buiten het patroon, Liadan. Dat zou je een grote macht kunnen geven. Het zou je de mogelijkheid kunnen geven dingen te veranderen.*

We gingen naar binnen en liepen door een korte gang, tot we in de centrale kamer kwamen waar het reusachtige bouwsel van opgestapelde stenen en houten steunbalken omheen was gebouwd. Deze ruimte was leeg geweest. Nu lagen er rondom dekenrollen en zakken tegen de muren gestapeld. Overal was ordelijke, rustige activiteit; Brans mannen zorgden dat ze klaar waren om de volgende dag weer te vertrekken. Rantsoenen hard brood, gedroogd vlees, water en bier werden rondgedeeld, vreemde wapens werden nog eens nagekeken, er werd een kaart geraadpleegd, zachte woorden werden uitgewisseld. Dit waren ervaren mannen; ik was zo uitgeput dat ik erbij neer kon vallen, maar zij leken nauwelijks vermoeid na de lange rit. Toen hoorde ik de smid kreunen; hij begon weer bij te kòmen en opeens had ik het zo druk dat ik nergens anders aan kon denken.

Ik gaf hem de sterkste drank die ik hem veilig kon geven, maar het duurde nog lang voordat Evan in een onrustige slaap viel. Ik zat in kleermakerszit op de aarden vloer naast hem om hem nauwlettend in het oog te houden en van tijd tot tijd zijn bleke, bezwete gezicht af te sponsen met koel water. De huid rond de schouder en de hals was felrood. Sommige mannen lagen te slapen, andere waren uitgestuurd om bij ingang of uitgang op wacht te staan. Het rook sterk naar paarden, want ze hadden de beesten mee naar binnen genomen; ze stonden losjes vastgebonden aan de andere kant van de ruimte. Otter liep tussen de paarden door met een emmer water.

Hond zat dicht bij me. Zijn oogjes stonden ernstig en zijn mond was ongewoon strak. Aan de andere kant van de flauw verlichte ruimte stonden Meeuw en Slang met hun aanvoerder, kennelijk ergens over te discussiëren. Meeuws donkere handen bewogen in snelle, expressieve gebaren, maar wat het betekende, was me niet duidelijk en ze praatten met gedempte stemmen. Slang wierp een blik in mijn richting en zei toen weer iets tegen Bran, met gefronst voorhoofd. Brans gezicht stond streng, zoals altijd. Ik zag dat hij zijn schouders ophaalde alsof hij wilde zeggen: als het je niet bevalt, is dat jouw probleem.

'We gaan morgenochtend vroeg weer weg,' zei Hond zacht. 'Misschien zie ik je een tijd niet. Jij blijft natuurlijk hier. Denk je dat hij het zal halen?'

We luisterden even naar het rochelende, ratelende geluid van Evans ademhaling.

'Ik zal mijn best doen om hem in leven te houden. Maar ik moet eerlijk tegen je zijn. Het ziet er niet goed uit.'

Hond zuchtte diep. 'Mijn schuld. Ik heb je wel in de puree geholpen, hè. En allemaal voor niks.'

'Sst,' zei ik, en ik klopte op zijn grote hand. 'We zijn allemaal verantwoordelijk. Maar hij nog het allermeest.' Ik wierp een blik naar de andere kant van de kamer.

'Je kunt de Baas niet de schuld geven,' zei Hond binnensmonds. 'Hij wilde niet weggaan. Er kwam bericht dat iemand wist waar we zaten. Als dat gebeurt, moet je maken dat je wegkomt, hoe dan ook. We zouden allemaal in de pan zijn gehakt als we niet waren vertrokken.'

'Ik zou het er misschien levend afgebracht hebben,' zei ik droog. 'Misschien waren de lieden die jullie achterna zaten, op zoek naar mij.'

'Misschien. Misschien ook niet. We hadden je moeilijk kunnen achterlaten zonder dat zeker te weten.'

Mijn kleine lantaarn was nu de enige die nog brandde in de donkere, onderaardse ruimte. Onder de welving van het dak, waar elke steen in een volgende, zorgvuldig gevormde steen sloot, zodat een wonder van evenwicht was ontstaan, hing een netwerk van schimmige webben die talloze kleine diertjes herbergden. De vloer bestond uit gladde, harde aarde. Aan het ene uiteinde van de kamer lag een enkele, monumentale plaat donker gesteente, waarvan het oppervlak glom alsof het door langdurig gebruik was gepolijst. Naar het doel van deze plaat viel slechts te gissen. Iets schuin boven de plaat bevond zich een smalle opening tussen de stenen, die ook in de laag aarde erboven was uitgespaard. Er was waarschijnlijk één dag in het jaar waarop de zon door deze opening precies op de steen eronder scheen; één dag waarop de oude krachten van deze plek misschien konden ontwaken. Ze waren nog niet helemaal verdwenen. Ik kon ze voelen in de stille lucht om me heen, in de ruw gehouwen wanden, waarin hier en daar een klein, onopvallend teken was gekerfd. Ik dacht plotseling aan de jonge druïde, Ciarán, die woedend en gekwetst van Zeven Wateren wegbeende. Misschien was het beter als je niet al te veel voelde. Niet al te veel verlangde. Geen verleden, geen toekomst. Alleen het heden. Veel veiliger. Zolang het verleden maar niet onuitgenodigd terugkwam.

'Je bent moe,' zei Hond. 'Toch gaan we morgen weer verder. Ik wilde vragen... nee, misschien beter van niet.'

'Wat? Vraag gerust.'

'Je bent doodmoe. Lange rit geweest, voor jou. We zouden heel graag nog een verhaal horen, een laatste verhaal voor we... maar dat is te veel gevraagd. Ik heb niets gezegd.'

'Het geeft niet.' Ik glimlachte en onderdrukte een geeuw. 'Ik zal morgen wel kunnen slapen, denk ik. Eén verhaal zal vast nog wel gaan.'

Het vreemde was dat iedereen het leek te weten, hoewel we zacht hadden gepraat. Opeens waren er aan alle kanten zwijgende mannen om me heen; ze leunden tegen de wand of zaten gehurkt. Sommige zaten in kleermakerszit en slepen messen of speerpunten in het licht van de lantaarn. Spin stak zijn lange arm uit en gaf me een pul bier. Achter de anderen stonden Bran en Meeuw bij elkaar. Meeuw was bijna niet te zien, behalve wanneer zijn lach een blinkend gebit deed opflitsen. Bran stond met zijn armen over elkaar naar me te kijken, zonder uitdrukking op zijn gezicht. Aan hem was geen spoor van moeheid te zien. En hij had langer niet geslapen dan wij allemaal, wist ik.

'Ik had gedacht,' begon ik, 'dat ik jullie aan de vooravond van jullie opdracht eigenlijk zou moeten inspireren met een helden-verhaal, misschien over opoffering en moed op het slagveld. Maar daartoe ontbreekt me de moed. Want het is heel goed mogelijk dat de mannen met wie jullie slag gaan leveren, van mijn eigen volk zijn. Bovendien heb ik gehoord dat jullie de besten zijn op jullie gebied. Ik denk dat jullie geen aanmoediging nodig hebben om het goed te doen. Daarom zal ik proberen jullie verstrooiing te bieden, en ik zal jullie een liefdesverhaal vertellen. Het gaat over een vrouw die haar vertrouwen behield, tegen alles in.'

Ik nam een slok van het bier. Het smaakte uitstekend, maar ik zette de kroes neer. Als ik nog meer dronk, liep ik gevaar ter plek-ke in slaap te vallen. Ik keek de kring grimmige, harde gezichten rond. Hoevelen van hen zou ik terugzien? Hoevelen zouden er morgen om deze tijd nog in leven zijn?

'Ze was een gewoon meisje, een boerendochter, en ze heette Ja-net. Maar haar vrijer noemde haar Jenny; dat was zijn speciale naam voor haar, die niemand anders gebruikte. Wanneer hij haar zo noemde, kreeg ze het gevoel dat ze de mooiste vrouw op de wereld was. Haar Tom vond dat zeker. Tom was haar vrijer, en hij was smid, net als Evan hier, een sterke jongeman met brede schouders, die goed was in zijn vak. Hij was niet te lang en ook niet te klein. Hij had bruine krullen en een vrolijk gezicht. Maar wat Jenny aan hem het meest beviel, waren zijn diepgrijze ogen; het waren trouwe ogen, zei ze. Ze wist dat Tom haar nooit in de steek zou laten, wat er ook gebeurde.

Jenny was een rustig meisje. Een deugdzaam meisje. Gehoorzaam aan haar vader, behulpzaam voor haar moeder, vaardig in alle dingen die een goede echtgenote behoort te kunnen. Ze kon naai-en, inmaken en bier brouwen. Ze kon een kip plukken, wol spin-nen en een ziek lam verzorgen. Tom was trots op haar, en hij kon haast niet wachten op hun trouwdag, die vastgesteld was op mid-zomerdag. Hij hield van haar blonde haar, dat tot op haar mid-del viel en dat ze soms losmaakte uit de vlecht, zodat hij het kon zien golven als een korenveld in de zon. Hij vond het fijn dat ze precies de goede lengte had, zodat zijn arm precies om haar schou-ders paste wanneer ze samen wandelden. Ze deed zijn hart snel-ler slaan en maakte een gevoel in zijn lichaam wakker. Hij zong bij zijn smidsvuur terwijl hij het gloeiende ijzer tot een hooivork of ploegschaar hamerde, en lachte stilletjes voor zich heen, in afwachting van midzomerdag.

Hoe rustig en lief Jenny ook was, er was één ding waarover ze driftig kon worden, en dat was als de andere meisjes een zijdelings oogje op haar Tom wierpen, of met hem probeerden te flirten wanneer hij hen op een weg passeerde. "Kijk voor je," zei ze dan woedend, "of je zult er spijt van krijgen. Hij is van mij." Tom lachte haar vaak uit en zei dat ze net een boze terriër was die een bot bewaakte. Wist ze dan niet dat hij er nooit over zou peinzen naar een ander te kijken? Zij was immers de vrouw van zijn hart? Ach, maar ze hadden geen rekening gehouden met het volk onder de heuvel. Dat is een bemoeiziek slag, dat niets leuker vindt dan zomaar een geschikte jongen of geschikt meisje weg te grissen, en die arme sterveling voor hun eigen genoegens te gebruiken. Sommigen houden ze een jaar en een dag bij zich, sommigen voorgoed. Sommigen spugen ze weer uit wanneer ze er genoeg van hebben, en deze arme verdoolde lieden worden nooit meer helemaal dezelfden. Op een avond had Tom tot laat gewerkt in de smidse, en hij nam een kortere weg door het bos naar de boerderij waar zijn Jenny woonde, in de hoop een paar kusjes te stelen voor hij naar huis ging. Dat was dom van Tom. Natuurlijk zette hij per ongeluk een voet binnen een heksenkring, en op slag verscheen het voltallige feeënvolk, op zijn mooist uitgedost en aangevoerd door de feeënkoningin op haar witte paard. Hij hoefde haar maar één keer aan te kijken en hij was verloren. De koningin nam hem achter zich op het paard en galoppeerde weg, ver, ver weg, buiten het bereik van sterfelijke mensen. Jenny wachtte en wachtte die nacht met een brandende kaars voor het raam. Maar haar Tom kwam niet.'

Ik had me afgevraagd of dit verhaal misschien te kinderachtig of te fantastisch was, niet geschikt voor volwassen mannen. Maar het was doodstil; er werd vol aandacht geluisterd. Ik nam nog een slokje bier.

'Ga door,' zei Slang. 'Ik dacht dat je zei dat hij zo trouw was. Ik vind het nogal stom wat hij deed. Hij had over de weg moeten gaan en een lantaarn moeten meenemen.'

'Wanneer het feeënvolk eenmaal heeft besloten dat het je wil hebben, valt er niet veel meer aan te doen,' antwoordde ik. 'Maar goed, Jenny was niet van gisteren. De volgende morgen in alle vroegte ging ze door het bos op weg naar de smidse, en ze zag dat het gras vertrapt was en vol met hoefsporen. Ze zag de heksenkring, of wat ervan over was, en ze zag de rode das die Tom had gedragen, de das die ze eigenhandig voor hem had gesponnen, geverfd en gebreid. Natuurlijk wist ze wie hem had meegenomen en ze was vastbesloten hem terug te krijgen. Daarom ging ze naar de oudste vrouw van het dorp, een besje dat zo oud was dat ze geen tanden meer in haar mond had. Ze had knoestige, gekrulde vingernagels en evenveel rimpels als de laatste gedroogde appeltjes van de winter. Jenny ging bij deze oude vrouw zitten en voerde haar een kom pap die ze speciaal voor haar had gekookt; toen vroeg ze haar wat ze moest doen.

De oude vrouw wilde eigenlijk niets zeggen. Over dit soort dingen kon je maar beter zwijgen. Maar ze was al vaak verwend door Jenny, met lekkere hapjes en hulp in huis, en daarom vertelde ze het haar. Bij de volgende volle maan, zei ze, zou het feeënvolk uitrijden over het brede, witte pad dat midden door het bos leidde, naar het kruispunt op de heide. Jenny moest tot middernacht bij dat kruispunt wachten en ze mocht niets zeggen. Wanneer ze voorbijkwamen, moest ze haar Tom bij zijn hand pakken en vasthouden tot zonsopgang. Dan zou de betovering verbroken zijn en zou hij weer de hare zijn. "Dat lijkt me niet moeilijk," zei Jenny. "Dat kan ik wel." De oude vrouw begon kakelend te lachen. "Niet moeilijk!" proestte ze. "Die is goed! Dit zal het moeilijkste zijn wat je ooit gedaan hebt, kippetje. Je zult hem wel heel graag moeten willen hebben om vast te blijven houden. Bereid je maar voor op een paar verrassingen. Weet je zeker dat je het kunt?" En Jenny zei fel: "Hij is van mij. Natuurlijk kan ik het."'

Slang boog zich naar me toe met de kan en vulde mijn beker weer. De op zijn neus geëtste, gevorkte tong leek in het licht van de lamp te trillen, alsof hij op het punt stond aan te vallen. 'Nou goed, ze deed wat haar gezegd was. Om middernacht bij volle maan wachtte ze alleen bij het kruispunt in haar jurk van zelfgeweven stof, met haar stevige schoenen aan en een donkere mantel waarvan de kap haar lichte haar bedekte. Ze wachtte als een kleine schaduw in het maanlicht. Om haar hals had ze de rode das gewikkeld die van Tom was geweest. En daar kwamen ze; een lange, schitterende stoet ruiters. Ze reden op witte paarden en droegen met kralen en juwelen versierde japonnen en tunieken; hun haar was lang en wild gekapt, met flonkerende edelstenen en vreemde bladeren in de zilverachtige lokken gevlochten. De feeënkoningin reed in het midden, groot, vorstelijk, met een melkblanke huid en glanzend kastanjebruin haar, en een laag uitgesneden japon om de elegante welvingen van haar figuur te tonen. Achter haar reed Tom, de smid, met een afwezige blik in zijn grijze ogen; zijn vroeger zo vrolijke gezicht was nu een uitdrukkingsloos masker. Hij droeg een vreemde tuniek en zilveren beenkappen, en laarzen van het zachtste geitenleer. Jenny barstte haast van woede, maar ze bleef roerloos en zwijgend staan tot de koningin precies op het midden van het kruispunt was gekomen. Toen haar Tom precies voor haar was, binnen handbereik, schoot ze bliksemsnel naar voren en greep ze zijn hand. Ze trok uit alle macht, en hij tuimelde van zijn paard en lag languit aan haar voeten op het witte pad.

Onder het feeënvolk ging een verontwaardigd gesis op, en in een oogwenk hadden ze met hun paarden een kring gevormd om haar en de arme Tom, zodat ze niet weg konden komen. De stem van de feeënkoningin was verschrikkelijk om te horen, tegelijkertijd liefelijk en dodelijk in zijn woede. "Jij!" beet ze Jenny toe. "Wat moet dit voorstellen? Wie heeft je hiertoe aangezet? Deze man is van mij! Blijf met je vieze, sterfelijke handen van hem af! Geen vrouw daagt mij uit!" Maar Jenny bleef vasthouden, terwijl Tom versuft aan haar voeten zat, en ze staarde het schone schepsel op het witte paard strak aan en tartte haar met haar blik. Toen lachte de fee een vreselijke lach en zei: "Dan zal dit ons tenminste wat vermaak opleveren. Laat ons maar eens zien hoelang je het volhoudt, boerenmeisje! Denk je dat je sterk bent? Wat begrijpen stervelingen toch weinig."

Eerst wist Jenny niet goed wat ze bedoelde, want Toms hand lag slap en passief in de hare. Maar toen veranderden zijn vingers plotseling in vlijmscherpe klauwen en veranderde zijn huid in ruw haar. In plaats van een man hield ze nu de poot vast van een grote, kwijlende wolf, die zijn muil opende en zijn lange, scherpe tanden naar haar ontblootte. Jenny week geschrokken terug, want het beest blies zijn stinkende adem in haar gezicht en zwiepte met

zijn krachtige lijf om zich aan de greep van haar handen te ontworstelen. Maar ze groef haar vingers in het lange haar van de
wolf en bleef vasthouden terwijl het beest haar meesleepte over
het pad. Ze voelde dat het witte grind haar jurk scheurde en haar
vel schramde. Uit de kring toeschouwers steeg een gemompel op,
en er werd één woord gesproken in een vreemde taal. Toen veranderde het ruige haar in een glad, glibberig oppervlak waardoor
ze bijna losliet, omdat het zo lastig beet te pakken was. Ze voelde iets kronkelen en zwellen, en nu hield ze in plaats van een wolf
een enorme, gladde slang vast, met schubben in de kleur van edelstenen uit het diepste van de aarde. Het monster kronkelde en
wentelde en probeerde haar in de windingen van zijn reusachtige
lijf te wikkelen. Om vast te kunnen houden moest Jenny haar beide armen om dit beest heen slaan en haar handen in elkaar
strengelen, zodat haar gezicht tegen de koude schubben van het
lijf werd gedrukt. Ze moest haar uiterste best doen niet te be-
zwijmen van schrik telkens wanneer de kleine, boosaardige kop
op haar toe schoot en de gevorkte tong vlak voor haar ogen op
en neer flitste. "Dit is Tom," hield ze zichzelf voor, terwijl haar
hart bonsde als een trommel. "Dit is mijn lief. Ik blijf vasthouden. Ik houd vast. Hij is van mij."
Er werd weer een woord gesproken in de door de maan verlichte stilte. De slang werd een reusachtige spin, een harig, stekelig
schepsel met vele, gloeiende ogen en dikke poten die om het ongelukkige meisje bogen. De giftige kaken trachtten haar hand te
bereiken die zijn poot vasthield, de stekels van het lijf staken in
haar vel tot ze haar lip stukbeet om maar niet te gaan gillen. Na
de spin kwam een everzwijn met gele slagtanden en kleine, domme oogjes; en na het everzwijn een vreemd schepsel waarvan ze
de naam niet wist, met lange, happende kaken en een bobbelige,
knoestige huid. Toch bleef Jenny nog steeds vasthouden, al bloed-
den haar arme handen en wilden ze haar bijna niet gehoorzamen,
zo verkrampt waren ze. Eén keer keek ze op, en ze meende te zien
dat de nachtelijke hemel een heel klein beetje oplichtte. De feeën
om haar heen spraken geen woord. Toen begon de feeënkoningin
weer te lachen. "Niet slecht, helemaal niet slecht! Je hebt ons goed
vermaakt. Nu moeten we weg. Ik neem mijn jongen weer mee,
dus wil je zo goed zijn hem los te laten." Ze bewoog haar hand

bevelend heen en weer, en Jenny voelde een vreselijke pijn in haar schouders, alsof ze met honderd scherpe messen werd gestoken, en ze liet bijna los. Ze hoorde grote donkere vleugels slaan en in haar handen hield ze de poot van een reusachtige vogel vast, met een snavel zo groot als een paardenhoofd; de klauwen van het beest bogen zich terwijl de poot probeerde zich los te maken. De andere poot had zich om haar arm en schouder gesloten, terwijl het monsterachtige dier sprong en klapwiekte en krijste. Het pikte met zijn dodelijke snavel naar rechts en naar links, in een poging haar weg te krijgen. Ze hoorde feeëngelach, dat tinkelde als klokjes. "Dit is mijn man," fluisterde Jenny bij zichzelf. "Ik houd van hem. Ze krijgt hem niet. Ik laat niet los." En hoe de grote vogel ook vocht, hij kon zich niet aan haar greep ontworstelen. Toen hoorde ze opeens geruis en gezucht, en ijl hoefgetrappel van vele hoeven, en toen het eerste licht van de dageraad de randen van de wereld zilver kleurde, waren de feeën vertrokken als nevelslierten, en in haar armen lag Tom, slap als een dode, en zijn glanzende kleren werden grijzer naarmate de hemel lichter werd. "Tom," fluisterde ze, "Tom." Ze had niet de kracht om meer te zeggen. Na een poos voelde ze hem bewegen en zijn armen om haar middel schuiven. Hij legde zijn hoofd op haar borst en mompelde: "Waar zijn we? Wat is er gebeurd?" Toen deed Jenny de rode das af en wikkelde hem om de hals van haar geliefde, en ze hielp hem overeind met haar bloedende, gekwetste handen. Ze sloegen elk een arm om de ander, en terwijl de zon opkwam voor een prachtige dag, liepen ze langzaam naar huis. En hoewel het verhaal dat niet vertelt, denk ik zo dat ze samen een goed leven kregen, want ze waren twee helften van één geheel.'

Om me heen hoorde ik een collectieve zucht van opluchting. Niemand zei iets. Na een poosje zochten de mannen elk een plek en legden zich zo goed en zo kwaad als dat ging op de harde grond te rusten. Er was hier geen afzondering mogelijk. Ik dempte de lantaarn zo ver mogelijk en maakte me klaar om te gaan slapen, geheel gekleed. Ik zou tenminste mijn schoenen uit kunnen doen. Maar toen ik me bukte om de veters los te maken, merkte ik dat ik zo moe was dat mijn vingers me niet wilden gehoorzamen. Zo moe dat ik op het punt stond in huilen uit te barsten, om het minste of geringste. Vervloekt het hele stel. Het zou veel gemakkelijker zijn geweest hen te haten, zoals Eamonn hen haatte.

'Hier.' Hond knielde bij me neer en zijn grote handen bewogen teder terwijl ze de veters losmaakten en de schoenen uittrokken. 'Wat heb je toch kleine voetjes.'

Ik bedankte hem met een knikje want ik was me ervan bewust dat er aan de andere kant van de ruimte ogen op ons gericht waren. Het was bijna donker. Ik hoorde een zacht knipgeluidje, toen werd me iets glads en scherps in de hand geduwd, en de grote, zware gestalte van Hond trok zich weer terug in de schaduwen. Terwijl ik ging liggen en voelde hoe een grote vermoeidheid zich van me meester maakte, liet ik de nagel van de wolfsklauw in mijn zak glijden. Dit waren huurmoordenaars. Waarom maakte ik me druk over wat er van hen zou worden? Waarom kon het leven niet eenvoudig zijn, zoals het in de verhalen was? Waarom kon het niet... ik viel in een diepe, droomloze slaap.

Ik knipperde een, twee keer met mijn oogleden. Er stroomde licht naar binnen via de ingang. Het was ochtend. Ik ging zitten. De ruimte was leeg, de vloer ontruimd, elk teken van menselijke bewoning was verdwenen. Alles was weg behalve mijn deken, mijn kleine zak en het gereedschap voor mijn werk. En de smid die naast me lag te slapen, moeizaam ademend.

Ik keek nog eens om me heen. Niets. Ze waren weg, allemaal. Ze hadden me achtergelaten en ik moest dit alleen zien op te knappen. Geen paniek, Liadan, zei ik tegen mezelf, toen mijn hart begon te bonzen. Er zou nog even tijd zijn voor Evan wakker werd en mij nodig had. Zorg dus dat je ergens water vindt. Kijk of het mogelijk is een vuur te maken. Verder vooruitdenken was uitgesloten.

Bij mijn rugzak stonden een kleine kom en een emmer. Ik pakte ze, ging ermee naar buiten door de nauwe ingang en kneep mijn ogen dicht toen ik buitenkwam in een stralende zomermorgen.

'Er is een beek aan de noordkant van de grafheuvel, en een poel waarin je kunt wassen.'

Hij zat met zijn rug naar me toe en er hing een boog over zijn schouder. Toch wist ik onmiddellijk wie hij was vanwege het geschoren hoofd en de vreemde, versierde huid. Mijn schrik en woede waren bijna even sterk als mijn opluchting, en mijn woorden waren onvoorzichtig.

'Jij! Jij bent wel de laatste die ik verwachtte hier aan te treffen.'

'Had je liever een ander gehad?' vroeg hij terwijl hij zich naar me toe keerde. 'Iemand die je zou vleien en zoete woorden zou spreken?'

'Klets geen onzin!' Ik was vastbesloten niet te laten merken dat ik had gedacht dat ik alleen was. Hij mocht nergens aan zien dat ik bang was. 'Niemand van jullie heeft mijn voorkeur. Waarom ben je niet bij je mannen? Ze zien een leider in jou. De Baas. Bijna als een god. Ik begrijp echt niet hoe je hen kunt uitsturen op deze opdracht terwijl je zelf achterblijft. Iedereen had hier kunnen blijven om mij te bewaken.'

Hij kneep zijn ogen halfdicht. In de ochtendzon tekende het licht en donker van het patroon op zijn gezicht zich fel contrasterend af.

'Ik zou niet een van hen deze taak toevertrouwen,' zei Bran. 'Ik heb gezien hoe ze naar je keken.'

'Dat geloof ik niet.' Dit was onzin.

'Bovendien,' voegde hij er terloops aan toe, terwijl hij de boog in een spleet tussen de rotsen stak, 'is het een goede training voor ze. Ze moeten leren met onverwachte situaties om te gaan, zo nodig onmiddellijk het bevel over te nemen zonder vragen te stellen. Ze moeten leren altijd klaar te zijn. Er zijn nog meer leiders onder hen. Ze zullen deze uitdaging oppakken.'

'Hoe... hoelang blijven ze weg?'

'Lang genoeg.'

Omdat ik niets meer kon bedenken om tegen hem te zeggen, ging ik op zoek naar de beek, om mijn gezicht en handen te wassen en water te halen voor mijn patiënt. Er was een poel met stilstaand water tussen de rotsen, en terwijl ik de emmer erin dompelde, verbeeldde ik me half dat ik daar mijn zus zag, die tot aan het middel in het water stond, in omhelzing met haar minnaar, met haar roodgouden haren drijvend rond haar blanke lichaam. Die arme, mooie Niamh. Ik had eigenlijk nauwelijks meer aan haar gedacht sinds ik afscheid van haar had genomen. Ze was nu natuurlijk allang op Tirconnell, bezig zich daar een plaats te veroveren, te leren haar nieuwe leven temidden van vreemden te accepteren. Ik huiverde. Ik kon me niet voorstellen ergens anders te wonen dan op Zeven Wateren, ver weg van alles wat zozeer een deel van mezelf was. Maar als je genoeg om iemand gaf, lukte het misschien zonder dat je het gevoel had dat je ziel in tweeën werd gescheurd. Maar het woud houdt alle mensen die daar geboren zijn in zijn greep, en ze kunnen niet ver reizen zonder dat er in hen een verlangen leeft om terug te keren. Diep in mijn hart had ik angst om mijn zuster. Wat Ciarán betreft, niemand kon zeggen welke weg hij was gegaan.

De dag kwam op gang. Evan had veel pijn; hij zweette, kokhalsde en ijlde. Bran verscheen soms, verdween dan weer; hij zei weinig, hielp mij de smid te tillen en te keren, water te verhitten, deed alles wat ik vroeg. Ik moest met tegenzin toegeven dat hij een grote hulp was. Op een bepaald moment, toen Evan rustig lag, riep hij me naar buiten, vroeg me te gaan zitten en gaf me een bord met stoofpot, droog brood en een beker bier.

'Kijk niet zo verbaasd,' zei hij, terwijl hij tegenover me op de grond ging zitten en zelf ook begon te eten. 'Je moet eten. En er is niemand anders om voor je te zorgen.'

Ik zei niets.

'Of geloof je misschien dat je dit alleen ook wel had klaargespeeld? Is dat zo? De kleine genezeres, de wonderdoenster. Je dacht toch niet dat we je hier alleen achter zouden laten? Dacht je dat?'

Ik keek niet naar hem, maar richtte al mijn aandacht op de stoofpot, die opmerkelijk lekker smaakte. Die boog diende zeker voor de jacht.

'Dat geloofde je dus werkelijk,' zei hij ongelovig. 'Dat wij vertrokken waren en jou hier alleen hadden achtergelaten met een stervende. Je ziet ons voor niet veel meer aan dan wilden.'

'Maar dat wil je toch?' zei ik uitdagend, terwijl ik hem recht aankeek. Heel even zag ik een andere uitdrukking in zijn ogen, voor hij ze afwendde. 'De Beschilderde Man, een wezen dat schrik en ontzag inboezemt? Een man die bijna alles kan en wil doen, als je hem maar genoeg betaalt? Een man zonder geweten? Een man die er geen been in ziet een vrouw alleen achter te laten, vooral omdat hij niet onder stoelen of banken steekt hoe hij de vrouwelijke sekse veracht?'

Hij deed zijn mond open, maar zag ervan af te zeggen wat hij wilde zeggen en deed hem weer dicht.

'Waarom haat je ons zo? Welke vrouw heeft je zo diep teleurgesteld dat je je op ons allemaal moet wreken, je verdere leven lang? Je zit vol wrok. Het vreet je van binnenuit op, als een kankergezwel. Het zou dom van je zijn om je hierdoor te gronde te laten richten. Dat zou echt zonde zijn. Wat is er gebeurd, waardoor je zo verbitterd bent geworden?'

'Dat gaat jou niets aan.'

'Ik vind dat het me wel aangaat,' zei ik beslist. 'Het is jouw keuze geweest om hier te blijven, en nu zul je luisteren ook. Je hebt mijn verhaal over de boerendochter Jenny gehoord. Misschien was het waar, misschien ook niet. Maar er zijn in deze wereld veel goede, sterke vrouwen zoals zij, zoals er ook minder bewonderenswaardige vrouwen zijn. We zijn mensen, net als jij, en we zijn allemaal weer anders. Jij ziet de wereld in de schaduw van je eigen gekwetstheid, en je oordeel is niet rechtvaardig.'

'Dat is het wel.' Er lag een pijnlijke trek op zijn gezicht en zijn ogen staarden in de verte. Ik begon er spijt van te krijgen dat ik zo vrijmoedig had gesproken. 'De listigheid van een vrouw en haar macht over een man hebben mij van mijn familie en mijn geboorterecht beroofd. De zelfzuchtigheid van een vrouw en de zwakheid van een man hebben me deze weg opgestuurd, hebben van mij het wezen gemaakt dat jij zo verfoeit. Vrouwen bederven alles. Een man moet oppassen dat hij niet te dicht bij ze in de buurt komt, anders wordt hij in haar netten gevangen.'

'Maar ik ben een vrouw,' zei ik na een poos. 'Ik vang niet, ik verleid niet, ik bega geen euveldaden. Ik zeg wat ik op mijn lever heb, maar daar is niets mis mee. Ik weiger te worden bestempeld als iemand die... hoe zei je dat? Alles bederft? Mijn moeder is mijn voorbeeld. Ze is breekbaar en toch sterk. Ze weet alleen hoe ze moet geven. Mijn zus is mooi, maar volkomen onschuldig.'

'Je huilt.'

'Niet waar!' Ik wreef boos met mijn hand over mijn wang. 'Ik zeg alleen dat je blijkbaar maar heel weinig vrouwen kent, als je het zo beperkt ziet.'

'Wat jou betreft zou ik misschien een uitzondering kunnen maken,' zei hij met tegenzin. 'Jij bent niet zo gemakkelijk in te delen.'

'Vind je soms dat ik meer van een man weg heb?'

'Ha!' Ik kon niet uitmaken of dit geluid geamuseerdheid of verachting uitdrukte. 'Niet bepaald. Maar je geeft blijk van een aantal eigenschappen die ik niet verwachtte. Jammer dat je niet met een stok overweg kunt of een boog kunt spannen. Dan hadden we je misschien in de troep op kunnen nemen.'

Nu was het mijn beurt om te lachen. 'Dat denk ik niet. Maar toevallig kan ik dat wel. Met een stok overweg en een boog spannen, bedoel ik.'

Hij staarde me aan. 'Dat geloof ik niet.'

'Ik zal het je laten zien.'

Iubdan had het me goed geleerd. Deze boog was wel een stuk langer en zwaarder dan ik gewend was en daardoor kon ik hem niet volledig spannen. Maar hij voldeed goed genoeg. Bran keek zwijgend toe, met spottend opgetrokken wenkbrauwen terwijl ik de pees op de pijl plaatste.

'Waarop wil je dat ik mik, met deze pijl?'

'Je zou dat grote knoestgat in de stam van die iep kunnen proberen te raken.'

'Dat doelwit zou een kind nog kunnen treffen,' zei ik verachtelijk.

'Je beledigt me. Welk doelwit zou je kiezen voor een jongeman die tot je krijgsbende wil toetreden?'

'Hij zou niet zover zijn gekomen zonder zich bewezen te hebben. Maar als je erop staat, stel ik voor de appelboom te nemen die daar beneden tussen de rotsen groeit. Hier, ik zal het je laten zien.'

Hij nam me de boog af en spande hem volledig, met zijn ogen dichtgeknepen tegen het licht. Het ging snel. Er klonk gesuis toen hij de pees losliet, en ik zag een groen appeltje op de grond vallen, gespleten door de pijlpunt.

'Nu jij,' zei hij droog.

Dit was een spel dat ik vele malen met Sean had gespeeld. Ik spande de boog zo ver als ik kon, sprak binnensmonds een woord uit en liet de pees los.

'Meer geluk dan wijsheid,' zei Bran toen er een tweede appel op de grond viel. 'Een toevalstreffer. Dat lukt je niet nog een keer.'

'Zeker wel,' zei ik, 'maar het maakt me echt niet uit of je me gelooft of niet. Nu is er werk aan de winkel. Als ik zou zeggen wat ik nodig heb, zou je dan bepaalde kruiden voor me kunnen zoeken? Mijn voorraad is bijna op en Evan zal steeds meer pijn krijgen.'

'Zeg maar wat je moet hebben.'

Het was maar goed dat ik die nacht zo vast had geslapen, want in de komende dagen zou ik weinig slaap krijgen. De smid werd steeds zieker; zijn gezicht werd koortsig rood en de huid rond zijn wond was intussen vlekkerig en blauwachtig geworden. Bran was teruggekomen met wat ik had gevraagd, en ik had er een aftreksel van gemaakt, dat ik druppelsgewijs aan Evan voerde tot hij rustiger werd.

'Waar ben je, Biddy?' mompelde hij, terwijl zijn hoofd nog steeds rusteloos heen en weer rolde. 'Biddy? Vrouw? Ik kan je niet zien.'

'Stil maar,' zei ik, en sponsde zijn gloeiende gezicht af. 'Ik ben hier. Slaap nu maar.'

Maar het duurde lang voor hij in slaap viel, en ondanks de kruiden rustte hij niet lang voor de pijn hem opnieuw wakker maakte. Bran was buiten, en ik riep hem niet. Wat had het voor zin? Hij kon toch niets doen. Ik ging naast Evan zitten, zodat we samen gevangen werden door het licht van de lantaarn, en hield zijn hand vast. Ik zei tegen hem dat hij niet moest praten, maar hij liet zich niet tegenhouden.

'Je bent er nog. Ik dacht dat je nu wel naar huis zou zijn gegaan.'

'Ja, ik ben er nog, zoals je ziet. Zo gemakkelijk kom je niet van me af.'

'Ik dacht even dat je Biddy was. Stom hè? Je zou drie keer in haar passen, want mijn Biddy is een mooie, dikke meid.'

'Ze wacht op je, daar kun je van opaan,' zei ik.

'Denk je dat ze me nog wil hebben? Denk je dat ze het niet erg vindt dat mijn... je weet wel?'

Ik gaf een kneepje in zijn hand. 'Zo'n flinke, sterke vent als jij? Natuurlijk wil ze je nog hebben. Ze zullen voor je in de rij staan, reken maar.'

'Ik wil niet klagen, ik weet dat je doet wat je kunt. Maar god, het doet zo'n pijn...'

'Hier, probeer hier nog wat van te slikken.'

'Heb je hulp nodig?' Bran was onhoorbaar binnengekomen, met een kleine flacon in zijn hand. 'Meeuw heeft dit bij me achtergelaten. Het is een drank uit zijn eigen land, heel sterk. Had hij bewaard voor speciale gelegenheden.'

'Ik weet niet of hij hem binnen kan houden. Een paar druppels

179

misschien. Hier, doe een beetje in deze drank; je hebt gelijk, het is tijd voor krachtige maatregelen. Kun je zijn hoofd en schouders voor me optillen? Dank je wel.'

De flacon was van zilver, omrand met mooi taxushout, en het oppervlak was gegraveerd met een ingewikkeld patroon van spiralen. De stop was van barnsteenkleurig glas, in de vorm van een katje. 'Niet te veel. Het moet lang genoeg in zijn maag blijven.'

Met kleine beetjes tegelijk, slokje voor slokje gaf ik Evan het krachtige brouwsel te drinken, terwijl Bran achter hem zat en hem ondersteunde.

'Echt iets voor jou, Baas,' zei de smid zwakjes. 'Wachten tot ik niks meer kan doen en dan proberen me te vergiftigen. Je kunt het beter aan dit meisje overlaten.'

'Waarvoor ben ik hier anders dan om te doen wat zij zegt?'

'Dat moet ik nog zien, Baas...'

'Stil,' zei ik. 'Je praat te veel. Drink dit op en wees stil.'

'Hoor je dat?' zei Bran. 'Ze houdt ervan bevelen te geven. Geen wonder dat de anderen zo snel mogelijk weg wilden.'

Evans ogen vielen dicht. 'Ik zei toch dat ze precies jouw type was, Baas,' zei hij zwakjes. Bran zei niets terug.

'Slaap nu maar,' zei ik, en ik zette de beker kruidendrank weg. Hij was half leeg. Hij had meer binnengekregen dan ik verwachtte. 'Rust. Denk aan je Biddy. Misschien kan ze je horen, daar aan de overkant van het water. Zo gaat het soms. Zeg tegen haar dat je haar gauw komt halen. Ze zal niet lang meer hoeven te wachten.'

Na een tijdje liet Bran Evan voorzichtig op de grond zakken, met een rol dekens als steun onder zijn hoofd, zodat hij gemakkelijker kon ademen.

'Hier,' zei hij. Hij hield me de zilveren flacon voor.

'Misschien beter van niet.' Maar ik nam hem van hem aan, met de gedachte dat het ingewikkelde patroon leek door te lopen over zijn hand en naar boven over zijn arm tot onder de mouw van zijn grove, grijze hemd, die tot aan de elleboog was opgerold. 'Ik moet wakker kunnen worden wanneer hij wakker wordt.'

'Je moet ook weleens slapen.'

'Jij ook.'

'Maak je om mij geen zorgen. Neem er tenminste een slok van. Het zal je helpen uit te rusten.'

Ik zette de flacon aan mijn lippen en nam een slok. Het brandde als vuur. Ik hijgde en voelde een warme gloed door me heen trekken. 'Jij ook,' zei ik terwijl ik de flacon teruggaf.

Hij nam een slok, deed toen de stop op de flacon en stond op. 'Roep me wanneer hij wakker wordt.' Voor het eerst klonk er iets van verlegenheid in zijn stem. 'Je hoeft dit niet alleen te doen, moet je weten.'

Brighid sta me bij. Opeens werd ik overvallen door een gevoel van diepe droefheid. Hooghartigheid, verachting, onverschilligheid, daar kon ik mee omgaan. Rustig meehelpen was prima. Met hem bekvechten was bijna een genoegen. Maar juist die onverwacht vriendelijke woorden dreigden me te veel te worden. Ik was zeker erg moe. Ik viel in slaap met een beeld van Zeven Wateren voor ogen: donkere, schaduwrijke bomen, vlekken zonlicht, het heldere water van het meer. Heel klein en volmaakt, en o zo ver weg.

HOOFDSTUK ZES

Er ontstond een zekere regelmaat. We raakten aan elkaar gewend. Wanneer ik sliep, hield Bran de wacht en verzorgde hij de smid. Wanneer Bran sliep, wat niet zo vaak gebeurde, wilde hij dat ik binnen bleef, en ik deed wat hij zei. De dagen volgden elkaar op, en we zagen hoe de koorts het vlees van Evans botten wegteerde en het leven langzaam uit zijn ogen liet verdwijnen. Het zou voor Bran gemakkelijk zijn geweest mij eraan te herinneren dat ik deze man per se in leven had willen houden, lang genoeg om een langzame en pijnlijke dood te sterven. Het zou voor mij gemakkelijk zijn geweest Bran ervan te beschuldigen dat hij de smid had laten vervoeren voor hij in staat was om te reizen. Maar we spraken daar niet over. We spraken helemaal niet veel. Het leek eigenlijk niet nodig. Hij wist wanneer ik hem nodig had, en dan was hij er. Ik begon in de gaten te krijgen wanneer hij er behoefte aan had alleen te zijn, en dan trok ik me stilletjes terug naar binnen, of ik ging naar de poel om op de rotsen te zitten en mijn geest tot rust te dwingen. Er waren daar stenen met inscripties, oeroude, monumentale steenplaten, begroeid met kruipende korstmossen en omringd met zachte varens. Ik twijfelde er niet aan of zij hielden op de een of andere manier de wacht bij de oude waarheden die hier hun oorsprong hadden, en ik knikte ze in het voorbijgaan eerbiedig toe.

Onze gesprekken kregen een andere toon, alsof het niet meer nodig was met onze woorden een strategisch spel te spelen. Evan hield vol, en ik gunde mezelf een straaltje hoop dat nog niet alles verloren was. Op een nacht hadden we een kort moment van rust, tijd om samen buiten te zitten onder de wassende maan en het gewelf van duizend sterren. We aten konijn, in de gloeiende kooltjes gebakken met wilde knoflook, en de enige geluiden om ons heen waren het lichte geritsel van nachtdieren in de onderbegroeiing en het krassen van een enkele jagende uil. Het was een kameraadschappelijk stilzwijgen. Ik besefte dat ik deze man was gaan vertrouwen, iets wat ik nooit voor mogelijk had gehouden.

'Zeg eens eerlijk hoe je erover denkt,' zei hij toen we klaar waren met eten. 'Heeft hij nog een reële kans?'

'Hij haalt de morgen. Ik probeer niet te ver vooruit te kijken.'

'Je leert snel.'

'Sommige dingen. Het is een andere wereld, hier buiten. De oude regels lijken niet meer te gelden.'

'Zeg eens. Je schijnt heel wat van kruiden en dranken af te weten. Wat je gebruikte toen je hem in slaap bracht, toen we zijn arm eraf haalden; dat was heel sterk. Heb je daar nog wat van?'

Ik kon zijn gezicht in de schaduwen niet duidelijk zien, maar zijn ogen stonden waakzaam, doelgericht.

'Een beetje. Meeuw zei er iets over. Hij hoefde maar even te ruiken en kon toen bijna alle ingrediënten opnoemen. Dat verraste me.'

'Zijn moeder was kruidengenezeres. Ze was een beroemdheid in haar eigen land. Sommigen noemden haar een heks. Na verloop van tijd leidde dat tot vervolging en dood. Meeuw heeft bijna ondraaglijke beproevingen doorstaan.'

Ik kon de verleiding niet weerstaan en vroeg: 'Ik dacht dat deze mannen geen verleden hadden?'

'Ze leren het los te laten. Om het soort werk te doen dat wij doen, moet een man zonder bagage reizen. Hij mag geen herinneringen meedragen, geen hoop. Om te zijn wat wij zijn, mag je alleen aan de taak van vandaag denken.'

'Ik kende het verhaal van Meeuw al.'

'Heeft hij het je verteld?'

'De anderen hebben het me verteld. Elk van hen heeft zijn verhaal. Het is niet zo erg diep begraven. Elk van hen heeft nog hoop. Geen man kan helemaal zonder hoop.'

'O nee?'

Ik besloot dat het verstandig was hier niet verder op door te gaan.

'Ben je nooit in de verleiding gekomen?' vroeg hij zacht. 'Wanneer je patiënt pijn lijdt en je weet dat hij het toch niet zal halen? Het zou toch heel gemakkelijk zijn om de drank net iets sterker te maken? Zodat hij, in plaats van langer te lijden, gewoon in slaap viel om nooit meer wakker te worden?'
Ik had precies dezelfde gedachten gehad.
'Je moet voorzichtig zijn,' zei ik. 'Het kan gevaarlijk zijn je met die dingen te bemoeien, en niet alleen voor het slachtoffer. We hebben allemaal onze toegemeten tijd. Zo wil de godin het. Ik zou alleen op die manier ingrijpen als ik dacht dat zij mijn hand stuurde.'
'Volg jij het oude geloof?'
Ik knikte; ik wilde liever niet over mijn familie praten.
'Zou je het doen?' vroeg hij. 'Als hij nog verder achteruitgaat?'
'Dan zou ik niet anders zijn dan jij, met je mesje. Jouw handige oplossing. Ik genees. Ik dood niet.'
'Volgens mij zou je het doen. Als het moest.'
'Ik zou de godin niet willen beledigen, en ik zou zo'n stap nooit doen als ik niet zeker wist dat Evan het zelf wilde. Ik denk dat ik niet kan zeggen wat ik zou doen, tenzij ik voor de keus gesteld werd.'
'Misschien krijg je nog de kans om erachter te komen.'
Ik antwoordde niet.
'Geloofde je,' vervolgde hij na een tijdje, 'dat ik het gedaan zou hebben? Dat ik deze handige oplossing voor jou zou hebben gebruikt, omdat je me in de weg stond?'
'Toen wel. Ik geloofde dat het mogelijk was. En... wat ik over je had gehoord leek dat te ondersteunen.'
'Ik zou nooit zoiets gedaan hebben.'
'Dat weet ik nu.'
'Begrijp me niet verkeerd. Ik ben niet weekhartig. Ik heb geen last van een geweten. Ik neem snel beslissingen en ik sta mezelf niet toe er spijt van te hebben. Maar ik ben niet iemand die blindelings onschuldige mensen afslacht.'
'Waarom heb je dan...' Het was te laat om mijn woorden in te slikken.
'Waarom heb ik wat?' Zijn stem had plotseling een gevaarlijke klank gekregen. Hij had me in de val laten lopen met zijn vriendelijke benadering.

'Niets.'

'Zeg het. Wat heb je over me horen vertellen?'

'Ik...' Het was duidelijk dat zwijgen niet tot de mogelijkheden behoorde. En hij zou het weten als ik loog. 'Ik hoorde over een keer, nog niet zo lang geleden, dat een groep mannen op hun eigen grondgebied werd overvallen en gedood terwijl ze de lichamen van hun doden meevoerden om ze te begraven. Ik hoorde dat hun leider werd vastgehouden en gedwongen werd zijn vrienden een voor een te zien sterven. Zomaar. Nergens anders om dan om te laten zien dat dit moeiteloos gedaan kon worden. De beschrijving die hij... het verhaal werd zodanig verteld dat het duidelijk was dat jij daarvoor verantwoordelijk was.'

'Hm. Wie vertelde dat verhaal? Waar heb je het gehoord?'

'Wie was jouw vader? Waar ben je geboren? Gelijk oversteken, weet je nog wel?'

'Je weet dat ik je dat niet zal vertellen.'

'Ooit zul je het me vertellen.' Daar was die plotselinge kou weer, alsof er een geestverschijning was langsgekomen die me met zijn adem beroerde. Ik wist niet waarom ik deze woorden had gesproken, maar ik wist dat het de waarheid was.

'Voelde jij dat ook?' vroeg Bran met een vreemde stem.

Ik staarde hem aan. 'Voelde ik wat?'

'Een... een kilte, een plotselinge tochtvlaag. Misschien slaat het weer om.'

'Misschien.' Dit begon echt idioot te worden. Niet alleen deelde ik zijn nachtmerries, maar hij voelde het wanneer het Gezicht mij aanraakte. Het was heel beslist tijd om naar huis te gaan.

'Zijn naam is Eamonn,' zei hij langzaam. 'Eamonn van de Moerassen, zo wordt hij genoemd. Zijn vader had een slechte naam en de zoon heeft niets gedaan om een betere te verdienen. Mijn mannen hebben jou toch ergens bij Littlefolds opgepikt? Precies op de grens van het land van deze Eamonn? Wat is hij van jou? Een neef? Je broer? Je vrijer?'

'Geen van die dingen,' stamelde ik, en mijn hart bonsde. Ik mocht hem niet vertellen wie ik was, ik mocht mijn familie niet kwetsbaar maken. 'Ik ken hem alleen. Ik heb hem het verhaal horen vertellen, dat is alles.'

'Waar?'

'Dat gaat je niets aan.'

'Je zou er goed aan doen geen banden met die man aan te gaan. Zijn soort is het gevaarlijkste. Je kunt zo'n man niet dwarsbomen zonder kleerscheuren op te lopen.'

'Nu heb je het toch zeker over jezelf en niet over Eamonn.'

'Je neemt het wel erg snel voor hem op. Is hij niet degene die vol zorg op je terugkeer wacht, zoals mijn mannen zo aangrijpend vertelden?'

'Je mannen beschikken over een zeer levendige fantasie, ten gevolge van te weinig vermaak. Er wacht thuis geen vrijer op me. Alleen mijn familie. Dat is mijn keus geweest.'

'Dat klinkt erg onwaarschijnlijk.'

'Het is de waarheid.'

We bleven een tijdlang zwijgend zitten. Hij schonk mijn beker weer vol, en de zijne. Ik begon me erg slaperig te voelen.

'Het was geen daad van willekeur.' Brans woorden vulden de ruimte tussen ons. 'Het doden. Het was geen afslachten van onschuldige mensen. Wij zijn mannen. We doen mannenwerk. Je zou aan die Eamonn van je kunnen vragen hoevelen hij zelf op die manier heeft gedood. We kregen goed betaald om te doen wat we deden, door een oude, machtige vijand van hem. Zijn vader heeft destijds velen onrecht aangedaan, en zijn zoon betaalt daar nog altijd de prijs voor. Ik geef toe dat ik er een eigen accent aan heb gegeven. Ik hoorde dat hij er niet van onder de indruk was.'

'Het klonk mij in de oren als een stompzinnige slachtpartij. En de nasleep als het hooghartige gebaar van een man die zich als onaantastbaar beschouwt.'

Dit werd met een ijzig stilzwijgen begroet. Ik begon mijn woorden te betreuren, al waren ze ook nog zo waar. Toen hij weer iets zei, klonk zijn stem anders. Gespannen, bijna moeizaam: 'Ik hoop dat je dit ter harte zult nemen. Vertrouw die Eamonn niet. Als je hem als echtgenoot of als minnaar neemt, zal hij je leegzuigen. Vergooi jezelf niet aan hem. Ik ken dat soort. Zo'n man zal je de mooie woorden geven die je wilt horen; hij zal je in slaap sussen tot je hem gelooft. Zo'n man kan alleen maar nemen.'

Ik staarde hem stomverbaasd aan. 'Dit is niet te geloven! Jij die me raad gaat geven over hoe ik mijn leven moet inrichten? Bovendien, heb ik ooit gezegd dat ik mooie woorden wilde horen?'

'Alle vrouwen willen graag gevleid worden,' zei hij smalend.

'Niet waar. Het enige wat ik ooit heb gewild, is eerlijkheid. Woorden van genegenheid, woorden van... van liefde, zulke zoete woorden zijn betekenisloos als ze alleen uitgesproken worden om een bepaald doel te bereiken. Ik zou het weten, als een man me daarover leugens vertelde.'

'Ik neem aan dat je veel ervaring hebt op dat gebied.' Het was onmogelijk om erachter te komen of hij dit in ernst zei of niet, behalve dat ik dacht dat hij niet tot humor in staat was.

'Ik zou het weten. In mijn hart zou ik het weten.'

Er kwam een dag dat Evan helemaal niets meer in zijn maag kon houden. Zijn keel was vreselijk gezwollen en in plaats van koorts leed hij nu aan een holwangige lethargie die het einde voor hem voorspelde. Zonder mijn kruidendranken was de pijn waarschijnlijk zeer hevig, maar hij stond al met een been op het laatste pad, en omdat hij een sterke man was, leed hij zonder klagen. Ik kon hem geen rustgevende slaap bieden, dieper gemaakt door deskundige hulp, van waaruit hij vredig kon overgaan naar de volgende wereld. Dat was voor hem niet weggelegd. Hij wist dat het tijd was en ging er met open ogen op af.

De dag sleepte zich traag voort tot de middag, en ik had het gevoel dat de koele, droge lucht in de oude ruimte vol was van ijl gefluister en geritsel, alsof bepaalde oude krachten de smid wegriepen.

'Zeg het maar eerlijk,' zei Evan. 'Dit is het einde voor mij, hè?'

Ik zat naast hem op de grond, met zijn hand in de mijne. 'De godin roept je. Het is misschien je tijd om verder te gaan. Je draagt het moedig.'

'Goed gedaan. Een goed meidje geweest. Je best gedaan.'

'Ik heb het geprobeerd. Het spijt me dat het niet genoeg was.'

'O, nee. Nee, huil niet om mij, meidje...' Zijn adem ging reutelend. 'Droog die tranen. Er komt nog tijd voor je. Verspil je verdriet niet aan een gewone man zoals ik.'

Daardoor begonnen de tranen juist sneller te stromen, niet alleen om het verlies van een goede man, maar om mijn moeder die op dezelfde weg was, en om die arme Niamh, die de wens van haar hart niet had mogen volgen, en om de wereld, die het nodig maakte dat mannen hun beste jaren verdeden aan een leven van vluchten, zich verschuilen en doden. Ik huilde omdat ik niet wist hoe ik daar iets aan moest veranderen. Evan bleef lang zwijgen. Later begon hij te praten over zijn vrouw, Biddy. Twee zonen had ze, de kinderen van een andere man. Prima jongens, allebei. Hun vader was een onprettig heerschap, sloeg haar geregeld bont en blauw. Een zwaar leven had ze gehad. Afijn, de kerel was doodgegaan. Hij kon maar beter niet precies vertellen hoe. En nu was ze de zijne, en wachtte ze tot hij dit leven op zou geven en bij haar terug zou komen. Dan zouden ze ergens anders heen gaan, Biddy en hij en de jongens; een kleine smidse beginnen in een dorp, misschien in het buitenland. Er was altijd werk voor een man die zijn vak verstond, en Biddy, die kon alles aanpakken. Hij zou de jongens het vak leren, zodat ze een toekomst hadden. Af en toe praatte hij alsof Biddy bij hem zat en zijn hand vasthield, en ik knikte en glimlachte terug.

Wat later kreeg ik een kans om hem die moeilijke vraag te stellen, en ik greep hem aan.

'Evan. Ik moet openhartig met je praten, terwijl je me kunt begrijpen.'

'Wat is er, meisje?'

'Er is niet veel tijd meer. Dat weten we allebei. Je hebt pijn, en het zal nog erger worden. Ik wilde... ik wilde je een heel sterke slaapdrank geven, een drank die je tot aan het einde zou helpen. Maar op dit moment lukt het je niet meer die in te nemen. Als je... als je dit wilt bekorten, zou ik aan Bran... zou ik aan de Baas kunnen vragen of hij... of hij...' Ik merkte dat ik uiteindelijk toch niet in staat was deze woorden uit te spreken.

'... weet wat ik wil. Roep de Baas binnen, zeg ik het tegen jullie beiden... kost minder adem.'

Ik moest dus naar buiten gaan om Bran te halen, maar eerst boende ik mijn gezicht met mijn hand af in een poging de tranen weg te wissen. Hij was niet ver weg; hij stond met zijn rug tegen de stenen wand van de oude grafheuvel geleund, in de verte starend, kennelijk in gedachten verzonken. Zijn mond was vertrokken tot een sombere streep.

'Zou je... zou je alsjeblieft binnen kunnen komen?'

Hij schrok op alsof ik hem een klap had gegeven en volgde me zonder iets te zeggen.

'Wil een paar dingen vragen. Ga zitten, Baas. Heb weinig adem meer. Moet zacht praten.'

'Ik ben hier. We zijn hier allebei.'

'Weet je wat ze me vroeg?' Het was alsof hij heel zacht, reutelend grinnikte.

'Ik heb geen idee.'

'Ze vroeg of ik wilde dat jij er een eind aan maakt? Omdat ze het zelf niet kan. Kun jij dat geloven? Wat een meid.'

Ze keken me allebei aan, met precies dezelfde uitdrukking op hun gezicht. Lieve Brighid, waarom kon ik deze tranen toch niet tegenhouden?

'Dat wil ik niet. Maar toch blij dat ze het aanbood. Nooit makkelijk. Ik wil… wil buiten zijn. Onder de sterren. Vuurtje. Geur van brandende sparrenkegels, de nachtwind op mijn gezicht voelen. Drupje sterke drank misschien, tegen de kou. Een verhaal vertellen. En mooi lang verhaal. Dat wil ik.'

'Ik denk dat dat wel zal lukken.' Maar Bran keek niet naar hem; hij keek naar mij en hij had weer die uitdrukking op zijn gezicht, minder vluchtig ditmaal. De grijze ogen helder en intens, de ogen van een betrouwbare man. De mond verzacht door medeleven, en door nog iets. Ik voelde wel dat deze Bran zonder masker oneindig veel gevaarlijker voor mij was dan de Beschilderde Man ooit kon zijn.

'Nog iets,' fluisterde Evan. 'Baas. Over mijn vrouw. Meeuw weet waar mijn spullen verborgen zijn. Moet voor haar en de jongens zorgen. Heb gespaard. Meer dan genoeg denk ik. Meeuw weet waar ze is.'

Bran knikte nuchter. 'Maak je daarover geen zorgen. Ik zal erop toezien dat ze beschermd worden en dat er voor hen gezorgd wordt. Er zijn plannen voor.'

Een flauwe grijns verlichtte de grauwe, holle gelaatstrekken van de smid, en hij keek naar mij. 'Goeie man, de Baas,' mompelde hij.

'Dat weet ik,' zei ik.

Bran droeg de smid schijnbaar zonder veel moeite naar buiten, ook al was Evan veel groter en zwaarder dan hij. Ik haalde dekens, water en doeken. Eindelijk was de schemering ingevallen, na een eindeloze dag. We namen de tijd om Evan een goede plaats te geven, ondersteund in halfzittende houding tegen de rotsen, met zijn lichaam zo warm mogelijk ingepakt. We kozen een beschutte plek, waar hij toch de beweging in de nachtlucht zou kunnen voelen. Er hing een geur van regen in de lucht; ik hoopte dat het niet zou gaan regenen voor het ochtend werd. Bran legde een klein vuur aan, omgeven door platte stenen uit de beek, en toen verdween hij. Evan was nu stil. De korte verplaatsing had bijna al zijn resterende krachten gevergd.

Ik vroeg me af welk verhaal geschikt was voor de laatste nacht in deze wereld van een stervende man. Een lang verhaal, had hij gezegd. Lang genoeg. Ik zat met mijn handen om mijn knieën en staarde in de vlammen van het vuurtje. Een verhaal dat hoop gaf. Een verhaal dat ik kon uitvertellen zonder te gaan huilen. Bran kwam even geruisloos terug als hij was weggegaan met iets wat hij tegen zijn borst hield. Hij liet de vracht op de grond vallen. Sparappels. Ik pakte er een paar en gooide ze op het vuur, met een stilzwijgend woord naar de godin. Het was een geur die de belofte inhield van hoge bergen, van sneeuw en grote vogels die rondcirkelden aan een lichte hemel.

'Baas.' De stem was ijl.

'Hier ben ik.' Bran ging aan de andere kant naast de smid zitten. Hierdoor bevond hij zich iets dichter bij mij dan de drie of vier pas afstand die de regel voorschreef.

'Het meisje. Beloof me dit. Ze moet veilig naar huis gaan, wanneer dit afgelopen is. Beloof het, Baas.'

Bran antwoordde niet. Hij staarde in het vuur.

'Ik meen het, jongen.' Hoe zwak hij ook was, de stem van de smid eiste een antwoord.

'Ik vraag me af wat de belofte van een man zoals ik waard kan zijn. Maar ik geef je mijn woord, smid.'

'Mooi. Vertel nu het verhaal, meisje.'

En terwijl hij daar zwijgend zat, begon ik. Ik weefde zoveel wonderbaarlijks, toverachtigs en begoochelends in dit verhaal als ik kon. Maar ik vergat de gewone dingen niet; de dingen die als zodanig prachtig zijn, zonder dat ze in welk opzicht ook ongewoon zijn. De held van dit verhaal werd verliefd en trouwde, en hield zijn eerstgeboren zoon in zijn armen. Hij kende de vriendschap en trouw van wapenbroeders. Hij reisde door verre landen en over geheimzinnige zeeën, en hij beleefde de vreugde van het thuiskomen. Ik keek onder het praten meestal in de vlammen, maar soms keek ik naar Evans grove, eerlijke gezicht en zijn wijd open ogen die omhoog tuurden naar de sterren. Een paar keer haalde Bran de zilveren flacon te voorschijn, deed een beetje van de inhoud op zijn vingertoppen en bevochtigde daarmee de lippen van de smid. Maar na een tijdje deed hij de stop op de flacon en stak hem weer in zijn zak; en daarna zat hij alleen te luisteren. Het verhaal ging verder. Sommige avonturen ontleende ik aan andere verhalen en sommige verzon ik gaandeweg. De wassende maan kwam op en verspreidde een zacht licht over ons, en nog altijd praatte ik door. De wind stak op en bracht de geur van de zee mee, en het werd kouder. Bran stond op en ging zijn mantel halen.

'Hier,' zei hij zacht en vlijde hem keurig om mijn schouders. Wat later bracht hij me een beker water. Het was een lang, lang verhaal. Ik had Sean, of Niamh, of Conor er graag bij gehad om me ermee te helpen, maar er was niemand. Pas op, ik mocht niet weer beginnen te huilen. De sterren waren als schitterende juwelen op een mantel van diepzwart fluweel. Maar je zou nooit een mantel kunnen maken van zo'n wonderbaarlijke pracht.

'Er kwam een tijdstip,' zei ik ten slotte, 'dat de godin Eoghan bij zich terugriep. Want het was de dag waarop bepaald was dat hij zou overgaan; dat zijn ziel van dit leven werd vrijgemaakt om verder te gaan in het volgende. Wanneer zij je roept, is geen weigering mogelijk. Maar Eoghan dacht aan zijn vrouw en aan zijn zoon die nog geen man was. En hij ging zitten bij de gebeeldhouwde stenen waar hij deze roep had gehoord en vroeg hoe hij hen kon achterlaten? Hoe zouden ze zonder hem verder kunnen gaan? Wie zou het hout hakken voor zijn vrouw, wie zou zijn zoon leren jagen? Toen zond de godin haar wijsheid diep in zijn hart, en hij begreep het. Je vrouw zal om je rouwen, maar haar liefde zal haar sterk houden. Ze zal haar liefde in elke steek van de gewaden die ze maakt meenaaien (want zijn vrouw was naaister). Je zoon zal leren wie zijn vader werkelijk was terwijl hij het vak uitoefent dat je hem hebt geleerd. Op den duur zal ook hij een man zijn, en hij zal liefhebben en gelukkig zijn en het zoekende hart meedragen in zijn leven, het gretige verlangen dat jij hem meegaf toen je over je avonturen vertelde. Eens zal jouw ziel

weer bij hen zijn; misschien in de vorm van een grote boom met
een brede kroon die de plek beschaduwt waar je kleinkinderen
spelen Misschien in de vorm van een breedgevleugelde arend die
hoog in de lucht zweeft en toekijkt terwijl je liefste haar linnengoed te drogen uitspreidt over de meidoorns, en plotseling om-
hoogkijkt naar de hemel, terwijl ze haar ogen afschermt tegen de
zon. Jij zult daar zijn, en zij zullen het weten. Ik ben niet wreed.
Ik neem en ik geef.'

Mijn vingers gingen naar Evans pols, zochten naar de plaats waar
het bloed klopte onder de huid.

'Hij ademt nog wel,' zei Bran zacht. 'Maar amper. Ik weet niet of
hij je kan horen.'

Een lang verhaal, had Evan gezegd. Dat betekende dat ik door
moest gaan. Niet veel langer. Mijn hele lichaam voelde stijf en
akelig. Ik was zo moe dat ik vermoedde dat ik onzin uitkraamde.

'Diezelfde dag was Eoghans zoon eropuit geweest om de schapen
na te zien, en toevallig kwam hij op weg naar huis langs de ingekerfde stenen, want hij hield ervan met zijn vingers de vreemde
vormen na te trekken die erop stonden. Een lange spiraal, een keten van veel wonderlijke schakels, een grijnzende wolfshond, een
klein raadselachtig gezicht. Maar toen hij op die plek aankwam,
lag daar zijn vader vredig op de aarde, met zijn ogen open naar de
hemel. De jongen was nog geen twaalf jaar, maar hij was de zoon
van zijn vader. Dus legde hij Eoghans handen gekruist over zijn
borst en sloot de nietsziende ogen. Daarna rende hij naar het dorp
en haalde twee mannen en een plank. Toen dat gebeurd was, ging
hij rustig naar binnen om het bericht aan zijn moeder te brengen.
En het was zoals de godin had gezegd. Ze rouwden, maar ze gingen door en bouwden verder aan hun leven. Eoghans liefde had
hen sterk gemaakt. Ze had hen als met een glanzende mantel omwikkeld om hun hart warm en hun geest helder te houden, en zijn
dood maakte die liefde alleen maar sterker. Ze bleef ook bestaan
in de zielen van zijn goede vrienden, die zijn nagedachtenis eerden
door middel van hun dappere daden en hun stoutmoedige ont-
dekkingsreizen. Eoghan was via het rijk van de Andere Wereld
overgegaan naar zijn volgende leven. Maar wat hij had gedaan en
wie hij was geweest, dat bleef stralend en zuiver gedurende vele jaren na zijn overgang. Dat is de nalatenschap van een goede man.'

We hoorden een reutelend, schrapend geluid toen Evan inademde, en er ging een rilling door zijn lichaam. Bran stak een arm onder zijn schouders en tilde hem een klein eindje op.

'Draai hem naar deze kant,' zei ik. 'Zodat hij naar het westen kijkt.' Het was tijd. Mijn verhaal had precies lang genoeg geduurd. Ik stond op en keek naar de besterde hemel.

'Manannán mac Lir, zoon van de zee!' riep ik met de laatste kracht van mijn stem. 'Neem deze man mee op zijn reis! Hij heeft lang en hard gewerkt en is klaar om te gaan. Laat hem nu wegvaren op zijn reis, met gunstige winden en kalme zeeën.' Ik hief mijn armen en strekte ze uit naar het westen. Er trok een wolk voor de maan, en rondom ons ritselden de bladeren. Terwijl de windvlaag over de opening boven aan de grafheuvel woei, dacht ik een vaag, diep vibreren te voelen, want het was bijna te laag om te horen, als een toon van een reusachtig instrument. Als de oeroude stem van de aarde zelf. Mijn handen maakten een beschermend teken in het donker. Moge Dana ons behoeden. Moge de godin onze passen geleiden.

Naast me liet Bran de smid weer zakken op de deken. Ik hoefde het niet te vragen. Het was voorbij. Vandaag was voorbij. Ik wilde niet aan morgen denken. Mijn rug deed pijn en mijn hoofd was vol van ingehouden tranen. Ik was zo moe dat ik niet dacht dat ik een stap kon doen van de plaats waar ik nog naar het westen stond te kijken, zonder iets te zien. Ik had behoefte aan iets wat onmogelijk was. Thuis zou er iemand geweest zijn om liefdevol zijn armen om me heen te leggen, om tegen me te zeggen: goed, Liadan, nu is het gebeurd. Je hebt het goed gedaan. Huil maar, als je wilt. Maar hier was niemand, alleen hij. En dat was ondenkbaar.

Ik dwong mezelf om in beweging te komen. Evan lag rustig op de grond, met zijn arm langs zijn zij en met gesloten ogen. Misschien was zijn ziel nog niet helemaal vertrokken, maar tegen de ochtend zou hij weg zijn. Ik knielde naast hem neer en boog me om met mijn lippen over de zijne te strijken, om zijn wang aan te raken en me te verwonderen over de diep vredige uitdrukking die zich nu over zijn uitgeputte gezicht verspreidde.

'Vaarwel,' fluisterde ik. 'Je bent moedig gestorven, net zoals je hebt geleefd. Rust nu.'

Toen ik weer opstond, knikten mijn knieën en de sterren tolden door de hemel. Bran kwam snel naar me toe om mijn armen te pakken voor ik viel.

'Je moet rusten. Ga terug naar binnen. Neem de lantaarn mee. Ik zal bij hem waken. Morgenochtend is er nog tijd genoeg voor wat er moet gebeuren.'

Ik schudde mijn hoofd. 'Nee. Ik ga daar niet naar binnen. Niet alleen.' Mijn stem klonk vreemd, als uit de verte.

'Ga dan hier liggen.' Een ferme hand leidde me naar de andere kant van het vuur. Toen lag ik op een deken en de mantel daalde over me neer.

'Ik wil niet... je moet me wekken wanneer...'

'Sst. Slaap eerst wat. Ik maak je op tijd wakker.'

Te moe om te huilen, te moe om te denken, deed ik wat hij zei en sliep.

Ik wilde niet nog meer huilen. In plaats daarvan had ik een hol, leeg gevoel, alsof alle levenslust uit me gezogen was en ik, licht als het geraamte van een blad, willoos door de lucht zweefde, overgeleverd aan de genade van de vier winden. Ik had geen tranen meer. Mijn korte slaap was bezocht geweest door dromen van een vreemde intensiteit, die ik onmogelijk helder zou hebben kunnen weergeven. Ik herinnerde me dat ik op de rand van een klif had gestaan, zo hoog dat je beneden niets anders kon zien dan een wervelende nevel, en dat een stem tegen me zei: Spring. Je weet dat je dingen kunt veranderen. Doe het, spring. Het was een opluchting wakker te worden, kort na zonsopgang, en aan de slag te gaan. Ik waste het lichaam van de smid met schoon water waarin ik een paar blaadjes van de polei had gedaan, die overvloedig langs de beek groeide. De geur was fris en zoet. Ik werkte snel, maar met eerbied. Het lichaam zou binnenkort verstijven, dus moesten we hem voor die tijd verplaatsen. Bran was onder aan de heuvel bezig met een spade. Ik vroeg niet waar hij die had gevonden of wat hij aan het doen was. Nu mijn taak bijna afgelopen was en ik tijd had om om me heen te kijken, zag ik dat het hier buiten niet allemaal zo was als ik me had voorgesteld. Want er was opeens een paard te voorschijn gekomen van tussen de struiken; het liet me schrikken toen het zacht tegen me hinnikte terwijl ik daar geknield zat. Het was een stevig dier met lange manen en een zachtgrijze vacht. Het droeg een primitief hoofdstel, maar was niet vastgebonden. Ik nam aan dat het Brans paard was en dat het geleerd had niet weg te lopen. Het zou dus mogelijk zijn hier weg te gaan. De zon kwam op, maar er stond een felle bries en de bewolking nam toe. Ik kon de zee ruiken. Ik dacht dat het voor de avond wel zou gaan regenen. Misschien zou ik dan al weg zijn. Ik maakte het werk af en ruimde alles op, en toen riep ik Bran.

'We moeten het nu maar doen.' Het zou beter zijn geweest om te wachten, om volkomen zekerheid te hebben. Na de laatste ademtocht kon het drie dagen duren voor de ziel vertrokken was. Een andere man had misschien vredig in een duistere kamer gelegen, met een paar kaarsen om hem heen, terwijl vrienden en familie afscheid kwamen nemen. Maar deze man moest nu begraven worden, zolang we het nog konden doen; en zijn graf zou geen teken dragen. De Beschilderde Man zou geen sporen willen achterlaten. We legden Evan neer met zijn hoofd naar het noorden. Het graf was goed voorbereid. Er lag een hoop aarde klaar om het dicht te gooien, en de lengte en diepte waren goed berekend. Ik keek even naar mijn metgezel. Zijn gezicht stond kalm, al was het wat bleek. Ik vermoedde dat dit weinig voor hem betekende. Hij was er goed in omdat hij het al zo vaak had gedaan. Wat was het verlies van één man wanneer je leven eruit bestond te dobbelen met de dood? De zon gaf Evans vermoeide trekken een gouden glans. Om ons heen bewogen en ritselden de struiken.

'Als je er geen bezwaar tegen hebt, wil ik dit graag doen zoals het hoort. Als je het niet erg vindt.'

Bran knikte, met strakke mond. Ik liep in een kring om het graf heen, heel langzaam. Toen bleef ik staan met mijn gezicht naar het oosten; ik voelde de wind tegen mijn huid.

'Wezens van de lucht, wij eren jullie aanwezigheid. De ziel van deze man vliegt weg uit zijn lichaam en reist door jullie rijk op zijn weg naar de Andere Wereld. Draag hem naar de hoogte op jullie vleugels; beschut hem en geef zijn vlucht snelheid, zodat hij als een pijl recht op zijn doel afgaat.'

Ik liep naar de andere kant, zodat ik naar het westen keek. De grond was bespikkeld met lichte en donkere vlekken. Er viel een regendruppel, die een ronde donkere plek op de aarde maakte.

'Wezens van de diepte, volk van Manannán, jullie die in de donkere, geheimzinnige wateren wonen, wees nu met ons. Draag deze man op zijn reis als een sterk, rond schip van eikenhout, dat met trots en kracht de golven doorklieft. Want zo was hij ook tijdens zijn leven.'

Nu liep ik weer een stuk, zodat ik naar het noorden keek, tegen de helling op in de richting van de grote, met gras bedekte grafheuvel.

'Jullie die in de aarde wonen, wier geheime liederen diep in haar herinnering meetrillen, jullie die dicht bij het kloppende hart van onze grote moeder leven, hoor mij aan. Neem het gebroken omhulsel van een goede man en gebruik het goed. Moge hij in zijn dood het leven voeden. Moge hij deel worden van het oude en het nieuwe, die zich verstrengelen in deze plaats van diepe mysteriën.'

Bijna klaar. Ik liep naar het hoofdeinde van het graf, zodat ik nu naast Bran stond met mijn gezicht naar het zuiden.

'Als laatste roep ik jullie aan, stralende salamanders, geesten van het vuur! Sta op en straal, en neem een man terug die tot jullie soort behoorde. Want deze man was een grote smid, de beste buiten Gallië en in alle windstreken, zeiden ze. Zijn vak had te doen met vuur en hij gebruikte het bekwaam, met respect voor de kracht ervan. Met hitte smeedde hij wapens en gereedschappen, hij arbeidde en zweette en boog het ijzer naar zijn wil. Vonk naar vonk, vlam naar vlam, laat zijn ziel opstijgen naar de hemel, zoals de hitte opstijgt uit een grote brand.'

Boven aan de helling brandde ons eigen vuurtje nog. Je kon het nu ruiken, want de rook werd naar ons toe geblazen door windvlagen uit de andere richting. Je kon de geur ruiken van het poeder dat ik op de gloeiende kooltjes had gestrooid, een kleine hoeveelheid, maar indringend en zuiver. De wortels van monnikskap en kervel, tot stof vermalen, die ik diep in mijn tas bewaarde voor een gelegenheid als deze. Ik had dit nog nooit eerder hoeven doen, en hoopte vurig dat het nooit meer nodig zou zijn.

We bleven een ogenblik zwijgend staan, en toen nam ik een handvol aarde en liet die in het graf vallen. Ik ontdekte dat ik toch nog tranen had om te vergieten, maar ik hield ze tegen en dwong mezelf daar te blijven wachten terwijl Bran de spade nam om het werk af te maken. Dat ging snel en netjes. De aarde vlak maken. Er afgevallen blad overheen spreiden, een paar afgevallen takken.

Het was alsof er niemand was geweest, geen dier behalve een rennende eekhoorn of een bosmuis op zoek naar voedsel. Het lichaam zou weer een worden met de aarde. De ziel was weggevlogen Ik had gedaan wat ik kon om hem een voorspoedige reis te geven. Nu was het voorbij, en ik kon niet langer om de vraag heen. Ik kon niet langer doorgaan met bij de dag te leven en te doen alsof morgen er niet toe deed. Ik zou met hem moeten praten. Ik zou hem moeten vragen wat er nu zou gebeuren, met ons beiden.

Maar geen van ons tweeën zei een woord. We gingen terug naar het vuurtje en ik ruimde mijn spullen op. Bran maakte een soort maaltijd klaar, ik herinner me niet meer waaruit die bestond, en we zaten daar en aten zwijgend. Toen haalde hij de zilveren flacon uit zijn zak, deed de stop eraf en dronk. Hij gaf hem aan mij en ik nam een slok. Het was sterk spul. Ik voelde me iets beter. Van het vuur was niet meer over dan wat smeulende houtskool, maar de scherpe geur van monnikskap was er nog steeds. Ik gaf de flacon terug. We keken elkaar niet aan. Geen van ons zei iets. Misschien wachtten we allebei tot de ander zou beginnen. De tijd verstreek; de zon verschoof naar het westen en de wolken namen in omvang toe. De lucht was zwaar van het vocht. Naar huis, dacht ik vaag. Ik moet naar huis gaan. Ik moet het hem vragen. Maar ik vroeg het niet. Er was een treurig gevoel over me gekomen, een gevoel dat ik in het luchtledige zweefde, dat ik plotseling op een onbekend pad in een nog niet in kaart gebracht land was gezet. In plaats van hier verder over na te denken bleef ik zwijgend zitten, accepteerde de flacon wanneer hij me werd aangeboden en gaf hem weer terug, zodat hij er ook van kon drinken. En na een poos was hij leeg en hadden we nog steeds helemaal niets gezegd. Mijn hoofd was wazig; mijn gedachten gingen hun eigen gang. Hoe kon je leven zonder dat je door mensen werd aangeraakt? Dat was toch het eerste wat je leerde kennen wanneer je op de wereld kwam en ze je op de buik van je moeder legden? Dan kwam haar hand naar je toe om je rug te strelen en je hoofd te omvatten, en ze lachte naar je door tranen van uitputting en verwondering heen. Die liefdevolle aanraking was het allereerste wat je meemaakte. Later zou ze je in haar armen houden en liedjes voor je zingen. Er was een wiegelied, een kort fragment in een taal zo oud dat niemand meer wist wat de woorden betekenden. Ik neuriede het binnensmonds, heel zacht. Mijn moeder had dit liedje zo vaak voor Sean en mij gezongen dat het diep in ons was ingebed. Hier, op deze plaats van oude geesten, leek dit lied goed te passen. Terwijl ik zong, woei de aanwakkerende wind over de grote heuvel met zijn verborgen opening, en weer hoorde ik die vage, lage toon, die kwam en ging alsof hij deel uitmaakte van mijn lied, alsof mijn woorden zelf uit de diepten van de aarde voortkwamen. *Spring*, zei de stem. *Spring nu*. Er rolde een traan over mijn wang, of was het een regendruppel? Als ik huilde, begreep ik niet waarom. Het lied was afgelopen, maar de diepe stem van de wind bleef doorhuilen en de wolken pakten zich samen. Ik keek even naar Bran, want ik wilde voorstellen een schuilplaats te gaan zoeken. Het vreemde grijze paard had zich al onder de bomen teruggetrokken.

Bran sliep. Dat verbaasde me niet, want hij had niet zoals ik voor zonsopgang nog even gerust. Hij zag er vreemd uit zo: de getekende huid, de leren riem met ijzerbeslag en het wapen opzij waren in tegenspraak met zijn houding. Hij sliep met opgetrokken knieën, het hoofd rustend op zijn ene arm, de vuist van de andere hand tegen zijn mond. Zo slapend leek hij zo kwetsbaar als een kind. Er waren diepe schaduwen onder zijn ogen. Zelfs een man zoals hij kon het niet zo lang buiten slaap stellen zonder daardoor getekend te worden. Ik stond onhoorbaar op, haalde de mantel en legde die zorgvuldig over hem heen. Ik wilde hem niet wakker maken, want ik wist dat hij het niet op prijs zou stellen zo gezien te worden, zo zonder pantser. Het zou het beste zijn hem maar alleen te laten. Eigenlijk zou het beste zijn het paard en een scherp mes mee te nemen en hem helemaal achter te laten. Naar huis te gaan. Naar het zuiden rijden, naar Zeven Wateren. Als ik snel reed, kon ik de weg bereiken voor het ging schemeren.

Maar ik ging niet. Dat wil zeggen, ik ging alleen ver genoeg weg om hem zijn afzondering te gunnen. Ik wikkelde een deken om me heen, voor als het zou gaan regenen, en ik nam de lantaarn mee voor later. Ik liep naar de andere kant van de grafheuvel, naar de poel, en ging op de gladde stenen zitten terwijl de hemel donkerder werd en de paarsige tint van de vroege avondschemer kreeg. Nog steeds dreven de wolken boven voorbij, donker als metaal, met roze randen. In de verte hoorde ik het rollen van de donder. Lafaard, zei ik tegen mezelf. Waarom ben je niet gegaan terwijl je de kans had? Je wilt toch naar huis? Waarom grijp je de gelegenheid dan niet aan? Stommeling. Maar onder deze woorden was een vreemd soort kalmte, het gevoel dat je krijgt wanneer je een stap in het onbekende zet, wanneer alles veranderd is, en je nog niet weet wat het betekent.

Ik bleef daar heel lang zitten. Het werd donker, afgezien van de kleine lichtkring die weerspiegeld werd in het zwarte water. Een paar dikke regendruppels vielen spetterend op de stenen. Tijd om naar binnen te gaan, dacht ik. Maar ik kon het niet. Iets hield me tegen, iets riep me toe te blijven waar ik was, temidden van die vreemde, ingekerfde stenen die boven de varens uitstaken, hier waar de stem van de aarde via de wind tot me kwam. Misschien zou ik hier de hele nacht wachten. Misschien zou ik hier in het donker blijven en zou er de volgende morgen nog zo'n vreemde, getekende steen bij gekomen zijn, en zou Liadan verdwenen zijn...

Het was koud. Het onweer was vlakbij. Thuis lag mijn moeder waarschijnlijk te slapen, en vader zat bij haar bed, misschien bij kaarslicht te werken aan de boeken van de boerderij. Hij doopte zijn ganzenveer voorzichtig in de inktpot en keek naar Sorcha, die daar lag als een kleine schim, met haar handen klein en breekbaar, witter dan de linnen sprei. Mijn vader huilde natuurlijk niet. Tenminste niet zo dat je het kon zien. Hij begroef zijn verdriet diep in zijn binnenste. Alleen zijn allernaasten wisten hoe het zijn hart verscheurde. Ik stond op en sloeg mijn armen om mezelf heen. Naar huis. Ik moest naar huis. Ze hadden me nodig. Ik had hen nodig. Er was hier niets voor mij, het was dom van me om ook maar te denken dat... dat...

'Liadan.' Brans stem was heel zacht. Ik draaide me langzaam om. Hij was vlakbij, geen twee pas van me af. Het was de eerste keer dat ik hem mijn naam had horen gebruiken. 'Ik dacht dat je weg was gegaan,' zei hij.

Ik schudde mijn hoofd, snoof.

'Je huilt,' zei hij. 'Je hebt je best gedaan. Niemand kan meer doen dan zijn best.'

'Ik... ik had niet moeten... ik...'

'Het was een goede dood. Daar heb jij voor gezorgd. Nu mag je... nu kun je naar huis gaan.'

Ik stond maar naar hem te kijken en kon niets zeggen.

Hij haalde diep adem. 'Ik wilde... ik wilde dat ik die tranen kon drogen,' zei hij onhandig. 'Ik wilde dat ik dit voor jou beter kon maken. Maar ik weet niet hoe.'

Ik kan niet zeggen wat me bewoog die ene stap naar voren te doen. Misschien was het de aarzeling in zijn stem. Ik wist wat het hem kostte, om zichzelf toe te staan zo te spreken. Misschien was het de herinnering aan hoe hij eruit had gezien toen hij sliep. Ik wist alleen met verpletterende zekerheid dat ik hem moest aanraken, anders zou ik uit elkaar spatten. *Spring*, riep de wind. *Waag de sprong.* Ik deed mijn ogen dicht en ging naar hem toe, en mijn armen gingen om zijn middel en ik legde mijn hoofd tegen zijn borst en liet mijn tranen stromen. *Zo*, zei de stem diep vanbinnen. *Zie je wel hoe makkelijk het was?* Bran bleef roerloos staan, en toen kwamen zijn armen heel voorzichtig om me heen, alsof hij dit nog nooit had gedaan en niet goed wist hoe je het moest aanpakken. Zo bleven we een poosje staan, en het was een heerlijk gevoel, zo heerlijk, alsof je thuiskwam na langdurige moeilijkheden. Voor ik zijn aanraking voelde, wist ik niet hoe ik ernaar had verlangd. Voor ik hem in mijn armen hield, besefte ik niet dat hij precies de goede lengte had om zijn armen zonder moeite om mijn schouders te leggen. En ik kon precies mijn voorhoofd in de holte van zijn hals leggen, waar het bloed onder de huid klopte. We pasten precies in elkaar.

Ik zou niet kunnen zeggen op welk moment deze omhelzing, die als een gewone, troostende omhelzing begon, in iets heel anders veranderde. Ik zou niet kunnen zeggen wat er eerst gebeurde, zijn lippen die mijn ooglid, mijn slaap, de punt van mijn neus, mijn mondhoek beroerden, of mijn handen die omhooggingen om zijn nek, en mijn vingers die onder zijn hemd kropen om tegen de gladde huid te bewegen. We herkenden beiden het moment van gevaar. Toen zijn lippen eenmaal langs de mijne streken, was het niet mogelijk om onze monden van elkaar af te houden. Deze kus was geen kuis symbool van vriendschap, maar een wanhopig, hongerig samenkomen van lippen, tanden en tongen dat ons de adem benam en ons bevend achterliet.

'We kunnen dit niet doen,' mompelde Bran terwijl zijn hand over de welving van mijn borst onder het oude hemd ging.

'Nee, beslist niet,' fluisterde ik terwijl mijn vingers de spiralen en wervelingen volgden die de rechterkant van zijn gladgeschoren hoofd bedekten. 'We moesten... we moesten maar liever vergeten dat dit gebeurd is... en...'

'Sst,' ademde hij tegen mijn wang, en zijn handen gingen verder naar beneden langs mijn lichaam, en het ogenblik van ophouden was voorgoed voorbij. De behoefte vlamde tussen ons op, even heftig en plotseling en onhoudbaar als een grote bosbrand die alles op zijn weg verteert, een woest samenkomen dat tegelijkertijd vreugdevol was en angstwekkend in zijn kracht. Het begon hevig te regenen en het water stroomde over de rotsen waarop we in elkaars armen lagen. We werden doornat, maar merkten het nauwelijks terwijl onze handen zachte huid verkenden en onze lippen geheime plekken proefden. We bewogen samen alsof we eigenlijk twee helften van een geheel waren, die nu weer waren samengevoegd. Toen ik hem in mij nam, voelde ik een scherpe pijnscheut, en ik moest een geluid hebben gemaakt, want hij zei: 'Wat is er? Is er iets?' Ik dekte zijn woorden af met mijn vingers. Toen was de pijn vergeten, want ik voelde mezelf onder zijn aanraking veranderen in vloeibaar goud. Ik sloeg mijn armen om zijn lichaam en drukte hem zo dicht mogelijk tegen me aan. Ik dacht dat ik hem nooit meer los zou laten, nooit. Maar ik zei het niet hardop. Deze man had nooit tederheid geleerd. Hem was nooit geleerd lief te hebben. Hij had het zelf gezegd, hij kende hij geen mooie woorden. Maar zijn handen en zijn lippen en zijn harde lichaam voerden welsprekend het woord voor hem. Terwijl hij zich op zijn rug draaide om me boven hem vast te houden, keek ik in het licht van de sputterende lantaarn in zijn ogen, en de mengeling van verbazing en verlangen die ik daar zag, was haast hartverscheurend. Ik strekte me boven hem uit, drukte mijn lippen op zijn lichaam en vond ergens diep in mezelf een ritme, als een krachtige, trage trommelslag, dat mij tegen hem aan bewoog, het spannen en ontspannen van spieren, het aanraken en loslaten, de geweldige, toenemende zoetheid – gezegende Brighid, toen het kwam, was het heel anders dan ik me had voorgesteld. Hij schreeuwde het uit en trok me naar zich toe, en ik hijgde van de hitte die door mijn lichaam stroomde. Ik voelde het zinderen diep in mij en wist dat niets ooit meer hetzelfde kon zijn. Hierover wordt verteld in verhalen, de verhalen over grote geliefden die gescheiden worden en naar elkaar verlangen, en uiteindelijk samen vreugde vinden. Maar geen enkel verhaal was hiermee te vergelijken. Naderhand lagen we roerloos in elkaars armen en geen van beiden konden we woorden vinden om te spreken.

Een tijdje later stonden we op en gingen naar binnen. Bij het licht van de lantaarn trokken we elkaars natte kleren uit en droogden elkaar af, en hij zei met haperende stem dat ik het mooiste was wat hij ooit had gezien. Ik stond mezelf een tijdlang toe het te geloven. Hij knielde voor me neer en veegde de regen van mijn lichaam af. En hij zei: 'Je bloedt. Hoe komt dat? Ik heb je pijn gedaan.'

Ik liet mijn verbazing niet merken. 'Dat is niets,' zei ik. 'Het is heel gewoon, de eerste keer. Dat heb ik tenminste gehoord.'

Hij antwoordde niet en keek me alleen maar aan, en ik dacht: dit is een andere man, een heel andere man dan degene die me bedreigde en beledigde. En toch is het dezelfde man. Hij streek met zijn vingers over mijn wang, heel zacht. Toen er woorden kwamen, klonken ze aarzelend. 'Ik weet niet wat ik tegen je moet zeggen.'

'Zeg dan maar niets,' zei ik. 'Doe alleen je armen om me heen. Raak me alleen maar aan. Dat is genoeg.'

En ik deed wat ik al zo lang had willen doen. Ik begon boven op zijn hoofd, waar de ingewikkelde tekening op zijn lichaam begon, en volgde de rand ervan met mijn vingers, langzaam, over de hoge brug van zijn neus, over het midden van zijn strenge mond, omlaag langs kin en hals en gespierde borstkas. Toen bracht ik mijn lippen naar zijn huid en volgde de lijn naar beneden. Het patroon bedekte hem werkelijk volkomen, de hele rechterkant van zijn lichaam. Het was echt een kunstwerk; niet alleen de fijn gedetailleerde tekening, maar ook de man wiens identiteit het was geworden. Hij was niet te lang en ook niet te klein; hij was breedgeschouderd en tevens slank, en zijn lichaam was hard geworden door het leven dat hij leidde; maar toch was de huid aan de linkerkant licht van tint en jong.

'Houd daarmee op, Liadan,' zei hij onvast. 'Niet... niet doen, tenzij je...'

'Tenzij ik wat?'

'Tenzij je wilt dat ik je weer neem,' zei hij, terwijl hij me heel zacht weer omhoog trok.

'Dat zou... heel aanvaardbaar zijn,' antwoordde ik. 'Tenzij je genoeg hebt gehad?'

Hij ademde uit en sloeg zijn armen om me heen, en ik voelde zijn snelle hartslag tegen me aan. 'Nooit,' zei hij hartstochtelijk met zijn lippen tegen mijn haar. 'Ik zou nooit genoeg van je kunnen krijgen.' Toen gingen weer samen liggen, en ditmaal deden we het langzaam en zorgvuldig. En het was anders, maar precies even heerlijk, terwijl we elkaar bevoelden en proefden en elkaar leerden kennen.

We sliepen die nacht niet veel. Misschien wisten we beiden dat de tijd maar al te snel verstreek; dat wanneer de dag aanbrak, morgen vandaag zou zijn, en er keuzes moesten worden gemaakt en het ondenkbare onder ogen moest worden gezien. Wie zou zo'n kostbare nacht verdoen met slapen? Dus we betastten en fluisterden en bewogen samen in het donker. Mijn hart was zo vol dat het dreigde over te lopen, en ik dacht: dit gevoel zal ik altijd vasthouden, wat er ook gebeurt. Zelfs als... zelfs wanneer... Tegen het aanbreken van de dag viel hij toch in slaap, met zijn hoofd op mijn borst. Eén keer riep hij iets in zijn dromen, woorden die ik niet kon verstaan, en hij bewoog heftig met zijn arm alsof hij iets wegduwde.

'Stil,' zei ik met bonzend hart. 'Stil maar, Bran. Ik ben hier. Je bent veilig. Alles is goed.' Ik hield hem in mijn armen terwijl ik opkeek naar het gewelf van het hoge plafond, en ik zag hoe het licht langzaam toenam door de smalle spleet daar. *Laat de dag nog niet aanbreken*, smeekte ik stilzwijgend. *Alstublieft, nog niet.* Maar de regen was opgehouden en de zon kwam op, terwijl bosvogels begonnen te fluiten in de koude lucht. En op het laatst kon ik niet meer doen alsof deze donkere, geheime ruimte die ons beiden bevatte de werkelijkheid was en die andere plek de droom.

We stonden zwijgend op en kleedden ons aan. Ik vouwde dekens op terwijl hij naar buiten ging, het paard verzorgde en droog hout zocht. Wat viel er te zeggen? Wie zou durven beginnen? Toen het vuur was aangelegd en er water opstond om warm te worden, gingen we niet aan weerskanten van het vuur zitten, zoals we tot nu toe hadden gedaan, maar dicht naast elkaar, zodat onze lichamen elkaar aanraakten en we elkaars handen konden vasthouden. Het werd steeds lichter om ons heen. Er waren hier geen wegwijzers, geen herkenningstekens. We waren hier samen verdoold.

'Je zei gelijk oversteken,' bracht Bran ten slotte uit. Het klonk alsof hij de woorden eruit moest trekken. 'Vraag voor vraag misschien?'

'Dat hangt ervan af. Wie stelt de eerste vraag?'

Hij raakte mijn wang aan met zijn lippen, heel licht. 'Jij, Liadan.'

Ik haalde diep adem. 'Wil je me nu je naam zeggen? Je echte naam? Zou je me die toevertrouwen?'

'Ik ben tevreden met de naam die je voor mij hebt gekozen.'

'Dat is geen antwoord.'

'En als ik nou zeg dat ik de naam die ik gekregen heb, vergeten ben?' Zijn hand spande zich in de mijne. 'Dat ik ben gaan geloven dat mijn naam mispunt, stuk ongeluk, hondsvot, stuk vuil is, dat ik deze namen zo vaak heb gehoord dat ik me geen andere naam kan herinneren? Een naam staat voor trots; hij staat voor een plaats. Een waardeloos schepsel heeft geen naam, behalve een verwensing.'

Ik kon nauwelijks spreken. 'Is dit de reden waarom je... kun je me zeggen wanneer je...' Mijn vingers gingen zacht over de binnenkant van zijn pols, waar het ingewikkelde patroon een kleine onderbreking vertoonde. Een blanco ruimte in de vorm van een ovaal, met in het midden een kleine tekening van een insect, ik hield het voor een bij. Heel eenvoudig uitgevoerd, maar tot in alle details volmaakt; fijn dooraderde vleugels, dunne pootjes, een bol, keurig gestreept lijf. Het was de enige plek waar zo'n duidelijke afbeelding was gemaakt.

'Je begrijpt het bijna al te goed,' zei hij somber. 'Ik heb die verwensingen lange tijd verdragen. Toen ik negen jaar was, besloot ik dat ik een man was, en ik... ik brak met dat leven. Ik ging weg. Vanaf dat moment ben ik mijn eigen weg gegaan. Dit,' en hij wees op het kleine insect, 'was het begin. Ik had gehoord van een ambachtsman die dit soort werk tegen betaling maakte. Hij zei dat ik te jong, te klein was voor wat ik van hem vroeg. Maar alles wat ik had, was dit lichaam, deze handen. Het verleden was weg; ik had het uitgewist. Van de toekomst kon ik me geen voorstelling maken. Ik had behoefte aan... nou ja, hij luisterde naar me en hij zei: kom terug wanneer je vijftien bent, en volwassen. Dan zal ik doen wat je vraagt. Maar ik hield aan en uiteindelijk zei hij: goed dan, één kleine tekening nu, de rest wanneer je een man bent. Ik ben een man, zei ik. Hij lachte me tenminste niet uit. En hij maakte dit, heel klein zoals je ziet, maar het was een begin. De rest kwam later, in de loop van een lange tijd.'

'Heb jij deze tekening gekozen? Dit... beestje?'

Hij knikte.

'Waarom?'

'Je hebt vier vragen gehad,' zei hij met een spoor van een glimlach. 'Ik... ik weet het niet precies. Misschien herinnerde ik het me ergens van. Ik kan het niet zeggen.'

Hij stond op en ging aan de gang met het vuur. Er was eten: kleine wilde pruimpjes, hard en zuur; hard brood, dat je pas kon kauwen als je het in een beker heet water doopte. Geschikte kost voor een man op reis.

'Nu ik,' zei hij. Ik knikte, in de verwachting dat hij zou vragen wie ik was en waar ik vandaan kwam. Ik zou het hem moeten vertellen. Ik zou hem moeten vertrouwen.

'Waarom ik?' vroeg hij in de verte starend. 'Waarom mocht ik, van alle mannen die je had kunnen kiezen, de eerste zijn, waarom neem je een... waarom koos je een uitgestotene, een man wiens levenswijze je totaal veracht? Waarom vergooi je jezelf aan... uitschot?'

De stilte duurde, terwijl vogels druk in de weer waren in de bomen rondom.

'Je moet antwoord geven,' zei hij op strenge toon. 'En als je liegt, zal ik het weten.' Hij raakte me nu niet meer aan, maar zat een stukje van me af, met zijn armen om zijn knieën en een barse uitdrukking op zijn gezicht. Hoe kon ik antwoorden? Wist hij het dan niet? Kon hij het antwoord niet opmaken uit de manier waarop ik hem aanraakte, waarop ik hem aankeek? Wie kon zulke gevoelens verwoorden?

'Ik... het was niet mijn bedoeling dat het zo zou gaan,' zei ik zwakjes. 'Maar... ik had geen keus.'

'Deed je dit uit medelijden? Gaf je jezelf misschien met het idee dat je me kon veranderen, me kon herscheppen tot iets wat voor jou meer acceptabel was? Als een soort ultieme genezing?'

'Houd op!' riep ik fel terwijl ik overeind sprong. 'Hoe kun je dat zeggen? Hoe kun je dat denken, na vannacht? Ik heb niet tegen je gelogen, noch met woorden, noch met daden. Ik heb je uit vrije wil gekozen, wetend wat je bent en wat je doet. Ik wil geen ander. Ik wil niemand anders hebben. Kun je dat niet zien? Kun je dat niet begrijpen?'

Toen ik me weer naar hem toe draaide, had hij zijn beide handen voor zijn gezicht geslagen.

'Bran?' zei ik zacht na een poos. Ik knielde voor hem neer en nam zijn handen weg. Geen wonder dat hij zijn ogen had bedekt, want ze waren nu ontdaan van elk pantser, en in de heldergrijze diepte ervan zag ik hoop en angst.

'Geloof je me?' vroeg ik.

'Je hebt geen reden om tegen me te liegen. Maar ik dacht niet... ik kon niet geloven... Blijf bij me, Liadan.' Zijn handen klemden zich vast om de mijne en er was een plotselinge gewelddadigheid in zijn stem die mijn hart deed bonzen.

'Dat is niet het meest praktische voorstel dat ik je heb horen doen,' zei ik beverig.

Bran haalde diep adem, en toen hij weer iets zei, was het heel ingehouden en had hij zijn stem weer stevig in bedwang. 'Dit is geen leven voor een vrouw, dat weet ik. Dat zou ik niet van je verwachten. Maar ik ben niet helemaal zonder middelen. Ik heb een huis, ik denk dat het je wel zou bevallen. Ik zou voor je kunnen zorgen.' Hij wilde me niet aankijken terwijl hij dit zei.

'Ik kan niet,' zei ik onomwonden. 'Ik moet naar huis, naar Zeven Wateren. Mijn moeder is erg ziek, ze heeft nog maar weinig tijd. Ze hebben me daar nodig. Ik moet daar ten minste tot Beltaine blijven. Daarna zal ik misschien kunnen kiezen.'

Ik wist op hetzelfde moment dat ik dit zei, dat er iets heel erg mis was gegaan. Zijn gezicht veranderde zo plotseling alsof er een masker overheen was gezet, en hij maakte langzaam en voorzichtig zijn handen los van de mijne. Hij was weer de Beschilderde Man, maar zijn stem was donker van schrik en verdriet.

'Wát zei je daar?'

'Ik... ik zei dat ik nu naar huis moet gaan. Ik ben daar nodig... Bran, wat is er? Wat is er aan de hand?' Mijn hart hamerde. Zijn ogen waren zo koud, zo afstandelijk als die van een vreemde.

'Naar huis, naar Zeven Wateren. Dat zei je toch?'

'J-ja. Dat is de naam van mijn ouderlijk huis. Ik ben de dochter des huizes.'

Hij kneep zijn ogen half toe. 'Je vader... is de naam van je vader Liam? Heer van Zeven Wateren?'

'Ken je hem?'

'Geef antwoord op mijn vraag.'

'Liam is mijn oom. De naam van mijn vader is Iubdan. M-maar mijn broer is erfgenaam van Zeven Wateren. We behoren tot dezelfde familie.'

'Je kunt het maar beter meteen zeggen. Deze man... Iubdan. Is dat Liams broer? Zijn neef?'

'Wat doet dat er toe? Waarom ben je zo boos op me? Er is toch niets veranderd, het is toch...'

'Haal die hand weg. Geef antwoord op mijn vraag. Deze man Iubdan, heeft hij nog een andere naam?'

'Ja.'

'Vervloekt, Liadan, zeg het!'

Mijn hele lichaam was koud. 'Dat is de enige naam die hij nu draagt. Die naam is gekozen omdat hij lijkt op de naam die hij vroeger had, voor hij met mijn moeder trouwde. Hij heette eerst Hugh.'

'Een Brit. Hugh van Harrowfield.' Hij sprak deze naam uit alsof de eigenaar ervan de laagst denkbare levensvorm was.

'Hij is mijn vader.'

'En je moeder is... is...'

'Haar naam is Sorcha.' Ook al was ik geschrokken, ik begon een eerste vonkje van boosheid te voelen. 'Liams zuster. Ik ben er trots op hun dochter te zijn, Bran. Ze zijn goede mensen. Prima mensen.'

'Ha!' Weer zo'n uitbarsting van verachting. Hij stond opeens op, beende weg en begon naar de bomen buiten te staren. Toen hij weer begon te spreken, was het heel zacht, en hij sprak niet tegen mij.

'*... dit is niet voor jou bedoeld, tevenjong... zwak, dat ben je, een slappeling, alleen geschikt om in het donker te leven... hoe heb je ook maar even kunnen geloven... ga terug naar je hok, straathond...*'

'Bran.' Ik sprak zo ferm als ik kon, ondanks mijn bonzende hart. 'Wat is er? Ik ben nog dezelfde vrouw die je in je armen hield toen de dag aanbrak. Je moet me zeggen wat er is.'

'Ze heeft het je goed geleerd, hè?' zei hij met zijn rug naar me toe. 'Je moeder. Hoe je een man van zijn weg af kunt brengen, zijn besluitvaardigheid kunt aantasten en hem naar je hand kunt zetten? Daar was ze een meesteres in.'

Ik was sprakeloos.

'Wanneer je naar huis gaat, kun je haar vertellen dat ik niet zo zwak ben als hij was, die achtenswaardige Hugh van Harrowfield. Ik doorzie je kunsten, ik weet wat je toneelspel in werkelijkheid is. Dat ik ooit geloofde... dat ik zo onnozel was om te vertrouwen op... dat was natuurlijk dom. Zo'n fout zal ik nooit meer maken.'

Ik begreep helemaal niets van wat hij zei.

'Mijn moeder heeft nooit... als je haar kende, zou je inzien dat...'

'Nee, nee, daarmee kom je er niet,' zei hij terwijl hij zich weer naar me toe draaide. 'Die vrouw en de man die zij betoverde, maakten van mij dit schepsel dat je hier ziet: de man zonder geweten, de man zonder naam, die geen talent heeft behalve voor moorden, die geen identiteit heeft behalve die welke op zijn huid is aangebracht. Ze hebben me mijn familie en mijn geboorterecht afgenomen, ze hebben me mijn naam afgenomen. Misschien hebben ze jou iets anders verteld. Maar zij heeft je vader gestolen, weggehaald van de plaats waar hij thuishoorde. Hij verzaakte zijn plichten om met haar mee te gaan. En daardoor heb ik alles verloren. Door hen ben ik... ben ik werkelijk waardeloos, het schuim der aarde.'

'Maar...'

'Hoe ironisch. Je zou haast denken dat iemand daarginds een spel met ons speelde. Hoe kan het toeval zijn dat de enige vrouw voor wie ik... dat de vrouw die me het bijna deed vergeten... dat jij uitgerekend haar dochter moet zijn. Dat kan niet toevallig zijn. Dit is mijn straf. Mijn noodlot, omdat ik het waagde te geloven dat er een toekomst kon zijn.'

'Bran...'

'Houd je mond! Gebruik die naam niet! Pak je spullen en ga, ik wil je hier geen ogenblik langer zien.'

Een koude steen op de plaats van mijn hart. Zo voelde het. Er was niet veel in te pakken. Toen ik klaar was, liep ik naar beneden en bleef even bij Evans graf staan. Het was haast niet te zien waar de aarde omgewoeld was geweest. Het zou niet lang duren voor er geen spoor meer van over was.

'Vaarwel, vriend,' fluisterde ik.

Bran had het paard gehaald, dat nu een zadelkleed droeg dat keurig op zijn plaats was vastgesnoerd. Erachter had hij mijn kleine zak gebonden. Een waterfles. Zijn mantel, opgerold en met een eind touw vastgemaakt. Dat was een beetje vreemd.

'Zij zal je veilig naar huis brengen,' zei hij. 'Je hoeft geen moeite te doen om haar terug te geven. Noem het maar... betaling voor bewezen diensten.'

Ik voelde het bloed uit mijn gezicht wegtrekken. Ik hief mijn hand en sloeg hem hard in het gezicht, waarna ik een rode vlek op de blanke huid van zijn wang zag verschijnen. Hij deed geen poging de klap te ontwijken.

'Je moet nu maar gaan,' zei hij koel. 'Rijd in oostelijke richting, dan bereik je vanzelf de weg. Ga dan naar het zuiden, naar Littlefolds. Het is niet zo heel ver.'

Toen voelde ik zijn handen om mijn middel, en tilde hij me in het zadel; maar een hand rustte nog op mijn dij, alsof hij toch niet goed kon loslaten.

'Liadan,' zei hij, terwijl hij aandachtig naar de grond tuurde.

'Ja,' fluisterde ik.

'Trouw niet met die Eamonn. Als hij jou neemt, is hij er geweest. Zeg dat tegen hem.' Zijn stem had een intense klank. Het was een gelofte.

'Maar...'

Hij gaf het paard een klap op de achterhand en het gehoorzame dier ging er in een vlotte galop vandoor. En voor ik afscheidswoorden kon bedenken, was hij al uit het gezicht verdwenen, en was het te laat.

Het had geen zin boos te zijn. Dit was voorbij. Ik zou de Beschilderde Man nooit meer zien. Het was tijd om naar huis te gaan, en voor het weer nieuwe maan was, zou dit allemaal een vage herinnering zijn, als een fantastische droom. Ik fluisterde dit tegen de stevige grijze merrie terwijl ze flink in oostelijke richting doorstapte, onder de bomen door, langs verlaten beekjes en roerloze vennen en voorzichtig tussen de rotsen door. Ik hoefde haar niet te mennen; ze scheen de weg te kennen.

Toen de zon hoog aan de hemel stond, rustten we uit bij een beek. Zij dronk en knabbelde van het gras. Ik maakte mijn zak los en ontdekte harde kaas en droog brood, in een doek gewikkeld. Voor een man die zo snel mogelijk van me af wilde zijn, was hij verrassend grondig te werk gegaan. Ik neem aan dat hij gewoon het ingeslepen patroon volgde dat bij een haastig opbreken hoorde; alle beslissingen werden al doende genomen. Dat was zijn leven. Het diende hem de ene klap na de andere toe, en hij incasseerde ze en ging verder. Ik deed mijn uiterste best niet aan hem te denken. Thuis. Daar moest ik mijn gedachten op richten. Straks, wanneer ik ver genoeg weg was, moest ik het vermogen van mijn geest gebruiken om een bericht te sturen naar mijn broer, Sean, zodat hij me te paard tegemoet kon rijden. Nu nog niet, dacht ik. Als ik dit te vroeg deed, liep ik het risico dat ik Bran en zijn mannen de strijdmacht van Zeven Wateren op hun dak stuurde. Ik had het af en toe gevoeld in het kamp, een soort trekken aan mijn gedachten, een binnendringen in mijn geest, mijn broer die zacht riep: *Liadan! Liadan, waar ben je?* Maar ik had mezelf voor hem afgesloten. Als iemand de bende van de Beschilderde Man zou verraden en hun kameraadschap te gronde zou richten, zou ik dat niet zijn.

We gingen verder. Ik begon moe te worden; ik had weinig slaap gehad, en ondanks mezelf hoorde ik telkens weer de woorden van die morgen in mijn hoofd weerklinken. *Haal die hand weg. Ik wil je hier geen ogenblik langer zien. Noem het betaling voor bewezen diensten.* Ik zei tegen mezelf dat ik niet zo dom moest zijn. Had ik soms verwacht dat ik zijn leven voorgoed kon veranderen, zoals hij het mijne had veranderd?

Ik richtte mijn gedachten vooruit, op mijn thuiskomst. Wat kon ik tegen mijn familie zeggen? Niet waar ik was geweest; niets over de bandieten die mijn hulp hadden gevraagd en die tegen alle verwachting in mijn vrienden waren geworden. En zeker niets over de man aan wie ik me zo onbesuisd had gegeven. Ik had immers Niamhs fout herhaald. Dan was het ook logisch dat ik, als de waarheid bekend werd, geen betere behandeling kon verwachten dan de arme Niamh gekregen had. Een overhaast huwelijk gevolgd door ballingschap, ver van familie en vrienden, ver van het woud. Er ging een huivering door me heen. Zeven Wateren was mijn thuis; de donkere schoonheid ervan zetelde in het diepst van mijn ziel. Maar ik had alles veranderd; ik had geslapen met de Beschilderde Man, en hoe wreed de woorden waarmee hij me had afgewezen ook waren, ook hij was nu een deel van mij. Ik wilde de waarheid vertellen; ik wilde aan mijn vader vragen welk duister geheim in het verleden geleid had tot de verbitterde haat die deze man mij en de mijnen toedroeg. Als ik mijn verhaal niet vertelde, zou ik nooit weten waarom Bran me had weggestuurd. Maar toch, vertellen kon ik het niet.

Ik hoorde hoefgetrappel opzij van me, links en rechts. Licht hoefgetrappel van een paard in draf, een dansende, lichte gang. Mijn merrie rilde en trok zenuwachtig met haar oren. Ik keek om me heen. Er was niemand te zien. Middagschaduwen trilden in de zomerwind. Ik meende dat ik vaag tinkelend gelach hoorde. En nog steeds de voetstappen die me begeleidden, alsof er onzichtbare wezens naast me reden. Met bonzend hart hield ik de merrie in en wachtte zwijgend. Het geluid hield op.

'Goed,' zei ik zo kalm mogelijk, terwijl ik probeerde me alles te herinneren wat Iubdan me over zelfverdediging had geleerd. 'Waar zijn jullie? Wie zijn jullie? Kom te voorschijn en laat je zien!' Ik haalde het mesje dat mijn vader me had gegeven uit mijn gordel en hield het gereed, waarvoor wist ik niet.

Het bleef even stil.

'Dat ding heb je niet nodig. Nog niet.' Aan mijn rechterkant zag ik een man op een paard zitten. Een bijna-man op een bijna-paard. Hij was niet plotseling uit het niets verschenen; het was eerder alsof hij er de hele tijd geweest was, maar dat ik hem niet had kunnen zien tot hij gezien wilde worden. Zijn haar had dezelfde onwaarschijnlijke kleur als zijn rijdier, helder klaproosrood, en zijn kleren hadden allerlei tinten, veranderlijk als een zonsondergang. Hij was buitengewoon lang.

'Rijd maar weer door,' raadde een stem van de andere kant me aan, en mijn merrie begon weer te lopen zonder dat ik haar aanzette. 'Het is nog een heel eind naar het woud.' De vrouw die dit zei, had zwart haar en droeg een blauwe mantel; ze was heel bleek maar mooi. Ik had me weleens afgevraagd of ik hen ooit te zien zou krijgen zoals mijn moeder hen had gezien: de Vrouwe van het Woud en de vuurrood gelokte Heer die haar gemaal was. Ik slikte en had mijn stem terug.

'W-wat willen jullie van mij?' zei ik. Ik bleef verbaasd en verwonderd naar hun lange, statige gestalten kijken en naar de vluchtige bijna-paarden die ze bereden.

'Gehoorzaamheid,' zei de Heer en hij richtte zijn te fel stralende ogen op mij. Hem aankijken was alsof je in de kern van een groot vuur keek. Als je te lang bleef kijken, zou je verbranden.

'Gezond verstand,' zei de Vrouwe.

'Ik ben op weg naar huis.' Ik begreep niet waarom zulke bijzondere wezens ook maar een greintje belangstelling hadden voor wat ik deed. 'Ik heb een goed paard om me erheen te brengen, en warme kleren, en een wapen dat ik weet te gebruiken. Morgenochtend zal ik vragen of mijn broer komt. Getuigt dat niet van gezond verstand?'

De Heer brulde van het lachen, een geluid dat zo uit volle borst kwam dat de grond ervan schudde. Ik voelde het beven via het lichaam van mijn grijze paard, dat heel mak bleef doorlopen.

'Het is niet genoeg.' De stem van de Vrouwe was zachter, maar heel ernstig. 'We willen dat je ons iets belooft, Liadan.'

Dat beviel me helemaal niet. Een belofte aan het Feeënvolk was een belofte die je gestand moest doen, als je ook maar een greintje benul had. Als je zo'n belofte brak, waren de gevolgen niet te overzien. Deze wezens bezaten een onvoorstelbare macht. Dat bleek uit alle verhalen.

'Wat moet ik beloven?'

'Het is mogelijk dat het lot van Zeven Wateren, en dat van de Eilanden, in jouw handen ligt,' zei de man met het lichtende haar.

'De toekomst van jouw volk, en zelfs van ons volk, hangt misschien van jou af,' bevestigde de Vrouwe.

'Wat bedoelt u toch?' Mijn woorden klonken misschien een tikje knorrig. Ik had een lange dag achter de rug.

De Vrouwe zuchtte. 'We hadden gehoopt bij de kinderen van Zeven Wateren iemand aan te treffen die misschien de kracht en het geduld van je vader zou paren aan de zeldzame gaven van je moeder. Iemand die eindelijk onze lange queeste zou kunnen vervullen. Je hebt ons teleurgesteld. Het lijkt erop dat jij te grof besnaard bent, dat je niet veel begrijpt, behalve vleselijke lusten. Je zuster werd op een dwaalspoor gelokt. Zelf heb je ook een buitengewoon onverstandige keus gedaan. Je had beter niet naar de stemmen kunnen luisteren.'

'Stemmen?'

'De stemmen van de aarde, daarginds op de Oude Plek. Je had er geen gehoor aan moeten geven.'

Ik beefde, in tweestrijd tussen angst en boosheid. 'Vergeef me,' zei ik, 'maar waren dat geen stemmen van Feeën zoals u?'

Ze schudde haar hoofd, met opgetrokken wenkbrauwen van ongeloof over mijn onwetendheid. 'Een ouder ras. Primitief. Wij hebben hen verbannen, maar ze zijn er nog steeds. Ze zullen je op het verkeerde pad brengen, Liadan. Sterker nog, dat hebben ze al gedaan. Je moet hun aansporingen niet opvolgen.'

Ik trok een smalend gezicht. 'Ik ben heel goed in staat mijn eigen keuzes te maken, zonder dat ik daarbij... aansporingen nodig heb, zoals u het noemt. Maar om terug te komen op de profetie. Die zal toch eens in vervulling gaan? U keurt mij en mijn zus af, maar er is nog een kind, mijn broer Sean. Een hoogstaande jongeman die nog nooit iets fout heeft gedaan. Waarom laat u mij niet gewoon buiten beschouwing, zodat ik verder kan gaan met mijn leven?'

'Geen sprake van. Dat zal niet gaan, denk ik. Nu niet meer.'

'Hoe bedoelt u, nu niet meer?'

'Profetieën gaan niet zomaar uit zichzelf in vervulling, moet je weten. Ze moeten een handje geholpen worden.' De Heer had een sluwe uitdrukking op zijn gezicht terwijl hij me met zijn gloeiende ogen van opzij aankeek. 'We hoopten op kinderen. Maar ik zal je één ding vertellen. Jóú hadden we niet verwacht.'

Ik dacht aan de woorden van mijn moeder toen ze vertelde dat ik voor iedereen bij verrassing was gekomen, als onverwacht tweelingzusje. Dat dit mij het vermogen gaf dingen te veranderen.

'Ik heb een vraag,' zei ik.

Ze wachtten.

'Waarom hebt u mij op het spoor gezet van mijn zus en... en haar liefje, in het bos? Ze hebben haar weggestuurd, en nu is ze diep ongelukkig. En Ciarán ook. In de familie gaven ze elkaar de schuld, er kwam niets dan narigheid van. Waarom hebt u zoiets gedaan?'

Er viel een stilte. Hij keek naar haar en zij keek naar hem.

'Het oude kwaad is gewekt,' zei de Vrouwe ten slotte, en haar stem had een donkere klank. 'We moeten al onze kracht gebruiken om het tegen te houden. Wat we deden, was het beste wat we konden doen. Wat je zuster wilde, was onmogelijk. Die mannen en vrouwen, ze zijn onbelangrijk, met hun kleinzielige verdrietjes en wrokjes. Ze dienen hun doel, dat is alles. Alleen het kind is van belang.'

'Het oude kwaad?' vroeg ik tandenknarsend. Misschien besefte ze niet hoe boos haar woorden mij hadden gemaakt. Het lijden van mijn soort leek haar volkomen koud te laten.

'Het is teruggekomen,' zei ze op plechtige toon, met haar blauwe ogen strak op mijn gezicht gericht. 'Wij dachten dat het verslagen was; daarin hebben we ons vergist. Nu worden we allemaal bedreigd met het einde; het vuur wordt ons steeds nader aan de schenen gelegd, en zonder het kind zullen we dit niet kunnen overwinnen. Je moet naar huis teruggaan, Liadan. Zo snel mogelijk. Dit spelletje is afgelopen.'

'Dat weet ik,' zei ik. Tot mijn ergernis voelde ik tranen in mijn ogen prikken. 'Ik zei toch dat ik al op weg ben.'

De Heer schraapte zijn keel. 'Er zijn twee jongemannen die je begeren: de man bij wie je vandaan komt en de man naar wie je terugkeert. Geen van beiden is geschikt. Je geeft blijk van een betreurenswaardige smaak in je keuze van een levensgezel. Maar goed, het is niet nodig dat je huwt. Vergeet hen beiden. Ga terug naar het woud en blijf daar.'

Ik staarde hem verbijsterd aan. 'Het zou helpen als u het een beetje uitlegde. Welk kwaad? Welk einde?'

'Dat kan jullie soort toch niet begrijpen,' zei hij uit de hoogte. 'Jullie gezichtsveld is uiterst beperkt. Jij moet leren geen aandacht te besteden aan de verleidingen van het vlees en de kwellingen van het hart. Dat zijn onnozele dingen, vluchtig als de jeugd. Het gaat om het grotere goed.'

'U beledigt me,' zei ik, 'en dan verwacht u ook nog blinde gehoorzaamheid.'

'En jij verdoet je tijd terwijl er geen tijd te verliezen is.' Er lag nu een nieuwe, dreigende klank in de stem van de Heer. 'Je hapt naar ons als een wild diertje dat in een val zit. Je zou er beter aan doen je zwakheid te erkennen en te doen wat je gezegd wordt. Wij kunnen je helpen. We kunnen je beschermen. Maar niet als je deze eigenzinnige weg volgt. Op die weg schuilen gevaren waarvan je nauwelijks kunt dromen.' Hij hief zijn hand en beschreef er een lange boog mee, en ik kreeg de indruk dat er een schaduw langsging; grashalmen bogen neer alsof ze ervoor wegschrokken, bomen huiverden, struiken ritselden. Vogels lieten een plotselinge roep horen en zwegen daarna.

'We staan weer oog in oog met een vijand die ons al heel lang heeft bedreigd,' zei de Vrouwe. 'We meenden dat ze verslagen was. Maar ze heeft een manier gevonden om aan onze waakzaamheid te ontsnappen; ze heeft zowel het Feeënvolk als het mensenvolk weten te ontwijken, en nu houdt ze zelfs de toekomst van ons ras in haar boosaardige greep.'

Ik staarde haar ontzet aan. 'Maar... maar ik ben een gewone vrouw, zoals u ziet. Hoe kan mijn keuze een rol spelen in zulke grootse en gevaarlijke zaken? Waarom moet ik beloven op Zeven Wateren te blijven?'

De Heer zuchtte. 'Zoals ik al zei, gaat dit jouw begrip te boven. Ik zie geen reden voor je verzet, behalve pure koppigheid. Je moet doen wat wij je zeggen.'

Hij leek groter te worden terwijl ik naar hem keek. Een flakkerend licht steeg langs zijn lichaam op, alsof hij in brand stond. Zijn ogen waren doordringend; hij hield mijn blik vast zonder me los te laten, en mijn hoofd bonsde van de pijn.

De Vrouwe sprak zacht, maar haar stem had een ijzeren ondertoon. 'Wees niet ongehoorzaam, Liadan. Daarmee breng je meer in gevaar dan je kunt begrijpen.'

'Beloof het,' zei de Heer, en zijn haar leek rondom zijn edele hoofd op te rijzen als een kroon van glinsterend vuur.

'Beloof het,' herhaalde de Vrouwe met een droevige klank in haar stem, die hartverscheurend was.

Ik drukte mijn knieën in de flanken van de grijze merrie, en ze begon te stappen; en ditmaal reden ze niet naast me mee, maar bleven ze achter. Hun stemmen volgden me, bevelend en smekend. Beloof het. Beloof het.

'Ik kan het niet beloven,' zei ik met een fluisterend stemmetje dat van diep binnen in me kwam. Dat was heel vreemd, want tot dat moment was ik van plan geweest precies te doen wat ze wilden: teruggaan naar Zeven Wateren en de draad van mijn oude leven oppakken, en mijn best doen om alles te vergeten van de Beschilderde Man en zijn volgelingen. Maar er was iets veranderd. Ik wenste niet zonder vragen te stellen te gehoorzamen aan lieden die het leed van mensen die mij dierbaar waren, afdeden als te onnozel om rekening mee te houden. Op de een of andere manier wist ik dat ik niet aan hun verzoek kon voldoen. 'Ik moet mijn eigen beslissingen nemen en mijn eigen weg gaan,' zei ik. 'Op dit moment ga ik inderdaad naar huis, naar Zeven Wateren, en ik zie ook geen reden waarom ik daar voorlopig niet zou blijven. Maar de toekomst – die is onbekend; wie weet wat er kan gebeuren? Ik ga jullie niets beloven.'

Ik hoorde hun stemmen weer, met zo'n boze kracht dat er een diepe huivering door mijn lichaam ging. De merrie voelde het ook; ze trilde onder me. *Je zult doen wat wij je bevelen, Liadan. Je zult wel moeten.* Maar ik antwoordde niet, en toen ik achterom keek, waren ze verdwenen.

Het was laat in de middag; het begon al bijna te schemeren. Ik was op de weg gekomen en volgde die in zuidelijke richting, terwijl de zon onderging in een schitterend vertoon van goud en roze. Hoe luidde het oude gezegde ook weer? Avondrood, mooi weer aan boord. Morgenrood, water in de sloot. Ik glimlachte bij mezelf. Ik wist heel goed van wie en waar ik dit had gehoord. Van mijn vader, die me in zijn armen optilde terwijl hij op een heuveltop stond, met zijn jonge eiken om hem heen, en die me liet zien hoe de zon onderging in het westen, boven het land van Tir Na n'Og, dat aan de overkant van de zee lag. Elke avond ging de zon onder en de avondhemel van vandaag zei iets over morgen. Leer de tekenen te lezen, kleintje, zei hij. Het Feeënvolk had hem gekozen als de vader van een kind dat volgens hun wens geboren moest worden; hij was gekozen om zijn kracht en geduld. Dan moest Bran zich toch vergissen. De Grote Man, zo kalm en begaan met anderen, met zijn eerbied voor alles wat leefde en groeide, kon nooit iets zo boosaardigs hebben gedaan dat het iemands hele leven had bedorven.

De merrie hinnikte zacht en bleef plotseling staan. Voor ons op de weg was iets aan de hand. Mannenstemmen, hoefgetrappel, metaalgekletter. We trokken ons zwijgend terug onder de beschutting van de bomen, en ik steeg af in de schaduwen. De geluiden kwamen dichterbij. In het afnemende licht kon ik een vijftal mannen onderscheiden gehuld in donkergroene kleding, en een man gekleed in een vreemd kledingstuk van leer en wolfsvacht, een man met een halfgeschoren hoofd die als een waanzinnige vocht, zodat je soms bijna ging geloven dat hij hen in zijn eentje aan zou kunnen. Een man wiens lengte en krachtige bouw hem een voordeel gaven, maar toch niet zoveel dat hij ten slotte niet van zijn paard gestoten en ontwapend werd, zodat hij aan de genade van zijn vijand was overgeleverd. Er werden spottende dingen geroepen, en vervloekingen, en uitdagende woorden. Er werd gegromd, gesist en gevloekt, en iemand schreeuwde iets van een koekje van eigen deeg, en ik hoorde kreten en vloeken toen wapens doel troffen. Maar uiteindelijk werd het bijna stil, afgezien van de doffe klappen van trappen en slagen die neerdaalden op de man die ineengedoken op de weg lag, terwijl zijn aanvallers in een kleine kring om hem heen stonden. Ik kon niets doen. Hoe kon ik naar voren komen en mezelf bekendmaken, hoe kon ik proberen deze ongelijke daad van barbaarsheid tegen te gaan, zonder tegelijkertijd te onthullen waar ik was geweest? Welke reden zou een braaf meisje zoals ik kunnen hebben om een bandiet, een vogelvrije boef te verdedigen? Bovendien was het heel goed mogelijk dat ze me in het bloedige strijdgewoel niet opmerkten voor ik zelf getroffen werd door een zwaardsteek of een bijlslag. Daarom bleef ik volkomen stil staan, en het paard bleef gehoorzaam naast me staan, tot een van de mannen zei: 'Genoeg. Laat hem in zijn eigen sop gaar koken.' De mannen in het groen bestegen hun paarden, namen het paard van de andere man bij de teugel en reden weg naar het zuiden.

Ik kwam voorzichtig tussen de bomen uit. Er was niet veel licht meer; ik vond hem door af te gaan op het zwakke, borrelende geluid van zijn ademhaling en niet omdat ik hem zag. Ik knielde naast hem neer.

'Hond?'

Hij lag op zijn zij. Zijn gezicht was vertrokken in doodsstrijd. Hij hield zijn beide handen tegen zijn buik, en er lag iets naast hem op de grond. Bloed en… Díancécht sta me bij, zijn buik was kruiselings opengereten en zijn ingewanden hingen eruit, en hij deed zijn best om alles bij elkaar te houden.

Er kwamen woorden, uitgestoten op een wanhopige, piepende ademtocht. Maar ik kon er maar een van verstaan.

'… mes…'

En ik zag dat nu het erop aankwam, ik geen andere keus had. Mijn handen beefden heftig toen ik het kleine, scherpe mes te voorschijn haalde dat mijn vader me gegeven had.

'Doe je ogen dicht,' fluisterde ik bibberig. Ik knielde in het schemerende licht bij zijn stuiptrekkende lichaam neer en ik plaatste de punt van het mesje zorgvuldig op de holte onder zijn oor. Toen sloot ik mijn ogen en trok het lemmet dwars over zijn hals, snel en zo hard mogelijk drukkend, terwijl mijn hart bonkte en mijn keel dichtgeknepen zat en mijn maag in opstand kwam. Warm bloed stroomde over mijn handen. Het paard bewoog onrustig heen en weer. Het lichaam van Hond werd slap; zijn armen vielen neer en lieten de grote wond in zijn buik en alles wat eruit hing los, en… ik stond snel op en liep achteruit weg. Lange tijd kon ik alleen maar tegen een boom leunen, kokhalzend en hijgend, terwijl mijn maag zich omkeerde; vocht stroomde uit mijn ogen en neus, mijn hoofd deed pijn van ontzetting. Logisch denken was onmogelijk. Alleen razende woede, allesverterende walging. De Beschilderde Man. Eamonn van de Moerassen. Het was lood om oud ijzer. Samen hadden ze ervoor gezorgd dat er voor deze man geen morgen meer was. En ik zou hiervan het litteken dragen op mijn ziel, terwijl zij schouder ophalend verder gingen met hun zinloze achtervolging van elkaar.

Na verloop van tijd verspreidde de maan een zwak zilverig licht over de verlaten weg en ik voelde dat de merrie met haar neus tegen mijn schouder duwde, zacht maar dringend.

'Goed,' zei ik. 'Goed. Ik weet het.' Tijd om verder te gaan. Maar ik kon hem niet zo achterlaten. Ik kon hem niet verplaatsen; te zwaar. In het zachte licht was zijn gezicht vredig, de gele ogen waren gesloten, de pokdalige trekken in rust. Ik probeerde niet naar de gapende wond in zijn hals te kijken.

'Dana, neem deze man tot je,' mompelde ik, terwijl ik het geleende hemd uittrok dat ik over mijn jurk droeg. Er glinsterde iets in het maanlicht. De reep leer was doorgesneden; toen ik de halsketting pakte, kwam er bloed aan mijn vingers. 'Je was zo wild als een grote wolf,' zei ik, terwijl mijn tranen begonnen te stromen. 'Zo sterk als een onbevreesde jachthond die zijn leven voor zijn meester geeft. Zo zachtaardig als de trouwste hond die ooit naast een vrouw heeft gelopen. Ga nu naar je laatste rustplaats.' Ik legde het hemd over zijn gezicht en borst. Toen hees ik me weer op de merrie en gingen we op weg naar het zuiden, tot ik vond dat het ver genoeg was. Ik vond een beschutte plek, achter een hoop stro. Ik rolde de mantel van Bran uit, wikkelde hem om me heen en ging liggen, en de merrie ging naast me liggen alsof ze wist dat ik haar warmte nodig had om het donker op afstand te houden. Nooit was ik er zo dichtbij geweest te wensen dat ik in slaap zou vallen om nooit meer wakker te worden.

De volgende morgen reed ik verder naar het zuiden. Ik zag een paar boeren op hun wagen, en nog een paar reizigers, en ze namen me allemaal nieuwsgierig op, maar niemand zei iets. Ik neem aan dat ik er nogal vreemd uitzag, met mijn bos verward haar op mijn rug en mijn kleren bevlekt met bloed en braaksel. Een gekkin of zo. Toen ik vond dat ik dicht genoeg bij Littlefolds was gekomen, hield ik stil naast de weg en opende eindelijk mijn geest voor mijn broer. Ik liet hem in zorgvuldig gekozen beelden zoveel zien, dat hij me kon vinden, meer niet. Toen ging ik onder een lijsterbes zitten en wachtte. Hij kon niet erg ver weg zijn geweest. Voor de zon zijn hoogste punt had bereikt, hoorde ik het roffelen van hoeven op de weg, en daar was Sean; hij sprong van zijn paard, omhelsde me stevig en keek zoekend in mijn ogen. Maar die waren even zorgvuldig afgeschermd als mijn gedachten. Ik had me tot hem gewend, maar ik had hem niets verteld. Na een poosje zag ik dat Eamonn er ook was, met een aantal van zijn mannen. Er lag een vreemde uitdrukking op Eamonns gezicht; zijn ogen brandden, zijn gezicht was asgrauw. Hij omhelsde me niet; dat zou niet gepast zijn geweest. Maar zijn stem beefde toen hij me begroette.

'Liadan! We dachten... is je iets aangedaan? Ben je gewond?'

'Met mij is alles goed,' zei ik vermoeid, terwijl de mannen in het groen hun paarden achter hem tot stilstand brachten.

'Daar zie je niet naar uit,' zei Sean onomwonden. 'Waar was je? Wie heeft je ontvoerd? Waar ben je geweest?' Mijn broer wist dat ik hem buitensloot, en hij gebruikte alle kunstgrepen die hij kende, met zijn geest, om te proberen mij ertoe te brengen hem toe te laten.

'Met mij is alles goed,' zei ik weer. 'Kunnen we nu naar huis gaan?' Eamonn keek naar mijn paard en naar de grote grijze jas die ik droeg, een mannenjas. Hij had zijn voorhoofd gefronst. Sean keek naar mijn gezicht en naar mijn bebloede handen.

'We gaan niet verder dan Sídhe Dubh,' zei hij nuchter. 'Daar kun je rusten.'

'Nee!' zei ik een tikje te heftig. 'Nee,' herhaalde ik wat rustiger. 'Naar huis. Ik wil nu naar huis.'

De twee mannen wisselden een blik.

'Het is misschien beter als jij vooruitrijdt met je mannen,' zei Sean. 'Breng bericht aan de Grote Man. Hij wil ons waarschijnlijk tegemoet komen. Wij zullen onderweg rusten en rustig aan doen.' Eamonn knikte kortaf en reed weg zonder nog iets te zeggen. De mannen in het groen volgden hem. Nu waren er alleen nog mijn broer, twee gewapende mannen en ik.

Gedurende de hele weg naar huis ondervroeg Sean me. Waar was ik geweest? Wie had me ontvoerd? Waarom wilde ik het niet zeggen, begreep ik dan niet dat het gewroken moest worden als mij ook maar iets was aangedaan? Was ik soms vergeten dat hij mijn broer was? Maar ik wilde niets vertellen. Bran had gelijk gehad. Je kon niemand vertrouwen. Zelfs niet degenen die je het naast stonden.

Zo reed ik terug naar Zeven Wateren op het paard van de Beschilderde Man, met zijn mantel om me warm te houden. Met een halsketting van wolfsnagels in mijn zak, en bloed op mijn handen. Kon ik dingen veranderen? Mooi niet. Het Feeënvolk, oude stemmen en doodsvisioenen, het had allemaal niets uitgehaald. Wat was ik anders dan de zoveelste machteloze vrouw in een wereld van onnadenkende mannen? Er was niets veranderd. Helemaal niets, behalve diep binnen in me, waar niemand het kon zien.

HOOFDSTUK ZEVEN

De dag na mijn thuiskomst maakte ik een kaars. Dat was op zichzelf niets bijzonders; het maken van kaarsen was een normaal onderdeel van het werk in huis. Maar het was eigenlijk de bedoeling dat ik rustte. Moeder ging kijken in mijn slaapkamer, zag daar dat de vloer schoongeveegd was en de quilt netjes en glad op bed lag, en kwam me zoeken in de distilleerkamer, waar ik aan het werk was, met mijn pasgewassen haar strak naar achteren getrokken onder een linnen band. Als ze al zag dat mijn lippen gezwollen en verkleurd waren, als ze al in mijn hals de sporen van liefdesbeten herkende, ze zei er niets over. In plaats daarvan keek ze naar mijn handen, die de ene kant van de bijenwas systematisch bewerkten met een ingewikkeld patroon van spiralen, wervelingen en arceringen. De andere kant was blanco. Ik zei niets. Toen de kaars naar mijn smaak af was, zette ik hem in een stevige houder, en om de onderkant bond ik de doorgesneden reep leer met de eraan geregen wolfsnagels, en een kleine krans die ik had gemaakt. Nu zei mijn moeder eindelijk iets.

'Dat is een krachtige talisman. Kornoelje, duizendblad en jeneverbes. Appel en lavendel. En zijn dat veren uit een ravenvleugel? Waar zal deze kaars branden, dochter?'

'Voor mijn raam.'

Moeder knikte. Ze had eigenlijk niets van belang gevraagd.

'Je baken is gemaakt met beschermende kruiden en met liefdeskruiden. Ik begrijp wat het doel ervan is. Het is misschien maar goed dat je vader en je broer het niet begrijpen. Je sluit je af voor Sean. Dat kwetst hem.'

Ik keek naar haar. Bezorgdheid tekende zich af op haar kleine gezicht, maar haar ogen waren zoals altijd diep en kalm. Zij was van iedereen de enige die me had geloofd toen ik zei dat ik me goed voelde. De anderen zagen de vervagende blauwe plekken op mijn pols, de beetplekken, de vlekken op mijn kleren, en hadden hun conclusie al klaar. Ze waren witheet van woede.

'Ik heb geen andere keus.'

'Mm.' Sorcha knikte. 'En je probeert niet jezelf te beschermen. Je hebt een groot vermogen tot liefhebben, je geeft gul, dochter. En net als je vader maak je jezelf kwetsbaar.'

De kaars was klaar. Hij zou vele nachten branden. Hij zou standvastig branden bij nieuwe maan, en de weg naar huis verlichten.

'Ik heb geen andere keus,' zei ik weer, en toen ik de kamer uitging, bukte ik me om mijn moeder op het voorhoofd te kussen. Haar schouder onder mijn vingers was breekbaar als die van een vogel.

Er kwamen veel vragen. Liam had vragen. Hoe ben je ontvoerd? Wat voor mannen waren het? Wist je dat drie van mijn mannen gedood zijn toen ze jou bewaakten? Waar hebben ze je mee naartoe genomen? Naar het noorden? Die vervloekte koppigheid van jou, Liadan! Dit zou van het grootste belang kunnen zijn! Sean had zijn eigen vragen, maar na een tijdje hield hij ermee op ze te stellen. Ik voelde zijn gekwetstheid en zijn bezorgdheid alsof ze de mijne waren, want zo was het altijd met ons beiden. Maar ditmaal kon ik hem niet helpen.

Wat mijn vader betreft, bij hem had ik al mijn wilskracht nodig om het zwijgen vol te houden. Hij zat zwijgend in de tuin toe te kijken terwijl ik aan het werk was, en hij zei: 'Al die tijd wist ik niet of je levend of dood was. Ik heb al een dochter verloren, en je moeder is getekend. Ik zou alles willen doen wat in mijn macht ligt om jouw veiligheid te waarborgen, Liadan. Maar ik zal wachten tot je eraan toe bent het me te vertellen, lieverd.'

'Dan zult u misschien lang moeten wachten.'

Iubdan knikte. 'Zolang je maar veilig thuis bent,' zei hij zacht.

Eamonn kwam op bezoek, maar ik weigerde hem te ontvangen. Dat was misschien onbeleefd van me, maar niemand drong echt aan. Als reden werd opgegeven dat ik me nog niet goed voelde na mijn ervaringen, en rust nodig had. Wat Eamonn zei, wist ik niet, maar de mannen van het huishouden liepen na zijn vertrek met tamelijk strakke gezichten rond. In werkelijkheid had ik me opmerkelijk snel hersteld en na korte tijd had ik juist veel energie, at met smaak en sliep als een kind zo vast terwijl mijn kaars om me heen wonderlijke schaduwen op de muren toverde. Het enige wat ik niet kon verklaren, want het was voor mij een volkomen nieuw en vreemd gevoel, was de pijn vanbinnen, het verlangen te worden vastgehouden, de behoefte aan te raken en dichtbij te zijn en uiteindelijk weer te komen tot dat toppunt van vreugde dat niet met woorden te beschrijven is. Het is moeilijk om het uit te leggen. Natuurlijk voelde ik de lusten van het lichaam, de hete drang van een dier naar zijn partner. Maar dat was niet alles. Ik had de hand van de dood over Bran en over mezelf gezien bij de ingang van de oude grafheuvel. Ik voelde dat ons beider lot vervlochten was; we stonden dichter bij elkaar dan andere partners, geliefden of levensgezellen. Dit was een band die de dood zou overstijgen; een onverbrekelijke binding. Dit werd me steeds duidelijker, een zekerheid die onaantastbaar was. Het maakte geen verschil dat hij me had weggestuurd. Dit was zo, en zou zo zijn. En wat het Feeënvolk aanging, als zij wilden dat ik me ergens toe verbond, zouden ze met betere verklaringen moeten komen. Zonder vragen te stellen aan hun wensen voldoen, dat kwam niet overeen met wat ik gezond verstand noemde.

Ik had gewild dat Niamh thuis was. Over sommige dingen kun je alleen met je zus praten. Ik wilde tegen haar zeggen dat ik nu begreep waarom ze gedaan had wat ze had gedaan, hoewel ik dat toen kortzichtig en zelfzuchtig had gevonden. Dat ik wist hoe pijnlijk het voor haar moest zijn om dag in dag uit zonder Ciarán te leven, om zich aan een andere man te geven, om elke dag alleen te zijn temidden van een zee van vreemden terwijl ze alleen aan hem dacht, zich afvroeg waar hij was, of hij veilig was, terwijl ze droomde van de aanraking die ze nooit meer zou voelen.

Het leven hernam zijn oude patroon. Hetzelfde en toch niet hetzelfde. We misten Niamh allemaal, maar daar werd niet over gesproken. Wat gebeurd was, was gebeurd; je kon het verleden niet herschrijven. Wat mezelf betrof, ik had de indruk dat ze allemaal een stap verder van me af stonden. Ze wantrouwden mijn stille buien, mijn behoefte om alleen te zijn met mijn gedachten. Alleen met moeder was het anders. Zij had haar eigen idee van de waarheid, en ze vroeg Liam me niet verder te ondervragen.

Op een avond niet lang na Lugnasad, toen het al koud werd door de omslag van het seizoen, kwam er een boodschapper van Tirconnell met nieuws dat met blijdschap werd ontvangen. Er zou een bijeenkomst in het zuiden zijn; de opperhoofden van vele clans werden door de Hoge Koning opgeroepen naar Tara te komen, en Fionn zou erheen gaan als vertegenwoordiger van zijn vader. De twee takken van de Uí Néill konden elkaar weliswaar niet uitstaan, maar het zou uitermate dom zijn een dergelijke uitnodiging af te wijzen. Met het voorbijgaan van generaties was de titel van Ard Ri, of Hoge Koning, menigmaal van de ene tak van deze grote familie overgegaan op de andere, en weer terug. Ook Liam zou de bijeenkomst bijwonen. Het beste nieuws was dat Fionn zijn echtgenote zou meenemen, in elk geval tot Zeven Wateren, zodat ik mijn zus zou terugzien.

Het linnengoed werd gelucht en de vloeren werden geveegd; in keukens op het erf bij de stallen werd alles in gereedheid gebracht voor een invasie van bezoekers. Ik was van plan geweest me nuttig te maken en Janis en haar vrouwen te helpen met inzouten en brouwen. Maar het leek of mijn maag zich omdraaide bij de sterke geur van het bier, en ik moest me snel excuseren en naar buiten rennen om over te geven onder een lijsterbes. Ik had waarschijnlijk te veel gegeten bij het ontbijt. Ik leek de laatste tijd altijd honger te hebben. Later voelde ik me weer prima, en ik deed mijn misselijkheid af als onbelangrijk. Maar toen het de volgende dag weer gebeurde, en de volgende dag weer, bleef ik 's morgens maar weg uit de keukens en beperkte me tot snoeien, vegen, zaad oogsten, kruiden drogen en opbergen. Ik werkte buitengewoon hard. Ik was altijd bezig. Ik gunde mezelf geen tijd om na te denken.

Het werd nieuwe maan, en na verloop van tijd werd het weer nieuwe maan. In die maanloze nachten sliep ik niet. In plaats daarvan zat ik bij het raam waar de kaars stond te branden, en ik dacht aan het kleine kind dat in het donker zijn hand naar mij had uitgestoken, in mijn nachtmerrie. Ga niet weg. In gedachten nam ik dit kind, dat tevens een man was, in mijn armen en drukte het tegen mijn hart, tot het eerste gloren van de dageraad aan de hemel verscheen. En hoewel ik hardop geen woord zei, praatte ik voortdurend tegen hem door de schaduwen die hem omgaven. *Ik ben hier. Je bent nu veilig bij mij. Ik zal je niet loslaten.* Altijd kwam uiteindelijk de dageraad. De zon kwam altijd op en dan was er een nieuwe dag. Dat zei ik tegen hem, en wanneer het zo licht was geworden dat hij zelf de weg kon vinden, blies ik de kaars uit, raakte zacht met mijn vingertoppen de ravenveer aan en ging geeuwend de kamer uit om aan het werk van de dag te beginnen.

Het was een goed oogstjaar. Iubdan was overal te zien, door zijn lengte en zijn haarkleur viel hij op tussen de andere mannen van het huishouden wanneer hij toezicht hield op het rooien van de knolgewassen, het slachten van runderen en schapen waarvan het vlees werd ingezouten of gedroogd en het herstellen van daken en muren om bewoners van huisjes en stallen te behoeden voor de grijpgrage klauwen van de winter. Sean was vaak naast hem te vinden, een tengerder gestalte, met haar even donker en wild als dat van onze moeder. Er was geen Aisling om hem af te leiden, want hun eigen oogst hield haar en haar broer weg van Zeven Wateren, en daar was ik blij om. Liam trof voorbereidingen voor zijn reis naar het zuiden; hij verzond en ontving talloze boodschappen, maakte plannen en overlegde met zijn hoofdmannen. Hoewel Sean ook bij deze vergaderingen aanwezig was, zou hij niet meegaan naar de bijeenkomst van de Hoge Koning. Liam, de strateeg bij uitstek, wilde zijn neef nog niet openlijk aan die invloedrijke en gevaarlijke kringen blootstellen. Volgens hem was mijn broer nog te jong om die subtiele machtsspelletjes te spelen. Eens zou Sean heer van Zeven Wateren zijn. Hij moest leren zijn buren altijd een stap vooruit te zijn, want een buur kon in een oogwenk van een bondgenoot in een vijand veranderen. Liam onderrichtte hem hierin en wachtte tot Sean de onbesuisdheid van de jeugd zou afleggen en zich zou ontpoppen tot een echte leider. Mij kwam het goed uit dat iedereen in huis het zo druk had, want de oogst en de vergadering leidden de aandacht van mij af. Niamh en haar echtgenoot zouden hier zijn met Meán Fómhair, wanneer de nacht even lang is als de dag, en we op de drempel staan van de donkere tijd. Door die poort kom je bij de hoedster van geboorten en sterfgevallen. Zij is weliswaar een stokoud besje, maar een hoge leeftijd gaat gepaard met onmetelijke wijsheid. Op het moment van de omslag kunnen diegenen die de moed hebben hun geest voor haar stem open te stellen, haar om raad vragen. En o, ik had behoefte aan wijsheid, ik had behoefte aan leiding, en snel ook. Maar niet aan die van het Feeënvolk. Ik wist wat zij zouden zeggen, en ik begon al een vaag vermoeden te hebben van wat daar misschien achter lag. Ik begon het gevoel te krijgen dat ik in de val was gelopen, en dat beviel me helemaal niet.

Ik sneed de zoom van Brans mantel af, zodat ik ermee naar buiten kon zonder er te veel modder aan te krijgen. Toen ik die reep stof had gewassen, sneed ik hem in keurige vierkante stukken, en die legde ik in de kleine eiken kist naast mijn bed. Ik had daar al meer stukken stof klaarliggen. Delen van een oud hemd van mijn vader, zacht geworden door het dragen. Een mooi roze wollen lapje, van een jurk van Niamh. Ik had daar de verf zelf voor bereid, lang geleden. Ze had de jurk met plezier gedragen, tot ze de voorkeur gaf aan een andere. Er waren lapjes praktische grove stof van de jurk die ik had gebruikt voor het paardrijden en die helemaal bedorven was. Dit stuk was uit de rug gesneden, omdat dat het enige gedeelte was dat niet reddeloos bedorven was, zo bevlekt was de jurk met bloed en braaksel en andere onvoorstelbare dingen. Nadat ik er lapjes uit had gesneden, was de jurk verbrand. Ik vergoot er geen tranen om. Ik probeerde er niet aan te denken. In plaats daarvan werkte ik. De distilleerkamer was misschien nog nooit zo goed voorzien geweest, de tuin zelden zo keurig opgeruimd, nergens was een wilde uitloper of ongewenst onkruid te zien. En toen was het alweer bijna nieuwe maan, en mijn moeder kwam op een dag binnen terwijl ik rozenbottels aan een draad reeg om ze te laten drogen. Ik besefte dat ik binnensmonds had zitten neuriën, een gedeelte van een oud, oud wiegelied.

'Ga vooral door,' zei Sorcha, terwijl ze in de brede vensterbank ging zitten, een kleine schim met reusachtige ogen, als een heel kleine, tere kerkuil. 'Ik houd ervan je te horen zingen. Dan weet ik dat het goed met je gaat, ondanks alles. Een ongelukkige vrouw zingt niet.'

Ik keek even naar haar en ging toen weer verder met mijn rozenbottels. Ze hingen aan mijn draad als heldere druppels levens-bloed. Waar was hij? In welk ver land waagde hij nu zijn leven, voor een zak met zilvergeld van een of andere vreemdeling? Onder welke exotische boom, in welk wonderlijk gezelschap lag hij 's nachts wakker, met het wapen in de hand, zwijgend op de dageraad te wachten?

'Liadan.'

Ik draaide me naar haar toe.

'Ga zitten, Liadan. Ik heb iets voor je meegebracht.'

Ietwat verbouwereerd deed ik wat ze zei. Ze schudde het bundeltje stof dat ze in haar hand hield los.

'Je kent deze jurk natuurlijk. Hij is heel oud. Te oud om nog te dragen.' Haar hand streelde de verbleekte blauwe stof; haar magere vingers streken over het oude borduursel, dat nu bijna onzichtbaar was. 'Ik dacht dat je misschien hier een stuk zou kunnen redden, en hier misschien ook. Je zou de randen heel goed moeten omzomen. Maar je bent heel handig met een naald. Er is een dag geweest dat de zee en het zand deze rokken hebben aangeraakt, een dag zoals je maar eens in je leven meemaakt... en ik heb hem weer gedragen op een dag vol vuur en bloed. Het is voor mij niet nodig de jurk nog te bewaren om het me te herinneren; die twee dagen staan beide in mijn hart gegrift. Maar wat je ook bezig bent te maken voor je kind, deze stof moet er deel van uitmaken.'

Er volgde een lange stilte, waarin ik na verloop van tijd opstond, een pot muntthee maakte en die in twee kommen schonk. Ik zette er een naast mijn moeder op de stenen vensterbank en kon er niet langer onderuit haar aan te kijken. Ze glimlachte.

'Was je van plan het me te vertellen, dochter, of wachtte je tot ik het jou zou vertellen?'

Ik verslikte me in mijn thee.

'Ik... natuurlijk zou ik het u verteld hebben. U bent niet degene aan wie ik het niet durf te vertellen, moeder.'

Ze knikte. 'Ik heb maar één vraag,' zei ze. 'En niet de vraag die je wellicht verwacht. Ik wil je vragen of dit kind in vreugde verwekt is?'

Ik keek haar recht in de ogen en ze las het antwoord op mijn gezicht.

'Mm.' Ze knikte weer. 'Dat dacht ik al. Hoe je loopt, dat lachje, je manier van doen horen niet bij een vrouw die gekwetst of bang

is. En toch is hij niet bij je gebleven? Hoe is dat mogelijk?'
Ik ging tegenover haar zitten op een driepotig krukje en warmde mijn handen aan de kom. 'Hij weet niet dat dit kind op komst is. Het is duidelijk dat hij het niet had kunnen weten. En hij heeft me gevraagd bij hem te blijven. Ik heb nee gezegd.'
Het bleef even stil. Ze nam kleine teugjes van de thee, meer om mij een genoegen te doen, geloof ik, dan omdat ze er echt trek in had.
'Ik dacht dat dit kind misschien,' zei ze voorzichtig, 'is verwekt door... door een van die Anderen, en dat dat de reden is waarom je zo spoorloos hebt kunnen verdwijnen, zodat Liam en Eamonn, hoewel ze alles in het werk hebben gesteld, toch geen spoor van je hebben kunnen vinden. Is dat de reden waarom je dit geheim zo voor jezelf houdt, Liadan?'
Een kind uit de Andere Wereld. Ik kwam bijna in de verleiding ja te zeggen; het zou een bruikbare verklaring zijn geweest.
'Ik ben niet over de grenzen van het mensenrijk gereisd, moeder, al heb ik... ik heb de Feeën wel gezien, en ze hebben tegen me gesproken. De vader van dit kind is een sterfelijke man. En ik zal zijn naam niet noemen.'
'Juist,' zei ze langzaam. 'Je hebt hen gesproken. Dus dit maakt ook deel uit van hetzelfde patroon. Zullen we ooit te weten komen wie je dit heeft aangedaan? Je zwanger gemaakt, en verdwenen alsof hij nooit bestaan heeft? Je vader zal deze man ter verantwoording willen roepen; en Sean en Liam zullen waarschijnlijk nog verder willen gaan, en van wraak spreken.'
Ik zei niets. Buiten stak de wind op; schaduwen van takjes en droge bladeren bewogen over de stenen muren. Ik zag het stralende, schuin invallende zonlicht van een herfstmorgen, een licht dat verlangen wekte, een warmte beloofde die niet meer zou komen.
'Moeder.' Ik kon niet verhelpen dat mijn stem toch een beetje trilde.
'Het is goed, Liadan. Vertel het me, als je kunt.'
'Dat is juist het probleem. Ik kan het aan niemand vertellen, zelfs niet aan u. Moeder... hoe kan ik hierover met vader spreken? Ik kan niet... ik wil niet aan een vreemde worden uitgehuwelijkt, zoals met Niamh is gebeurd. En ik wil mijn kind niet in schande en stilzwijgen ter wereld brengen. Hoe kan ik het hem vertel-

len? Hoe kan ik het aan Sean en aan Liam vertellen, en... en...'

'En aan Eamonn?' vroeg ze zacht.

Ik knikte ongelukkig.

'Zou je man terugkomen om je te halen?' vroeg moeder, en haar gelaat zag er nog steeds kalm uit. 'Een man die je liefde verdient, zou dat toch moeten doen.'

'Hij... hij leidt een leven vol gevaar,' wist ik te zeggen. 'In zo'n leven is geen plaats voor een vrouw en een kind. En bovendien... nee, dat doet er niet toe. Hij is... hij is geen man die vader... geschikt zou vinden. Meer kan ik niet zeggen.'

'Je vader en Liam zullen willen dat je trouwt,' zei Sorcha rustig. 'Dat weet je zelf ook wel. Ze zullen niet begrijpen dat je je kind liever alleen op de wereld wilt zetten.'

'Daar heb ik een antwoord op,' zei ik. 'De Feeën hebben me met klem opgedragen hier op Zeven Wateren te blijven. Altijd hier te blijven, bedoelden ze geloof ik. Trouwen was niet nodig, zeiden ze. Niet met Eamonn, ook niet met een ander. Toen had ik geen idee waarom ze me dat opdroegen. Nu begin ik het te begrijpen.'

Moeder knikte, het scheen haar niet te verbazen. 'Het kind,' zei ze zacht. 'Het kind, dát moet in het woud blijven. Ze willen dat je het kindje hier grootbrengt. Dat klopt, Liadan. Toen... toen dat met Niamh gebeurde, zagen we een kwaad de kop opsteken waarvan we dachten dat het allang verdwenen was. Misschien is jouw kind hun wapen daartegen.'

'Het oude kwaad? Zo noemden ze het. Welk kwaad? Wat kan zo verschrikkelijk zijn dat het het Feeënvolk zelf bedreigt?'

Sorcha zuchtte. 'We weten het eigenlijk niet. Niemand kan zeggen welke vorm deze krachten zullen aannemen. Het is beter als je de waarschuwingen die je gekregen hebt ter harte neemt.'

Ik fronste mijn voorhoofd. 'Dit bevalt me niks. Dat heb ik ook tegen hen gezegd. Ik heb geweigerd het te beloven. Ik denk er niet over me te laten gebruiken als instrument voor hun doeleinden. En mijn zoon ook niet.' Ik twijfelde er geen moment aan dat dit kind een jongen zou zijn. Zijn vader, dacht ik, was beslist een man die zonen zou verwekken.

'Het is niet verstandig hun gebod naast je neer te leggen,' zei moeder ernstig. 'Wij zijn maar pionnen in hun langdurige spel. De reikwijdte ervan is groter dan wij kunnen zien, Liadan. Maar toch kan hun plan ons op den duur duidelijker worden. Het baart me zorgen dat je de naam van deze man niet wilt noemen. Hoe kan iemand die je zonder meer in de steek laat zoveel loyaliteit waard zijn? Of is het schaamte die je belet te spreken?'

Ik bloosde heftig. 'Nee, moeder,' zei ik beslist. 'Ik geef toe dat ik aanvankelijk mijn best heb gedaan om dit voor mezelf te ontkennen. Niet uit schaamte, maar omdat ik wist hoe moeilijk het zou zijn, denk ik. Ik deed alsof ik niet gemerkt had dat mijn lichaam veranderde, ik besteedde geen aandacht aan het voorbijgaan van het seizoen, het wassen en afnemen van de maan. Maar nu dit kind in mij groeit, ben ik vol van een vreugde die zo sterk is, een kracht die zo intens is dat ik niets kan bedenken waarmee dat te vergelijken is. Ik heb een gevoel alsof... alsof ik het hart van de aarde in mij kan horen kloppen.'

Sorcha zweeg een tijdje.

'Geloof me, dochter,' zei ze ten slotte, 'dit kind is even kostbaar voor mij als voor jou. Je woorden maken me blij, maar ook bang. Ik zal je iets beloven, en je moet erop vertrouwen dat ik mijn belofte zal houden. Ik beloof je dat ik hier nog zal zijn, in het voorjaar, om je kind met mijn eigen handen te halen. Ik zal er zijn, Liadan.'

Ik barstte in tranen uit, en ze omhelsde me en drukte me zo stevig als ze kon tegen zich aan, en ik voelde weer hoe klein en breekbaar ze geworden was. En toch was er in die omhelzing een kracht die in me en door me heen stroomde, en ik wist dat Bran het mis had gehad, mis over Sorcha, en mis over Hugh van Harrowfield, die mijn vader was. Hier was geen kwaad. Ergens was het verhaal op de een of andere manier verdraaid en veranderd, en ik wilde het rechtzetten. Eens zou ik het rechtzetten.

'Huil niet, dochter. Niet om mij.'

'Het spijt me.' Ik veegde snel de tranen van mijn gezicht.

'Het is moeilijk je loyaliteit jegens deze man te begrijpen. Hij houdt van je, maar komt toch niet terug. Hij geeft je zijn kind, en hij verdwijnt. En toch doe je alles om hem te beschermen. Je bewaakt zijn veiligheid met een ondoordringbare muur van stilzwijgen die zelfs je broer buitensluit. En je denkt dat zelfs dat misschien niet genoeg is. Want je hebt toch nog slapeloze nachten om iets.'

Ik antwoordde niet.

'Is het de liefde die je aan deze man bindt?'

Er stond me een klein, duidelijk beeld voor ogen. Van mezelf, gezeten op het paard, en van Bran die naast me stond, met een boze trek op zijn gezicht terwijl hij woest naar de grond staarde. En van zijn hand die in tegenspraak was met de uitdrukking op zijn gezicht, zijn getekende vingers die warm tegen mijn dij lagen, het laatste wat ik van hem voelde. Trouw niet met die Eamonn. Als hij jou neemt, is hij er geweest. Zeg dat tegen hem.

'Wat is er, Liadan?' Moeders stem klonk geschrokken. Alleen de godin wist wat er op mijn gezicht te lezen was geweest.

'Hij en ik... we hebben iets gemeen. Niet direct liefde. Het overstijgt dat. Hij is de mijne, even zeker als de zon de maan volgt door de hemel. De mijne, nog voor ik van zijn bestaan wist. De mijne tot de dood, en daarna. Hij is in groot gevaar. Door toedoen van anderen, en van zichzelf. Als ik meer kon doen om hem te beschermen, zou ik het doen. Maar ik zal niet spreken over wie hij is en wat hij is. Dat kan ik niet.'

Sorcha knikte en haar gezicht stond somber. 'Je kunt het niet veel langer uitstellen, dit bekend te maken. Je hebt een aantal zware dagen voor de boeg. Ik vind dat je dit nieuws zelf aan Red moet vertellen.'

'Ik... ik wil niet dat hij tegen mij spreekt zoals hij tegen Niamh gesproken heeft. Ik wil niet dat hij me wegstuurt zonder vriendelijk woord, alsof ik een vreemde ben geworden.'

Ze zuchtte. 'Dat was voor hen beiden moeilijk. Hij heeft altijd iets van zichzelf in Niamh gezien; ik denk dat hij zich verantwoordelijk voelde voor haar zwakheden. Hij heeft echt geprobeerd met haar tot een vergelijk te komen; hij wilde dolgraag aan haar uitleggen, voor zover hij dat kon, waarom zijn beslissing zo was uitgevallen, maar zij wilde niet luisteren. Ze sloot zich voor ons beiden af. Je vader heeft het diep betreurd dat hij niet langer kon wachten, om te kijken of er andere mogelijkheden voor Niamh waren. Conor heeft ons het zwijgen opgelegd, Liadan; we konden jullie niet de hele waarheid vertellen, en dat kunnen we nog steeds niet. Mijn broers waren van mening dat we door dat te doen rampspoed over jullie zouden afroepen. Ze hadden hiervoor een goede reden; op den duur zal alles misschien bekend worden gemaakt. Maar juist vanwege wat er met Niamh is gebeurd, en vanwege het feit dat hem dat zo bedroeft, is het niet waarschijnlijk dat je vader jou even hardvochtig zal behandelen. Hij ziet in jou en in Sean de sterke kanten van mijn eigen familie, de mensen van het woud. Hij heeft jouw beoordelingsvermogen altijd vertrouwd, net als het mijne. Wees eerlijk tegen hem, dan zal hij zijn best doen het te begrijpen.'

'Ik weet amper waar ik zou moeten beginnen.'

Ze stond op om weg te gaan. 'Vertel het spoedig aan je vader. Dan zal ik het aan Liam en aan Sean vertellen. Het is niet nodig dat je dit nieuws meermalen vertelt.'

'Dank u.' Mijn keel was droog; ik was plotseling doodmoe. 'Ik zou... ik zou er liever mee wachten, dit bekend te maken. Ik zou het liefst willen wachten tot Niamh komt, en het als eerste aan haar willen vertellen.'

Het voorhoofd van Sorcha was licht gefronst. 'Je vader kan goed zien wat er in me omgaat, vooral nu. Ik zal hem niets vertellen, maar hij zal het aanvoelen, en daarom mag je het niet te lang uitstellen. Wij hebben geen geheimen voor elkaar. Bovendien zal het binnenkort voor iedereen duidelijk zichtbaar zijn.'

Geen van beiden hadden we over Eamonn gesproken, maar ik was het niet vergeten: de weg, en de mannen in het groen, en de vriend wiens keel ik in het donker had doorgesneden. Er zijn dingen die je nooit vergeet.

Onze gasten konden nu elke dag komen. Alles was gereed. De avonden werden koud, en de mensen dronken Janis' krachtige warme wijn, maar ik dronk water, want de sterke geur van de wijn maakte me misselijk. Janis lette op me, evenals de vrouwen van de keuken, maar zij zorgde ervoor dat hun geroddel binnen de perken bleef. De mannen zagen zoiets niet. Zij praatten alleen over strategieën en handel, en soms liepen de gemoederen hoog op. Er broeide iets tussen Sean en Liam, en op een avond kwam het tot een uitbarsting.

Er brandde een vuur in de haard van de kleine kamer waar de familie bijeenkwam voor vertrouwelijke gesprekken. Mijn moeder zat op een houten bank met Iubdans steunende arm om haar heen. Hij was stil, misschien moe na een lange dag op de velden. Ik hoorde de stemmen van Sean en Liam zonder echt naar hun woorden te luisteren. Ik naaide aan een dekentje. Het was heel klein. Hier een grijs vierkantje, daar een roze vierkantje. Een rand van grove stof. Een stukje heel licht blauwpaars, met een spoor van heel oud borduursel. Fijne steekjes; een rand van bladeren, een klein insect. Mijn naald bewoog met precisie en voegde alles aan elkaar. Mijn gedachten waren ver weg. Toen hoorde ik Sean weer iets zeggen.

'Misschien bent u te oud,' zei hij botweg, zodat ik met een schok terug was in het hier en nu. 'Misschien kunt u niet inzien dat uw voorzichtigheid verhindert dat deze zaak wordt beslist.'

'Sean.' Iubdans toon was nog heel vriendelijk. 'Je bent nog niet de meester van dit huis.'

'Laat hem spreken,' zei Liam met opeengeklemde kaken.

Sean liep met over elkaar geslagen armen heen en weer. Ik voelde zijn frustratie zonder er de reden van te kennen.

'We hebben het immers keer op keer geprobeerd, en we zijn telkens weer teruggeslagen. We hebben goede mannen verloren, hun plaatsen werden ingenomen door andere goede mannen, die op hun beurt zijn gesneuveld. Deze vete heeft ons leven generaties lang vergiftigd. We sneuvelen voor de zaak, en sneuvelen weer, en toch blijven we komen. Een buitenstaander zou het zinloos noemen.'

'Een buitenstaander kan niet begrijpen wat de Eilanden voor onze familie en voor ons volk betekenen.' Mijn moeder sprak zacht. 'Er kan hier geen harmonie, geen evenwicht zijn tot ze zijn teruggegeven. Het Feeënvolk vraagt dat van ons.'

'Denk je wel aan de profetie?' vroeg ik.

'De profetie kan me gestolen worden,' snauwde Sean. 'Hebben we ooit ook maar een glimp opgevangen van die geheimzinnige persoon die ons moet verlossen? Die niet van Ierland of Brittannië is, maar van beide; die het teken van de raaf draagt, wat dat ook mag betekenen. Dat is waarschijnlijk op een avond verzonnen door iemand die een slok bier te veel op had. Nee, wat we moeten hebben, is een nieuwe benadering. We moeten af van het idee van een regelrechte aanval. Ons denken moet verder gaan dan de gedachte dat we alleen kunnen overwinnen door middel van meer mankracht of de aftandse strategieën van onze grootvaders. We moeten bereid zijn risico's te nemen, de Brit in zijn eigen spel te overtroeven. Zijn positie is bijna onaantastbaar; dat blijkt wel uit lange jaren van mislukking. Om het probleem op te lossen, moeten we bereid zijn het ondenkbare te denken; het onaanraakbare aan te raken.'

'Nooit.' Liams stem had een barse klank. 'Je weet niet wat je zegt. In wat je zegt, klinken je jeugd en je gebrek aan ervaring. Ik heb dit eerder horen bepleiten, en ik vind het nu evenmin verteerbaar als toen. Deze familie heeft nooit oneerbare methoden gebruikt om een gevecht te winnen, en ik schaam me dat uitgerekend jij, mijn erfgenaam, zoiets voorstelt. Bovendien zijn we niet alleen in deze zaak. Hoe moet het met onze bondgenoten? Wat zou Seamus Roodbaard hiervan zeggen?'

'Hij zou overtuigd kunnen worden.' Er was geen spoor van twijfel in de stem van mijn broer.

'Dat zal je nog niet meevallen.'

'Hij zou overtuigd kunnen worden. Niets is belangrijker dan de herovering van de Eilanden. En we zijn nu in een positie om het te doen, want Fionn zal zich zeker bij ons bondgenootschap willen voegen, en...'

'En Eamonn dan? Zijn steun is van levensbelang. Hij zal er net zo over denken als ik. Eamonn is niet van zijn standpunt af te brengen. Er is niets denkbaar dat hem ertoe zou kunnen bewegen om dit in overweging te nemen.'

'Ik zou hem kunnen overtuigen.'

'Eamonn?' Liam lachte blaffend maar humorloos. 'Je kent je vriend toch niet zo goed als ik dacht. Op dit punt zal hij nooit toegeven. Nooit.'

Het gesprek begon me een erg ongemakkelijk gevoel te geven. 'Wat houdt het voorstel van Sean precies in?' dwong ik mezelf te vragen, hoewel ik opzag tegen het antwoord. Aan de rand van mijn denken doemde een schaduw op, en ik wilde niet dat die dichterbij kwam.

'Het zit zo.' Sean kwam naar mijn stoel toe en hurkte naast me neer. Zijn opwinding was groot; zijn energie leek door de lucht te knetteren. Ik hield het schild stevig om mijn geest. 'Je kunt niet winnen met een aanval, hoe sterk ook. Dat is bewezen. Twee van je ooms zijn bij de laatste poging gesneuveld, en met hen vele dappere mannen; zoveel dat het een hele generatie heeft geduurd om

ons te herstellen. En toch waren onze manschappen sterk en ge-disciplineerd en werden we gesteund door onze bondgenoten; de Britten hadden geen kans om tussen onze posities en de Noorse nederzettingen op deze kust een basis te vestigen. Waarom is het ons dan toch niet gelukt? Ten eerste zijn ze in het voordeel door het bezit van de Eilanden. Hun uitkijktoren op het Grote Eiland biedt uitzicht over een enorm gebied. Er is maar één manier om veilig te naderen, en die houden ze gedekt. Ten tweede hebben ze hier een onovertroffen netwerk van informanten. We weten alle-maal wie dat jaren geleden heeft opgezet. Misschien is Eamonns onwrikbare houding nu een gevolg van het verraad van zijn va-der. In elk geval is het zo dat de Britten van tevoren op de hoog-te schijnen te zijn van elke actie die wij ons voornemen. Wat valt hier dus uit te leren?' Zijn lange handen bewogen om zijn punt kracht bij te zetten. 'Dat het nutteloos is om een voorspelbare koers te volgen. We merken dat we niets geheim kunnen houden voor onze vijand. Hoe sterk ons bondgenootschap aan deze kant van het water ook is, hij zal het evenaren en overtreffen. Hij is in het voordeel. Niemand onder ons heeft genoeg kennis en vak-manschap om een alternatieve benadering van het Grote Eiland te bedenken.' Hij haalde adem; zijn blik was begeesterd. 'Op dit moment is onze positie bijzonder gunstig. Seamus heeft een ge-disciplineerd leger en kan bogen op jaren ervaring. We kennen Eamonns capaciteit. En dan zijn er de Uí Néill, want Fionn is fa-milie en zal gemakkelijk kunnen worden overtuigd dat hij ons hierin moet steunen. Hij heeft de veiligheid van ons gebied en dat van Eamonn nodig als buffer tegen een mogelijke aanval van zijn familie in het zuiden. Met Fionn kunnen we zaken doen. We be-schikken dus over meer hulpbronnen dan ooit tevoren.'
'Voldoende, als ik het mag zeggen, om de Eilanden terug te ver-overen zonder dat daar kunstgrepen bij nodig zijn,' zei Liam streng.
'Nee, oom. U gelooft dat evenmin als ik. Northwoods kan elke hoeveelheid manschappen bijeenroepen die hij nodig heeft, en zijn verspieders kunnen hem voor onze plannen waarschuwen, lang voordat we afvaren. Wij hebben twee dingen nodig. Ten eerste een onovertroffen stuurmanskunst, die alles zal overtreffen wat hier eerder is gezien. Schepen die heimelijk kunnen varen en on-

der dekking van het donker kunnen landen op plaatsen waar dat tot nu toe niet voor mogelijk werd gehouden. Een legermacht die midden in zijn fort staat voordat hij hem als zodanig herkent. Een bondgenoot met het vermogen het netwerk van informanten van de Brit op te sporen en te vernietigen.'

'Een ten tweede?' Mijn hart bonsde. Ik wist wat er zou komen. 'Om het eerste te bereiken, moeten we het tweede doen. Het tweede is, onze scrupules overboord zetten. We moeten gebruikmaken van de diensten van de Beschilderde Man, wie hij ook is.'

Mijn moeder hield even haar adem in. Iubdan keek ernstig. Liam klemde zijn kaken nog wat stijver op elkaar. Hij had het ongetwijfeld allemaal al eerder gehoord.

'Ik heb hier en daar navraag gedaan,' vervolgde Sean. 'Bij die bende is een man, een vreemde kerel met een zwarte huid, die een enorme kennis van zeeschepen heeft, en de bijbehorende stuurmanskunst. Zijn kennis overtreft alles wat we ons zouden kunnen dromen. Er zijn anderen bij, Noormannen en Picten, die ons samen alles zouden kunnen leren wat we moeten weten. Ik heb verhalen over hun wapenfeiten gehoord die je nauwelijks zou geloven als ze niet ondersteund werden door harde bewijzen. Hun leider is een man die ons veel te bieden heeft. Hij is een meester in het verspreiden van valse informatie. Ik heb gehoord dat hij de meest subtiele strateeg nog te slim af kan zijn. Als we deze man en zijn bende voor ons laten werken, kan het naar mijn overtuiging niet mislukken.'

'Hij zou er niet over peinzen.' Ik sprak zonder nadenken, en mijn stem beefde Vier paar ogen werden nieuwsgierig op mij gericht. 'Eamonn,' zei ik vlug, en mijn gezicht vertrok pijnlijk toen ik met de naald in mijn vinger stak. 'Die zou er niet over peinzen samen te werken met... met de Beschilderde Man. Weten jullie niet meer wat hij zei? Als die man zich weer op mijn grondgebied waagt, is zijn leven niets meer waard. Of zoiets. Jullie zouden hem nooit kunnen overhalen.'

Het bleef even stil.

'Ik begrijp Liams aarzeling,' zei Iubdan kalm. 'Jij verwacht misschien veel van zo'n onderneming. Ook ik heb met een mengeling van angst en bewondering over deze huurling horen spreken. Misschien is het waar wat ze over zijn vermogens zeggen. Maar je zou zo'n man nooit kunnen vertrouwen, want zijn waarde wordt juist voor een deel bepaald door zijn vermogen te bedriegen, in het ontbreken van trouw aan een bepaalde zaak. De man is een bedrieger, zonder geweten of scrupules. Hij is bij machte je onderneming te laten slagen. Of te laten mislukken. Je zou pas op het allerlaatste ogenblik weten wat hij zou doen.'

Liam knikte. 'Hij zou ons kunnen laten betalen, om vervolgens gewoon weg te lopen. En hij zou ook een te hoge prijs kunnen vragen.'

'Maar hiervoor,' zei Sean fel, 'is toch zeker geen enkele prijs te hoog?'

Op dat moment kwam de schaduw. De kamer om me heen vervaagde, en in plaats ervan zag ik twee mannen in gevecht, die elkaar probeerden te overmeesteren. Achter hen stonden donkere pilaren, gebeeldhouwd met wonderlijke beesten, een kleine draak, een wyvern, een griffioen met messcherpe klauwen. De man in het groen had zijn handen om de hals van de ander geklemd en kneep, kneep. De man in het groen had een vierkante kaak, en een weerspannige lok bruin haar viel voor zijn ogen. Het was Eamonn. Het zag ernaar uit dat hij aan de winnende hand was. Waarom hijgde hij dan naar lucht, waarom was zijn gezicht zo akelig bleek? De schaduw viel over beiden, in hun dodelijke omhelzing. Toen zag ik het dolkmes dat diep in de borst van de groene tuniek was gedreven, een dolkmes dat stevig werd vastgehouden door een hand waarvan de witte knokkels en gespannen pezen een verfijnd patroon van spiralen, wervelingen en arceringen droegen. Ik hoefde niet naar het half gewurgde gezicht van deze man te kijken om hem te herkennen. Maar ik keek toch; en het visioen verzwom en veranderde, en het gezicht van de ene man werd dat van de andere, vervuld van haat, en ik kon de een niet meer van de ander onderscheiden. Ik slaakte een kreet; en de schaduw liet me los en ik was weer in de kamer die verlicht werd door het haardvuur. Ik moet van mijn stoel voorover zijn gevallen in een soort flauwte, want ik lag half op de vloer met Seans arm om mijn schouders. Liam keek naar mijn moeder, en zij keek naar hem, alsof het hun maar al te bekend voorkwam wat ze zagen. Mijn vader bracht me een beker water, en ik dronk. En even later was ik weer hersteld, uiterlijk in elk geval. Maar ik wilde niet zeggen wat ik had gezien.

'Sean beredeneert zijn voorstel heel goed,' zei mijn vader wat later. 'Het valt op zijn minst te overwegen. Misschien heeft hij gelijk. Misschien heeft er genoeg bloed gevloeid.'

'Denk je soms dat de Beschilderde Man niet meer bloed zal laten vloeien?' vroeg Liam met ongelovig opgetrokken wenkbrauwen. 'Zijn handen stinken ervan. Je hebt het verhaal van Eamonn gehoord.'

'We hebben allemaal mannen gedood vroeger. En er gaan veel verhalen. Ik steun jullie geen van tweeën. Ik zeg alleen dat je Seans idee niet zonder meer moet afwijzen. Leg het voor aan onze bondgenoten, wanneer ze hier allemaal bijeen zijn. Ik zou zo'n onderwerp niet in de zalen van Tara aan de orde stellen. Maar hier op Zeven Wateren is het veilig. Leg het aan hen voor, voordat jullie naar de vergadering van de Hoge Koning vertrekken. Dan kun je hun stemming peilen.'

Liam zei niets.

'Jullie zouden het aan Conor moeten vragen,' zei mijn moeder. 'Hij zal hier morgen zijn. Vraag of het hem verstandig lijkt, de profetie te negeren.'

'Conor!' Liams stem klonk koel. 'Conors oordeel is niet langer te vertrouwen.'

'Dat is te scherp,' zei Iubdan. 'We hebben allemaal een rol gespeeld in het gebeurde met Ciarán. Je kunt niet de hele schuld aan je broer geven.'

'Dat weet ik ook wel, Brit,' snauwde mijn oom. 'Het gebrek aan zelfbeheersing van je dochter was ook een factor.'

Mijn vader stond langzaam op. Hij was ruim een hoofd groter dan Liam. Naast hem hief Sorcha haar hand op om een lichte geeuw te maskeren.

'Het is al laat,' mompelde ze. 'Tijd om ons terug te trekken, denk ik. Liadan, jij voelt je niet goed. Kom, dan breng ik je naar bed. Red, zou jij een kaars mee willen nemen?' Ze stond op en liep naar haar broer, wiens gezicht op onweer stond. 'Welterusten, Liam.' Ze ging op haar tenen staan en kuste hem op beide wangen. 'Dat de godin je mooie dromen geve en een helder hoofd morgenochtend. Welterusten Sean.' De mannen zwegen alle drie, in hun ogen was geen boosheid meer. Dana mocht weten hoe ze het met elkaar moesten rooien wanneer mijn moeder er niet meer was.

De volgende dag stonden we bij zonsopgang diep in het bos onder de grote eik om het ritueel van Meán Fómhair te volvoeren. Conor was er met verscheidene andere druïden, maar ditmaal was er geen roodharige leerling die zijn roerloze, rechte gestalte in de blinkend witte kleding als een schaduw volgde. We droegen de vruchten van de goede oogst van dit seizoen in onze handen, van elk één volmaakt voorbeeld. Een goudgele koolraap, een mooie kool met veel blad eraan. Een handvol zijdezacht graan, een kleine flacon mede. Cider, honing, verse kruiden. Mijn vingers hielden een eikel vast, veilig in zijn glanzende, beschermende schil en stevig gevat in zijn kleine houder. We stonden om de heilige boom heen, rillend in de kou voor zonsopgang. Liam, plechtstatig en bleek, en naast hem Sean, een jongere uitgave van dezelfde man. Mijn vader, die niet gelovig was, stond heel stil naast de reusachtige stam, met zijn armen om mijn moeder heen. Zij had een dikke mantel om tegen de kou. Niemand van ons had haar kunnen overhalen binnen te blijven en uit te rusten. Stil stonden hier naast elkaar keukenvrouw en krijger, paardenknecht en houthakker, de mensen van het huishouden, de boerderij en de nederzetting. Het kwam goed uit dat Fionn en zijn gezelschap nog niet gearriveerd waren. Hij wist natuurlijk dat onze familie de oude gebruiken volgde, maar het was beter als hij niet precies besefte hoe belangrijk dit in ons leven was, want het was slecht te combineren met het sterke christelijke geloof in zijn eigen huishouden. Als we hem wilden verleiden zich bij ons bondgenootschap te voegen, mochten we geen enkele misstap maken.

Conor sprak de woorden uit toen het eerste koele licht van de dageraad door het herfstige bladerdak heendrong, en we begonnen onze offergaven meer te leggen tussen de knoestige en verwarde wortels van deze oudste bewoner van het woud. We raakten de ruwe schors aan, de een knikte eerbiedig, de ander fluisterde een groet. Dit keer kwamen er geen vuurwerk, geen toverkunsten bij te pas. Mijn oom hield een eenvoudige toespraak, die recht uit het hart kwam.

'Onze dankbaarheid is onuitsprekelijk diep. We geven er zo goed mogelijk uiting aan, hier onder de eiken. Aan de zon, die leven te voorschijn riep uit de aarde. Aan de hoeders van het bos, die gedurende het hele groeiseizoen de wacht houden over alles wat goed is, die toezien op alle dingen van geboorte tot dood en voorbij de dood. In u is de wijsheid van vele eeuwen; wij eren uw aanwezigheid en bieden u de mooiste vruchten van dit overvloedige seizoen aan. Want ook wij zijn de bewoners van het woud, ook wij behoren tot Dana's volk, al zijn we sterfelijk; en we volgen de wegen die u voor ons opent, van onze eerste tot onze laatste ademtocht, en daarna.'

Conor maakte een vermoeide indruk, alsof hij al zijn wilskracht moest verzamelen om door te gaan. Er was een zwaarte in zijn denken, de een of andere zware last die hem terneerdrukte. Ik voelde dit in mijn eigen hart, maar toch zou ik niet hebben kunnen zeggen wat het was. Zijn gezicht was zoals altijd in rust, de ogen diep en kalm in het toenemende licht.

'We eren het komende donker niet minder. Alle wezens moeten slapen. Alle wezens moeten dromen en wijs worden. Welkom, koningin en tovenares, u die voor ons de weg der geheimen opent. Wij erkennen uw inzicht. Wij verlangen naar uw wijsheid, die we tegelijkertijd vrezen. U geeft geboorte; u oogst de dood. Wij verwelkomen uw terugkeer. Wij maken ons gereed voor de tijd der schaduwen.'

We bleven daar enige tijd staan, met gebogen hoofd, terwijl de zon opkwam en de grijze wereld van de vroege dageraad langzaam opwarmde naar bruine, groene en gouden tinten. Iubdan had nog steeds een beschermende arm om mijn moeder, en zijn ogen stonden somber. Conor sprak natuurlijk de waarheid; de dood komt en is niet tegen te houden. De wenteling van het rad is meedogenloos. Alles verandert; alles gaat voort. Een Brit zou dat op den duur kunnen begrijpen, als hij lang genoeg onder ons leefde. Maar hij zou het nooit accepteren.

Toen het ritueel afgelopen was, gingen de mensen terug over de bospaden, ongetwijfeld met gedachten aan een warm vuur en een kom pap in het hoofd. Na een poos bleek ik naast mijn oom Conor te lopen, en in een flits leek het of de anderen weg waren en alleen wij beiden er nog waren, gelijk oplopend in de ontzaglijke stilte van het bos.

'Ik ben blij dat je een warme mantel en een paar stevige schoenen hebt,' merkte mijn oom op. 'Het is een heel eind lopen.'

Ik zei niets. Het leek onnodig. Maar nadat we een tijdje hadden gelopen zei ik: 'Mijn vader zou zich ongerust kunnen maken.'

Er kwam een vluchtig lachje op Conors kalme trekken.

'Iubdan weet dat je bij mij bent. Nou ja, dat hoeft hem natuurlijk nog niet gerust te stellen. Hun vertrouwen in mij is niet meer zo groot als voorheen. En het schijnt dat jij een zeker vermogen hebt om... complicaties aan te trekken.'

Onze voeten stapten zacht over een tapijt van vochtige bladeren. 'Maar als Niamh vandaag komt?' vroeg ik. 'Dan loop ik haar misschien mis. Ik moet thuis zijn wanneer mijn zus komt.'

Hij knikte ernstig. 'Dat begrijp ik, Liadan. Ik begrijp het beter dan je denkt. Maar voor jou is dit belangrijker. We zullen voor de avond terug zijn.'

Ik trok mijn wenkbrauwen op, maar gaf geen antwoord.

Na een tijdje zei mijn oom: 'Je bent er heel bedreven in, hè? Zelfs ik kan niet door je schild heen dringen. Waar heb je geleerd zo'n ijzeren muur om je geest te zetten? En waarom? Wat houd je daar verborgen? Ik heb pas een keer eerder zo'n beheersing gezien, toen Finbar je moeder niet wilde toelaten, lang geleden. Dat heeft haar diep gekwetst.'

'Ik doe wat ik moet doen.'

Hij keek me van opzij aan. 'Mm,' was het enige wat hij zei. En we liepen zwijgend verder, in een behoorlijk tempo, terwijl de dag steeds lichter werd en het bos rondom ons begon te leven. We liepen door de eikenlanen, waar goudgele bladeren wervelend om ons neerdaalden in een opstekend windje en eekhoorns druk bezig waren voorbereidingen te treffen voor de donkere tijd. We kwamen langs het grijze water van het meer en liepen langs de bedding van de zevende beek omhoog, die door de herfstregens was aangezwollen tot een miniatuur stormvloed. Het was een steile klim over her en der neergevallen stenen waarvan het oppervlak merkwaardige patronen vertoonde, alsof een vreemde vinger ze elk had gemarkeerd met een afzonderlijk geheimschrift waarvan de codes alleen bestonden in de geest van iemand die lang geleden was heengegaan. Boven aan de helling rustten we uit, en hij kwam voor de dag met een sobere maaltijd van gedroogd brood en gerimpeld fruit. We dronken uit de beek, en het water was zo koud dat mijn hoofd er pijn van deed. Het was een vreemde morgen, maar niet ongezellig.

'Je vraagt niet waar we heen gaan,' zei Conor toen we weer op weg gingen, weer een helling op tussen dicht opeen staande lijsterbessen, vol met rode bessen.

'Nee, dat vraag ik niet,' antwoordde ik vriendelijk.

Hij grijnsde weer, en heel even kon ik de jongen zien die hij vroeger geweest was, die met zijn vijf broers en zijn kleine zusje vrij rondzwierf door de geweldige ruimte van het bos. Maar bijna onmiddellijk kwam het kalme masker van de aartsdruïde weer over zijn gezicht.

'Ik zei dat dit belangrijk voor je was. Ik hoopte eigenlijk dat ik je een paar dingen rechtstreeks zou kunnen uitleggen, van geest tot geest. Maar ik merk dat je niemand binnen wilt laten. Je bewaart een groot geheim. Ik moet dus woorden gebruiken. Er is een bron, en een poel, zo goed verscholen gelegen dat weinigen van het bestaan ervan weten. Daar breng ik je heen. Je moet leren begrijpen welke gaven je bezit, en wat je ermee kunt doen, anders loop je gevaar blindelings rond te lopen met een vermogen waarvan je amper een besef hebt. Ik zal het je laten zien.'

'U onderschat me,' zei ik koeltjes. 'Ik ben geen kind meer. Ik ken de gevaren van een vermogen dat onnadenkend, op onverstandige wijze wordt gebruikt.' Boud gesproken, want ik begreep maar in de verte wat hij bedoelde.

'Misschien,' zei hij. We maakten een scherpe bocht naar links, onder neerhangende wilgentakken door, en plotseling was daar een kleine, roerloze poel tussen bemoste stenen, waar vers water uit de bodem opwelde. Op zichzelf onbeduidend, een plek waar je vrijwel zeker aan voorbij zou gaan als je niet wist dat hij er was.

'Deze plaats toont zich niet aan iedere reiziger,' zei Conor; hij maakte vlug een teken in de lucht voor zich, en bleef twee passen voor de rand van het water staan.

'Wat nu?' vroeg ik.

'Ga op de stenen zitten. Kijk in het water. Ik zal niet ver weg zijn. Dit is een plaats waar geheimen veilig zijn, Liadan. Deze stenen bewaren geheimen van wel duizend jaren.'

Ik ging zitten en richtte mijn blik op het gladde oppervlak van de poel. Deze plek straalde een gevoel van beschutting, van bescherming uit. Het was alsof hier heel lang niets was veranderd. Stilzwijgend kwamen er woorden tot me. Deze steen is je moeder. Ze

242

houdt je in haar handpalm. Mijn oom had zich onder de wilgen teruggetrokken, waar ik hem niet meer kon zien. Ik probeerde mijn geest vrij te maken van gedachten en beelden, maar er was een beeld dat zich niet liet uitwissen, en ik weigerde het schild dat ik daar had opgetrokken te laten zakken. Als iemand de Beschilderde Man opspoorde, zou het niet zijn omdat ik had verraden wat ik wist. Niemand was te vertrouwen. Zelfs een aartsdruïde niet.

Het water bewoog, verschoof. Maar in dit kleine dal, omringd door bomen en rotsen, stond geen zuchtje wind. Het water rimpelde. Er was even een flits van wit in de diepte te zien, toen was het weer weg. Ik dwong mezelf om daar te blijven en niet op te kijken. De lucht was zo roerloos en zwaar alsof er een zomers onweer op til was, maar toch was er een herfstige kou in de lucht. Er stond iemand aan de overkant van het poeltje, en dat was niet mijn oom Conor.

Je lijkt veel op je moeder. Wie het ook was, hij was bliksemsnel door de afscherming rond mijn geest gekomen, met een vermogen dat zelfs dat van Conor ver overtrof. Het was uitgesloten me tegen zoveel kracht teweer te stellen. *Hetzelfde, maar toch niet hetzelfde.* Ik bleef zitten; voelde me niet in staat om op te kijken. *Je hoeft niet te kijken. Je weet wie ik ben.* Het water werd ondoorzichtig en begon te spiegelen. En daar zag ik zijn beeld. Het had Conor kunnen zijn. Het had bijna Conor kunnen zijn. De kleren waren natuurlijk anders. In plaats van het sneeuwwitte gewaad droeg deze man vormeloze kleren in een ondefinieerbare tint tussen grijs en bruin. Zijn voeten stonden bloot op de stenen. Conor droeg zijn haar in de keurige vlechtjes van de druïden. Deze man had zwarte krullen die als een verwarde bos om zijn schouders golfden. Conors ogen waren grijs, stil en kalm. Deze man had een blik, zo diep dat hij onpeilbaar was, en zijn ogen leken even kleurloos als het water waarin ik ze weerspiegeld zag. Ik kon mezelf er niet toe brengen op te kijken.

Je weet wie ik ben. Hij bewoog even, en daar was die witte flits weer. Hij droeg een ruime mantel van donkere, grove stof; een versleten kledingstuk dat ongelijk tot op de grond hing, en op één schouder was vastgemaakt. Hij veranderde weer van houding, en nu moest ik de waarheid erkennen. Mijn ogen hadden me niet be-

243

drogen. In plaats van zijn linkerarm had deze man de vleugel van een grote vogel, krachtig en wit bevederd. Hij trok er de mantelplooien weer overheen.

Oom. Als de stem van de geest kon trillen, klonk de mijne zo.

Sorcha's dochter. Je lijkt heel erg op haar. Hoe heet je?

Liadan. Maar...

Kijk nu op, Liadan.

Ik verwachtte half dat er niemand zou zijn. Hij stond zo stil dat je hem haast niet kon zien, alsof hij deel uitmaakte van de stenen, en van de mossen en varens die daar groeiden. Een man die jong noch oud was; zijn gelaatstrekken waren sprekend die van mijn moeder, maar in plaats van haar groene ogen waren de zijne helder en op de verte gericht, en hadden de kleur van licht dat door helder water schijnt. Zijn spiegelbeeld had hem goed weergegeven. Een man van gemiddelde lengte, slank, recht van rug. Een man die voorgoed het teken droeg van wat er met hen was gebeurd, de zes broers met hun ene zusje.

Wat bent u? Bent u een druïde?

Mijn broer is de druïde.

Wat bent u dan? Bent u een van de filidh?

Ik ben de slag van een zwanenvleugel op de adem van de wind. Ik ben het geheim in de kern van de staande steen. Ik ben het eiland in de woeste zee. Ik ben het vuur in het hoofd van de ziener. Ik ben noch van die wereld noch van deze. En toch ben ik een man. Ik heb bloed aan mijn handen. Ik heb liefgehad en verloren. Ik voel jouw pijn, en ik ken jouw kracht.

Ik staarde hem vol ontzag aan. *Ze dachten dat u dood was. Iedereen dacht dat. Ze zeiden dat u zichzelf verdronken had.*

Sommigen kenden de waarheid. Ik kan niet in de ene wereld leven, of in de andere. Ik loop op de grens. Dat is de vervloeking die de tovenares mij heeft opgelegd.

Ik aarzelde. *Mijn moeder – u weet dat ze ernstig ziek is?*

Zij nadert het einde van haar reis. Mijn oom leek heel kalm.

Wilt u haar niet komen bezoeken, voor het zover is? Zou u dat niet kunnen doen?

Ze kan me zien, daarvoor hoef ik daar niet te zijn. Onder het kalme uiterlijk school een diep verdriet. Er was veel verloren, door toedoen van vrouwe Oonagh.

Ze weet het dus? Ze weet waar u bent?

Eerst wist ze het niet. Nu is het anders. Ze weten het allemaal, mijn zuster, mijn broers, degenen die er nog zijn. Het is beter dat anderen het niet weten. Conors novieten komen me van tijd tot tijd bezoeken.

Het moet... het moet erg zwaar voor u zijn. Hoe zwaar kon ik me nauwelijks voorstellen.

Ik zal het je laten zien. Maak je geest stil, Liadan. Stil en roerloos. Adem diep in en uit. Zo, ja. Wacht nog even. Voel nu wat ik doe. Voel mijn gedachten terwijl ze zich om de jouwe plooien. Terwijl ze je veilig omvatten. Voel mijn geest terwijl hij één wordt met de jouwe. Laat wat ik ben een tijdlang deel van jou worden. Zie zoals ik zie.

Ik deed wat hij me vroeg, onbevreesd, want ik begreep op de een of andere manier dat hier geen gevaar was. Ik ademde dezelfde adem; ik voelde zijn geest terwijl die subtiel en geheimzinnig als een schaduw in de mijne schoof en me vasthield. Maar niet als gevangene, want binnen de beschermende ommanteling van zijn gedachten was ik nog mezelf, en tegelijkertijd was ik de jonge Finbar, die in de kilte van een nevelige dageraad bij het meer stond, oog in oog met het kwaad, en ik voelde mezelf veranderen, veranderen zodat mijn geest alleen dat begreep wat een wild dier begrijpt: koude, honger, gevaar. Eten, slapen. De eieren in het nest, de partner met haar sierlijk gebogen hals en haar glanzende veren. Geboorte, dood. Verlies. De koude, het water, de aanstormende verschrikking van de gedaanteverwisseling. *Zo was het voor ons. Zo is het nog voor mij.* Hij liet me zacht weer gaan, en ik bleef rillend en haast huilend achter.

'Ik begrijp het niet,' fluisterde ik. 'Ik begrijp niet waarom ik hierheen ben gebracht. Waarom wilde u zich zo aan mij tonen? Ik ben geen druïde.'

Misschien niet. Maar toch heb je gaven. Krachtige en gevaarlijke gaven, die op de mijne lijken. Het Gezicht. De genezende kracht van de geest, die je nog nauwelijks hebt aangesproken. Ik zie je in gevaar; ik zie je als schakel in de keten, een schakel waar veel van afhangt. Je moet leren je gaven in banen te leiden, anders zullen ze niet meer worden dan een last.

'In banen te leiden? Mijn visioenen komen ongevraagd. Ik weet nooit of ze waar of onwaar zijn, of ze het verleden of de toekomst weergeven.'

Ditmaal sprak hij hardop, en zijn stem klonk stroef en aarzelend alsof hij in lange tijd niet gebruikt was. 'Het kunnen raadsels zijn, cryptisch en misleidend. Soms zijn ze beangstigend helder. Hier op deze beschermde plek is het gemakkelijker ze in de hand te houden. Buiten dit bosje komen de schaduwen dichterbij. Ik zal het je laten zien, als je wilt. Wat draag je daar zo diep in je hart? Wat zou je liever dan wat ook willen zien? Kijk in het water. Maak je geest stil.'

Onwillekeurig keek ik even om me heen, om te zien of Conor soms keek; hij was nergens te bekennen. Toen dwong ik mezelf tot uiterste kalmte Ik maakte mijn ademhaling langzaam en diep en voelde tijd en plaats veranderen en om me heen tot rust komen. Er was een flikkerend licht, een flits van kleur in het water, en een beeld dat geleidelijk duidelijker werd. Het beeld rimpelde en veranderde. Het was donker. Donker, afgezien van een kleine lantaarn die brandde onder de beschutting van vreemde bomen, met varenachtige bladeren. Er waren twee mannen; de een sliep, in een deken gerold, en zijn gevlochten haar viel naar achteren van een ebbenzwart gezicht. Misschien had hij geprobeerd wakker te blijven, om bij zijn vriend te zijn in het donkere uur, maar de vermoeidheid na de strijd had hem uiteindelijk overmand. De andere man zat in kleermakerszit, met een lang mes in zijn ene hand en een steen in de andere, en hij wette het mes met weloverwogen, gelijkmatige streken, een, twee, drie. Zijn ogen leken de regelmatige beweging van het mes te volgen, maar hij zag het niet echt. Af en toe keek hij even op, alsof hij hoopte dat de hemel zou beginnen op te lichten, en dan ging hij berustend weer verder met zijn werk. Het lemmet van dat mes zou dwars door een man heen kunnen snijden, met wapenrusting en al.

Mijn hand kwam naar voren, ondanks mezelf, en ik maakte een geluidje. En op dat moment keek de man in het water op, keek me recht aan. Zijn uitdrukking trof me diep. Verbittering, wrok, verlangen; ik zou niet kunnen zeggen wat zich het scherpst aftekende op zijn gelaatstrekken. Zijn ogen werden groot van schrik en langzaam, heel langzaam, legde hij het mes neer. Hij hief zijn hand op en strekte zijn getekende vingers naar me uit, en ik strekte mijn eigen hand nog iets verder uit, nog een klein stukje verder...

Je mag het wateroppervlak niet aanraken.

Maar dat had ik al gedaan, en het oppervlak rimpelde weer, en Brans beeltenis was weg. Ik slaakte een zucht en ging wat naar achteren zitten, met tranen in mijn ogen.

'Je zult dit nodig hebben, Liadan. Je moet het leren, terwijl je hier bent. Je moet het snel leren, en het goed oefenen. Binnenkort zullen deze wandeling en deze klim te veel voor je zijn, een tijdlang tenminste.'

Mijn mond viel open en ik vergat bijna naar beneden te blijven kijken. Was er dan niets geheim?

'Geheimen zijn hier veilig.'

'U zag het ook, zeker. U zag wat mij werd getoond.'

'Ja, natuurlijk. En hij zag jou, daar hoef je niet aan te twijfelen. Maar dat is voor hem niets nieuws. Jouw beeld staat hem voor ogen in elk gevecht, tijdens elke vlucht, tijdens de minste beweging van zijn mes, in elke lange donkere nacht. Je hebt hem aan je gebonden, met je moed en je verhalen. Je hebt hem nu in je macht. Je hebt een wild dier gevangen, hoewel je geen plaats had om het te huisvesten. Hij kan niet aan je ontsnappen, hoe graag hij ook zou willen dat het anders was.'

'U vergist zich. Hij zei dat hij me niet wilde. Hij heeft me weggestuurd. Ik probeer alleen hem veilig te houden, zijn weg te verlichten. Er is niemand anders om dat te doen.' Zijn woorden gaven me een vervelend gevoel. Ze wekten de indruk dat ik een soort verleidster was die een man tegen zijn wil vasthoudt.

'Je spreekt de waarheid, niet meer en niet minder. Jij bent verantwoordelijk. Jij hebt zijn weg veranderd. Nu sluit je hem buiten. Wil je hem soms zijn kind ontzeggen?' Finbars gezicht stond ernstig, maar zijn stem hield geen oordeel in. Toch voelde ik boosheid opvlammen om zijn woorden.

'Wat moet ik dan doen? Ik weet niet eens waar hij is. Bovendien veracht hij me. Hij zal nooit naar Zeven Wateren komen. Hij geeft ons de schuld – hij geeft mijn vader en mijn moeder de schuld van wat hij geworden is. Zegt u dat ik naar hem op zoek moet gaan?'

'Ik zeg niets. Ik laat je alleen zien wat er te zien is.'

'Ik... ik heb een ontmoeting gehad met het Feeënvolk. De Vrouwe van het Woud, en een heer met vlammend haar. Zij zeiden...

ze bevalen me deze man op te geven. Ze wilden dat ik beloofde in het bos te blijven, en nooit te trouwen. Maar ik heb het niet willen beloven.'

'Ah.'

'Ik weet niet wat ik moet denken. Er waren daar ook andere stemmen. Oudere stemmen, en die zeiden... die leken tegen me te zeggen dat mijn eigen keuzes goed waren. Nu weet ik niet meer wat ik moet doen.'

'Niet huilen, kind.'

'Ik huil niet... ik...' Mijn gevoelens dreigden me te overspoelen. Ik had er zo naar verlangd Bran te zien, maar hem te zien had een pijnlijk gevoel van droefheid in me wakker gemaakt, droefheid om wat niet kon zijn.

'Ik heb ooit, lang geleden, een kans gehad om de loop der gebeurtenissen te veranderen,' zei Finbar. 'De kans om het leven en de vrijheid van een man te redden, met groot gevaar. Ik greep die kans aan, en ben blij dat ik dat gedaan heb, hoewel ik niet kan zeggen of mijn keuze goed of fout was. Misschien is datgene wat later gebeurde mijn straf geweest, omdat ik geloofde dat het iets uitmaakte wat ik deed. Want zoals je ziet, is het me nu onmogelijk gemaakt een rol te spelen in de wereld van gebeurtenissen. Ik ben erbuiten geplaatst, en behoor tot geen van beide domeinen. Ik ben alleen een medium.' Achter zijn uitdrukking van kalme berusting, zijn toon van kalme acceptatie, voelde ik een groot verdriet. 'Ik weet wat ik je graag zou zien doen. Maar ik zal je geen raad geven. Op dit moment zie ik dat je een zware last draagt voor zo'n klein mensje. Laat ik dit tenminste even voor je verlichten. Ik zal je laten zien hoe het gaat, want je zult dit vermogen later zelf ook moeten gebruiken. Blijf heel stil zitten. Laat de dingen die je bezwaren van je afglijden.'

Heel geleidelijk begonnen er beelden in mijn hoofd te komen: een volle maan, die opkwam boven een meer, zodat een brede zilveren baan over het stille water viel. Een leeuwerik die spiralend omhoog vloog in een ochtendhemel, met zijn liedje dat klonk als een zuivere hymne van vreugde. Het gevoel omvat te worden door sterke armen, warm en troostend. Sean en ik die langs de oever van het meer renden, met snel kloppend hart, ons haar verwaaid door de wind terwijl wij lachten en schreeuwden van opwinding over het feit dat we leefden, en jong waren, en vrij. Een helling beplant met jonge eiken, en het zonlicht dat schuin op hun jonge blaadjes viel en ze omtoverde in schitterend goud. Het geluid van een baby, die kirrend lachte. Nog meer beelden, allemaal mooi, en allemaal met een speciale betekenis die me herinnerde aan de goede dingen in mijn leven, de dingen waardoor ik blij was deel uit te maken van Zeven Wateren en de familie die daar thuishoorde. Ik was vervuld van hoop, van een gevoel van welzijn. Het visioen werd even donkerder, en ik keek in twee grijze ogen die vast waren als een rots, betrouwbare ogen. Ik hoorde een stem, niet die van Finbar, zeggen: *Je hoeft dit niet alleen te doen, weet je.* Toen vervaagden de beelden even geleidelijk als ze gekomen waren, en mijn geest kwam weer tot zichzelf, en ik deed mijn ogen open en zag voor me het stille water van de vijver en de gestalte van mijn oom, die me kalm aankeek van over het spiegelende oppervlak.

Er waren erg veel vragen in mijn hoofd, ik wist niet waar ik moest beginnen.

'Je zult leren dit net zo te doen als ik. Je hebt er wilskracht voor nodig. Je moet jezelf sterker maken dan de ander; sterk genoeg om zijn gedachten naar de jouwe te voegen.'

'U denkt dat het nodig zal zijn dat ik dit doe? Wanneer?'

'Ik weet het. Ik kan niet zeggen wanneer. Je zult merken wanneer het nodig is. Nu, Liadan. Het kind.'

Plotseling sloeg de angst toe. 'Het kind is van mij,' zei ik, en mijn stem klonk woest. 'Ik zal over zijn toekomst beslissen. Het is niet aan het Feeënvolk, en ook niet aan het mensenvolk, om zijn weg te bepalen.'

'Dat zeg jij. Het kind is van jou. En je wilt de man ook, dat zag ik in je ogen toen je je hand uitstrekte naar zijn beeld. Maar deze man is niet te temmen, Liadan. Je zult hem niet op Zeven Wateren houden. En het kind moet hier blijven, omwille van ons allemaal. Het kind is misschien de sleutel. Dat hebben de Feeën je ongetwijfeld ook gezegd. Is het ooit bij je opgekomen dat je het misschien niet allebei kunt krijgen zoals je het hebben wilt?'

'Zo hoeft het vast niet te gaan,' zei ik; de strekking van zijn woorden beviel me allerminst.

'Je man draagt het teken van de raaf.'

'Hij is een Brit. Daarvan ben ik overtuigd. Ik zou er een eed op doen dat er geen druppel Iers bloed door zijn aderen stroomt. Hij kan niet degene zijn waarvan de profetie spreekt. Het is toeval, meer niet.'

'Je reageert heel snel.' Finbars uitdrukking was ernstig. 'Je hebt hier kennelijk zelf al aan gedacht. Maar je hebt gelijk. Zijn gezicht is getekend naar het beeld van de raaf, zo woest dat iedereen behalve de meest vastberaden mensen erdoor wordt afgeschrikt. En toch beantwoordt hij niet aan de woorden van de profetie. Noch van Brittannië, noch van Ierland, maar tegelijkertijd van beide. Deze man beantwoordt er niet aan, maar zijn zoon zal er wel aan beantwoorden.'

Ik maakte een ontkennend gebaar.

'Stil, Liadan. Ik zeg dit alleen om je te waarschuwen. De zoon draagt het teken van zijn vader in zijn bloed en in zijn gedrag. Daar valt niet aan te ontkomen. Je zoon zal de zoon van de raaf zijn. Hij zal de afstammingslijn van zowel zijn moeder als zijn vader voortzetten. Een Brit en een vrouw van Ierland die zelf een kind van beide volken is. Het klopt. En het is tijd. Zodra zijn afstamming bekend is, zal iedereen dat zeggen.'

Ik voelde me koud worden tot op het bot.

'Zegt u dat het beter is als niemand weet wiens kind hij is?'

'Dat zei ik niet. Het is iets vreselijks als een zoon nooit weet wie zijn vader is. Als een vader zijn zoon nooit te zien krijgt. Vraag jezelf maar eens waarom je de verhalen hebt uitgekozen die je hebt gekozen om te vertellen terwijl je bij de fianna was. Ik probeer niet je te beïnvloeden, ik weet wel beter. Je zult je eigen keuzes maken, en deze man met het ravenmasker, die niet weet dat hij vader wordt, zal dat ook doen. Misschien zul jij het patroon verder doorbreken. Toch zou het verstandig zijn het kind te beschermen. Er roeren zich krachten waarvan we dachten dat ze sinds lang verdwenen waren. Er zijn mensen die niet zullen willen dat dit kind opgroeit tot een man. Hier in het bos zal hij veilig zijn.'

'Hoe komt het dat u zoveel weet?'

'Ik wéét niets. Ik vertel je alleen wat ik gezien heb.'

Ik fronste mijn voorhoofd. 'Iedereen zegt maar steeds – u, moeder, Conor, zelfs de Vrouwe – ze hebben het steeds over het oude kwaad. Iets wat terugkomt en dat bestreden moet worden. Welk kwaad? Waarom legt niemand het uit?'

Hij keek me aan met iets wat op medelijden leek. 'Hebben ze het je dan nog niet verteld?'

'Wat? Me wat verteld?'

'Ik geloof dat het niet aan mij is dat aan je te onthullen. Conor heeft ons het zwijgen opgelegd. Misschien zul je het later weten. Houd intussen je kaars brandende, kind. Je man is ver weg. Hij is omringd door schaduwen.'

'Ik ben sterk,' zei ik. 'Sterk genoeg om hem vast te houden, en mijn kind. Ik zal hen beiden behouden. Ik zal hen niet opgeven.' Ik was verrast door mijn eigen woorden; ze leken bepaald niet ingegeven door gezond verstand, maar op de een of andere manier wist ik toch dat het de waarheid was.

Het bleef even stil, en toen hoorde ik het onverwachte geluid van zacht lachen.

'Hoe kon ik ook aan je twijfelen?' zei Finbar, met een brede grijns die op die van zijn broer leek, en die eigenlijk niet paste in het fragiele, beschaduwde gezicht. 'Je bent de dochter van je moeder.'

Toen stond, zonder dat ik iets had gehoord, Conor opeens naast me en legde een geruststellende hand op mijn schouder.

'We moeten gaan,' zei hij, en ik kon er niet achter komen of hij iets had gehoord van wat er tussen zijn broer en mij was voorgevallen. 'Je vader zit zich waarschijnlijk op te vreten.' Voor ons was de vijver glad als glas.

Ga nu naar huis, Liadan. Ik zal er zijn wanneer je me nodig hebt. Oefen je kunst.

Ik knikte, en we keerden om en liepen onder de overhangende bomen door, en begonnen aan de lange wandeling naar huis. Ik nam mijn kans te baat toen het meer bijna in het gezicht was gekomen, en vroeg aan Conor: 'Oom? Weet u wat er geworden is van de jonge druïde, Ciarán? Is hij teruggegaan naar de nemetons?'

Het bleef heel lang stil, en toen zei hij zacht: 'Nee, Liadan. Hij is niet teruggekomen.'

'Waar is hij heen gegaan?'

Conor zuchtte. 'Ver weg. Hij heeft een zeer gevaarlijke weg gekozen, om zijn verleden te zoeken. Hij heeft gezworen dat hij nooit tot de broederschap zal terugkeren. Het is een groot verlies. Groter dan hij zelf beseft.'

'Oom... heeft dit iets te maken met dat kwaad, het kwaad waarover mijn moeder spreekt, een schaduw uit het verleden die is teruggekomen?'

Conors mond verstrakte. Hij gaf geen antwoord.

'Waarom wilt u het me niet vertellen?' vroeg ik, geërgerd maar ook een beetje bang. 'Waarom wil niemand het me vertellen?'

'Dit mag niet verteld worden,' zei Conor ernstig, en we vervielen weer in zwijgen.

Het was donker tegen de tijd dat we bij de rand van het bos waren en de velden overstaken naar het huis, waar bij de hoofdingang brandende lantaarns waren opgehangen en veel mensen druk bezig waren op het erf.

'Je bent moe,' merkte Conor op terwijl we over het grindpad aan kwamen lopen. 'Zelfs ik ben ietwat vermoeid. Maar we zullen vanavond niet vroeg naar bed kunnen gaan. Zo te zien worden de Uí Néill en je zuster vandaag nog verwacht. Red je dat nog?'

'Ik red het altijd.'

'Dat is niet onopgemerkt gebleven.'

We kwamen de helverlichte zaal binnen. Conor had gelijk gehad. Mijn zuster werd verwacht voor het avondmaal, en tijdens onze afwezigheid waren er andere gasten gearriveerd, en het huis was vol licht en gesprekken en heerlijke etensgeuren. Daar was Seamus Roodbaard, die zijn forse achterwerk warmde voor het vuur, en zijn jonge vrouw die verlegen giechelde toen hij iets in haar oor fluisterde. Sean en Aisling hand in hand, stralend gelukkig dat ze weer samen waren. Mijn vader die Conor bestraffend aankeek. En Eamonn. Eamonn die opstond toen we binnenkwamen, met een bleek gezicht en zijn ogen op mij gericht alsof hij de hele tijd op dit ogenblik had gewacht. Ik vluchtte naar boven om me te verkleden. Nooit had ik er zo naar verlangd onder de dekens te kruipen, mijn benen op te trekken en meteen te gaan slapen. Het vuur in mijn kamer was aangestoken, alsof Janis wist wanneer ik thuis zou komen, en er was een groene jurk klaargelegd op het bed. Ik trok vermoeid mijn oude kleren uit en wurmde me in de nieuwe. Mijn buik was iets boller geworden. Je zou het niet opmerken als je er niet speciaal op lette. Maar het zou niet lang duren voor iedereen het zou weten. Ik maakte de jurk dicht en maakte mijn gezicht nat met water uit de kom die voor me was klaargezet. Ik boog me naar het vuur en hield een stuk hout in het midden van de gloed tot het vlam vatte. De kaars was al een heel eind opgebrand. Binnenkort moest ik een nieuwe maken. Ik stak de pit aan, en de geur van kruiden steeg op in de avondlucht. Liefdeskruiden, genezende kruiden. *Houd vol, waar je ook bent. Houd vol.*

Toen ik weer beneden was, kon ik Eamonn niet meer ontlopen. Voor ik een gesprek met Aisling, of met Seamus' jonge echtgenote kon aanknopen, stond hij naast me, nam me bij de arm om me naar een houten bank te geleiden, en haalde een beker wijn voor me.

'Gewoon water, alsjeblieft.'

'Je ziet erg bleek,' zei Eamonn terwijl hij me een andere bokaal bracht. Hij kwam naast me zitten en zijn vingers streken langs de mijne toen hij me de beker aangaf. 'Je zorgt niet goed voor jezelf, Liadan. Wat is er aan de hand? Waarom wilde je me niet ontvangen?'

Ik ademde diep in en liet de adem weer ontsnappen zonder iets te zeggen.

'Liadan? Wat is er?' Zijn stem klonk vriendelijk, de bruine ogen keken bezorgd.

'Het spijt me, Eamonn. Het is beter als we het hier niet over hebben. Ik ben erg moe. Ik heb een heel eind gelopen.'

Hij fronste zijn voorhoofd. 'Iemand zou beter voor je moeten zorgen.'

Daar had ik geen antwoord op. Temidden van de drukte en het gelach vormden wij een eiland van stilte.

'Ik accepteer dit niet,' zei hij plotseling. 'Je kunt dit niet doen.'

'Wat doen?' Brighid sta me bij, wat was ik moe. De aanraking van zijn hand riep herinneringen wakker, riep iets op dat beter kon blijven rusten.

'M-mij buitensluiten.' Eamonns gezicht vertrok van ergernis over zichzelf. Als kind had hij gestotterd, maar dat deed hij allang niet meer. 'Je bent me iets beters verschuldigd, Liadan. Ik moet je alleen spreken, voor ik wegga.'

Ik haalde diep adem. Opeens stonden er tranen in mijn ogen. Hoe kon ik het hem zeggen? Hoe kon ik al die dingen doen? Ik sprak zonder na te denken.

'Ik ben echt moe. Alleen ontzettend moe.'

Zijn gezicht veranderde. Hij keek snel om zich heen, om er zeker van te zijn dat niemand keek, en toen kwam zijn hand heel zacht naar mijn gezicht toe en hij streek één keer met zijn vingers langs mijn wang en veegde de ene traan weg die was ontsnapt.

'O, Liadan.'

De intensiteit van de uitdrukking op zijn gezicht was beangstigend. Ik kreeg het gevoel dat er maar een dunne grens was tussen liefde en haat, tussen hartstocht en woede. Ik hoefde niet te reageren, want ik werd gered doordat er buiten hoefgetrappel klonk, doordat iedereen naar de deur liep. Maar toen we opstonden om hen te volgen, voelde ik Eamonns hand op mijn rug, een lichte aanraking om me tegen de menigte te beschermen. Ik zou het hem gauw moeten vertellen. Op de een of andere manier zou ik er woorden voor moeten vinden.

Klepperende hoeven. Toortsen die walmden en vlamden in het donker. Een hemel zonder sterren, zwaar bewolkt. Ze kwamen twee aan twee het erf oprijden; de rechte ruggen en trotse houding van de mannen van de Uí Néill toonden geen spoor van vermoeidheid. Een van hen droeg zijn standaard, wit met een rood embleem, een slang die omkrulde zodat hij zijn eigen staart verslond. Dan Fionn zelf, breedgeschouderd, met strakke mond, en naast hem mijn zuster Ik had er zo naar verlangd haar te zien, Niamh die me in mijn kinderjaren altijd had geplaagd en gekweld, Niamh die het ene ogenblik tegen me tekeer ging, en me het volgende ogenblik haar diepste geheimen toevertrouwde. De lachende Niamh met haar gouden haar, die rondwervelde in een straal zonlicht, in haar witte jurk. *Verlang jij ook niet iets waardoor je leven een vlammende gloed krijgt zodat de hele wereld het kan zien? Verlang jij daar niet naar, Liadan?* Ik had haar vreselijk gemist, en ik popelde van verlangen om met haar te praten, ook al had ze een lange reis achter de rug. Daarom liep ik naar voren en de trap af, en ging naast Liam staan die daar stond om zijn gasten te begroeten, en het paard van mijn zuster kwam vlak voor me tot stilstand. Ik keek naar haar op; en op hetzelfde ogenblik wist ik dat, wat ik verder ook tegen haar zou zeggen, ik haar mijn geheim niet kon vertellen. Want ik stond daar in mijn groene jurk, gloeiend van het nieuwe leven dat me geschonken was; en zij keek me heel even aan en wendde meteen haar blik af, en haar gezicht was star, haar grote blauwe ogen hol en leeg, alle hartstocht, alle hoop, alle fantastische dromen waren erin gedoofd. Fionn kwam om het paard heen om haar zijn hand te reiken, en ze steeg elegant af. Haar met bont gevoerde reismantel en haar zachte, geitenleren laarsjes waren onberispelijk. Haar glanzende haar was gesluierd met sneeuwwit linnen, en bedekt met een fluwelen kap. Ze leek op een prachtige schelp waaruit de levende bewoner door een plotselinge storm was weggerukt, het mooie restant van een levend wezen dat voorgoed verdwenen was. Ik deed een stap naar voren en legde mijn armen om haar heen, en drukte haar tegen me aan als om te ontkennen wat ik zag, en ze onttrok zich aan mijn omhelzing.

'Liadan.' Het leek haar al de grootste moeite te kosten om mijn naam uit te brengen.

'O, Niamh. O, Niamh, het is heerlijk om je te zien.'

Maar het was niet heerlijk. Het was helemaal niet heerlijk. Ik keek in het mooie, lege gezicht van mijn zus, en voelde mijn hart verkillen door een angstig voorgevoel.

HOOFDSTUK ACHT

E r was iets heel erg mis, en ik kwam er maar niet achter wat het was. Niamh vermeed me. Ze weigerde te praten, alsof ze voor zichzelf wilde ontkennen dat ze thuis was. En toch zag ik in haar gezicht zo weinig wilskracht en waren haar ogen zo zielloos leeg dat ik eigenlijk niet kon geloven dat ze de moeite kon opbrengen om mij te ontlopen. Zelfs wanneer de mannen bij elkaar zaten rond de grote eiken tafel en verdiept waren in strategische gesprekken, kon ik Niamh nog niet alleen vinden. Vaak kon ik haar helemaal niet vinden.

'Niamh ziet er niet goed uit,' merkte Aisling licht fronsend op. 'Zou ze soms in blijde verwachting zijn?'

Op de derde avond van het bezoek vroeg ik Liam een gunst.

'U ziet hoe het met Niamh is, oom. Ze lijkt uitgeput, verslagen. Ze kan niet mee naar Tara. Dat zal Fionn toch moeten erkennen. Vraag aan hem of ze bij ons mag blijven terwijl de mannen verder reizen.'

Liam keek me streng aan. 'Vertel me, nicht, waarom zou ik Niamh een gunst bewijzen?'

'Vraagt u dat nog? Ziet u dan niet wat dit huwelijk bij haar heeft aangericht? Herinnert u zich niet meer hoe ze was?'

'Dat is onredelijk, Liadan. Een vrouw moet zich onderwerpen aan het gezag van haar vader, en later aan dat van haar echtgenoot. Dat is zonder meer juist en vanzelfsprekend. Fionn is een gerespecteerd man, een man van aanzien. Hij behoort tot de Uí Néill. Niamh moet volwassen worden en zich aanpassen als ze iets van waarde aan zijn huishouden wil bijdragen. Ze moet het verleden achter zich laten.' Het klonk alsof hij niet alleen mij, maar ook zichzelf probeerde te overtuigen.

'Oom. Wilt u het alstublieft aan Fionn vragen?'

'Goed dan. Ik zal niet ontkennen dat het een bruikbaar idee is. Eamonn heeft al voorgesteld dat jij en je zuster over een paar dagen met Aisling mee terug reizen. Die regeling heeft mijn voorkeur. Je bent volkomen veilig in zijn huis, je kunt Aisling gezelschap houden terwijl haar broer weg is, en het zou de thuisreis voor Niamh onderbreken. Je hebt gelijk, ze ziet er niet goed uit.'

Sean had op de tweede ochtend zijn plannen aan de bondgenoten voorgelegd. Ze bevonden zich ditmaal in de kleinere, afgescheiden kamer. Toen ik met een stapel linnengoed door de bovengang liep, hoorde ik luide stemmen, die niet zozeer boos klonken, als wel verbluft en opgewonden. Ik ving iets op van Seans gedrevenheid en zijn hartstochtelijke wil hen te overtuigen. Het middagmaal stond op tafel koud te worden terwijl zij achter gesloten deuren over het onderwerp beraadslaagden; en toen ze naar buiten kwamen, waren Fionn en Sean nog steeds diep in gesprek. Eamonn was bleek en stil en had een bedrukte uitdrukking op zijn gezicht. De felle discussie werd voortgezet terwijl ze aten en dronken. De meningen waren verdeeld. Fionn voelde wel iets voor het idee, Seamus weifelde. Liam hield vast aan zijn standpunt; hij wenste geen zaken te doen met de fianna, hij wilde niet onderhandelen met anonieme huurlingen, hij was niet van plan aan een missie deel te nemen zonder dat hij er zelf de leiding over had. En iedereen wist dat niemand leiding kon geven aan de Beschilderde Man. Die hield er zijn eigen wet op na, als wet tenminste het goede woord was voor iemand die zo duidelijk buiten de wet leefde. Hem vertrouwen was eigenlijk net zoiets als je hoofd in de muil van een draak steken. Pure waanzin. Bovendien, merkte Seamus op, hoe moest je eraan beginnen? De bandiet kwam en ging naar eigen believen; niemand wist waar zijn hoofdkwartier was. Hij was zo glad als een aal. Hoe liet je hem weten dat je geïnteresseerd was? Sean antwoordde dat daar methoden voor waren, maar hij legde dat niet verder uit. Eamonn zei heel weinig. Toen de tafel was afgeruimd, ging hij niet met de anderen mee terug om de discussie voort te zetten, maar liep alleen naar buiten.

Ik dwong mezelf om achter hem aan te gaan. Ik kon niet langer wachten tot hij naar me toe kwam; ik zou hem het slechte nieuws meedelen en daarmee uit. Het was beter dat hij het zo snel mogelijk wist. Dit was niet wat mijn moeder en ik ons hadden voorgesteld, maar Eamonn liet me geen keus.

Ik vond hem bij de stallen. Hij stond te kijken naar de grijze merrie die mij naar huis had gebracht, terwijl een van de jongens haar over het erf liet ronddraven. Een, twee, en drie en vier; ze tilde haar voeten keurig op als een danseres. Haar vacht glansde, haar zilverige manen en staart glommen door de goede verzorging.

Ik ging naast Eamonn staan; hij stond in de schaduw te kijken.

'Liadan.' Zijn stem klonk terughoudend.

'Je wilde met me praten,' zei ik. 'Nou, hier ben ik dan.'

'Ik weet niet of... dit is niet het goede moment. Ik ben... je broer heeft me teleurgesteld. Hij heeft me geschokt, met een verkeerde inschatting. Ik vrees dat ik niet tegen je kan zeggen wat ik ervan denk.'

'Ik weet dat dit geen goed moment is, Eamonn. Maar ik moet je iets zeggen, en dat moet nu gebeuren, nu ik er de moed voor heb.' Ik had onmiddellijk zijn aandacht.

'Je hebt... moed nodig om het me te zeggen? Je hoeft nooit bang voor me te zijn, Liadan. Je moet weten dat ik datgene wat voor mij het kostbaarst is, nooit kwaad zou doen.'

Zijn woorden maakten het niet gemakkelijker om te doen wat ik moest doen. We liepen zwijgend naar een plek achter de stallen, waar je in de zon op een trapje kon zitten. Dit was een goede plek geweest voor kindergeheimen. Hier kon niemand je zien, behalve misschien een druïde.

'Wat is het, Liadan? Wat kan zo erg zijn dat je het niet aan een vriend durft te vertellen?' En hij nam mijn beide handen in de zijne, hield ze gevangen, zodat ik niet weg kon. 'Zeg het, lieve.'

Brighid sta me bij. Ik huiverde van top tot teen. 'Eamonn. We kennen elkaar al heel lang. Ik respecteer je, en ik ben het aan je verplicht je de waarheid te vertellen, of zoveel van de waarheid als ik kan. Een tijd geleden heb je... heb je me gevraagd je vrouw te worden, en ik heb gezegd dat ik je met Beltaine een antwoord zou geven. Maar ik voel dat ik je nu mijn antwoord moet geven.'

Er viel een stilte.

'Ik zie dat ik je op dit punt te veel onder druk heb gezet,' zei hij voorzichtig. 'Als je dat liever hebt, zal ik zo lang wachten als jij wilt. Neem de tijd die je nodig hebt om je beslissing te nemen.'

Ik slikte. 'Dat is het juist. Ik kan niet de tijd nemen. En ik kan niet met je trouwen, nu of later. Ik draag het kind van een andere man.'

En toen bleef het heel lang stil, en tijdens die stilte staarde ik doodongelukkig naar de grond en bleef hij roerloos zitten, nog steeds met mijn handen in de zijne. Ten slotte sprak hij met een stem die kalm klonk, zelfs aan een vreemde leek toe te behoren.

'Ik geloof dat ik je niet goed heb verstaan. Wat zei je?'

'Je hebt me wel verstaan, Eamonn. Vraag me niet het nog eens te zeggen.'

Weer een stilte. Hij liet mijn handen los. Ik kon hem niet aankijken.

'Wie heeft dit gedaan?'

'Dat kan ik je niet zeggen, Eamonn. Ik zal het je niet vertellen.'

Toen kwam hij in beweging, en ik voelde zijn handen op mijn schouders, in een hardhandige greep.

'Wie heeft dit gedaan? Wie heeft genomen wat van mij was?'

'Je doet me pijn. Ik heb je verteld wat ik je moest vertellen, en nu ben je vrij wat mij betreft. Ik ga je niet meer vertellen.'

'Vertellen? Wat bedoel je, vertellen? Wat stellen ze zich voor, je broer, je vader? Ze zouden op zoek moeten zijn naar het uitvaagsel dat jou dit heeft aangedaan, hem moeten laten boeten voor deze... deze schanddaad!'

'Eamonn...'

'Zodra ik je zag, op het moment dat Sean en ik je vonden, was ik al bang dat er zo'n misdaad was gepleegd. Maar je wilde niet met me praten, en je leek kalm, bijna al te kalm... en niemand praatte er verder over, dus ik dacht... maar als zij het niet doen, zal ik deze barbaarse wreken. Ik zal zorgen dat hij ervoor betaalt. Dit k-kind had van mij moeten zijn.'

'Zij wisten het niet.' Mijn stem beefde. 'Sean, Liam, mijn vader. Ze weten het nog steeds niet. Jij bent pas de tweede die dit nieuws hoort, na mijn moeder.'

'Maar waarom?' Hij was opgestaan, ijsbeerde en opende en sloot zijn handen alsof ze graag iets of iemand schade zouden willen toebrengen. 'Waarom vertel je het niet? Waarom gun je je mannelij-

ke familieleden niet de voldoening van gerechtvaardigde wraak?'
Ik haalde diep adem.

'Omdat ik,' zei ik heel duidelijk, zodat het onmogelijk was dat hij me verkeerd zou begrijpen, 'hieraan uit vrije wil heb meegewerkt. Dit kind is in liefde ontvangen. Ik weet dat dit jou meer zal kwetsen dan de gedachte dat mij een gewelddaad is aangedaan. Maar het is de waarheid.' Nog steeds kon ik mezelf er niet toe brengen hem in de ogen te kijken.

Hij liep met grote passen op en neer, op en neer. Nu had ik hem tenminste de waarheid meegedeeld, en zijn sterke gevoel voor fatsoen zou hem geen andere keus laten dan mij te verlaten. Hij zou iets verontschuldigends mompelen en naar Tara vertrekken om zijn gekwetste trots te koesteren en een andere vrouw te zoeken.

'Ik geloof je niet.' Hij bleef voor me staan en bukte zich om mijn handen te pakken. Hij trok me overeind zodat ik voor hem kwam te staan. Ditmaal moest ik hem wel aankijken, en ik kon aan de verbijstering in zijn ogen zien dat hij meende wat hij zei. 'Ik ken je te goed. Jij bent niet in staat tot zo'n daad, je bent de verstandigste en evenwichtigste vrouw die ik ken. Ik weiger te geloven dat je jezelf zo, ongehuwd en aan een ander toegezegd, zou geven. Dit kan niet de waarheid zijn.'

Hij had het me niet moeilijker kunnen maken, zelfs niet als het zijn bedoeling was geweest om dat te doen. 'Toch is het de waarheid, Eamonn,' zei ik zacht. 'Ik houd van deze man. Ik draag zijn kind. Ik kan het niet duidelijker zeggen. Bovendien heb ik je nooit iets toegezegd.'

'Heeft hij aangeboden met je te trouwen? Je kind een naam te geven?'

Ik schudde mijn hoofd. Hield hij nu maar op. Ging hij nu maar weg. Elk woord maakte het alleen maar erger.

'Deze ellendeling heeft misbruik gemaakt van jouw onschuld, en nu neem je hem in bescherming vanwege een misplaatst gevoel van loyaliteit. Ik zal hem opsporen en ik zal hem met mijn blote handen wurgen. Het zal me een diepe voldoening geven hem te zien sterven.'

Heel even kwam dat beeld terug, de knijpende handen, het snakken naar levensadem, het mes, het bloed. Toen vervaagde het weer en stond ik op mijn benen te zwaaien.

'Liadan, wat is er? Hier, ga zitten. Laat me je helpen. Je voelt je niet goed.'

'Ik wil dat je nu gaat. Ga alsjeblieft weg.' Ik legde mijn hoofd in mijn handen, zodat ik de uitdrukking in zijn ogen niet hoefde te zien.

'Je hebt hulp nodig...'

'Zo meteen voel ik me weer beter. Ik moet echt alleen zijn. Ga alsjeblieft weg, Eamonn.' Mijn eigen zwakheid maakte me wreed.

'Als dat is wat je wilt.' Hij sprak nu met een uiterst beheerste stem. Hij draaide zich al om en wilde gaan.

'Wacht.'

Ik hoorde hoe hij zijn adem inhield, maar ik zei niet wat hij wilde horen.

'Ik moet je om een gunst vragen. Ik moet dit nieuws nog bekendmaken. Geef me alsjeblieft de tijd om het aan mijn vader, Sean en mijn oom te vertellen, voor je erover spreekt. En... en Eamonn, het spijt me dat ik je pijn heb gedaan.'

Hij antwoordde niet.

'Eamonn?'

'Je zou ja hebben gezegd, hè?' Hij sprak snel, alsof de woorden er tegen beter weten in uit rolden. 'Met Beltaine. Je zou me hebben geaccepteerd, als dit niet was gebeurd?'

'O, Eamonn. Wat heeft het voor ons allebei voor zin om die vraag te beantwoorden? Het is allemaal anders geworden. Alles is veranderd. Ga nu, alsjeblieft. Het heeft geen zin verder te praten. Het is gebeurd, en bloedvergieten kan er niets aan veranderen.'

'Ik zal tijd nodig hebben.' Dit verraste mij ook. 'Tijd om dit te verwerken.'

'Dat zal voor anderen ook het geval zijn,' zei ik wrang. 'Er zijn veel mensen die ik het nog moet vertellen. Ik moet je nogmaals vragen hier niet over te spreken, tot...'

'Natuurlijk zal ik dat niet doen. Ik heb altijd het grootste respect voor je gehad, en dat heb ik nog steeds.' Hij maakte een stijf begin van een buiginkje, draaide zich op zijn hielen om en was eindelijk weg.

Het was een vreemd avondmaal, met veel blikken en gebaren en onuitgesproken woorden. Niamh droeg een ingetogen gewaad van een zachte, goudkleurige stof, hoog gesloten, met lange mouwen, en ze zat zwijgend naast haar echtgenoot terwijl deze met Liam strategieën besprak. Ze at weinig. Mijn moeder zat niet aan tafel, mijn vader was afgeleid. Van tijd tot tijd betrapte ik hem erop dat hij naar Niamh keek, en dan naar Fionn, en in zijn gezicht zag ik een somberheid die mijn eigen gedachten weerspiegelde. Ik had voor de verandering geen honger. Ik had nog maar door één zure appel heen gebeten. Eamonn was genoodzaakt geweest aan tafel te verschijnen, net als mijn vader, omdat zijn afwezigheid aanstoot had kunnen geven. Hij dronk zijn wijn, en de beker werd weer volgeschonken, en hij dronk weer. Een schotel met eten werd voor hem neergezet, en onaangeroerd weer weggenomen. Er waren donkere gedachten in zijn blik.

De volgende ochtend was het mooi weer. Ik stond vroeg op, kleedde me warm aan in een jurk voor buiten en sloeg de grijze jas eroverheen, een onelegante maar praktische combinatie. Het water in de kleine waskom was zo koud dat ik meteen helemaal wakker was. Ik ging naar buiten om mijn vader te zoeken. De meeste lammetjes werden bij ons in het voorjaar geboren, maar sommige ooien lammerden in de herfst, en wanneer het een koude herfst was, kon dat een probleem zijn. Iubdan was bezig in de hoogste weiden, waar hij de kudde nakeek met de hulp van een stokoude herder en twee jongens die als ogen en handen van de oude man fungeerden. Er was een pasgeboren lammetje. Het stond al wel op zijn pootjes maar nog erg wankel, en ze overlegden of ze de ooi mee naar beneden zouden nemen om te proberen haar te redden of dat ze haar ter plaatse uit haar lijden zouden verlossen.

'Geef haar tenminste een kans,' zei ik, toen ik van achter hen aan kwam lopen. 'Dat jonkie zou over een paar jaar een eersteklas fokram kunnen zijn. Gun haar een paar dagen.'

'Dat weet ik zo net nog niet.' De oude man krabde aan zijn kin, die dun begroeid was met borstelige haren. 'Het zou tijdverspilling kunnen zijn.'

'Geef haar een dag of twee,' zei ik weer, terwijl de ooi haar onschuldige ogen naar mij opsloeg.

Iubdan, die gehurkt naast het getroffen dier zat, stond op. 'Jongens, jullie nemen haar mee naar de schuur beneden. Daar is een ooi die gisteren haar eigen lam heeft verloren. Jullie weten wat je moet doen.'

'Ja hoor. Het vel van het dode lam nemen, en er dit lam mee in-wrijven en hem daarna bij de andere ooi zetten. Dan neemt ze hem waarschijnlijk als haar eigen lam aan.' De jongen wilde graag laten horen hoeveel hij wist.

'Nou, ga dat dan maar gauw doen,' zei mijn vader met een lach.

'Vader. Hebt u misschien even tijd?'

'Natuurlijk, liefje. Wat is er?'

Het drietal, jong en oud, hees de ooi op een plank en begon de heuvel af te lopen naar de schuur. De kromgebogen oude herder volgde de twee jongens, terwijl hij het piepkleine lammetje voor-zichtig in zijn armen droeg.

'Wat zit je dwars, dochter? Gaat het over Niamh?'

'Ik maak me inderdaad zorgen over haar. Maar ik moet nu over iets anders praten. Iets heel ernstigs, vader, dat geen uitstel ge-doogt. U zult... u zult meer dan misnoegd zijn, vrees ik.'

'Kom, ga hier zitten, Liadan. Dit is niet gering, zo te horen. Er is veel voor nodig om mij te misnoegen, dat weet je.'

We gingen naast elkaar zitten op het muurtje van stenen. Van hier-af liepen de laagste uitlopers van het grote bos naar beneden waar ze de grimmige vestingmuren van Zeven Wateren omgaven. Het bastion werd verzacht door talloze takken van eik en beuk, lijs-terbes en berk. Het blad begon te verkleuren, en de frisse lucht was helder, afgezien van de opstijgende pluimen houtrook van vroege kookvuren.

'Het wordt een mooie morgen,' zei Iubdan.

'De ooi,' begon ik plompverloren middenin. 'U hebt haar een paar dagen gegund. U had haar kunnen afmaken. Waarom?'

Hij dacht even na. 'Normaal gesproken zou ik op het oordeel van de oude man zijn afgegaan. Hij was al voor mijn geboorte her-der. Ik deed het omdat jij het vroeg. Misschien gaat de ooi dood, misschien ook niet. Waarom vraag je dat?'

'Toen... toen ik weg was, heb ik een man gedood. Ik heb zijn keel doorgesneden met mijn mes, en hij stierf. Ik heb dat nooit eerder gedaan.'

Mijn vader zei geen woord. Hij wachtte tot ik verder ging.

'Het was het enige wat ik kon doen, begrijpt u? Hij was sterven-de, ze hadden hem laten liggen om te sterven, hij leed verschrik-kelijk, ik kon niet anders. U hebt ooit gezegd dat u hoopte dat ik de dingen die u me leerde, met mes en boog en stok, nooit zou hoeven gebruiken. Nu heb ik ze dus gebruikt, en ik voel me er niet beter door. Maar toch was het op dat moment mijn enige keus.'

Iubdan knikte. 'Was dat wat je me moest vertellen?'

'Maar een gedeelte ervan.' Mijn keel zat plotseling dichtgeschroefd. 'Er was nog een man, die ik heb geprobeerd te genezen. Net als die ooi. Ik stond erop dat ze hem lieten leven, en hij heeft geleden, en uiteindelijk is hij toch gestorven. Ik had de verkeerde keus gemaakt. Maar op dat moment was ik er heilig van overtuigd dat ik het juiste deed.'

Mijn vader knikte weer. 'Je doet wat je moet doen. Niet elke keuze kan de juiste zijn. En je kunt nooit zeker weten of de jouwe verkeerd was. Je moeder zou zeggen dat er krachten buiten jezelf zijn die hun invloed in dit soort dingen laten gelden. Je bent een kundig genezeres; als iemand die man had kunnen redden, was jij het geweest. Er is misschien een andere reden geweest waarom het leven van deze man langer heeft moeten duren.'

Ik zei niets.

'Weet je,' zei Iubdan op conversatietoon, 'als ik iets heb geleerd van al die jaren dat ik temidden van de mensen van Erin heb gewoond, is het wel dat er in een verhaal meestal niet twee dingen zitten. Het zijn er altijd drie. Drie wensen; drie draken. Drie mannen.'

Ik haalde diep adem. 'Vader. U hebt, nog niet zo lang geleden, tegen me gezegd dat ik mijn eigen keus zou mogen maken wanneer het tijd was om te trouwen. Herinnert u zich dat?'

Hij wachtte even voordat hij iets zei. 'Dit is niet wat ik verwachtte.' De zon klom al hoger; het ochtendlicht gaf zijn haar precies dezelfde roodgouden tint als dat van Niamh. Herfstrood; eikenbladrood. 'Maar ja, natuurlijk herinner ik me dat.'

'Ik...' Ik kreeg de woorden niet uit mijn mond. 'Vader, ik...'

'Je hebt een man ontmoet die je aardig vindt? Misschien die stokoude, betrouwbare, armlastige kerel over wie we het toen hebben gehad?' Hij lachte, maar zijn blauwe ogen stonden vragend en waren strak op mijn gezicht gericht.

'Ik moet het zeggen zoals het is, vader, hoewel het je pijn zal doen, en dat doet me verdriet. Ik verwacht een kind. Ik kan de naam van de vader van dit kind niet noemen, en ik zal niet met hem trouwen, en ook niet met een ander. Er is mij geen onrecht aangedaan, er is geen wandaad gepleegd. Deze man is... hij is de man die ik zou kiezen, boven alle andere mannen. Maar ik zal mijn kind alleen ter wereld brengen en grootbrengen, want deze man wil niet naar Zeven Wateren komen. Ik heb dit aan moeder en aan Eamonn verteld. Nu vertel ik het aan u, en ik ben bang omdat... omdat ik meer dan wat ook uw respect niet wil verliezen. Als u uw vertrouwen in mij verloor, zou ik misschien aan mezelf gaan twijfelen. En dat kan ik me niet permitteren. Ik heb hiervoor al mijn kracht nodig.'

In tegenstelling tot Eamonn bleef mijn vader stil zitten terwijl hij het nieuws tot zich liet doordringen. Hij keek uit over de verre bossen en zijn gezicht verried niets. Hij vroeg me niet te herhalen wat ik gezegd had. Hij begon niet heen en weer te lopen. Uiteindelijk vroeg hij: 'Wat zei je moeder?'

'Dat ze het kind even kostbaar achtte als ik. Dat ze er zou zijn om hem met eigen handen te verlossen, in het voorjaar.'

'Juist,' zei hij, en ik hoorde een grimmige klank in zijn stem en zag een spanning rond zijn kaak, waaruit ik opmaakte dat hij erg zijn best deed om zijn boosheid te bedwingen. 'Ik vind dat je het me moet vertellen. Ik vind dat je me de naam van deze man moet noemen. Niamhs ongelukkig gekozen minnaar had tenminste de moed om voor de dag te komen en zich te verantwoorden. De jouwe, schijnt het, neemt domweg wat hem bevalt en gaat op zoek naar de volgende gelegenheid.'

Ik voelde de hitte naar mijn wangen stijgen. 'Zoals u het zegt, klinkt het goedkoop wat er tussen ons was,' zei ik. Tot mijn schrik was ik nu bezig ruzie te maken met mijn vader, die ik meer respecteerde dan wie ook op de wereld. 'Dit was geen... geen losse liaison, geen achteloze ontmoeting... Het was...'

'Help me even herinneren, hoelang ben je ook alweer weg geweest?' vroeg vader.

'Niet doen! Dit is helemaal verkeerd! O, wat gebeurt er toch met ons, dat we elkaar allemaal kwetsen en niet meer kunnen luisteren!'

Het bleef even stil, en toen begon hij weer te spreken, heel zacht. 'Goed dan,' zei hij. 'Ik heb het resultaat van Niamhs fout gezien; hoe het haar heeft veranderd, en dat stelt me allesbehalve gerust. Ik zal naar je luisteren. Misschien is de naam van de man niet zo belangrijk. Het is zijn handelwijze die ik moeilijk kan begrijpen. Je zei dat hij niet naar Zeven Wateren wilde komen. Waarom niet? Welke man zou een vrouw zoals jij niet volgen en ernaar verlangen haar als zijn echtgenote te houden? Welke man zou zijn eigen zoon niet willen kennen? Tenzij hij al getrouwd is, of je anderszins onwaardig is. Maar je oordeel is er zelden naast, dochter.'

'Hij... hij heeft me gevraagd bij hem te blijven, en ik heb nee gezegd. Het ging om moeder; ik moest naar huis. Toen, later... toen hij ontdekte wie ik was, wilde hij maar al te graag van me af.' Plotseling stond het huilen me nader dan het lachen.

'Dit bevalt me absoluut niet. Werd er een reden gegeven?'

Ik was niet van plan geweest het hem te vertellen. Maar het kwam er toch uit. 'Iets van lang geleden. Toen u van Harrowfield wegging. Er is een of ander onrecht geschied. Hij zei... hij zei dat u hem zijn geboorterecht hebt ontnomen. Zoiets. Vader, u mag hierover met niemand spreken, begrijpt u?'

Hij had zijn voorhoofd gefronst. 'Dat is erg lang geleden. Van welke leeftijd is die man van jou?'

'Niet heel oud. Ongeveer zo oud als Eamonn, misschien jonger.'

'En hij is een Brit?' Zijn stem klonk vragend, maar ik antwoordde niet, want ik was niet bereid toe te geven dat ik het antwoord niet wist 'Hij kan niet veel meer dan een zuigeling zijn geweest toen ik van Harrowfield wegging,' vervolgde vader. 'Dit kan toch niet juist zijn.'

'U hebt nooit over die tijd verteld. Was er iets... is er iets gebeurd dat zou kunnen verklaren wat hij zei? Is er een kind iets aangedaan? Er is een kwaad in het verleden dat zwaar op hem drukt.'

Iubdan schudde zijn hoofd. 'Er waren natuurlijk kinderen daar, in het huishouden, in de dorpen, op de boerderijen. Maar ik heb mijn landgoed in goede handen achtergelaten. Ik heb ervoor gezorgd dat alles veilig en geordend was voor ik hierheen ging. Mijn mensen waren goed beschermd, hun toekomst was zo goed gewaarborgd als mogelijk is in deze moeilijke tijden. Misschien zou ik, als ik met hem zou kunnen praten...'

'Nee,' zei ik. 'Dat is niet mogelijk.'

'Schaam je je voor hem? Of voor mij?'

'Nee, natuurlijk niet, vader. Dat mag je niet eens denken. Hij kan niet hier komen. Hij leidt een leven van... van gevaar en vluchten. Er is in zo'n leven geen plaats voor mij of voor zijn kind. Het is beter als ik dit gewoon zelf doe.'

'Maar je wilde niet met Eamonn trouwen.'

'Als ik deze man niet kan krijgen, wil ik geen ander.'

'Heb je het aan Niamh verteld?'

'Hoe zou ik het haar kunnen vertellen? U hebt gezien hoe het met haar is. Ze heeft nauwelijks een woord tegen me gesproken sinds ze thuis is.'

We stonden op en begonnen langzaam de heuvel af te lopen naar de schuur. We zwegen een poos en toen zei hij: 'Sinds Niamhs terugkomst schijn ik haar niet te kunnen bereiken, Liadan. Ze wil niet naar haar moeder toe, terwijl die er juist zo naar verlangt de wonden te verzachten die Niamh zijn toegebracht toen ze niet met haar minnaar mocht meegaan. Het is net of er in plaats van onze dochter een andere vrouw is teruggekomen; alsof iemand dat stralende meisje heeft veranderd in een schim van zichzelf. Ik heb één dochter verloren, en je moeder bewandelt een donkere weg. Ik wil jou niet ook nog verliezen.'

Ik legde mijn arm om de zijne. 'Ik ben altijd van plan geweest hier te blijven. Dat weet u.'

'Ja. Mijn dochtertje, zo bekwaam in alle huishoudelijke werkjes, altijd het gelukkigst met haar eigen mensen om haar heen. Jij bent het hart van het huishouden, Liadan. Maar weet je wel zeker dat dit nog steeds het enige is wat je wilt?'

Ik antwoordde niet. Mijn vader en ik logen niet tegen elkaar.

'Stel dat deze man morgen bij je voor de deur staat, en je vraagt met hem mee te gaan? Wat zou je antwoord dan zijn?'

Als hij morgen bij me voor de deur staat, terwijl Eamonn nog hier is, zou hij van geluk mogen spreken als hij heelhuids wegkomt. 'Ik weet het niet. Ik weet niet wat ik zou doen.'

We waren onder de bomen uit gekomen en konden de wit geverfde muren van de schuur voor ons zien.

'Ik heb een voorstel voor je, dat we zullen uitvoeren als je moeder het ermee eens is.' Het leek wel of vader een plan ging uitleggen om een muur te bouwen of een boomgaard te planten. Maar zijn ogen waren beslist niet kalm. 'Wanneer Aisling naar huis gaat, ga je met haar mee naar Sídhe Dubh, en daar blijf je terwijl Eamonn op Tara is. Neem Niamh mee en probeer erachter te komen wat er met haar aan de hand is. Ik heb het gevoel dat er iets ergers mis is dan wij weten, iets wat diep ingrijpt en verwondt. Ik heb mijn best gedaan haar te bereiken, maar ze ziet mij als haar vijand en wil niet met me praten. Het is voor je moeder al zwaar genoeg haar eigen zwakheid en pijn te verdragen, zonder de dagelijkse kwelling dat ze haar dochter zo moet zien en haar niet mag helpen. Je moeder zei dat als Niamh met iemand zal willen praten, het met jou zal zijn. Ik vraag je dit voor mij te doen. Dat wil zeggen, tot Fionn terugkomt om haar te halen, en dan moet je naar huis komen. Je zult wel niet in Eamonns huis willen verblijven wanneer hij terug is. Je zegt dat je hem dit nieuws al hebt verteld. Dat is waarschijnlijk voor jullie allebei moeilijk geweest. Eamonn is een trotse man; hij kan een verlies niet goed verdragen.'

'Het was afschuwelijk.'

Mijn vader legde zijn arm om mijn schouders. 'Goed dan. Wat zeg je ervan?'

'Als u dit wilt, zal ik gaan.' Bij het vooruitzicht zonk de moed me in de schoenen. Ik was er niet zeker van dat ik wilde weten wat er achter Niamhs mooie, lege ogen schuilging. Ik wist dat ik niet in het huis van Eamonn wilde vertoeven, zelfs al was hij zelf afwezig. 'Je zult dit voor mij doen, en voor je moeder. Als tegenprestatie zal ik jou en mijn kleinkind in bescherming nemen. Ik zal zorgen dat Liam hiervan op de hoogte is voor hij naar Tara vertrekt. Ik zal het ook aan Sean en aan Conor vertellen.'

'Moeder zei dat zij dat zou doen...'

'Ik zal het doen. En ik zal het op zo'n manier doen dat er geen vragen worden gesteld en dat aan jou geen eisen zullen worden gesteld. Je bent mijn dochter. Jij en je kind zullen hier op Zeven Wateren veilig zijn, voor zo lang als je hier wenst te blijven.'

'O, vader.' Ik sloeg mijn armen om hem heen en omhelsde hem. 'Ik wens jou niet in wanhoop te zien vervallen, zoals met Niamh is gebeurd. Ook ik heb de regels doorbroken om te krijgen wat ik wilde, Liadan. Ik heb nooit vergeten wat ik achter heb gelaten toen ik hierheen kwam. Maar ik heb nooit ook maar een ogenblik geloofd dat het verkeerd was om te doen wat ik verkoos te doen. Je bent de dochter van je moeder. Het is voor mij onmogelijk om te denken dat jouw keuzes verkeerd kunnen zijn. Het zal vast en zeker ergens goed voor zijn. Ja, liefje, huil maar eens uit. Later moet je Aisling opzoeken en je bezoek voorbereiden. Misschien moeten jullie per paard en wagen reizen; het is misschien niet verstandig als jij op een paard rijdt.'

'Paard en wagen!' Mijn tranen waren als bij toverslag gestelpt. 'Ik ben niet ziek. Het is volkomen veilig als ik op de kleine merrie rijd. We houden een kalm tempo aan.'

Hij hield woord. Hoe hij het precies voor elkaar kreeg, weet ik niet, maar op de avond voordat de mannen naar Tara zouden vertrekken, waren Liam en Sean op de hoogte van mijn nieuws, en Conor ook, maar misschien had hij het al geweten. Ik was me er voortdurend van bewust hoe anders het ging dan bij Niamh. Voor mijn zus was er sprake geweest van koele afkeuring, van streng ingrijpen, van uitsluiting en een haastig, gedwongen huwelijk. Voor mij was er domweg aanvaarding van een feit, alsof mijn vaderloze kind al deel uitmaakte van de familie op Zeven Wateren. Ik had met mijn vergrijp meer regels overtreden dan Niamh. Ik kon nog steeds niet begrijpen waarom de familie vond dat Ciarán een ongeschikte huwelijkskandidaat voor haar was; en waarom ze hun redenen daarvoor geheim hadden gehouden. Er was geen kind op komst geweest. En toch had Niamh niets van de liefde en warmte gekregen die mij omringden. Het had iets vreselijk onrechtvaardigs. Ik was me bewust van mijn zus terwijl ze zich stijfjes door het huis bewoog, afgesloten achter haar onzichtbare scherm, zonder uitdrukking in haar ogen, met haar armen om zich heen geslagen of haar handen stijf in elkaar gestrengeld alsof ze haar pantser geen moment mocht laten verslappen, alsof ze dacht dat wij allemaal vijanden van haar waren.

Hoewel ik het oneerlijk vond, was ik mijn vader diep dankbaar omdat hij mijn weg op wonderbaarlijke wijze wist te effenen. Nieuws reist snel. Ik ging voor het avondeten naar beneden, en daar was niemand minder dan Janis, die naging of er genoeg bokalen, schalen en messen waren voor het huishouden en de gasten. Janis was leeftijdloos. Ze was mijn moeders min geweest; ze moest in jaren behoorlijk oud zijn, maar haar donkere ogen blonken van intense belangstelling voor elk nieuwtje, en haar haar, dat naar achteren was getrokken in een streng gevlochten knotje in haar nek, was nog zwart en glanzend als een kraaienvleugel. Haar familie bestond uit reizende mensen, maar Janis had zich al lang geleden op Zeven Wateren gevestigd; ze hoorde bij ons.

'Zo, meiske,' zei ze met een brede grijns. 'Het hoeft niet langer een geheim te blijven, hoor ik.'

'Heeft mijn vader het je verteld?'

'Hij heeft het nieuws laten verspreiden, op zijn eigen manier. Niet dat ik het niet al wist. Een vrouw weet zoiets. Ik ben alleen maar blij dat je je goed voelt. Je zult een veilige zwangerschap hebben, ook al ben je nog zo'n klein ding.'

Ik kon warempel glimlachen.

'Ik zal je helpen wanneer het zover is,' vervolgde Janis zacht. 'Zij heeft er tegen die tijd misschien de kracht niet meer voor. Ze zal me zeggen wat ik moet doen. Ik zal haar handen zijn. Nou, nou, geen tranen, meiske. Dit nieuws heeft een glimlach op het gezicht van je moeder gebracht. En dat maakt hem weer blij, de Grote Man. Je hoeft je niet te schamen.'

'Dat is het niet,' zei ik hevig met mijn oogleden knipperend. 'Ik schaam me niet. Het komt door mijn moeder, en Niamh, en... en alles. Alles verandert, het verandert te snel. Ik weet niet of ik het bij kan houden.'

'Hier, meiske.' Ze deed haar armen om me heen en drukte me stevig tegen zich aan. 'Veranderingen zullen je blijven volgen. Je bent een van de mensen die erom vragen. Maar je bent een sterk meisje. Je zult altijd weten wat goed is, voor jou en je kindje. En voor je man.'

'Dat hoop ik maar,' zei ik nuchter.

Toen ik die avond rondkeek in de zaal, kwam de gedachte bij me op dat dit misschien voorlopig de laatste keer zou zijn dat we allemaal bij elkaar waren. Liam zat in zijn gebeeldhouwde stoel; zijn strenge aanblik werd enigszins verzacht door de jonge wolfshonden die elkaar nazaten rond zijn gelaarsde benen. Mijn broer stond naast hem; de gelijkenis was zoals altijd treffend. Sean had hetzelfde lange gezicht en dezelfde harde kaaklijn; de gelaatstrekken van een toekomstige leider. Conors gezicht was ook weer datzelfde gezicht, maar toch anders, want het was steeds vervuld van een innerlijk licht, een oeroude rust. Niamh zat zwijgend naast haar echtgenoot. Ze hield haar rug recht en haar hoofd was geheven, maar ze keek niemand aan. Ze droeg een sluier over haar

haar, en haar jurk was uiterst ingetogen. Haar licht, dat zo sterk had gestraald toen ze danste en schitterde op het Imbolc-feest, was te snel gedoofd. Fionn besteedde geen aandacht aan haar. Aan de andere kant van mijn zuster zat Aisling, die er geen moeite mee had een eenzijdig gesprek te voeren. En Eamonn was er ook; hij zat in het donker, met een pul bier in zijn handen. Ik probeerde te vermijden zijn blik te kruisen.

Mijn moeder was moe, dat zag ik wel, en het deed haar verdriet haar oudste dochter zo veranderd te zien. Ik zag haar in Niamhs richting kijken, en haar blik afwenden, en ik zag de kleine rimpel die steeds op haar voorhoofd stond. Toch glimlachte ze en babbelde met Seamus Roodbaard; ze deed haar best om de indruk te wekken dat alles was zoals het hoorde te zijn. Vader lette op haar en zei niet veel. Toen we de maaltijd beëindigd hadden, wendde mijn moeder zich tot Conor.

'We hebben vanavond behoefte aan een mooi verhaal, Conor,' zei ze glimlachend. 'Iets inspirerends om Liam en zijn bondgenoten gesterkt op weg te laten gaan naar Tara. Er zullen veel mensen vertrekken, want Sean begeleidt de meisjes over een paar dagen naar het westen, en het zal hier bij ons een tijdlang erg stil zijn. Kies je verhaal met zorg.'

'Dat zal ik doen.' Conor stond op. Hij was niet erg groot, maar hij had een uitstraling die hem indrukwekkend maakte, bijna vorstelijk in zijn witte gewaad. De gouden torque om zijn hals blonk in het licht van de toortsen, en zijn gezicht erboven was bleek en kalm. Hij bleef enkele ogenblikken zwijgend staan, alsof hij het goede verhaal voor deze speciale avond opriep.

'In deze tijd van scheiden, van nieuwe ondernemingen, is het gepast een verhaal te vertellen over dingen die geweest zijn, die zijn en die zullen zijn,' begon Conor. 'Laat ieder van jullie luisteren en dit verhaal zo interpreteren als jullie hart en ziel je ingeven, want ieder vormt de draad van woorden naar zijn eigen lichtende inzicht, zijn eigen donkere herinnering. Wat je ook gelooft, wat je overtuiging ook is, laat mijn verhaal tot je spreken; vergeet deze wereld een tijdlang en sta je geest toe terug te gaan door de jaren, terug naar een andere tijd toen ons volk dit land nog niet had betreden; toen de Túatha Dé Danann, het Feeënvolk, voor het eerst voet aan wal zetten op de Ierse kusten en onverwachte tegenstand ontmoetten bij degenen die hier voor hen waren.

'Een mooi verhaal, een mooi verhaal,' bromde Seamus Roodbaard, en hij zette zijn beker met een zware klap op tafel.

'De Túatha Dé waren invloedrijke lieden, het waren stuk voor
stuk goden en godinnen,' zei Conor. 'Er waren machtige genezers
bij; krijgers met een geweldig vermogen tot herstel; tovenaars die
een meer droog konden leggen, een man in een zalm konden veranderen, of een ziel met een vingerknip van zijn gekozen weg konden afbrengen. Ze waren zowel sterk als eigenzinnig. Toch konden ze Ierland niet in bezit nemen zonder er strijd om te leveren.
Want zij waren niet de eersten die op deze kusten aankwamen.
Er waren anderen voor hen. De Fomhóire waren eenvoudige lieden, mensen die met beide benen op de grond stonden. Sommige
verhalen zeggen dat ze lelijk en mismaakt waren; sommige zeggen dat ze demonen waren. Dat zijn woorden van mensen wier
begrip zich beperkt tot de oppervlakte van dingen. De Fomhóire
waren geen goden. Maar ze hadden hun eigen ambachten en hun
eigen soort macht. Zij hadden een oeroude vorm van magie, de
magie van het binnenste van de aarde, van de bodemloze grotten,
van de geheime bronnen en de geheimzinnige diepten van meren
en rivieren. Zij plaatsten de staande stenen die wij voor onze eigen rituelen hebben gebruikt, de plechtige punten die de baan van
zon, maan en sterren markeren. Zij bouwden de grote grafheuvels en grafmonumenten die als doorgang dienden naar de Andere Wereld. Zij waren ouder dan de tijd. Ze woonden niet alleen
in het land van Erin. Ze wáren het land.

Toen kwam het Feeënvolk, en anderen na hen, en na tal van verbitterde veldslagen, na heimelijk verraad en geveinsde vriend-
schappen kwam er uiteindelijk een soort vrede, een wankele wa-
penstilstand, een verdeling van het land die zo onbillijk was dat
de Fomhóire er om gelachen zouden hebben als ze niet zodanig
verzwakt waren dat ze geen verdere verliezen durfden te riskeren.
Daarom stemden ze in met de vrede en trokken zich terug naar
de weinige plaatsen die hun nog node werden gegund. De Túatha
Dé bezaten het land, of dachten dat ze het bezaten, en ze regeer-
den hier tot de komst van ons eigen ras hen op hun beurt naar
geheime plekken verdreef, naar plaatsen van de Andere Wereld,
onder de oppervlakte, in de diepe wouden, in de verlaten grotten

onder de heuvels, of terug naar de diepten van de oceaan, waarover ze oorspronkelijk naar Erin waren gekomen. Zo leken beide rassen toverwezens verloren voor deze wereld.

Tijd brengt verandering. Het ene volk volgt het andere en houdt een tijdlang stand, en dan komt er een nieuwe veroveraar om de plaats van de oude in te nemen. Zelfs voor ons eigen volk, zelfs binnen het tijdsbestek van het leven van de vaders van onze vaders, hebben we dit zien gebeuren. Ons eigen geloof is een tijdlang op een haar na uitgestorven geweest. Zelfs hier, in het grote woud van Zeven Wateren, was de heilige leer zo goed als vergeten. Want zodra die leer alleen nog als herinnering bestaat in de geest van één zeer oude man, is hij zo broos en teer als de vleugel van een vlinder, als een enkele draad van een spinnenweb. We hebben hem bijna door onze vingers laten glippen. Het heeft maar een haar gescheeld.'

Conor boog zijn hoofd. Het werd doodstil in de kamer.

'Jij hebt het weer tot leven gewekt, Conor,' zei mijn moeder zacht. 'Jij en je soortgenoten zijn voor ons een lichtend voorbeeld. In deze woelige tijden hebben jullie de oude gewoonten in stand gehouden en de vonk weer aangewakkerd tot een vlam.'

Ik keek even naar Fionn; hij was tenslotte een christen. Misschien was het niet zo verstandig geweest om juist dit verhaal te kiezen. Maar Fionn leek niet verstoord te zijn. Ik vroeg me zelfs af of hij wel had geluisterd. Hij hield zijn vingers luchtig om Niamhs pols en zijn duim streek over haar huid. Hij keek haar van opzij aan, met een soort geamuseerde uitdrukking op zijn gezicht en een lachje om zijn lippen. Niamh zat stijf rechtop, haar blauwe ogen groot en blind als die van een dier dat in de val zit en dat in het licht van een brandende toorts staart.

'We vergeten weleens,' hervatte Conor het verhaal, 'dat deze twee rassen, het Feeënvolk en de Fomhóire, hier heel lang hebben gewoond, lang genoeg om hun stempel te drukken op elke uithoek van Erin. Elke beek, elke bron en elke verborgen grot hebben hun eigen verhaal. Elke holle heuvel en elke verlaten rots in de zee hebben hun magische bewoner, hun verhaal en hun geheim. En dan zijn er nog de kleinere, minder machtige rassen die ook hun plaats hebben in het levensweb. De luchtgeesten van het hemelgewelf, de vreemde, visachtige bewoners van het water, de *selkies* van de wijde oceaan, het kleine volkje van paddestoel en boomstronk. Zij maken evengoed deel uit van het land als de grote eik en het veldgras, als de glanzende zalm en het springende hert. Zij zijn allemaal onderling verbonden en verweven, en als een deel ervan uitvalt, als een deel ervan wordt verwaarloosd, wordt alles kwetsbaar. Het is als een poortgewelf, waarin elke steen de andere ondersteunt. Haal er een weg, en het hele bouwsel stort in elkaar.

Ik heb jullie verteld hoe ons geloof zwakker werd en in een schuilplaats werd gedreven. Maar dit verhaal gaat niet over het christelijke geloof of over hoe dat in ons hele land aan kracht en invloed wint. Het is een verhaal over rentmeesterschap en vertrouwen. Het is een verhaal dat jullie niet mogen vergeten, wanneer jullie als bondgenoot van Zeven Wateren op weg gaan.'

Hij zweeg even.

'Erg cryptisch,' mompelde Liam, terwijl hij bukte om een van de honden achter het oor te krabbelen. 'Ik heb het gevoel dat het verhaal nog niet begonnen is, broer.'

'Je kent me goed,' antwoordde Conor met een vage glimlach.

'Ik ken druïden,' zei zijn broer droog.

Conor stond precies op de plaats waar Ciarán had gestaan om het verhaal te vertellen van Aengus Óg en de schone Caer Ibormeith, die hij schiep naar het beeld van mijn zuster, met haar lange koperkleurige haar en haar melkwitte huid. Ik keek even naar mijn zus en vroeg me af of ze aan hetzelfde dacht, en ik zag de vingers van haar echtgenoot speels bewegen in haar handpalm, strelend, plagend en opeens knijpend, zodat ze plotseling een pijnlijk gezicht trok.

'Kom een poosje bij me zitten, Niamh.' Mijn stem klonk helder op in de stilte terwijl Conor nadacht over het volgende gedeelte van zijn verhaal. 'We hebben je haast niet gezien. Ik ben ervan overtuigd dat Fionn je wel een tijdje kan missen.'

Fionns lippen vertrokken in een verbaasd lachje. 'Je spreekt boude taal, jonge zuster,' zei hij, terwijl hij zijn donkere wenkbrauwen optrok. 'Ik rijd morgenochtend naar Tara; ik zal het een groot deel van een maand, misschien langer, zonder mijn mooie vrouw moeten stellen, omdat haar gevraagd is mij te verlaten. Wil je me nog meer ontzeggen? Ze is me zo... tot troost.'

'Kom, Niamh,' zei ik, en ik moest een huivering onderdrukken toen ik hem recht in de ogen keek en mijn hand uitstak naar mijn zus. Iedereen keek nu, maar niemand zei iets.

'Ik... ik zou wel willen...' zei Niamh zwakjes, maar haar echtgenoot hield haar pols nog steeds vast. Daarom stond ik op, liep erheen en stak mijn hand door haar andere arm.

'Alsjeblieft,' zei ik poeslief en lachte de echtgenoot van mijn zuster op een naar ik hoopte verzoenende manier toe, al straalden mijn ogen vermoedelijk iets anders uit.

'O, goed, ik zie haar straks wel weer,' zei hij, en zijn vingers strekten zich en lieten haar pols los.

Dit is de Uí Néill, Liadan. Sean keek me met gefronst voorhoofd aan. De stem van zijn geest had een strenge klank. *Bemoei je er niet mee.*

Ze is mijn zus. En de jouwe ook. Hoe kon hij dat vergeten. Maar het leek wel of ze dat allemaal vergeten hadden toen ze haar wegstuurden.

Niamh kwam naast me zitten terwijl Conor het verhaal hervatte. Ik voelde dat ze diep en huiverend inademde, en de adem in een grote zucht uitblies. Ik hield haar hand vast, maar losjes, want ik had de indruk dat ik langzaam te werk moest gaan, heel voorzichtig, alsof ik op eieren liep, wilde ik haar vertrouwen terugwinnen.

'Dit is een verhaal over de eerste man die zich op Zeven Wateren vestigde,' zei Conor ernstig. 'Zijn naam was Fergus, en onze hele familie stamt van hem af. Fergus kwam uit het zuiden, uit Laigin, en hij was een derde zoon met weinig kans aanspraak te kunnen maken op het land van zijn vader. Hij behoorde tot de fianna, de wilde jongelieden die er te paard op uittrekken om hun zwaard te koop aan te bieden aan de hoogste bieder. Nu goed, op een mooie zomermorgen raakte Fergus gescheiden van zijn vrienden, precies bij de rand van een groot bos, en hoe hij het ook probeerde, hij kon hun spoor niet meer vinden. Hij werd aangelokt door de schoonheid van de bomen met hun takkengewelf, door de paden waar licht en schaduw op speelden en door het schuin invallende licht, en daarom reed hij na een poosje het oude bos in met de gedachte: ik ga waarheen dit pad me brengt, en dan zie ik wel welk avontuur me daar wacht.

Hij reed en hij reed, steeds dieper het hart van het bos in, en hoe verder Fergus kwam, hoe meer het bos zijn ziel aangreep en hoe meer hij zich verwonderde over de schoonheid en de vreemdheid ervan. Hij voelde geen angst, ook al was hij inmiddels helemaal verdwaald. In plaats daarvan voelde hij de drang om steeds verder te gaan, hoog over heuvels bekroond met grote eiken, essen en pijnbomen, omlaag in verborgen valleien dichtbegroeid met lijsterbes en hazelaar, langs beken omzoomd met wilgen en vlieren, tot hij uiteindelijk de oever bereikte van een prachtig meer, dat als goud blonk in het late middaglicht. Hij wist niet of deze reis één dag had geduurd, of twee of drie. Hij was niet vermoeid; integendeel, hij voelde zich verkwikt, herboren, want er was iets in zijn ziel ontwaakt waarvan hij tot nu toe nooit had geweten dat het er was.

Fergus hield stil bij het meer en steeg van zijn paard af. Hij bukte zich om wat van het heldere water in zijn handen op te scheppen en te drinken, want hij had dorst. Het water smaakte goed. Het scherpte zijn geest en gaf zijn hart moed.

"Wat is je allerliefste wens, Fergus?"

Fergus draaide zich geschrokken om. Achter hem stonden een man en een vrouw, zo dichtbij dat hij niet begreep dat hij ze niet eerder had gezien. Beiden waren buitengewoon lang; veel langer dan stervelingen. Het haar van de man had de kleur van vlammen, die om zijn voorhoofd krulden en flakkerden alsof ze werkelijk uit vuur bestonden. De vrouw was heel bleek, met lange, donkere vlechten en diepblauwe ogen in dezelfde kleur als haar golvende mantel. Fergus besefte dat zij tot de Túatha Dé Danann moesten behoren, en dat hij de vraag moest beantwoorden. Maar het vreemde was dat zijn antwoord heel anders luidde dan het een paar dagen eerder zou hebben gedaan.

"Ik wil hier blijven en me hier vestigen," zei hij. "Ik wil deel uitmaken van deze plaats. Ik wil dat mijn kinderen onder deze bomen opgroeien, en het schone water van het meer proeven. Dan zullen ze een heldere blik en een rijke ziel hebben." Zo snel had deze plaats zich in zijn ziel genesteld.

"Weet je wie wij zijn?" vroeg de vrouwe.

"Ik... ik heb er een idee van, ja," zei Fergus, plotseling verlegen, want hij had nog nooit feeën ontmoet. "Ik wil me niets aanmatigen, vrouwe. Ik neem aan dat dit land van u is. Ik kan er natuurlijk geen aanspraak op maken. Maar u vroeg ernaar."

De man met het vurige haar lachte. "Het is van jou, jongen. Daarom ben je hierheen gebracht."

"Van mij?" Fergus' mond viel open van verbazing. "Het bos, het meer – van mij?" Het was natuurlijk een droom.

"Van jou om te beheren als rentmeester, als je daar iets voor voelt. Als hoeder. Vestig je hier bij het meer van Zeven Wateren. Het bos is oud. Het is een van de laatste veilige woonplaatsen voor ons volk en voor... de anderen. Het bos zal jou en de jouwen behoeden, en je zult machtig en welvarend zijn als je het trouw blijft. Maar jij moet ook je aandeel leveren. De oude gewoonten beginnen te verdwijnen en de geheime plaatsen zijn niet meer veilig; ze worden opengelegd, ontwijd. Jij en je erfgenamen zullen de mensen van Zeven Wateren zijn, en je invloed in de sterfelijke wereld moet gebruikt worden om de veiligheid van het bos en zijn bewoners te waarborgen. Van alle bewoners. Er zijn nog maar weinig van dergelijke toevluchtsoorden over in Erin, en het worden er met elke wenteling van het rad minder. Het is niet onze gewoonte jouw soort te hulp te roepen. Maar de wereld verandert, en we hebben jou en de jouwen nodig, Fergus. Wil je deze rentmeester zijn? Heb je daar de kracht toe?"

Wat kon het antwoord anders zijn dan ja? En zo bouwde Fergus zijn bastion van sterke stenen, en na verloop van tijd omringde hij zich met een paar van zijn vroegere vrienden van de wilde fianna en met een aantal boerenmensen uit deze streek. En hij rooide een aantal bomen, net genoeg om ruimte te maken voor grasland voor zijn vee en voor enkele kleine nederzettingen. En hij nam een vrouw. Niet de dochter van een boer of de zuster van een van zijn vrienden, zoals je misschien zou verwachten. Nee, zijn vrouw was van een totaal ander slag. Hij vond haar op een dag toen hij bezig was de heuvels boven het meer te verkennen, op zoek naar een geschikte plek om een wachttoren te bouwen. Hij klom een met lijsterbessen begroeide helling op, en daar zat ze, hoog op de rotsen in een rafelige jurk die de kleur had van wilgenblad, en ze kamde haar donkere haren en keek over de bomen uit naar het meer, en hij keek haar één keer in haar vreemde, heldere ogen en was verloren. Ze heeft nooit gezegd waar ze vandaan kwam of wat ze was. Ze was maar een klein ding, een tenger meisje; ze was zeker niet een van de Túatha Dé. Fergus herinnerde zich soms dat de geheimzinnige vrouwe het over "de anderen" had gehad, maar hij heeft het nooit gevraagd.

Ze heette Eithne, en ze was een goede vrouw voor hem. Ze schonk hem drie stoutmoedige zonen en drie dappere dochters. Hij onderrichtte zijn eerste zoon in de krijgskunsten en de tweede in de kunst van goed beheer, zodat ze samen het bos en het meer van Zeven Wateren konden behouden en behoeden. De derde zoon werd op zijn zevende verjaardag opgeëist door een zeer oude man met gevlochten haar, die hinkend uit het bos kwam, steunend op een eikenhouten staf. Deze zoon werd druïde, en op die manier werd de oude gewoonten nieuw leven ingeblazen bij de mensen van Zeven Wateren.'

'En de dochters?' Ik kon het niet laten ernaar te vragen, al was het eigenlijk ongemanierd om de stroom van het verhaal van een druïde te onderbreken.

'Ah, de dochters,' zei Conor glimlachend. 'Ze hadden alle drie de geringe lichaamsgroote, het donkere haar en de vreemde ogen van hun moeder, en er was geen gebrek aan vrijers voor hen toen ze vrouw werden. Fergus was een bekwaam strateeg. Hij huwelijkte de eerste dochter uit aan de man die de túath ten westen van het bos bezat. De tweede huwelijkte hij uit aan de zoon van een andere buur, die midden in het moerasgebied woonde dat aan de pas naar het noorden grensde. De derde dochter bleef thuis en bekwaamde zich in de kruidenleer en de geneeskunst, en de mensen noemden haar het hart van Zeven Wateren.'

'En de Eilanden?' vroeg Sean, die graag het verdere verloop van het verhaal wilde horen.'

'Ah, ja.' Conors stem kreeg een plechtige klank. 'De Eilanden. Dat is het volgende gedeelte van dit verhaal. Maar mijn gehoor begint misschien vermoeid te worden. Het is een lang verhaal, dat misschien beter in twee avonden verteld kan worden.' Hij keek om zich heen, met vragend opgetrokken wenkbrauwen.

'Vertel de rest, Conor,' zei mijn moeder zacht.

'Zoals ik al zei vroeg Fergus nooit aan zijn vrouw Eithne wat ze was of waar ze vandaan kwam. Hij kwam nooit te weten of ze een gewone stervelinge was of iets anders. Ze werd ouder, net als een sterveling. Maar ze zeggen dat als een wezen uit de Andere Wereld ervoor kiest met een van ons te trouwen, ze haar onsterfelijkheid verliest. Als dit waar is, moet Eithne wel veel van haar man gehouden hebben, en dat is misschien de wortel van de manier waarop de mensen van Zeven Wateren liefhebben, tot op de huidige dag. Eithne gaf haar echtgenoot alle reden om te geloven dat ze werkelijk een van de Ouden kon zijn. Ze zeggen dat de Fomhóire uit de zee stammen, dat ze lang geleden uit de diepten van de oceaan zijn opgedoken om in het land van Erin te wonen. Eithnes geheim had met de zee te maken. Ze vertelde Fergus van drie eilanden, drie rotspunten in het grote water dat ons land van Alba en Brittannië scheidt. Het waren geheime eilanden, heel klein en heel moeilijk te vinden, behalve door degenen die het wisten. Die wat wisten? vroeg Fergus. Die wisten hoe ze ze moesten vinden, zei Eithne. De Eilanden waren het hart. Het hart van alles, de as van het wiel. Fergus moest erheen gaan, dan zou hij het begrijpen. Wanneer verder alles verloren was, wanneer niets meer baatte, zouden de Eilanden de Laatste Plek zijn. De Eilanden moesten veilig bewaard blijven, meer nog dan het meer, meer nog dan het bos. Wat Eithne zei, gaf Fergus een koud gevoel, maar hij vroeg haar niet het uit te leggen. Hij liet zijn mannen een stevige boot bouwen, een grote *curragh* met een zeil erop. Hij volgde de kaart die hij op aanwijzingen van Eithne had gemaakt en zette vanaf de oostkust koers naar het eiland Man. Dat was nog voordat de zee onveilig werd gemaakt door de Noormannen; maar het was toch geen veilig water voor een boot met een bemanning van houthakkers en boeren. Eithne ging niet met haar man mee. Ze verwachtte een kind en bovendien, zei ze, had ze altijd last van zeeziekte. Zo reisden Fergus en zijn mannen dus naar het oosten en een beetje naar het zuiden, en toen ze de kust van Man naderden, daalde er een mist neer, zo dicht dat je geen hand voor ogen kon zien. Ze streken het zeil en de riemen, maar de boot voer toch door, meegetrokken door een onzichtbare stroming. De bemanning zat rillend van angst in de boot, vervuld van gedachten aan zeemonsters met lange tanden en klippen met messcherpe punten. En na een lange tijd schraapte de kiel van de boot over een schelpenstrand, en de mist verdween even snel als hij gekomen was. Ze bevonden zich op de kust van een klein, rotsig eiland, niet meer dan een vlekje in de zee, een verlaten oord waar alleen zeehonden en wilde vogels woonden. De mannen waren ontzet. Fergus stelde hen gerust, hoe-

279

wel hij eerlijk gezegd zelf ook allerminst gelukkig was met de situatie. Er hing een vreemde stilte over het eiland, een gevoel dat iets groots elke beweging die ze maakten in de gaten hield. Hij beval de mannen de curragh aan land te slepen en een kamp in te richten onder de beschutting van overhangende rotsen, terwijl hij naar boven klom om poolshoogte te nemen.

Al klauterend over de rotsen zag hij tot zijn verbazing dat er allerlei leven bestond op deze afgelegen plek: lage kruipende planten, door de wind kromgebogen struiken, krabben, schelpdieren en kleine, zijwaarts kruipende dieren. En vele, vele vogels die boven zijn hoofd voorbijvlogen en rondzwenkten. Fergus ging op het hoogste punt van het kleine eiland staan en keek naar het noorden. Daar in de verte, maar toch onrustbarend dichtbij, lag het eiland Man. In het oosten, veel dichterbij, lag nog een rotseiland, groter dan het eiland waar ze geland waren. Een eiland met baaien en vlakke, met ruig gras begroeide grond, die omhoogging om aan de zuidkant in kliffen te eindigen; een plek waar een soort basis kon worden gevestigd, als er tenminste zoet water te vinden was. En in het westen... daar lag het derde eiland. Fergus wist onmiddellijk dat dit het eiland was dat Eithne bedoelde. Het stond in de zee als een grote zuil van steen, steil, slank, met eromheen een hoop scherpe, gevallen rotsen waarover de zee bruiste en kolkte. En ongelooflijk maar waar, er was in de steen een soort ruwe trap uitgehouwen die helemaal naar boven ging. Daar was een soort richel, en er waren bomen. Bomen! Fergus kon het nauwelijks geloven, maar de punt was bekroond met een bosje lijsterbessen, en daarboven cirkelden vogels.

Fergus dacht een tijdje na en ging toen weer naar beneden naar de mannen. Hij hielp hen een vuur aan te leggen en beloofde dat ze de volgende morgen naar huis zouden gaan. De mannen waren opgelucht. Deze reis was wel erg vreemd verlopen. Toen zei Fergus: "Maar eerst wil ik dat jullie me daarheen brengen." "Waarheen?" vroegen zijn mannen. "Daar," zei Fergus, en hij wees. Vanaf de plaats waar ze stonden, kon je niet meer dan de top van het derde eiland zien, en dus stemden de mannen toe. Pas de volgende morgen, toen ze in de boot zaten en erheen roeiden, zagen ze de rotsen en de bruisende branding rondom, en ze werden door doodsangst bevangen. "Doorroeien," zei Fergus bars, en dat deden ze, ondanks zichzelf. Toen werden ze gegrepen door de stroming. Ze trokken hun riemen binnenboord en de boot werd naar voren gezogen, steeds dichter naar de rotsen toe, tot de mannen begonnen te schreeuwen en Manannán mac Lir aan te roepen om hen te redden. En op het moment dat ze te pletter zouden slaan, werd de boot plotseling tussen de rotsen door getrokken in een soort grot waar het water kolkte. In de zijkant van de grot was een vlakke plaat, en een opening, en er waren treden uitgehakt in de steen, die naar boven gingen.

Voor iemand iets kon zeggen, was Fergus uit de boot op de plaat gesprongen. Hij bond het vaartuig vast aan een ijzeren pin die in een spleet tussen de natte rotsen was geslagen. "Ik blijf niet lang weg," zei hij terwijl hij de treden begon te beklimmen. De mannen bleven muisstil in de boot zitten. Het was donker in de grot, en het water bewoog vreemd langs de kiel, alsof er vlak onder de oppervlakte levende wezens huisden. De zee stroomde door een opening naar binnen en door een andere weer naar buiten, waar zelfs met gestreken mast nauwelijks genoeg ruimte was om een boot door te laten. Ze probeerden maar niet aan de vloed te denken. Niemand vroeg wie de leiding zou nemen als Fergus niet meer terugkwam.

Ze wachtten lange tijd; het leek tenminste erg lang, vanwege het kolkende water, de verschuivende schaduwen en hun verbeelding die hun parten speelde. Na verloop van tijd kwam Fergus terug met een vreemde uitdrukking op zijn gezicht, alsof hij iets had gezien dat zijn stoutste dromen overtrof en dat niet onder woorden gebracht kon worden. Hij stapte in de curragh en maakte het touw los, en de mannen bukten toen de stroom hen door de lage opening mee naar buiten nam en hen voorwaarts stuwde, buiten bereik van het schuimende water en de rotsen, en hun bootje uitspuwde in de open zee. Toen zetten ze de mast op en hesen het zeil; ze namen ook de riemen op en haastten zich huiswaarts. En ze vroegen niets aan Fergus tot ze weer veilig op de kust van Erin geland waren.

Hij vertelde niet wat hij had gezien. Misschien wel aan Eithne, maar niet aan de rest van zijn huishouden. Het was geheim, zei hij. Maar wat Eithne tegen hem had gezegd was waar: de Eilanden waren de Laatste Plek, en het hoogste eiland, dat hij de Naald noemde, was het waardevolst. Hier bevonden zich de grotten der waarheid, bewaakt door heilige lijsterbessen die groeiden op een plek waar geen gewone boom het zou uithouden. De Eilanden moesten tegen de buitenwereld worden beschermd. Als ze verstoord werden, als ze ingenomen werden, zou het evenwicht verschuiven en dan zou, ook al werd het bos nog zo zorgvuldig beheerd, al werden de landerijen van Zeven Wateren nog zo goed bewaakt, alles misgaan. Toen Fergus dit tegen zijn mensen zei, geloofden ze hem, want er blonk een licht in zijn ogen, en zijn gelaatsuitdrukking was zo eerbiedig dat ze konden zien dat hij werkelijk iets onuitsprekelijk wonderbaarlijks had gezien.

Vanaf die tijd werden de Eilanden onder bewaking geplaatst; er werd een kampement gevestigd op het Grote Eiland, en de zee ten zuiden van Man werd bewaakt, zodat geen Noorman, Brit of nieuwsgierige visser in de buurt zou durven komen. Fergus moest snel veel leren. De mensen van Zeven Wateren waren geen zeelui, en in de loop van de jaren verloren ze veel goede mannen, want de Eilanden liggen ver in de zee, even dicht bij de kust van Brittannië als bij de Ierse kust. Maar de wil was sterk. Er kwam een tijd dat de druïden van het woud de zee overstaken naar de Naald, en het ritueel van Samhain verrichten op de top onder de heilige lijsterbessen. Ja, zo was het,' zuchtte Conor; zijn ogen zagen het voor zich, zijn gezicht straalde van verwondering.

'Generaties lang deed de familie op Zeven Wateren haar belofte gestand. Ze zorgde voor het bos en de mensen erin, en hield toezicht op de Eilanden, en het bos liet hen op zijn beurt delen in zijn overvloed en zorgde ervoor dat hun vijanden weg bleven. In elke generatie was er iemand die druïde werd en waren er een paar die leiding gaven aan het huishouden, en ervoor zorgden dat de mensen en het vee te eten hadden en gezond bleven, en er zorg voor droegen dat de mensen zichzelf konden verdedigen. Ook was er in elke generatie een genezeres. Buiten het bos verspreidde het christelijke geloof zich over het land, soms onder bedreiging van geweld, maar vaker op subtiele, rustige wijze. Buiten het woud kwamen de Noormannen en andere rovers, en niets was veilig; stille dorpjes, de vesting van de koning, de kloosters, niets bleef gespaard. De mensen geloofden niet langer in de Túatha Dé, en evenmin in de uitingsvormen van de Andere Wereld, want in hun angst zagen de mensen alleen de barbaar met zijn bijl die droop van het bloed van hun dierbaren. Maar Zeven Wateren was veilig, en ook de landerijen die eraan grensden, hadden niets te vrezen, als bondgenoten door huwelijk en langdurige samenwerking, verenigd tegen elke vijand. Er brak onvermijdelijk een tijd aan dat de familie zelfingenomen werd. Er kwam een generatie die geen kind afstond aan de wijzen. Dochters werden verder weg uitgehuwelijkt en stierven jong. Een leider verloor zijn verstand en zijn boeren vervielen in slechte gewoonten. Toen het verval eenmaal was ingetreden, werd het snel erger.

Hun beheer verslapte en hun vijanden roken bloed. Met name de Brit Northwoods van Cumbria verlangde ernaar zijn invloed overzee uit te breiden, en op een zwarte dag voor Zeven Wateren kwam hij met een hele vloot schepen, bemand door ervaren krijgers, en nam de Eilanden in. De bewaking was verslapt, men had het garnizoen laten verlopen. Het was maar al te gemakkelijk voor Northwoods. Toen lagen er Britse schepen afgemeerd bij het Grote Eiland, vertrapten Britse laarzen de grond van de heilige plaatsen, en weerklonken er Britse stemmen in de grotten der waarheid. Ze hakten de eerbiedwaardige lijsterbessen om en stookten er hun vuren mee. En het ging zoals Eithne had gezegd. Vanaf dat moment begon het mis te gaan voor Zeven Wateren. Zonen sneuvelden in de strijd tegen de Britten. Dochters stierven in het kraambed. Bomen werden ten onrechte geveld en er kwamen branden en overstromingen. Bondgenoten keerden hun de rug toe. Oogsten mislukten en de schapen kregen de *murrain*. Zo ging het door, en de familie deed al het mogelijke om zich te handhaven. Ze beraamden de ene aanval na de andere, maar Northwoods hield stand, en zijn nakomelingen na hem.

Het was later, veel later, in de tijd van mijn vaders grootvader, wiens naam Cormack luidde. Dat was ook de naam van mijn broer, weer een man die zijn leven gaf voor de goede zaak en door dit verhaal te vertellen bewijs ik hem eer.' Conors stem klonk nog steeds kalm, maar er lag een schaduw over zijn gezicht toen hij dit zei. Cormack was zijn tweelingbroer geweest. 'De Cormack van dit verhaal was een goede, sterke man, uit hetzelfde hout gesneden als zijn voorvader Fergus. Hij deed zijn uiterste best, maar zag alles nog steeds achteruitgaan. Op een dag begaf hij zich diep in het woud en riep de hulp in van de oudste der druïden, een man die zo stokoud was dat zijn gezicht een en al rimpels was en zijn ogen troebel en blind waren. Cormack vroeg aan hem: "Hoe kan ik mijn mensen redden? Hoe kunnen het bos en zijn bewoners behouden blijven? Ik ben niet van plan mijn opdracht te verzaken; ik ben de hoeder van deze landerijen en van allen die hier leven. Ik ben de heer van Zeven Wateren. Er moet een manier zijn."

De oude druïde keek in het vuur en zweeg zo lang dat Cormack zich begon af te vragen of hij soms ook doof was. De rook steeg kringelend op en het vuur gloeide in vreemde kleuren: groen, goud en paars. "Er is een manier," zei de oude man, en zijn stem was diep en krachtig. "Niet voor jou, maar voor je kindskinderen, of hun kindskinderen. Het evenwicht moet worden hersteld of alles zal verloren zijn."

"Hoe?" vroeg Cormack gretig.

"Velen zullen vallen," vervolgde de druïde. "Velen zullen sterven voor deze zaak. Dat is niets nieuws. De slechten zullen aan kracht winnen. Zeven Wateren zal op een haar na alles verliezen, familie en woud, hart en ziel. Maar het kan hersteld worden."

"Wanneer?"

"Niet in jouw tijd. Er zal er een komen die niet van Brittannië noch van Ierland is, en toch van beide tegelijk. Dit kind zal het teken van de raaf dragen, en door zijn tussenkomst zullen de Eilanden gered worden, en zal het evenwicht hersteld worden."

"Wat kan ik doen?"

"Houd vol. Houd vol, tot het tijd is. Dat is het enige dat je kunt doen."'

Conor zweeg. Het was een vreemd einde voor een verhaal, maar het was onmiskenbaar het einde. Het was doodstil in de zaal. Mijn moeder pakte een karaf pastinaakwijn en schonk er wat van in een bokaal.

'Liadan? Geef dit eens aan je oom Conor. Hij heeft vanavond hard voor ons gewerkt.'

Ik liet Niamhs hand los, die slap en koud in de mijne lag, en bracht de wijn naar mijn oom.

'Dank je wel,' zei hij met een knikje. 'Vertel eens, Liadan, wat betekent dit verhaal voor jou? Als jij er één waarheid uit zou moeten halen, wat zou die dan zijn?'

Ik keek hem in de ogen. 'Dat zelfs een lid van de fianna, een huurling zonder banden, een goed en betrouwbaar man kan zijn als hem de kans wordt geboden,' zei ik. 'We moeten niet te snel afgaan op uiterlijkheden, want we stammen allemaal van precies zo'n man af.'

Conor grinnikte. 'Waarachtig. En jij, Sean? Welke waarheid hield mijn verhaal voor jou in?'

Seans gezicht stond somber. 'De bedoeling van dit verhaal is natuurlijk om tegen mij te zeggen dat ik de profetie niet naast me neer kan leggen,' zei hij.

'Ah.' Conor ging zitten met zijn bokaal in zijn lange handen. 'Een verhaal heeft niet de bedoeling iets te zeggen. Het zegt wat de toehoorder wenst te horen.'

'Het zegt iets tegen mij,' zei mijn moeder. 'Het zegt dat de tijd nu gekomen is. Of heel binnenkort komt. Ik voel het.'

'U hebt gelijk.' Liam zat met een slapend hondje op zijn schoot, het andere had zich over zijn voeten gevlijd. Het was tekenend voor zijn postuur dat hij er toch nog waardig uitzag. 'Dit verhaal was een goede keus voor vanavond. Wanneer we in Tara zijn, moeten we ons eigen doel niet uit het oog verliezen. Er zal, verwacht ik, een beroep op ons worden gedaan om onze steun te geven aan andere ondernemingen. We mogen niet vergeten wat ons ware streven in de eerste plaats moet zijn.'

'En, als Sorcha gelijk heeft, moeten we alle mogelijkheden in aanmerking nemen om dat snel te verwezenlijken.' Ik had gedacht dat Seamus Roodbaard sliep, maar hij had geluisterd terwijl hij gemakkelijk onderuitgezakt in zijn stoel lag.

'Het is voor mij moeilijk,' zei Fionn met een flauwe glimlach, 'de manier waarop jullie fantasie als waarheid opvatten, te accepteren. Het is wel een andere manier om de wereld te bekijken. Maar hoe dan ook, er zijn praktische redenen voor jullie onderneming. De Eilanden hebben Northwoods lange tijd een veilige haven verschaft. Neem hem die af en je verzwakt zijn invloed in hoge mate. Wat jullie eigen gebieden betreft, die hebben jullie nu weer stevig in handen, en Liam staat in hoog aanzien in heel Ulster en daarbuiten. Het zou dom zijn om Zeven Wateren niet als bondgenoot te willen.'

'Maar toch,' zei mijn vader zacht, 'zijn er, zoals het verhaal vertelt, hele generaties goede mannen gestorven voor deze zaak, en niet alleen mensen van Erin. Aan beide kanten van het water zijn er weduwen en vaderloze kinderen geweest. Het is misschien verstandig de woorden van de profetie nauwkeuriger na te gaan, als we niet meer willen verliezen dan strikt nodig is. Er wordt niet over strijd gesproken.'

Fionn trok zijn wenkbrauwen op. 'U bent zelf nauw verwant aan Northwoods, meen ik? Dat levert een interessante complicatie op. Het is onvermijdelijk dat u de situatie in een iets ander licht ziet.'

'De man die die naam draagt, is inderdaad familie van me,' zei mijn vader. 'Een verre neef. Na de dood van mijn oom Richard maakte hij met succes aanspraak op het landgoed. Ik maak er geen geheim van dat ik aan die familie verwant ben. En aangezien jij met mijn dochter getrouwd bent, kun jij nu ook aanspraak maken op een verwantschapsband.'

Conor stond geeuwend op. 'Het wordt al laat,' zei hij.

'Inderdaad,' zei Liam, en hij stond op en schoof de hondjes zonder plichtplegingen op de vloer. 'Bedtijd. We moeten morgen vroeg op, en we zijn niet allemaal jong meer.'

'Kom, Niamh.' Fionn stak mijn zus zijn hand toe, maar zijn ogen waren op mij gericht, met een uitdagende blik. Ze ging zonder iets te zeggen naar hem toe, en hij legde zijn arm om haar middel en ze verdwenen de trap op. Ik draaide me om en wilde mijn kaars pakken, maar Eamonn was er eerder bij dan ik. Hij stak de kaars aan met behulp van een toorts en gaf hem mij aan.

'Ik zal je een tijdlang niet zien,' zei hij. Het flakkerende kaarslicht vormde vreemde patronen op zijn gezicht. Hij was erg bleek.

'Ik wens je een goede reis naar Tara,' bracht ik uit; ik vroeg me af waarom hij nog de moeite nam met me te praten, nu ik het hem had verteld. 'En... het spijt me.'

'Je m-moet je geen zorgen maken over mij. Wees veilig tot ik terugkom, Liadan.' Zijn vingers streken langs de mijne waar ze de kaars vasthielden, en toen was hij weg.

HOOFDSTUK NEGEN

Eamonns huis had een echte naam, de naam die ze op de kaarten zetten, en hij betekende het donkere fort. Maar iedereen noemde het huis Sídhe Dubh, alsof het een sprookjesfort was en niet het huis van een clanhoofd van Ulster, in elk geval niet van een menselijk clanhoofd. Het verhaal ging dat de geheimzinnige, door nevelen omhulde heuvel die uit de omringende moerasgronden oprees, ooit, lang geleden, een verblijfplaats van de Andere Wereld was geweest, bevolkt door het Feeënvolk of, nog waarschijnlijker, door het oudere volk dat daaraan was vooraf gegaan. Bogles, misschien, of clurichauns. Die waren nu allemaal weg, gevlucht nadat Eamonns voorouders waren gekomen om hun stempel op dit onwaarschijnlijke domein te drukken. Maar het was een vreemd gebied gebleven.

Op ons eigen land en op het bezit van Seamus Roodbaard bevonden zich kleine veenmoerassen, die goede turf voor het haardvuur leverden. Op Eamonns land was het anders. Hier waren de moerassen onmetelijk groot, onbegaanbaar, bedekt met wonderlijke nevelen, hier en daar bezet met kluwens wonderlijk misvormde bomen waarvan de wortels zich aan de eilandjes vastklampten temidden van een oceaan van zwart, zuigend slijk. Op sommige plaatsen was er een stuk open water, maar dit soort water zag je nergens anders; het was donker, zelfs als de zon scheen, en bedekt met een olieachtig glanzend vlies. In zulk onherbergzaam terrein waren maar weinig plaatsen waar men veilig woningen kon bouwen. Op geïsoleerde stukken hoger terrein waren kleine nederzettingen gebouwd, met de schuur in het midden; de mensen woonden aan weerskanten op pieren die uitstaken in het moeras. Deze eilandjes, opgebouwd uit stenen en rijshout, met ruwhouten palissades om indringers te weren, waren met het droge land verbonden door middel van gammele loopbruggen. Bij warm weer verzamelden zich hier wolken van insecten en hing er een zoetige geur van verrotting in de lucht. Toch bleven de mensen er wonen, zoals hun vaders en de vaders van hun vaders ook hadden gedaan. Eamonn was een krachtige leider en zijn mensen waren hem trouw. Bovendien kenden ze geen ander leven.

In het noorden had Eamonn weiden en graanvelden en verschillende andere projecten. Toch gaf hij er de voorkeur aan om net als zijn voorvaderen precies midden in de moerassen te wonen. Er was één manier om er te komen, via een verhoogde weg die net breed genoeg was voor drie ruiters naast elkaar of voor een zware door ossen getrokken wagen. Eigenlijk was Sídhe Dubh nog veiliger dan Zeven Wateren, want deze toegangsweg kon gemakkelijk bewaakt worden, en geen menselijke indringer zou zo dom zijn om te proberen een aanval in te zetten door de moerassen. Want dit was niet alleen een veenmoeras. Het was een vals, verraderlijk landschap. Een man kon op pad gaan om turf te steken, zijn kruiwagen vol laden en voor zonsondergang thuis zijn. Maar hij kon ook één stap te ver naar rechts of naar links doen, en in de diepte gezogen worden voor hij tijd had de Dagda te roepen om hem te bevrijden. Of zoals Eamonn zelf wel zei, het was volkomen veilig, als je de weg maar kende.

Sinds de Beschilderde Man Eamonns krijgers had verrast, was de verdediging duidelijk versterkt. Dit was niet mijn eerste bezoek hier, maar ik herinnerde me niet dat er zeven schildwachthuisjes stonden tussen de grens van Eamonns gebied en het begin van de verhoogde weg. Ik herinnerde me ook niet de hekken met kettingen en grendels die de ingang afsloten, en die met drie sleutels moesten worden geopend. Het was maar goed dat we samen reisden met Aisling, die de vrouwe van dit sombere huis was, anders waren zelfs Sean, Niamh en ik er misschien door afgeschrikt.

Sídhe Dubh was een ringvormig fort waaraan weinig was veranderd sinds het gebouwd was. Het kwam in zicht als een lage steenheuvel, in de vorm van een schild, die oprees uit het halfduister van het in mist gehulde landschap. Een reiziger die over de verhoogde weg reed, proberend zich niet te veel aan te trekken van de vreemde kraak-, plop- en gorgelgeluiden die aan weerskanten uit het inktzwarte water opstegen, zou langzamerhand beseffen dat de heuvel bekroond werd door een sterke, ondoordringbare vestingmuur van donkere steen, die alles erbinnen aan het zicht onttrok. Vervolgens werd duidelijk dat de stenen op de heuvel zorgvuldig waren geplaatst en een barrière van scherpe punten vormden die listig en uitgekiend bijna helemaal rondom waren uitgelegd. Een paard zou deze heuvel nooit op kunnen rijden. Een man die hem probeerde te beklimmen zou door vele pijlen getroffen zijn nog voor hij een armlengte was gevorderd door de cirkel van puntige stenen. De enige ingang door deze getande hindernis was een zware, ijzeren traliedeur die toegang scheen te geven tot het binnenste van de heuvel zelf. De deur werd bewaakt door twee buitengewoon grote mannen met bijlen en twee reusachtige zwarte honden aan korte, strakke kettingen. Naarmate we dichterbij kwamen, begonnen de honden te kwijlen en te grauwen, en ze ontblootten hun tanden. Aisling liet zich van haar paard afglijden. Ze liep er achteloos heen en stak haar slanke, blanke hand uit om er een op zijn ronde, grove kop te kloppen. Het grote beest hijgde van verrukking en het andere jankte zacht.

'Jullie hebben het goed gedaan,' zei ze tegen de wachten. 'Maak nu de poort open en laat ons binnen. Mijn broer heeft opdracht gegeven het onze gasten naar de zin te maken tot hij terugkomt. En blijf waakzaam. Hij wil dat ze hier veilig zijn. Hij vraagt of er nog iets vernomen is van de fianna? Van de Beschilderde Man en zijn bende?'

'Nee, vrouwe. Helemaal niets. Ze zeggen dat de kerel het water is overgestoken om een klus te doen voor de een of andere koning in den vreemde. Dat zeggen ze.'

'Blijf niettemin de wacht houden. Mijn broer zou het me niet vergeven als onze gasten iets overkwam.'

Ik dacht over Aisling na toen we werden toegelaten tot de lange, schemerige, overdekte weg die eerst omlaag- en toen omhoogging, in een stijgende spiraal rondom de heuvel. Op Zeven Wateren was ze lief en gedwee, maar hier was ze heel anders. Tijdens de afwezigheid van haar broer nam ze onmiddellijk de leiding, en ze gehoorzaamden haar allemaal, al was ze nog zo klein van stuk. In het licht van de toortsen die in houders aan de stenen muren flakkerden, zag ik Sean grijnzen toen ze bevelen uitdeelde. Wat Niamh betreft, die had geen woord gesproken sinds we van Zeven Wateren waren vertrokken. Ze had stijfjes afscheid genomen van onze ouders, en ik had gezien dat mijn moeder haar tranen moest bedwingen en dat mijn vader moeite had zijn kalmte te bewaren in aanwezigheid van het hele huishouden. Ik had weer gezien hoe geheimen onze familie uit elkaar dreven, hoe we elkaar begonnen te kwetsen, en ik moest denken aan Conors verhaal en aan de betekenis ervan. Ik probeerde niet te denken aan wat Finbar had gezegd. Misschien kun je het niet allebei krijgen zoals je het hebben wilt.

De ondergrondse weg ging nog steeds verder naar boven; hier en daar openden zich donkere gangen naar links en rechts, en de weg was vol donkere hoeken en onverwachte effecten van het licht van de toortsen. Ik was blij toen we boven op de binnenplaats uitkwamen, waar we afstegen bij de ingang van het hoofdgebouw. Boven op de hoge, cirkelvormige stenen muur die ons het uitzicht op het omliggende landschap benam, was een verscholen gaanderij, met op regelmatige afstanden wachtposten. Er stonden vele mannen in het groen op hun post, op de uitkijk, paraat. Binnen de muur van het fort bevond zich een heel dorp, smederij, stallen, voorraadschuren, molen en brouwerij. Het was een hele gemeenschap, die doende was met de dagelijkse bezigheden alsof het helemaal niet vreemd was zo in een omsloten ruimte te leven. Ik gaf mijn geest even toestemming om stil te staan bij de gedachte dat, als bepaalde gebeurtenissen me niet hadden verhinderd Eamonns huwelijksaanbod te accepteren, ik hier zelf over een jaar of wat meesteres had kunnen zijn. Ik zou een heel goede reden nodig hebben gehad om bereid te zijn zo te leven, zonder over bomen en water te kunnen uitkijken, zonder over bospaden te kunnen dwalen op zoek naar bessen, zonder heuvels vol met jonge eiken te kunnen beklimmen. Ik had hem wel heel graag als man moeten willen hebben, om daarmee in te stemmen. Maar ja, Niamh had Fionn ook niet als man gewild. Ze wilde niet uit het bos weg om in Tirconnell te gaan wonen, maar ze was toch gegaan. Mijn zuster was niet de gelegenheid gegund om te kiezen.

We richtten ons in. Niamh overwon haar lethargie lang genoeg om ertegen te protesteren dat ze een slaapkamer met mij zou delen, hoewel ze dat ongeveer zestien jaar had gedaan zonder ook maar een kik te geven. Aisling liet zich niet ompraten; alles was al geregeld, zei ze, en er was geen passende kamer beschikbaar, behalve natuurlijk haar eigen kamer; Niamh kon ook bij haar op de kamer slapen. Niamh keek mij aan en wachtte tot ik zou zeggen dat ik graag de kamer met Aisling zou delen, zodat zij alleen kon zijn. Maar ik zei niets. Toen zweeg Niamh weer, met een gefronst voorhoofd, en draaide haar vingers in elkaar.

'Misschien is een Uí Néill te deftig voor iemand als ik,' zei ik, en probeerde zonder veel succes te glimlachen terwijl we de trappen opliepen naar onze kamer. De kamer was ruim, maar donker; de smalle spleet die het raam vormde, keek uit op de binnenplaats. Er waren twee simpele bedden, opgemaakt met sneeuwwit linnengoed en donkere, wollen dekens. Er stond een tafel met een kan water en een waskom, en zachte doeken. Alles was keurig opgeruimd en smetteloos schoon. Ik had onder aan de trap en in de bovengang in het groen geklede wachten zien staan.

'Misschien willen jullie je even wassen en dan rusten tot het avondeten,' stelde Aisling voor, die nog achter ons stond. 'Het spijt me dat er bewaking is. Eamonn stond erop.'

Ik bedankte haar en ze ging weg. Sean was nog beneden op de binnenplaats, in diep gesprek met een van onze eigen mannen. Hij zou hier niet lang blijven, want tijdens Liams afwezigheid was hij verantwoordelijk voor Zeven Wateren, en hij moest dus terug naar huis om zijn plichten daar te vervullen. Mijn vader had dat natuurlijk heel goed kunnen doen, maar hoewel de mensen de Grote Man aardig vonden en vertrouwden, vergaten ze nooit helemaal dat hij een Brit was, en daarom kon hij nooit Liams plaats innemen, ook al wilde hij dat wel. Dat was eigenlijk jammer, want als er ooit iemand een geboren leider was, was het Hugh van Harrowfield. Maar toch had hij zijn eigen weg gekozen.

Zodra de deur dicht was, trok ik mijn bovenkleren en daarna mijn laarzen uit. Ik goot wat water in de kom en maakte mijn gezicht, armen en handen nat. Ik was blij dat ik wat van het stof en het zweet van de reis kon wegwassen. Ik grabbelde in mijn tassen, op zoek naar mijn kam en spiegel.

'Nu mag jij,' zei ik terwijl ik op het bed ging zitten en mijn door de wind verwaaide krullen begon te ontwarren. Maar mijn zus had alleen haar rijlaarzen uitgetrokken. Ze ging volledig gekleed op het bed liggen en sloot haar ogen.

'Je zou toch tenminste je gezicht moeten wassen,' zei ik, 'en laat mij je haar uitkammen. En je zult lekkerder slapen als je die jurk uitdoet. Niamh?'

'Slapen?' zei ze toonloos zonder haar ogen open te doen. 'Wie zei dat ik ging slapen?'

Mijn haar was een ramp. Ik mocht van geluk spreken als ik er voor het eten alle knopen uit kreeg. Ik trok de benen kam erdoor, sliert voor sliert, te beginnen bij de uiteinden en met pijn en moeite doorwerkend tot bij de wortels. Er was inderdaad iets te zeggen voor een geschoren hoofd, als je buitenshuis moest leven. Niamh lag bewegingloos op haar rug. Ze ademde traag, maar ze sliep niet. Haar knokkels waren wit, haar lichaam was gespannen.

'Waarom vertel je het me niet?' zei ik zacht. 'Ik ben je zus, Niamh. Ik zie heus wel dat er iets is, iets ergers dan... dan gewoon getrouwd zijn en van huis weggaan. Het zou misschien helpen als je erover praatte.'

Het enige wat ze deed, was iets verder van me af schuiven. Ik ging door met het kammen van mijn haar. Er kwamen geluiden naar binnen vanaf de binnenplaats, de beweging van paarden, roepende mannen, bijlslagen op hout, krak, krak. Er begon zich een vreselijk vermoeden te vormen in mijn geest, een vermoeden waaraan ik nauwelijks geloof kon hechten. Ik kon het haar niet vragen. Ik sloot mijn ogen terwijl ik daar zat en stelde me voor dat ik mijn zuster was, die daar zwijgend in de schemerige stenen kamer lag. Ik voelde de zachtheid van de deken onder me, de vermoeidheid in mijn lichaam van de lange rit, de zware bos goudblond haar om mijn hoofd, onder de verhullende sluier. Ik liet mezelf wegzweven in de stilte van de kamer. Ik werd mijn zuster. *Ik voelde hoe eenzaam ik was, nu ik niet langer bij Zeven Wateren hoorde, nu mijn moeder en mijn vader, mijn ooms en zelfs mijn zuster en broer me hadden weggeworpen als een stuk afval. Ik was waardeloos. Waarom was Ciarán, die zei dat hij altijd van me zou houden, anders weggegaan en had hij me verlaten? Fionn had gelijk met wat hij zei – ik was een totale teleurstelling, die niet be-*

schikte over de vaardigheden van een echtgenote en ook niet over
de liefdeskunsten van een minnares. Ik kon niet omgaan met gas-
ten, zei hij. Ik was niets waard in het huishouden. Ik had geen
fantasie in bed, ondanks al zijn pogingen om me iets bij te bren-
gen. Ik was een totale mislukking. Het was maar goed dat ik was
wie ik was, anders had het helemaal geen nut gehad. Nu was er
tenminste het bondgenootschap, zei mijn echtgenoot. Ik voelde
hoe het overal pijn deed, pijn waardoor het paardrijden zo moei-
lijk ging, pijn als gevolg van de kwetsuren, die ik vooral niet mocht
laten zien, anders zou het allemaal nog erger worden. Ik mocht
hun niet laten zien dat ik zelfs hierin had gefaald. Als ik maar
niets liet merken, werden de nare dingen er op de een of andere
manier minder werkelijk door. Als ik niets zei, zou ik me mis-
schien nog iets langer staande kunnen houden.

Met een ruk dwong ik mezelf terug te komen; ik voelde dat het
zweet me uitbrak over mijn hele lichaam. Mijn hart bonsde snel.
Niamh lag nog steeds bewegingloos op het bed. Ze was zich er
volstrekt niet van bewust dat ik in haar gedachten had gekeken.
Ik beefde van ontzetting. Die ellendige oom Finbar! Ik had liever
nooit geweten dat ik dit kon, ik had deze gave graag teruggegeven aan degene, wie het ook was, die haar me geschonken had,
en in plaats ervan een praktische vaardigheid gekregen, zoals het
vermogen vissen te vangen of in mijn hoofd getallen op te tellen.
Maar niet dit, niet de kunst de gedachten van mensen te lezen,
hun geheime pijn te voelen en te begrijpen. Niemand zou zo'n gevaarlijke gave mogen krijgen.

Na een poos gaf ik toe dat dit niet eerlijk was tegenover mijn oom.
Het was verstandig van hem geweest om me te waarschuwen. Bovendien was dit niet de eerste keer. Ik herinnerde me die nacht,
toen Bran had gehuiverd en mijn arm zo stijf had vastgepakt dat
hij hem bijna had gebroken, toen ik een kind had horen roepen
dat het niet alleen gelaten wilde worden. Zelfs nadat hij me had
afgewezen, brandde ik nog altijd mijn kaars, hield ik nog altijd
een wake in de donkere nachten en droeg ik zijn beeltenis in mijn
gedachten. Als ik de gave had om die diep weggestopte innerlijke
wonden te zien, dan moest ik tevens het vermogen hebben om ze
te genezen. Die twee dingen gingen samen; dat hadden moeder en
Sean me wel verteld. Ik zou een lief ding geven om nooit te we-

ten wat Niamh nog meer in haar hoofd had, achter dat lege, gesloten gezicht; mijn fantasie riep beelden op die me deden rillen.
Maar ik moest het weten, wilde ik haar kunnen helpen.

Doe het langzaam aan. Met de lichte tred als van een winterko-
ninkje, dat nauwelijks een ritseling veroorzaakt in de bladeren van
de hazelaar. Met zachte tred, hield ik mezelf voor, anders zou ze
helemaal instorten en zou het te laat zijn. Er was nog tijd, misschien
een maand, tot Fionn terugkwam met Eamonn, en Niamh weer bij
ons weg zou moeten. Dat was lang genoeg om... om wat te doen?
Ik had geen flauw idee, maar er moest iets gedaan worden. Ik moest
eerst achter de waarheid komen en dan zou ik een plan maken.
Maar niet zo snel dat het mijn zus te veel zou worden. Dus toen ze
zich onmiddellijk na het avondeten excuseerde en terugvluchtte
naar boven, gaf ik haar wat tijd om alleen te zijn. Iemand die zo
tot het uiterste was belast als zij, kon niet veel meer hebben. De hele toestand drukte zwaar op me en mijn gedachten waren ver weg
toen Sean iets tegen me zei. Aisling was naar de keukens gegaan,
en mijn broer en ik zaten samen aan tafel met ons bier voor ons,
op enige afstand van de mannen en vrouwen van het huishouden.
'Ik vertrek morgenochtend, Liadan,' zei Sean zacht. 'Liadan?'
'Neem me niet kwalijk. Ik luisterde niet.'
'Mm. Ze zeggen dat vrouwen zo worden wanneer ze moeder gaan
worden. Een beetje wazig in het hoofd. Er niet helemaal bij.' Het
was voor het eerst dat hij het onderwerp ter sprake bracht, en zijn
stem klonk luchtig, hoewel zijn ogen een vraag inhielden.
'Jij wordt zelf oom,' zei ik streng. 'Oom Sean. Dat klinkt wel oud,
vind je niet?'
Hij grijnsde, maar werd opeens weer ernstig. 'Het hele geval zit
me niet lekker. Ik vind dat ik de waarheid verdien te weten. Maar
ik heb opdracht je geen vragen te stellen, en dat doe ik dan ook
niet. Liadan, ik rij morgen naar het noorden. Ik ga nog niet naar
huis. Ik zeg je dit omdat ik weet dat je het voor je zult houden.
En er moet iemand zijn die weet waar ik heen ben gegaan, voor
het geval dat ik niet terugkom.'
'Naar het noorden,' zei ik op effen toon. 'Waar in het noorden?'
'Ik ga iemand een voorstel doen en horen wat hij daarop zegt. Ik
denk dat je de rest van het verhaal zelf wel in kunt vullen.'
'Mm-mm,' zei ik, en ik voelde me koud worden. 'Dat is niet zo'n

goed idee, Sean. Je neemt een groot risico, wanneer het antwoord nee moet zijn.'

Seans ogen waren recht op de mijne gericht. 'Je lijkt behoorlijk overtuigd van het antwoord. Hoe kun je zoiets weten?'

'Je loopt gevaar als je gaat,' zei ik ronduit.

Sean krabde op zijn hoofd. 'Een krijger loopt altijd gevaar.'

'Stuur een ander, als je per se contact wilt zoeken met deze man. Het is gekkenwerk om zelf te gaan, en in je eentje.'

'Naar wat ik hoor, is dit misschien de enige manier om hem te vinden. Als het ware het hol van de leeuw binnen te gaan.'

Ik rilde. 'Je reis zal voor niets zijn. Hij zal nee zeggen. Je zult merken dat ik gelijk heb.'

'Een huurling zegt alleen nee wanneer de prijs niet hoog genoeg is, Liadan. Ik kan heel goed onderhandelen. Ik wil de Eilanden terug. Deze man kan ze voor me veroveren.'

Ik schudde mijn hoofd. 'Dit is niet zomaar een overeenkomst, je huurt niet zomaar iemand in. Het is heel anders. Er zal sprake zijn van dood en verlies, Sean. Ik heb het gezien.'

'Misschien. Misschien niet. Laat me mijn theorie tenminste toetsen. En, Liadan, dit is geheim, dat spreekt voor zich. Zelfs Aisling denkt dat ik naar huis ga. Laat het daarbij, tenzij... je weet wat ik bedoel.'

'Sean...' Ik aarzelde, omdat ik niet wist hoeveel ik kon zeggen.

'Wat?' Sean fronste zijn voorhoofd.

'Ik zal dit natuurlijk voor me houden. En ik moet je vragen – ik moet je vragen dat als je de man die je gaat zoeken vindt, je met hem alleen over je voorstel praat en niet over... over andere dingen.'

Nu keek hij werkelijk boos; zijn ogen flitsten.

Toe, Sean. Ik ben je zus. Alsjeblieft. En – trek niet te snel conclusies.

Hij keek me aan alsof hij me door elkaar wilde rammelen om de waarheid uit me te krijgen. Maar Aisling kwam weer binnen en hij knikte met tegenzin. *Ik kan niet verhinderen dat ik conclusies trek, maar ik denk dat die niet juist kunnen zijn. Ze zijn domweg te onvoorstelbaar.*

De volgende dag was Sean vertrokken, en ik zei niets, maar ik maakte me zorgen over hem, want ik wist dat hij op zoek ging naar de Beschilderde Man en zijn bende, om hun diensten te kopen. Na Brans verachtelijke afwijzing van alles wat me dierbaar was, mijn vader en moeder, en zelfs mijn naam, kon ik niet geloven dat hij Seans voorstel zou willen aanhoren. Het was waarschijnlijker dat mijn broer in de een of andere val zou lopen. Nog waarschijnlijker was het dat hij hen domweg niet zou kunnen vinden. Waar hij ook heen ging, zij zouden hem altijd een stap voor zijn. Bovendien, hadden de mannen in het groen niet gezegd dat Bran ver weg overzee was? In mijn visioen had ik hem ergens in een ver oord gezien, onder vreemde bomen. Ze waren waarschijnlijk allemaal weg, Meeuw, Slang, de hele bonte bende krijgers. Als dat zo was, was het goed. Dat betekende in elk geval dat mijn broer weliswaar teleurgesteld, maar toch veilig thuis zou komen.

Intussen was daar Niamh. Ik wist niet hoe ik tegen haar moest zeggen wat ik in haar gedachten had gezien, maar het bleek niet nodig te zijn, want een paar dagen later kwam de waarheid aan het licht, ondanks haar pogingen die te verbergen. Het was niet lang voor de schemering en ik voelde me rusteloos. Ik vond de afgesloten omgeving van Sídhe Dubh drukkend en verlangde nu al sterk naar open lucht, bomen en water. Ik had Niamh aan zichzelf overgelaten en was naar boven gegaan, naar de zwaar bewaakte gaanderij die rondom langs de muur van het fort liep, hoog boven de moerassen en nederzettingen, zo hoog dat als je naar het oosten keek, je nog net de rand van het bos van Zeven Wateren kon zien, als een grijsblauwe schaduw in de verte. Langzaam liep ik helemaal rond; ik hield hier en daar stil om door de nauwe spleten in het metselwerk naar buiten te kijken, spleten die zo gevormd waren dat er een pijl door kon worden afgeschoten zonder dat de schutter de kans liep zelf door een pijl getroffen te worden. Ik was niet lang genoeg om over de borstwering te kijken; die was ontworpen om een staande man te beschermen, en ik ben klein, zelfs voor een vrouw. De wachttorens, die boven de muur uitstaken, konden via een trap bereikt worden. Ook deze torens waren zwaar versterkt en boden uitzicht naar alle kanten. Ik wist met vrouwelijke charme toegang te krijgen tot de noordelijke wachttoren, en mocht boven komen en kijken. De man die er dienst had, mopperde wat over heer Eamonn en dat het tegen de regels was, en ik lachte poeslief en zei dat ze vast allemaal erg dapper waren, en wat voor gevaarlijk werk ze deden, en dat ik dacht dat Eamonn het vast niet erg zou vinden als ze me het uitzicht lieten zien, één keertje maar. Maar als ze zich daar zorgen over maakten: ik zou het niet tegen hem zeggen, als zij er ook niets over zeiden. De drie wachten grijnsden en begonnen me te vertellen wat er allemaal te zien was.

'Daar ziet u het noorden, vrouwe. Het is helemaal niet zo ver naar die heuvels; dat is droog land, waar dekking te vinden is. Maar je kunt er niet recht naartoe oversteken, dat is te verraderlijk. Zuigende modder, ziet u. Heel naar spul.'

'Dat betekent dat je helemaal om moet lopen,' zei de tweede. 'Terug over de weg waarover u bent gekomen, bij de kruising naar het oosten, dan weer naar het noorden en even ver terug. Als je te voet reist, ben je een halve dag extra kwijt tot je bij de pas bent. Er is natuurlijk ook een weg die er recht doorheen gaat. Een snellere weg.'

De eerste man liet een vreugdeloos grinniken horen. 'En of die sneller is. Je zakt snel weg als je een stap verkeerd doet. Ik ga dat niet proberen, al hing mijn leven ervan af.'

De derde wacht was iets jonger, niet veel meer dan een jongen, en hij zei fluisterend: 'Als je daar 's nachts buiten bent, hoor je de boze geest krijsen over het moeras. Bloedstollend om te horen. Dat voorspelt dat er weer iemand doodgaat. Weer een ziel die de donkere met haar koude hand grijpt.'

'Maar er is dus een snelle weg door het moeras?' vroeg ik, terwijl ik naar buiten staarde over wat zo te zien één uitgestrekt moerasgebied was, helemaal tot aan de verre lijn van lage heuvels in het noorden.

'Mm-mm. Snel en geheim. Heer Eamonn maakt er gebruik van, en een paar van de mannen. Er zijn er maar een paar die het weten. Stap voor stap, één man tegelijk, je moet de volgorde precies onthouden, twee stappen naar links, een naar rechts, en zo verder. Anders ben je er geweest.'

'Was het in dit soort terrein dat die huurling, jullie weten wel wie, ze noemen hem de Beschilderde Man...'

'Dat hij onze mannen overviel en ze afslachtte als een prooi bij een jachtpartij? Dat was niet hier, vrouwe, maar het had er veel van weg. Hoe hij er de weg wist, weet Morrigan alleen. Die vervloekte moordenaar.'

'We hebben er nog wel eentje te pakken gekregen, later,' zei de eerste man. 'Toen hebben we een van die slagers te grazen genomen. Mooi dat we zijn buik hebben opengehaald.'

'Ik zal niet voldaan zijn tot ze allemaal dood en begraven zijn,' zei de ander. 'Alleen is begraven nog te goed voor die lui. Vooral voor degene die ze de Baas noemen. Die man heeft een zwarte ziel hoor, door en door slecht. Ik zal je dit vertellen, het zou erg dom van hem zijn als hij ook maar zijn kleine teen op het land van mijn heer zet. Dat zou zijn doodvonnis zijn.'

'Neem me niet kwalijk.' Ik glipte tussen hen door de wachttoren uit en ging snel de trap af naar de gaanderij.

'Het spijt me, vrouwe. We hebben u hopelijk niet van streek gemaakt. Mannen zeggen nu eenmaal waar het op staat, begrijpt u.'

'Nee, nee, niets aan de hand. Bedankt voor de uitleg.'

'Past u op waar u loopt, vrouwe. De stenen zijn hier en daar wat ongelijk. Vrouwen horen hier niet thuis.'

Toen ik terugkwam bij de slaapkamer, was de deur dicht. Ik duwde ertegen, maar er stond iets voor. Ik duwde harder, en de deur ging een eindje open, waardoor de kist die erachter was gezet om hem dicht te houden, verschoof. Er was een grote pan naar de kamer gebracht, en badwater. Niamh hoorde me en graaide naar een doek om zich te bedekken, maar het was te laat om zich te verbergen. Ik had het al gezien. Ik kwam stilletjes naar binnen en sloot de deur achter me. Ik stond daar en staarde naar de blauwe plekken die het hele lichaam van mijn zus bedekten. Ik zag dat haar vroeger mollige gestalte met de blanke huid vaal en mager was geworden, zodat haar ribben te zien waren en haar heupbeenderen naast haar ingevallen buik naar buiten staken, alsof ze uitgehongerd was. Ik zag dat het lange, glanzende haar dat vroeger als een waterval over de welvingen van haar vrouwelijkheid viel, nu botweg ter hoogte van haar kin was afgesneden, met ongelijke punten alsof het was afgesneden met een boze zaagbeweging van het mes. Het was de eerste keer dat ik haar zonder sluier zag sinds ze was teruggekomen van Tirconnell.

Zonder iets te zeggen liep ik naar haar toe, nam de doek uit haar bevende handen en legde hem om haar schouders om haar arme, beschadigde lichaam af te schermen van het licht. Ik pakte haar hand, hielp haar uit het bad en liet haar op het bed zitten. Toen begon ze te huilen, eerst zacht en daarna met hevige, hikkende snikken als een kind. Ik probeerde niet haar tegen me aan te drukken; daar was ze nog niet aan toe.

Ik haalde schoon ondergoed en een eenvoudige jurk, en trok ze haar aan. Ze huilde nog steeds toen we klaar waren, en ik pakte mijn kam en begon hem voorzichtig door de gehavende restanten van mijn zusters mooie haar te halen.

Na een poos werden de snikken minder hevig en werden haar woorden samenhangender, en wat ze zei was: 'Niemand zeggen! Beloof me dat, Liadan. Je mag het aan niemand van de familie zeggen, zelfs niet aan vader of moeder. Niet aan Sean. En vooral niet aan de ooms.' Ze greep mijn pols, heel hard, zodat ik de kam bijna liet vallen. 'Beloof het, Liadan!'

Ik keek recht in haar grote, blauwe ogen, die vol tranen stonden. Haar gezicht was asgrauw, met een angstige uitdrukking erop.

'Heeft je echtgenoot dit gedaan, Niamh?' vroeg ik zacht.

'Waarom denk je dat?' snauwde ze onmiddellijk.

'Iemand heeft het gedaan. Als het niet Fionn is, wie dan? Want je man zou je toch kunnen beschermen tegen mishandeling?'

Niamh ademde huiverend in. 'Het is mijn schuld,' fluisterde ze. 'Ik heb alles verkeerd gedaan, alles. Het is voor straf.'

Ik keek haar stomverbaasd aan.

'Maar Niamh – welke reden zou Fionn kunnen hebben om zoiets te doen? Waarom zou hij je zo vreselijk bezeren? Waarom zou hij je haar afsnijden, je prachtige haar? De man moet gek zijn.'

Niamh haalde haar schouders op. Ze was vreselijk mager geworden; onder de zachte blauwe wol van haar jurk waren haar schouders even benig en breekbaar als die van onze moeder. 'Ik verdiende het. Ik maakte de ene fout na de andere. Ik ben zo – zo onhandig en dom. Ik ben een teleurstelling voor hem, een mislukking. Geen wonder dat Ciarán...' Haar stem brak. 'Geen wonder dat Ciarán is weggegaan en niet is teruggekomen om me te halen. Ik was nooit iets waard.'

Dit was zo onzinnig dat ik in de verleiding kwam haar scherp toe te spreken, zoals ik vroeger zou hebben gedaan; om te zeggen dat ze niet zo mal moest doen en haar zegeningen moest tellen. Maar dit keer geloofde ze haar eigen woorden werkelijk; er waren niet alleen blauwe plekken en littekens op haar zachte lichaam, maar ze zaten ook diep in haar ziel, en die wonden waren niet te genezen met snelle woorden.

'Waarom heeft hij je haar afgesneden?' vroeg ik weer.

Ze deed haar hand omhoog om hem door de grof afgesneden lokken te halen, alsof ze zelf niet goed kon geloven dat die vracht aan zijden goud weg was.

'Dat heeft hij niet gedaan,' zei ze. 'Ik heb het zelf afgesneden.'

Ik staarde haar aan. 'Maar waarom dan?' vroeg ik ongelovig. Niamh had haar haar altijd verzorgd, want ze wist zonder ijdelheid dat het een van haar voornaamste schoonheden was. En hoewel ze zich soms had beklaagd over het feit dat ze op haar vader leek, die zo duidelijk een Brit was, was ze toch erg gesteld op de manier waarop haar lange lokken glansden in de zon, en om haar heen zwierden wanneer ze danste, en de blikken van de mannen trokken. Ze had ze gewassen met kamille en er bloemen en zijden linten doorheen gevlochten.

'Ik denk niet dat ik het je kan vertellen,' zei mijn zus met een klein stemmetje.

'Ik wil je helpen,' zei ik. Ik dacht natuurlijk aan wat ik had gezien toen ik in haar gedachten had kunnen kijken. Maar het was veel beter dat ze het me zelf vertelde, uit vrije wil. Ze had al een keer gedacht dat ik haar bespioneerd had. 'Maar ik kan je niet helpen als je me niet vertelt wat er precies aan de hand is. Is je man erachter gekomen wat er met Ciarán gebeurd is? Was het dat? Was hij boos omdat je al met een man was geweest, voor je huwelijksnacht?'

Ze schudde ongelukkig haar hoofd.

'Wat dan? Niamh, een man kan zijn vrouw niet ongestraft bont en blauw slaan. Volgens de wet zou je op die grond kunnen proberen van hem te scheiden. Liam zou dat graag voor je doen. Vader zou diep verontwaardigd zijn. We moeten het hun vertellen.'

'Nee! Zij mogen het niet weten!' Ze beefde.

'Dit is krankzinnig, Niamh. Je moet je door je familie laten helpen.'

'Waarom zouden ze me helpen? Ze haten me. Zelfs vader. Je hebt gehoord wat hij tegen me zei. Sean heeft me geslagen. Ze hebben me weggestuurd.'

Daarna zaten we een tijdlang zwijgend bij elkaar. Ik wachtte; zij strengelde haar magere vingers in elkaar, plukte aan de stof van haar jurk en beet op haar lippen. Toen ze eindelijk begon te spreken, klonk haar stem vlak en berustend.

'Ik zal het je vertellen. Maar eerst moet je me beloven dat je het niet aan vader of Liam vertelt, of aan wie ook van de familie. En ook niet aan Eamonn of Aisling. Zij zijn bijna familie. Beloof het, Liadan.'

'Hoe kan ik zoiets beloven?'

'Je moet het beloven. Omdat het helemaal verkeerd is gegaan, alles. Als je het vertelt, zal dat het einde zijn van het bondgenootschap, en dan zal ik ook daarin gefaald hebben en hen weer allemaal teleurstellen. Dan zullen ze me allemaal nog erger verachten dan ze nu al doen, en dan heeft het helemaal geen zin meer om door te gaan, geen enkele zin, dan zou ik net zo goed een mes op mijn polsen kunnen zetten en er een eind aan maken. En dat zal ik ook doen als je het vertelt, ik doe het echt, Liadan. Beloof het. Zweer het!'

Ze meende het. Terwijl haar woorden eruit rolden, straalde er een angst uit haar ogen die echt was en me deed huiveren.

'Ik beloof het,' fluisterde ik, en ik besefte dat ik er door deze gelofte alleen voor stond, dat ik afgesneden was van de hulp die ik had kunnen inroepen. 'Vertel het me nu, Niamh. Wat is er verkeerd gegaan?'

'Ik dacht,' zei ze terwijl ze haperend inademde, 'ik dacht dat het allemaal nog goed zou aflopen. Tot het allerlaatste ogenblik geloofde ik toch nog dat Ciarán zou terugkomen om me te halen. Het leek onmogelijk dat hij dat niet zou doen; dat hij zou toelaten dat ik uitgehuwelijkt en weggestuurd werd, zonder te proberen tussenbeide te komen. Ik was er zo zeker van. Zo zeker dat hij van me hield zoals ik van hem hield. Maar hij kwam niet. Hij kwam niet meer terug. En daarom dacht ik... dacht ik...'

'Neem rustig de tijd,' zei ik vriendelijk.

'Vader was zo boos op me,' zei ze met een ijl stemmetje. 'Vader, die nooit tegen iemand schreeuwt. Toen ik klein was, was hij er altijd, weet je, om me op te helpen als ik gevallen was, hij zorgde ervoor dat we ons allemaal veilig en gelukkig voelden. Als ik verdrietig was, ging ik altijd naar hem toe en dan knuffelde hij me of hij zei iets liefs. Wanneer er iets verkeerd ging, zorgde hij er altijd voor dat het weer goed kwam. Maar nu niet. Hij deed zo koel, Liadan. Hij luisterde niet eens naar me, of naar Ciarán. Hij zei alleen maar nee, zonder te zeggen waarom. Hij stuurde me voorgoed weg. Alsof hij me nooit meer wilde zien. Hoe kon hij dat doen?'

'Dat is niet helemaal waar,' zei ik zacht. 'Hij is nu erg bezorgd over je, en moeder ook. Als het lijkt of hij boos is, komt dat misschien doordat hij haar voor deze dingen wil afschermen. En je vergist je als je zegt dat hij niet luisterde. Ze hebben in elk geval wel naar Ciarán geluisterd. Conor zei dat Ciarán er zelf voor heeft gekozen om uit het bos weg te gaan. Hij zei dat het... dat hij op reis ging om zijn verleden te zoeken.'

Niamh snoof. 'Wat heb je aan het verleden als je de toekomst weggooit?' zei ze somber.

'Nu goed, je voelde je gekwetst door wat vader deed, en toen ging je naar Tirconnell. Wat gebeurde er toen?'

'Ik... ik kon het gewoon niet. Ik wilde dat het goed ging; ik dacht, jammer voor Ciarán, maar als hij niet genoeg van me houdt om terug te komen, dan trouw ik met een andere man en begin een nieuw leven, en laat hem zien dat het me niets kan schelen. Dan laat ik hem zien dat ik ook zonder hem kan. Maar dat kon ik niet, Liadan.'

Ik wachtte. En ze vertelde het me, vertelde het zo duidelijk dat het was alsof ik hen kon zien, Niamh en haar echtgenoot, samen in een slaapkamer. Er waren veel van dit soort scènes geweest sinds ze getrouwd was. Sinds ze ontdekt had dat ze niet kon doen alsof.

Fionn was naakt, en hij keek naar mijn zuster terwijl ze haar lange haar uitborstelde, zorgvuldig, slag voor slag. Ik kon haar angst voelen, het bonzen van haar hart, de kou die op haar huid prikte. Ze droeg een mouwloze nachtpon van fijn batist, en de blauwe plekken op haar lichaam, nieuwe en oude, waren duidelijk zichtbaar. Fionn staarde naar haar; hij had zijn hand tussen zijn benen en liefkoosde zichzelf, en hij zei: 'Schiet eens op! Een man kan niet eeuwig wachten.'

'Ik...' zei Niamh, met een blik als van een dier in de val. 'Ik wil eigenlijk niet... ik heb geen zin om...'

'Mm.' Fionn kwam met grote stappen naar haar toe, zonder een geheim te maken van de begeerte die zijn lichaam hard maakte. Hij ging vlak achter haar staan en nam het neervallende rood-gouden haar in zijn handen. 'Daar zullen we dus iets aan moeten doen, hè? Een echtgenote moet er op zijn minst af en toe zin in hebben, Niamh. Het zou anders zijn als je een kind verwachtte, dat zou als excuus kunnen gelden. Maar het lijkt erop of je zelfs dat niet voor me kunt doen. Het is voor een man voldoende reden om het buiten de deur te zoeken. Denk maar niet dat er niet genoeg aanbod is. Menig aardig meisje in dit huishouden heeft me in zich gevoeld, lang voordat jij hier kwam, en ze was er dankbaar voor. Maar jij...' Hij trok hard aan haar haar en haar hoofd werd achterover gerukt zodat ze hijgde van pijn en schrik. 'Jij schijnt er niet om te geven, hè? Je kunt blijkbaar maar niet aan me wennen.' Hij trok weer en ze smoorde een gil. Toen liet hij plotseling los, en zijn handen betastten haar lichaam, trokken de nachtpon ruw omhoog, trokken haar lichaam tegen hem aan, en hij stootte zonder verder omhaal van achteren in haar. Dit keer kon ze haar kreet van pijn en ontzetting niet inhouden.

'Stout meisje,' zei Fionn, terwijl hij grimmig en doeltreffend zijn genot nam. 'Waar is een echtgenote anders voor dan om haar man te bevredigen? Al kun je dit nauwelijks bevrediging noemen. Eerder of je het met een lijk doet. Gewoon een – uitlaat – voor – de lichamelijke – behoeften – aah,' zei hij, en trok zich sidderend uit haar terug, terwijl hij naar een doek greep om zich af te drogen. 'Misschien heb je wat oefening nodig, lieve. Ik heb een paar vrienden die je graag wat... variatie zouden willen geven. En je misschien een paar kunstjes willen leren. Dat zouden we weleens kunnen proberen, op een nacht. Dan zou ik kunnen toekijken.'

Niamh stond met haar rug naar hem toe en staarde voor zich uit alsof hij er helemaal niet was.

'Wat, heb je niets te zeggen?' Hij greep haar haar weer, in haar nek, en draaide haar met een ruk om zodat ze hem aan moest kijken. 'Mijn god, als ik had geweten wat voor koude vis ik kreeg, zou ik nooit met deze verbintenis hebben ingestemd, bondgenootschap of niet! Ik had dat jongere zusje van je moeten nemen. Een schriel onderdeurtje, maar daar zit tenminste leven in. Jij, jij hebt niet eens genoeg fut om iets terug te zeggen. Nou, schiet dan maar op, trek je kleren aan. Maak jezelf mooi, als ik daarmee niet het onmogelijke vraag. Ik heb gasten voor het avondeten, en je kunt maar beter op zijn minst doen alsof je hen beleefd ontvangt.' Toen hij weg was, bleef Niamh een tijd alleen in de kamer zitten en staarde met lege ogen naar haar spiegelbeeld in de bronzen spiegel die aan de muur hing. Toen pakten haar handen de kam weer, en ze haalde hem één keer door haar haar, van haar kruin tot helemaal onderaan, waar de roodgouden lokken eindigden, ter hoogte van haar heupen. Ze keek naar de andere kant van de kamer, waar de mantel van haar echtgenoot aan een pin hing, en daarnaast een gordel met een dolkmes eraan, keurig in een leren schede. Het was geen besluit, enkel de wil om op te staan en erheen te lopen, het mes te pakken en te snijden, telkens een handvol haar, trekken en snijden, trekken en snijden, helemaal rondom tot al haar mooie, glanzende haar om haar heen op de vloer lag als een vreemde oogst van de herfst. Ze stak het mes netjes terug, en kleedde zich toen aan, zorgvuldig in een hooggesloten japon met polslange mouwen, een japon die niet één blauwe plek onthulde. Over haar hoofd plaatste ze een sluier van fijne wol, die strak aansloot bij de slapen en in de nek, zodat haar haar elke kleur en elke lengte had kunnen hebben.

'Ik dacht dat het geen zin meer had, zie je,' zei Niamh. 'Alles moet een reden hebben, anders kon ik net zo goed dood zijn. Waarom zou ik gestraft worden, als ik het niet verdiende? Als hij me pijn doet, is het omdat ik waardeloos ben. Waarom doen alsof? Waarom proberen mooi te zijn? Vroeger zeiden de mensen dat ik mooi was, maar dat is een leugen. Ik houd van Ciarán meer dan van wat ook op de wereld. En hij heeft me gewoon de rug toegekeerd en is weggegaan. Mijn eigen familie heeft me uitgestoten. Ik verdien geen geluk, Liadan. Ik heb het nooit verdiend.'

Mijn geest was vol woede. Als ik een mes in mijn handen had gehad en Fionn Uí Néill binnen mijn gezichtsveld was geweest, had niets me kunnen weerhouden mijn wapen in zijn hart te stoten en het nog eens om te draaien. Als ik de beschikking had gehad over een drietal huurlingen en een zakje zilver om hen mee te betalen, had ik er een grimmige voldoening in gevonden hen op te dragen hem terecht te stellen. Maar ik was hier op Sídhe Dubh, en Fionn was de bondgenoot van mijn broer en Liam. Ik was hier met mijn zus, die nu haar ogen opendeed en me aankeek met een gezicht zo treurig, zo hulpeloos en kwetsbaar dat ik wist dat boosheid niet baatte, op dit moment niet. Ik had haar wel bij de schouders willen pakken en haar door elkaar willen rammelen en zeggen: *Waarom kwam je niet voor jezelf op? Waarom spuugde je hem niet in zijn arrogante gezicht, waarom gaf je hem geen welgemikte trap als zijn verdiende loon? En als je dat niet kon, waarom ben je niet gewoon weggelopen?* Want ik wist dat als ik in haar plaats was geweest, ik zo'n behandeling nooit zou hebben geaccepteerd. Ik zou nog liever een bedelares langs de weg zijn geworden dan mezelf zo te laten vernederen. Maar op de een of andere manier was het in Niamhs denken allemaal omgedraaid. Het was precies zo verdraaid dat ze alles geloofde wat Fionn tegen haar zei. Haar echtgenoot zei dat het haar schuld was, en dus moest het haar schuld zijn. Inmiddels was Niamh bijna helemaal verteerd door de monsterlijkheid van wat haar was aangedaan. En wij droegen er allemaal de schuld van. De mannen van ons huishouden hadden haar lot bezegeld toen ze haar wegstuurden van Zeven Wateren. Zelfs ik was schuldig. Ik had tegen haar verbanning kunnen vechten, maar dat had ik niet gedaan.

'Ga liggen, Niamh,' zei ik zacht. 'Ik wil dat je rust, ook al kun je niet slapen. Je bent hier veilig. Deze burcht is zo goed bewaakt dat zelfs de Beschilderde Man niet door de verdediging heen zou kunnen breken. Niemand kan hier aan je komen. En ik beloof je dat je nooit meer terug hoeft naar je echtgenoot. Je zult veilig zijn. Dat beloof ik, Niamh.'

'Hoe... hoe kun je zoiets beloven?' fluisterde ze, en ze verzette zich tegen mijn handen toen ik probeerde haar op het kussen neer te vlijen. 'Ik ben zijn vrouw, ik moet doen wat hij wil. Het bondgenootschap... Liam... er is geen andere keus... Liadan, je zei dat je het niet zou vertellen...'

'Sst,' zei ik. 'Ik zal een manier vinden. Vertrouw op mij. Ga nu rusten.'

'Dat kan ik niet,' zei ze beverig, maar ze ging wel liggen, met haar bleke wang rustend op haar slanke hand. 'Zodra ik mijn ogen dichtdoe, komt alles terug. Ik kan het niet buitensluiten.'

'Ik zal bij je blijven.' Ik had moeite mijn eigen tranen binnen te houden. 'Ik zal je een verhaal vertellen, of tegen je praten, of wat je maar wilt. Ik zal voor je zingen als je dat wilt.'

'Dat denk ik niet,' zei mijn zus met een schaduw van haar vroegere scherpte.

'Dan zal ik gewoon tegen je praten. Ik wil dat je naar mijn stem luistert en over mijn woorden nadenkt. Denk alleen aan de woorden, zie alleen datgene waarover ik praat. Hier, laat me je hand vasthouden. Goed zo. We zijn in het bos, jij en ik en Sean. Weet je nog dat brede pad onder de beuken, waar je eindeloos kunt rennen? Jij was altijd ver vooruit, altijd de snelste. Sean deed altijd zijn best om je te pakken, maar het lukte nooit, tot je besloot dat je te oud was voor zulke spelletjes. Ik kwam achteraan, omdat ik altijd stilhield om bessen te zoeken of een half verteerd blad op te rapen, of om te luisteren naar egels die door de varens snuffelden, of om te proberen de stemmen van het boomvolk te horen, hoog boven mijn hoofd.'

'Jij met je boomvolk,' snoof ze ongelovig, maar ze luisterde tenminste.

'Je rent op blote voeten, je voelt de wind in je haar, de zachte droge bladeren onder je voeten, je rent door de lichtbanen van de zon die schuin tussen de takken door schijnt en het groen en het goud van de laatste herfstbladeren verlicht, die zich nog aan de takken vastklampen. En dan ben je plotseling bij de oever van het meer. Je hebt het warm van het rennen en je loopt door, het water in, en je voelt de koelte ervan om je enkels spoelen, en de zachte modder onder je voeten. Later lig je samen met Sean en mij op de rotsen; we steken onze vingers in het water en kijken naar de vissen die voorbijglijden, met zilverige lijven die half verborgen blijven door de glinstering van het zonlicht op het oppervlak van het meer. We wachten tot de zwanen komen en op het water neerstrijken, een voorop, de andere daarachter, ze komen in het gouden middaglicht in glijvlucht omlaag om ssjsj, ssjsj te landen, en hun witte vleugels vouwen zich keurig dicht wanneer het water hen ontvangt. Daar drijven ze als grote geesten op de golfjes terwijl de schemering in de hemel komt aansluipen.'

Zo ging ik een tijdje door. Niamh lag stil te luisteren, maar ze was wakker, en ik zag genoeg van haar geest om te weten dat de wanhoop nooit ver onder de oppervlakte lag.

'Liadan,' zei ze toen ik even zweeg om adem te halen. Haar ogen gingen open en ze waren allesbehalve kalm.

'Wat is er, Niamh?'

'Je vertelt over vroeger; over wat er toen goed en eenvoudig was. Die tijd kan nooit meer terugkomen. O, Liadan, ik schaam me zo. Ik voel me zo... zo vies, zo waardeloos. Ik heb alles verkeerd gedaan.

'Dat geloof je toch niet echt?'

Ze rolde zich op, met een arm om haar lichaam heen en een vuist tegen haar mond gedrukt. 'Het is de waarheid,' fluisterde ze. 'Ik moet het wel geloven.'

Er werd op de deur geklopt. Het was Aisling, die kwam kijken of alles in orde was, want het was bijna tijd voor het avondeten en we waren nog niet verschenen. Ik praatte zacht met haar en zei dat Niamh erg moe was; ik vroeg of er een dienblad met wat eten en drinken kon worden gebracht, als het niet te lastig was. Korte tijd later kwam een vrouwelijke bediende met brood, vlees en bier. Ik nam het blad aan, bedankte haar en sloot de deur stevig achter haar.

Niamh wilde niet eten of drinken, maar ik wel. Ik had honger; het kind groeide. Ik kon nu duidelijk de lichte bolling van mijn buik zien, kon voelen dat mijn borsten zwaarder waren geworden. Binnenkort zouden de veranderingen voor iedereen zichtbaar zijn. Maar Niamh wist het niet; misschien had niemand eraan gedacht het haar te vertellen.

'Liadan?' zei ze met zo'n zwak geluid dat ik het amper kon horen.

'Mm?'

'Ik heb moeder van streek gemaakt. Ik heb haar pijn gedaan terwijl zij... terwijl zij... en dat wist ik niet eens. O, Liadan, hoe is het mogelijk dat ik niet zag...'

'Sst,' zei ik, terwijl ik met moeite mijn eigen tranen bedwong. 'Moeder houdt van je, Niamh. Ze zal altijd van ons houden, wat er ook gebeurt.'

'Ik... ik wilde met haar praten, ik wilde het, maar ik kon het niet. Ik kon me er niet toe brengen. Vader was zo streng, hij haatte me omdat ik haar van streek maakte, en...'

'Sst. Het komt allemaal wel goed. Dat zul je zien.' Dwaas vertrouwen, dat nergens op sloeg. Hoe kon ik ervoor zorgen dat het goed kwam, terwijl degenen die zo sterk waren geweest nu afge-

sneden leken en rond leken te dwarrelen als bladeren die hulpeloos werden voortgedreven op de grillige stormwinden van Meán
Fómhair? Misschien maakte het deel uit van het oude kwaad waarvan ze spraken, iets wat zo slecht en zo krachtig was dat het iedereen in de war bracht. Toch suste ik haar en uiteindelijk lag ze
weer stil, maar nog steeds met gebalde vuisten. Ik herinnerde me
wat Finbar me had laten zien, hoe hij mijn geest had gevuld met
vreugdevolle beelden en vredige gedachten, om te maken dat ik
me beter voelde. Hij had gezegd dat ik moest leren de gave om te
genezen te gebruiken. Misschien hield het niet meer in dan dit:
mijn zusters rust te vergemakkelijken. Daarom deed ik wat ik eerder had gedaan: ik stelde me voor dat ik Niamh was die daar verstijfd op het bed lag en probeerde de wereld buiten te sluiten. Ik
liet mijn geest de hare binnengaan, maar dit keer hield ik het in
de hand, zodat ik Liadan bleef, in staat om antwoorden te vinden, in staat om te genezen.

Het was anders dan die andere nacht, toen Bran mijn arm bijna
brak, zo stijf had hij hem vastgehouden, en zijn geest me had toe-
geschreeuwd als die van een angstig kind. Maar ik zag dingen die
ik veel liever niet had geweten. Ik doorleefde met mijn zuster de
vernedering, de bespotting, het geweld. Voor ze trouwden, had
Fionn haar schoonheid gezien en over haar deugden gehoord. En
ze had beide in overvloed bezeten. Maar hij had geen rekening gehouden met Ciarán en het feit dat Niamhs hart en haar lichaam
al waren vergeven toen ze hem huwde. Had ze het strategisch aangepakt, met wat speels flirten, dan had ze een beter uitgangspunt
gehad. Dan was ze misschien in staat geweest haar echtgenoot te
behagen. Het is wreed als een vrouw moet veinzen om zichzelf te
beschermen. Maar ongetwijfeld hebben veel vrouwen dat gedaan
en op die manier hun eigen bestaan tenminste draaglijk gemaakt.
Maar mijn zuster niet. Ze was niet in staat geweest tot het toneelspel dat nodig was om te overleven. En Fionn was geen geduldig man. Ik voelde de slagen van zijn hand en van zijn riem,
zoals zij ze had gevoeld. Ik voelde de onwaardigheid van genomen te worden terwijl ik niet wilde, en ik voelde haar schaamte,
ook al was het niet haar schuld.

Na enige tijd begon ik mijn aanwezigheid in haar verwarde gedachten kenbaar te maken. Ik liet haar een jongere Niamh zien:

het meisje met de vlammende haardos dat in haar witte jurk ronddraaide en naar een leven vol avontuur verlangde. Ik liet haar het kind zien dat snel als een hert op een tapijt van gevallen bladeren rende. Ik liet haar ogen zien, zo blauw als de hemel, en de warmte van de zomerzon in haar haar. En de uitdrukking op Ciaráns gezicht toen hij me de kleine witte steen gaf en zei: *Zeg haar... geef haar dit.* Hij hield van haar. Hij was dan wel weggegaan, maar hij hield van haar. Daarvan was ik overtuigd. Ik kon haar de toekomst niet laten zien, want die kon ik zelf niet zien. Maar ik dompelde haar geest in liefde, licht en warmte, en haar hand ontspande zich in de mijne terwijl de kaars langzaam opbrandde. Ze sliep en snurkte zacht, ontspannen als een klein kind. Heel langzaam, heel voorzichtig trok ik mijn geest uit de hare terug, stopte de deken in om haar benige schouders, stond op en rekte me uit. Ik voelde de pijn van totale uitputting in mijn hele lichaam. Finbar had het goed gezegd; je verrichtte dit werk niet zonder dat het je iets kostte. Ik wankelde naar het smalle raam en keek uit over de binnenplaats, met de gedachte dat ik me ervan moest overtuigen dat de werkelijke wereld daar nog was, want mijn geest was vol van kwaadaardige beelden en verwarde gedachten. Mijn energie was op en het huilen stond me nader dan het lachen.

De afnemende maan stond als een smalle sikkel in een donkere hemel vol jachtende wolken. Beneden op de binnenplaats brandden toortsen en ik kon vaag de vormen van de altijd aanwezige schildwachten zien, die zowel beneden als hoog boven op de gaanderij patrouilleerden. Ze bleven de hele nacht de wacht houden. Het was genoeg om je het gevoel te geven dat je gevangen zat, en ik vroeg me af hoe Aisling en de rest van het huishouden dit uithielden. Ik staarde naar de nachtelijke hemel buiten en mijn geest ging verder dan de stenen muren van de vesting, verder dan de moerassen, verder dan de gebieden in het noorden. Ik was doodmoe, zo moe dat ik verlangde naar iemand die sterke armen om me heen zou leggen, me tegen zich aan zou drukken en zou zeggen dat ik mijn best had gedaan en dat alles goed zou komen. Ik moet inderdaad wel uitgeput zijn geweest om mezelf toe te staan zo zwak te zijn. Ik tuurde in het donker en mijn geest vormde een beeld van die mannen rond hun kookvuur, terwijl ze verrukt luisterden naar het verhaal van Cú Chulainn en zijn zoon Conlai, een zeer droevig verhaal. En ik dacht, zij zijn dan wel fianna, maar ik zou liever daar zijn dan hier, dat weet ik wel. Ik sloot mijn ogen en voelde dat hete tranen over mijn wangen omlaag begonnen te stromen, en voor ik tegen mezelf kon zeggen dat ik hiermee op moest houden, riep mijn innerlijke stem luid: *Waar ben je? Ik heb je nodig. Ik geloof niet dat ik het zonder je kan.* En precies op dat moment voelde ik het kind voor het eerst in me bewegen, een kleine woeling alsof hij zwom, of danste, of beide. Ik legde zacht mijn hand op de plaats waar hij zich kenbaar had gemaakt en glimlachte. *We gaan hier weg, zoon,* zei ik stilzwijgend tegen hem. *Eerst gaan we Niamh helpen. Ik weet niet hoe, maar ik heb het beloofd, dus moet ik het doen. Daarna gaan we naar huis. Ik heb genoeg van muren, poorten en sloten.*

Boud gesproken. Natuurlijk had ik niet gedacht dat Niamh gemakkelijk of snel tot zichzelf zou komen. Als de hoop verdwenen is, is het nauwelijks de moeite waard om aan de toekomst te denken. Het was maar goed dat ik mijn kind in mijn lichaam droeg en zijn levenswil voelde bij elke kleine beweging die hij maakte, anders zou ik me misschien hebben laten meetrekken in die put van wanhoop.

De dagen gingen voorbij en de tijd naderde dat Eamonn en Fionn zouden terugkomen naar Sídhe Dubh, en ik naar huis moest gaan. Niamh bleef zo onstoffelijk als een geestverschijning, at en dronk nauwelijks genoeg om in leven te blijven en sprak alleen wanneer de beleefdheid het strikt vereiste. Toch kon ik kleine tekenen van verandering bij haar zien. Ze kon nu slapen, zolang ik bij haar bed zat en haar hand vasthield tot ze indommelde. Ik merkte dat de tijd waarin ze zo aan de rand van het bewustzijn zweefde, het meest geschikt was om in haar geest te komen en haar gedachten zacht in de richting van het licht te duwen.

Ze wilde niet met me mee wanneer ik over de bovenkant van de muur ging wandelen, waar de wachten waren, maar ze kwam wel mee naar beneden op de binnenplaats, zorgvuldig gekleed in een verhullende jurk met lange mouwen en een matroneachtige sluier. Dan liepen we een stukje tussen de wapenkamer en de graanschuur, de smidse en de stallen. Ze zei bijna niets. Onder de mensen komen leek voor haar een beproeving te zijn. Ik las in haar gedachten hoe onrein ze zich voelde, dat ze geloofde dat iedereen naar haar keek en haar een slet vond, en lelijk bovendien. Dat ze fluisterend tegen elkaar zeiden dat het uiteindelijk maar goed was dat heer Eamonn niet met haar getrouwd was, zoals ze vroeger verwacht hadden. Toch liep ze met me mee en keek toe terwijl ik deze en gene groette en mijn mening gaf over hun kwalen, en de lichaamsbeweging bracht wat meer kleur op haar bleke wangen. Op regenachtige dagen verkenden we het inwendige van het fort. Soms ging Aisling met ons mee, maar vaak had zij bezigheden in keukens of voorraadkamers, of was ze in onderhandeling met de huismeester of de rechtsgeleerde van het huishouden. Ze zou een goede vrouw voor Sean zijn, een evenwichtige, ordelijke aanvulling op zijn doortastende energie.

Sídhe Dubh was wel een heel vreemde woonplaats. Ik verbaasde me zeer over het karakter van Eamonns voorvader, die ervoor had gekozen om zich hier midden in de onherbergzame moeraslanden te vestigen. Hij was beslist een man geweest die beschikte over verbeelding en schranderheid, en misschien lichtelijk excentriek was geweest, want er waren veel wonderlijke dingen te zien. Bijvoorbeeld de gebeeldhouwde pilaren in de grote zaal, met hun fantasiedieren die grijnzend op je neerkeken, de kleine draak, de zeeslang en de eenhoorn. En de constructie van het fort zelf, met de overdekte gang vanaf de toegangspoort, en de woning van de familie, die in twee lagen tegen de binnenmuur was gebouwd. Nooit had ik een huis gezien met meer vreemde, vertakte gangen, verborgen openingen en bedrieglijke uitgangen, meer valdeuren en geheime gangen en plotselinge, verraderlijke putten. Ik had dit keer de kans om plekjes te ontdekken die ik nog nooit had gezien, want de vorige keer dat ik in het huis van Eamonn op bezoek was geweest, was ik een kind en was het me verboden te ver weg te gaan. In mijn verlangen Niamh in beweging te houden – want ik wist dat de geest alleen in een gezond lichaam kan genezen – voerde ik mijn zus mee door de lange, overdekte weg die zich vanaf de hoofdingang om de heuvel wond en zich onder de aarden wal en de stenen muren slingerde om op de binnenplaats uit te komen. Dit pad was altijd met toortsen verlicht en vol bewegende schaduwen, en aan weerskanten kwamen er vele kleinere gangen op uit. Sommige waren bekleed met houten palen, andere met steen. Niamh wilde hier liever niet op verkenning gaan, maar mijn nieuwsgierigheid was gewekt, en ik ging later in de middag terug, terwijl zij sliep. Om dit te kunnen doen was het noodzakelijk om een paar kunstgrepen te gebruiken die ik van mijn vader had geleerd en die te maken hadden met onopgemerkt langs wachtposten komen. Ik vond het beter dat niemand iets zou merken van mijn plotselinge belangstelling voor mogelijke uitgangen om uit het fort te komen, anders zouden ze me wellicht verbieden op onderzoek uit te gaan. Ik nam een lantaarn mee en volgde de zich vertakkende gangen. Zo ontdekte ik een opslagruimte voor kaas en boter, net als de kelders die we thuis voor dat doel gebruikten. Ik vond een kleine kamer die domweg geen vloer had; in plaats daarvan ging het diep naar beneden, en toen ik er een steen in gooide, kon ik tot vijf tellen voor ik de plons hoorde. Verderop langs diezelfde gang bevonden zich onverlichte cellen die elk een houten bank bevatten en aan de muur bevestigde ketenen. Er waren nu geen gevangenen meer. Het zat vol met spinnenwebben; deze plek werd al jaren niet meer gebruikt. Misschien nam Eamonn zijn vijanden niet gevangen. Ik was blij dat Niamh niet bij me was, want de muren schreeuwden als het ware wanhoop uit; er hing hier een donkere hopeloosheid die als een koude hand om mijn ziel sloot. Ik ging snel terug en nam mezelf heilig voor mijn nieuwsgierigheid de volgende keer in te tomen. Terwijl ik over de overdekte weg omhoogliep, hoorde ik een geluidje achter me. Er schoot een kat langs me, die naar boven rende vanuit de diepte van die donkere, schimmige gang met de ongebruikte cellen, een zwarte kat, die zo snel ging dat ik maar net tijd had om te zien dat hij een erg grote en erg dode waterrat in zijn bek droeg. Er was daar dus een weg naar buiten. Een nauwe weg, misschien te nauw voor een mens om zich naar binnen of naar buiten te wringen. Ik kwam in de verleiding om weer naar beneden te gaan en te kijken hoe het zat, maar het was bijna tijd voor het avondeten en ik wilde geen ongewenste aandacht trekken. *Een andere keer, gauw, zoon,* zei ik stilzwijgend, met het gevoel dat hij me op een bepaald niveau begreep. *Een andere keer gaan we daar naar beneden, en dan kunnen we misschien een tijdje naar buiten. Krijgen we wat ruimte. Als we geluk hebben, zien we misschien een vogel of een kikker. Ik moet lucht kunnen inademen. Ik moet buiten stenen muren kunnen kijken.*

Ik had het al een keer aan Aisling gevraagd, zo beleefd mogelijk, en had het antwoord gekregen dat ik verwachtte. 'Ga je nooit naar buiten?' had ik gevraagd. 'Word je er niet gek van, de hele tijd opgesloten te zijn?'

Aisling trok haar wenkbrauwen op. 'Er gaan wel mensen naar buiten,' zei ze verbaasd. 'Het is hier geen gevangenis. Er komen wagens met proviand, en de mannen patrouilleren buiten. Er is meer verkeer wanneer Eamonn thuis is.'

'En ik neem aan dat elke wagen die binnenkomt of weggaat van onder tot boven wordt doorzocht,' zei ik droog.

'Ja, dat wel. Doen jullie dat niet op Zeven Wateren?'

'Niet als het onze eigen mensen zijn.'

'Eamonn zegt dat het wel zo verstandig is. Je kunt tegenwoordig niet voorzichtig genoeg zijn. Hij heeft trouwens ook gezegd...'

Ze zweeg.

'Wat?' zei ik, terwijl ik haar recht aankeek.

Ze bracht haar hand omhoog om haar rode krullen achter haar oor te duwen en keek een beetje verlegen. 'Nou ja, Liadan, als je het beslist wilt weten, hij zei dat hij liever had dat Niamh en jij niet naar buiten gingen zolang jullie hier zijn. Er is voor jullie geen reden om buiten de muren te komen. We hebben hier alles wat jullie nodig hebben.'

'Mm.' De gedachte dat Eamonn regels voor me opstelde, beviel me helemaal niet, vooral niet nu er geen kans bestond op een huwelijk tussen ons. Misschien dacht hij, na wat er met me gebeurd was, dat ik niet in staat was om goed op mezelf te passen.

'Begrijp me niet verkeerd, Aisling,' zei ik. 'Op je gastvrijheid is niets aan te merken. Maar ik mis Zeven Wateren. Ik mis de bossen en de openheid. Ik begrijp niet hoe Eamonn en jij hier kunnen leven.'

'Het is ons thuis,' zei ze eenvoudigweg. En ik herinnerde me dat Eamonn een keer had gezegd: *Het zal pas een thuis voor me zijn als ik jou in de deuropening zie staan, met mijn kind in je armen.* Ik huiverde. De godin geve dat er in Tara clanhoofden zouden zijn met huwbare dochters, en dat Eamonn hun zijn bedoelingen kenbaar maakte. Er waren vast meisjes genoeg die er niet tegen op zouden zien zijn bed te verwarmen en hem een erfgenaam te schenken, wanneer hij bekend liet maken dat hij een vrouw zocht.

Vele dagen waren voorbijgegaan en de maan was gekrompen tot niet meer dan een snippertje licht. Wanneer ik thuiskwam, zou ik me aan naaiwerk moeten wijden, want mijn jurken begonnen akelig strak te zitten om mijn borsten. Ik zat dag in dag uit bij Niamh, maar ze merkte niets van de veranderingen in mijn uiterlijk. Ik kon het haar niet vertellen. Hoe kon ik de woorden vinden, terwijl zij zichzelf in haar arme, verwarde geest de schuld gaf van het feit dat ze na drie maanden nog geen kind voor Fionn ontvangen had, dat ze niet eens geslaagd was in die meest elementaire vereiste voor een goede echtgenote? Ik zei tegen haar dat het nog erg vroeg was en dat niet iedere bruid meteen zwanger werd. Bovendien was het, nu ze toch niet terug zou gaan naar Tirconnell, natuurlijk beter dat ze niet in verwachting was van een zoon of dochter van Fionn.

'Ik wilde Ciarán een kind geven,' zei ze zacht. 'Meer dan wat ook. Maar de godin heeft het me niet vergund.'

'Dat is maar beter ook,' reageerde ik; het viel me zwaar mijn geduld niet te verliezen tegenover haar. 'Dat zou helemaal in verkeerde aarde zijn gevallen bij de Uí Néill.'

'Maak er geen grappen over, Liadan. Jij kunt met geen mogelijkheid begrijpen hoe het voelt om meer van een man te houden dan van wat ook op de wereld. Hoe heerlijk het zou zijn om het kind van die man in je lichaam te dragen, zelfs als je de man zelf... kwijt bent geraakt.' Ze begon te huilen, heel zacht. 'Hoe zou je zoiets ook kunnen weten?'

'Tja, hoe?' mompelde ik, terwijl ik haar een schone zakdoek aangaf.

'Liadan?' vroeg ze na een poos.

'Mm?'

'Jij zegt steeds dat ik niet terug hoef te gaan naar Fionn, dat ik niet terug hoef te gaan naar Tirconnell. Maar waar ga ik dan heen?'

'Dat weet ik nog niet. Maar ik zal iets bedenken, dat beloof ik. Vertrouw op mij.'

'Ja, Liadan.' Ze sprak met een meegaandheid, een gedweeheid die me beangstigde. Want de tijd begon te dringen. De mannen zouden niet al te lang in het zuiden blijven, omdat de winter in aantocht was en ze moesten zorgen dat hun eigen gebieden daarop waren voorbereid. Tegen de tijd dat de maan weer half vol was, zouden ze hier zijn, en eerlijk gezegd had ik niet veel dat op een plan leek. Niamh kon niet zomaar met me mee naar huis, tenminste niet zonder verklaring. Ze moest dus ergens anders heen, ergens waar ze heen gebracht kon worden voordat Fionn terugkwam. Ze moest op zijn minst een tijdlang verborgen worden gehouden. Later zou misschien de waarheid verteld kunnen worden, en dan zou ze naar Zeven Wateren terug kunnen komen. Een christelijk klooster zou het beste zijn, misschien in het zuidwesten, een eind van de kust af, veilig voor invallen van de Noormannen. Ergens waar ze de naam Zeven Wateren niet kenden. Een plaats waar ze de naam Uí Néill niet kenden, bestond niet, maar misschien kon dat gedeelte verzwegen worden. Als iemand haar maar een tijdlang een veilig onderdak kon verschaffen, als Fionn er op de een of andere manier van overtuigd kon worden dat ze voorgoed weg was, als... Ik verloor algauw mijn geduld, want ik wist dat ik zo niet veel verder kwam. Ik besefte dat als ik niet heel gauw met een werkbaar plan kwam, we geen tijd meer zouden hebben. Het begon duidelijk te worden dat ik dit niet alleen afkon.

Een belofte was een belofte en mocht niet gebroken worden. Volgens mij had Niamh ongelijk. Hoe kon het bondgenootschap voor Liam, Conor of mijn vader belangrijker zijn dan Niamhs geluk? Haar gekneusde lichaam en sombere ogen waren toch zeker een te hoge prijs voor de toekomstige steun van de Uí Néill, voor al hun rijkdom en hun grote troep krijgers? Maar ik had haar mijn woord gegeven. Bovendien ging het om meer dan het bondgenootschap. Het ging ook om het geheim dat ze ons met zijn allen onthielden. Er stak iets groters achter dat wij niet begrepen; iets wat zo verschrikkelijk was dat ik het gevoel had dat ik uiterst voorzichtig moest handelen, anders zou ik het kwaad tot leven wekken, het kwaad waarover met gedempte stemmen en angstige blikken werd gepraat.

Eén ding was me duidelijk. Ik moest Niamh naar buiten krijgen voor de mannen terugkwamen, en er was niemand in het huishouden aan wie ik hulp kon vragen. Alle mannen en vrouwen hier waren in dienst van Eamonn en Aisling, en zij zouden niets geheim houden voor hun jonge meester en meesteres. Bovendien werd immers elke wagen doorzocht? Ik dacht aan vermommingen, maar zag ervan af, want ik wist dat het nauwlettende toezicht op al het in- en uitgaande verkeer betekende dat we onmiddellijk ontdekt zouden worden. Er speelden allerlei plannen door mijn hoofd, het ene nog onwaarschijnlijker dan het andere.

Toen het nieuwe maan was, kon ik mijn speciale kaars niet aansteken, want die stond nog in mijn kamer op Zeven Wateren. Maar nadat Niamh in slaap was gevallen, stak ik een andere kaars aan, zette hem bij het raam en ging er in de donkere nacht naast zitten. En toen ik Brans beeld in mijn geest opriep, zat hij niet langer onder vreemde bomen, maar liep rusteloos heen en weer in een omgeving die me bekend voorkwam. Een lantaarn wierp schaduwen op de kunstig geconstrueerde muren, het gewelfde plafond en de oude, gewijde steen van de grote grafheuvel die ons heel lang geleden, zo leek het, onderdak had geboden. Er waren anderen bij hem, en ze waren druk in gesprek over iets, en hij was ongeduldig. Ik voelde zijn ongeduld, de bezorgdheid die een rimpel tussen zijn donkere wenkbrauwen veroorzaakte, de spanning in zijn handen. Maar ik kon hun woorden niet verstaan. Ik deed wat ik altijd deed in die donkere nachten, wanneer ik wist dat hij meer dan wat ook probeerde wakker te blijven. Ik ging in gedachten naar hem toe om zijn geest met de mijne aan te raken, om hem te laten weten dat hij nooit helemaal alleen zou zijn, nooit meer; om hem eraan te herinneren dat zelfs een bandiet zonder verleden en zonder toekomst elke dag op een goede manier kon leven. Maar in deze nacht lukte het me niet goed; ik werd in beslag genomen door mijn eigen donkere gedachten, mijn zorg om mijn zuster, mijn groeiende paniek omdat ik geen oplossing had voor mijn probleem, terwijl de tijd drong. Dit spookte allemaal door mijn hoofd, en ik had geen idee of Bran iets aan me had of niet. Ik bleef de hele nacht wakker. Dat kon ik nog wel voor hem doen. Het was niet mogelijk om zijn beeld voortdurend voor me te zien in mijn gedachten, maar af en toe kwam het tot me. Ik zag hem uit de grafheuvel lopen, zijn vrienden achterlatend; ik zag hem daar in het donker staan, neerkijkend op zijn in elkaar gestrengelde handen. Later zat hij in kleermakerszit niet ver van de plek waar we ons vuurtje hadden gemaakt van dennenappels, toen Evan stervende was en ik hem zijn laatste verhaal had verteld. Hij zat daar met zijn geschoren hoofd in zijn handen en een klein lantaarntje om het donker weg te houden. *Ik ben hier*, zei ik tegen hem. *Ik ben niet erg ver weg. Wacht nog even, dan komt de dageraad.* Maar ik moest mijn uiterste best doen om die andere stem vanbinnen tot zwijgen te brengen, de stem die schreeuwde: *Help! Ik heb je nodig!* Niemand kon me helpen, hier op Sídhe Dubh. Er scheen geen weg naar buiten te zijn. Tenzij… tenzij je een kat was, misschien.

Het was het proberen waard, hield ik mezelf voor terwijl ik de volgende morgen kort na zonsopgang stilletjes de overdekte weg afliep. De kunstgrepen die ik op Zeven Wateren had geleerd, kwamen me goed van pas. Ik had de indruk dat ik ongezien langs de wacht kwam. Ik had de lantaarn nodig, want de zijtunnel was nauw en de vloer lag bezaaid met brokken steen. Ik passeerde de lege cellen en voelde weer de kille adem van de angst die er nog in de duistere hoeken hing. Ik waagde me verder naar beneden, en het pad werd smaller en steiler; er droop water van de muren af zodat ik in een stroompje liep. En toen verdween het water plotseling gorgelend in de grond en leek de gang op te houden; voor me was een muur zonder openingen, hoewel er ergens vandaan nog een flauw straaltje licht binnenviel. Het pad liep hier dood. Maar de kat was toch binnengekomen. Ik zette de lantaarn neer, liep naar voren en betastte de muur met mijn vingertoppen. Voor me torende mijn schaduw boven me uit, enorm groot door het licht van de lantaarn. En ik hoorde ze, bekende stemmen, kalm, laag, zo laag dat ze bijna onhoorbaar waren. Woorden gesproken met een traagheid die eeuwenoud leek, alsof ze uit de stenen voortkwam. Ze waren dus toch niet gevlucht na de komst van de mens; ze waren alleen dieper onder de grond gegaan en wachtten hun tijd af. Ik bleef roerloos staan, luisterde, wachtte op hun aanwijzingen. *Naar beneden.*

Ik hurkte neer op de grond, me afvragend waar ik naar moest zoeken, wat ik moest proberen te voelen. Een valdeur? Een geheime weg? Een of ander teken?

Lager.

Denk na, Liadan, zei ik rillend tegen mezelf. Ik kroop over de rotsbodem, volgde de onderkant van de muur met mijn hand, tastte naar een teken, een aanwijzing wat ik moest doen.

Goed. Goed.

Mijn hand kwam ergens tegenaan, een metalen voorwerp dat vastzat onder een overstekende steen. Mijn vingers bogen zich eromheen. Het was een sleutel, groot, zwaar en fraai gevormd. Ik stond op. Het licht van de lantaarn toonde me dezelfde massieve rotswand, dezelfde nietszeggende muren aan weerskanten. Er was niets wat op een deur leek. Ik hield de lantaarn omhoog, omlaag, bekeek elk oppervlak. Ik kon geen spoor van een opening vinden, geen barst of spleet waar deze sleutel in zou kunnen passen. De moed zonk me in de schoenen.

Ga terug, zeiden de stemmen. *Terug.*

Wat bedoelden ze nu eigenlijk, vroeg ik me somber af terwijl ik met tegenzin de ondergrondse gang uit liep en weer in het huis kwam. Dat ik op Sídhe Dubh moest blijven en de dingen op hun beloop moest laten? Dat was hun advies geweest bij de grote grafheuvel, en je zag wat ik ermee bereikt had. Voorouders of geen voorouders, ik begon me af te vragen of ze wisten wat ze deden. De Feeën hadden me gezegd dat ik niet naar deze oude stemmen moest luisteren. Dat ze gevaarlijk konden zijn. Maar de Ouden hadden me wel een sleutel gegeven. Een sleutel was tenminste een begin.

Die avond zei Aisling heel beleefd tegen me dat het beter zou zijn als ik niet meer naar beneden ging in de ondergrondse delen van het fort. 'Mijn wapenmeester maakt zich zorgen over je veiligheid,' zei ze tamelijk afgemeten. Ik zag wel dat ze zich geneerde omdat ze een vriendin regels moest stellen. Op Zeven Wateren waren we heel gemoedelijk met elkaar omgegaan. We hadden soms meer op twee zussen geleken dan Niamh en ik. Maar hier was ze de vrouw des huizes, en ik voelde wel dat het weinig zin had om er tegenin te gaan. Het was een schok voor me dat ze op de hoogte was van mijn verkenningstochten; ik was toch uiterst voorzichtig te werk gegaan.

'Ik vind het erg moeilijk om zo... zo opgesloten te zitten,' zei ik.

'Best mogelijk, maar die oude gangen en kamers zijn niet veilig,' antwoordde Aisling beslist. 'Ik weet dat Eamonn niet zou willen dat je het minste risico neemt. Ga alsjeblieft niet meer naar beneden.'

Dit was een bevel, vriendelijk verpakt, en ik wist dat ik me eraan moest houden. Mijn mogelijkheden leken snel af te nemen naar-

mate de tijd vorderde. De dag dat Eamonn en Fionn van Tara terug zouden komen, kwam steeds dichterbij, en ik had nog niet
eens een beginnetje van een bruikbaar plan. Ik begon er zelfs sterk
aan te twijfelen of ik mijn belofte aan Niamh kon houden. Maar
ik was haar zus. Ik kon haar niet laten teruggaan naar Tirconnell
en naar een echtgenoot die haar zo weinig waardeerde. Ik had de
uitdrukking in haar ogen gezien. Ik wist dat ze het meende, toen
ze zei dat ze zichzelf liever van het leven zou beroven dan door te
gaan. Ik moest haar hier weg krijgen voor ze terugkwamen. Op
de een of andere manier moest ik een oplossing vinden
Ik wist uiteindelijk niet of ik de oplossing zelf ontdekte of dat de
Ouden me een duwtje in de goede richting gaven. Misschien dachten we hetzelfde, omdat we van dezelfde afkomst waren. Het was
vroeg in de morgen, even na zonsopgang, en Niamh sliep, opgerold onder haar wollen dekens, met haar korte haar glanzend op
het kussen. Mijn nachten waren steeds rustelozer geworden. Ik
lag wakker en piekerde over oplossingen, die allemaal even onbruikbaar waren. Met open ogen lag ik na te denken over de risico's die ik zou nemen door de waarheid aan Sean, mijn vader
of Conor te vertellen, en ik besloot dat ik dat niet kon doen. Mijn
vader had me geleerd dat een belofte nooit gebroken mocht worden. Bovendien kon ik niet zeker weten wat ze zouden doen. Er
bestond altijd een mogelijkheid dat ze het bondgenootschap belangrijker zouden vinden dan Niamh. Ik kon niet riskeren het te
vertellen, en te merken dat de strategische waarde van Fionn
zwaarder woog dan zijn minachting voor mijn zuster. Ik moest
dus mijn eigen oplossing vinden. Maar er was geen weg naar buiten. Wat verwachtten de Ouden dat ik deed? Vliegen?
Bij zonsopgang stond ik op en kleedde me aan; ik zocht een van
mijn ruimer vallende jurken uit en vroeg me af hoe dik mijn buik
zou moeten worden voor Niamh de verandering in mijn uiterlijk
opmerkte. Onze kleren waren opgeborgen in een oude, houten
kist die in een alkoof van onze gezamenlijke slaapkamer stond,
een nis waar een tapijt voor was gehangen tegen de tocht. Ik grabbelde in de kist naar een omslagdoek, omdat het 's ochtends koud
was, en toen ik opstond om hem om te slaan, voelde ik me even
flauw worden. Ik stak mijn hand uit naar de betimmerde muur
van de alkoof om steun te zoeken. Mijn vingers raakten iets. Er

zat een merkteken op de muur, een kleine spleet in het houten oppervlak. Het was te donker om te zien wat het was. Ik haalde een kaars en keek beter. Een tapijt tegen de tocht, dacht ik. Waar tocht is, moet een opening zijn. Mijn hand volgde de spleet rondom, een vierkant zo groot als een kleine man of vrouw, in gebukte houding. Een deur. Langs de randen was hij helemaal bedekt met ingekerfde tekentjes, Ogham-tekens, zoals op de amulet die mijn oom Finbar om zijn nek droeg. Maar Eamonns voorvader was beslist geen druïde geweest. Waren deze geheime beschermende tekens in opdracht van hem gemaakt, of waren ze gemaakt door een ouder geslacht, door degenen die op de plek van het feeënfort hadden gewoond, lang voor het mensenvolk hier was gekomen om er de hand op te leggen en de eigendom op te eisen van iets wat hun nooit rechtens kon toebehoren? De diepte behoorde toe aan de Ouden. Geen brutaal clanhoofd met een zakvol zilver en een paar karrenvrachten stenen om mee te bouwen kon daar ooit iets aan veranderen, ook al deed hij nog zo zijn best zijn stempel op het landschap te drukken.

Er was een sleutelgat. Trillend van spanning haalde ik de oude sleutel van de plaats waar ik hem had verborgen en probeerde ik of hij paste; ik wist dat hij wel moest passen. Ik had nu het gevoel dat alles onontkoombaar verliep; ik wist dat ik voorwaarts werd geleid. Ik voelde me eerder bang dan opgelucht. De kleine deur zwaaide open en onthulde een steile wenteltrap met stenen treden die in het donker verdween. Er zat niets anders op dan mijn rokken in mijn ene hand te nemen en de kaars in de andere hand en de trap te betreden, en maar te hopen dat Niamh niet wakker zou worden voor ik terug was.

De trap was steil en smal. Ik kon maar een klein eindje voor me uit zien. Het was een meesterstuk van bouwkunst, dat omlaagging tot in het binnenste van de heuvel, tot ik berekende dat ik me onder het laagste niveau van het huis bevond, onder de binnenplaats, en nog dieper dan de plaats waar de kring van scherpe stenen de heuvel omringde, onder de vestingmuren. En eindelijk zag ik licht voor me, een licht dat niet de zwakke gloed van mijn flakkerende kaars was, maar een toenemende helderheid die onmiskenbaar afkomstig was van de eerste stralen van de opkomende zon door de nevel boven de moerassen. Ik kwam de laatste bocht van de wenteltrap om en daar voor me, nog geen vijf passen van me af, aan het eind van een smalle tunnel in de rots, was een opening naar buiten. Ik had een weg naar buiten gevonden.

Het was niet veel meer dan een spleet, groot genoeg voor een meisje zoals ik om doorheen te kruipen, maar te smal voor een gewapende man. Het was maar goed dat mijn kind nog nauwelijks was begonnen mijn buik te laten uitdijen, want het zou niet lang meer duren of deze weg zou ook voor mij niet meer mogelijk zijn. Vreemd, dacht ik, dat er zo'n zwakke plek in het ondoordringbare pantser van Sídhe Dubh zat, die niet eens werd bewaakt. Toen keek ik om me heen en begon het te begrijpen. De plek waar ik naar buiten was gekomen, lag juist onder de ring van puntige stenen die rondom de heuvel was gelegd. Achter en boven me liepen de schildwachten heen en weer, heen en weer op de hoge muren; ze leken zich niet bewust te zijn van mijn aanwezigheid hier buiten. Ik keek voor me, naar het noorden, en recht vooruit zag ik in de verte die lage lijn van heuvels die ik vanaf de muur had gezien. De vlakke grond voor me was het stuk diep moeras, dat zo gevaarlijk was dat een poging het over te steken de dood betekende, behalve voor de paar mensen die er de weg wisten. We konden dus tot hier ontsnappen, maar niet verder. Ik hurkte zwijgend neer bij de stenen en hoopte uit alle macht dat de wachten me niet zagen. Ik wist niet of ze de moeite zouden nemen de identiteit van een indringer vast te stellen voordat ze hun pijlen afvuurden. Achter me was de opening waardoor ik naar buiten was gekomen onzichtbaar, niet meer dan een onregelmatigheid in de rotsige helling. Misschien werd hij door feeënkunsten verborgen. Ik had mijn passen zorgvuldig geteld, en ook goed op de richting ervan gelet, want ik had weinig zin om hier alleen te blijven steken, zonder verklaring van mijn aanwezigheid.

Ik bleef hier vrij lang zitten, in de wetenschap dat ik de halve oplossing had, maar de rest niet te pakken kon krijgen. Het was een koele ochtend; zich samenpakkende wolken voorspelden regen. Beneden bij het water zag ik beesten, langpotige moerasvogels, die met hun snavels naar vreemde, springende insecten pikten. Ik keek naar hen en voelde dat mijn zoon zijn kleine ledematen boog. *Ik wou dat je deze vogels kon zien*, zei ik tegen hem. *Je zult veel vogels zien wanneer we naar huis gaan, naar Zeven Wateren. Er is*

er een die winterkoning heet. Dat is de kleinste, een vogel met to-
verkracht. Je zult hem in veel verhalen vinden. Je zult een uil zien,
en een raaf, en een leeuwerik, die hartverscheurend mooi zingt
terwijl hij opstijgt. Je zult de grote arend boven het bos zien zwe-
ven, en de zwaan die neerstrijkt op het meer, wanneer we einde-
lijk naar huis gaan. Uitkijkend over dit niemandsland dacht ik eraan hoe zwak Niamh was. Zelfs als ik haar ongezien hier beneden
kon brengen, zelfs als ze mee zou willen gaan, wat dan? Ik kende de weg naar de overkant niet. Een boot, misschien. Maar er
was geen boot, en er waren maar een paar stukken open water,
die ver uit elkaar lagen. En het was uitgesloten overdag te gaan,
want dan zouden we spoedig worden gezien en teruggebracht.
Zelfs nu begreep ik niet waarom de wachten me niet hadden gezien. Ze patrouilleerden nog steeds hoog boven me, heen en weer.
Na een tijdje ging ik terug naar boven, het hele eind terug om buiten adem in onze kamer aan te komen, met pijnlijke benen en een
geest die nog steeds geen antwoorden had gevonden. Ik sloot de
deur af, verstopte de sleutel en trok het tapijt weer op zijn plaats.
Niamh sliep nog steeds. Ze had niets gemerkt.
De volgende morgen ging ik weer naar beneden. Het was heel
vroeg. Een kille nevel hing over het moeras en wolken versluier-
den de eerste zon. Kromgegroeide struikjes en verwaaide pollen
gras staken met ongelijke vingers door de deken van mist, en ik
hoorde vreemde, krakende geluiden in het moeras, zachte geluidjes die niet afkonmstig waren van kikkers.
Ik rilde toen ik onder de rand van puntige stenen ging zitten en
trok mijn wollen omslagdoek dichter om mijn schouders. Er was
een raadsel dat moest worden opgelost; ik had de meeste aanwijzingen, maar hoe ik het ook probeerde, ik kon het niet in elkaar
zetten of begrijpen hoe het zat. De Ouden hadden me tot hier geleid. Er was een weg naar buiten. En ik wist op welk uur van de
dag het het veiligst zou zijn. Deze morgen kon ik geen drie pas
over het moeras zien, voor de wervelende nevel alles vervaagde
behalve de paar planten die erboven uitstaken, planten die erin
slaagden zich op deze ongunstige plek te handhaven. Op een moment als dit zou het zo goed als onmogelijk zijn ons te achtervolgen. Maar hoe kon je zoiets ondernemen zonder gids die de
weg kende? Het alleen te proberen zou wel heel dom zijn. Als al-

les anders was geweest, zou ik het risico graag hebben genomen, omwille van mijn zus. Ik zou haar bij de hand hebben kunnen nemen en op weg kunnen gaan over het deinende moeras; vertrouwend op de oudste machten om ons veilig te geleiden en hopend een schuilplaats te vinden voor ons manvolk ons opspoorde. Maar nu ging dat niet. Mijn eigen leven en dat van Niamh had ik op het spel kunnen zetten. Maar niet dat van mijn zoon.

Vreemd hoe het verstrijken van de tijd schijnbaar kan veranderen. Nu vlogen de dagen voorbij, en ondanks haar blinde vertrouwen in mijn vermogen alles in orde te maken, maakte Niamh een gespannen indruk. Overdag praatte ze mompelend in zichzelf en 's nachts werd ze plotseling wakker, bevend en huilend, uit een nachtmerrie waar ze niets over wilde zeggen. En toen, met snel wassende maan, ontving Aisling een boodschap. We zaten aan het avondmaal, bestaande uit geroosterd lamsvlees in rozemarijnsaus, toen ze het bericht doorgaf.
'Goed nieuws,' zei ze vrolijk. 'Ik heb bericht van Eamonn, van iemand die vandaag is aangekomen. Ze zijn uit Tara vertrokken en zijn nu ingekwartierd in de buurt van Knowth, waar ze een bijeenkomst hebben met de clanhoofden van het district. Ze zullen nog een oponthoud hebben op Zeven Wateren en zullen als alles goed gaat over vier dagen hier zijn.'
Niamh verbleekte. Het was een slag, en ik zocht haastig naar passende woorden. 'Je zult blij zijn Eamonn terug te zien.' Dit was in elk geval de waarheid.
'Dat zal ik zeker,' gaf Aisling met een wrange glimlach toe. 'Ik kan niet zeggen dat het gemakkelijk is geweest terwijl hij weg was. We hebben hier natuurlijk betrouwbare en kundige mensen, maar mijn broer is nogal precies in bepaalde opzichten, dus moet ik nauwlettend toezicht houden. Bovendien maak ik me zorgen over Eamonn. Hij was... hij was niet zichzelf de laatste dagen voor hun vertrek. Ik hoop dat hij zich beter voelt, als ik hem terugzie.'
Hier kon ik geen antwoord op bedenken, dus zweeg ik. Maar Niamhs woorden kwamen naar buiten als zorgeloze voetstappen door een terrein vol valkuilen.
'Vier dagen! Dat kan niet. Dat is te snel. Vier dagen, dan hebben we niet genoeg tijd...'

'Maak je geen zorgen, Niamh,' zei ik, terwijl ik fronsend in de grote, expressieve blauwe ogen van mijn zus keek, die duidelijk spraken van dreigend verraad en tragedie. 'Alles komt goed.' Ik wendde me tot Aisling. 'Niamh is de laatste dagen niet helemaal in orde. We moesten ons maar vroeg terugtrekken. Ze heeft haar slaap nodig.'

Aislings kleine, sproetige gezicht stond ernstig. Haar ogen waren op Niamh gericht en taxeerden het uiterlijk en de woorden van mijn zuster.

'Zoiets moet je me wel vertellen, Liadan,' zei ze zorgvuldig. 'Je moet me echt laten weten als er een probleem is. Ik zou misschien kunnen helpen. Eamonn zou zeker willen helpen.'

Dat betwijfelde ik ten zeerste. 'Dank je, Aisling. Je hoeft je echt niet druk te maken.'

Vier dagen. De godin helpe ons, vier dagen maar. Ik was een slapeloze nacht bezig met nadenken over de diverse, alle even onmogelijke alternatieven die ik had, en die me geen van alle aanstonden. Zodra de hemel begon op te lichten in het vage grijs dat aan de dageraad vooraf ging, stond ik op, blij weer op de been te zijn. Ik trok mijn stevige laarzen aan en een warme jurk met een zware mantel erover, want ik moest en zou naar buiten, weg uit de stenen muren waartussen ik en mijn dilemma nu opgesloten leken te zitten, als een onoplosbare puzzel in een onbreekbare doos. Voor de zon opkwam, glipte ik via de geheime deur in de alkoof naar buiten. Ik liep snel de wenteltrap af en stapte naar buiten op de kale helling boven het moeras. Daar stond ik en staarde in noordelijke richting. Mijn maag krampte van de zenuwen, ik had hoofdpijn van het piekeren en ik kon wel huilen van angst bij de gedachte wat ik moest proberen te doen. Want het leek wel of dit de enige mogelijkheid was: mijn zuster bij de hand pakken en het niemandsland op stappen, als daad van krankzinnig geloof.

Een hand sloot zich doeltreffend over mijn mond en een arm drukte stevig over mijn borstkas. Een stem achter me zei heel zacht: 'Ik waarschuw je alleen, zodat je niet in de verleiding komt geluid te maken. De wachten kunnen ons niet zien, maar wel horen. Stil dus. Afgesproken?'

De druk van de arm werd weggenomen. De hand, getekend met een fraai patroon, werd teruggetrokken. Ik hoefde deze hand niet te zien om de eigenaar van de stem te herkennen. De Beschilderde Man maakte zijn reputatie waar door moeiteloos als een schaduw door de verdediging van Sídhe Dubh te dringen.

'Wat, krijg ik dit keer geen klap op mijn hoofd?' vroeg ik fluisterend zonder me om te draaien. Mijn hart hamerde in mijn borst.

'Ga zitten.' Hoewel zacht uitgesproken was dit onmiskenbaar een bevel. 'We zitten hier op een blinde plek. Maar dat heeft zijn beperkingen. Het heeft geen zin om alle mogelijke moeite te doen om de aandacht te trekken.'

Ik ging zitten en Bran kwam in mijn gezichtsveld. Hij nam op drie pas afstand van mij plaats onder dekking van de rotsen. Hij droeg een oude tuniek en hozen van een ondefinieerbare tint, en er koekte zwarte modder aan de zolen van zijn zachte laarzen. Zijn gezicht was bleek, zijn ogen stonden ernstig. Hij zag er geweldig uit. Hij bleef me zwijgend aankijken, en ik keek terug en voelde een blos naar mijn wangen stijgen. Er verscheen een rimpel op zijn voorhoofd.

'Wat doe jij hier?' vroeg ik, terwijl talloze mogelijkheden door mijn hoofd gingen.

Hij nam de tijd om te antwoorden, en toen hij iets zei, was het heel behoedzaam.

'Vreemd,' zei hij. 'Ik dacht dat ik antwoorden klaar had op alles wat je tegen me zou kunnen zeggen. Maar ze zijn allemaal verdwenen, nu je hier bij me zit.'

'Het is hier gevaarlijk voor jou, alleen en ongewapend,' zei ik en mijn stem beefde. Zijn ogen waren op me gericht met een uitdrukking die ik niet had verwacht weer te zien. 'Waarom ben je hier gekomen? Er staat een prijs op je hoofd, dat weet je.'

'Maak jij je daar druk over?' Zijn stem klonk oprecht verbaasd. 'Jij was degene die het tussen ons hebt veranderd, niet ik.' Ik hield mijn handen stijf in elkaar geknepen, voor het geval dat ik zou toegeven aan de drang om hem aan te raken. 'Als je denkt dat ik niet geef om jouw veiligheid, ken je me niet erg goed. Geef nu antwoord op mijn vraag.'

'Ik kwam hier voorbij en dacht dat je misschien in moeilijkheden was.'

'Ik denk niet dat dat de waarheid kan zijn. Hoe kon je weten dat ik hier was? Bovendien speelt het toeval geen grote rol in jouw bestaan, lijkt me zo, of in dat van de mannen die je leidt.'

Brans gezicht stond donker. 'Ik zou je de waarheid kunnen vertellen. Maar je zou me niet geloven,' zei hij simpelweg.

'Probeer het maar. Je hebt niets te verliezen.'

'Denk je dat?'

'Brighid sta ons bij, Bran, je bevindt je midden in vijandelijk gebied! Waarom neem je zo'n krankzinnig risico?'

'Sst, niet zo luid. Ik ben niet alleen, en ook niet ongewapend. Ik ben hier gekomen om tegen je te zeggen dat je naar huis moet gaan. Ik wil niet dat je hier op Sídhe Dubh bent. Het zal op den duur tot een treffen komen tussen die man en mij. Ik wil niet dat jij daar tussen komt te zitten.'

Mijn mond ging open en sloot zich weer zonder dat er een woord uitkwam.

'Dat zei ik toch. Je gelooft me niet.'

'Maar...'

'Ik hoorde een... een kreet om hulp, daar leek het op; een kreet die in de nacht tot me kwam, toen ik hier ver vandaan was. Ik merkte dat ik niet in staat was het naast me neer te leggen en daarom ben ik teruggekomen, en ik kreeg inderdaad bericht dat je hier was, in de woonplaats van die man. We houden deze vesting goed in de gaten, Liadan. Ik heb je naar buiten zien komen bij zonsopgang, en ik zag dat je om je heen keek alsof je wilde dat je weg kon vliegen. Uiteindelijk vond ik dat ik je moest waarschuwen.'

'Niettemin,' zei ik voorzichtig, 'na... na de laatste woorden die we tegen elkaar gesproken hebben, lijkt het meer dan vreemd dat je naar me toe komt. En nog vreemder lijkt het dat je me uitgerekend vraagt terug te keren naar Zeven Wateren, terwijl je iedereen die daar woont zo grondig afwijst.'

'We hebben het nu over jouw veiligheid, niet over het karakter van je vader. Ik veracht hem. Maar dat doet niet ter zake. De vesting van je oom wordt goed bewaakt, en ik wil dat je teruggaat. Je moet doen wat ik zeg, Liadan. Ga naar huis. Ga zodra je kunt. Het is hier niet veilig voor jou.'

'Het is hier voor jou nog minder veilig. Je weet vast wel dat Eamonn heeft gezworen je te doden als je een voet op zijn grond zet of een bedreiging vormt voor wat hem toebehoort. Die wachten zullen niet aarzelen om hun pijlen op je af te schieten zodra ze je zien. De mannen in het groen kunnen snel en wreed zijn. Ik zou niet willen dat je hetzelfde lot onderging als Hond. Geen man zou zo aan zijn einde mogen komen.'

Ik besefte nog onder het spreken dat ik te veel had gezegd. Bran kneep zijn ogen halfdicht en boog zich dichter naar me toe. 'Hoe kun jij weten wat er met Hond is gebeurd?' siste hij me toe. 'Hoe kun jij zoiets weten?'

Een koude huivering ging door me heen toen de beelden even hard in mijn geest terugkwamen. Het donker langs de wegkant, het gedempte geluid van slagen, het gerinkel van hun wapenrusting toen ze wegreden. De stem van Hond, die hijgde: *Mes...*

'Ik weet het omdat ik erbij was,' zei ik met een ragdunne stem. 'Ik weet het omdat ik het vanuit het donker heb zien gebeuren, maar ik kon hen niet tegenhouden. Ik weet het omdat... omdat...' Mijn stem begon gevaarlijk te bibberen.

'Omdat wat, Liadan?' vroeg Bran zacht.

'Omdat hij om het mes vroeg, op het eind, en er niemand anders was, alleen ik. Hij riep jou, om er een eind aan te maken, maar de hand die het mes over zijn keel haalde, was van mij.'

Ik hoorde dat hij met een zucht uitademde, en toen bleef het een hele tijd stil. Het lukte me mijn tranen in te houden. Het lukte me ook om niet mijn hand uit te steken en hem aan te raken.

'Ik dacht dat ik sterk was,' zei hij na verloop van tijd; hij keek niet naar mij maar naar een punt in de verte, over de met nevels bedekte moerassen. 'Ik dacht dat ik dit kon. Maar het is een wilsbeproeving zoals ik nog nooit heb meegemaakt.'

Ik had geen idee waar hij het over had. En de tijd begon te dringen.

'Je vraagt me om naar huis te gaan. Dat is altijd mijn bedoeling geweest. Ik ben hier alleen op bezoek, tot Eamonn terugkomt uit Tara. Dat is al snel; ze worden over vier dagen verwacht. Dan zal ik teruggaan naar Zeven Wateren. Maar ik kan niet eerder vertrekken. Ik zit met mijn zuster.'

'Wat weerhoudt jou en je zuster ervan vandaag te vertrekken? Waarom wachten tot die man terugkomt? Als er een probleem is met een geleide, zal ik daarvoor zorgen. Heel discreet. Een doeltreffend maar onzichtbaar escorte.'

'Ik weet niet goed waarom je denkt dat jij een rol moet spelen in die beslissing.' Ik haalde diep adem. 'Bovendien is het niet zo een-voudig. Ik heb een... probleem. Een heel serieus probleem. En er is niemand bij wie ik kan aankloppen. Niemand die ik om hulp kan vragen.'

Het bleef even stil.

'Je zou het aan mij kunnen vragen,' zei hij uiterst zacht. Toen wachtte hij.

'Het is inderdaad een opdracht voor de Beschilderde Man,' gaf ik toe. 'Maar ik betwijfel of ik de prijs kan betalen.'

'Je beledigt me,' snauwde Bran, maar nog steeds met gedempte stem, want de man verstond zijn vak.

'Ik zou niet weten waarom dat beledigend is,' zei ik. 'Je bent toch een huurling? Een man zonder geweten? Is het niet gebruikelijk om met zo iemand over de voorwaarden te praten, als je zijn dien-sten inhuurt?'

'Misschien zou je eerst moeten aangeven wat de opdracht inhoudt, dan kunnen we later over de voorwaarden praten.' Zijn stem klonk koel.

'Ik weet nauwelijks hoe dat zou moeten. Maar ik zal het zo een-voudig mogelijk uitleggen, want ik heb erg weinig tijd; mijn af-wezigheid zal gauw worden opgemerkt. Mijn zuster is met mid-zomer getrouwd. Haar echtgenoot is een invloedrijk man.'

'Een van de Uí Néill.'

'Dat weet je?'

'Ik zorg dat ik op de hoogte blijf. Ga door.'

'Ze is niet uit vrije wil getrouwd. Haar hart behoorde toe aan een andere man. Maar ze is naar Tirconnell gegaan. Het is een ver-bintenis die ons een bondgenootschap oplevert met de noordelij-ke Uí Néill, met alle strategische voordelen van dien.'

Bran knikte dat hij het begreep. Zijn gezicht stond dreigend, het ravenmasker droeg daar nog aan bij.

'Haar echtgenoot heeft... hij heeft haar pijn gedaan. Hij heeft haar wreed behandeld. Niamh is vreselijk veranderd; ze is een schim van wie ze vroeger was. Maar ze weigert het te vertellen; ik heb het zelf bij toeval ontdekt, en ze heeft me laten beloven dit niet aan iemand van de familie bekend te maken. Ik kan niet toelaten dat haar echtgenoot haar weer meeneemt naar Tirconnell. Dat zou haar einde betekenen. Ze zou liever het mes op haar polsen

zetten dan zich weer aan hem te onderwerpen. Dat weet ik. Ik…
ik heb haar beloofd dat ze niet terug hoeft te gaan.'
'Ik begrijp het. En nu heb je nog vier dagen om het onmogelijke
te bereiken.'
'Daar komt het op neer,' zei ik met een klein stemmetje; ik besefte ten volle hoe dom ik was geweest.
'Wat was je plan?' vroeg Bran.
'Een half plan, verder ben ik niet gekomen. Ik wilde Niamh hier
beneden brengen, op een morgen vroeg, wanneer de mist dicht genoeg was. Dan de moerassen oversteken naar het noorden. Een
passerende wagen vragen ons mee te nemen; haar op de een of
andere manier op een veilige plaats zien te krijgen.'
Hij keek me neutraal aan.
'Dan is het maar goed dat ik hier ben,' zei hij. 'Waar moet ze heen
worden gebracht? Hoe lang moet ze daar blijven? Welk verhaal
zal verteld worden om haar verdwijning te verklaren?'
Mijn hart begon weer te bonzen.
'Een klooster zou het beste zijn. In het zuiden, dacht ik, misschien
in Munster. Ergens waar het heel veilig is, waar ze mijn familie
niet kennen. Ik denk niet dat jij connecties in die richting hebt…'
'Dat zou je nog verbazen. Wat vertel je aan Uí Néill? En aan je
familie?'
'Het is het beste als Fionn denkt dat ze dood is. Dan zal hij haar
niet gaan zoeken, maar naar een andere bruid uitkijken. Op die
manier hoeft het bondgenootschap niet te worden verbroken.
Voor mijn familie kan ik de waarheid moeilijk verborgen houden.
Ik denk dat ik het hun uiteindelijk moet vertellen.'
Bran schudde zijn hoofd. 'Je wilt dat ze verdwijnt, zodat ze niet
achter haar aan gaan. De meest doeltreffende manier om dat te
bereiken is de waarheid verborgen te houden voor iedereen, behalve degenen die het moeten weten. Dat zijn er maar weinig. Je
moet voor iedereen hetzelfde verhaal gebruiken. Je zus is om de
een of andere reden – die kun je zelf verzinnen – het moeras in
gelopen, en is misgestapt. Jij hebt haar zien wegzinken. Je bent
erg van streek; de echtgenoot treurt, de familie rouwt. Je zuster
zit veilig in haar klooster, zo lang ze dat wil. Misschien voorgoed.
Hoe zit het met die andere man, de man die zoals je zei haar hart
heeft veroverd? Speelt hij nog een rol in het verhaal?'

'Nee. Hij is weggegaan. Mijn familie heeft die verbintenis verboden.'

'Wat is zijn naam?'

'Ciarán. Een druïde. Waarom moet je dat weten?'

'Als je mijn diensten inhuurt, stel ik de regels vast, en stel ik de vragen. Zal je zuster vrijwillig meegaan, denk je?'

'Ik denk het wel. Ze is... gekwetst, kwetsbaar. Verward in haar denken. Maar ze wil meer dan wat ook aan haar echtgenoot ontsnappen. Het is een verschrikkelijk huwelijk, dat haar bijna heeft vernietigd.'

'En is het niet bij je opgekomen dat wanneer deze Uí Néill naar een vervangende echtgenote gaat zoeken, de keus op jouzelf zou kunnen vallen?' Zijn stem klonk heel streng.

Ik slikte een zenuwlach in. 'Je kunt ervan overtuigd zijn dat dat niet zal gebeuren,' zei ik, terwijl het kind een salto maakte in mijn buik.

'Het zou volmaakt voor de hand liggen. Als die familie van jou, waarvoor je zo'n koppige loyaliteit aan de dag legt, je zuster gedwongen heeft tot een dergelijke monsterachtige verbintenis, kun je geen reden hebben om te hopen dat ze jou niet hetzelfde zullen aandoen.'

'Ik ga nog liever bedelen langs de weg dan dat ik mezelf verbind aan zo'n man,' zei ik. 'Het zal niet gebeuren.'

Ik zag een spoor van een glimlach. 'Bovendien kun je jezelf verweren,' zei hij.

'Dat kan ik, en ik zou het doen ook.'

'Daar twijfel ik niet aan.'

'Bran.'

'Ja?'

'Mijn moeder is erg ziek. Dat heb ik je verteld. Ze is stervende. Het zou heel wreed zijn om tegen haar te zeggen dat Niamh dood is, terwijl het niet waar is. Dat zou ik liever niet doen.'

'Wat dat betreft, kan ik je alleen raad geven. Jij bent degene die het moet vertellen. Vraag je dit af: wil je echt dat je zuster veilig is? Als dat zo is, moet je erop voorbereid zijn de moeilijkste weg te nemen.'

Ik knikte, hevig slikkend. 'Welke prijs zou je vragen, voor zo'n opdracht?'

'Geloof je dat ik dit voor je kan doen?'

Deze vraag overviel me en ik antwoordde zonder erover na te denken. 'Natuurlijk geloof ik dat. Ik zou jou mijn leven toevertrouwen, Bran. Ik zou aan niemand anders vragen dit voor me te doen.'

'Dan is dat de prijs.'

'Wat is de prijs?' vroeg ik verward.

'Vertrouwen. Dat is de prijs.'

Dit was een gesprek vol valstrikken. Ik zei: 'Ik dacht dat je niet in vertrouwen geloofde. Dat heb je een keer gezegd.'

'Dat blijft ook onveranderd. Jouw vertrouwen, dat is de prijs voor deze opdracht. Je ziet dus dat je vooruit hebt betaald.'

'Wanneer ga je het doen?' vroeg ik beverig; ik voelde tranen achter mijn ogen prikken, gevaarlijk dichtbij.

'Ik heb twee dagen nodig om wat dingen te regelen. Het kan niet sneller georganiseerd worden. Weet je zeker dat je niet liever zou zien dat deze Uí Néill gewoon uit het zicht verdwijnt? Voorgoed? Dat zou gemakkelijk te realiseren zijn, en min of meer onmiddellijk. Hij zou hier gewoon nooit terugkomen.'

Ik huiverde. 'Nee, dank je. Ik ben er nog niet helemaal aan toe mijn geweten te belasten met een moord, al moet ik bekennen dat ik eraan heb gedacht. Bovendien heb je al genoeg machtige vijanden. Ik zou er liever niet nog meer aan toevoegen.'

Het bleef even stil.

'Je kunt beter weer naar binnen gaan.' Brans stem klonk zakelijk.

'Ik begrijp het niet,' zei ik met onvaste stem. 'Ik begrijp niet waarom je ons helpt, terwijl je ons zo haat. Waarom komt er zo'n donkere blik in je ogen wanneer je de naam van mijn vader hoort? Wat heeft hij gedaan om zoveel afkeer te verdienen? Hij is een goed mens.'

Brans kaak verstrakte. 'Daarover wil ik niet praten,' zei hij. Toen stond hij op, met een blik naar de schildwachten.

'Ja, ik weet het. Ik moet weer naar binnen.' Maar ik ging niet.

'Wil je me je hand geven om deze overeenkomst te bezegelen?' vroeg hij bijna verlegen.

Ik stak mijn hand uit, en hij nam hem in de zijne. Nu wilde hij me niet aankijken. Ik voor mij voelde zijn aanraking tot in alle uithoeken van mijn lichaam, en ik voerde een harde strijd met mezelf om niet ter plaatse mijn armen om hem heen te slaan, of iets te zeggen dat hem zou onthullen hoe zwaar het me viel mijn ge-voelens te beheersen. Ik herinnerde mezelf aan het feit dat hij de regel had om hem te helpen zich te beheersen. Hij hield zich er uitstekend aan; dit had een transactie tussen bondgenoten kun-nen zijn. Hij liet mijn hand los.

'Breng je zuster overmorgen voor zonsopgang naar beneden. Dan zullen we klaarstaan. Neem geen onnodige risico's, Liadan. Ik wil dat jij veilig bent. Doe geen ondoordachte dingen.'

'Ik zou hetzelfde tegen jou zeggen, als ik dacht dat je ernaar zou luisteren,' zei ik, en ik draaide me om voor hij kon zien dat ik huilde. Hoe kon ik hem zeggen dat ik zijn kind droeg, de klein-zoon van de gehate Hugh van Harrowfield? Hoe kon ik hem daar-mee belasten? En toch hadden de woorden me op de lippen ge-brand. Pas toen ik allang weer binnen was, veilig boven in de slaapkamer, besefte ik dat ik hem niets had gevraagd over Sean en zijn reis naar het noorden, en of mijn broer hem inderdaad een voorstel had gedaan.

HOOFDSTUK TIEN

Hierna gedroeg ik me voorbeeldig. Ik maakte geen geheime tochtjes meer buiten de muren, geen schildwacht zag me op ongewone plaatsen van het fort verschijnen. Ik hielp Aisling met een grondige inspectie in de brouwerij, en ik adviseerde de vaste kruidenkenner van het huishouden over de bevoorrading van de kasten in haar distilleerkamer. Ik vertelde niet met zoveel woorden aan Niamh wat er zou gebeuren, of wanneer, want ik kon er niet van op aan dat ze erover zou zwijgen. In plaats daarvan vertelde ik haar alleen dat alles geregeld was, en daar nam ze genoegen mee. Aan de buitenkant was ik kalm en tegen alles opgewassen. Vanbinnen was ik zo gespannen als een harpsnaar.

Ik ging telkens weer na wat Bran tegen me had gezegd, en wat hij niet had gezegd. Ik moest toegeven dat ik de hele tijd al zijn hulp had gewild. Ik probeerde niet te denken aan de dingen die ik dolgraag tegen hem had willen zeggen, maar niet had durven uitspreken. Onmogelijke dingen zoals *Blijf bij me*, en *Je zult een zoon hebben, nog vóór Beltaine*. Ik zette deze gedachten zo goed en zo kwaad als het ging uit mijn hoofd en dankte alleen de Ouden uit de grond van mijn hart omdat ze hem te hulp hadden laten komen toen ik dacht dat alle hoop verloren was; omdat ze hem op de een of andere manier hadden laten terugkomen toen ik dacht dat hij mij en alles wat bij mij hoorde voorgoed achter zich had gelaten. Waardoor hij van gedachten was veranderd, was een raadsel voor me. Ik was niet zo dom dat ik geloofde dat ik hem op een dag weer in mijn armen zou kunnen houden en hem woorden van liefde zou horen spreken. Dat waren de gedachten van een dom, romantisch meisje, zei ik streng tegen mezelf. Maar ik sprak tegen onze zoon, en zei tegen hem: *Hij is je vader. Een man die altijd de beste is in wat hij doet. Een man aan wie je je leven kunt toevertrouwen.*

De avond voordat hij ons zou komen halen, vertelde ik Niamh zoveel als ze moest weten. Dat ze geruisloos op moest staan wanneer ik haar wekte, voor zonsopgang, en de warme, donkere kleren moest aantrekken die ik voor haar had neergelegd. Dat we dan snel en stil weg moesten gaan en langs geheime wegen naar beneden zouden lopen tot bij de rand van het moeras. Dat daar een man zou zijn die haar naar de overkant zou leiden, en haar vervolgens naar een plaats zou brengen waar ze veilig zou zijn. Het zou lang kunnen duren voor ze me terug zou zien.

'Een man?' Ze knipperde met haar oogleden terwijl ze daar in haar nachtpon zat, met een kleine frons van verbazing op haar voorhoofd.

'Een vriend van me,' zei ik. 'Je moet niet schrikken van zijn uiterlijk. Hij is de beste beschermer die je je kunt wensen.'

'Hoe heb je... hoe kon jij...' Haar woorden stierven weg, maar ik kon in haar verwarde gedachten lezen wat ze wilde zeggen, want ze verstond niet de kunst te verbergen wat er in haar hoofd omging. Ze vroeg zich af hoe het mogelijk was dat een kleine huismus zoals ik het soort man kende dat ons van nut zou kunnen zijn.

'Dat doet er niet toe,' zei ik. 'Wat je moet onthouden is dat je geen geluid maakt en doet wat ik zeg, wat er ook gebeurt. Er hangen levens van af, Niamh. Wanneer we daar zijn, moet je gewoon doen wat hij je zegt. Als je dat doet, zul je hier weg zijn en veilig ergens verborgen zijn voor je echtgenoot met Eamonn terugkomt.'

'Liadan?' Het leek een kinderstem.

'Wat?'

'Kun je niet met me meekomen?'

'Nee, Niamh. Je zult het alleen heel goed afkunnen, geloof me. Ik kan niet mee, want als we allebei verdwijnen, zal er zeker naar ons gezocht worden. Als er in zijn huis zoiets gebeurde, zou Eamonn alle sporen nagaan tot hij ons gevonden had. Ik moet hier blijven en een verhaal vertellen om jouw ontsnapping te maskeren. Daarna zal ik naar huis gaan.'

334

'Een verhaal? Wat voor verhaal?'
'Dat hoef je niet te weten. Nu moet je gaan slapen. Je zult morgenochtend al je kracht nodig hebben.'

Het begon heel goed. Na een slapeloze nacht wekte ik Niamh voor zonsopgang en we kleedden ons aan bij het licht van één kaarsje. Ze deed het tergend langzaam en ik moest haar met bijna alles helpen: haar jurk vastmaken, haar haar kammen, de grijze mantel om haar schouders hangen, en tegen haar zeggen dat ze de kap op moest houden wanneer we buiten waren, want ze had vandaag geen sluier om en haar haar vormde een lichtend baken dat aan het oog onttrokken moest worden. Ik liet haar de geheime deur zien en legde nog eens uit waar hij heen leidde. Mijn zuster knikte ernstig, met in haar ogen iets wat op begrip leek.
'Ik ben klaar,' zei ze. 'En... bedankt, Liadan.'
'Helemaal niet,' antwoordde ik met een licht bevende stem. 'Bedank mij en mijn... vrienden maar wanneer je veilig in het huis van de heilige zusters bent. Nu...'
Op dat moment hoorde ik een geluid op de binnenplaats beneden, en er flakkerden toortsen. Ik ging geluidloos op een kruk staan en keek uit het smalle raampje. Er kwamen ruiters binnen door de hoofdingang, mannen in het groen en mannen met het embleem van de Uí Néill op hun tuniek, rood en wit, de slang die zichzelf verslond. Ik hoorde hoefgetrappel, mannenstemmen, het ontgrendelen van deuren toen het huishouden ontwaakte. Ik zag Eamonn, bleek en ernstig als altijd, die zich van zijn paard zwaaide en korte bevelen begon te geven. Ik zag de rechte, gezag uitstralende gestalte van Fionn Uí Néill temidden van zijn mannen. Ze hadden kennelijk geen oponthoud op Zeven Wateren gehad. Ze waren regelrecht hierheen gereden, en ze waren twee dagen te vroeg.
Bran! was mijn eerste paniekerige gedachte terwijl ik mijn zus onder het tapijt door en via de nauwe opening naar buiten loodste. *Bran is hier, en Eamonn is terug. Als Eamonn hem doodt, zal het mijn schuld zijn.* Vreselijke gedachten schoten me door het hoofd terwijl we de steile wenteltrap afliepen, ik vlak voor Niamh om haar te leiden terwijl ze in paniek jammerde: 'Liadan! Liadan, ik geloof niet dat ik dit kan! Het is hier zo donker en nauw!'

'Stil!' siste ik en greep haar hand steviger vast. 'Doe wat je beloofd hebt en luister naar mij.' Ze scheen niet gemerkt te hebben wat er op de binnenplaats gebeurde en ik lichtte haar niet in; ze was nu al halfverlamd van angst, en haar reis was amper begonnen. Het was beter als ze niet wist hoe dicht de achtervolgers haar op de hielen zouden zitten.

We vorderden uiterst langzaam. *Kom nou, kom nou, Niamh.* Eindelijk waren we onder aan de trap en liepen we door de korte gang.

'Voorzichtig hier,' fluisterde ik. 'De grond is nat. Niet uitglijden.' Als het een beetje meezat, zou niemand zo vroeg naar ons komen zoeken. De mannen wilden waarschijnlijk eerst eten en rusten. Er was misschien nog tijd.

Het was stil buiten. Er waren geen stemmen, behalve die van de moerasvogels die begonnen te roepen nu het dag begon te worden. Een deken van mist, ziekelijk geelgrijs van kleur, hing boven het moeras tot aan de stenige oever. Je zou denken dat zelfs de Beschilderde Man de weg niet zou kunnen vinden door zo'n dikke sluier. We bereikten de veilige plek onder de rand van puntige stenen. Hoog boven ons op de muur liepen de schildwachten regelmatig heen en weer. Toen gaf Niamh een scherp gilletje en ik legde snel mijn hand over haar mond.

'Sst,' siste ik. 'Wil je ons allemaal dood hebben? Deze mannen zijn hier om ons te helpen.'

'O... maar... maar...'

'Zorg dat ze zich koest houdt, wil je?'

De angstige ogen van mijn zus staarden eerst naar de man die dit zei, de man die plotseling voor haar was opgedoemd met zijn geschoren hoofd en getekende huid; daarna naar de man achter hem, wiens huid zo zwart was als de nacht en wiens witte tanden ontbloot waren in een woeste grijns terwijl hij mij met een hoofdknik begroette. Niamh kon kennelijk niet beslissen wie van de twee het meest angstwekkend was.

'Bran.' Ik trok hem iets terzijde en sprak binnensmonds. 'Eamonn is teruggekomen, nog niet lang geleden, met de echtgenoot van mijn zuster. Het fort is vol gewapende mannen.'

'Dat weet ik.'

'Jullie moeten nu gaan en heel voorzichtig zijn. Eamonn heeft gezworen jou te vernietigen, en dat zal hij bij de minste aanleiding doen ook. Ga alsjeblieft snel weg.'

Hij keek me met gefronst voorhoofd aan. 'Maak je niet druk over mij. Dat ben ik niet waard. Bovendien heb je al genoeg om je zorgen over te maken.'

'Ik maak me wel druk over jou. Waarom kun je niet één keertje naar goede raad luisteren?'

'Kom mee,' riep Meeuw zacht. Hij had Niamh bij de hand genomen en leidde haar, heel voorzichtig, over het stuk grond waar de wachten hen konden zien naar de rand van het moeras, waar de mist hen zou verbergen.

'Je ziet me als een huurling zonder geweten, een man zonder menselijke gevoelens,' fluisterde Bran, en zijn vingers kwamen omhoog en lagen tegen mijn wang, warm en levend. 'En toch wil je dat mij niets overkomt. Dat rijmt niet met elkaar.'

'Je hebt een lage dunk van vrouwen, en je veracht mijn familie,' antwoordde ik met tranen in mijn ogen, want zijn aanraking maakte diep in mij een pijnlijk gevoel wakker, dat tegelijkertijd uit vreugde en verdriet bestond. 'En toch waag je je leven om hier te komen, alleen om tegen mij te zeggen dat ik naar huis moet gaan. En je waagt het nog een keer om mijn zuster te redden. Ook een vrouw. Dat rijmt ook niet bepaald met elkaar.'

We keken elkaar aan, en ondanks mezelf voelde ik een traan over mijn wang rollen.

'Niet doen. Niet doen,' zei Bran woest, en zijn duim streek over mijn huid, als om de stroom in te dammen.

'Bedankt dat je gekomen bent,' fluisterde ik. 'Ik weet niet hoe ik het zonder jou had moeten doen.'

Hij zei niets, maar toen ik hem aankeek, zag ik zijn echte, ongepantserde ogen. Diepe, betrouwbare grijze ogen. En daarin zag ik de woorden die hij zich niet toestond te spreken. Ik legde mijn hand op de zijne.

Er kwam een kreet van boven, een zoemend geluid, en er suisde een pijl over onze hoofden. Hij kwam neer vlak achter Meeuw, die de struikelende Niamh naar de verhullende mist leidde. Meeuw liet een vloek horen en Niamh slaakte een gilletje; en toen leek ze van angst te verstarren en wilde niet verder gaan.

'Brighid sta ons bij,' mompelde ik en nam mijn rokken op; ik wilde naar beneden rennen om het stomme kind verder te duwen naar waar ze veilig was. Brans stem hield me tegen.

'Nee,' zei hij. 'Blijf hier, waar ze je niet kunnen zien. Vaarwel, Liadan.'

Toen draaide hij zich om en rende over het stuk waar hun pijlen konden komen, als duidelijk doelwit om hen van mijn zuster af te leiden. Ik bleef staan en keek hem na, omdat ik dat beloofd had. Ik had zijn diensten ingehuurd, en dat betekende dat hij de regels bepaalde. Boven op de gaanderij werd geschreeuwd en ik hoorde Eamonns stem. De pijlen begonnen neer te regenen, en ze waren goed gemikt; maar de rennende man was snel en handig, hij ontweek ze en rende zigzaggend verder, en draaide zich nog even om om gauw een vulgair, uitdagend gebaar in de richting van zijn aanvallers te maken. Hij had de afstand in de helft van de tijd kunnen overbruggen; maar hij wachtte tot zowel Meeuw als de tegenspartelende, doodsbange Niamh, wier donkere kap nu was afgevallen zodat haar korte, goudblonde lokken duidelijk zichtbaar waren, helemaal in de omhullende mistdeken verdwenen waren voor hij op volle snelheid achter hen aan ging. De nevel slokte hen op, en ze waren weg.

Nu gebeurden er snel een aantal dingen achter elkaar. Boven werden bevelen gegeven. Toen kwamen er mannen met zwaarden, dolkmessen, speren en bijlen onder aan de muren naar buiten rennen; ze hielden stil bij de rand van het moeras, dicht bij de plaats waar ik onbeweeglijk vlak onder de barrière van puntige stenen stond. Eamonn was bij hen, en hij was degene die zich het eerst omdraaide en mij zag. Het was niet nodig iets met mijn gezicht te doen; ik kan me voorstellen dat er al een overtuigende uitdrukking van schrik en angst op lag.

'Liadan! De godin zij dank dat je veilig bent!' Ik kon de woede in Eamonns ogen zien, nauwelijks gemaskeerd door zijn opluchting en bezorgdheid. 'Ik dacht... wat is er gebeurd, Liadan? Vertel het snel, want we moeten onmiddellijk achter deze mannen aan.'

'Ik... ik...'

'Het is in orde, je bent nu veilig. Haal diep adem en probeer het me te vertellen.' Hij greep me hardhandig bij mijn schouders; zijn handen spraken van de drang om te achtervolgen, te straffen en te vernietigen.

'Niamh... Niamh is weg,' stamelde ik. 'Ze is weg.'

'Waarheen?'

'Ik... dat weet ik niet.' Tot nu toe had ik nog niet hoeven liegen. Liegen ging me niet zo goed af. En Eamonn kende me beter dan veel anderen. Ik moest maar hopen dat zijn woede hem blind zou maken voor onvolkomenheden in mijn verhaal. Een verhaal dat nu heel anders moest luiden, omdat niet alleen Niamh, maar ook Meeuw en Bran duidelijk te zien waren geweest voor ze ervandoor gingen.

'Over het moeras naar het noorden. Ik weet niet waarheen of waarom.'

Eamonn keek woest. 'Vertel me alles wat je weet, Liadan. Zo snel mogelijk. Elk ogenblik telt. Hoe konden Niamh en jij beneden komen zonder dat mijn wachten jullie zagen?'

'Er is een geheime gang. Wist je dat niet? Een wenteltrap, een geheime deur. In de alkoof.'

Hij vloekte binnensmonds. 'Je bedoelt... maar die weg is al afgesloten zolang ik me kan herinneren. Er is geen sleutel. Hoe konden jullie erin komen?'

Mijn hand voelde aan de sleutel die ik in mijn zak had. Het werd noodzakelijk om te liegen. 'Ik weet het niet. Ik werd vanmorgen vroeg wakker, en Niamh was weg. Ze had de geheime deur open laten staan, en ik volgde haar. Toen ik buiten kwam, werd ze... werd ze...'

'Goed, Liadan,' zei hij ernstig en vriendelijk. 'Dat hoef je niet te vertellen. Hoeveel mannen heb je gezien? Niet meer dan twee?'

Ik knikte zwijgend.

'Je weet wat voor mannen het waren, neem ik aan?'

Ik knikte weer.

'Waarom, dat vraag ik me af,' mompelde Eamonn, die rusteloos heen en weer liep. 'Waarom zou hij haar ontvoeren, behalve als een soort krankzinnig uitdagend gebaar? Wat kan hij hiermee denken te winnen? Ik kan geen reden bedenken.'

Ik slikte heftig. 'Denk je... denk je dat je hen op kunt sporen en haar terug kunt brengen?' Ik had de indruk dat de mist begon op te lossen nu de zon hoger klom; ik kon al een klein eindje van het moeras zien, waar de donkere, zuigende modder hier en daar werd gemarkeerd door lage pollen vegetatie. Ze lagen te ver uit elkaar om van de ene pol naar de andere te springen. Een man die door dit moeras wilde, moest vroeg of laat zijn voet op dat zwartbruine, sponzige oppervlak zetten, en erop vertrouwen dat het zijn gewicht zou dragen. Een man die dat vertrouwen niet had, kon er alleen doorheen komen als hij precies de weg wist. Maar zij waren de besten. Als zij zeiden dat ze Niamh naar de overkant konden leiden, konden ze het.

'Eamonn! Om godswil, wat is er gebeurd? Ze zeiden dat Niamh...' Fionn kwam aanrennen, zijn laarzen knerpten op de stenige helling. Zijn harde trekken stonden grimmig, zijn gezicht was bleek. 'Ik betreur dit ten zeerste,' zei Eamonn vormelijk, en ik besefte dat dit natuurlijk geen goed zou doen aan zijn status bij zijn bondgenoten; dat er zo'n inbreuk op de beveiliging was gemaakt op de drempel van zijn huis, bijna onder zijn neus. Geen wonder dat de Beschilderde Man de reputatie had hondsbrutaal te zijn. 'Het schijnt dat ze ontvoerd is, en het lijdt geen twijfel wie daarvoor verantwoordelijk is. Mijn wachten hebben hen duidelijk gezien. Een man met een koolzwarte huid, en een tweede die op zijn gezicht en arm een zeer herkenbaar patroon droeg. Deze mannen behoren tot dezelfde fianna die voor mijn ogen mijn krijgers hebben afgeslacht. Gelukkig hebben mijn schutters hen verjaagd voor ze ook Liadan wisten te pakken.'

'Welke kant op?' wilde Fionn weten, en de uitdrukking op zijn gezicht herinnerde me eraan dat hij een Uí Néill was, een leider. 'Ik zal die man de ledematen van zijn lichaam klieven, wanneer ik hem vind! Welke kant?'

'Je kunt niet gaan,' zei Eamonn kortaf. 'Dit is een klus voor mij, en voor diegenen van mijn mannen die de kunst verstaan de overtocht veilig en snel te maken. Ik zal mijn best doen je vrouw terug te brengen, en ik zweer dat ik niet zal rusten eer de daders van dit schandelijke misdrijf terecht zullen staan. Nu moet ik gaan, en snel.'

'Terechtstaan?' Fionns stem klonk woest. 'Terechtstaan is te goed voor hen. Geef mij een ogenblik alleen met dat uitschot, en een bijl in mijn hand, dan maak ik nog wat mooie patronen op hun bast. Spaar mij, en Niamhs zuster hier, praatjes over rechtvaardigheid.'

'Ga naar binnen, Liadan.' Eamonn liep intussen al naar de rand van het moeras. Twee van zijn mannen stonden al te wachten; hun groene tuniek was vervangen door een kledingstuk in een modderbruine tint, hun rijlaarzen door zachter, soepeler schoeisel. Ze droegen een nauwsluitende kap op het hoofd en hadden een dolkmes en een werpmes aan hun gordel. Ze bleven wachten terwijl Eamonn zijn bovenkleding uittrok en zich snel in soortgelijke kleding hulde. Elke man had een staf, die langer was dan hijzelf.

'Goed,' zei Eamonn. 'Ik ga voorop; blijf dicht achter me, en houd je gereed om elk moment toe te slaan. Hun voorsprong is niet zo groot dat we hen niet kunnen inhalen voor ze droog terrein bereiken. Ze zullen minder snel kunnen opschieten door de vrouwe. Oran, jouw taak is haar veilig weg te krijgen. Zodra je haar hebt, keer je om en laat je de rest aan ons over. Ga voorzichtig terug, want ze zal wel bang zijn. Conn, jij neemt de zwarte man. De ander is voor mij.'

Het is geen wonder dat vrouwen de naam hebben over een geduld te beschikken dat mannen niet hebben. Veel van onze tijd gaat voorbij met wachten. Wachten tot een kind geboren wordt. Wachten tot een man thuiskomt, van het land, van zee, uit de strijd. Eindeloos wachten op nieuws. Dat kan nog het ergst zijn, wanneer de angst zich diep in het lichaam vreet en het hart met koude vingers omklemt. De geest kan vreemde en verschrikkelijke beelden schilderen terwijl je wacht.

Aisling was een vriendelijk meisje, en ik kreeg veel waardering voor haar gedurende die lange dag. Het was onmogelijk om iets nuttigs aan te pakken. Zij kwam met mede en gekruide vruchten en gaf me een rustige, gemakkelijke hoek om te zitten bij een klein vuur van essenhout; en ze sprak meelevende woorden. Ik hoefde absoluut niet te veinzen dat ik erg ongerust was.

'Ga zitten, Liadan,' drong Aisling bezorgd aan, en haar ronde blauwe ogen keken me meelevend aan. 'Kom hier bij me zitten. Ik ben ervan overtuigd dat Niamh behouden terug zal komen. Eamonn kent die paden als zijn broekzak. Hij is daar erg goed in. Als iemand haar kan vinden, is hij het wel.'

Ze had geen idee dat haar woorden mij de moed in de schoenen deden zinken. 'Ik kan er niets aan doen,' zei ik. 'Het is heel gemakkelijk om een fout te maken, dat zegt iedereen, in de mist, als je snel vooruit probeert te komen... ze zouden heel gemakkelijk mis kunnen stappen, Aisling. Hoe lang duurt het nog, tot we eindelijk iets zullen horen?' Mijn handen beefden en ik kneep ze stevig in elkaar.

'Dat zou wel even kunnen duren,' zei Aisling zacht. 'Fionn heeft zijn mannen over de weg om het moeras heen gestuurd, om hen aan de andere kant de pas af te snijden. Eamonn zal zich heel voorzichtig verplaatsen; op dat pad is er geen ruimte voor vergissingen. Maar de bandieten zullen hoe dan ook gepakt worden.'

Terwijl we wachtten, beende Fionn zwijgend en met een somber gezicht op en neer. Hij had ervoor gekozen om hier op Sídhe Dubh te blijven wachten op het eerste bericht, in plaats van met zijn mannen mee te rijden. Nu leek hij wel een gekooid dier; zijn ogen gloeiden van woede, zijn handen waren tot vuisten gebald. Ik vroeg me af of hij angst voelde om zijn vrouw, of zijn ziel pijnlijk naar haar verlangde zoals de mijne naar Bran, in de wetenschap dat de mannen in het groen hem op de hielen zaten, met moordlust in hun ogen. Of was Fionn gewoon boos over de brutale diefstal van een kostbare bezitting, ook al was het er een die hij met verachting had bejegend?

De tijd verstreek, en er kwam geen bericht. Ik merkte dat ik niet meer stil kon zitten en excuseerde me, omdat ik naar mijn slaapkamer wilde gaan. Toen ik langs Fionn liep, legde hij zijn hand op mijn schouder.

'Vat moed,' zei hij zacht. 'Alles kan nog goed aflopen.'

Ik keek naar hem, knikte even en liep weg. Op zijn gezicht was niets te lezen dan de verdrietige uitdrukking van een echtgenoot die ongerust afwachtte of zijn vrouw nog leefde of niet. Als die snel wegtrekkende blauwe plekken er niet geweest waren, zou er helemaal niets zijn waaruit bleek wat Niamh had doorstaan. Niets dan de getuigenis van de geest, en die mocht ik aan niemand meedelen. Dana mocht ons allen helpen; stel dat ze er niet in slaagden weg te komen? Stel dat de Beschilderde Man toch niet de beste was, en dat Eamonn hem te pakken kreeg? Het was ondenkbaar. Als dat gebeurde, zou ik geen andere keus hebben dan mijn belofte aan mijn zuster te breken, en de hele waarheid te vertellen. *Vertrouwen. Dat is de prijs.* Ik kon Brans stem in mijn hoofd horen toen ik de slaapkamer binnenging en de deur achter me sloot. Er was geen plaats voor twijfel. Ik moest vertrouwen in hem hebben. Waarom hamerde mijn hart dan nog steeds, waarom was mijn huid koud en klam, waarom voelde ik me hol en leeg, alsof ik een deel van mezelf had verloren?

Ik ging een tijdlang op bed liggen en staarde voor me uit, en toen ik rustig werd, kon ik de kleine bewegingen van het kind in me voelen. *Je zult voor Beltaine vader zijn.* Ik had het niet aan Bran verteld. Hoe kon ik het hem vertellen? Dit te weten zou alleen een extra belasting voor hem zijn. Een man kan geen vader zijn als hij geen verleden en geen toekomst heeft. Een man kan geen zoon erkennen in wie het bloed stroomt van een familie die hij volstrekt veracht. Het was beter dat hij het niet wist. Het was beter dat niemand wist wiens zoon dit was. Zoon van de raaf. Kind van de profetie. Ik wilde daar niet aan gebonden zijn, en hij mocht daar ook niet door gebonden worden. Maar Sean was er ook nog. Je kunt geheimen niet altijd bewaren voor je tweelingbroer. Hij vermoedde al iets. Het zou niet zo lang meer duren voor hij het wist. En nu was het nog ingewikkelder geworden. Want hoe de afloop van de achtervolging door de moerassen ook zou uitvallen, de reputatie van de Beschilderde Man zou er alleen maar zwarter door worden, als hij het overleefde. Wat er ook gebeurde, de gebeurtenissen van vandaag zouden zo diep ingrijpen dat de mannen van mijn familie en hun bondgenoten er nooit meer over konden denken een overeenkomst met de Beschilderde Man te sluiten. Tenzij ik de waarheid vertelde. En ik had Niamh beloofd dat ik zou zwijgen. Die arme Niamh. Wat zou ze bang zijn. Wat zou ze zich alleen voelen. En als ze nou in haar panische angst van het pad af raakte? Of als ze weer van angst verstijfde en er niet toe kon worden gebracht een stap te verzetten? Ik concentreerde me op mijn ademhaling; ik moest langzamer ademen. Mijn geest reikte heel voorzichtig naar buiten.

Sean?

Er kwam geen antwoord. Misschien had ik het te voorzichtig gedaan.

Sean? Geef antwoord, ik heb je nodig, Sean!

Er kwam niets. Ik wachtte heel lang, met mijn geest geopend, op zijn antwoord. Zo lang dat ik bijna het ondenkbare begon te denken, want ik wist waar hij was geweest, ik wist bij wie hij was geweest. Ik voelde twijfel in mijn geest kruipen. Vertrouwen, hield ik mezelf streng voor. De prijs is vertrouwen.

343

Liadan? Wat is er aan de hand?

Ik ademde met een zucht uit. *Sean! Waar ben je?*

Thuis, waar zou ik anders zijn? Wat is er aan de hand?

Dat kan ik niet zeggen. Maar het is iets ergs, en ik kan het niet alleen af. Je moet hierheen komen, naar Sídhe Dubh. Kom nu, Sean. Neem een escorte mee. Ik... we zullen met jou mee naar huis komen.

Je kunt het me beter vertellen, Liadan. Is er iets met Niamh gebeurd?

Waarom vraag je dat?

Toen zijn antwoord kwam, was het behoedzaam. *Ik ben niet blind, al denk je dat misschien. Kun je me vertellen wat er gebeurd is? Zal ik vader meenemen, of Liam?*

Ik zat te rillen en kon mijn angst niet voor hem weghouden. Elke gedachte werd erdoor overschaduwd. *Nee, neem hen niet mee. Alleen jij, en een paar mannen. Ik wil niet dat Eamonns wachten met ons mee terug rijden. Kom snel, Sean.*

Ik kom eraan. Gelukkig stelde hij geen verdere vragen. En tegen de tijd dat hij hier aankwam, zou het voorbij zijn, hoe dan ook.

Het schemerde al bijna voor Eamonn terugkwam. We zaten toen weer in de grote zaal, dicht bij de enorme haard waarin het knetterende vuur goudkleurig licht op de gebeeldhouwde pilaren wierp. De ogen van de vreemde wezens leken te flikkeren en te gloeien terwijl ze dreigend op ons neerkeken. De bedienden brachten geruisloos eten en drinken, en namen het onaangeroerd weer weg. Aisling gaf met gedempte stem opdrachten. Ze zag er bleek en vermoeid uit. Fionn zat aan tafel met zijn hoofd in zijn handen. Toen we eindelijk buiten geluiden hoorden, de schildwachten die iets riepen vanaf de hoge wachttorens en daarna stemmen op de binnenplaats, was er niemand die opsprong en naar het raam rende om te kijken. In plaats daarvan zaten we alledrie verstijfd aan tafel; we konden na zo lang wachten niet geloven dat het nieuws gunstig kon zijn, en wilden het onvermijdelijke moment waarop we het ergste zouden vernemen, niet verhaasten.

Eamonn was geen man die gemakkelijk zijn zelfbeheersing verloor. Je moest hem goed kennen om te zien wanneer hij boos of van streek was. Zelfs zijn huwelijksaanzoek was een toonbeeld van terughoudendheid geweest. Maar nu, toen hij zwijgend de zaal binnenkwam en het huispersoneel met een klein handgebaar liet verdwijnen, was het duidelijk dat hij de totale uitputting nabij was. Er was geen spoortje kleur meer in zijn gezicht en hij zag er verslagen en oud uit. Aisling sprong op om hem bij de arm te pakken en naar een zetel bij het vuur te leiden, maar hij schudde haar bezorgde greep met een heftige ruk van zijn arm van zich af. Alleen daaruit bleek al dat hij niets meer kon hebben. Zijn schoenen waren bedekt met een laag donkere modder en zijn kleren waren ermee bespat.

'Je kunt het maar beter vertellen,' zei ik somber.

Eamonn ging met zijn rug naar ons toe voor het vuur staan en staarde in het hart van de vlammen.

'Je hebt mijn vrouw niet teruggebracht.' Fionns stem was beheerst; zijn vuisten waren gebald. Aisling was weer naast me komen zitten en hield haar mond.

Eamonn bedekte zijn ogen met zijn hand, een hand die licht trilde, en hij zei bijna onhoorbaar: 'De godin sta me bij. Wie wil de boodschapper zijn van zulk nieuws?'

Ik stond op en ging dicht bij hem staan, en ik nam zijn hand in mijn beide handen. Dit gebaar schudde hij niet van zich af, en hij moest me wel aankijken.

'Nu, Eamonn,' zei ik, terwijl ik hem zo goed als het ging met een vaste blik aankeek, al vond ik de uitdrukking in zijn diepe, bruine ogen verontrustend. 'Fionn wacht op nieuws over zijn vrouw, en ik over mijn zuster. We weten dat het niet goed kan zijn wat je ons te vertellen hebt. Maar je moet het vertellen.'

'O, Liadan. O, Liadan, ik zou er wat voor geven om je niet zulk slecht nieuws te hoeven brengen.'

'Vertel het ons, Eamonn.'

Hij haalde diep, huiverend adem. 'Het is het ergste, helaas. Je zuster is dood. Verdronken, bij het oversteken van het moeras naar droog terrein.'

'Maar... maar...'

Aisling was bliksemsnel opgestaan en legde haar arm om mijn schouders.

'Ga zitten, Liadan. Kom, ga zitten.'

Ik beefde. Het was niet meer mogelijk waarheid en verbeelding te onderscheiden. Deze val had ik voor mezelf opgesteld.

'Wat!' Fionn stond heel langzaam op. 'Wat vertel je ons daar? Hoe heb je dit kunnen laten gebeuren? Op je eigen grond!'

'We hebben alles gedaan. Mannen over de weg eromheen gestuurd, jouw eigen mannen en de mijne, om hun uitweg te versperren. Hen achtervolgd door het moeras, zo snel als we maar konden. De mist was heel dicht, en dat verhinderde ons snel vooruit te komen; maar ik wist dat zij daar ook last van zouden hebben. En Niamh zou niet snel vooruit komen, dacht ik, omdat ze een lange jurk aanhad en de weg niet kende. Ze zouden haar bij elke stap moeten overhalen die te zetten.

Wat dat betreft, kreeg ik gelijk. We haalden hen in, maar ze waren al veel verder dan ik verwachtte. Deze man is een meester in zijn boosaardige werk. We waren al dichter bij de overkant dan bij deze kant toen de mist een beetje optrok, en daar was hij. De Beschilderde Man, en hij keek achterom terwijl hij van de ene veilige zode op de volgende stapte. Hij kende absoluut de weg. Ik zag hem niet omlaag kijken. Niet één keer.

Ik kon niet veel verder vooruit zien, maar ik zag door de sluier van mist een glimp van Niamhs blonde haar en het grijs van haar mantel. De man die haar meevoerde, kon ik niet zien. Ik waarschuwde mijn metgezellen, haalde het werpmes uit mijn gordel en versnelde mijn pas, zodat ik mijn prooi naderde tot de afstand tussen ons niet meer dan zeven passen was. Hij maakte geen geluid; hij bewoog geluidloos als een hert. Maar verder naar voren hoorde ik Niamhs stem, die een vraag stelde, en een mannenstem die antwoord gaf. Ik woog het mes in mijn hand en schatte de afstand naar een bepaald punt tussen de ribben van die man. Ik wist dat hij als eerste moest sterven.'

Vertel het. In hemelsnaam, vertel het me. Ik klemde mijn kiezen op elkaar.

'Ik kwam snel dichter bij hem. De Beschilderde Man had een mes aan zijn gordel, maar maakte geen aanstalten het te pakken. Het was bijna alsof hij wachtte tot ik hem zou grijpen. Ik hief mijn mes op om het te werpen, en toen draaide hij zich bliksemsnel om, maakte een kleine handbeweging en er vloog iets kleins, glimmends langs me. Ik hoorde Oran achter me een kort kreungeluid maken, en ik hoorde een plons toen hij viel, en toen ik weer voor me keek, was de Beschilderde Man verdwenen. De woede maakte me onvoorzichtig, en terwijl ik voorwaarts stapte, gleed ik bijna weg. Ik riep hem na: "Moordenaar! Schuim der aarde! Ik zal een eind maken aan jouw leven vol vernietiging en verwoesting! Mijn mes zal je treffen, bandiet!" Ik hoorde hem lachen, een leeg, harteloos geluid, en toen gaf Niamh een gil. Ze had mijn stem gehoord en worstelde om los te komen, want ze wist dat de redding nabij was.'

Zijn woorden deden me de kou om het hart slaan. Ik kon het zo duidelijk zien alsof het voor me gebeurde: Niamh, die de stem van haar achtervolger hoorde en doodsbang was dat ze nu toch de vrijheid niet zou krijgen die ik haar beloofd had. Niamh, die in paniek raakte, op dat verraderlijke pad. 'Ga door, Eamonn,' zei ik met bevende stem.

'Ik weet niet hoeveel ik je eigenlijk moet vertellen.'

'Je kunt me het beste alles vertellen. Voor je eigen gemoedsrust en de onze.'

'Zeg op, man!' Fionn was minder geduldig dan ik.

'Goed dan. Niamh schreeuwde: "Nee!" en voor me hoorde ik geluiden van een worsteling. Er hing nog steeds een dikke laag mist; alleen plaatselijk was hij dunner, en ik kon niets duidelijk zien. Ik probeerde zo snel mogelijk vooruit te komen; mijn eigen veiligheid liet me onverschillig. Conn, die achter Oran had gelopen, kwam achter me aan. Maar hoe we ons ook haastten, we waren niet snel genoeg om je zuster te redden. We hoorden een kreet van de man die voorop had gelopen, en weer Niamhs stem: "Help me, help me!" Even zag ik die man zijn hand uitsteken, koolzwart, en toen een rossige flits, Niamhs haar terwijl ze uitgleed van het veilige pad, en ik hoorde het geluid van het – nee, dat ga ik niet vertellen. Ik zag maar heel weinig, Liadan. Tegen de tijd dat ik bij de plek kwam waar het was gebeurd, was er geen spoor van haar te vinden, behalve de plek op de pol waar haar voet was uitgegleden, en een… een plek op de oppervlakte van de modder waar ze onder was gegaan. En dit.'

Hij toonde een koordje van gevlochten draden, grijs, roze en blauw, dat aan de uiteinden omwonden was met repen leer. Er hing een kleine, witte, doorboorde steen aan. Dit koord had ik zelf gemaakt, en toen ik het zag, voelde ik het bloed uit mijn gezicht wegtrekken. Want dit zou Niamh nooit vrijwillig achterlaten. Nooit, waar ze ook heen ging, wat haar ook werd opgedragen. Dit kleine aandenken stond voor alles wat haar herinnerde aan de liefde van haar familie, en aan die van Ciarán.

'W-waar was dit, Eamonn?' Ik moest de woorden eruit persen. 'Het dreef op de oppervlakte, in een stuk open water. Het koord was aan een rietstengel blijven hangen. Het spijt me, Liadan. Meer dan ik je zou kunnen zeggen.'

Fionn schraapte zijn keel. 'En toen? Waar waren de fianna? Heb je ze gevangengenomen?'

Eamonn staarde weer in het vuur. 'Niet lang daarna toonde de kerel zijn ware gezicht. We gingen verder achter hen aan naar het noorden, en ik kon hem horen lachen; hij daagde me uit terwijl hij vluchtte. "Dat was een verrassing voor je, hè,"' riep hij me toe. "Dat had je niet gedacht, hè, dat ik zo ver zou gaan?" Een spottend grinniken. "Dan moet je nog maar eens nadenken, Eamonn Dubh," zei hij. "Mijn daden worden niet gestuurd door jouw ideeën over wat juist en eerbaar is. Ik speel alleen voor de winst, en ik maak gebruik van elke strategie die dat vereist. Als je me wilt pakken, moet je beseffen dat je mij niet met dezelfde maatstaf kunt meten als andere mannen. Ik nam de vrouw alleen mee om de zwakke plek in je verdediging te demonstreren. Ik neem aan dat je daar snel iets aan zult doen. Je ziet het, ik heb je een gunst bewezen." In deze trant ging hij door, en intussen wist hij me steeds iets voor te blijven, hoe ik mijn snelheid ook opvoerde. We naderden de plaats waar we op droog terrein zouden komen en waar we Fionns mannen zouden treffen. Maar de mist was nog dicht, en plotseling zag ik hen niet meer. Toen hoorde ik een geluid links van het pad, alsof er een kikker kwaakte; en aan de rechterkant een geluid als een antwoord. Ik ging zo snel naar voren als menselijk mogelijk was. Toen ik het droge terrein bereikte, trok de mist op. Daar stonden Fionns mannen zwijgend bij de weg te wachten. Maar er was geen spoor te bekennen van de Beschilderde Man en zijn donker getinte gezel. Ze waren op de een of andere manier weggekomen uit het moeras, zonder langs de plaats te komen waar de hinderlaag was opgezet. Hoe ze het hebben klaargespeeld, weet ik niet, want er is geen andere weg.'

'Neem me niet kwalijk.' Fionn draaide zich opeens om en beende de zaal uit. Zijn gezicht was grauw. Ik had medelijden met hem

348

kunnen hebben, maar ik kon de blauwe plekken van mijn zus niet vergeten. Als hij haar verloren had, was het zijn verdiende loon. 'Het spijt me,' zei Eamonn weer. 'Woorden schieten tekort, Liadan. Wees ervan verzekerd dat ik het als mijn opdracht zal beschouwen deze mannen op te sporen en ervoor te zorgen dat ze de strengste straf ontvangen. Dat is voor jou een schamele troost voor een dergelijk verlies.'

Aisling zat te huilen. 'O, die arme Niamh. Wat een vreselijke manier om te sterven! Het is bijna ondraaglijk om eraan te denken. We moeten maar gauw bericht sturen naar Zeven Wateren. Ik zal zorgen voor een boodschapper...'

'Dat hoeft niet.' Mijn stem beefde. Ik haalde diep adem en dwong mezelf kalm te blijven. 'Sean is al onderweg; ik heb hem gevraagd te komen.'

Broer en zus keken naar mij, en naar elkaar, maar er werd niets gezegd. Het was algemeen bekend dat Sean en ik geen woorden nodig hadden om elkaar te bereiken, maar dat vermogen geeft zelfs vrienden een ongemakkelijk gevoel.

'Hij zal morgen hier zijn,' zei ik nog. 'Eamonn, ik moet je dit vragen. Ben je er heel zeker van dat Niamh... dat ze... weet je het zeker? Je hebt immers niet gezien dat... kan ze misschien de andere kant zijn opgegaan? Zou het kunnen dat je je vergist?'

Eamonn schudde somber zijn hoofd. 'Ik ben bang van niet. Er zijn geen zijpaden in die moerassen. Er is alleen dat ene pad. Ze kan niet aan hen ontsnapt zijn en het overleefd hebben, Liadan. Het is een verschrikkelijk bericht dat je aan je moeder zult moeten brengen.'

Ik knikte zwijgend. Het was zeker verschrikkelijk; en het was nog erger omdat ik niet wist of het waar was of niet. Het zou lang kunnen duren voor ik dat te weten kwam. Intussen moesten de feiten die ik wel wist, verborgen blijven en moest er een wreed verhaal worden verteld dat onwaar kon zijn. Want in het geval dat Eamonn het mis had, in het geval dat de Beschilderde Man weer eens het onmogelijke had gepresteerd en mijn zuster in veiligheid had gebracht, moest ik me aan mijn deel van de overeenkomst houden. *Vertrouwen*, zei ik tegen mezelf, telkens weer. *Vertrouwen dat elke logica te boven gaat. Dat is de prijs. Ik moet krankzinnig zijn.*

De volgende dag kwam Sean en we vertelden het aan hem. Hij nam het nieuws kalm op, misschien omdat hij al het ergste had verwacht. Ik gaf mijn wens te kennen onmiddellijk terug te gaan naar Zeven Wateren, en de volgende morgen stond ik vlak na zonsopgang gepakt en gezakt klaar. Sean wees Eamonns aanbod van een escorte af, want, zei hij, de vijf mannen die hij bij zich had, moesten voldoende zijn.

'Het gaat mij om Liadans veiligheid,' zei Eamonn moeilijk. 'Deze man is tot alles in staat. Ik zou geruster zijn als jullie beter beschermd waren, tenminste tot aan de grenzen van mijn eigen gebied.'

Sean keek mij met opgetrokken wenkbrauwen aan.

'Dank je, Eamonn,' zei ik, 'maar ik geloof niet dat je je zorgen hoeft te maken. De Beschilderde Man zal vast niet zo snel weer toeslaan. Hij weet natuurlijk dat je naar hem uitkijkt. Ik ben ervan overtuigd dat we veilig thuis zullen komen.'

Eamonns handen bewogen rusteloos, alsof ze jeukten om een wapen te grijpen en het te gebruiken. 'Het verbaast me dat je daar zoveel vertrouwen in hebt, Liadan, gezien wat hier gebeurd is. Ik zal je zelf te paard begeleiden, in elk geval tot aan de laatste nederzetting.'

Dat konden we moeilijk weigeren. We namen afscheid van Aisling en reden van Sídhe Dubh weg onder een laaghangende grijze lucht. Toen voor Eamonn het moment aanbrak om terug te gaan, nam hij me apart terwijl Sean met zijn mannen overlegde.

'Ik had gehoopt dat je misschien langer zou blijven,' zei Eamonn zacht. 'Of dat je het goed zou vinden als ik meekwam naar Zeven Wateren. Ik draag de schuld van wat er gebeurd is; het z-zou mijn verantwoordelijkheid moeten zijn het aan hen te vertellen, je helpen uit te leggen...'

'Nee, hoor,' zei ik. 'Wie hier ook de schuld voor draagt, jij bent dat niet, Eamonn. Neem die last niet ook nog op je schouders. Je moet nu naar huis gaan en dit achter je laten. Je moet verder gaan met je leven.' In zijn ogen blonk een intens, bijna koortsig licht dat me niet beviel.

'Je bent wel heel sterk,' merkte hij op met gefronst voorhoofd. 'Maar ja, dat ben je altijd al geweest. Ik bewonder dat al heel lang in je. Er zijn weinig vrouwen die met zoveel moed zouden kunnen spreken, zo kort na het verlies van een zuster.'

Het leek me veiliger niet te antwoorden.

'Dit is dus een afscheid,' zei hij. 'Zeg alsjeblieft tegen je ouders dat ik zou willen... dat ik heel graag zou willen...'

'Ik zal het zeggen,' zei ik beslist. 'Vaarwel, Eamonn.'

Ik had verwacht opgelucht te zijn toen ik eindelijk wegreed van Sídhe Dubh en zijn in nevels gehulde moerassen, in de wetenschap dat ik op weg was naar huis. Maar toen ik mijn hoofd omdraaide en nog even de eenzame figuur van Eamonn zag, die terugreed naar het middelpunt van zijn vreemde, onherbergzame domein, had ik het gevoel dat ik hem op de een of andere manier in de steek liet. Alsof ik hem had teruggestuurd naar zijn eigen, donkere plek. Dit leek een vreemd idee, en ik probeerde het van me af te zetten, maar het beeld bleef me voor ogen staan terwijl we in een gestaag tempo doorreden. Het terrein raakte steeds dichter begroeid met bomen en liep tussen puntige rotsen omhoog naar de rand van het bos.

Plotseling hield Sean zijn paard in en gebaarde dat de anderen hetzelfde moesten doen.

'Wat...' begon ik.

'Sst!' Sean hief waarschuwend zijn hand op. We bleven allemaal zwijgend zitten. Ik kon niets horen behalve vogelgeluiden en het spetteren van een paar regendruppels. Na een poos zette Sean zijn paard weer in beweging, maar langzaam; hij wachtte kennelijk tot ik bij hem was.

'Wat?' vroeg ik; ik vermoedde dat ik het al wist.

'Ik weet zeker dat ik iets hoorde,' zei hij terwijl hij me van opzij aankeek. 'Ik hoor het al een tijdje. Alsof we gevolgd worden. Maar toen we stilstonden, hoorde ik niets. Jij hebt goede oren. Hoorde jij het niet?'

'Alleen vogelgefluit. Er kan daar niemand zijn. Anders hadden we ze wel gezien.'

'O ja? Misschien had ik beter niet naar jouw redenering kunnen luisteren en Eamonns escorte moeten accepteren. We zijn maar met weinigen; een hinderlaag zou problemen geven.'

'Waarom zou er een hinderlaag zijn?' vroeg ik, maar ik vermeed het hem aan te kijken.

'Waarom hebben ze Niamh meegenomen?' vroeg Sean. 'Ik kan er

geen reden voor vinden. Waarom zou hij dat doen, terwijl hij zojuist...'

Hij zweeg.

'Terwijl hij zojuist wat? Je wilt me toch niet vertellen dat hij heeft toegezegd voor je te werken?'

'Dat niet precies,' zei Sean voorzichtig. 'Maar hij heeft wel gezegd dat hij er over na zou denken; hij neemt altijd elk aanbod in overweging. Hij zei dat hij het me zou laten weten, wanneer hij de prijs had bepaald.'

Ik was sprakeloos. Wat speelde Bran voor sluw spelletje? Mijn broer, de zoon van de gehate Hugh van Harrowfield, was toch zeker de laatste met wie hij zaken zou willen doen? Een dergelijk verbond zou voor beiden veel gevaren meebrengen. Dat er serieus over gedacht werd, verontrustte me diep.

'Het zou de doorslag hebben gegeven,' zei Sean. 'Het was precies wat we nodig hadden om een wending te geven aan het verloop van onze vete met de Britten. Hij had elke prijs kunnen noemen die hij wilde; ik was ermee akkoord gegaan. Waarom zou hij dan zijn grote kans verspelen? Is de man gek, om mijn zuster dit aan te doen – zomaar?'

'Hij doet nooit iets zomaar.' Ik zei het zonder nadenken.

Sean wachtte even voor hij antwoordde.

'Liadan.'

'Mm?'

'Er zal geen hinderlaag zijn?'

'Het lijkt me heel onwaarschijnlijk,' zei ik voorzichtig.

'Liadan, onze zuster is dood. En men heeft gezien dat zij haar meevoerden door het moeras. Er waren verscheidene getuigen. Wil je Niamhs moordenaar beschermen door je verhaal voor je te houden?'

'Nee, Sean.'

'Vertel het dan, Liadan. Vertel me de waarheid. Je speelt met dingen die gevaarlijker zijn dan je kunt weten.'

Maar ik hield mijn schild in stand en wilde het niet vertellen. Toen we over een bospad kwamen, vochtig door de laag rottende herfstbladeren, voelde ik op een bepaald moment een aanwezigheid die naast me reed, al hoorde ik ditmaal geen hoefgetrappel van feeënpaarden. Ik hoorde de stem van de Vrouwe, laag en plechtig, en zag haar diepe, ernstige ogen zonder dat ik mijn hoofd omdraaide.

*Je hebt overhaast gehandeld. Je hebt je weer door hen laten lei-
den. Je mag geen fouten meer maken, Liadan.*
*Het leek me geen fout, mijn zuster te redden van een leven waar-
in ze mishandeld wordt.* Ik was boos. Was er dan niets van belang voor het Feeënvolk behalve hun eigen langdurige plannen,
die wij nauwelijks konden begrijpen? Rondom me reden mijn
broer en zijn mannen zonder iets te merken. Ik keek even naar
Sean, en toen weer naar de Vrouwe.
*Je broer hoort ons niet. Ik heb hem hiervoor doof gemaakt. Luis-
ter nu naar me. Je hebt erg dom gedaan. Als je zou kunnen zien
wat hieruit zou kunnen voortvloeien, zou je weten hoe verkeerd
je bezig bent. Je brengt je kind in gevaar.* Haar blauwe ogen waren koud. *Je brengt de toekomst in gevaar.*
*Wat voor gevaar? Ik ben nooit in gevaar geweest. En ik ga nu te-
rug naar Zeven Wateren. Het kind zal daar geboren worden. Dat
wilde u toch?*
Misschien is je zuster dood. Haar stem klonk koel, alsof dit eigenlijk niet veel voor haar betekende. *Verdronken. Misschien heb
je alles op het spel gezet, voor niets.*
*Ze is in veiligheid. Ik weet het. De man die haar heeft meegeno-
men, is te vertrouwen.*
*Hij? Hij is niets. Een werktuig, meer niet. Zijn rol hierin is uit-
gespeeld, Liadan. Er zijn nu nog maar twee dingen die voor jou
moeten tellen. Je mag het bondgenootschap niet in gevaar brengen. Zonder het bondgenootschap is je oom niet sterk genoeg om
de overwinning te behalen. Zonder de Uí Néill kan hij de Eilanden niet terugveroveren. Door jouw domme streek is zijn kans
bijna verkeken. En je moet het kind beschermen. Op hem is onze hoop gebouwd. Geen fouten meer. Niet meer op eigen houtje
weggaan. Wees niet meer ongehoorzaam. Zodra zij weet dat je
zoon bestaat, zal ze trachten hem te vernietigen. De jongen moet
in het woud blijven, waar hij goed beschermd kan worden.*
Zij? Wie?
Maar de Vrouwe van het Woud schudde alleen haar hoofd, alsof de naam niet uitgesproken kon worden, en ze vervaagde langzaam tot ik haar niet meer kon zien. En eindelijk kwamen we op
Zeven Wateren aan met ons vreselijke nieuws.

Het geheim zou nog lang niet onthuld worden. Ik zou het met me meedragen in moeilijke tijden. Tijden die mijn wilskracht tot het uiterste beproefden wanneer ik de ingevallen trekken en overschaduwde ogen van mijn moeder zag, wanneer ik het verbeten stilzwijgen van mijn vader moest verdragen. Het werd winter, en we zaten meer bij elkaar opgesloten dan we wilden, niet in staat elkaars pijn te verzachten; we voelden het weefsel van ons gezin rekken en scheuren, zonder te weten waar we moesten beginnen die schade te herstellen. Sean en Liam hadden onenigheid achter gesloten deuren. Liam sprak over wraak; Sean pleitte nu voor voorzichtigheid. Onze manschappen moesten nu achter de hand worden gehouden, zei hij, voor het moment dat de bondgenoten een gezamenlijke aanval zouden doen op de posities van Northwoods. Misschien zouden we in de volgende zomer klaar zijn; zo niet, dan in de herfst. Waarom zouden we kostbare manschappen en wapenen verspillen aan de achtervolging van de Beschilderde Man? Bovendien was hij al buiten ons bereik, zeiden ze. Hij zat al in Gallië, of nog verder weg. Niamh was verloren; bloedvergieten zou haar niet terugbrengen. Dit was een ongewoon terughoudende benadering voor mijn broer, en uiteindelijk liet Liam zich overtuigen. We hoorden weinig van Eamonn, maar ik wist dat hij het streven naar wraak niet opzij zou zetten. Ik had de uitdrukking in zijn ogen gezien; die was bloedstollend. Die uitdrukking hield de dood in, althans voor een van beiden.

Ik verlangde ernaar terug te gaan naar de geheime poel in het bos die Conor me had laten zien. In die stille wateren zou ik misschien de antwoorden vinden waaraan ik zo'n wanhopige behoefte had. Ik wilde met Finbar spreken, die zoveel leek te weten, en geen oordeel velde, haast alsof hij een instinctief wezen was, dat niet gehinderd werd door ideeën over goed en kwaad. Want mijn geheim drukte zwaar op me. Ik moest mijn zuster beschermen; ik wilde Bran niet verraden. Maar omdat ik niet kon zeggen wat volgens mij de waarheid was, werd van anderen die ik liefhad een zware tol geëist, en ik moest dagelijks met hun verdriet leven. Er scheen geen weg te zijn die ik kon begaan zonder door schuldgevoelens en spijt te worden gekweld.

Het Gezicht is zowel een gave als een vloek. In tijden als deze is de behoefte eraan het grootst. Maar het komt en gaat naar believen en kan niet door wilsinspanning worden opgeroepen. Ik probeerde Niamh te zien, waar ze was, hoe het met haar ging, in welk gezelschap ze was. Ik probeerde Bran aan te raken met mijn geest, maar hij was heel ver weg, en alleen bij nieuwe maan voelde ik zijn aanwezigheid. En die was vaag, zwak, niet meer dan een schaduw van de band die ik had met Sean, die tien manen naast me had gelegen in de schoot van onze moeder.

Ik dacht dat Sean het wist. Hij zei het niet; maar uit zijn gedrag bleek dat hij het wist. Waarom bracht hij anders zijn oom van zijn wraakgedachten af? Waarom maakte hij anders mijn eigen band met de Beschilderde Man niet aan iedereen bekend? Hij wist het, of vermoedde het, en hij begreep ook dat ik mijn geheim zelfs voor hem wilde weghouden. Maar ook hij zag het verdriet van onze ouders, en ik denk dat het hem zwaar viel mij niet te veroordelen.

Er was één reden om blij te zijn en vooruit te kijken. Iedereen betuttelde me naarmate mijn tijd naderde en het kind groter werd. Sean maakte grappen over mijn toenemende omvang, maar was er altijd wanneer ik hulp nodig had bij het beklimmen van een trap of het lopen over het oneffen pad naar het dorp. En hoe zwak ze ook was, mijn moeder hield me in de gaten met het scherpe oog van een genezeres; ze schreef me hoeveelheden van verschillende sterke aftreksels voor en stond erop dat ik elke middag rustte, terwijl het weer in de vroege lente warmer werd en de eerste tere blaadjes zich ontvouwden aan de brede beuken. Mijn vader was nog erger dan de rest; hij lette erop of ik wel elke hap opat die me werd voorgezet, ondervroeg me over de hoeveelheid slaap die ik kreeg en begeleidde me als ik ook maar even naar buiten ging, voor het geval dat ik me te veel vermoeide. Moeder lachte hem uit, op haar zachtaardige manier, en zei dat hij bij haar beide keren precies hetzelfde had gedaan. Maar toen zweeg ze, want ze dacht natuurlijk aan haar eerstgeborene met de koperkleurige haardos, het blije meisje dat in haar witte jurk door het bos had gedanst.

Hoewel ons gebied groot was, was Zeven Wateren een hechte gemeenschap, en het was moeilijk om het geroddel te vermijden: Ik vond het verontrustend wat ik hoorde. Wanneer ik naar het dorp ging om de zieken te bezoeken, wat ik bijna tot het allerlaatst bleef doen, waren er altijd een paar mensen die hun hand uitstaken om mijn buik aan te raken, met een verlegen glimlach. 'Dat brengt geluk, vrouwe,' mompelden ze dan, of iets dergelijks. Eerst had ik geen idee waarom ze zoiets deden. Maar later hoorde ik het verhaal dat werd rondverteld; een verhaal dat veel vreemder was dan de waarheid.

Dit verhaal verklaarde waarom ik op zo'n geheimzinnige wijze was verdwenen en was teruggekomen met een kind in mijn buik. Het verklaarde waarom mijn vader en mijn oom me niet met schande overladen hadden weggestuurd, maar me hier thuis hadden laten blijven om mijn vaderloze kind in de beschutting van het grote woud ter wereld te brengen. Het verhaal luidde dat het Feeënvolk mij had uitgekozen om dit speciale kind te baren, zodat eindelijk de profetie in vervulling zou gaan en de Eilanden gered zouden worden. Dan zoŭden het meer en het woud ook veilig zijn. Ik leek immers precies op het meisje uit het oude verhaal, de dochter die het hart van Zeven Wateren werd genoemd. Wie zou er nu beter de profetie van de wijzen kunnen vervullen dan mijn kind? En geen wonder dat ik de naam van de vader niet wilde noemen, want dit was natuurlijk een kind van de Andere Wereld, dat maar voor de helft een sterveling was. Wie wist over welke krachten zo iemand zou beschikken? Zo vertelden ze het. Ik had hun een paar feiten kunnen vertellen die dit stralende visioen in duigen hadden laten vallen, maar dat deed ik niet. Wie zou geloven dat de beschermd opgevoede dochter van Zeven Wateren, die met liefdevolle zorg hun kwalen had behandeld, die betrouwbare, huiselijke Liadan ervoor zou kiezen met een bandiet te slapen en thuis te komen met zijn kind dat in haar groeide? Wie zou geloven dat ze een web van leugens zou weven om de man te beschermen die misschien wel en misschien niet verantwoordelijk was geweest voor de dood van haar zuster? Het is beangstigend hoe één leugen het eerste draadje vormt in een steeds groter wordend weefsel van onwaarheid. En wanneer dit weefsel eenmaal geweven is, is het erg moeilijk te ontrafelen.

Het seizoen veranderde, en ik hoorde niets van Niamh. Ik hoorde helemaal niets. Moeder gaf Janis les in verloskunde. De benige, hoekige Janis leek leeftijdloos. Het was moeilijk te geloven dat ze vroeger Dikke Janis werd genoemd, maar zowel mijn moeder als Liam had me dat verteld. De barre winters in de tijd van de Tovenares hadden hun tol geëist. Maar Janis had zachte handen, en ik wist dat ik haar kon vertrouwen. Het kind leek vastbesloten om met zijn hoofd naar boven te blijven liggen; moeder zei dat ze nog konden wachten, want hij had nog ruimte om zich om te draaien, voor het zover was. Ik was nogal klein van stuk en het was altijd beter een stuitbevalling te vermijden. Ik was nu gauw moe en zat grote delen van de warmere dagen op de met mos begroeide stenen bank in de kruidentuin. Ik koesterde me in de zon en praatte stilzwijgend met mijn kind.

Deze tuin zal je goed bevallen, zei ik tegen hem. *Hij ruikt lekker, en er zijn allerlei kleine beestjes. Bijen, dat zijn die beesten met strepen en vleugels. Daar moet je voor oppassen. Wanneer het warmer wordt, zullen er sprinkhanen zijn. Kevers in vele vormen en kleuren, sommige glanzend als 'kostbare stenen. Rupsen die rondkruipen en je groenten opeten als je niet oppast. Daarom zetten we knoflook naast de koolplanten. Wanneer het weer Meán Fómhair wordt, zul je al hier op het gras kunnen zitten en naar alles kijken.*

Soms vertelde ik hem over zijn vader. Niet vaak, want ik stond mezelf niet toe valse hoop te koesteren. *Hij is heel sterk. Sterk van lichaam, sterk van geest, sterk van wil. Maar ergens is hij de weg kwijtgeraakt. Ik heb hem Bran genoemd, naar Bran de Reiziger, en zonder dat ik het wist, paste die naam heel goed bij hem. Want Bran Mac Feabhail, de held van het oude verhaal, kon nooit meer thuiskomen na zijn lange, vreemde reis. Toen hij op zijn terugreis de kust van Tirconnell naderde en een bemanningslid van het schip afsprong om naar het strand te zwemmen, schrompelde de man onmiddellijk weg, alsof hij al heel lang dood was geweest. Misschien had die magische reis werkelijk eeuwen in beslag genomen, al dachten Bran en zijn matrozen dat ze niet langer weg waren geweest dan van de ene zomer tot de volgende zomer. Daarom vertelde Bran zijn verhaal staande op het dek van zijn schip terwijl het langs de pier lag, en daarna voer hij weg zonder ooit voet aan wal te zetten in zijn vaderland. Voor hem geen vrouw die hem met open armen opwachtte, voor hem niet de vreugde een zoon te zien opgroeien.* Het kind gaf me een resolute schop; hij had weinig ruimte meer om te bewegen. Misschien vertelde hij me iets op de enige manier die hij kon. *Goed,* zei ik tegen hem, terwijl ik moeizaam ging verzitten op het stenen bankje. *Als er een eind aan zijn reis is, zullen we dat voor hem zoeken. Hij zal ons niet dankbaar zijn. En jij zal me moeten helpen. Ik kan het niet alleen.*

Het was nu bijna mijn tijd. Ik voelde dat ik er klaar voor was; de lentebloemen waren uitgekomen, lichtgele narcissen, feeënklokjes en sneeuwklokjes, en er hing een duidelijke warmte in de lucht, ook al bleef het motregenen. De kersenbomen droegen een tere mantel van bloesem. Het leek een goede tijd. Mijn aandacht werd naar binnen gericht; ik was afgestemd op elke kleine verandering in mijn lichaam en was me nauwelijks bewust van wat daarbuiten gebeurde. Ik wist dat Sean was weggegaan. Hij had me niet verteld waar hij heen ging.

Ze keerden het kind; het was er bijna te laat voor, en de ingreep was niet prettig, maar noodzakelijk om de bevalling gemakkelijker en veiliger te maken. Daarna zei ik dat ze me met rust moesten laten, want ik had het gevoel dat het tijd was om het verder aan de godin over te laten.

Een paar dagen later zat ik in mijn kamer op de nacht van nieuwe maan en keek in de vlam van mijn kaars. Er waren inmiddels verscheidene van deze kaarsen opgebrand tijdens al die nachten die ik had doorwaakt. Ze hadden allemaal een kleine krans van krachtige kruiden, en ik had er telkens de halsketting van wolfsklauwen omheen gelegd en de zwarte veer onder de reep leer gestoken. Misschien had dit geholpen hem te beschermen; misschien niet. In deze nacht was ik verschrikkelijk moe; mijn oogleden vielen telkens toe, en dan schrok ik weer wakker, want ik mocht hem niet alleen laten waken in het donker. Maar toch kreeg op den duur mijn lichaam de overhand over mijn geest, en ik viel zittend op mijn stoel in slaap.

Ik werd wakker van een felle pijnscheut, en toen ik opstond stroomde er een flinke hoeveelheid vloeistof langs mijn benen. Vanaf dat moment was het een en al pijn en verwarring, en moest ik harder werken dan ik ooit in mijn leven had gedaan. Het was maar goed dat Janis er was, want mijn moeder was erg zwak en kon alleen naast me zitten zodat ik in haar hand kon knijpen, terwijl ze af en toe met een vochtige doek mijn gezicht afwiste. Maar ook al was haar lichaam erg zwak geworden, haar geest was nog

358

even scherp als altijd, en ze gaf heel beslist precieze aanwijzingen aan Janis en de andere vrouwen. Misschien beslister dan ze zich voelde, want ze vertelde me zacht dat het kind zich in de laatste paar dagen weer had omgedraaid en nu stevig was ingedaald, kennelijk vastbesloten om in stuitligging geboren te worden. Ik hoefde me daar echt geen zorgen over te maken, zei ze. Ik was jong en gezond, en het kind leek niet overmatig groot. Het zou wel lukken.

Het moet lukken, zei ik tegen mezelf. *Want als ik hem niet naar buiten kan persen, ben ik dood en is hij dat ook. Het moet lukken. Laat de navelstreng niet om zijn hals zitten.*

Het duurde lang. De kaars brandde tot het roze en oranje licht van de dageraad door het smalle raam naar binnen viel in de kamer waar ik vroeger samen met mijn zusje had geslapen. Een van de vrouwen wilde het vlammetje al uitdoven, maar ik gebood haar het te laten branden. Op die manier zou er iets van de vader van mijn zoon in de kamer aanwezig zijn om van zijn geboorte getuige te zijn. Het licht nam toe, evenals de bedrijvigheid rondom me, en ik kon buiten mannenstemmen horen. Op een bepaald moment ging mijn moeder de kamer uit, waarschijnlijk om de Grote Man gerust te stellen, want ik kon me indenken dat hij rusteloos heen en weer liep, wachtend tot het voorbij was. Hij voelde zich ongelukkig omdat hij in dit geval niets kon doen om te helpen.

'Je mag best schreeuwen, hoor meisje,' zei Janis wat later. 'Je hebt het hard te verduren; niemand verwacht dat je dat in stilte doet. Vloek en huil maar zoveel je wilt.' Maar ik had het gevoel dat zwijgen gelijkstond met beheersing; en ik dacht ook, tussen de weeën door, aan het stoïcijnse gedrag van Evan de smid, die vast veel meer pijn had geleden dan ik nu. Want hadden vrouwen dit niet eeuwenlang doorstaan, gedurende meer jaren dan er sterren aan de hemel stonden? Ik had werk te doen, en daar moest ik gewoon mee doorgaan. Op dat moment verbeeldde ik me dat ik een stemmetje in mijn oor hoorde zeggen: *Goed zo. Zo doe je dat.*

Later, toen het licht buiten weer afzwakte tot paarsig grijs en zelfs Janis er uitgeput begon uit te zien, liet mijn moeder de vrouwen weer een aftreksel maken. En toen ik dat rook, trok ik mijn wenkbrauwen op, want behalve essenkruid en hysop bespeurde ik steentijm en een andere, scherpere geur die ik niet herkende.

'Dit heb ik niet nodig,' zei ik kwaad. 'Ik kan dit zelf wel af.'
Moeder glimlachte, en als ze bezorgd was, wist ze dat goed te verbergen. Er was geen spoor van vermoeidheid op haar kleine, mooie gezicht te zien. Ze was bleek, maar ze was de laatste tijd altijd bleek.

'Het schemeruur zou voor dit kind een goed tijdstip zijn om geboren te worden,' zei ze zacht. 'Het juiste tijdstip, denk ik. Vergeet niet dat ik genezeres ben, dochter.'

Ik trok een lelijk gezicht naar haar en dronk, terwijl ik weer een wee door mijn lichaam voelde trekken, en ditmaal kon ik niet blijven zwijgen. Dit was anders, sterker, krachtiger, en ik voelde de drang om te persen, een drang waaraan ik me niet kon onttrekken.

Hierna ging het snel, bijna te snel. Ik maakte veel meer lawaai dan ik wilde; mijn moeder zei dat ik moest ophouden met persen, maar dat ging niet. Iemand ondersteunde mijn schouders en ik hoorde Janis zeggen: goed zo, goed zo, zo gaat het goed, meisje; en ik spande me nog een keer tot het uiterste in, en toen was het plotseling stil.

'Vlug,' hoorde ik Janis zeggen, en iedereen kwam in beweging. 'Houd hem ondersteboven, ja zo. Maak zijn mondje schoon. Goed zo. Nu...'

Ik lag achterover, totaal uitgeput; maar toen ik het eerste hijgende, verontwaardigde jammergeluidje van mijn zoon hoorde, ging ik meteen rechtop zitten en veegde haastig de tranen uit mijn ogen terwijl ik mijn armen naar hem uitstak. O, hij was volmaakt. Piepklein, rimpelig, met een rood gezichtje, maar al met een muts van bruine krulletjes, die met het kleverige, bloederige vocht van de geboorte op zijn schedeltje geplakt zaten. Hij was mijn zoon, en Brans zoon. O. O, *wat had ik graag gewild dat je hier was om hem te zien. Om te zien wat voor een prachtig kind we gemaakt hebben.*

'Je huilt, meisje,' zei Janis, die zelf ook tersluiks over haar wangen wreef. 'Tranen zijn nergens voor nodig. Het is een mooi jongetje dat je daar hebt. Wel een beetje klein, maar sterk. Hij brult nog hard zat, ook na zo'n lange bevalling. Dat is een vechtertje, hoor.'

Er moest veel worden schoongewassen, zoals altijd na een bevalling. Ze gingen om me heen aan de slag, terwijl mijn zoon lief en warm op mijn borst lag. Hij was nu stil, zijn mondje maakte al zuigbewegingen, zijn piepkleine vingertjes klemden zich stevig om een van mijn vingers. *Laat me niet alleen.*

Moeder was ongewoon stil geweest. Ik dacht dat ze wel uitgeput zou zijn na de lange nacht en dag, maar toen ik keek, zat ze nog naast het bed en keek met een nadenkende blik in haar ogen naar het kind. De vrouwen waren klaar met hun werk en gingen weg om van een verdiend avondmaal te genieten. Moeder zei tegen Janis dat ze bier en eten voor zichzelf moest gaan halen, en dat ze zich niet hoefde te haasten.

'En, Janis, wil je tegen de Grote Man zeggen dat hij boven mag komen?'

Toen iedereen weg was en het stil was in de kamer, begon ze weer te praten.

'Liadan?'

'Mm?' Ik dommelde bijna in slaap. De kleine haard verwarmde de kamer goed, en een aangename lavendelgeur verspreidde zich in de lucht; de gedroogde bloempjes werden verbrand vanwege hun genezende eigenschappen.

'Ik weet niet goed hoe ik dit moet zeggen, maar het moet gezegd worden. Liadan, ik geloof dat ik de naam van de vader van dit kind zou kunnen zeggen.'

'Wat!'

'Stil, stil. Ga weer liggen, anders schrikt hij. Misschien vergis ik me. We moeten wachten tot je vader er is. De gelijkenis is heel sterk. En Red heeft gezegd – hij heeft me verteld dat je man iets te maken heeft met Harrowfield. Als ik dat niet had geweten, had ik er misschien geen aandacht aan besteed.'

We hoorden het geluid van gelaarsde voeten die met drie treden tegelijk de trap opkwamen en haastig door de gang liepen, en de deur vloog open.

'Liadan!' Mijn vader was met twee grote stappen bij me. 'Lieverd, is alles goed met je?' En toen zag hij het kind op mijn borst liggen, en zijn mondhoeken krulden omhoog tot een grote, lieve, heerlijke glimlach. Het was lang geleden dat ik hem had zien glimlachen.

'Je mag hem vasthouden als je wilt, grootvader,' zei ik.

En zo gebeurde het dat mijn moeder haar verhaal vertelde, terwijl mijn vader voor het vuur stond met zijn kleinkind in zijn armen. Ik steunde op een elleboog en dronk de beker kruidenwijn die mijn moeder me had gegeven.

'Deze bevalling,' zei Sorcha zacht, 'deze bevalling lijkt zo veel op een andere, een bevalling waarbij ik lang geleden heb geholpen, dat ik het niet kan afdoen als toeval. Ik had dat misschien gedaan als dit kind niet het evenbeeld was van dat andere kind, het jongetje dat ik in de nacht van Meán Geimhridh heb gehaald, op Harrowfield.'

Vader wierp haar een snelle blik toe. 'Hoe zou dat nou kunnen?' vroeg hij. 'Bovendien,' en hij keek neer op het bundeltje dat het kind was, zo klein tussen zijn grote handen, 'alle baby's zien er toch hetzelfde uit?'

'Ik ben ervan overtuigd dat ik gelijk heb,' zei mijn moeder. 'En ik denk dat je het met me eens zult zijn. De bevalling en de geboorte verliepen volgens precies hetzelfde patroon: het kind dat beslist in stuitligging geboren wilde worden, de langdurige bevalling, de moeilijke baring. Liadan is jonger en sterker dan Margery toen was, en veel vastberadener, en daarom had ze minder hulp nodig. Maar het was hetzelfde.'

'Alle stuitbevallingen zijn moeilijk,' zei ik, maar mijn hart bonsde. 'Wie was dat kind?'

Maar moeder gaf mij geen antwoord. 'Kijk dan naar dat kleintje,' zei ze tegen Iubdan. 'Kijk naar zijn bruine krulletjes en zijn grijze oogjes. Kijk naar de vorm van zijn kaak en zijn voorhoofd. Je ziet een begin van Johns gezicht in dat hoofdje, al is het nog rood en gerimpeld. Je kunt niet zeggen dat je het niet ziet, Red.'

Mijn vader ging dichter bij de kaars staan om goed naar het gezicht van de baby te kijken, toen er plotseling een kreet van protest kwam.

'Hier,' zei ik en zette mijn beker weg, waarna ik mijn zoon weer in mijn armen kreeg. Ik wreef over zijn ruggetje en neuriede binnensmonds een oud wiegeliedje dat ooit, tot mijn verbazing, zijn vader had doen inslapen.

'Red?'

Mijn vader knikte. 'Ik zie het, Jenny.' Zo had hij haar genoemd toen ze elkaar hadden ontmoet, toen ze geen stem had om haar werkelijke naam te zeggen. 'En het klopt met wat je me hebt verteld, Liadan. Dat de vader van het kind vroeger op Harrowfield heeft gewoond. Die jongen zal nog geen jaar oud zijn geweest toen Jenny daar wegging.'

'Wie... wie was hij?' vroeg ik voorzichtig, terwijl ik in mijn hoofd een snelle rekensom maakte en me afvroeg of Bran werkelijk nog geen eenentwintig kon zijn. Wat had hij ook weer gezegd? *Toen ik negen jaar oud was, besloot ik dat ik een man was.* Het kon misschien waar zijn.

'Hij heette John, naar zijn vader. Maar ze noemden hem Johnny.'

'Hij laat zich nu niet zo noemen. Maar een naam is natuurlijk gemakkelijk te veranderen.'

'Heeft jouw man grijze ogen?'

'Ja.'

'En zijn haar? Het kind had bruine krulletjes, net als die van je zoon.'

Ik voelde een langzame blos over mijn gezicht trekken en was blij dat ze mijn gedachten niet konden lezen. 'Dat kan wel kloppen,' zei ik na een poosje.

'Is hij een Brit?' vroeg mijn vader. 'In dat geval begrijp ik je aarzeling om zijn identiteit te onthullen. Maar je moet mijn eigen afkomst niet vergeten. Ik heb me hier goed kunnen handhaven.'

'Dat kan ik niet zeggen. Maar het is mogelijk. Kun je me het verhaal vertellen, alsjeblieft?'

Mijn vader fronste licht zijn voorhoofd. 'Je moeder is erg moe.'

'Vertel jij het dan. Alsjeblieft, vader.'

Hij ging aan de andere kant van het bed zitten. Het was nu donker buiten.

'Ik had twee trouwe vrienden op Harrowfield. De ene was Ben, mijn jongere pleegbroer, een man die snel was met het zwaard en nog sneller van geest. En de andere was John. John was mijn zielsverwant, mijn gids en klankbord, die me altijd vergezelde op mijn tochten. Hij was een man die je je leven zou toevertrouwen. John trouwde met een meisje uit het zuiden, Margery heette ze. Er was een innige liefde tussen hen. Ze verloren een kind, en het leek erop dat ze dit kind ook zouden verliezen. Maar je moeder was er, en dus werd hij na een heel lange nacht veilig geboren.'

'Nooit was er een kind meer geliefd en gewenst dan Johnny.' Mijn moeder nam het verhaal over. 'Margery was geweldig trots op hem. Je kon het zien in alles wat ze deed. Ze droeg hem altijd tegen haar schouder, ze praatte tegen hem, ze zong voor hem. Ze maakte beeldschone hemdjes voor hem, helemaal geborduurd met bloemetjes en blaadjes en gevleugelde beestjes. John was een zwijgzame man, maar hij aanbad hen allebei.'

'Is... is er iets gebeurd? Ik begrijp niet hoe het gekoesterde kind over wie u spreekt, de man geworden kan zijn die de vader is van mijn kind. Hij is niet... hij is geen man die in liefde is grootgebracht. Zoveel weet ik wel.'

'John is gestorven,' zei mijn vader moeilijk. 'Hij is vermoord; verpletterd onder vallend gesteente terwijl hij over Jenny waakte. Daar had Northwoods de hand in. Het was een vreselijke gebeurtenis, en Margery had het erg moeilijk met het verlies. Maar toen ik van Harrowfield wegging, deed ze haar best om het kind alleen groot te brengen. Als leden van het huishouden van mijn broer genoten ze alle bescherming.'

'Het zag ernaar uit dat Johns zoon zou opgroeien tot een goede man,' zei Sorcha, terwijl ze me strak aankeek. 'Een goede, beste man.'

Ik knikte; ik voelde tranen prikken achter mijn ogen.

Mijn vader stond op. 'Dit is te vermoeiend voor jou,' zei hij. 'Je moet slapen; jullie moeten allebei slapen. Jullie hebben het goed gedaan, jullie beiden. Mijn sterke vrouwen.' En terwijl ze zich omdraaiden om weg te gaan zei hij zacht tegen mij: 'Als mijn kleinzoon ook de kleinzoon van John is, stemt dat mij tot tevredenheid, dochter. John zou er blij om zijn. Ik zou er veel voor geven om de vader van dit kind te leren kennen. Ik hoop dat dat nog eens zal gebeuren.'

Maar ik knikte alleen, en toen kwam Janis terug met eten voor mij, en ik ontdekte dat ik razende honger had.

'Wacht maar tot je melk toestroomt,' zei Janis droog, terwijl ze naast het vuur ging zitten met haar pul bier. 'Dan zul je eten als een paard.'

Wat later viel ik in slaap met het kind aan mijn borst; en in het raam bleef de kaars branden, tot het weer nacht was geworden.

HOOFDSTUK ELF

De ooms kwamen bijeen. Ik had zo'n gevoel dat dit niet alleen was om de jonggeborene te bekijken, maar ook voor een dieper, plechtiger doel. Want mijn moeder werd nu snel zwakker, alsof ze werkelijk alleen op de geboorte van dit kind had gewacht voor ze definitief afscheid nam van Zeven Wateren. Ik had een sterke bezitsdrang ten opzichte van mijn kind. Er was geen min nodig: ik voedde hem zelf en zorgde zelf voor hem; ik hield hem in mijn armen, streelde hem en zong voor hem. Ik had een meisje om me te helpen, omdat vader daarop stond, maar ze had niet veel te doen. Voor mijn zoon één maand in deze wereld had doorgebracht, had hij al het hele verhaal van Bran de Reiziger gehoord. Hoeveel hij ervan begreep, kon niemand zeggen.

Moeder lag nu het grootste deel van de dag op bed, of op een veldbed dat in de beschutte tuin was neergezet, waar ze bij mooi weer kon rusten en de geur van geneeskrachtige kruiden kon ruiken. Ze vond het prettig als de kleine Johnny naast haar werd gelegd, zodat ze over zijn zachte krulletjes kon strijken, kon luisteren naar de geluidjes die hij maakte en hem verhaaltjes kon toefluisteren. Mijn vader bleef altijd in haar buurt; zijn gezicht stond somber maar hij waakte dag en nacht over haar. Liam liet Sean halen, die zonder te zeggen waarvoor naar het noorden was afgereisd.

Conor kwam als eerste, met een aantal andere druïden, zwijgende mannen in witte gewaden die zich onhoorbaar voortbewogen, als dieren uit het bos. Ze namen kalm hun plaats in het huishouden in, alsof ze van plan waren lang te blijven. Conor ging dadelijk naar mijn moeder toe en bracht enige tijd in afzondering aan haar bed door. Toen kwam hij mij opzoeken en naar het kind kijken.

'Ik heb gehoord,' zei hij, terwijl hij keek hoe ik mijn zoon baadde in een ondiepe koperen kom, 'dat de vrouwen bijna slaags zijn geraakt over de vraag wie bij zijn geboorte zou mogen helpen. Er is veel over dit kind gepraat. Ze wilden hem allemaal graag op de wereld helpen komen.'

'Werkelijk waar?' zei ik, terwijl ik het glibberige lijfje van mijn zoon opnam en hem in een doek wikkelde die ik voor het vuur had gehangen om warm te worden.

'Te veel gepraat, denk je?' De blik van mijn oom was ernstiger dan zijn stem.

'Hun verhalen moeten verklaren wat zij niet kunnen of willen begrijpen,' zei ik, terwijl ik de netjes ingebakerde Johnny tegen mijn schouder legde. 'Feiten die te moeilijk zijn om te accepteren.'

'Dat geldt voor sommige verhalen,' beaamde Conor. 'Maar toch niet voor alle, denk ik.'

'Nee, dat is waar. Het is zoals u zelf een keer hebt gezegd. De grootste verhalen maken, als ze goed verteld worden, de angsten en verlangens van de toehoorders wakker. Iedereen hoort een ander verhaal. Iedereen wordt erdoor beroerd naar gelang van zijn eigen innerlijk. De woorden gaan naar het oor, maar de werkelijke boodschap reist rechtstreeks naar de ziel.'

Mijn oom knikte ernstig. Toen zei hij terloops: 'Waarom heb je je zoon de naam van een Brit gegeven?'

Ik had genoeg van het liegen. Vader zou hem dit gedeelte vermoedelijk toch wel vertellen. Er zou vast geen reden zijn om een verder verband te leggen.

'Hij is naar zijn vader vernoemd,' zei ik, terwijl ik de vochtige krulletjes van mijn zoon streelde en hoopte dat Conor weg zou gaan voor ik het kind moest voeden.

'Ik begrijp het.' Hij was er blijkbaar niet van ondersteboven.

'Met alle respect,' antwoordde ik, 'maar zelfs een aartsdruïde begrijpt niet alles. Maar zo heet hij.'

'Wat heb je voor plannen voor de toekomst, Liadan?'

'Plannen?'

'Ben je van plan hier oud te worden en voor je vader en Liam te zorgen als ze op jaren komen? Wil je haar plaats innemen?'

Ik keek naar hem. Er lag een diepe ernst over zijn kalme trekken; het gesprek had een diepere betekenis die ik nauwelijks begreep. 'Niemand kan haar plaats innemen,' zei ik zacht. 'Dat weten we allemaal.'

'Maar jij zou er bij in de buurt kunnen komen,' antwoordde Conor. 'De mensen zouden je erom respecteren. Ze vereren het kind nu al, en jij bent altijd een begunstigde dochter van dit huis geweest.'

'Begunstigd. Ja, dat weet ik. Jullie zijn erg wreed geweest voor Niamh, toen jullie haar wegstuurden. Wreed en onbillijk.'

'Ons besluit zal zeker voor jou die indruk hebben gemaakt,' zei Conor, nog steeds kalm. 'Maar geloof me, er was geen andere mogelijkheid. Sommige geheimen kunnen nooit worden uitgesproken; sommige waarheden zijn te verschrikkelijk om te worden onthuld. Nu is ze weg, en je wilt misschien iemand de schuld geven van haar tragische lot. Maar dat is niet veroorzaakt door haar huwelijk; en het geeft je ook geen reden, denk ik, om domweg je vader, Liam of mij de schuld te geven. Er waren hier veel oudere dingen aan het werk.'

Ik was woedend, maar kon hem niet van repliek dienen, omdat ik immers gebonden was aan mijn belofte te zwijgen. Het werd erg moeilijk om het schild om mijn gedachten in stand te houden. En hij probeerde erin te kijken, daar twijfelde ik niet aan. Hoe behoedzaam hij ook probeerde erin door te dringen, ik voelde het toch.

'Neemt u me niet kwalijk,' zei ik, en draaide hem mijn rug toe. 'Ik moet het kind voeden. Misschien zie ik u later aan tafel, oom.'

'Hij kan nog wel even wachten, denk ik. Hij lijkt nu meer belangstelling te hebben voor zijn knuistje. Je bent een sterk meisje, Liadan. Je bent er zeer bedreven in je geest af te sluiten. Er zijn maar weinig mensen die mij kunnen tegenhouden.'

'Ik heb me erin geoefend.'

'Is het niet moeilijk, zoveel geheimen te bewaren? Ik heb een voorstel voor je, iets waarover je maar eens moet nadenken.'

Ik zei niets.

'Je vermogens zijn heel... aanzienlijk. Je beschikt nu al over een grote geestelijke beheersing en je hebt een uitstekend inzicht in logica en redeneerkunst. Verder heb je nog je andere gaven, die je nog nauwelijks bent begonnen uit te oefenen. Wacht tot de jongen iets ouder is, misschien gespeend van de borst, tot hij kan lopen. Een jaar misschien. Kom dan bij ons in de nemetons en neem hem mee. We zouden jouw vaardigheden kunnen gebruiken en ontwikkelen. Het is een verspilling van je vermogens, als je in een huiselijke omgeving blijft. En Johnny – wie weet wat hij misschien kan worden, met de juiste opleiding? Wat ze over hem zeggen zou zonder meer de waarheid kunnen zijn.'

Ik draaide me om en keek hem aan, recht in zijn diepe, wijze ogen. 'U hebt Niamhs keuze voor haar bepaald, en dat was verkeerd. Meer verkeerd dan u ooit zult weten. U hoopt misschien een vervanging te vinden voor Ciarán. Een goede leerling. Een groot verlies voor u, denk ik zo. Maar u zult mijn toekomst niet bepalen zoals u dat voor mijn zuster hebt gedaan. Johnny en ik maken onze eigen keuzes. Wij hebben geen behoefte aan leiding.'

Hij leek niet beledigd, ondanks mijn onomwonden toespraak, alsof dit precies was wat hij had verwacht.

'Je moet niet zo snel beslissen,' zei hij. 'Het aanbod blijft staan. Het kind moet in het woud blijven. Hoe je beslissing ook uitvalt, dat mag je niet vergeten.'

Een paar dagen later arriveerde er nog een oom, in een geheel eigen stijl. Ondanks de pratende vogel op zijn schouder, de drie matrozen die hem vergezelden en de bevallige jonge vrouw aan zijn zijde wist Padriac nog altijd helemaal tot bij de nederzetting te komen zonder dat Liams schildwachten zijn aanwezigheid opmerkten. Dit tot grote ontsteltenis van Liam, maar de vreugde van de hereniging na zo lange tijd vaagde algauw alle andere gevoelens weg. Padriacs verweerde huid en tintelende blauwe ogen, de kuiltjes in zijn wangen als hij lachte en zijn lange vlecht door de zon gebleekt bruin haar trokken de blikken van de vrouwen, ondanks zijn zesendertig jaren. Zijn gezellin zorgde voor opgetrokken wenkbrauwen en bracht de tongen in beweging. Want zij was veel jonger dan hij, en haar huid had de zachtbruine kleur van pepermuntthee, en haar haar was kroezig als schapenwol en gevlochten in keurige, strakke rijtjes. Ze droeg kleurige kettingen van witte, groene en rode glazen kralen en haar donkere voeten waren bloot onder een gestreept gewaad. Padriac stelde haar voor als Samara, maar hij maakte niet duidelijk of ze zijn echtgenote was, of zijn liefje, of alleen een lid van de bemanning. Samara praatte niet. Ze liet haar witte tanden blinken in een lach die me pijnlijk herinnerde aan die van Meeuw. Want er was nog steeds geen bericht gekomen. Mijn zuster was echt verdwenen, en haar redders met haar, alsof ze van de rand van de wereld waren afgestapt.

Er was maar één persoon van wie ik dacht dat hij me zou kunnen helpen, en dat was de oom die er niet was. Ik wist niet of hij zou komen, om voor het laatst afscheid te nemen van zijn zuster. Finbar was een wezen van de rand, hij hield moeizaam het midden tussen de ene wereld en de andere. In al die lange jaren sinds hij van Zeven Wateren de nacht was in gelopen, was hij niet één keer teruggekomen. Niet voor de begrafenisriten van zijn twee broers, Diarmid en Cormack, die beiden waren gesneuveld in de laatste grote slag om de Eilanden. Niet voor de geboorte van Niamh of voor die van Sean en mij. Niet voor de dag dat zijn vader stierf en Liam meester van Zeven Wateren werd. Hij zou nu waarschijnlijk ook niet komen, want hij kon Sorcha zien en met haar praten, zonder dat hij bij haar aanwezig hoefde te zijn. Zo sterk was zijn band met zijn zuster. Maar ik hoopte dat hij zou komen, want ik had vele vragen voor hem. Als ik maar wist of Niamh en Bran in veiligheid waren, dan kon ik met een lichter geweten afscheid van mijn moeder nemen. Want als mijn leugens geen vrijheid voor mijn zuster hadden opgeleverd, als mijn stilzwijgen geen bescherming had geboden aan de man die zijn leven had gewaagd om mij te helpen, dan had ik mijn familie evengoed meteen de waarheid kunnen vertellen, en was de zaak daarmee afgedaan.

We hadden veel mensen in huis, maar toch hing er een diepe stilte over Zeven Wateren, alsof zelfs de bosdieren hun stemmen inhielden in afwachting van het heengaan van mijn moeder. Aan tafel ging het iets levendiger toe. Het was een vreemd, ongelijksoortig gezelschap; de druïden waren kalm en waardig, spraken gedempt en aten weinig; de matrozen legden een gezonde eetlust aan den dag en deden ons goede eten en vooral ons beste bier alle eer aan; ze vermaakten zich met luchtige kout, die de vrouwen die aan tafel bedienden deed blozen en giechelen.

Aan het hoofd van de tafel zaten de ooms: Liam, ernstig als altijd, met een vermoeidheid in zijn gezicht die nieuw was; Conor aan zijn rechterhand, nadenkend in zijn witte gewaad; en aan zijn linkerkant de onstuitbare Padriac en zijn mooie, zwijgende gezellin. Padriac was het meest aan het woord; hij had talloze avonturen te vertellen, en we luisterden dankbaar, want zijn verhalen over verre landen en de vreemde mensen die daar woonden, leidden onze gedachten af van de droevige omstandigheden die ons huishouden hadden getroffen. Sean was nog niet teruggekomen. Vader zat niet meer aan tafel bij het eten. Ik denk dat hij bang was ook maar een ogenblik van moeders resterende tijd te missen. Wat Sorcha zelf betreft, zij had lang geleden al geaccepteerd dat dit voorjaar haar laatste zou zijn in dit leven. Toch zag ik dat ze niet op haar gemak was; er was iets wat haar drukte en dat ze niet van zich af kon zetten. Ik voerde een innerlijke tweestrijd, terwijl ik op een middag naast haar bed zat met haar broze hand in de mijne; mijn vader stond in de schaduw en keek naar haar.

'Red.' Haar stem was heel zacht; ze spaarde de krachten die ze nog had en maakte gebruik van haar kennis als genezeres om nog wat kostbare tijd voor zichzelf te kopen.

'Ik ben hier, Jenny.'

'Het zal nu niet zo lang meer duren.' Haar woorden waren nauwelijks meer dan een zucht. 'Zijn ze allemaal hier?'

Mijn vader was niet tot spreken in staat.

'Sean is nog niet terug, moeder.' Mijn eigen stem wiebelde gevaarlijk. 'Al uw broers zijn er, allemaal behalve...'

'Behalve Finbar? Hij komt nog wel. Sean moet morgenavond tegen de schemering terug zijn. Zeg dat tegen hem, Liadan.'

Er was een zekerheid in haar woorden die mij deed zwijgen. Het had geen zin om te zeggen dat ze misschien nog meer tijd zou hebben. Ze wist het. Mijn vader kwam naar het bed om er neer te knielen en zijn grote hand op de hare te leggen. Ik had hem nooit zien huilen, maar nu waren er sporen van tranen op zijn sterke gezicht.

'Lieve schat,' zei Sorcha, terwijl ze naar hem opkeek met reusachtige groene ogen in haar kleine, overschaduwde gezicht. 'Het is niet voor altijd. Ik zal nog hier zijn, ergens in het woud. En welke lichamelijke vorm ik ook zal hebben, ik zal je altijd blijven koesteren.'

Ik wilde opstaan om hen alleen te laten, maar moeder zei: 'Nog niet, Liadan. Ik moet iets tegen jullie samen zeggen. Het kost niet veel tijd.'

Ze was erg vermoeid; haar huid had een bleke weerschijn, en haar ademhaling ging zwoegend. Geen van ons beiden zei dat ze haar adem moest sparen en dat ze moest rusten. Niemand van de familie zei ooit tegen Sorcha wat ze moest doen.

'Er zijn geheimen geweest,' zei ze, terwijl ze even haar ogen sloot. 'De oude betovering is hier aan het werk, de oude toverkracht die al eerder zijn boosaardige hand om ons heeft gesloten. Hij probeert verdeeldheid tussen ons te zaaien, te vernietigen wat hier op Zeven Wateren zo goed bewaard is gebleven. Misschien kunnen niet alle geheimen onthuld worden. Maar ik wil tegen jou, dochter, zeggen dat we je vertrouwen, wat er ook gebeurt. Je zult altijd je eigen weg kiezen, en je keuzes zullen sommigen verkeerd toeschijnen. Maar ik weet dat je de weg van de oude waarheden zult volgen, waar je ook heen gaat. Ik zie dit in jou, en in Sean. Ik geloof in jou, Liadan.' Ze keek weer op naar vader. 'We geloven beiden in je.'

Iubdan wachtte even voor hij iets zei, en ik vroeg me af of ze hem voor het eerst in haar leven verkeerd had beoordeeld. Maar wat hij zei was: 'Je moeder heeft gelijk, lief kind. Waarom heb ik je anders altijd je eigen keuzes laten maken?'

'Ga nu, Liadan,' fluisterde moeder. 'Probeer tegen je broer te spreken. Hij moet zich naar huis haasten.'

Ik liep door de velden naar beneden naar de rand van het bos, want het huis was vol verdriet en ik had behoefte aan bomen en open lucht. Ik wilde een helder hoofd en een schone geest, niet alleen om te proberen mijn broer te bereiken, maar ook om een moeilijke beslissing te nemen. Sorcha ging sterven. Ze verdiende de waarheid te weten. Als ik haar die vertelde, moest ik haar ook aan mijn vader vertellen. Ze hadden gezegd dat ze vertrouwen hadden in mijn keuzes; maar zelfs zij zouden vol afschuw kennisnemen van wat ik dit keer gedaan had. Als vader met mijn verhaal naar Liam ging, dan zou alles wat mijn leugens aan goeds hadden bewerkstelligd, ogenblikkelijk teniet worden gedaan. Als mijn zuster nog leefde, zou ze opgespoord en thuisgebracht kunnen worden. Misschien zouden ze proberen haar aan haar gerespecteerde echtgenoot terug te geven. Dan zou de hele waarheid aan het licht komen en zou het bondgenootschap verbroken worden. Wat de Beschilderde Man betreft, Eamonn zou hem opsporen en hem afmaken als een wild dier in de nacht, en zonder hem zouden zijn mannen terugkeren naar het berooide, zwervende leven dat ze hadden gekend voor hij hun namen en een doel in het leven gaf, en de gave van zelfrespect. Mijn zoon zou zijn vader nooit kennen, behalve in verhalen als een soort monster. Dan zou onze familie werkelijk vernietigd zijn. Dit vooruitzicht deed me de kou om het hart slaan. En dan waren de Feeën er nog. Je mag het bondgenootschap niet in gevaar brengen, had de Vrouwe gezegd. Die waarschuwing kon je niet zomaar naast je neerleggen. Maar mijn moeder verdiende het de waarheid te weten, en ze had er op haar manier ook om gevraagd. De vraag was niet zozeer of ze mij vertrouwden, maar of ik hen vertrouwde. Bran had vertrouwen een keer afgedaan als een begrip zonder betekenis. Maar als je niemand kon vertrouwen, was je pas echt helemaal alleen, want geen vriendschap, geen huwelijk, geen familie of bondgenootschap kon zonder vertrouwen bestaan. Zonder vertrouwen waren we verstrooid over het land, overgeleverd aan de vier winden zonder iets om je aan vast te houden.

Aan de rand van het bos ging ik op het stenen muurtje zitten dat de buitenste weide omzoomde en liet mijn geest stil worden. Dit was moeilijk, want mijn gedachten waren dringend. *Ik moet een teken hebben, een aanwijzing. Waarom is Finbar er niet? Aan hem zou ik het kunnen vragen, zonder bang te hoeven zijn.*

Ik vertraagde mijn ademhaling en liet mijn geest vullen door de geluiden van het bos en de boerderij. Het ritselen van lenteblaadjes aan beuken en berken; het roepen van vogels; het kraken van het molenrad en het zachte geklater van de beek. Het klaaglijke geblaat van schapen. Een jongen die zijn troep ganzen toespreekt: schiet eens op, koppige beesten, of ik zal jullie leren; het snaterende antwoord van de ganzen. Het geluid van het water van het meer dat tegen de oever klotst; het zuchten van de wind in de grote eiken. Fluisterende stemmen hoog boven mijn hoofd, die schenen te zeggen: *Sorcha, Sorcha. O, zusje.*

Pas toen het in mijn hoofd helemaal stil was, probeerde ik mijn broer te bereiken.

Sean?

Ik hoor je, Liadan. Ik kom naar huis. Hoe is het met onze moeder?

Ben je ver weg?

Niet erg ver. Kom ik te laat?

Je moet hier zijn voor het morgen gaat schemeren. Zelfs de stem van de geest kan huilen. *Kun je dan hier zijn?*

We zullen er zijn. In zijn geest legde hij zijn armen om me heen en hield me zo omvat, en ik zond hem hetzelfde beeld terug. Dat was alles.

Liadan?

Dit was niet de stem van mijn broer.

Oom? Mijn hart begon te bonzen. Waar was hij?

Ik ben hier, kind. Draai je om.

Langzaam stond ik van het muurtje op en draaide me om zodat ik het bospad af kon kijken. Hij was moeilijk te zien; niet zozeer een man, maar meer een gedeelte van het patroon van licht en schaduw, het grijs en groen en bruin van stammen, bladeren, mos en steen. Maar hij stond er toch, blootsvoets op de zachte aarde, nog altijd gekleed in zijn gerafelde gewaden en donkere, alles omhullende mantel. Zijn zwarte krullen vormden een verwarde bos om een krijtwit gezicht. Zijn ogen waren helder, kleurloos, vol licht.

Ik ben blij dat u er bent. Ze heeft om u gevraagd.

Dat weet ik. En ik ben gekomen. Maar ik denk dat ik jouw hulp nodig heb.

Ik voelde zijn angst en wist hoeveel moed ervoor nodig was geweest om tot hier te komen.

Ik zal u naar binnen brengen. Wat hebt u nodig?

Ik heb angst om... te worden aangeraakt. Ik heb angst om... opgesloten, ingesloten te zijn. En er zijn honden. Als je me hiermee kunt helpen, kan ik blijven, lang genoeg. Tot de schemering morgenavond.

'Ik voel me vereerd met uw vertrouwen,' zei ik hardop. 'Dit moet erg moeilijk voor u zijn.'

Ik schaam me over mijn zwakheid. De tovenares heeft me wel een langdurige vloek opgelegd. Het heeft ook zijn goede kanten. Maar ik wil mijn zwakke punten liever niet aan mijn zuster of aan mijn broers laten zien. Ik wil geen medelijden. Alleen hulp, om voor haar sterk genoeg te zijn.

'U bent heel sterk,' zei ik zacht. 'Een andere man zou niet zo lang in leven zijn gebleven. Zou het niet hebben volgehouden.'

Jij bent ook sterk. Waarom vraag je me niet wat je wilt vragen? Omdat dat... egoïstisch lijkt.

We zijn allemaal egoïstisch. Dat is onze aard. Maar jij bent gul, je geeft veel, Liadan. Je zorgt voor de veiligheid van de mensen die je liefhebt, met alle middelen die je tot je beschikking hebt. Later zal ik je tonen hoe je te zien krijgt wat je wilt zien. Nu moeten we maar naar binnen gaan, denk ik.

'Oom,' zei ik hardop, een beetje schuchter.

Wat is er?

'Waarom laat u mij uw angsten zien, terwijl u ze zelfs voor uw broers verbergt?'

Geen man wil zwak zijn. Maar mijn zwakheid is tevens mijn gave. Wat in de ene wereld heel gewoon is, kan in de andere een bron van angst zijn. Een dichte deur, het blaffen van een grote hond. Maar aan de andere kant, wat in deze wereld een mysterie is, wordt duidelijk en eenvoudig in die andere. Het is beeld en spiegelbeeld, werkelijkheid en visioen. Wereld en Andere Wereld. Ik laat jou mijn angsten zien omdat jij ze kunt begrijpen. Je begrijpt ze omdat je de gave hebt. Je bent niet met een vloek belast zoals ik, maar je ziel herkent de pijn en de kracht waar die kennis mee gepaard gaat. Jij kent de kracht van de Ouden en weet hoe die nog in ons werkzaam is.

'Deze gave – het Gezicht, de genezende geest – komt die van hen, van onze eerste voorouders? Komt het van de Fomhóire-vrouw, Eithne?' Zodra deze gedachte me inviel, wist ik dat ze waar was.

Het is heel oud. Heel diep. Zo diep als een bodemloze put; zo diep als de donkerste diepten van de oceaan. Net als zij wacht het zijn tijd af.

Ik huiverde.

'Kom,' zei Finbar, om zijn stem uit te proberen, die kennelijk zelden gebruikt werd. 'Laten we moedig zijn en ons bekend maken.'

En we gingen door het veld op weg naar het huis.

Er was een pijnlijk moment toen de mensen uit keuken en stallen naar buiten kwamen om te kijken en er een hond blafte. De geest van mijn oom bracht geluidloos een toestand in mijn geest over, een hamerend hart, een doodsangst die het denken verdoofde, een verlammende, instinctieve vluchtdrang. Ik stuurde snel een stilzwijgende oproep uit.

Conor? Oom, we hebben u nodig.

We hoorden de mensen mompelen en fluisteren terwijl we naderden. Een man hield de halsband van de hond vast, maar het dier grauwde en hapte, alsof er een wild dier binnen bereik van zijn kaken was gekomen. Ik wist niet hoe ik een jachthond met mijn geest moest kalmeren. Naast me bleef Finbar stokstijf staan.

'Kijk! Dat is de man met de zwanenvleugel!' Het was een kinderstem die dit riep, helder en onschuldig. 'De man uit het verhaal!'

'Inderdaad, die is het, en het is mijn broer.' Een kalme, gezaghebbende stem sprak vanuit de keukendeur, en mijn oom Conor kwam naar buiten, met een houding alsof zoiets dagelijks gebeurde. 'Gaan jullie nu maar weer aan het werk. Er zullen voor morgenavond nog meer bezoekers komen; heer Liam zou niet tevreden zijn als hij jullie zag luieren.'

De menigte verspreidde zich; de hond werd weggevoerd, al verzette hij zich heftig tegen de greep op zijn halsband. Het ogenblik was voorbij. In mijn eigen borst kon ik voelen dat Finbars ademhaling weer rustiger werd; zijn hartslag vertraagde. De komende nacht en dag zouden voor hem echt een beproeving worden.

'Kom,' zei Conor rustig. 'Je wilt haar natuurlijk meteen zien. Ik zal je erheen brengen.'

'Ik ga met Liam praten,' zei ik. 'Er moet het een en ander geregeld worden. Daarna moet ik naar mijn zoon. Hij zal wel honger hebben.' *Ik zal iets aan de honden doen. Gaat het verder wel? Dank je, Liadan. Misschien wil je me later je zoon laten zien.*

Liam toonde verrassend veel begrip, vooral omdat ik een vergadering met zijn hoofdmannen onderbrak om met hem te spreken. Hij gaf onmiddellijk opdracht dat alle honden de komende nacht en de volgende dag in kennels moesten worden opgesloten of op het terrein van de stallen moesten blijven, en dat de mensen zich met hun eigen zaken moesten bemoeien en de familie met rust moesten laten. Liams eigen wolfshonden werden nog terwijl hij

375

dit zei aan de ketting gelegd en meegenomen naar een tijdelijke gevangenschap, met een verwijtende uitdrukking op hun lange, besnorde snuiten.

'Je bent een goed meisje, Liadan,' zei Liam toen hij terugging naar zijn vergadering. Voor hem was dit de hoogste lof. Hij was geen man die vaak goedkeuring uitte. Ik vroeg me af hoe goed hij me zou vinden als ik hem de waarheid vertelde.

'Dank u, oom.'

Het begon al laat te worden, bijna schemering. Er was nog maar één dag over en ik verlangde ernaar bij mijn moeder te zijn en deze laatste tijd met haar te delen. Maar terwijl het rad wentelt en het leven wegglijdt, is er ook nieuw leven dat zich luidkeels aandient, de armpjes uitstrekt, dat gekend wil worden, dat zijn levensweg wil betreden. Mijn zoon kon niet wachten. Hij was wakker en hij had honger. Ik stuurde het kindermeisje weg zodat ze kon gaan eten en ging zitten om hem te voeden. De koperen kom stond klaar, halfvol warm water, maar het meisje had hem nog niet in bad gedaan, want ze wist dat ik het heerlijk vond om dat zelf te doen. Ik opende mijn jurk en bood hem de borst. Hij hapte toe en zoog met kracht, terwijl hij met een klein vuistje zacht op mijn borst sloeg en me met zijn ernstige grijze oogjes aandachtig aankeek. Ik neuriede binnensmonds en voelde die wonderlijke rust die over je komt als de melk toeschiet, alsof een innerlijke macht je gebiedt stil te zijn terwijl het kind drinkt tot het verzadigd is. Later zou ik Johnny mee naar beneden nemen om bij mijn moeder te zijn, als ze nog wakker was. Nu was ze samen met Finbar, en zij konden beter met rust worden gelaten. Ze moest van veel mensen afscheid nemen, maar dit kon wel het zwaarste afscheid zijn, op een na.

Na een tijdje verplaatste ik Johnny naar de andere kant. Hij begon te protesteren, maar klemde toen zijn kaakjes om de tepel en begon weer te drinken. Voor een kleine baby had hij een flinke eetlust. Ik dacht aan Conors voorstel om naar de nemetons te gaan. Zijn voorstel dat ik, en later mijn zoon, me bij de wijzen zou aansluiten. Ik dacht aan de opdrachten van de Feeën. *Er niet meer alleen opuit trekken. De jongen moet in het woud blijven.* In geen van deze beide toekomstbeelden was plaats ingeruimd voor de vader van mijn kind.

Johnny was in slaap gevallen. Hij zou vanavond niet in bad gaan. Janis zei trouwens dat ik hem te veel in bad deed; het was niet natuurlijk dat een kind zo schoon was, of zoveel tijd in het water doorbracht. Was hij soms een zoon van Manannán mac Lir, de zeegod, zei ze voor de grap. Maar ik wuifde haar bezwaren lachend weg. Want Johnny vond het water heerlijk, hij vond het heerlijk om te drijven, om zich over te geven aan de warme, ondersteunende omgeving, om zijn beentjes te bewegen in de meegevende, veranderende oppervlakte ervan. Ik kon hem dit kleine genoegen niet ontzeggen, en ik beloofde hem dat we in de zomer zouden gaan zwemmen in het meer. Wanneer hij ouder was, zou ik hem leren van de rotsen af te duiken en naar de kant te zwemmen, zoals ik lang geleden had gedaan met Sean en Niamh. Ik zou hem laten zien hoe je daar kon liggen met de warme zon op je rug, in de holte van de oude steen, en hoe je je vingers door het heldere water kon laten glijden terwijl de zilverige vissen voorbij zwommen. *Dat zul je leuk vinden.*

Ik maakte mijn jurk dicht en stond op, met de bedoeling het kind in zijn wieg te leggen. Maar toen ik langs de kom met afkoelend water kwam, zag ik iets over het oppervlak flitsen, vluchtig als een regenboog en snel verdwenen. Had ik het werkelijk gezien? Ik kwam dichterbij, met Johnny warm en ontspannen in mijn armen, en staarde neer in het stille water. Ik maakte mezelf zo stil als een staande steen, stiller dan de diepste gedachte.

Het water bewoog, het veranderde, alsof het bijna ging koken, maar er was geen hitte die het verwarmde. Ik voelde dat de deur geruisloos achter me open- en dichtging, maar ik draaide me niet om.

Heel goed. Je had me dus toch niet nodig.

Ik wist dat Finbar binnen was, in de schaduwen, maar ik bleef nog steeds roerloos staan.

Het water begon te wervelen, als een zon, alsof het zichzelf cirkelend achtervolgde. Ik voelde mijn hoofd duizelig worden. Toen hield de beweging op, even plotseling als ze begonnen was. Ik staarde in de kom.

Het beeld was klein, maar helder. Kinderhanden die patronen trokken in het zand. Het beeld kantelde, werd ruimer. Het kind bevond zich in een grot waar van boven af gezeefd licht naar binnen viel, dat het tafereel kleurde in vele tinten grijs en blauw. Een grot bij de zee; een plek waar water zacht in en uit golfde en waar je de verre kreten van meeuwen hoorde. Een plaats waar veel elementen aan elkaar grensden; een geheime plaats. In de grot was een zacht strandje waar het kind rustig zat te spelen, terwijl een vrouw toekeek. Ik kon niet zien of dit kind een jongen of een meisje was. Het was misschien twee jaar oud en had een melkwitte huid en een hoofd met donkerrode krullen. De vrouw zei iets, en toen het kind opkeek, zag ik zijn ogen, die diep en donker waren als rijpe moerbeien. De vrouw was zo mager dat haar botten onder haar huid te zien waren. Ze was zo slank en breekbaar als een berk in de winter. Haar haar had een vale, rossig gouden kleur en hing los op haar rug. Ze lette goed op het kind, dat het niet te dicht bij het water zou komen. En na een poos ging ze dicht naast het kleintje op het zand zitten, en begon ook patronen in het zand te tekenen naast de patronen die er al zo zorgvuldig in waren gemaakt. Haar blauwe ogen waren overschaduwd, maar terwijl ze naar haar kleine pupil keek, straalde haar uitgeteerde gezicht zoveel vreugde en trots uit dat ik de tranen over mijn wangen voelde lopen. De vrouw was mijn zuster Niamh.

Toen was er plotseling iets anders. Een kracht; een vermogen zo sterk als ik nog nooit had ontmoet. Vrouw en kind speelden door, zich nergens van bewust. Maar iets drukte mij naar buiten, alsof een heel sterke hand tegen mijn gedachten was gezet, alsof er een barrière was opgeworpen om mijn beeld te blokkeren. *Nee*, zei een stem. *Weg hier*. En daarmee was het beeld verdwenen en stond ik daar domweg in het badwater van mijn baby te turen.

Huiverend besloot ik dat ik mijn zoon niet weg wilde leggen. Ik liep weg van de koperen kom, ging in mijn stoel zitten en wiegde Johnny warm tegen mijn schouder terwijl hij doorsliep. Hij maakte snuffelende geluidjes, als om me gerust te stellen. Vanaf de rand van de kamer stond Finbar naar me te kijken.

'Zag u het ook?' vroeg ik.

'Ik zag het niet zoals jij het zag. Maar je hebt je geest voor mij opengesteld, en ik was dus getuige van je visioen.' Hij gebruikte niet zijn innerlijke stem, maar sprak hardop op die zachte, aarzelende manier van hem, alsof hij deze zelden gebruikte vaardigheid moest oefenen nu hij zich weer onder de mensen bevond.

'Wat was dat? Het leek wel een ijzeren vuist die me wegduwde. Als een barrière die werd opgetrokken door een... door een tovenaar, om nieuwsgierige ogen weg te houden van zijn geheimen. In de oude verhalen komen zulke onzichtbare muren voor.'

'Inderdaad. Dit is misschien een visioen dat Conor beter niet te zien kan krijgen, denk ik. Ik had gedacht dat je het liefste iemand anders zou willen zien. Niet je zuster.'

'De twee zijn met elkaar verbonden. Wat ik van de een zie, vertelt me iets over de ander, voorlopig. Maar dit visioen ging niet over het heden. Dat is onmogelijk. Dat was haar kind, dat zag ik in haar ogen. Het moet een visioen zijn van wat nog zal komen.'

'Of een visioen van hoe je zou willen dat het zal zijn.'

'Dat is wreed,' zei ik, mijn tranen wegslikkend.

'Het Gezicht is wreed. Dat wist je al. Wil je nog eens kijken?'

'Ik... ik weet het niet. Ik weet niet of ik nog iets wil zien.'

'Je bent geen goede leugenares.'

Dus stopte ik Johnny in bed, dekte hem toe met de veelkleurige quilt die ik had gemaakt en ging terug om nog een keer te kijken. Finbar probeerde me niet te leiden, maar zijn zwijgende aanwezigheid gaf me kracht.

Een tijdlang dacht ik dat er niets zou komen. Het water leek wolkig te worden, en donker, maar het bewoog niet. Het lag stil alsof het lange tijd niet was aangeraakt.

Vertrouwen. Waarheid. Ik hield deze woorden in mijn geest en deed mijn best om alle andere woorden weg te houden. *Waarheid. Vertrouwen.*

Ik sloot mijn ogen, en toen ik ze weer opende, was er weer een beeld op het gladde wateroppervlak.

Kleine beeldjes die telkens veranderden. Ze waren aan het vechten, in een vreemd land onder een brandende zon. Bran vertrok zijn gezicht en bukte terwijl een rondtollende bijl langs zijn hoofd vloog. Toen zaten ze in een boot die snel door genadeloze zeeën voer. Meeuw hield het roer vast, grijnzend tegen het zoute boegwater in, en het zeil kraakte in de storm. Bran stond gebogen over een man die languit op het dek lag, een man wiens nek en schouder met een grote hoeveelheid bebloed linnen omwikkeld waren.

'Kun je niet meer snelheid maken?' riep Bran.

'Als je deze reis op de bodem van de oceaan wilt eindigen, zou me dat misschien wel lukken,' antwoordde Meeuw. 'Heb je soms zin in een leven tussen de zeemonsters?'

Toen waren ze aan de wal en ze groeven een gat onder de bomen. Ze lieten een slappe vorm in de aarde zakken. Andere mannen stonden er zwijgend omheen. De aarde werd erin geschept, de grond netjes gladgemaakt.

'Je had Liadan bij ons moeten laten blijven,' zei iemand. 'Zij zou geweten hebben wat ze moest doen. Ze zou hem hebben gered.'

Ik hoorde het geluid van een klap en toen Brans stem, die woest klonk. 'Houd je mond!'

Het water werd weer donker en ik dacht dat dat alles was. Maar er kwam nog een beeld. Ze waren weer terug op de plek waar de Ouden hadden gewoond. Ze zaten samen buiten in een warme voorjaarsnacht en hielden de wacht terwijl de anderen in de beschutting van de grafheuvel sliepen. Misschien was dit nu. De maan was vol en ik kon duidelijk hun gezichten zien, donker en licht.

'Dat was onredelijk van je.' Meeuw sprak zonder nadruk. 'Wat Otter zei, was gewoon de waarheid. Je had haar nooit moeten laten gaan.'

'Denk maar niet dat je mij raad kunt geven,' snauwde Bran. 'Ik heb haar tenminste niet met het mes tot zwijgen gebracht. Je weet net zo goed als ik dat hier geen plaats is voor een vrouw.'

'Maar dit is anders. Dat is toch zo?'

'Hoe kan het anders zijn? Hoe zou ze kunnen leven zoals wij? Bovendien, ze is de dochter van Zeven Wateren. Haar vader heeft zijn land en zijn mensen de rug toegekeerd. Vanwege zijn eigen zelfzuchtige belangen was hij er niet om hen te beschermen. Is dat niet ironisch? Aan hem dank ik de onmogelijkheid om een passende levensgezel voor zijn dochter te zijn. Hij wist niet wat hij deed, toen hij wegliep van Harrowfield.'

'Dus je geeft niets om haar, bedoel je dat?'

'Ik heb geen behoefte aan nog een preek,' zei Bran vermoeid.

'En daarom moesten we halsoverkop terug, toen je dacht dat ze in gevaar was?'

Hierop kwam geen antwoord.

'Nou?' Meeuw was niet van plan het op te geven.

'Je denkt er te veel bij. Er was een taak die we moesten doen, en die hebben we gedaan. Dat was alles.'

'Jaja. En die opdracht die haar broer je wil laten doen? Je zou krankzinnig zijn als je daarop inging. Het zou neerkomen op zelfmoord.'

'Het zou zeker een uitdaging zijn. Maar het zou voor mij niet onhaalbaar zijn.'

Ze zwegen een poosje.

'Je houdt jezelf voor de gek als je denkt dat je dit achter je hebt gelaten,' zei Meeuw na verloop van tijd.

'Ik wil niet dat je deze dingen nog eens te berde brengt,' zei Bran streng. 'Er was niets tussen mij en... en het meisje. Ze was bemoeiziek en ze had een scherpe tong, en ik was blij dat ik van haar af was.'

Meeuw zei niets, maar ik zag zijn witte tanden blinken in het donker, en toen was het beeld weg.

Mijn knieën voelden slap aan en ik strompelde naar mijn stoel. Ik wist dat ik huilde, en het kon me niet veel schelen of mijn oom het zag.

'Zoals ik al zei. Je zult deze man niet op Zeven Wateren houden. En toch heb je hier een toekomst voor je kind voor ogen, zonder dat je het weet. Je ziet Johnny met zijn grootvader, van wie hij leert bomen te planten. Je ziet jezelf terwijl je je zoon leert zwemmen in het meer van Zeven Wateren. Je ziet het kind heimelijk de keuken ingaan om een honingkoek van Janis te krijgen, zoals we allemaal deden toen we opgroeiden en de wereld zo vol avonturen was dat er nauwelijks genoeg tijd was om ze in de dag te passen. Je ziet Conor, die de jongen Ogham-tekens laat zien die in een steen gegrift staan. Het kind is de sleutel. In je gedachten erken je het. Er is voor deze man geen plaats in de toekomst.'

'Hoe kunt u dat zeggen? Dit is zijn vader.'

'De man heeft zijn doel gediend. Ik ben ervan overtuigd dat Conor dat zou zeggen.'

Ik was niet in staat te reageren. Hoewel ik barstte van verontwaardiging over de onrechtvaardigheid ervan, was ik niettemin gedwongen de verschrikkelijke wijsheid van zijn woorden te erkennen.

'Dat zeiden de Feeën ook. Maar wat zegt u?'

Ah. Alleen dat er een moment zal komen waarop je een keus moet maken. En die keus is aan jou alleen. Denk niet dat ik harteloos

*ben, Liadan. Ik zie meer dan je denkt. Ik zie de band tussen jou
en deze man. Ik zie dat hij je levensgezel is. Hoe kun je kiezen,
zonder een verlies te lijden dat je hart uit je lichaam scheurt?*

Moeder verspilde geen moment van haar laatste nacht aan slapen.
In plaats daarvan liet ze Liam de mannen en vrouwen van het
huishouden bij haar brengen, zodat ze hen kon bedanken en afscheid van hen kon nemen. Er werd menige traan geplengd; menig boeketje sleutelbloemen of een enkele dappere narcis in wit
en goudgeel werd aan haar voeten of naast haar kussen gelegd.
Ze had gevraagd te worden overgebracht naar een kamer beneden, en rondom langs de muren brandden vele kaarsen, zodat de
ruimte gevuld was met warm licht. Ze lag klein en stil op haar
veldbed en wist voor elke ernstige bezoeker een vriendelijk woord
te vinden.

Ze moet veel pijn hebben gehad. Zowel Janis als ik wist hoeveel
Sorcha het laatste seizoen had moeten innemen om niet te
schreeuwen van de pijn, terwijl de kanker zich steeds dieper in
haar organen invrat. Nu wilde ze wakker zijn om te kunnen luisteren en dus had ze niets ingenomen. Ze was een sterke vrouw en
ze maskeerde de krampen zo goed dat weinig mensen beseften hoe
ze leed. Mijn vader wist het. Zijn gezicht was een uitdrukkingsloos masker geworden, behalve wanneer hij haar rechtstreeks aankeek; en hij sprak niet, tenzij het moest, niet tegen mij, niet tegen
Liam, niet tegen wie ook, behalve tegen haar. Ik wist dat hij het
liefste had dat we allemaal weggingen en hen beiden alleen lieten,
maar hij volgde haar wensen.

Eindelijk had iedereen afscheid genomen, en het huishouden sliep.
Ik zat bij de kleine haard met Johnny rustig in mijn armen; mijn
vader zat op een kruk bij het bed, met zijn lange benen onhandig
opzij gebogen. Hij wiste haar gezicht af met een vochtige doek.
Moeders ogen waren gesloten; het leek of ze sliep, behalve dat ze
af en toe even met haar hand trok wanneer de pijn fel toesloeg.
Je zou het hun nu kunnen vertellen. Als je eraan toe bent.
Ik keek even naar Finbar, die bewegingloos met zijn rug naar me
toe bij het raam stond. Hij had zijn rechterhand vlak tegen de
muur gelegd en keek naar buiten, naar de maanverlichte tuin. Het
was duidelijk wat hij bedoelde.

Ik ben eraan toe. Een beter moment dan dit was niet denkbaar.

'Is Sean al thuis?' fluisterde mijn moeder.

'Ik zal gaan kijken of er soms bericht van hem is,' zei Liam zacht. 'Kom, broers, we moeten deze mensen een tijdlang alleen laten.' Ze stonden als een groep bij de deur waar de mensen zonder veel omhaal naar binnen en naar buiten konden worden geleid. Liam ging de kamer uit en hij nam Conor en Padriac mee, maar Finbar bleef achter. Voor hem geen veilige, afgesloten kamer met een opgemaakt bed. De tijdelijke vergetelheid van sterk bier was voor hem niet weggelegd. Ik had hem geen hap eten, geen druppel drinken zien aanraken sinds hij was thuisgekomen.

'Moeder. Vader. Ik heb jullie iets te vertellen.'

Sorcha opende haar open en glimlachte zwakjes. 'Dat is goed, dochter. Laat mij... laat mij...'

Ze had geen adem meer, maar ik wist wat ze wilde. Ik maakte onder de deken ruimte voor Johnny en stopte hem naast haar in. Mijn vader hielp haar een hand om het warme lijfje van de baby te leggen. Johnny's ogen waren open; de grijze ogen van zijn vader. Hij groeide snel, en ik kon zien dat hij keek en probeerde de schaduwen en patronen in de door kaarsen verlichte kamer te begrijpen. Finbar stond nog steeds roerloos bij het raam. Ik dacht niet dat ik kon gaan zitten. Ik bleef bij het bed staan met mijn handen stevig in elkaar verstrengeld.

'Ik zal jullie niet beledigen door jullie vertrouwen te vragen,' begon ik. 'Daar is te weinig tijd voor. Jullie hebben gezegd dat jullie vertrouwen in mij hebben, en dat moet ik geloven. Ik moet jullie vertellen dat ik tegen jullie heb gelogen, en ik hoop dat jullie zullen luisteren terwijl ik uitleg waarom. Het is een zaak die erg diep gaat, een groot geheim is; het gaat over iets onnoemelijk treurigs, met misschien een betere afloop dan we hadden durven hopen. Jullie vertrouwen zal misschien tot het uiterste op de proef worden gesteld, net als het mijne.'

Nu keek mijn vader naar mij met een scherpe en koele uitdrukking in zijn blauwe ogen. Moeder lag er heel rustig bij en keek naar de baby.

'Ga door, Liadan.' De stem van mijn vader klonk bewust neutraal.

'Niamh,' zei ik. 'Niamh...'

Moed, Liadan.

'We wisten allemaal dat er iets niet in orde was toen ze thuis-kwam. U hebt me zelfs gevraagd uit te zoeken wat dat was. Maar we wisten niet hoe erg het was. Toen we op Sídhe Dubh waren, ontdekte ik de waarheid. Haar... haar echtgenoot sloeg haar en misbruikte haar op een gruwelijke manier. Ze was toch al erg van streek door wat er hier was gebeurd; ze dacht dat alle mensen die ze liefhad haar hadden verworpen. Ze had gehoopt met dit hu-welijk een nieuw begin te kunnen maken. De wreedheid van haar echtgenoot sloeg die hoop de bodem in. Maar ze liet me beloven dat ik niets zou zeggen. Ze liet me beloven het voor de hele fa-milie geheim te houden. Niamhs hart was gebroken omdat Ciarán niet achter haar was blijven staan. Ze was er kapot van dat jullie haar wegstuurden. Het feit dat ze zo behandeld was, moest vol-gens haar betekenen dat ze waardeloos was. Ze wilde niet dat ik zou vertellen dat Fionn haar mishandelde, want daardoor zou het bondgenootschap verbroken worden en dan zou ze nog een keer gefaald hebben.'

Er volgde een verbijsterde stilte. Toen zei mijn vader: 'Als dit waar is, en ik weet dat het waar moet zijn, want je zou over zoiets niet liegen, dan had je het ons moeten vertellen. Dit was nu eens een belofte die gebroken had moeten worden.'

'Ik vrees dat ik... dat ik niet zeker wist of u haar zou helpen. U hebt er immers op gestaan dat ze met Fionn trouwde. U hebt haar weggestuurd naar Tirconnell. U hebt harde woorden tegen haar gesproken. Sean heeft haar geslagen. En dan was Liam er nog, en het bondgenootschap. Ik heb nooit begrepen waarom ze niet met Ciarán mocht trouwen; waarom u weigerde om die verbintenis ook maar in overweging te nemen. Het is niets voor u om zo te handelen, zonder de mogelijkheden af te wegen, zonder de voors en tegens te taxeren. Het is niets voor u om de waarheid achter te houden. Ik begreep niet welke redenen u daarvoor had, en daar-om kon ik het niet riskeren het u te vertellen.'

Mijn vader staarde me aan met een gewonde blik in zijn ogen. 'Hoe kon je geloven dat ik zoiets zou gedogen? Toelaten dat mijn eigen dochter mishandeld werd?'

'Stil,' fluisterde mijn moeder. 'Laat Liadan haar verhaal vertellen.'

'Ik... toen heb ik...'

Woord voor woord. Een leerverhaal. Vertel het langzaam.

'Ik wist niet wat ik moest doen, waar ik hulp moest zoeken. Er was weinig tijd. Maar ik wist dat ik haar niet terug kon laten gaan naar Tirconnell. Ik was bang dat ze zichzelf iets zou aandoen. Daarom heb ik aan... aan een vriend... gevraagd haar daar weg te halen. Haar naar een veilig toevluchtsoord te brengen.'

Weer een geladen stilte.

'Ik geloof niet dat ik het begrijp,' zei Iubdan behoedzaam. 'Je zuster is toch ontvoerd door de fianna, en verdronken? Ze is toch slachtoffer geworden van een arrogant vertoon van zinloze barbarij?'

'Nee, vader.' Mijn eigen stem was een dun draadje van geluid. 'De mannen die haar hebben meegevoerd door het moeras, deden dat op mijn verzoek. Ze zijn in opdracht van mij naar Sídhe Dubh gekomen. Ze zouden Niamh veilig naar de wal leiden en haar vervolgens naar een christelijk klooster brengen, waar ze zich kon verschuilen. Waar ze gevrijwaard kon blijven van de wreedheid van mannen.'

Toen mijn vader weer tot spreken in staat was, zei hij met een strakke mond: 'Je hebt blijkbaar geen gelukkige keus van vrienden. Het is duidelijk dat ze in deze onderneming jammerlijk hebben gefaald, want ze waren haar al kwijt nog voor ze op droog terrein waren. Ik hoop maar dat je er niet te veel voor betaald hebt.'

Het was alsof hij me een klap had gegeven; en ditmaal sprak Finbar hardop.

'Het verhaal is nog niet uit; het is een ingewikkeld weefsel met veel draden. Je woorden bezeren je dochter. Ze heeft al haar moed nodig gehad om je zo toe te spreken. En zij is niet de enige die de waarheid heeft achtergehouden. Je zou haar in alle rust moeten laten uitspreken.'

'Vertel het ons, Liadan.' De stem van mijn moeder klonk kalm.

'Ik heb... connecties... over wie ik niet heb gesproken. Of liever gezegd, vrienden. Een van deze vrienden is de man die Niamh van Sídhe Dubh heeft weggehaald en haar in veiligheid heeft gebracht, op een plaats waar niemand haar pijn zal doen, waar ze met respect behandeld zal worden, waar ze niet zal worden beschouwd als het speelgoed van de Uí Néill. Een plaats waar haar familie haar niet zal dwingen een liefdeloos huwelijk te sluiten omwille van een strategisch bondgenootschap. Ik kan jullie geen bewijs geven dat ze veilig is. Ik kan jullie niet vertellen waar ze is, en ik zou het niet vertellen als ik het wist. Maar ik heb haar gezien, in een visioen van het Gezicht, en ik geloof dat mijn vriend heeft gedaan wat ik hem heb opgedragen. Dat ze verdronken is, dat ze verdwenen is in de mist – dat was schijn, het hoorde bij de voorstelling, bedoeld om Eamonn, en later ook anderen, ervan te overtuigen dat ze dood was, een bedrog om de jagers van het spoor van hun prooi af te brengen. Onder dekking van die leugen brachten ze mijn zuster in veiligheid.'

De kaarsvlammetjes flakkerden in een zuchtje tocht. Na een tijd zei mijn moeder heel kalm: 'Je wist dat Niamh nog leefde en je hebt het ons niet verteld?'

'Het spijt me,' zei ik ongelukkig. 'Wanneer je deze man vraagt een opdracht uit te voeren, houd je je aan zijn regels. Hij zei dat ze veiliger zou zijn als zo weinig mogelijk mensen de waarheid wisten. Het leek me zo het beste. En… en ik weet het ook niet echt. Ik geloof dat ze niet verloren is. Ik vertrouw de man die ons hielp toen niemand anders dat wilde doen.'

'Zoals ik al zei,' de uitdrukking op vaders gezicht was verstard in afschuw, 'lijkt je keuze van vrienden buitengewoon gebrekkig. Hoe kun je nu weten of deze man de waarheid vertelt of niet? Zijn leven bestaat uit bedrog. Uit alles wat we over hem hebben gehoord, rijst een beeld op van iemand die met alle winden meewaait, iemand van wie je alleen maar zeker weet dat hij onbetrouwbaar is en naar believen van partij wisselt. En hij is buitengewoon gewelddadig. Een grappenmaker, die elke gril volgt die hem invalt. Ik kan niet geloven dat je het leven van je zuster aan zo'n man hebt toevertrouwd. Je moet door waanzin bevangen zijn geweest. En nu heb je de brutaliteit om je moeder valse hoop te geven, juist vanavond, nu ze…' Hij zweeg, misschien omdat hij voelde dat de donker omschaduwde ogen van mijn moeder op hem gericht waren.

'Nee, Red,' zei ze. 'Niet boos zijn. Daar hebben we geen tijd voor. Je moet luisteren naar wat Liadan nog te vertellen heeft.'

Ik haalde diep adem; ik voelde Finbars kracht nu hij zijn geest op de mijne richtte; hij dacht niet voor me, maar leende me zijn eigen moed.

'Zoals ik zei, ik heb haar gezien. Ik heb haar levend gezien, en gelukkig, en met een kind dat zeker haar eigen kind was. Een toekomstvisioen, een zeker en vreugdevol visioen. Maar ook zonder dat visioen geloof ik dat ze veilig is. Ik weet het in mijn hart omdat ik weet dat ik de man kan vertrouwen die de vader van mijn zoon is. Het is dezelfde man. U keek in het gezicht van mijn kind en zei dat hij Johns ogen heeft. Betrouwbare ogen. De vader van mijn zoon heeft dezelfde betrouwbare ogen, in een gezicht dat getekend is met kenmerken van de raaf, moedig, woest en angstwekkend. Hij is de leider van de fianna, degene die ze de Beschilderde Man noemen. Hij heeft in zijn leven slechte daden gepleegd, dat valt niet te ontkennen. Maar hij is ook in staat tot grote moed, en kracht, en trouw. Hij doet weinig beloften, maar als hij iets belooft, houdt hij zich eraan. Zoals uit het verhaal van Conor bleek, kan zelfs een bandiet, als hij de kans krijgt, een goed en betrouwbaar mens zijn. Deze man heeft uw dochter gered. Deze man is de vader van uw kleinkind. Hij heeft mijn hart veroverd en het zal voor altijd van hem zijn; ik zou mezelf aan niemand anders willen geven. Nu heb ik u de waarheid verteld, voor zover ik kan, en ik heb u mijn vertrouwen gegeven; want deze kennis zou, als ze in verkeerde handen valt, veel levens in gevaar kunnen brengen.'

Goed gedaan, Liadan. Finbar gaf me een goedkeurend knikje.

Mijn ouders staarden me aan.

'Ik weet niets te zeggen,' zei Iubdan.

Moeder hief haar hand op om over Johnny's bruine krulletjes te strijken. 'Dus Niamh is veilig. Dit nieuws is een heerlijk geschenk, Liadan. Ik heb nooit helemaal geloofd dat ze weg was... ik denk dat ik dat op de een of andere manier zou hebben geweten.'

'Het spijt me,' zei vader opeens. 'Je hebt heel oprecht gesproken, en dat respecteer ik. Ik was misschien te bars. Maar dit heeft ons veel verdriet gedaan. Dat had ik niet van je verwacht, Liadan.'

'Het spijt mij ook, vader.' Ik wilde hem omhelzen en zeggen: alles komt goed, maar iets in zijn ogen zei nee. Nog niet. 'Ik moest twee levens beschermen, en beide lopen nog gevaar.'

'Ik kan nauwelijks geloven dat je zo'n man kiest.'

'Vindt u het moeilijk te geloven dat ik de zoon van uw vriend John heb gekozen?'

'John was geen bandiet. John was geen huurmoordenaar.'

'U kunt de gebreken van de Beschilderde Man vlot opsommen, vader. Maar op zijn beurt zegt hij dat u, doordat u zich hebt onttrokken aan uw verantwoordelijkheden op Harrowfield, er de oorzaak van bent dat hij geen geschikte levensgezel voor uw dochter kan zijn.'

Hier had vader geen antwoord op.

'Red.'

'Wat is er, Jenny?'

'Dat is wat je hierna moet doen. Je moet teruggaan. Terug naar huis.'

Vader keek haar alleen maar aan.

'U bedoelt, terug naar Harrowfield?' Ik stelde de vraag die hij niet wilde stellen.

Moeder knikte. Ze keek nog steeds naar mijn vader; ze hield hem vast met haar blik.

'Dat is een opdracht,' zei moeder. 'Ga terug en zoek uit wat er gebeurd is. Wat er van Margery en haar zoontje geworden is. Hoe het gekomen is dat Johns zoon is opgegroeid tot deze... deze... ongelukkige jongeman.'

Vader stond op en keerde ons allen de rug toe. 'Dus je vindt dat mijn tijd hier afgelopen is, is dat het? Dat ik straks... straks wanneer... dat er hierna op Zeven Wateren geen plaats meer is voor een Brit? Dat kan ik wel begrijpen. Ik denk tenminste dat ik het zal begrijpen.'

Finbar, die de hele tijd niet had bewogen en had gezwegen, behalve met de stem van de geest, reageerde nu heel snel. In een oogwenk, leek het, stond hij naast het bed van mijn moeder en sprak hij hardop.

'Wil je je woorden gebruiken om Sorcha te kwetsen, juist in deze nacht?' vroeg hij. 'Spreek niet onbesuisd vanuit je eigen verdriet. Ze geeft je deze opdracht om ervoor te zorgen dat je jezelf niet verliest wanneer zij er niet meer is.' Mijn oom was kennelijk niet bang om zich duidelijk uit te drukken. 'Ze draagt je op te gaan omwille van je dochter en je kleinkind. Ga op zoek naar de waarheid en breng die voor hen mee naar huis. Er moeten hier wonden genezen; en sommige daarvan zijn de jouwe.'

'En...' Sorcha sprak uiterst zacht, waardoor mijn vader gedwongen werd terug te lopen om haar te horen. Ik had hem nooit eerder zo radeloos gezien, en ik had moeite mijn tranen in te houden, want mijn verhaal had een man die al veel verdriet had, een slag toegediend. 'En... je moet naar je broer toegaan. Je zult Simon moeten zeggen dat ik er niet meer ben. Dat moet hij weten. Red...'

Hij knielde weer bij haar neer en zij bracht een hand omhoog om zijn wang te strelen. Hij legde zijn vingers over de hare en hield ze daar vast.

'Beloof het,' fluisterde ze. 'Beloof me dat je het zult doen, en hier behouden terug zult komen.'

Hij gaf een stijf knikje.

'Zeg het.'

'Ik beloof het.'

Ze zuchtte. 'Het is laat. Liadan, jij moet allang slapen. Is Sean er al?'

'Ik weet het niet, moeder. Zal ik gaan kijken?'

'Hier,' zei ze. 'Je kunt je zoon beter meenemen. Anders gaat hij je misschien missen.' Haar vingers gingen zacht over het oortje van de baby en zijn zachte haartjes. Ik nam Johnny op in mijn armen en zag in Sorcha's ogen dat ze wist dat het de laatste keer was dat ze hem had aangeraakt.

'Liadan. Heb je dit aan Sean verteld?'

'Nee, moeder. Maar hij heeft het geraden. Althans een deel ervan. Hij heeft zich loyaal gedragen; hij heeft niets tegen Liam, Fionn of Eamonn gezegd. Hij heeft het zelfs niet aan Aisling verteld.'

'Ik houd niet van geheimen. Ik verfoei leugens,' zei mijn vader moeilijk. 'We hadden alles van meet af aan openlijk moeten zeggen. Maar het is duidelijk dat dit weer een waarheid is die nog een tijd verborgen moet blijven. Hoe zit het met Conor? Weet hij hier iets van?'

'De enige manier om een antwoord op die vraag te krijgen is het hem te vragen,' zei Finbar. 'En zelfs dan kom je er misschien niet achter.'

'Dan zal hij waarschijnlijk onbeantwoord blijven tot ik terugkom van Harrowfield,' zei mijn vader. 'Zo leidt de ene leugen tot de volgende, en is het afgelopen met ons vertrouwen.'

'Het was al afgelopen met ons vertrouwen toen Niamh werd uitgehuwelijkt aan de Uí Néill en werd weggestuurd,' antwoord-

de ik scherp. 'Dit verhaal is al lang geleden begonnen.'
'Langer geleden,' zei Finbar zacht. 'Veel langer geleden.'

Ik dacht niet dat ik zou kunnen slapen. Waarschijnlijk zou niemand van ons slapen, behalve Johnny, want over zijn babydroompjes hing niet de schaduw van het naderende afscheid. Ik droeg mijn kind mee naar de grote zaal, maar in mijn geest praatte ik tegen zijn vader. *Ik heb je nodig. Ik wil je hier hebben. Je armen om me heen, je lichaam warm tegen het mijne, om de treurigheid weg te houden. Zou het iets uitmaken als je hun woorden kon horen? Als je hen kon horen zeggen: hij heeft zijn doel gediend, zou je dan vechten om ons te behouden? Of zou je bang zijn voor wat die strijd zou kunnen blootleggen? Misschien zou je je alleen maar omkeren en weglopen.*
Maar toen ik de zaal binnenkwam, toomde ik mijn gedachten dadelijk in. Sean was er, blijkbaar pas aangekomen na een lange, nachtelijke rit, want hij was nog stoffig van de reis, en ik voelde dat hij doodmoe was.
'Liadan! Ik kwam juist binnen. Hoe is het met onze moeder?'
Ik vroeg me een ogenblik af waarom hij hardop sprak en zich zo formeel uitdrukte, en toen zag ik dat Aisling bij hem was. Ze maakte haar mantel los en wreef over haar rug; haar gezicht was bleek van uitputting. Ik ging naar hen toe zonder mijn verbazing te laten blijken.
'Aisling, je bent natuurlijk erg moe. Hier, ga zitten, laat me wijn voor je halen...'
Plotseling stokten mijn woorden en ik bleef als aan de grond genageld staan.
'Ik neem aan dat je ons niet verwachtte, Liadan,' zei Eamonn terwijl hij uit de schaduwen bij het raam naar voren kwam. 'Ik betreur het ongerief.'
'O.' Ik stond hem dom aan te gapen, volkomen onvoorbereid. 'Nee... ik...'
'Ik ben in het noorden geweest,' zei Sean vlot. Ook al was hij moe, hij begreep wat er in me omging en reageerde snel. 'Ik ben teruggekomen via Sídhe Dubh. Aisling en Eamonn wilden graag hun opwachting maken, gezien de ernst van moeders ziekte. En nu moet ik naar haar toe.'

'Ze vraagt steeds naar je. Ze zal erg blij zijn dat je op tijd bent thuisgekomen. Ik zal met je meegaan...'

'Nee, doe geen moeite. Jij moet gaan zitten en uitrusten, je ziet er doodmoe uit. Leg de jcngen even neer en neem zelf een beker wijn.'

'Ik...' Ik kon het verstandige voorstel van mijn broer niet afwijzen zonder onbeleefd te zijn. Maar ik had niet verwacht dat Sean Aisling bij de hand zou nemen en haar mee zou voeren, zodat ik alleen met Eamonn achterbleef. De mannen die hen op hun rit hadden vergezeld, hadden zich vermoedelijk al teruggetrokken in de keukens en zich vervolgens te rusten gelegd. We waren alleen, afgezien van het slapende kind. Ik kon allerlei dingen bedenken die ik op dat moment liever zou doen dan met Eamonn praten. Maar hij was een gast; ik had geen keus.

'Je ziet er erg moe uit, Liadan,' zei hij ernstig. 'Kom, ga hier zitten.'

Ik legde Johnny neer op een paar kussens voor de haard en ging zitten. Eamonn was degene die twee bekers volschonk uit de wijnkan en me er een aangaf. Hij kwam naast mijn stoel staan en keek neer op de bewegingloze vorm van mijn zoon.

'Dus dit is je kind. Hij ziet er... gezond uit. Een zoon kan tenslotte zijn vader niet uitkiezen.'

Een ijzig druipend angstgevoel kroop over mijn ruggengraat omlaag. Wat bedoelde hij?

'Dank je,' mompelde ik. 'Hij is klein, maar sterk.'

'Ik hoop je moeder nog te spreken, voordat... Ik hoop haar morgenochtend te spreken. En je vader ook. Als er nog tijd is.'

Ik knikte; mijn keel zat dichtgeschroefd.

'Ik wil graag persoonlijk mijn excuses aanbieden, mijn spijt uitdrukken over... wat er met je zuster is gebeurd. Ik kan dat op geen enkele manier goedmaken, dat erken ik. Maar ik hoop hen tenminste te laten weten dat ik de zaak zal blijven behartigen, tot ik hem tot een passend einde heb gebracht.'

'Eamonn...'

'Wat is er, Liadan?'

'Het zou misschien beter zijn als je alleen je medeleven betuigde met hun verlies, en het daarbij liet. Mijn vader is nogal van streek en mijn moeder is erg zwak. Ze hebben Niamhs... ongeluk geaccepteerd. Dit is niet het goede moment om wraak te zweren. Het is niet een moment voor boosheid.'

'Elk moment is het goede moment, tot ik dat uitvaagsel van de aardbodem heb verwijderd.'

Ik wilde niet naar hem luisteren. Er doemden donkere visioenen op. Was het mogelijk dat hij wist dat dit Brans kind was? Hoe kon hij dat weten? Ik wilde me niet laten meevoeren in een gesprek over gevaarlijke dingen. Bovendien was het midden in de nacht, en ik was te moe om er zeker van te zijn dat ik mijn gedachten of mijn woorden voldoende kon beheersen. Maar ik wilde niet slapen, want moeder zou me nodig kunnen hebben. Ik stond uit mijn stoel op om op de kussens te gaan zitten die voor de haard op de vloer lagen. Hier kon ik mijn hand op het lijfje van mijn zoon leggen en zijn warmte voelen. Hier kon ik in de vlammen staren en dromen, want soms zijn dromen veiliger dan de werkelijke wereld.

Eamonn sloeg me gespannen gade. Ik voelde het, ook al waren mijn ogen afgewend.

'Ik had eerder willen komen,' zei hij zacht. 'Om met je ouders te spreken, om met jou te spreken. Ik was... weg. Het bleek een vruchteloze zoektocht te zijn. De man is moeilijk te volgen, ongrijpbaar en slim. Niettemin zou het dom van hem zijn me te onderschatten. Mijn netwerk van informanten is groot. Het nieuws dat ze me brengen, kan soms verbazingwekkend zijn; verbazingwekkend en... onverteerbaar.' Hij wierp met gefronst voorhoofd een blik op het slapende kind. 'Op den duur zal ik deze bandiet vinden. Iedere man heeft zijn zwakke plek. Het is alleen een kwestie van die te ontdekken, en te gebruiken om hem in de val te lokken. Ik zal hem vinden, en hij zal met gelijke munt betalen voor zijn gruweldaden. Hij zal een volledige, bloedige rekening betalen voor datgene wat hij gestolen en verlaagd heeft. Dat staat vast.'

Ik zei niets, streelde alleen het ruggetje van mijn zoon en nam nog een slok wijn. De laatste keer dat ik moe was geweest en samen met een man sterkedrank had gedronken, had het verstrekkende gevolgen gehad. Ik mocht niet laten merken dat ik Eamonns nauwelijks bedekte toespelingen begreep.

'Het spijt me, Liadan,' zei hij. 'Ik ben hier niet gekomen om daarover te praten.'

'Dat weet ik, Eamonn. Je bent hier gekomen om mijn moeder een laatste groet te brengen.'

Het bleef even stil.

'Dat ook niet precies. Ik zou je omstreeks deze tijd komen bezoeken. Over een paar dagen is het Beltaine.'

De kou sloeg me om het hart. Ik zei niets.

'Je hebt het toch niet vergeten?'

'Ik... nee, Eamonn, zo gemakkelijk vergeet ik niet. Ik had gedacht dat die zaak afgesloten was, de laatste keer dat we erover hebben gesproken, voor je op weg ging naar Tara. Er valt tussen ons toch niets meer over dat onderwerp te zeggen?'

Eamonn liep nu op en neer, wat hij blijkbaar altijd deed wanneer hij de juiste woorden probeerde te vinden.

'Dacht je dat? Je dacht dat ik het allemaal achter me zou laten, dat ik misschien uit het zuiden zou terugkomen, met een verloofde uit de familie van de Hoge Koning? Denk je dat ik het zo gemakkelijk opgeef, dat ik zo'n zwakkeling ben?'

Ik keek omhoog naar hem. 'Ik weet niet wat je bedoelt,' zei ik langzaam. Het klonk alsof hij bedoelde... maar nee, dat kon niet. Johnny slaakte een zucht, en sliep weer verder.

Eamonn hield op met heen en weer lopen en knielde nogal onhandig naast me neer. Er was weer een haarlok over zijn ogen gevallen en ik weerstond de aanvechting om die weg te vegen.

'Ik wil geen andere vrouw als echtgenote, Liadan. Ik wil alleen jou. Met of zonder kind. Ik wil geen ander.'

'Niet...' begon ik.

'Nee,' zei Eamonn beslist. 'Laat me uitspreken. Je bent hier gebleven om je moeder te verplegen, en dat is bewonderenswaardig. Je hebt ervoor gekozen je kind alleen ter wereld te brengen. Dat gaf blijk van moed. Je zult de beste moeder zijn die er is, daar ben ik van overtuigd. Waarom je door je stilzwijgen de man beschermt die hem verwekt heeft, kan ik niet begrijpen. Misschien is het schaamte die je het zwijgen oplegt. Dat doet er nu niet veel meer toe. Hij zal verantwoording moeten afleggen. Maar, vergeef me, ik hoor dat je moeder snel achteruitgaat en niet lang meer op deze wereld zal zijn. Niamh is weg. Sean en Aisling zullen spoedig trouwen, en er zal in dit huis een nieuw gezin komen. Je zult eenzaam en kwetsbaar zijn, Liadan. Je mag niet de ongetrouwde zuster worden, de huissloof die leeft bij de gratie van anderen. Je put jezelf nu al uit door te proberen alles te doen. Je hebt een goede man nodig die voor je zorgt, die je beschermt en over je waakt. Je hebt een eigen huis nodig, een plaats waar je je eigen kinderen kunt zien opgroeien. Trouw met me, en je zult dat allemaal hebben.'

Het duurde even voordat ik kon spreken. 'Hoe kun je... hoe kun je me zo'n aanbod doen, terwijl ik een kind van een andere man heb? Hoe zou jij de verantwoordelijkheid op je kunnen nemen voor een... een...'

'Het is jammer dat het kind een jongen is. Als je een dochter had gekregen, had ik haar als mijn eigen dochter kunnen opvoeden. Je zoon kan natuurlijk geen erfgenaam zijn. Maar er zou in mijn huishouden een plaats voor hem zijn. Zoals ik al zei, een jongen kan zijn vader niet kiezen. Ik zou iets van hem kunnen maken.' Hij keek met gefronst voorhoofd naar de slapende Johnny. 'Het zou een... interessante uitdaging zijn.' De uitdrukking in zijn ogen was angstaanjagend.

'De mensen zouden zeggen dat je gek was om zo'n keuze te maken,' bracht ik uit; ik had moeite om een antwoord te formuleren. 'Je zou kunnen kiezen uit een keur van passende jonge vrouwen. Je moet me vergeten en verder gaan. Dat had je meteen moeten doen toen ik het je verteld had.'

Hij zat nu heel dicht bij me, op de vloer voor het vuur. Eamonn had altijd de formaliteiten in acht genomen. Hij gaf er de voorkeur aan de dingen op de juiste manier te doen. Maar dit, dit was alle regels ver te buiten gegaan. Daarom was hij op de grond gaan zitten bij mij en Johnny, en de blik in zijn bruine ogen had bijna iets wanhopigs.

'Wanneer ik je zo zie,' zei hij met een stem die niet veel meer was dan een fluistering, 'met het licht van het vuur op je haar en je hand zo zacht op de kleine, weet ik dat er voor mij maar één keus mogelijk is. Ik zal zo openhartig spreken als ik kan, en ik hoop daarbij dat mijn woorden je niet beledigen. Ik wil je in mijn huis hebben, ik wil dat je me opwacht en je armen om me heen slaat wanneer ik vermoeid thuiskom uit de strijd. Ik wil je in mijn bed. Ik wil je als mijn echtgenote, mijn minnares en mijn kameraad. Ik wil dat je mijn k-kinderen op de wereld brengt. Met jou naast me zou ik niet bang zijn voor de ouderdom. Er is geen andere vrouw op de wereld die ik wil hebben. Wat je gedaan hebt, je vergissing, die kunnen we... kunnen we achter ons laten. Ik bied je bescherming, zekerheid, rijkdom en mijn naam aan. Ik bied je een wettige status voor je zoon aan. Wijs me niet af, Liadan.'

Ik probeerde passende woorden te vormen in mijn hoofd, maar er wilde niets komen.

'Je aarzelt. Ik zal natuurlijk weer de goedkeuring van je vader vragen. Maar ik denk niet dat hij bezwaar zal maken, in de gegeven omstandigheden.'

'Ik... ik kan niet...'

Eamonn keek neer op zijn verstrengelde handen. 'Ik heb gehoord dat je... geen rust had op Sídhe Dubh. Dat je het moeilijk vond om in een afgesloten ruimte te leven, na de vrijheid die je op Zeven Wateren geniet. Te veel vrijheid, misschien. Maar ik zou je niet in een kooi opsluiten, als een zangvogel die tegen zijn wil wordt vastgehouden. Ik heb grote gebieden in het noorden. Als je je niet op Sídhe Dubh zou willen vestigen, kan ik een nieuw huis voor je bouwen, dat meer bij je in de smaak zou vallen. Bomen, een tuin, wat je maar wilt. Natuurlijk wel goed beveiligd.'

'Weet je wel zeker,' zei ik voorzichtig, 'dat dit geen groots gebaar is, een poging om mijn familie tevreden te stellen nadat je in jouw ogen gefaald hebt doordat je mijn zuster niet hebt kunnen beschermen? Ik kan niet geloven dat een man in jouw positie zo'n stap zou willen doen.'

Dit had ik beter niet kunnen zeggen. Zijn wenkbrauwen trokken naar elkaar toe en hij keek me woest aan.

'Moet ik het soms laten zien?'

En voor ik iets kon doen, had hij zijn hand op mijn achterhoofd gelegd, woelden zijn vingers in mijn haar en was zijn mond op de mijne, en het was niet de beleefde kus van een man die de dingen graag volgens de regels doet. Tegen de tijd dat hij klaar was, bloedde mijn lip.

'Het spijt me,' zei hij kortaf. 'Ik heb lang op je gewacht. Je hebt beloofd me met Beltaine antwoord te geven. Ik wil je antwoord, Liadan.'

Brighid sta me bij. Waarom kwam Sean nou niet terug? Ik haalde diep adem en keek hem recht in de ogen. Hij wist het, denk ik, een ogenblik voordat ik het zei.

'Ik kan het niet doen, Eamonn. Het is een buitengewoon edelmoedig aanbod. Maar ik zal het je eerlijk zeggen. Ik voel gewoon niet op die manier voor jou.'

'Wat bedoel je? Op welke manier eigenlijk?'

Dit was moeilijker dan ik ooit had kunnen denken. 'We kennen elkaar al heel lang. Ik respecteer je, ik wens je alle goeds toe, als een vriend. Ik wil dat je tevreden bent met je leven. Maar ik kan niet aan je denken als...' Het woord minnaar kon ik niet over mijn lippen krijgen. 'Als echtgenoot.'

'Vind je het dan zo onaangenaam als ik je aanraak? Zo weerzinwekkend?'

'Nee, Eamonn. Je bent een prima man, en een andere vrouw zal graag je echtgenote zijn, op een dag. Daar twijfel ik niet aan. Maar dit zou verkeerd zijn. Verkeerd voor jou, verkeerd voor mij. En heel erg verkeerd voor mijn zoon en voor zijn vader.'

'Hoe kun je dat zeggen?' Hij was opgestaan en begon weer op en neer te lopen, alsof hij zijn gevoelens de ruimte moest geven door iets te doen, omdat ze hem anders zouden verscheuren. 'Hoe kun je loyaal blijven aan deze... aan deze wilde, die niets anders gedaan heeft dan jouw buik te vullen met zijn kind, om er dan vandoor te gaan en zich aan een ander onschuldig meisje te vergrijpen? Hij zal nooit bij je terugkomen; zo'n man heeft geen besef van plicht of verantwoordelijkheid. Je mag blij zijn dat je van hem af bent.'

'Houd op, Eamonn. Maak dit niet erger dan het al is.'

'Je moet naar me luisteren, Liadan. Dit is een dwaze beslissing, en ik vraag me zelfs af of je geestelijk wel gezond genoeg bent om haar te nemen. Want je hebt gelijk, dit zal waarschijnlijk het enige aanzoek zijn dat je zult krijgen, ongehuwd en met een vaderloos kind. Men zal mij misschien honen om mijn keuze, omdat ik geen dochter van een clanhoofd in het zuiden neem, met een onberispelijke stamboom en gegarandeerde maagdelijkheid. Daar geef ik niet om. Als het om jou gaat, heb ik geen trots meer over. Voor mij ben jij de enig mogelijke keuze. Liadan, denk aan je familie. Liam zou je graag goed getrouwd zien, en je vader ook. En denk eens aan je moeder? Zou zij niet blij zijn dit nieuws te horen, voor ze...'

'Houd op! Dat is genoeg!'

'Neem nog wat meer tijd, als je wilt. Je bent nu moe en je rouwt om je aanstaande verlies. Ik zal hier een paar dagen blijven; in die tijd kun jij dit met je familie bespreken. Misschien zie je alles duidelijker wanneer...'

'Ik zie alles nu heel duidelijk,' zei ik kalm, en ik nam mijn zoon in mijn armen en stond op van de kussens. 'Het doet me verdriet dat ik zo'n goede vriend pijn moet doen, maar ik zie geen andere oplossing. Ik moet je aanzoek afwijzen. Mijn zoon en ik, wij... wij behoren toe aan een andere man, Eamonn. Jouw mening over hem verandert daar niets aan. Nu niet. Nooit. Iets te doen waardoor ik die band zou loochenen, zou zowel dom als gevaarlijk zijn. Zo'n keuze zou tot boosheid, verdriet en langdurige verbittering leiden. Ik zou liever mijn verdere leven alleen zijn dan die weg te gaan. Het spijt me erg. Je aanzoek is buitengewoon edelmoedig, en ik houd je erom in ere.'

'Je kunt me niet afwijzen,' zei hij, en aan zijn stem was duidelijk te horen dat hij moeite had zich te beheersen. 'Het is altijd de bedoeling geweest dat jij en ik... het is in alle opzichten goed als jij en ik huwen, Liadan. Ik weet dat Liam dit zal steunen...'

'De zaak is afgedaan, Eamonn.' Mijn stem beefde. 'Het gaat niemand anders iets aan, alleen jou en mij. Ik heb nee gezegd. Je moet zonder mij verder gaan. Geef me nu je woord dat je hier niet meer over zult beginnen.'

Hij was verder van me af gaan staan, buiten het licht van het vuur, half in de schaduw.

'Dat kan ik niet beloven,' zei hij met een strakke stem.

'Dan zal ik je niet meer kunnen ontmoeten, behalve in het bijzijn van anderen,' zei ik; ik had nog de kracht om mijn tranen tegen te houden.

Hij kwam een stap naar me toe en zijn gezicht was krijtwit. 'Doe dit niet, Liadan.' Het was zowel een waarschuwing als een smeekbede.

'Goedenacht, Eamonn.' Ik draaide me om en liep naar de trap. Johnny werd wakker en begon te huilen, en zonder nog om te kijken vluchtte ik naar mijn slaapkamer. Daar stak ik mijn kaars aan en verschoonde de natte doeken van mijn zoon. Terwijl ik op mijn bed lag met het kind aan mijn borst, liet ik de tranen die ik had ingehouden de vrije loop. En terwijl de kaars met zijn kringen en spiralen lager brandde tegen de nachtelijke hemel, zag ik weer dat beeld van hen beiden, verstrengeld in een laatste gevecht. Eamonns handen om Brans hals, hem de laatste adem afknijpend met zijn greep; en Brans mes tussen Eamonns ribben, steeds dieper draaiend, terwijl het bloed helderrood over de groene tuniek stroomde. Hoe had ik ooit kunnen denken dat Bran en ik, ondanks alles, ooit samen zouden kunnen zijn? Dat hij ooit meer kon zijn dan... een werktuig, hadden de Feeën het genoemd; een langskomende huurling die toevallig een kind verwekte en vervolgens uit het verhaal werd geschrapt omdat zijn rol erin was uitgespeeld en hij van geen belang meer was? Hij kon niet terugkomen. Bij mij in de buurt komen zou zijn dood betekenen. Had hij me maar nooit ontmoet, want ik bracht hem alleen gevaar en verdriet. En nu strekte de schaduw zich niet alleen uit over hem, maar ook over mijn zoon. Ik had het in Eamonns ogen gezien. Ik moest doen wat de Feeën zeiden en in het woud blijven. Ik moest Bran uit mijn hoofd zetten. Dat moest ik doen, omwille van ons allemaal. Ik huilde en huilde tot mijn hoofd pijn deed; mijn tranen en mijn loopneus maakten mijn kussen doornat. Maar Johnny zoog door; zijn handje streek over mijn borst, zijn lijfje lag warm en ontspannen tegen me aan, als een toonbeeld van vertrouwen. En toen ik zo naar hem keek, wist ik dat er in elke donkere nacht ergens een lichtje brandde dat nooit gedoofd kon worden.

HOOFDSTUK TWAALF

Tegen de ochtend raakte mijn moeder telkens buiten kennis en kwam dan weer even bij. De familie zat om haar bed; de mensen van het huishouden en het dorp dromden bijeen in de grote zaal en de keukens, en praatten gedempt met elkaar. Er werd niet gewerkt, behalve om voorbereidingen te treffen voor haar afscheid, en dat gebeurde geruisloos buitenshuis. Van tijd tot tijd verdween er iemand, Liam, Conor of Padriac, om later even ongemerkt weer terug te komen. In haar kamer heerste een kalme sfeer. Door het raam kwam een koele westenwind naar binnen, die de geur van seringen meebracht. Ik had een kom op tafel gezet met verse takjes basilicum en marjolein, want deze kruiden hebben beide de eigenschap dat ze moed geven in tijden van verdriet.

'Het is maar goed dat ze zo dadelijk voorgoed zal inslapen,' zei Janis zacht toen we door de deur kwamen. 'De pijn grijpt haar hard aan, te hard om in stilte te dragen. En hij,' ze knikte naar de roerloze gestalte van mijn vader die naast het bed zat, 'hij voelt alles wat zij voelt, elke kramp. Hij zal het nog moeilijk krijgen.'

'Ze heeft hem gevraagd terug te gaan naar Harrowfield. Om zijn familie op te zoeken. Ze heeft het hem laten beloven.'

'Ja. Ze is altijd een verstandig meisje geweest, mijn Sorcha. Ze weet dat hij behoefte zal hebben aan een doel, wanneer zij er niet meer is. Zij is het doel in zijn leven geweest sinds hij hier jaren geleden voor het eerst binnenstapte. Niemand zal ooit in haar schoenen kunnen staan.' Ze keek me aandachtig aan, met scherpe blik. 'Heb je je lip bezeerd, meisje? Je kunt daar beter een lik-je zalf op doen, tijm is geschikt om de zwelling te laten afnemen. Maar dat hoef ik jou niet te vertellen.'

'Het is niets,' zei ik, en ging langs haar de kamer binnen.

Ik weid liever niet uit over die laatste keer. Van veel dingen die er gebeurden, was mijn moeder zich niet bewust, want ze stond al met één been op haar nieuwe weg. Ze zag dus niet de verstar-de uitdrukking op het gezicht van mijn vader, alsof hij zelfs nu nog niet kon geloven dat hij haar ging verliezen. Ze hoorde niet dat Conor zacht spreuken prevelde aan haar voeteneinde, ze zag niet dat Finbar zwijgend uit het raam staarde, met een gezicht even bleek als de vleugel die hij op de plaats van zijn linkerarm droeg. Janis liep in en uit, evenals de lenige, donkergetinte vrouw, Samara. Zij was zo stil en sierlijk als een hert, en haar handen wa-ren zacht terwijl ze hielp met kussens, kommen en doeken, kaar-sen aanstak en kruiden verstrooide.

Sean zat tegenover mijn vader, met moeders hand in de zijne. En Aisling was er ook, met haar wilde krullen netjes naar achteren getrokken onder een lint en een plechtige uitdrukking op haar sproetige gezichtje. Van tijd tot tijd legde ze een geruststellende hand op Seans schouder, en dan keek hij met een kleine glimlach naar haar op.

Maar Eamonn was er niet. Eamonn was niet meer op Zeven Wa-teren. Een laatste groet brengen, een verontschuldigend gebaar naar mijn ouders maken voor wat er met Niamh was gebeurd, dat was blijkbaar niet meer nodig. Hij was alleen lang genoeg ge-bleven om even te rusten en een vers paard te halen, zeiden ze, en toen was hij weer weggereden, terug naar Sídhe Dubh, met ach-terlating van zijn mannen. Niets voor hem, zeiden de mensen. Bij-na onbeleefd. Hij had zeker slecht nieuws ontvangen. Ik zei maar niets. Mijn lip deed pijn en de zwelling was duidelijk zichtbaar. Maar het gevoel dat overheerste, was intense opluchting dat ik hem niet meer hoefde te zien.

Toen de zon hoog aan de hemel stond, kwam mijn moeder weer bij bewustzijn. Er volgde een korte, ellendige periode met hoes-ten, benauwd zijn en vechten om lucht, en ze deed haar uiterste best het steunen van pijn te onderdrukken. Finbar was degene die haar dan suste, niet door haar aan te raken, maar door zijn gedachten in de hare te laten vloeien en haar lijden te overdekken met herinneringen aan goede dingen, de onschuldige, stralende dingen van de kindertijd, en met mooie visioenen van wat zou komen. Het was niet per ongeluk dat hij zijn geest voor mij openhield, zodat ik er getuige van kon zijn hoe hij zijn vermogen tot verzachten en helen gebruikte. Hij kon de pijn van haar lichaam niet verzachten, maar hij kon haar de middelen geven om er weerstand aan te bieden. Het was hetzelfde vermogen dat ik had gebruikt om Niamh te helpen, maar Finbar was er een meester in. Ik keek vol ontzag toe hoe hij een schitterend wandtapijt van beelden voor haar weefde en van zijn liefde een patroon maakte om het leven van zijn zuster te eren en haar heengaan te verkondigen. Uiteindelijk lag ze kalm achterover in de kussens en ging haar ademhaling gemakkelijker.

'Is alles klaar?' fluisterde ze. 'Hebben jullie alles gedaan zoals we het hadden afgesproken?'

'Alles is gereed,' zei Conor ernstig.

'Mooi. Het is belangrijk. Mensen moeten afscheid kunnen nemen. Dat is iets wat de Britten niet altijd begrijpen.' Ze keek op naar mijn vader. 'Red?'

Hij schraapte zijn keel, maar had geen stem.

'Vertel me een verhaal,' zei ze met een stem zo zacht als een lentebriesje.

Mijn vader keek een keer benauwd de kamer rond; hij keek naar de zwijgende ooms, naar Janis en Samara, die geruisloos bezig waren het vuur te verzorgen, naar Sean, Aisling en mij. 'Ik... ik denk niet...'

'Kom,' zei Sorcha, alsof alleen zij beiden in de stille, naar kruiden geurende kamer waren. 'Kom hier op het bed zitten. Sla je armen om me heen. Zo is het goed, lieve schat. Herinner je je die dag dat we samen waren, alleen op een woeste kust, met niets anders dan de meeuwen en de zeehonden, de golven en de westenwind? Toen heb je me een mooi verhaal verteld. Dat is mijn lievelingsverhaal.'

Op dat moment besefte ik meer dan ooit hoe sterk mijn vader was. Hij zat daar met Sorcha in zijn armen en vertelde zijn verhaal terwijl de tranen over zijn gezicht stroomden. Hij wist dat ze bij elk woord dat hij uitsprak iets verder weggleed. Dat ze tegen de tijd dat zijn verhaal uit was, weg zou zijn. Hij wist dat hij dit allerintiemste afscheid met ons allen moest delen. Maar de kalme stem waarmee hij het verhaal vertelde, was zo sterk en vast als de grote eiken in het bos, en zijn hand, die het haar van mijn moeder van haar voorhoofd wegstreek, bewoog even gestaag als de zon langs de hemel beweegt.

Het was inderdaad een mooi verhaal. Het was het verhaal van een eenzame man die een zeemeermin tot vrouw neemt; hij betovert haar met de muziek van zijn fluit, zodat ze weggaat van de oceaan om hem te volgen. Hij houdt haar drie jaar bij zich en ze schenkt hem twee dochtertjes. Maar haar verlangen naar de wereld onder de golven is te sterk, en uiteindelijk laat hij haar gaan, omdat hij van haar houdt.

Er kwam een punt in het verhaal waar de stem van mijn vader haperde. Sorcha had even gezucht en haar ogen waren dichtgevallen; haar vingers, die een plooi van de tuniek van mijn vader hadden vastgehouden terwijl hij haar tegen zijn borst hield, lieten los en haar hand gleed op zijn knie. Het was volkomen stil. Het was alsof de hele kamer, het hele huishouden en alle wilde dieren van het meer en het woud op dat ogenblik de adem inhielden. Toen ging mijn vader weer verder met het verhaal.

'Toby's dochtertjes groeiden op tot flinke vrouwen, en later namen ze zelf een man. Tegenwoordig leven er in die streken veel mensen die donkere, verwarde haren als zeewier hebben, en ogen die in de verte kunnen zien, en die aanleg hebben voor zwemmen. Maar dat is een ander verhaal.'

Hij aarzelde weer; zijn ogen staarden recht vooruit, zonder iets te zien, en ik zag dat zijn hand zich strak om de schouder van mijn moeder klemde.

'Wat Toby zelf betreft,' zei ik, want ik wist dat anderen het verhaal voor hem moesten afmaken, 'hij had gedacht dat zijn leven voorbij zou zijn wanneer hij haar verloor. Hij had gedacht dat dat een einde zou zijn. En dat was het in zekere zin ook. Maar omdat het rad wentelt en terugwentelt, is elk einde tevens een begin. En bij hem was dat ook zo.'

'Elke dag ging hij naar de zee om op de rotsen te gaan zitten en over het water uit te kijken naar het westen,' zei Conor, die de vertelling overnam met zijn zachte, expressieve stem, 'en soms, heel soms, haalde hij zijn fluitje te voorschijn en speelde enkele noten, een fragment van volksdansmuziek of het refrein van een oude ballade die hij nog kende.'

Padriac stond naast zijn broer; hij had zijn arm om Samara heen geslagen. 'Hij bleef naar haar uitkijken,' zei Padriac, 'maar de zeemensen laten zich zelden aan het mensenras zien. Maar toch dacht hij soms, in de schemering, dat hij daar in het water sierlijke gestalten zag zwemmen in het flauwe licht, met witte armen, lange drijvende haren en spattende staarten met glinsterende juweelachtige schubben. Hij verbeeldde zich dat ze naar hem keken met droevige, vochtige ogen zoals de ogen van zijn dochters, ogen met de uitdrukking van de wilde oceaan.'

'Dan ging hij weer naar huis,' zei Liam, die aan de andere kant was komen staan, naast Sean, 'en wanneer hij naar binnen ging, stak hij niet zijn lantaarn aan, maar liet in plaats daarvan zijn deur open zodat het maanlicht binnenstroomde in het hutje waarin hij woonde op de rotsige kaap. En soms ging hij op het trapje onder de deur zitten en vroeg zich af hoe het zou zijn om daar in de diepten van de grote oceaan te wonen, als kind van Manannán mac Lir.'

'Niemand wist eigenlijk wat er uiteindelijk met hem gebeurd was.' Ik hoorde aan Seans stem dat hij gehuild had; maar net als de anderen probeerde hij met vaste stem te spreken. Ik had de indruk dat hij in het afgelopen seizoen snel volwassen was geworden. 'De mensen zeiden dat ze hem midden in de nacht in het donker langs het strand hadden zien dwalen. Anderen zeiden dat ze hem de zee in hadden zien zwemmen, ver, veel verder dan je veilig kon zwemmen, en dat hij nog steeds verder naar het westen zwom. Zijn dochters waren bij hun grootmoeder. Het huisje was netjes opgeruimd, alles was in orde. Maar op een dag was hij er gewoon niet meer.'

'En ze zeggen, als je die streek bezoekt,' zei Finbar vanaf de plaats waar hij nog stond, bij het raam, met zijn rug naar ons toe, 'dat je hem dan zult zien, tegen middernacht, bij vollemaan. Als je stil naar het strand gaat en heel rustig gaat zitten op een van de grote stenen die daar liggen, begint het in het water te spetteren en te bruisen, en dan zie je de vormen van de zeemensen die dicht bij de grens van oceaan en land zwemmen en spelen. De mensen zeggen dat Toby erbij zal zijn, zijn witte lichaam zilverkleurig getint door het maanlicht, en je zult zien dat het water even gemakkelijk van hem af glijdt als langs de fijne schubben van een vis. Maar of hij een man is of een wezen uit het diepe, dat weet niemand.' Ze was niet meer. We wisten het allemaal. Maar niemand bewoog. Niemand sprak. Mijn vader hield haar nog steeds stevig in zijn armen, alsof hij dat laatste moment van leven zou kunnen vasthouden zolang hij zich maar niet verroerde. Zijn lippen drukten op haar haar en zijn ogen waren gesloten.

Buiten stak de wind op en bracht een vlaag koele lucht naar binnen door het raam, die Finbars donkere krullen van zijn voorhoofd oplichtte en de sneeuwwitte massa witte veren aan zijn zij deed bewegen. En toen begonnen buiten in de bomen de vogels weer te zingen; hun stemmen klonken op en vermengden zich, als groet en vaarwel, viering en rouw. Het was de stem van het woud zelf waarmee het het moment van Sorcha's heengaan groette.

Ze had het niet tot de avondschemering volgehouden. Misschien was dat welbewust, want toen we ons konden bewegen, toen we ons in beweging konden zetten, ging ieder van ons om beurten naar haar toe om haar wang te kussen en haar haar te strelen. Daarna gingen we zwijgend de kamer uit, afzonderlijk of met zijn tweeën, en lieten mijn vader alleen bij haar achter. Daar was nog tijd voor, eer de zon onder de horizon weggleed. Ik had ook tijd om Johnny op te halen bij het kindermeisje en hem nog een keer te voeden; ik vroeg me af hoeveel tranen ik kon vergieten voor er geen meer over zouden zijn. Sean en Aisling hadden tijd om samen stilletjes weg te gaan en misschien troost te zoeken in elkaars armen. De ooms hadden tijd om zich terug te trekken in de privékamer van de familie, om samen een paar pullen sterk bier te drinken en elkaar verhalen te vertellen over de jeugd die ze samen in het bos van Zeven Wateren hadden doorgebracht, de zes broers en hun kleine zusje. Nu waren er nog maar vier van hen over.

Het ging zoals ze had gevraagd. Bij avondschemer kwamen we bijeen aan de oever van het meer, op een plek waar een mooie berk stond. Rondom werden vlammende toortsen op palen geplaatst, die de gezichten van mijn ooms verlichtten terwijl ze in een kring om de boom stonden. Liam knikte naar Sean, en mijn broer ging er ook bij staan.

Kom, Liadan. Twee stilzwijgende stemmen vroegen me te komen, die van Conor en die van Finbar. Ik ging tussen hen in staan. De cirkel was bijna compleet.

Beneden bij het water, waar het meer de oever met zachte vingers aanraakte, lag een kleine boot afgemeerd. Mijn oom Padriac, die deskundig was op dat gebied, had dit vaartuig met grote zorg gebouwd. Het was precies lang genoeg voor het doel waarvoor het bestemd was. Op de voorsteven stond een toorts, die aangestoken zou worden, en langs de boorden van de boot hingen slingers van bloemen, bladeren en veren, en er lagen vele kleine gaven uit het bos, om haar op haar weg te begeleiden. Mijn moeder lag al in de boot, bleek en roerloos in haar witte gewaad, op een bed van zachte kussens. Samara had een kleine krans gevlochten van heide, meidoorn, klaver en goudsbloemen, en deze krans droeg Sorcha op haar donkere krullen. Ze zag er niet ouder uit dan zestien jaar.

Mijn vader stond alleen op de oever, en tuurde in de verte over het water van het meer, dat steeds donkerder werd.

'Iubdan.' Liam sprak zacht.

Er kwam geen reactie.

'Iubdan, het is tijd.' Padriacs stem was luider. 'Je bent hier nodig.' Maar mijn vader deed of hij hen niet hoorde, en de houding van zijn schouders was onverzettelijk. Maar Liam was niet voor niets heer van Zeven Wateren. Hij trad uit de plechtige cirkel, liep naar de Grote Man toe en legde een hand op zijn schouder. Vader maakte een kleine beweging en de hand viel neer.

'Kom, Iubdan. Het is tijd om haar te laten gaan. De zon zinkt al weg achter de bomen.'

Toen draaide vader zich om en zijn ogen waren vol verdriet. Weg was de zelfbeheersing die hij had getoond toen hij haar dat laatste verhaal vertelde. 'Doe het maar zonder mij,' zei hij met een bitterheid die ik nog nooit in zijn stem had gehoord. 'Er is hier geen plaats voor mij. Het is afgelopen. Ik ben niet een van jullie, en dat zal ik nooit zijn.'

Toen stak Liam zijn hand weer uit, heel beslist, en greep mijn vader bij zijn schouder, en ditmaal liet hij zich niet afschudden.

'Je bent onze broeder,' zei hij kalm. 'We hebben je hulp nodig. Kom.'

Nu was de cirkel compleet, en we namen afscheid volgens de oude traditie. De druïden en de mannen en vrouwen van het huis-· houden stonden in een kring om de binnenste cirkel heen, en van tijd tot tijd herhaalden ze de plechtige woorden die Conor uitsprak. Soms waren er andere stemmen te horen, vreemde stemmen die vanuit de bomen fluisterden in de wind, die murmelden in de golfjes van het meer, die diep vanuit de rotsen en holten van het land zelf zongen. En een keer, toen ik naar de plaats keek waar het groene grasveld eindigde en de grote, geheimzinnige vormen van eiken, essen en beuken begonnen, complex en schaduwrijk in het fluwelige schemerlicht, zag ik daar gestalten staan, halfverborgen onder de brede takken. Een lange vrouw met een wit gezicht, in een blauwe mantel en met een gordijn van donker haar. Een man met een stralende krans van vlammen om het hoofd, langer dan een sterfelijk mens. En anderen, versierd met juwelen, gevleugeld, nauwelijks zichtbaar tussen het donkere netwerk van bladeren en twijgen.

Toen het ritueel volvoerd was, ging Conor ons voor naar de waterkant. Daar maakte hij een kom van zijn handen, blies er heel zacht in, en plotseling gloeide er een gouden vlammetje tussen zijn gebogen vingers. Hij liep het water in zonder op zijn lange gewaad te letten en bracht zijn handen naar de toorts die in de voorsteven van Sorcha's bootje was vastgezet. De toorts vlamde op en er verscheen een lichtend pad voor het kleine vaartuig, blinkend op het inktzwarte oppervlak van het meer. Een eind verder op het grasveld stond een eenzame doedelzakspeler. Er liep een rilling over mijn ruggengraat toen het geluid van de doedelzak zich verhief over de zwijgende bomen en het roerloze water, omhoog de nacht in.

'Het is tijd,' zei Conor zacht. Toen stak ieder van ons een hand uit naar de achtersteven van de kleine curragh; mijn vader stond tussen Liam en Conor in. We gaven het vaartuig een heel zacht duwtje, maar dat was nauwelijks nodig, want reeds kabbelde het water langs de voorsteven, alsof het bootje graag wilde vertrekken op zijn reis. Toen het van de oever afzwenkte en door de stroom werd gegrepen, kon ik lange bleke handen van onder omhoog zien reiken om het vaartuig van mijn moeder mee te voeren. En vloeibare stemmen zongen haar naam: *Sorcha, Sorcha.*

'Behouden vaart, kleine uil,' zei Conor met een stem die ik bijna niet herkende. En Finbar duwde zijn donkere mantel naar achteren en spreidde zijn vleugel, zodat de glorieuze massa glanzende veren roze, oranje en goudkleurig gloeide in het licht van de toorts, als een dappere banier bij het afscheid. Maar mijn vader bleef bewegingloos en zwijgend staan, verstard door zijn verlies, terwijl de weeklacht van de doedelzakspeler over het woud klonk.

Ik tuurde in de verte om haar zo lang mogelijk te blijven zien, want ook ik treurde, hoewel ik begreep dat mijn moeder niet weg was, maar overgegaan naar een ander leven, een andere wenteling van het rad. Ze had het zo gewild. Waarom wil je geen rustplaats in het hart van het woud, waar je thuishoort? had Conor gevraagd. Waarom blijf je niet hier op Zeven Wateren, had Liam gezegd, want je bent toch de dochter van het woud? Maar Padriac had gezegd: laat Sorcha zelf kiezen. En wat ze het liefst van al wilde, was de weg van die rivier volgen, meegedragen worden met de stroom. Weg van het meer, zoals ze lang geleden al een keer had gedaan. Want, had ze met een glimlach gezegd, diezelfde waterweg had haar volkomen toevallig in handen gegeven van een roodharige Brit, en die was immers haar grote liefde en hartsvreugde geworden? Daarom wilde ze die weg weer kiezen, om te zien waar hij haar zou brengen. Ik stond daar en staarde in het donker terwijl de muziek weende en een uil kraste in de nacht.

De mensen begonnen zich te verspreiden; ze gingen weer op weg naar het huis. Mijn vader, met gebogen hoofd, geleid door de ooms. Sean hand in hand met Aisling. Janis en haar helpers al op weg om de laatste voorbereidingen te treffen voor het gastmaal, want een goed gastmaal, met muziek, vormt een onontbeerlijk onderdeel van zo'n afscheid. Ik ging naar de doedelzakspeler toe om hem te bedanken. Hij was beslist een man met bijna magische vermogens, want die weeklacht had mijn diepste gedachten weerspiegeld; de zangerige melodie had een beeld gegeven van Sorcha's moed, haar geestkracht en haar diepe liefde voor het woud en de mensen erin.

De doedelzakspeler was bezig zijn instrument netjes op te bergen in een geitenleren tas. Het was een magere man met een donkere baard en een gouden ringetje in zijn oor. Zijn helper, een langere man met een kap over zijn hoofd, hield de tas open. De doedelzakspeler gaf me een beleefd knikje.

'Ik wilde u graag bedanken. Ik weet niet wie u heeft gevraagd om hier te komen spelen, maar het was een goede keus. Uw muziek komt uit het hart.'

'Dank u, vrouwe. Een groot verhalenvertelster zoals uw moeder verdient een passend afscheid.'

Hij had de doedelzak weggestopt en tilde de tas nu op zijn schouder.

'U bent van harte welkom in het huis; er is eten en bier,' zei ik tegen hem. 'Moet u ver reizen om thuis te komen?'

De man gaf een scheve grijns. 'Een aardig eind tippelen,' zei hij. 'Dat bier zou er wel in gaan. Maar...' Hij wierp een blik op zijn zwijgende metgezel. Pas toen zag ik, in het bijna-duister, de grote zwarte vogel die bij deze man op de schouder zat, zich stevig vastgrijpend met zijn klauwen. Zijn scherpe oog was op mij gericht en leek me te taxeren. Een raaf. 'Ik dacht zo,' zei de doedelzakspeler, en hij liep al in de richting van het huis alsof er zonder woorden iets beslist was tussen het tweetal, 'dat een paar biertjes geen kwaad kunnen. En ik moet even bij tantetje langs. Ik kan moeilijk hier komen zonder dat te doen. Dat zou ze me nooit vergeven.'

'Tantetje?' vroeg ik; ik moest stevig doorstappen om hem bij te houden, want hij zette er behoorlijk de pas in. De man met de kap liep zwijgend achter ons aan. Terwijl we terugliepen door het bos, kwam ik te weten dat de doedelzakspeler behoorde tot de menigte verre kennissen van Janis. Hij leidde een zwervend leven en werd Danny Walker genoemd. Het was wel een beetje vreemd. Ze had toch een keer gezegd dat Dan uit Kerry kwam? Dan had hij wel erg ver gereisd, zelfs voor deze gelegenheid.

We bereikten het pad dat naar de hoofdingang van het fort leidde. Binnen klonken stemmen en buiten brandden lantaarns om de weg te verlichten.

'Uw vriend is ook welkom,' zei ik tegen de doedelzakspeler, en ik keek achterom. De man met de kap over zijn hoofd en de donkere vogel op zijn schouder was op een paar pas afstand blijven staan. Hij was kennelijk niet van plan om mee naar binnen te gaan. 'Komt u binnen?' vroeg ik hem beleefd.

'Ik denk het niet.'

Ik verstijfde van schrik. Ik had deze stem beslist eerder gehoord.

Maar als dat zo was, was hij wel erg veranderd. Toen was hij jong, hartstochtelijk en gekwetst geweest. Nu leek het de stem van een veel oudere man, en hij klonk koel en terughoudend.

Hij zei weer iets. 'Ga naar binnen, Dan. Gebruik deze nacht om je familie te bezoeken en uit te rusten. Ik zal morgenochtend met de vrouwe spreken.'

En met die woorden draaide hij zich om, liep het pad af en verdween achter de haag.

'Hij komt niet binnen,' zei Dan neutraal.

Ik knipperde met mijn ogen. Misschien had ik me het hele geval verbeeld. 'Bedoelt hij mij?' vroeg ik aarzelend. 'De vrouwe, zei hij. Ben ik dat?'

'Dat zult u hem zelf moeten vragen,' zei Dan. 'Ik zou morgenochtend vroeg naar hem toe gaan, als ik u was. Hij zal hier niet lang blijven. Hij wil haar liever niet alleen laten, begrijpt u?'

Er was geen gelegenheid om hem meer te vragen. Ik had verplichtingen als vrouw des huizes; ik moest steun geven aan alle mensen die treurden, en meedoen met de liederen en verhalen waarmee we mijn moeder eerden en onze liefde betuigden op haar weg. Er was bier, er was mede, er waren gekruide koeken; muziek, gesprekken en kameraadschap. Een lach en een traan. Uiteindelijk ging ik naar bed, met de gedachte dat de vreemdeling met de kap over zijn hoofd de volgende ochtend weg zou zijn; dan zou het hele geval toegeschreven kunnen worden aan het Gezicht, dat me van de wijs had gebracht.

Toch stond ik vroeg op en ging naar de kruidentuin, want ik wist dat deze eerste dag zonder mijn moeder moeilijk zou zijn. Ik besefte dat ik hier, tussen haar geliefde planten, midden in haar stille domein moest zijn als ik mezelf wilde leren dat het leven zou doorgaan, ook zonder haar liefdevolle aanwezigheid, haar zachte hand om me te leiden. Ik had Johnny bij het kindermeisje achtergelaten; het was voor hem te koud om buiten te zijn. Ik liep over het pad en trok hier en daar wat onkruid uit. Ik wist dat ik wachtte. Het was vlak na zonsopgang.

Ik voelde dat hij er was, nog voordat ik hem zag. Een koud gevoel trok langs mijn ruggengraat omhoog en ik wendde me naar de poort. Hij stond onbeweeglijk in de schaduw; een lange figuur, nog steeds gehuld in een zwarte mantel en met een zwarte kap over zijn hoofd. De vogel zat op zijn schouder als een uit donkere steen gehouwen dier.

'Wilt u binnenkomen?' vroeg ik. Ik wist nog steeds niet of mijn geheugen me niet bedroog. Toen deed hij een stap naar voren en schoof de kap naar achteren. Ik zag een bleek, fel gezicht, donkere ogen en een haardos in de diepe kleur van de kern van een zonsondergang in de winter.

'Ciarán,' zuchtte ik. 'Je bent het toch. Waarom heb je jezelf niet laten zien? Conor is hier, hij zal je vast willen zien; wil je niet binnenkomen en met hem praten?'

'Nee.' De ijskoude, definitieve klank van zijn stem legde me het zwijgen op. De grote vogel reikte omlaag met zijn snavel als een slagersmes om zijn verenkleed te verschikken. Hij had een oog als een wild dier. 'Daarvoor ben ik niet gekomen. Geen vertoon van familiezin. Ik ben niet zo dwaas om te denken dat die kloof te overbruggen is. Ik ben hier om een boodschap te brengen.'

'Wat voor boodschap?' vroeg ik zacht.

'Voor haar moeder,' zei hij. 'Niamh wilde zeggen: ik houd van u, vergeef me. Maar ik ben te laat gekomen.'

Ik kon niet spreken.

'Het zal haar verdriet doen dat ik hier niet op tijd was,' zei Ciarán zacht.

'Moeder zou het weten. Het maakt niet uit dat het nu... na haar... ze zou het toch weten. Is Niamh... gaat het goed met haar? Is ze beter, en veilig... hoe heb jij...'

'Het gaat redelijk goed met haar. Ze is wel erg veranderd.' Zijn stem klonk kalm, maar ik voelde dat daaronder een diep verdriet school, een last die geen jongeman zou mogen dragen. Ik kon niet interpreteren wat ik in zijn ogen zag. 'Het lachende meisje dat met Imbolc zoveel indruk op ons maakte, is weg. Ze heeft haar weg nog niet gevonden. Maar ze is in veiligheid.'

'Waar? Waar in veiligheid? Hoe heb jij...'

'In veiligheid. Wáár doet er niet toe.'

Hij antwoordde als een echte druïde. 'Bij jou?' vroeg ik.

Ciarán gaf een soort knikje. 'Ze heeft bescherming nodig. Ik heb haar niet geholpen. Maar daar kan ik tenminste in voorzien.'

We zwegen een tijdlang. Kleine vogels begonnen te roepen, boodschappers van een nieuwe dag, van een nieuw seizoen.

'Ik ben Niamhs zus,' zei ik ten slotte. 'Ik zou op zijn minst graag willen weten waar ze is en of ze terug zou willen komen als de waarheid bekend is. Ik heb het aan mijn vader verteld. Hij begrijpt nu hoe verkeerd ze eraan gedaan hebben een echtgenoot voor haar te kiezen. Het zou mogelijk kunnen zijn... kun je haar niet hierheen brengen, en...'

Ik schrok van zijn lach. Het was een geluid dat donker van verbittering was.

'Haar terugbrengen? Hoe zou dat kunnen?'

Ik zei niets; ik begreep zijn antwoord niet. Was er geen hoop dat alles uiteindelijk goed zou komen? Ik wilde niet geloven dat al mijn moeite, en die van Bran, voor niets was geweest.

'Hebben ze het je dan nooit verteld?' vroeg Ciarán somber.

'Me wat nooit verteld?' Opeens was dat gevoel er weer, een kilte diep in mijn lichaam alsof ik werd aangeraakt door iets donkers uit het verleden of door een kwaad dat nog moest komen.

'De waarheid. Waarom ze mij verboden met Niamh te trouwen, en ons allebei wegstuurden. Waarom we nooit terug kunnen komen, en dat ook nooit zullen willen. Hoe wij vervloekt zijn, dubbel vervloekt, door het bewaren van geheimen. Ze hebben het jou niet verteld. Ik denk dat je ons daarom hebt geholpen, toen niemand anders dat wilde doen. Als je de waarheid had geweten, zou je ons veracht hebben.'

Ik deinsde terug voor de cynische klank van zijn stem, zo anders dan de vurige, gloeiende hoop waarmee hij eens over zijn liefde had gesproken.

'Je kunt me beter alles vertellen,' zei ik. 'Mijn vrienden hebben zich aan groot gevaar blootgesteld om haar te helpen. Vertel me de waarheid, Ciarán. Ik hoor zeggen dat er een oud kwaad ontwaakt is, dat er dingen gaande zijn die ons allemaal kunnen schaden. Wat is dat? Vertel het me.'

Ik ging op de oude stenen bank zitten die tussen geveerde pollen boerenwormkruid en kamille stond, en hij kwam dichterbij. De vogel kraste en vloog op naar de sering, waar hij tamelijk wankel op een dunne tak ging zitten.

'Het was wreed,' zei Ciarán zacht. In het vroege morgenlicht was zijn gezicht spookachtig bleek. 'Wreed dat ze de waarheid voor haar verborgen hielden. Geen wonder dat ze dacht dat ik haar had verlaten, want ze wist niet waarom ik was weggegaan; wat me wegjoeg. Ze begreep niet dat er op onze verbintenis een... vloek rustte.'

'Een vloek?' herhaalde ik dom, niet wetend wat hij kon bedoelen. 'Ze was verboden. Verboden door het bloed. Pas in die nacht, toen ik met kloppend hart naar Zeven Wateren kwam, bereid om zo nodig voor mijn vrouwe te vechten, verwaardigde Conor zich mij eindelijk te vertellen wie ik was. Al die jaren had hij het voor me verborgen gehouden; een geheim dat nooit verteld mocht worden. Ik dacht dat ik een vondeling was, een kind dat het geluk had door de wijzen te worden opgenomen en grootgebracht in de veilige schoot van het woud. Ik droomde er zelfs van in Conors voetsporen te treden, me te wijden aan de gebruiken van de broederschap. Toen ontmoette ik Niamh. En toen was het tijd dat het geheim me verteld werd.'

Achter in mijn geest begon zich een soort verband af te tekenen. Een verschrikkelijk, verwrongen, onvermijdelijk verband.

'Conor vertelde je wie je was?'

'Inderdaad. Dat ik nooit met Niamh kon trouwen. Dat het schandelijk en verkeerd was wat we hadden gedaan, een inbreuk op de wetten van de natuur, een gruwel, al hadden we het in onschuld gedaan. Onze vereniging kon nooit gewettigd worden. Want ik ben de zoon van Colum van Zeven Wateren bij zijn tweede echtgenote, de vrouwe Oonagh. Ik ben een halfbroer van Conor en Liam. Een halfbroer van Niamhs moeder, van jouw moeder. De vrouw die mij baarde, was de tovenares die deze familie en alles wat haar dierbaar was bijna te gronde richtte. En zo nam Conor me in één klap alles af: mijn liefde, mijn toekomst, mijn hoop op vreugde en mijn levensdoel. Niet alleen Niamh werd me ontnomen, ik werd ook uit de broederschap gestoten, weggezonden zonder ster om me te leiden. Alles werd tenietgedaan, alles.'

'Maar Conor zei...'

'Huh! De zoon van een tovenares kan nooit een druïde zijn. Ik draag het bloed van een vervloekte afstamming. Iemand als ik kan nooit hopen de hoogste kunsten van de wijzen te beoefenen, het rijk van licht te bereiken, de inspiratie van de zuivere geest. Dat ligt buiten mijn bereik, en zou altijd buiten mijn bereik gelegen hebben. Dat weet ik nu. Als ik haar zoon ben, ben ik de zoon der schaduwen, veroordeeld om in duisternis te lopen. Hoe hij me al die jaren kon opvoeden zonder me dit te onthullen, zal ik nooit begrijpen. Die leugen zal ik hem nooit vergeven.'

'Het kind van vrouwe Oonagh,' zuchtte ik. 'Over hem werd verder niets gezegd in het verhaal. Hij verdween gewoon tegelijk met haar van Zeven Wateren. Toen de betovering verbroken was.'

'Dat kwam wel goed uit.' Ciaráns stem klonk bitter. 'Mijn vader vond me en haalde me terug. Ik heb achttien jaar in de nemetons geleefd, Liadan. Ik beschouwde mezelf in alle opzichten als een druïde. Je kunt je dus voorstellen wat een klap het was toen ik de onthullingen van die nacht vernam. En ik maakte mijn eigen schande nog groter. Ik liep weg. Ik liet Niamh achter, ten prooi aan wanhoop en mishandeling. De last daarvan draag ik elke dag. Hoe zorgvuldig ik haar ook bewaak, hoe sterk het schild ook is dat ik om haar heen optrek, ik kan niet buitensluiten wat er die nacht gebeurd is, want de nasleep ervan is onuitwisbaar in ons beiden verankerd.'

Een schild. Bewaking. Ik zei behoedzaam: 'Waar ben je heen gegaan, toen je die nacht van Zeven Wateren wegging? Conor zei dat je je verleden ging zoeken. Was het... was het je moeder naar wie je op zoek ging? Is zij...' Ik hield me in. Sommige dingen, dacht ik, waren te gevaarlijk om hardop uit te spreken.

'Ik heb het tegen hem gezegd.' Er was een donkere klank in Ciaráns stem. 'Ik heb het tegen Conor gezegd. Ik zei: een man kan niet ontsnappen aan het bloed dat in zijn aderen stroomt. Ongeacht of hij dit als kind ontdekt of veel later, wanneer hij denkt dat hij een heel ander soort wezen is, misschien een dat mag hopen op geestelijke adeldom, op grote goedheid. Het doet er niet toe, want vroeg of laat zal het zaad dat in ons is rijpen, en de erfenis die we dragen zal ons gaan regeren. Als ze het me niet hadden verteld, had ik misschien oud kunnen worden voordat het kwade bloed dat ik in me draag zich openbaarde en me dwong het licht de rug toe te keren. Nu weet ik het, zei ik tegen hem, en zal ik uitzoeken welke krachten deze erfenis met zich meebrengt en hoe ik ze kan gebruiken. Dan zult u misschien niet meer zo bereid zijn mij broeder te noemen. Toen ben ik weggegaan en heb ik in mijn geest een verre reis gemaakt, verder dan met mijn lichaam. Een gevaarvolle reis. Mijn moeder verstaat de kunst zich te verbergen.

Ze wilde niet gevonden worden, nog niet. Maar ik vond haar toch. Ik heb geleerd de grens over te gaan naar het rijk waar ze zich nu verbergt; waar ze wacht.'

'Hoe? Hoe kon je zoiets doen?'

'Het behoort tot de opleiding tot druïde; je leert over te steken en terug te komen. Een proef door water en vuur, door aarde en lucht. Ik had hem eerder doorstaan, maar dit was anders.' Zijn stem trilde. Op dat moment besefte ik weer dat hij in feite geen oude, verbitterde man was, maar een jongeman, niet heel veel ouder dan ikzelf.

'Je zegt dat ze wacht. Ze wacht... waarop?'

Ciarán sloeg zijn armen over elkaar en staarde omhoog in de koude ochtendhemel.

'Je vraagt wel veel,' zei hij.

'Ik heb heel lang geen nieuws gehad,' zei ik zacht. 'Maar ik heb ook een boodschap. Of liever, ik heb iets terug te geven aan mijn zuster. Ik heb het hier. Ze zal dit nodig hebben, denk ik.' Ik stak mijn hand in de buidel aan mijn gordel en haalde er de halsketting uit die ik voor Niamh had gemaakt, het koord waarin de liefde van de familie vervlochten was. Een talisman van onverbrekelijke kracht. Ciarán nam hem in zijn hand, en zijn lange, benige vingers raakten de kleine witte steen aan die er nog steeds aan geregen was. Heel even glimlachte hij; en ik zag weer die jongeman, wiens felle gezicht had gestraald van vreugde en trots toen hij met Imbolc de lentevuren ontstak.

'Ze dacht dat dit verloren was gegaan,' zei hij. 'Je hebt het goed bewaard. Ik dank je.'

'Wij houden van haar.' Ik moest bijna huilen. 'Dat schijn je niet te begrijpen. Moet je haar beslist weghalen? Haar opsluiten, als een prinses in een sprookje, te bijzonder om door gewone mensen te worden gezien? Mogen wij haar nooit meer zien? Mogen we haar kind nooit zien, behalve in visioenen?'

Het was alsof de tijd stilstond; alsof het ademen gedurende een onbeweeglijk moment ophield, en toen weer doorging.

'Kind?'

Er was iets in dat woord dat mijn hart aangreep zoals tot nu toe nog niet was gebeurd.

'Het is mij vergund deze dingen te zien, af en toe,' zei ik, omdat

414

ik dacht dat ik nu geen andere keus meer had dan het hem te vertellen. 'Dingen die zullen zijn, of misschien zullen zijn. Ik zag Niamh met een klein kind, een peuter met donkerrode krullen zoals de jouwe, en ogen als rijpe bessen. Op het zand, in een grot. Het lijkt mij dat er een weg naar de toekomst is voor jullie beiden. Niet de weg die mijn oom of mijn vader voor jullie gekozen zou hebben; niet de weg die Conor jou zou willen laten volgen, want hij wilde dat je terugkwam in de nemetons, ook al denk jij er misschien anders over. Ik wil niet geloven dat ik mijn zuster nooit terug zal zien, of...'

'Er zijn gevaren waarvan je geen flauw vermoeden hebt.' Zijn stem klonk nu gedempt, onzeker. 'Een weg die... mij werd aangegeven. Een weg die zij – mijn moeder – me wil laten volgen. Ze wacht op mijn antwoord. Ze heeft me veel aangeboden. Een macht die voor een mens bijna niet te bevatten is. Vermogens die verder gaan dan de meest gevorderde kunst van de aartsdruïde, kunstgrepen die verder gaan dan de laatste bladzijde van de dikste grimoire van de oudste tovenaar. Ik kan veel van haar leren, en ik zal van haar leren. Ik zal mijn broer laten zien wat ik kan doen, en wat ik kan zijn.'

'Is dit een... een dreigement? Uit te voeren wat vrouwe Oonagh niet heeft kunnen bereiken?' Ik rilde, en het rillen leek niet te willen ophouden. Ik had een klein beeld van mijn zuster voor ogen, dat verbleekte en zich steeds verder leek te verwijderen.

'Wat dat betreft, het zal gaan zoals het moet gaan. Niamh en ik... je moet begrijpen dat het verleden niet hersteld kan worden, wat onze dromen ons ook toefluisteren. Sommige kwaden zijn niet ongedaan te maken. Maar toen ik haar hierover de waarheid vertelde, opende ze haar armen voor me alsof er niets te vergeven was. Ik spuw op de wetten van mensen, die bepalen wat we wel of niet voor elkaar mogen voelen. In dit hele web van verdriet en duisternis vormt de band tussen ons één enkele lichtende draad die te sterk is om te worden doorgesneden. Ik zal haar behoeden; ik heb er alles voor over om haar te beschermen. Dat komt op de allereerste plaats. Meer dan dat kan ik niet zeggen, want afgezien daarvan is mijn weg onbekend, nog niet gevormd. Wat haar en mijn familie aangaat, die kan me gestolen worden; ze hebben ons verachtelijk behandeld. Ze hebben hun recht op haar verloren toen ze haar van Zeven Wateren verjoegen. Toch zijn we jou iets verschuldigd. Jou, en de man die haar van die plek heeft weggehaald en ervoor heeft gezorgd dat het bericht daarover mij bereikte. En dat is de reden dat ik je een geschenk kom brengen.'

'Wat voor geschenk...' begon ik, maar terwijl ik dat zei, keek Ciarán even omhoog naar de grote vogel die boven ons in de boom zat. De raaf sloeg zijn vleugels uit en met een korte, heftige beweging van de lucht vloog hij keurig omlaag en kwam op mijn schouder zitten, een niet gering gewicht. Zijn snavel bevond zich angstwekkend dicht bij mijn oog en ik voelde zijn klauwen door mantel, omslagdoek en jurk heen.

'O,' zei ik, en wist verder niets te zeggen.

'Een boodschapper,' zei Ciarán. 'Eerder een lening dan een geschenk. Je zult hem misschien nodig hebben. Maar denk hierom: je mag alleen in uiterste nood een beroep doen op zo'n dier. Alleen wanneer al het andere heeft gefaald en je geen hulp hebt, en de krachten van lichaam en geest zijn uitgeput, mag je hem zenden. Zo'n boodschapper mag niet zomaar worden gebruikt.'

'Ik begrijp het,' zei ik, maar ik begreep er niets van. Wat was dit grote beest, een soort hulpje van de tovenaar? Ik had talloze vragen, veel te veel vragen.

'Het is tijd om te gaan.' Ciarán maakte plotseling een rusteloze indruk, alsof zijn geest al voor hem uit was gereisd naar een ver oord. 'Ik kan niet te lang wegblijven.'

'Toch is het een hele reis naar Kerry,' zei ik voorzichtig. 'Van volle maan tot volle maan, en langer nog, zou ik denken?'

'Zo zou Dan liever reizen, te paard, of lopend,' zei Ciarán. 'Maar er zijn andere manieren.'

'Ik begrijp het,' zei ik weer, en ik dacht aan oude verhalen over druïden en tovenaars. Ik vroeg me af hoeveel hij in die achttien jaren had geleerd en hoeveel hij had bijgeleerd sinds ik hem voor het laatst had gezien.

'Vaarwel dus,' zei hij ernstig.

'Ik zou het toch hebben gedaan, moet je weten,' zei ik opeens; hij moest weten, mijn zuster moest weten dat ik niet zo'n koude inborst had als zij dachten. 'Zelfs als ze me verteld hadden wie jij was en waarom jullie liefde verboden was, zou ik haar toch geholpen hebben. Ik houd van haar. Als ze bij jou is, ondanks alles, dan is dat misschien op de een of andere manier goed. Misschien is dit toch zoals het moet zijn. Wet of geen wet.'

Ciarán knikte. 'Op de een of andere wijze zal het zich ontvouwen,' zei hij, weer als een echte druïde. En alsof hij geroepen was, hoewel dat voor zover ik had kunnen merken niet was gebeurd, verscheen Dan Walker in de tuinpoort, zacht fluitend, met de geitenleren tas netjes op zijn schouder.

'Gaan we?' vroeg hij op nuchtere toon. En voor ik nog een woord kon spreken, kwam Ciarán als een schaduw in beweging en was het tweetal verdwenen. Ik volgde hen en voelde het gewicht van het onverwachte geschenk op mijn schouder en de greep van zijn klauwen in mijn vel. Ik kwam op het pad en keek langs de hagen naar de bosrand. Maar er was niemand te zien.

De mensen raakten na een tijdje aan de raaf gewend.

'Je moet wel uitkijken met die vogel bij de kleine,' waarschuwde Janis; ze voelde zich misschien verantwoordelijk omdat haar eigen neef iets met de komst ervan te maken had gehad. 'Een beest met zo'n snavel is niet te vertrouwen. En je weet wat ze over raven zeggen.'

Maar het bleek dat ze het helemaal mis had. Wat het kind betrof, gedroeg de vogel zich voorbeeldig. Als Johnny sliep, zat hij in de buurt, lette op hem en hield zich stil. Wanneer hij wakker was en om zijn eten brulde, was de raaf geneigd mee te gaan doen en Johnny's stem met zijn krachtige geluid aan te vullen, zodat hij gegarandeerd snel de aandacht kreeg. Wanneer ik langs het meer wandelde om de jonge zwaantjes te bewonderen, of in het bos onder de brede beuken liep, vergezelde de raaf me. Hij vloog als een donkere schaduw van de ene lage tak naar de andere, nooit ver van mij en mijn kind verwijderd. Ik begon aan zijn voortdurende aanwezigheid te wennen. Hij had iets van een goed afgerichte waakhond, die me met een schorre kreet waarschuwde als er een wild zwijn aankwam, of als ik een groep houthakkers naderde. Ik noemde hem Fiacha, een naam die 'raafje' betekent.

Hoe ik van zijn diensten gebruik zou kunnen maken, daarvan had ik eigenlijk geen idee. Ik probeerde een paar keer via mijn geest met het beest te spreken, maar het was vergeefse moeite. Misschien zou ik, wanneer het zover was, weten wat ik moest doen.

Als het ooit zover kwam. Er deden zoveel geruchten en voortekens en half uitgesproken theorieën de ronde, dat het niet meeviel om daaruit de waarheid te distilleren of om te proberen te raden wat de toekomst zou brengen. Degenen die mijn zwangere buik hadden aangeraakt omdat dat geluk bracht, en dachten dat Johnny het kind van een wezen uit de Andere Wereld was, wierpen nu tersluikse blikken op Fiacha, keken mij verlegen aan en mompelden iets over de profetie. Het was een teken, zeiden ze. Mijn familie deed geen pogingen om deze fantasieën te weerspreken. Als de mensen dachten dat ik een verhouding had gehad met een van de Túatha Dé, hoefde er minder te worden uitgelegd.

Ik heb in mijn leven naar veel verhalen geluisterd, en er zelf ook een aantal verteld. Als ik daarvan iets heb geleerd, is het wel dat er gebeurtenissen zijn die de loop van de dingen veranderen, die een verandering veroorzaken die hun eigen schijnbare belang ver overtreft. Het is net zoiets als wanneer je een steentje in een vijver gooit, waardoor een cirkel van golfjes ontstaat die zich steeds verder uitbreidt en het hele wateroppervlak bestrijkt. Het kleine steentje hier was een leugen, of liever een achtergehouden waarheid. De leugen van Conor en van Liam. Zelfs mijn ouders hadden van deze geheime broer af geweten. De leugen die door de familie aan een lid van de familie was verteld. En niemand had het verteld, omdat het zo verschrikkelijk was, zo gevaarlijk, op een manier die ik maar half begreep, dat zelfs Niamh, wier leven door de uitwerking ervan was verwoest, de waarheid niet had mogen weten. Ik dacht dat ik hierna nooit meer een van hen zou kunnen vertrouwen. Alles was een gevolg van die leugen: liefde, hoop die de bodem was ingeslagen, wreedheid, mishandeling en vlucht, en voor Ciarán zelf een afdaling in een soort duisternis die ons hele bestaan leek te bedreigen. Voor mij en mijn familieleden bracht hij het verlies van openheid, van vertrouwen. Er kon geen afscheid meer worden genomen. Mensen waren voorgoed gescheiden. De leugen had het oude kwaad wakker gemaakt, en nu leek het alsof het een na het ander van zijn juiste weg begon af te wijken.

Finbar was niet lang gebleven nadat we Sorcha aan het meer hadden toevertrouwd. De volgende morgen heel vroeg was hij al weg; hij sloop stilletjes weg naar het bos, en alleen ik was er om afscheid van hem te nemen.

'Je weet waar ik ben,' zei hij. 'Er komt misschien een moment dat je mijn hulp nodig hebt. Dan kun je me roepen.'

'Dank u.' Fiacha ging verzitten op mijn schouder; hij hield zijn kop een beetje schuin en keek naar mijn oom, die het pad onder de bomen afliep. 'Oom?'

'Wat is er, Liadan?'

'Ik moet u iets vertellen. Ik moet u vertellen dat ik de waarheid over Ciarán te weten ben gekomen; dat ik weet wie hij is en waarom hij is weggegaan. En ik wil u iets vragen. Als ik iets zou willen weten over het oude kwaad, en wat dat betekent... zou u het me dan vertellen? Zou iemand het me vertellen? Ik heb zoveel waarschuwingen gehoord, en ik hoor stemmen die me nu eens deze kant en dan die kant op trekken, en niemand wil me iets uitleggen. Als het waar is dat we ergens door bedreigd worden, hoe kunnen we er dan tegen vechten als we het niet begrijpen?'

Finbar staarde me aan. 'Je had mijn dochter moeten zijn, vind ik, want ik hoor mijn eigen woorden uit jouw mond komen. Ik had je dit zelf willen vertellen, lang geleden; maar Conor liet ons beloven dat we zouden zwijgen. Je kunt het het beste rechtstreeks aan hem vragen. Ik denk dat hij wel over deze dingen zal willen spreken, nu onze zuster is heengegaan. Met ons zwijgen wilden we haar beschermen tegen meer verdriet; we wilden niet dat ze getuige zou zijn van de wedergeboorte van een kwaad dat de levens van onze zonen en dochters net zo zou bederven als het ons eigen leven heeft bedorven. Toen Sorcha het werk van de tovenares ongedaan maakte, dacht ze dat het kwaad voorgoed weg was; maar we hadden het niet verslagen, we hadden onszelf alleen maar een aantal jaren respijt gegeven. Spreek met Conor. Vertel hem van je bange voorgevoelens en vraag hem om de waarheid.'

'Dat zal ik doen. Dank u, oom. U spreekt altijd klare taal, en daarom bewonder ik u.'

'Vaarwel, Liadan. Houd je licht brandende.'

En weg was hij. Later die ochtend lieten ze de honden weer los.

Mijn vader vertrok nog dezelfde dag, tot ieders verrassing. Ik had wel geweten dat hij zijn belofte zou houden, want hij was een man van zijn woord. Maar niemand had verwacht dat hij zo snel zou vertrekken, vooral gezien de gevaren van zo'n reis. Hij mocht dan een Brit zijn, maar hij had achttien jaar en langer onder de mensen van Erin geleefd, en het was niet zeker dat zijn eigen mensen hem goed zouden ontvangen. Bovendien moest hij er eerst nog komen, via een kust waar het wemelde van Noormannen en over een grote zee vol rovers en piraten en verraderlijke winden en wateren. Dat de Grote Man in zijn eentje vertrok op zo'n reis, gaf aan dat hij meer veranderd was dan alleen door verdriet en verlies verklaard kon worden. Maar Sean dacht dat het toch wel zin had.

'Zo is de kans groter dat hij er onopgemerkt doorheen glipt, en intussen informatie verkrijgt,' zei mijn broer. 'Lang geleden was er een tijd dat dit soort dingen voor hem heel gewoon was. Nu doet hij het alleen omdat hij zijn woord heeft gegeven. Maar hij verstaat de kunst nog altijd.' Er klonk iets van trots in zijn stem. Ik voor mij twijfelde er niet aan dat mijn vader tegen deze taak opgewassen was. En ik wist dat Janis gelijk had gehad. Ik had de leegte in zijn ogen gezien, en ik begreep dat hij zonder deze opdracht misschien helemaal door zijn verdriet zou worden opgeslokt.

Vader nam afscheid van Sean en mij in de kleine kruidentuin. De jonge eik die hij voor mijn moeder had geplant in de herfst waarin Niamh was geboren, was nu zo groot dat hij schaduw bood aan nieuwe generaties jonge zaailingen. Hij was onopvallend gekleed en had een heel klein zakje bij zich, waarin alleen de meest elementaire benodigdheden pasten.

'Ik ga te voet,' zei hij. 'Ik heb onderweg nog een kleinigheid af te handelen; dat moet in stilte gebeuren. Het is beter als ik grotendeels ongezien reis. Wat Harrowfield betreft, hebben we niet veel gehoord. Ik weet niet wat ik daar zal aantreffen.'

'Vader?' Ik had met vaste stem willen spreken; sterk willen zijn voor hem. Maar ons verlies was te vers en mijn stem beefde.

'Ja, lieverd?'

'U... u komt toch wel terug, hè?'

'Dat is een stomme opmerking,' snauwde Sean. Ik zag wel dat hij ook bijna in tranen was.

'Je broer heeft gelijk, Liadan,' zei vader. Hij legde zijn arm om me heen en probeerde te glimlachen. 'Zo'n vraag hoef je me toch niet te stellen. Natuurlijk kom ik terug. Er ligt hier werk voor mij; familie en mensen. Dat zegt Liam immers. Ik ga nu omdat het me gevraagd is, omdat ik het beloofd heb.'

'Maak u niet ongerust, vader. Ik zal voor alles zorgen.' Seans poging zelfvertrouwen uit te stralen was best overtuigend.

'Dank je, zoon. Nu moet ik voorlopig afscheid nemen van jullie beiden. Ik weet dat jullie sterk en moedig zullen zijn. Ik weet dat jullie kinderen van je moeder zullen zijn.'

Hij omhelsde me en ik huilde; hij pakte Seans schouder en drukte hem even, en toen ging hij van ons weg.

Niet lang daarna verzamelde Padriac zijn gezelschap en ging op weg naar het westen om een bezoek te brengen aan Seamus Roodbaard. Wat hij daarna ging doen, wie zou het zeggen? Er waren altijd nieuwe horizonten te verkennen, nieuwe avonturen te beleven. Zo zou je je hele leven kunnen besteden, zei hij, en er zou nog steeds meer dan genoeg zijn waar je zonen en je kleinzonen hun tanden in konden zetten.

'En je dochters,' zei ik droog.

Mijn oom lachte, zodat de kuiltjes in zijn wangen te zien waren. 'En je dochters,' beaamde hij. 'Ik heb gehoord dat je de boog goed kunt spannen, dat je snel bent met een werpmes en dat je voetenwerk bij een stokgevecht goed verzorgd is. De volgende keer dat ik op bezoek kom, kan ik je misschien de zeilkunst leren. Je weet maar nooit wanneer je die nodig zou kunnen hebben.'

Ik wachtte enige tijd, want ik wilde het tijdstip zorgvuldig kiezen. Het huishouden was gedempt, het verlies van mijn moeder werd sterk gevoeld en het vertrek van mijn vader werkte ontregelend. Zonder zijn voortdurende geruststellende aanwezigheid leken de mensen zich een beetje verloren te voelen, alsof het werk op de boerderij, in het bos en in het dorp niet energiek en geestdriftig kon worden aangepakt als zijn lange gestalte niet in hun midden was om te helpen met het herstellen van de dakbedekking, met hooien of met het verzorgen van het fokvee. Conor en zijn groep druïden maakten geen aanstalten om weg te gaan. Ik vond dat Liam ongewoon stil leek en meende dat Sorcha's dood haar ernstige oudste broer zwaarder had getroffen dan iemand verwacht zou hebben. Ik had de indruk dat Conor hier bleef omwille van zijn broer. Maar ik vermoedde dat er nog een reden voor was. De aartsdruïde was vaak aanwezig wanneer ik in mijn tuin werkte of op het gras met Johnny speelde. Hij liep vaak met me mee naar het dorp en gaf de mensen goede raad en zijn zegen terwijl ik hun verwondingen en kwalen behandelde. Ik dacht dat hij niet op mij lette, maar op Johnny. Ik had deze oom altijd vertrouwd; hij was wijs, evenwichtig, kalm en zeker. Nu kon ik niet naar hem kijken zonder Ciaráns donker beschaduwde ogen en de blauwe plekken van mijn zus te zien. Ik dacht na over vertrouwen, hoe gevaarlijk het was om een keus te maken op grond van vertrouwen, op grond van wat anderen je voorhielden als juist. Het was voor mij heel duidelijk wat Conor voor mij en mijn zoon wilde. Het was het-zelfde als wat de Feeën wilden. En het leek ook heel verstandig. Misschien was het woud de enige plaats waar mijn zoon veilig kon zijn. Maar ik had geen zekerheid. De enige keuzes waar ik zeker van kon zijn, waren de keuzes die ik zelf maakte.

We zaten samen in de tuin en Johnny lag op zijn dekentje onder de bomen. Er was verder niemand. Ik zat te naaien, want John-ny groeide hard en had voortdurend nieuwe hemdjes en tuniekjes nodig. Conor zat naast me en keek naar het meer beneden.

'Oom,' zei ik behoedzaam, 'ik weet niet goed hoe ik dit moet vra-gen. Ik heb vaak toespelingen horen maken op een oud kwaad. Iets waarvan jullie dachten dat het weg was en dat op de een of andere manier weer is ontwaakt. Ik heb hier veel aan gedacht, vooral na het heengaan van mijn moeder. Ik herinner me uw ver-haal, dat verhaal over Fergus en Eithne. In dat verhaal zeggen de Feeën dat het verkeerd zal gaan met Zeven Wateren tot de Eilan-den terugveroverd zijn en het evenwicht is hersteld. Ik heb het ge-voel dat de dingen nu verkeerd gaan. Wat er met Niamh gebeurd is, was verschrikkelijk verkeerd. Ik moet u vertellen dat ik de re-den heb ontdekt waarom u hun huwelijk hebt verboden. Ik weet wie Ciarán is. Maar ik kan niet begrijpen waarom u hun de waar-heid niet hebt verteld. U hebt die twee keer verzwegen. Eerst voor Ciarán zelf, door hem te laten opgroeien in onwetendheid van wie hij was; en toen liet u Niamh geloven dat hij haar had verlaten; u zei alleen tegen haar dat een verbintenis tussen hen verboden was, zonder te zeggen waarom – dat was erg wreed. Ik kan niet begrijpen waarom u de waarheid op die manier verborgen wilde houden. Zo doen we het hier op Zeven Wateren toch niet.'

'Heeft Finbar je dit verteld?' Conors stem was kalm als altijd, maar zijn handen waren rusteloos, zijn vingers draaiden met een hazelaartakje.

'Ik heb hierover met hem gesproken, ja.' Ik mocht hem niet zeggen dat Ciarán terug was geweest. Hij mocht niet weten dat Niamh nog leefde, al leek het gemeen om dit nieuws te verzwijgen. Door zich als haar beschermer op te werpen had Ciarán mijn zuster werkelijk helemaal van haar familie vervreemd. 'Maar Finbar heeft zijn beloften niet gebroken, hoor oom. Hij zei dat u hem over deze kwestie had geboden te zwijgen. Ik heb de waarheid zelf afgeleid, uit visioenen en... en uit andere dingen.'

'Juist.'

'Ik zou nu graag van u een verklaring horen, als u die wilt geven. Want u hebt gezegd dat ik mijn zoon hier in het woud moet houden, alsof hij werkelijk het kind uit de profetie is, degene die alles weer in orde zal maken. En het lijkt er zeker op dat de kwade dingen ons beginnen te belagen; er is al veel verloren gegaan, en niet in de laatste plaats het vertrouwen. Ik begrijp wat de Feeën hebben gezegd, dat Johnny misschien de sleutel is. Maar hij is nog zo klein.' Ik keek neer op Johnny, die kreunde van inspanning omdat hij probeerde met zijn vingers bij zijn tenen te komen. 'Als het klopt wat zij zeggen, dan heeft mijn zoon hierin misschien een... een belangrijke rol te vervullen. Ik ben zijn moeder. Hoe kan ik beslissingen nemen als mij niet de hele waarheid wordt verteld?'

Conor keek me aan. 'Heb jíj de hele waarheid verteld?' vroeg hij op ernstige toon.

Ik voelde een blos op mijn wangen komen. 'Nee, oom. Maar ik probeer geen kwaad te verbergen, alleen mensen die ik liefheb te beschermen. En ik heb mijn moeder de waarheid verteld, voor het einde.'

Hij knikte; hij vond dit kennelijk voldoende. 'Ook ik probeerde degenen om wie ik gaf te beschermen, Liadan. Maar ik heb een vreselijke fout gemaakt. Ik dacht dat ik sterk genoeg was om haar boosaardige werk ongedaan te maken; om er mijn eigen strategie tegenover te stellen. Maar ik ben uiteindelijk maar een mens; een klein stukje in dit spel. Zij is meer dan dat; een wezen met meer macht dan iedereen besefte, listig en vindingrijk. We dachten dat ze voorgoed weg was, maar we vergisten ons.'

'Zij? U bedoelt toch vrouwe Oonagh? De tovenares die u en uw broers in zwanen veranderde, en die zich Zeven Wateren zou hebben toegeëigend als mijn moeder de betovering niet ongedaan had gemaakt?'

Conor zuchtte. 'Jij zegt dat ze zich Zeven Wateren zou hebben toegeëigend. Maar zo eenvoudig was het niet. Ze wilde het voor haar zoon; via hem wilde ze macht en invloed krijgen. Haar zoon had haar eigen besmette bloed in zich, het bloed van een reeks tovenaars; maar hij was ook de zoon van Colum van Zeven Wateren, en kon met recht aanspraak maken op de túath. Toen wij veilig uit de weg waren, was hij de erfgenaam. Met hem als haar pion en gebruik makend van haar toverkunsten had ze het lot van koningen kunnen beïnvloeden, Liadan.'

'Ik weet dat u hem in de nemetons hebt grootgebracht,' zei ik. 'Uw vader vond hem en haalde hem weg bij zijn moeder, en u bracht hem groot als druïde. Dat kan ik begrijpen; maar waarom vertelde u hem de waarheid niet? Waarom wachtte u tot het zo laat was dat het hem bijna kapot heeft gemaakt?'

'Mijn vader zag het als zijn taak om Ciarán te vinden en hem mee naar huis te nemen,' zei Conor zacht. 'Zo iemand als vrouwe Oonagh heeft niet veel op met een jong kind; ze wilde waarschijnlijk wachten tot hij oud genoeg was om onderricht te worden, om daarna een tovenaar van hem te maken. Daarom bracht ze de jongen onder bij mensen die haar onschadelijk leken: een kinderloos echtpaar in het zuiden, dat maar al te blij was met een zak zilver in ruil voor de verzorging van een klein jongetje. Hun huisje lag op een afgelegen plaats, verborgen in de diepe plooien van een beboste vallei. De tovenares dacht dat ze haar zoon daar veilig een tijdlang kon achterlaten. Ze had echter geen rekening gehouden met de vastberadenheid van mijn vader. Ciarán werd dus gevonden en mee naar huis genomen, naar het woud. De jongen is opgevoed in de leer; in de rust en discipline van het heilige bos. Ook heer Colum sleet daar de dagen van zijn ouderdom in contemplatie en studie, en hij is een goede dood gestorven. Ciarán was als een zoon voor mij, Liadan; een fijne jongeman, diepzinnig, verstandig, opmerkzaam; hij leerde snel en had een grote zelfdiscipline. Hij bezat alle eigenschappen die men zou verlangen in een toekomstige leider van onze broederschap. Ik was heel zeker van mijn zaak. Heel zeker dat ik haar werk ongedaan kon maken, en van dit kind een man kon maken die de weg van het licht zou volgen, standvastig, zeker in zijn geloof, altijd toegewijd aan de mysteriën. We vertelden aan niemand wie hij was. Behalve ik en mijn vader wisten alleen mijn broers en zuster van zijn bestaan. Ik koos ervoor zijn afstamming niet aan hem bekend te maken. Het is niet goed een opgroeiende jongen te belasten met een dergelijke donkere waarheid. In plaats daarvan was hij gewoon een van de onzen. Hij behoorde in elk opzicht tot de wijzen.'

'Maar toch was dat niet zo,' zei ik. Ik zag Conors verdriet in zijn ogen, hoewel zijn stem zoals altijd diep en vast was. 'Want de zoon van een tovenares kan natuurlijk nooit een druïde worden.' Conor was krijtwit. 'Ik had me vreselijk vergist. De jongen heeft het bloed van zijn moeder in zijn aderen, en na verloop van tijd kwam dat tot uiting. Ik had gedacht dat ik het kon uitbannen. Ik bracht hem op Zeven Wateren. Hij verlangde ernaar eens buiten de nemetons te kunnen kijken, en hij had zich waardig betoond om bij de Imbolc-ceremonie te assisteren. Het leek me zo veilig dat ik nooit had gedacht dat hij in de verleiding zou komen... nooit gedacht... maar ik heb daarmee het kwaad weer over ons afgeroepen. Hij hoefde Niamh maar te aanschouwen, of de hand van vrouwe Oonagh begon zich weer in ons leven te mengen. Via haar zoon begon ze opnieuw haar vernietigende wil uit te oefenen op onze familie en op de mensen die wij behoeden en beschermen. Er was geen andere keus, Liadan. Die avond hebben wij de zaak besproken; Liam, ik en je vader. Ik heb een beslissing genomen. Ik liet hen beloven te zwijgen. We zagen hoe dit Sorcha aangreep; hoe ze vreesde voor haar kinderen, dat zij op hun beurt met de kwaadaardige invloed van de tovenares geconfronteerd zouden worden. We hielden jullie erbuiten. We vonden het beter als Niamh niet de volledige waarheid wist over de zonde die ze had begaan. Als ze niet onder die schuld gebukt ging, zo redeneerden we, zou ze wellicht beter in staat zijn dit achter zich te laten en opnieuw te beginnen. Ze deed een goed huwelijk; ze was ver weg, ergens waar haar niets kon overkomen. Wat Sean betreft, niemand wilde dat hij met het zwaard in de hand wegstormde om op de een of andere manier genoegdoening te verkrijgen van Ciarán. Sean was bestemd om een leider te worden, net zo evenwichtig en verstandig als zijn oom en zijn vader. Het was beter dat hij het niet wist. En als hij het niet mocht weten, konden we het moeilijk aan jou vertellen.'

'En Ciarán dan?' vroeg ik boos. 'Want naar mijn gevoel is hij nog het allerslechtst behandeld. Zijn hele leven is een leugen geweest.'

'We hebben hem die avond de waarheid verteld.' Conors stem leek die van een oude man, vermoeid en bedroefd. 'Ik kon hem niet minder aanbieden. Wat Niamh en hij hadden gedaan was een schanddaad, tegen de wetten van de natuur.'

'Ze deden het in hun onschuld.' Mijn stem beefde heftig.

'Dat geef ik toe,' zei hij ernstig. 'Niettemin was het verboden, en het kon beslist niet door een huwelijk bevestigd worden. Het was voor Niamh het beste om te trouwen en opnieuw te beginnen. Wat Ciarán betreft, hij koos zijn eigen weg. Daarin zag ik de invloed van zijn moeder, die zich weer over ons uitstrekte.'

Ik keek omhoog naar Fiacha, die boven op een meidoornhaag zat en zijn veren poetste. Eindelijk had mijn oom me de waarheid verteld. Maar het was overduidelijk dat ik niet hetzelfde kon doen. Nu niet, en misschien wel nooit.

'Weet u waar Ciarán heen ging, nadat hij van Zeven Wateren wegvluchtte?' vroeg ik voorzichtig. 'Denkt u dat vrouwe Oonagh nog leeft en dat hij naar haar op zoek is gegaan?'

'Sommige dingen lijken te verschrikkelijk om hardop te worden uitgesproken. Het is mogelijk, ja. Wat betreft de wijze waarop hij haar zou hopen te bereiken, daar bestaan methoden voor. Ciarán is daar bedreven in; hij zou zo'n reis kunnen proberen zonder toezicht, al is dat niet verstandig. Ik heb niets meer van hem gehoord sinds hij hier weg is gegaan, Liadan.'

'U hebt hem weggestuurd terwijl u wist dat hij zoiets zou kunnen proberen?'

'Ik heb hem niet weggestuurd. Hij had bij ons kunnen blijven. Hij was... hij was een uitstekende leerling, tot grote dingen in staat; zeer bedreven in de kunsten van de geest en in de magische kunst. Hij hoefde niet bij ons weg te gaan. De bedreiging die zijn afstamming vormde, had zelfs veel beter bestreden kunnen worden binnen de omsluiting van de heilige cirkel en van onze gemeenschap. Hij verkoos te gaan. Hij verkoos dat achter zich te laten. Ik heb gefaald, Liadan. Ik heb gefaald jegens hem, en uiteindelijk ook jegens mijn familie.'

'U hebt een keer tegen me gezegd,' zei ik, 'dat ik me niet schuldig moest voelen, omdat de dingen zich nu eenmaal zo ontplooien als ze moeten. Dat is lang geleden; toen dit allemaal pas begonnen was. Nu hoor ik u zeggen dat het eigenlijk uw schuld is. Misschien vergist u zich daarin. Misschien maakt het allemaal deel uit van een of ander patroon, een patroon dat zo groot is dat wij er niet meer van kunnen zien dan het kleine stukje waar we zelf in zitten. Dat zeiden de Feeën tegen mij. Dat wij het niet konden begrijpen en dat onze keuzes dus gebrekkig waren. Het lijkt soms alsof we niet meer dan marionetten zijn die zij manipuleren zoals het hun uitkomt. Maar ik denk dat wij meer macht hebben dan zij willen erkennen; waarom zouden ze zich er anders zo druk over maken of ik de ene weg kies of de andere? Waarom vinden ze het anders zo belangrijk dat Johnny veilig is? Misschien kan de profetie toch alleen door kleine mensen zoals wij in vervulling gaan, ongeacht wat ze ons vertellen.'

'Het is uiteindelijk toch ook door menselijke kracht en volharding geweest,' zei Conor zacht, 'dat de betovering van vrouwe Oonagh de vorige keer is verbroken, en niet door een machtige ingreep van de Túatha Dé. Zeg je soms dat ik me misschien vergis in Ciarán?'

'Uit wat u zegt, maak ik op dat hij noch zwak, noch onwetend is. Ondanks zijn boosheid is hij ongetwijfeld een jongeman die zijn keuzes zorgvuldig zal afwegen, en die dat ook goed kan. Ik kan niet geloven dat hij, omdat hij haar zoon is, in zijn leven onvermijdelijk kwaad moet doen. Als dat zo zou zijn, zou dat betekenen dat we helemaal geen keus hebben in wat we doen, in hoe we leven. Dat geloof ik niet, oom. Misschien is er voor ons maar een korte tijd weggelegd in deze wereld, zoals de Feeën zeggen; misschien is ons gezichtsveld enigszins beperkt. Maar binnen die beperkingen hebben we wel degelijk de macht om dingen te veranderen; de macht om keuzes te maken en te gaan waarheen we moeten gaan. Als ik iets over mezelf heb geleerd, is het wel dat ik geen werktuig wens te zijn van de een of andere heer of vrouwe, dat ik niet naar hun pijpen wens te dansen. Niet als mijn hart me een andere weg wil laten volgen. U hebt Ciarán opgevoed om evenwichtig en verstandig te zijn. Dat draagt hij evengoed in zich als het bloed van de tovenares. Wat u hem in die lange jaren van zijn opleiding met zoveel liefde hebt bijgebracht, heeft hem sterk gemaakt. Misschien is hij sterker dan u denkt.'

We spraken hierna niet meer over deze dingen, en na verloop van tijd, toen de zomer was overgegaan in de herfst, toen Johnny zelfstandig kon zitten en zich kon voortbewegen door middel van een vreemde, halfkruipende, halfzwemmende beweging, vertrok Conor, gevolgd door zijn zwijgende, in witte gewaden gehulde broeders. Hij zei tegen mij niets anders dan: 'Zorg dat hij veilig is, Liadan. Omwille van ons allemaal, zorg dat hij veilig is.'

HOOFDSTUK DERTIEN

Er was geen bericht gekomen van Eamonn, alleen een escorte om zijn zuster naar huis te begeleiden. Ik was daar diep dankbaar voor, want ons laatste gesprek stond diep in mijn geest gegrift, evenals de herinnering aan zijn kus. Tegen de herfst was ik in staat mezelf met enige overtuiging voor te houden dat hij blijkbaar eindelijk had geaccepteerd dat mijn antwoord nee was en dat hij had besloten door te gaan met zijn leven. Het speet me als mijn beslissing de situatie voor Sean of voor Liam moeilijk had gemaakt, omdat hun banden met Eamonn van levensbelang waren, niet alleen voor hun gezamenlijke verdediging, maar ook voor het welslagen van een eventuele aanval op Northwoods. Beiden hadden opmerkingen gemaakt over het uitblijven van bericht van Eamonn. Maar het was nog vroeg. Na verloop van tijd zou het bondgenootschap weer even sterk zijn als altijd, want Aisling zou immers komende lente met mijn broer trouwen? Dat zou veel wonden helen.

Op een warme middag kort voor Méan Fómhair, toen de oogst bijna binnen was en de appels rijp blozend in de boomgaard hingen, nam ik mijn zoon mee naar een afgezonderd gedeelte van de oever van het meer. Hier hing de franje van wilgenloof bijna tot op het water, en de bocht van de oever gaf zowel beschutting als intimiteit. Het was een prachtige dag; het oppervlak van het meer glinsterde van het licht, en het bos begon zich al te hullen in herfsttinten, een baan van oranje, rood en geel rond het sombere groen van de dennen die de heuveltoppen bekroonden. Als kind hadden we hier gelukkige dagen doorgebracht met zwemmen en duiken, in bomen klimmen en het bedenken van talloze nieuwe avontuurlijke spelletjes. Nu liet ik mijn zoontje naakt zijn gang gaan op het zand, waarop hij vreemde patronen maakte met zijn pasgeleerde halfkruipende gang. En later kleedde ik mezelf uit tot op mijn hemd en nam hem mee in het water; ik vertrouwde erop dat de oogstwerkzaamheden ervoor zouden zorgen dat we niet gestoord werden. Johnny lachte van pret en liet zijn twee nieuwe tandjes zien toen hij het koele water op zijn huidje voelde. Ik liet hem voorzichtig op en neer gaan in het water, zodat het een beetje spetterde.

'Volgend jaar om deze tijd zal ik je echt zwemmen leren,' zei ik tegen hem. 'Dan zul je op een mooie zalm lijken, of misschien op een zeehond. Dan gaan ze natuurlijk tegen me zeggen dat je vader een meerman was, of een selkie.'

We speelden net zolang tot hij moe werd, waarna ik hem op zijn bonte dekentje te rusten legde in de schaduw van de wilgen. Hij sliep niet echt, maar leek tevreden daar een tijdje te liggen en omhoog te kijken naar het ingewikkelde patroon van licht en schaduw dat de langwerpige blaadjes vormden. Hij brabbelde zacht tegen zichzelf in een babytaaltje dat ik niet goed kon verstaan. Fiacha zat vlakbij in de takken te kijken. Hij had zich zorgen gemaakt toen we in het water waren; hij fladderde bezorgd krassend boven ons of stapte langs de rand van het water, waar zijn kleine, keurige pootafdrukken nog in het zand stonden. Nu was hij stil. Ik ging het water weer in en zwom, waarbij ik van tijd tot tijd opkeek om te zien of Johnny nog op zijn dekentje lag. Ik dook onder water om de koelte over mijn gezicht te laten spoelen en dook vervolgens weer op om mijn haar uit te schudden met een wolk druppeltjes. Het was een goed gevoel, alsof ik in de krachtige omhelzing van het water gedurende korte tijd de complicaties van mijn leven en de beslissingen die voor me lagen, kon vergeten; alsof ik geheimen, dubbelhartigheden en gevaren kon vergeten en weer kon genieten van de onschuldige vrijheid van het kind-zijn.

Na enige tijd kreeg ik het koud en begon terug te waden naar het strand. Op het dekentje lag Johnny te slapen. Straks zou hij honger hebben. Ik stond tot aan mijn knieën in het water en wrong mijn haren uit. Er was geen geluid, geen beweging. Maar er was iets waardoor ik opkeek. Ik voelde dat de haartjes in mijn nek overeind gingen staan en ik wist dat er iemand naar me keek.

Onder de wilgen, zo roerloos alsof hij zelf deel uitmaakte van het bos, stond een man. Als je hem niet kende, zou je gedacht hebben dat het ingewikkelde patroon dat zijn gezicht tekende gezichtsbedrog was, veroorzaakt door het licht, door de zon die tussen wilgentakjes door speelde. Hij was heel eenvoudig gekleed, in onopvallend grijs en bruin, geschikte kledij voor een man die zich ongezien door bebost terrein wil voortbewegen. Als hij een wapen droeg, zag ik het niet. Het leek erop dat de Beschilderde Man het mystieke woud van Zeven Wateren al evenmin een uitdaging vond als de moerassen van Sídhe Dubh. Of misschien had men hem toegestaan er binnen te komen.

Hij bewoog niet. Het was duidelijk dat ik uit het water zou moeten komen met alleen mijn druipnatte hemd aan, en dat ik iets zou moeten bedenken om te zeggen. Ik waadde naar het strand en probeerde een waardige houding aan te nemen, maar dat valt niet mee als je moet bukken om je rok uit te wringen, als je armen en schouders bloot zijn en je borst ook half ontbloot is, en je voeten onder het zand zitten en er nergens een kam of een spiegel te bekennen is. Ik bereikte de plek op het grasveld boven het strandje waar mijn jurk en omslagdoek lagen, maar hij was er eerder. Achter ons, aan de andere kant onder de wilgen, lag het kind nog steeds te slapen.

Bran had mijn omslagdoek gepakt en hij stak zijn armen uit om hem om mijn schouders te hangen. Nog steeds had ik niets bedacht om te zeggen. Ik kon amper ademhalen, laat staan iets zinnigs uitbrengen. De omslagdoek viel op de grond en zijn armen kwamen om me heen, en ik sloeg de mijne om hem heen. Ik voelde zijn lippen op de mijne; ze raakten me zacht aan in een kus zo teder dat ik bijna moest huilen. Hij legde zijn handen aan weerskanten van mijn gezicht en zijn duimen gingen langzaam over mijn slapen en wangen, alsof hij niet goed kon geloven dat hij me echt in zijn armen hield. De hongerige uitdrukking in zijn ogen was in tegenspraak met de ingehouden aanraking.

'O, Liadan,' zei hij binnensmonds. 'O, Liadan.'

'Je bent ongedeerd,' bracht ik uit, terwijl mijn vingers zacht over zijn nek streken en mijn hart snel bonsde. 'Ik durfde niet te hopen... maar je zou hier niet moeten zijn, Bran. Liams mannen bewaken me. En hij denkt nog steeds... ik heb hem niet de waarheid verteld over mijn zuster en hoe je haar hebt geholpen. Ik ben je veel verschuldigd voor wat je gedaan hebt.'

'Nee hoor,' zei hij zacht. 'Je hebt immers betaald, weet je nog? Kom nu, laten we ons nog even volgens de regel gedragen, voor we onszelf helemaal niet meer kunnen beheersen. Kom hier bij me zitten.'

Toen bukte hij zich om de omslagdoek op te rapen en hem om mijn schouders te hangen.

'En nu,' zei hij, terwijl hij diep inademde, 'moeten we gaan zitten, met drie passen tussenruimte, dan zal ik je op de hoogte brengen.'

'Ik weet dat mijn zus in veiligheid is,' zei ik, en ik ging zitten zoals hij had gezegd. Hij ging zelf op het gras zitten, een klein eindje van me af. 'Er is... een boodschapper gekomen, op de dag dat mijn moeder stierf.'

'Ah zo. Je moeder... dat zal je verdriet hebben gedaan.'

Ik knikte, want ik vond het nog steeds moeilijk om te spreken, te ademen, om normaal na te denken.

'Er is nog meer nieuws dat je zal interesseren,' vervolgde Bran. 'Nieuws dat ik op weg hierheen heb vernomen en dat je oom of je broer misschien nog niet ter ore is gekomen. Uí Néill is dood. In zijn slaap gewurgd toen hij kampeerde bij de pas naar het noorden. Dit is al een tijd geleden gebeurd, voor midzomer, hoorde ik. Ze hebben het stil gehouden; er zijn strategische redenen om het niet bekend te maken. De dader is niet gevonden. Die is in de nacht gevlucht, en het lichaam werd pas gevonden toen het dag werd. Het moet een man met sterke handen zijn geweest, een man die zich onhoorbaar door het bos kon verplaatsen.'

In mijn hoofd doemden onmiddellijk mogelijkheden op waar ik van schrok. 'Dat moet wel, ja,' fluisterde ik.

'Is het mogelijk dat iemand van je familieleden de waarheid wist? Iemand die er niet voor terugschrok hem te straffen voor wat hij je zuster heeft aangedaan?'

'Ik denk dat Sean misschien de waarheid heeft geraden,' zei ik langzaam. 'Maar hij is na de dood van mijn moeder hier op Zeven Wateren gebleven.'

'Heb je het dan aan niemand verteld?'

'Het lijkt of dat je verbaast. Maar dat heb je me zelf opgedragen. Is het een slag voor je, dat een vrouw zoveel wilskracht kan tonen?'
'Zeker niet. Ik begin te beseffen dat ik jou niet domweg in de categorie vrouw kan indelen. Jij bent in alle opzichten jezelf.'
'Toch heb ik hun later wel de waarheid verteld. Mijn vader en Sorcha. Ik kon haar niet laten sterven in de overtuiging dat Niamh dood was. Ik heb hun verteld wat je voor me hebt gedaan.'
We bleven zwijgend zitten, en ik dacht na over de verbijsterende mogelijkheid dat de Grote Man, die alles wat groeide met zoveel zorg vertroetelde, de scheidsrechter bij elk geschil, zijn grote handen om de nek van Fionn Uí Néill kon hebben gelegd en het leven uit hem kon hebben geperst.
'Ik zou me er maar niet druk over maken,' zei Bran zonder nadruk. 'Zoals veel andere heimelijke moorden zal deze waarschijnlijk worden toegeschreven aan de bende van de Beschilderde Man. We hebben al zoveel wandaden op ons conto, dat eentje meer niets uitmaakt. Je vader heeft nu tenminste een stap gezet om zijn zwakheid in het verleden te compenseren.'
Ik keek hem meesmuilend aan. 'Moet een man dan moorden en verminken om jouw respect te verdienen?'
Hij keek me neutraal aan. 'Een man, of een vrouw, moet op zijn minst in staat zijn verstandige beslissingen te nemen, en zich daaraan te houden. Als een man verantwoordelijkheden heeft, mag hij ze niet zomaar, op grond van een gril, van zich af zetten. Als hij kiest voor een bepaald grondgebied, een bepaalde familie en een bepaalde gemeenschap, moet hij die last levenslang op zich nemen en hem niet afwerpen om een vrouw te volgen die op zijn pad is gekomen en hem verblind heeft.'
Ik zuchtte. 'Ik wou dat je mijn moeder had kunnen ontmoeten. Je zou maar één keer met haar gesproken hoeven te hebben om je mening totaal te herzien. En wat mijn vader betreft, hij heeft een moeilijke keus gemaakt toen hij hierheen kwam om bij haar te zijn. Hij heeft zich niet aan de verantwoordelijkheid onttrokken; hij heeft alleen die last, zoals je het noemt, verruild voor een andere. Ze had hem nodig, Bran. Ze had hem net zo nodig als...'
Mijn stem brak en ik sprak de woorden niet uit. *Als ik jou nodig heb*. Ik wilde het niet zeggen.
We bleven een tijdje zwijgend zitten, en toen zei hij: 'Ik kan niet

lang blijven. Ik moet met je broer spreken, want mijn opdracht is nog maar voor de helft vervuld. Zijn er nog meer vrouwen in de buurt, of ben je hier helemaal alleen?'

'We zullen waarschijnlijk niet gestoord worden. Waarom vraag je dat?'

'Ik... ik had me voorgenomen me in te houden wanneer ik je eindelijk terug zou zien, maar ik...'

De rest van zijn woorden ging verloren, want plotseling hadden we onze armen om elkaar heen. Onze lichamen drukten zich tegen elkaar aan en een vloedgolf van opgekropt verlangen stroomde door ons heen, want hij was niet langer tegen te houden. En o, het was heerlijk, de hardheid van zijn lichaam tegen me aan te voelen, de dringende aanraking van zijn handen door de vochtige stof van mijn hemd heen. Alles vervaagde op dat gevoel na. Het was alsof er geen man, geen vrouw was, hier op het strandje onder de wilgen, geen Bran, geen Liadan, alleen twee helften van iets wat gebroken was en dat nu eindelijk, vanzelfsprekend weer aaneen moest worden gevoegd. Ik zuchtte en trok hem dichter tegen me aan. Hij fluisterde iets en bewoog zacht, en ik hijgde. Toen hoorde ik gehuil van de andere kant van de kleine baai en gekras vanaf de tak boven ons, en we bewogen niet meer. Het gehuil werd luider en we gingen uiteen. We stonden op, en ik liep naar mijn zoon om hem in mijn armen te nemen, terwijl Bran bewegingloos op het gras stond. Hij was erg bleek geworden.

'Het spijt me,' zei ik dwaas. 'Op deze leeftijd kunnen ze niet wachten met eten.' Want mijn zoon had honger en hij maakte zich boos. Er zat niets anders op dan daar voor Brans ogen te gaan zitten, mijn hemd naar beneden te trekken en hem de borst te geven. Het gehuil hield onmiddellijk op toen hij begon te drinken, en ook de raaf hield zijn snavel, boven ons op zijn tak. Fiacha had me niet gewaarschuwd voor Brans komst. Dat was een vreemde nalatigheid voor zo'n goede waakhond.

Bran stond nog steeds op dezelfde plaats. Hij gaapte ons aan; zijn ogen leken geschokt, de uitdrukking op zijn gezicht was weer afstandelijk, als een masker.

'Je hebt er kennelijk geen gras over laten groeien,' merkte hij op. 'Waarom heb je hier daarnet niets over gezegd? Wat was dat voor spelletje?'

De herinnering aan een soortgelijk gesprek kwam pijnlijk terug-
vloeien en tranen van gekwetstheid en verontwaardiging prikten
in mijn ogen.

'Hoe bedoel je, dat ik er geen gras over heb laten groeien?' fluisterde ik boos.

'Mijn verspieders doen het meestal beter. Niemand heeft de moeite genomen me te zeggen dat je gehuwd was en een kind had. Ik
ben een idioot geweest om hier terug te komen.'

Ik wist niet of ik in waanzinnig lachen of in beledigde tranen moest
uitbarsten. Hoe kon een man die de naam had de moeilijkste opdrachten te kunnen uitvoeren, zo ongelooflijk dom zijn?

'Ik dacht dat je gekomen was om mijn broer te spreken,' zei ik
beverig.

'Dat is ook waar. Ik heb niet tegen je gelogen. Maar ik dacht
ook... ik hoopte ook... ik heb je kennelijk verkeerd beoordeeld.
Dat je ooit... ik kan niet geloven dat ik mezelf voor de tweede
keer zo heb laten beetnemen.'

'Inderdaad,' zei ik, 'je beoordelingsvermogen is bedroevend slecht
geworden als je gelooft dat ik tot zoiets in staat ben. Dan zou ik
niet beter zijn dan een vrouw van de straat, die zich geeft aan iedere man die erom vraagt.'

Ondanks zichzelf was hij weer dichterbij gekomen en hurkte nu
vlakbij neer. Hij leek zijn ogen niet te kunnen afhouden van de
baby aan mijn borst.

'Ik neem aan dat ze een passende echtgenoot voor je hebben gevonden, net als voor je zuster,' zei hij op sombere toon. 'Je bent
tenminste niet met die kerel, die Eamonn Dubh getrouwd. Ik heb
hem goed in de gaten gehouden; dat zou ik toch zeker geweten
hebben. Van welk clanhoofd heeft je familie een zoon voor je uitgezocht, Liadan? Ontdekte je, nadat je met mij had geslapen, dat
je het lekker vond en niet langer kon wachten op het huwelijks-
bed?'

'Als ik hier niet met het kind zat, zou de afdruk van mijn hand
op je gezicht staan voor die opmerking,' zei ik, terwijl ik mijn
zoon naar de andere borst verplaatste. 'Je hebt kennelijk nog niet
geleerd te vertrouwen.'

'Hoe zou ik ook kunnen, hierna?' mompelde hij.

'Je vooroordelen maken je blind voor de waarheid,' zei ik zo kalm mogelijk. Heb je je niet afgevraagd waarom ik nog hier op Zeven Wateren ben, in plaats van bij mijn echtgenoot?'

'Ik zou er geen gooi naar durven doen,' zei hij dof. 'Die familie van jou schijnt er geheel eigen regels op na te houden.'

'Dat moet jij vooral zeggen.' De pokken mocht hij krijgen, die man; hij verdiende het nauwelijks dat ik hem de waarheid vertelde. Hoe kon hij me zo verkeerd inschatten?

'Je kunt het me beter vertellen, Liadan. Wie is hij? Wie is je echtgenoot?'

Ik haalde diep adem. 'Ik ben hier gebleven omdat ik geen echtgenoot heb. Niet dat het ontbrak aan aanzoeken. Ja, ik heb de kans gekregen om te huwen, maar ik heb hem afgewezen. Ik wilde niet dat jouw zoon de naam van een andere man zou dragen.'

Het werd volkomen stil, afgezien van de geluidjes die het kind maakte met zuigen en slikken. Hij kon intussen goed drinken, en niet veel later had hij zijn buikje vol gedronken en wurmde zich uit mijn armen om weer op onderzoek uit te gaan. Hij kroop zo'n beetje naar Bran toe en legde zijn handje op de lange, getekende vingers, die hij kennelijk geboeid bekeek.

'Wat zei je daar?' Bran zat doodstil, alsof hij niet durfde te bewegen, omdat anders de wereld om hem heen zou instorten.

'Ik denk dat je me wel hebt verstaan. Het is jouw kind, Bran. Ik heb je een keer gezegd dat ik geen andere man wilde dan jou, en ik heb nooit tegen je gelogen, en dat zal ik ook nooit doen.'

'Hoe weet je dat zo zeker?'

'Aangezien ik maar met één man heb geslapen, en dat ook nog alleen die ene nacht, lijkt het me dat er geen twijfel mogelijk is. Of ben je soms vergeten wat er tussen ons is gebeurd?'

'Nee, Liadan.' Hij bewoog zijn vingers een klein eindje over het gras en Johnny ging plotseling zitten, met een verbaasd geluidje. Hij keek op naar zijn vader, en zijn grijze oogjes weerspiegelden de angstige fascinatie die in Brans ogen te zien was. 'Ik ben het niet vergeten. Zo'n nacht en zo'n ochtend blijven me bij, ongeacht wat erna komt. Maar dit… dit kan ik niet geloven. Ik denk dat ik droom. Het is natuurlijk een hersenschim van mijn verbeelding.'

'Het voelde niet bepaald als een hersenschim, toen ik van hem beviel,' zei ik droog. Hij keek me aan, met een erg grimmige trek om zijn mond. 'Waarom heb je het me niet verteld? Hoe kon je het voor me verzwijgen?'

'Ik had het bijna gezegd, toen ik je zag op Sídhe Dubh. Maar dat was geen geschikt moment, en bovendien vind ik dat je al meer dan je deel aan lasten draagt. Ik wilde er niet nog een aan toevoegen. En toch had ik zo graag gewild dat je erbij was. Ik wilde zo vreselijk graag dat je hier was, om dat moment van vreugde mee te beleven, toen onze zoon ter wereld kwam.'

Er viel weer een stilte. Johnny had genoeg van de hand en kroop weg naar het zandstrandje. Bran keek naar hem, en in zijn ogen lag een uitdrukking die mijn hart deed omdraaien. Maar toen hij eindelijk iets zei, had hij zijn stem onder controle.

'Je weet wat ik ben. Je weet wat voor leven ik leid. Ik ben niet de geschikte man om vader of echtgenoot te zijn. Zoals je zelf hebt gezegd, heb ik geen vak behalve moorden. Ik zou niet graag zien dat mijn zoon net zo iemand wordt als ik. Hij is beter af zonder mij, en jij bent dat ook. Je familie zal ik wel nooit begrijpen, maar ook al heeft je vader fouten gemaakt, ik weet dat je broer een goede man is, die goed in staat is je te beschermen en je te onderhouden. Dit moet dan maar ons afscheid zijn, Liadan. Ik kan niet de man worden die jij nodig hebt. Ik ben... besmet, gebrekkig. Het is beter als dit kind nooit te weten komt wie zijn vader is.'

Ik kon nauwelijks spreken. 'Je wilt dus het verhaal van Cú Chulainn en Conlai naspelen?'

'Een zeer droevig verhaal,' zei hij zacht. 'Volgens mij is dit precies zo'n verhaal.'

We zaten stil naar de baby te kijken, die zich over het zand voortbewoog met een vastberadenheid waar de beheersing over zijn ledematen soms bij achterbleef. Dan begon hij te wankelen op zijn handjes en knietjes, en kapseisde, en krabbelde weer overeind.

'Ik had het mis, dat zie ik nu wel in,' merkte Bran na een poos op. 'Toen ik dit een last noemde. Het is geen last, maar een geschenk van onschatbare waarde. Zo'n geschenk mag niet verspild worden aan een man zoals ik.'

'Ah,' zei ik zacht. 'Maar geschenken krijg je aangereikt. We hebben beiden een geschenk gekregen, de nacht dat we met elkaar hebben geslapen. Je zoon veroordeelt je niet, en ik ook niet. Voor hem ben jij een onbeschreven bladzijde, waar vanaf vandaag al-

437

les op geschreven zou kunnen worden. En ik, ik heb je nooit gevraagd te veranderen. Je bent wat je bent. Ik heb sterke handen, Bran. Ik heb in de donkerste nachten voor je gewaakt. Bij nieuwe maan brandde mijn kaars om jouw weg te verlichten. Jij wilt dit geschenk misschien liever weigeren, maar ik zal er niet zo gemakkelijk afstand van doen. Ik draag je in mijn hart, of je het wilt of niet.'

Hij knikte. 'Dat wist ik, zonder het te begrijpen. Het gebeurde soms dat ik dacht dat ik je zag, daar in het donker. Maar ik deed het af als een zwakheid van de geest. Liadan, je moet je niet zo binden. Je verdient beter, veel beter. Een eervol, zinvol leven, een man voor wie je je niet hoeft te schamen als je naast hem loopt. Mijn wereld bestaat uit gevaar en vlucht, uit schaduwen en je verbergen. Dat zal niet veranderen. Ik zou jou of het... of mijn zoon zo'n bestaan niet willen aandoen.'

'Als je geen toekomst kunt zien waarin wij samen zijn, waarom ben je dan naar me toe gekomen?' vroeg ik hem op de man af. 'Waarom voer je niet domweg je bespreking met Sean, en vertrek je even ongemerkt als je gekomen bent? Je hebt me een keer gevraagd met je mee te gaan. Dat heb je misschien vergeten. Je veranderde van gedachten toen je mijn naam hoorde. En toch laat je je door mijn broer betalen. Wat is de prijs, voor deze opdracht? Waarom werk je voor de zoon van Zeven Wateren, terwijl je de dochter hebt afgewezen? Het klopt niet.'

'Ik neem aan,' zei hij op vermoeide toon, 'dat het zoiets is als het net waarin je moeder Hugh van Harrowfield ving, dat hem zwak van verlangen maakte, zodat hij zijn plicht verzaakte om haar te volgen. Ik merk dat alleen al de gedachte aan jou mij dingen laat doen en zeggen die me zelf verbazen. Mijn behoefte aan jou tast mijn beoordelingsvermogen aan. Ik heb een keer tegen je gezegd dat het vertellen van verhalen gevaarlijk was, omdat mannen daardoor naar dingen gaan verlangen die ze niet kunnen krijgen. Sinds ik jou heb leren kennen, word ik gekweld door visioenen van een ander bestaan, een leven waarin ik niet alleen zou zijn. Maar een man als ik moet alleen blijven. Vriendschap sluiten met zo'n man, je... je verbinden aan zo'n man, is vroeg of laat een doodvonnis. Je moet verder gaan zonder mij, Liadan.'

Ik voelde een vreselijke pijn in mijn hart, maar ik probeerde mijn stem luchtig te laten klinken. 'Vind je dus dat ik met Eamonn had moeten trouwen, toen hij het me vroeg?' zei ik met opgetrokken wenkbrauwen. 'Hij heeft het me gevraagd, meermalen. Zelfs toen het kind al geboren was, wilde hij dat ik zijn vrouw zou worden, en hij wilde eigenlijk geen genoegen nemen met mijn weigering.'

'Wat?' Hij sprong verontwaardigd overeind. 'Die man had mijn vrouw en mijn kind willen inpikken? Een man wiens vader een verrader was van het ergste soort? Bij alle machten in de hel, ik had hem moeten kelen toen ik de kans had.' Opeens veranderde zijn stem: 'Is het de bedoeling dat hij dat opeet?' vroeg hij met zijn blik gericht op het kind.

De baby had een dik, wriemelend insect op het zand ontdekt, en had het in zijn knuistje te pakken gekregen. Nu bracht hij het kronkelende hapje naar zijn mond.

'Nee, Johnny!' riep ik, en liep erheen om het beest uit zijn handje te bevrijden en hem vlug af te leiden door van zand puddinkjes te maken, terwijl het insect ervandoor ging.

Achter ons was Bran plotseling stil geworden. En toen zei hij: 'Wát zei je daar?' en het werd me duidelijk dat de intuïtie van mijn moeder het weer precies goed had gehad.

'Ik noemde mijn zoon bij zijn naam.'

'Waarom heb je die naam gekozen voor het kind?'

'Hij is genoemd naar zijn vader, en naar de vader van zijn vader, een zeldzaam integere man,' zei ik kalm, terwijl mijn handen nog bezig waren van vochtig zand een klein kasteel te vormen. Zodra ik het af had, stak Johnny zijn handje uit en sloopte mijn bouwwerk.

'Maar... hoe kon je dat weten? Deze naam... deze naam is in zoveel jaren niet uitgesproken dat ik hem zelf bijna vergeten was.' Ik hoorde een donker verdriet in zijn stem waar ik koud van werd. 'In het huis Zeven Wateren is de naam John niet onuitgesproken gebleven,' zei ik ernstig. 'Jouw vader was de beste vriend van mijn vader. Ze zijn samen opgegroeid. Mijn vader heeft gezegd dat het een bron van vreugde voor hem is dat zijn kleinzoon ook Johns kleinzoon is.'

'Hoe kan hij dat weten? Ik draag mijn vaders naam niet. Nu niet meer. Hij is dood. Hij was al dood voor ik hem kon kennen, omgekomen bij het verdedigen van je moeder, toen ze zich met de

439

zaken van Harrowfield kwam bemoeien en heer Hugh kwam weg-
lokken van zijn verantwoordelijkheden. Misschien was mijn vader een goede man, zoals je zegt. Ik heb nooit de kans gekregen
om dat uit te zoeken.'

Ik zuchtte. 'Het is duidelijk dat degene die je dit verhaal vertelde,
er een bepaalde visie op had. Misschien was je te jong om te zien
dat het misschien niet de hele waarheid was. Wie heeft je dit verhaal verteld?'

Zijn gezicht had opeens een nietszeggende uitdrukking. 'Daar zeg
ik niets over.'

'Het zou misschien beter voor je zijn als je er wel iets over zei,'
zei ik voorzichtig. 'Je zou het aan mij kunnen vertellen.'

'Sommige dingen kunnen beter begraven blijven. Deze last is te
zwaar om hem met anderen te delen.'

'Misschien kan het gewicht alleen van je schouders worden genomen als je het met anderen deelt.'

'Ik kan het niet, Liadan.'

Na een tijdje zei ik: 'Ik heb geen antwoord gegeven op jouw vraag.
Ik zal je nog iets meer van jouw verhaal vertellen, het enige stuk
dat ik ervan ken. Zie je dat dekentje daar onder de bomen, waar
Johnny op lag te slapen? Breng het hier.'

Brans vingers gingen over het oppervlak van het dekentje dat ik
had gemaakt, betastten een lapje, nog een lapje.

'Dit is...'

Ik knikte. 'Ik heb de vrijheid genomen hier en daar iets aan je jas
te veranderen, zodat ik hem aan kon. Dit dekentje bevat de harten van mijn familie en verwarmt Johnny's slaap met hun liefde.
De rozenkleurige jurk van mijn zuster Niamh; de jurk waarin ik
paardreed; het oude hemd van mijn vader, met vlekken van het
boerenwerk. Jouw jas die over me heen lag toen ik onder de sterren sliep. En...'

Zijn vingers waren gestopt bij een lapje verbleekte blauwe stof
waar nog een fijn, oud borduursel op zat, een rank, een blaadje,
een klein, gevleugeld insect. Toen draaide hij zijn arm om en daar
zat datzelfde beestje, aan de binnenkant van de pols gegraveerd
met een naald en verschillende kleuren inkt. De allereerste tekening die hij had laten aanbrengen toen hij negen jaar was en besloten had dat hij een man was.

'Deze stof is afkomstig van een jurk die mijn moeder droeg en die ze als een kostbare schat bewaarde,' zei ik. 'Ze had een vriendin op Harrowfield, Johns vrouw Margery. Margery heeft deze jurk zelf gemaakt; ze was heel vaardig met naald en draad. Het was een geschenk aan mijn moeder, een geschenk uit liefde. Want toen Margery's zoontje werd geboren, zou hij gestorven zijn als mijn moeder zijn leven niet had gered door als vroedvrouw op te treden. Toen mijn eigen Johnny geboren werd, zei mijn moeder dat het weer net zo'n bevalling was, en de baby leek zo op die van toen dat het geen toeval kon zijn. Ze zei dat ze dacht te weten hoe zijn vader heette. Iubdan – heer Hugh – dacht dat ook. Ik wilde jou je naam teruggeven. Je ouders zouden niet willen dat je haat koesterde, Bran. Ze waren mijn moeder veel dank verschuldigd, en zij omgekeerd ook aan hen. Ze boden haar bescherming en liefde.'
'Dat kun je niet weten.' Zijn stem klonk somber.
'Ik wil dat je me iets vertelt. Je zei dat mijn broer een goede man is. Ik geloof dat je mij geen kwaad hart toedraagt, ook al praat je steeds over een web van betovering, en mijn zuster ook niet, want je hebt haar geholpen terwijl dat erg gevaarlijk was. Misschien zou je eens moeten denken aan de mogelijkheid dat Hugh van Harrowfield uit liefde en plichtsbesef handelde toen hij naar Zeven Wateren kwam. Hij is niet zomaar weggelopen, zonder ervoor te zorgen dat zijn mensen het goed hadden.'
'Je kunt het niet begrijpen. Het is beter dat je het niet begrijpt, dat je het nooit te weten komt.'
'Wat is er met je moeder gebeurd? Wat is er met Margery gebeurd?'
Stilte. De verwonding, of wat het ook was, zat te diep om zo te worden blootgelegd. Het was ver weggestopt.
'Ik wil je nog één ding vragen, en dan houd ik ermee op. Stel dat ik ergens op een gevaarlijke plek was met het kind, en dat je ons door iemand liet bewaken, bijvoorbeeld Meeuw of Slang? Stel dat we werden aangevallen en dat die bewaker daarbij omkwam? Zou je dan vinden dat je onredelijk was geweest door hem te vragen die taak te vervullen?'
'Hij zou niet omkomen. Mijn mannen zijn beter dan wie ook. Bovendien zou het niet zo gaan. Als jij en... en Johnny gevaar liepen, zou ik jullie zelf bewaken. Ik zou dat niet aan een ander over-

laten. De vraag is niet toepasselijk. Ik zou ervoor zorgen dat die situatie zich niet voordeed. Als ik... verantwoordelijk voor jou was, zou je nooit in een gevaarlijke positie worden gebracht.'

'Maar als het toch gebeurde?'

'Mijn mannen nemen dagelijks zulke risico's,' zei hij wat onwillig. 'Er gaan levens verloren, en ons werk gaat door. Dat is de reden waarom we geen vrouw, geen zonen hebben.'

'Mm,' zei ik. 'Maar jij hebt de regel intussen ten minste twee keer overtreden. Ga je dat tegen hen zeggen, als je teruggaat?'

Het bleef een tijd stil.

'Ik ga niet terug voor deze opdracht is volbracht,' zei hij. 'En ik heb de waarheid gesproken toen ik zei dat ik hier was om je broer te spreken. Het wordt al laat; ik moet dat doen en dan weer gaan.'

Hij stond op, met het dekentje nog in zijn handen. Johnny was verdiept in zijn bezigheden, met zijn beide knuistjes vol zand. Ik stond ook op.

'Het heeft zeker weinig zin om je te vragen behouden bij mij terug te komen,' zei ik; ik deed mijn uiterste best om mijn stem vast te laten klinken. 'Misschien heeft het zelfs helemaal geen zin om je te vragen terug te komen. Maar ik zal mijn kaars blijven aansteken terwijl je weg bent. Wees alsjeblieft voorzichtig.'

'Ik moet gaan, Liadan. Maak je over mij niet ongerust. Je broer en ik zijn ons ten volle bewust van de gevaren. Ik... ik moet je nu vaarwel zeggen. Bij alle machten,' zei hij plotseling, en hij nam me weer in zijn armen. 'Ik denk dat ik elke prijs zou betalen om deze nacht in jouw bed door te brengen. Je ziet hoe mijn gezond verstand me in de steek laat, wanneer...' En hij kuste me weer, dieper en harder dit keer. Ik had het gevoel dat dit een laatste kus was, de kus van een krijger die ten strijde trekt en weet dat hij niet zal terugkomen. Het had heel eenvoudig moeten zijn om een stap terug te doen en hem te laten gaan. Maar mijn armen schenen een eigen wil te hebben en bleven hem vasthouden; en de zijne waren warm en stevig om mijn lichaam.

'Geloof je nog steeds dat dit een soort toverkunst is, een vrouwelijk vangnet waarin ik je tegen je wil gevangen heb?' fluisterde ik.

'Hoe kan ik iets anders denken? Alleen de aanraking van je hand is al genoeg om mij te laten vergeten wie ik ben, wat ik ben en wat ik niet ben.'

'Het is een bekend verschijnsel,' zei ik, en probeerde te glimlachen. 'Wanneer een man en een vrouw samen zijn, en hun lichamen tegen elkaar spreken... dat is misschien alles.'

'Nee. Dit is anders.'

Ik sprak hem niet tegen, want ik geloofde dat zijn woorden waar waren. Vleselijke verlangens bestonden, en ze waren heel sterk, dat had ik zelf ervaren. Maar wat er tussen ons was, was oneindig veel sterker: oeroud, bindend en geheim. Ik had die stemmen niet vergeten die me bij de grote grafheuvel hadden toegeroepen: *Spring*.

'Liadan,' zei hij met zijn lippen tegen mijn haar.

'Wat is er?'

'Zeg me wat je van me wilt.'

Ik haalde haperend adem, en maakte me juist ver genoeg van hem los om zijn gezicht te kunnen zien. Onder de raventekening zag hij er diep ernstig en voor het eerst ook heel jong uit; niet ouder dan eenentwintig, wat ik eerst niet had kunnen geloven.

'Dat je ziel genezen zou kunnen worden van zijn littekens,' zei ik zacht. 'Dat je je weg zou kunnen zien. Dat wil ik van je.'

Heel even leek hij geen woorden te kunnen vinden, en op zijn voorhoofd verscheen een kleine, verbaasde rimpel. 'Je antwoord is niet wat ik verwachtte. Je hebt altijd een antwoord dat mij het zwijgen oplegt.'

Mijn vingers kwamen omhoog om het patroon te betasten dat zijn gezicht tekende, dat zich om zijn grijze oog boog, dat het vlak van de wang en de sterke lijn van de kaak afbakende. 'Dat is me weleens eerder gezegd,' zei ik. 'Door mijn oom Conor. Hij had me uitgenodigd om in de nemetons te komen en een druïde te worden, samen met mijn zoon.'

'*Ga niet weg.*' Zijn antwoord kwam onmiddellijk, een echo van dat kind dat ik in mijn geest had horen schreeuwen in het donker. Zijn armen sloten zich zo strak om me heen dat ik nauwelijks kon ademen. '*Neem hem niet weg.*'

Mijn hart bonsde heftig. Hij had me laten schrikken. 'Het is goed,' zei ik zacht. 'Ik zal mijn licht voor jou laten branden. Dat heb ik je gezegd, en ik zal nooit tegen je liegen.' Ik liet mijn voorhoofd tegen zijn borst rusten, maar ik vroeg me af hoe ik het moment zou kunnen verdragen wanneer hij die armen, die me nu zo stevig vasthielden, weg zou nemen en weer zou verdwijnen in het bos.

'Nu heb je me gezegd,' zei hij heel kalm, 'wat je voor mij wilt. Maar wat wil je voor jezelf?'

Ik keek op in zijn ogen, want ik dacht dat hij het antwoord op mijn gezicht moest kunnen lezen. Ik wilde het nog niet onder woorden brengen. 'Dat zal ik je zeggen wanneer je terugkomt,' zei ik, maar mijn stem wiebelde gevaarlijk. 'Je bent er nog niet aan toe dat antwoord te horen. Nu moest je maar liever gaan, voor ik je weer een bewijs lever voor je uitspraak dat vrouwen hun tranen naar believen kunnen laten vloeien, alleen om hun doel te bereiken.'

Het was erg moeilijk om los te laten. Maar we lieten elkaar los, en Bran knielde naast zijn zoon neer op het vochtige zand van het strandje. Johnny keek op en zei iets in zijn onbegrijpelijke baby-taal.

'Zeg dat wel,' antwoordde Bran ernstig. 'Het was trouwens maar goed dat je op dat moment wakker werd, vanmiddag. Anders had-den we misschien nog een zoontje of een dochtertje gemaakt, dat geboren zou worden in een wereld vol schaduwen en onzeker-heid.' Zijn lange vingers raakten zacht de bruine krullen van zijn zoon aan, en toen stond hij op.

'Ik heb geen antwoorden voor je,' zei hij, en zijn uitdrukking was somber. Nu hield hij de drie pas afstand weer aan, alsof het te ge-vaarlijk was om weer dichtbij te komen.

Het werd steeds moeilijker mijn tranen in te houden. 'Ik heb geen verwachtingen,' zei ik. 'Wensen en hoop, voor ons drieën, dat is alles.'

'Het ga je goed, Liadan.' Hij pakte zijn zakje op en liep van me weg, over het grasveld in de schaduw van de wilgen. Daar bleef hij staan en draaide zich om; hij keek eerst naar Johnny en toen naar mij. Ik had de indruk dat de schaduw in zijn ogen was, en aan alle kanten om hem heen.

'Vaarwel, lief hart,' fluisterde ik, en bukte me om het natte, zan-derige kind op te tillen, want het was allang tijd om naar huis te-rug te gaan. Bran stond nog steeds naar ons te kijken, en de uit-drukking op zijn gezicht benam me de adem, zo'n wonderlijke mengeling van liefde en verdriet was het. Toen draaide hij ons zijn rug toe en was weg.

Hierna kwam het Gezicht me ongevraagd bezoeken, vaker dan me lief was. Ik dacht dat ik sterk was, maar zo'n beproeving had ik nog nooit meegemaakt. Ik wist dat deze gave grillig en bedrieglijk van aard was, dat ze niet altijd de letterlijke waarheid toonde, dat verleden en toekomst, *vroeger* en *later* en *misschien* dooreen waren gehusseld in de schijnbaar willekeurige visioenen die ze bood. Dat was ook maar beter, want zonder die wetenschap zou ik echt gek zijn geworden, net als sommigen die met dezelfde gave waren belast. Zonder waarschuwing werd ik erdoor overvallen, en alle beelden waren nu donker. En zelfs wanneer de visioenen wegbleven, kon ik niet ontkomen aan het gevoel dat ik werd gadegeslagen; dat alles wat ik deed op de een of andere manier werd bekeken, en beoordeeld.

Soms was het maar een korte blik. Dan liep ik terug van de huisjes met mijn mand aan mijn arm en voelde me een beetje flauw worden, en dan zag ik opeens de gebeeldhouwde dieren op de pilaren voor me, en Eamonns gezicht, wit van een wanhopige woede, en zijn handen die Brans hals dichtknepen. En ditmaal viel Brans mes ongebruikt op de vloer, want zijn getekende vingers werden slap en zijn gezicht werd paars en verwrongen. Dan voelde ik het radeloze gevecht om lucht ook in mijn eigen borst en werd het zwart voor mijn ogen. Of ik zat thuis bij de haard, terwijl Johnny op de vloer speelde met een paar houten beesten die mijn vader vroeger voor Niamh had gemaakt. Ik kon zelf ook nog met het mes overweg, en behalve het dikke schaap, de gehoornde koe en de kip met kuikentjes waren er een paar die ik zelf had gemaakt. Een wolfshond, woest en sterk. Een opgerolde slang. Een slanke otter. Een raaf hoefde niet: we hadden Fiacha, die voortdurend waakzaam aanwezig was. Ik keek naar mijn zoontje, dat aan mijn voeten zat, en plotseling leefden die beesten. Een ervan was een paard waarop een ruiter zat met het embleem van Zeven Wateren op zijn tuniek: twee verstrengelde torques. Het was mijn oom Liam, ergens buiten het bos; hij reed over een smalle weg tussen rotsige hellingen. Ik hoorde een zoemend geluid en een bons, en met een licht verbaasde uitdrukking op zijn gezicht viel mijn oom zonder geluid te maken van zijn ros en bleef bewegingloos op de aarde liggen, terwijl er een roodgeveerde pijl uit zijn borst stak. Het visioen vervaagde voor ik kon zien wat er daarna gebeurde, en ik was weer in de stille kamer. 'Woeh,' zei Johnny, om te oefenen.

'Heel goed, dat is een hond,' antwoordde ik beverig. Liam was thuis, en goed gezond. Dat was een van de problemen met het Gezicht. Je kon vertellen wat je zag en iemand waarschuwen. Maar het was niet zeker dat je daarmee de loop der gebeurtenissen kon veranderen. Je kon besluiten om niets te zeggen, om mensen niet ongerust te maken. Maar als zoiets dan wel zou gebeuren, zou je je vreselijk schuldig voelen. *Had ik het maar gezegd, had ik hen maar gewaarschuwd...*

Ik hield dit visioen voorlopig maar voor me. En ik vroeg niet aan Sean welke opdracht de Beschilderde Man voor hem vervulde, of wat de prijs voor zijn diensten was. Ik wist dat hij het me toch niet zou vertellen. Maar we gingen erg behoedzaam met elkaar om, en dat was niet prettig. Het was alsof de dingen die we elk voor zich van Bran wisten ons voorzichtig maakten, alsof die kennis, bij elkaar gevoegd, op de een of andere manier gevaarlijk zou zijn. Van mijn vader werd niets vernomen, terwijl de herfst vorderde en de oogst voorbij was. De slachttijd voor het vee was afgelopen, de knolgewassen moesten worden ingekuild, en boter en kaas opgeslagen voor de koude tijd. Er hing een prikkelbare stemming in huis, en beneden in het dorp begonnen mensen last te krijgen van een akelige hoest.

'Waar is Iubdan nu ik hem nodig heb?' hoorde ik Liam mopperen terwijl hij rondliep over de boerderij met een drom werkers om hem heen die allemaal tegelijk vragen stelden.

De maan doorliep haar cyclus een, twee keer en de nachten werden kouder. Ik stak mijn kaars aan, keek naar mijn kind dat groeide en voelde een kilte in de lucht die niet alleen veroorzaakt werd door de komst van de winter. Ik dacht aan de Beschilderde Man, die ergens ver buiten het woud, misschien zelfs buiten de grenzen van Erin bezig was met een wanhopige, gevaarlijke opdracht. Een zelfmoordmissie. Mijn broer was ongewoon zwijgzaam, en ik kon zijn bezorgdheid op zijn gezicht zien. Liam en hij hielden samen lange besprekingen, en een keer was Seamus Roodbaard erbij; hij kwam en ging in twee dagen tijd. Er was iets op handen, maar ze praatten er niet over. Niemand zei iets over Fionns dood. Ik hield mijn mond. Maar ik had angst om Bran, en ik zei tegen mezelf dat als ik ooit de kans kreeg, ik dat de volgende keer ronduit tegen hem moest zeggen. Dit was geen leven, altijd maar te wachten; om de korte ogenblikken die je samen had te besteden aan afscheid nemen. Ik zou hem voor een keus moeten stellen. Een andere weg in te slaan en zijn talenten voor een ander doel in te zetten, of mij voorgoed de rug toe te keren. Maar ik dacht dat ik wist wat zijn antwoord zou zijn, en ik vreesde het hem te horen zeggen.

Toen kwam er een nacht waarin ik zoveel visioenen kreeg, die zo donker waren, dat ik er wel over moest spreken. Misschien sliep ik eerst, maar het waren niet alleen nachtmerries. Het was versnipperd, alsof mijn geest veel tijdstippen en plaatsen samenvoegde, ze rond liet tollen en ze naar me terug zwiepte als giftige weerhaken. Ik zag een stokoude man die alleen door de lege zalen van Zeven Wateren dwaalde, met zijn kromme vingers om een staf van taxushout als steun. Hij mompelde in zichzelf: *Ze zijn allemaal weg... geen zonen, geen dochters... hoe kan het woud gered worden als er geen kinderen zijn op Zeven Wateren?* En ik zag dat deze invalide bejaarde mijn broer Sean was. Opeens veranderde het beeld, en even was alles donker. Ik bevond me in een kleine, afgesloten ruimte; mijn armen en benen waren verkrampt en gebogen, en ik kon niet ademen; het was warm, erg warm, en iemand schreeuwde, maar ik kon geen adem krijgen, en de schreeuw was eerder een fluistering: *Waar ben je?*

Mijn ogen gingen open, en ik lag te hijgen en te beven, gewoon op mijn bed op Zeven Wateren, en toen mijn angst bedaarde, zag ik dat het niet helemaal donker was, want het kaarsvlammetje brandde nog. Mijn hart bonkte en ik voelde koud zweet op mijn huid. En het was nog niet voorbij, want daar in de stille kamer zag ik weer een visioen: twee mensen maakten ruzie, Aisling en haar broer. Achter hen keken de gebeeldhouwde dieren in de zaal van Sídhe Dubh onheilspellend toe. *Dit kun je niet doen!* schreeuwde Aisling, en haar ogen waren gezwollen van het huilen. *Je hebt er al in toegestemd! Je hebt je woord gegeven!* Eamonns gezicht was koel, als dat van een brithem die tegelijkertijd het oordeel en het vonnis uitspreekt. *Het bondgenootschap is niet langer geschikt,* zei hij. *De beslissing is genomen.* Aisling maakte een woordeloos geluidje en haar gezicht werd doodsbleek, en het visioen veranderde. Nu stond ze op de wachttoren en de mannen stonden met hun rug naar haar toe. Ze stond in haar witte jurk op de borstwering, en iemand schreeuwde *Nee!* Ze deed een stap in de ruimte, en viel als een steen, zonder geluid, op de puntige stenen ver beneden. Het Gezicht bespaarde me geen enkel detail. Ik gaf een gil van afgrijzen. Johnny werd wakker en begon met me mee te huilen, en ook Fiacha voegde zijn eigenaardige stemgeluid aan de algehele consternatie toe.

Er kwam snel hulp. Eerst kwam het jonge kindermeisje, dat geeuwend het kind opnam en troostte met lieve woordjes. Toen kwam Janis, ze had een lantaarn bij zich en haar gezicht stond bezorgd; en Sean, die de situatie snel doorgrondde, omdat hij de angst in mijn geest kon voelen, want op dergelijke momenten kwamen die gevoelens onhoudbaar naar buiten. Hij stuurde de anderen terug naar bed, terwijl ik mijn zoon in mijn armen wiegde tot we beiden getroost waren. Ik dronk van de beker wijn die mijn broer naast me neerzette. In het raam brandde nog steeds mijn kaars, want ik zette hem nu elke nacht neer, of er nu maar een sikkeltje maan was, een volle stralende schijf of een donkere hemel vol schaduwen.

'Beter?' vroeg Sean na een tijdje.

Ik haalde huiverend adem. 'Ik... o, Sean... ik zag...'

'Neem rustig de tijd,' raadde mijn broer me kalm aan; zo had hij wel iets van onze vader. 'Wil je het me vertellen?'

'Ik... ik weet het niet. Het was... het was verschrikkelijk, niet alleen dit, maar... Sean, ik geloof niet dat ik je dit kan vertellen.' Het beeld stond me nog voor de geest, verbrijzelde botten, starende ogen, felrood haar en felrood bloed en... nog meer. Ik hield er een scherm omheen, zodat hij niet in mijn gedachten kon kijken.

'Ik maak me zorgen over je, Liadan.' Sean hield zijn eigen wijnbeker tussen zijn handpalmen en staarde in de kaarsvlam. Er was een nieuwe, ernstige trek op zijn gezicht; vaders afwezigheid had het evenwicht in ons huishouden meer veranderd dan iedereen had verwacht. 'Deze visioenen maken je al een tijdlang van streek, dat weet ik. Misschien moet je eens met Conor praten. Hij zou zeker komen, als we hem lieten halen.'

'Nee,' zei ik meteen, met de gedachte: Johnny is nu ouder. Conor zou me weer vragen met hem mee te gaan in het woud, en ik zou een reden moeten zoeken om nee te zeggen. 'Sean, je moet me zeggen wat er gaande is. Ik weet dat het geheim is; maar het Gezicht schijnt me te waarschuwen voor rampspoed, en ik heb angst om... om alle mensen die me na staan, en ik weet niet waarvoor ik moet waarschuwen. Waaruit bestaat de opdracht die de Beschilderde Man voor je uitvoert? Wie weet er nog meer van? En hoe zit het met Eamonn?' Ik wilde Aislings naam niet noemen, want zodra hij me over haar hoorde spreken, zou hij weten dat mijn visioen over haar ging en zou hij de waarheid uit me krijgen; een waarheid die al of niet werkelijkheid zou worden. Dan zou hij zeker iets ondernemen en de ramp misschien nog verhaasten.

Seans mond verstrakte. 'Dat hoef jij niet te weten.'

'Toch wel, Sean. Er staan levens op het spel, en meer dan levens. Geloof me.'

'Liadan?' vroeg mijn broer.

'Wat?' Ik wist wat er zou komen.

'Dit is zijn kind, nietwaar?'

Het had geen zin eromheen te draaien nu hij zijn vermoedens eindelijk had uitgesproken. Maar toch kon ik hem niet de hele waarheid vertellen. Hij mocht het andere gedeelte van het verhaal niet weten, over Niamh en haar druïde, en de vreemde vlucht naar Kerry. Ik knikte alleen maar. 'Is de gelijkenis zo opvallend?' vroeg ik met een moeizame glimlach.

'Hij zal op den duur steeds opvallender worden.' Als Sean zijn voorhoofd fronste, leek hij precies op Liam. 'Het is te laat om erop te wijzen hoe dom je bent geweest, en hij ook; te laat om je uit te leggen dat je onnadenkend en puur uit eigenbelang hebt gehandeld. En Eamonn? Weet hij het?'

'Ik heb het hem niet verteld,' zei ik; ik had gewild dat zijn kritiek me niet zo zou kwetsen. 'Maar hij weet het, ja. Hij... hij zinspeelde op spionnen, op heimelijke verspieders.'

'Hij heeft zich de laatste tijd inderdaad vreemd gedragen,' zei hij na enig aarzelen en nadat hij gekeken had of de deur goed dicht was. 'Er waren vergaderingen gepland waarbij hij aanwezig had moeten zijn, maar hij was er niet. Ik heb boodschappen gestuurd, maar geen antwoord gekregen. Ik vind het verontrustend. Zelfs Seamus had moeite gehoor te krijgen bij zijn kleinzoon.'

'Waren je bondgenoten het ermee eens dat je de Beschilderde Man deze opdracht verstrekte?' Johnny was weer in slaap gevallen en lag zwaar in mijn armen, maar zijn warmte was welkom en ik hield hem bij me.

'Wat denk je?'

'Ik vermoed dat dit een afspraak tussen jullie beiden is. Persoonlijk, en geheim.'

'Je vermoeden is juist. Het is voor hem een kans om zich te bewijzen. Voor mij is het een heel nuttige zaak, waarbij ik niets te verliezen heb.'

'Wat bedoel je?' vroeg ik, en ik voelde me plotseling koud worden.

'De afspraak was dat als hij gepakt werd, mijn verantwoordelijkheid ophield. Hij draagt zelf het volledige risico. De man schijnt zich er niet om te bekommeren of hij er het leven bij inschiet, of hij heeft een opmerkelijk zelfvertrouwen. Misschien allebei.'

'Hij is de beste in zijn stiel. Maar je hebt gelijk, de drang tot zelfbehoud lijkt bij hem niet sterk te zijn. Dat maakt hem voor jou waarschijnlijk tot een bruikbaar werktuig.'

'Ik bespeur daar een kritische noot, Liadan. Je moet niet vergeten dat wij mannen zijn en dat dit oorlog is, en dat er dagelijks zulke overeenkomsten worden gesloten. Het zou erg dom zijn geweest om deze gelegenheid voorbij te laten gaan. Als hij slaagt, zal ik hem betalen, en zal er meer werk voor hem zijn.'

'En als hij sterft, hoe zul je jezelf dan rechtvaardigen tegenover mij en mijn zoon?' vroeg ik met bevende stem.

'Als hij sterft, komt dat doordat hij dacht dat er geen opdracht bestond die hij niet aankon,' antwoordde mijn broer kalm. 'Hij heeft deze opdracht uit eigen vrije wil aangenomen, onder zijn eigen voorwaarden.'

'Sean, alsjeblieft. Vertel me waar het over gaat. Vertel me waar Liam en Seamus en jij mee bezig zijn. Ik heb genoeg van al die geheimen. Ik moet dit weten.'

Ik geloof dat hij eindelijk inzag hoe wanhopig ik was. De schaduwen van mijn verschrikkelijke visioenen tekenden zich waarschijnlijk nog af in mijn ogen.

'Goed dan. De opdracht verbindt twee elementen met elkaar, die beide van grote waarde zijn voor het bondgenootschap op dit moment. Een jaar geleden hadden we een zeer sterke positie, vanwaaruit we een aanval over zee om Northwoods van de Eilanden te verdrijven eindelijk weer konden overwegen. Dat werd mogelijk gemaakt door de toevoeging van Fionns leger. Maar Fionn is dood.'

'Dat weet ik.'

'Je weet het? Hoe?'

'Bran – de Beschilderde Man – heeft het me verteld. Ik wist het al enige tijd. Het leek me het beste er niets over te zeggen tot het bericht Liam bereikte en officieel werd.'

'Waarom heeft hij het aan jou verteld?'

'Er zijn geen geheimen tussen ons, Sean.'

Mijn broer keek me verbaasd aan.

'Deze man is me in het verleden te hulp gekomen. Onze ontmoeting was niet toevallig. Zijn toekomst is aan de mijne verbonden, en dus ook aan de jouwe. Misschien zag je dat niet in, toen je zijn diensten inhuurde voor een opdracht die niemand anders op zich wilde nemen. Wat betaal je hem?'

'Zal ik verder gaan? Fionn stierf, en hoe minder daarover gezegd wordt, hoe beter. Het wordt toegeschreven aan jouw vriend, en niemand doet moeite om een alternatieve theorie naar voren te brengen. Maar dit plaatste ons meteen voor een probleem. Fionns steun was onontbeerlijk voor het welslagen van onze strijd. Daarbij komt dat de Uí Néill van Tirconnell nog steeds onenigheid hebben met hun familieleden in het zuiden. Het botert niet tussen de Hoge Koning en Fionns vader. En Zeven Wateren en zijn bondgenoten bevinden zich op een strategische positie tussen die twee partijen. Fionns familie heeft het overlijden lange tijd stilgehouden. Het is voor midzomer gebeurd, nog geen maand nadat vader zo plotseling vertrokken was.'

Ik knikte zonder iets te zeggen.

'Het is dus enerzijds van groot belang het bondgenootschap met de noordelijke Uí Néill te hernieuwen, maar dat moet zonder ophef gebeuren, zonder de Hoge Koning te ontrieven. Dergelijke banden kunnen het beste worden verstevigd door een huwelijk; maar Niamh is er niet meer, je biedt een clanhoofd van hoge geboorte geen meisje aan met een vaderloos kind, ook al komt ze uit een goede familie. Maar we hebben nog een onderhandelingsmiddel: we kunnen gewapende steun bieden, een bolwerk tegen een aanval uit het zuiden. En in de toekomst zullen we misschien ook... specialistische diensten kunnen leveren. Het soort diensten waarin de Beschilderde Man uitblinkt. Inlichtingen; geheime trucs; geheime toegangswegen en vluchtwegen. Zeemanskunst; het meesterlijk hanteren van wapens. Op die manier zouden je vriend en ik elkaar alleen maar kunnen helpen. Maar die dingen zijn toekomstmuziek; op dit moment hebben Liam, Seamus en ik een bijeenkomst belegd met de Uí Néill, op een geheime plek. We hebben goede hoop op hun medewerking. Eamonns afwezigheid is een bron van zorg geweest, zoals ik al zei, maar Seamus zal hem intussen dat deel van het plan wel hebben verteld, en hij zal het zeker willen steunen. Het zou erg dom zijn als hij dat niet deed, want zijn gebied ligt direct bij de pas naar het noorden, waar al het verkeer vanuit Tirconnell langskomt.'

'Je hebt me nog maar de helft verteld.' Ik stond op om Johnny in zijn bedje te leggen en hem toe te dekken met het veelkleurige dekentje.

'Ah. De opdracht. Ik vroeg me aanvankelijk af hoe het mogelijk was dat die mannen, met hun zeer opvallende uiterlijk, erin slaagden heimelijk te opereren, te spioneren en te infiltreren. Ik wilde een verspieder laten binnendringen in het kamp van Northwoods op het Grote Eiland. Hij moest de precieze ligging van hun versterkingen in kaart brengen, uitzoeken wat hun zwakke punten zijn, bijzonderheden over de aantallen mannen en hun bewegingen noteren en informatie over hun zeevloot verzamelen. Ik dacht dat dit niet uitvoerbaar was, want de Brit heeft een zeer goed netwerk van verspieders. En ik was er al helemaal van overtuigd dat zo'n opvallend getekend persoon geen kans van slagen had. Toch stelde ik het hem voor, omdat ik zijn reputatie kende. En zoals je al hebt geraden, heb ik dit eigenmachtig gedaan. Geen van de bondgenoten is op de hoogte van deze opdracht, al wist Seamus dat ik aan zoiets dacht. Als het plan slaagt, zal ik het hun vertellen.'

'Je zei dat het plan twee elementen met elkaar verbond,' zei ik, met een strakke mond. 'Wat is het andere?'

'Ik wilde die inlichtingen, maar ik wilde ook een afleidingsmanoeuvre creëren. Iets wat Northwoods aandacht zou afleiden van waar we mee bezig waren. Onze man moest, schijnbaar toevallig, het nieuws van Fionns dood laten vallen, zodat de vijand zou geloven dat ons bondgenootschap met de Uí Néill verbroken was. Hij moest ervan doordrongen worden dat onze aanvalskracht sterk verzwakt was. Dan zouden we in de volgende herfst de Brit een verrassing bezorgen waarvan hij zich niet zou kunnen herstellen en zouden we eindelijk de Eilanden terug kunnen veroveren.'

'En Bran stemde daarmee in?'

'Eerst niet. Hij liet me uitspreken en zei dat hij erover na zou denken. Toen hij bij me terugkwam, was het plan veranderd. Zoals je natuurlijk weet, is zijn reputatie alombekend, en daarom kan hij bijna nergens komen zonder herkend te worden. Hij zei dat hij Northwoods een aanbod zou doen dat hij niet kon weigeren. Hij zou aanbieden hem inlichtingen te geven over Zeven Wateren en het bondgenootschap, genoeg informatie om de greep van de Brit op de Eilanden te verstevigen en hem te laten zien hoe en waar hij ons kon aanvallen. Die inlichtingen zouden natuurlijk vals zijn. Maar ze zouden goed genoeg zijn om Northwoods erin te laten lopen, lang genoeg om de Beschilderde Man de gelegenheid te geven de informatie te verzamelen die ik nodig heb en die aan mij te bezorgen voordat de Brit de waarheid ontdekte. Van een man zoals je vriend is het bekend dat hij even gemakkelijk van bondgenoot wisselt als van schoenen. Het zou hem nog kunnen lukken ook. Als hij de Britten zou beloven voor hen hetzelfde te doen, zouden ze een goede reden hebben om hem te laten gaan. Toen hij zich de laatste keer bij mij meldde, had hij al contact gelegd, en er was ook al een bootje geregeld voor de overtocht, in het geheim. En terwijl Northwoods zich heeft laten afleiden door zijn bezoeker en de grote hoeveelheid interessante inlichtingen die hij meebracht, zijn wij begonnen ons nieuwe bondgenootschap te vormen en plannen te maken voor de definitieve aanval.'

'Welke reden zouden de Britten hebben om hem te vertrouwen?' fluisterde ik; ik zag de kaars flakkeren in de tocht.

'Hij heeft voldoende echte informatie gekregen om hen over de streep te trekken,' zei Sean, maar hij had zijn voorhoofd gefronst. 'Daarna zou hij de valse inlichtingen verstrekken. Maar ik zal niet tegen je liegen, ik begin me zorgen te maken. Hij heeft zich niet weer gemeld. Ik heb nog niets gehoord.'

'Sean. Ik heb ook reden om me zorgen te maken. Nu we toch eerlijk tegen elkaar zijn, denk ik dat het goed is als je Aisling uitnodigt om een tijdje hier te komen. Of misschien kun je haar gaan opzoeken.' Ik probeerde het op luchtige toon te zeggen, maar het is niet gemakkelijk om zulke bange voorgevoelens voor je tweelingbroer verborgen te houden.

'Wat? Wat heb je dan gezien?' Hij was opeens bleek geworden.

'Dat zal ik je niet zeggen, Sean. Maar het is ernstig. Als je kunt, zou je haar moeten gaan halen.'

'Dat kan ik niet,' zei hij somber. 'Niet nu. Liam is eerder vanavond vertrokken om de voorwaarden vertrouwelijk te bespreken met de Uí Néill. De afspraak is dat ze elkaar overmorgen zullen treffen op een geheime lokatie ten noorden van het woud. Seamus zal daar ook zijn, maar ik moet tijdens de afwezigheid van onze oom op Zeven Wateren blijven. Liadan? Liadan, wat is er?'

'Je moet hem tegenhouden, als je kunt.' Mijn woorden kwamen eruit als een gesmoord gefluister. 'Je moet Liam tegenhouden. Stuur iemand achter hem aan en haal hem terug.'

Maar in de woorden van mijn broer had ik de weerklank van de dood gehoord, en diep vanbinnen wist ik dat we onmachtig waren om het tegen te houden, want daarvoor was het al te laat.

Deze periode was een uiterst donkere tijd. Met een somber gezicht stuurde Sean Liams wapenmeester, Felan, die nacht spoorslags op weg. Ik kon de verbitterde boodschap in de geest van mijn broer lezen, al sprak hij hem niet hardop uit. *Je had me moeten waarschuwen.*

Toen Felan terugkwam, was er geen tijd om te rouwen. Hij bracht zijn bericht onder vier ogen aan Sean, en toen die kort daarna het huishouden bijeenriep, was zijn gezicht kalm en bleek, een toonbeeld van beheersing. Mijn broer, nog geen achttien jaar oud, moest nu de verantwoordelijkheid op zich nemen voor de grootste túath ten noorden van Tara, voor de kuddes schapen en rundvee die erbij hoorden, voor de legermacht, de verdediging en de bondgenootschappen, en voor alle mensen die er woonden. En als heer van Zeven Wateren had hij nu het woud onder zijn hoede. Liam had voorzien dat dit eenmaal zo zou zijn, maar later, na zorgvuldige voorbereiding. Maar daar was geen tijd meer voor.

'Ik heb buitengewoon ernstig nieuws voor jullie,' zei Sean, en er heerste een volkomen stilte in de zaal, waar de verzamelde krijgers, dienstvrouwen, staljongens en dorpelingen stonden om naar hem te luisteren. De deuren waren vergrendeld. 'Heer Liam is dood. Hij is gedood door de pijl van een Brit, nog geen twee dagen geleden, terwijl hij onderweg was naar een geheim beraad. Mijn oom is verraden en ik zal niet rusten eer de dader is gevonden en bestraft.'

Een huivering van afschuw ging door de zaal. Zo kort na het heengaan van mijn moeder en het plotselinge vertrek van mijn vader leek dit een dodelijke slag; een slag waarvan het huishouden van Zeven Wateren zich misschien niet zou kunnen herstellen.

'Ik weet dat ik jullie steun heb, en die van onze bondgenoten heb,' vervolgde Sean; zijn stem was nog steeds krachtig en vol zelfvertrouwen. 'We zullen allen treuren om dit verlies, en zullen het misschien moeilijk vinden om weer aan onze arbeid te gaan, of dat nu de oogst, het werk in huis of het hanteren van de wapenen is. Maar mijn oom zou willen dat we doorgaan, dat we onze verdediging op peil houden en het woud en zijn bewoners beschermen, een plicht die onze familie sinds lange tijd op zich heeft genomen. Hij zou willen dat we ons streven voortzetten, terug te winnen wat de Britten ons hebben afgenomen. De campagne zal hier een terugslag van ondervinden, maar niet voorgoed. We zullen ons vermannen en ons herstellen. We kunnen niet om heer Liam rouwen zoals we dat zouden willen doen; we kunnen hem niet op zijn weg sturen met de ceremonie die een leider verdient, want het zijn moeilijke tijden, en het nieuws van deze verraderlijke daad kan voorlopig beter binnen onze eigen gemeenschap blijven. Om deze reden zullen we zijn lichaam in stilte naar huis brengen, waar het een dag en een nacht opgebaard zal liggen; daarna zullen we hem begraven onder de eiken. Op een later tijdstip zal het geëigende ritueel worden gehouden om zijn naam te gedenken en hem een passend afscheid te geven. Maar houd voorlopig zijn beeld in jullie harten en hoofden, en houd je mond erover. Is dit duidelijk?'

'Ja, heer.' Vele stemmen spraken als één, en nadat ze de tijd hadden genomen om mijn broer en mij hun medeleven te betuigen, gingen ze allemaal onmiddellijk weer aan het werk. De oogst werd hervat; vrouwen gingen verder met fruit drogen en inmaken, of linnengoed luchten, en Felan reed terug naar waar hij vandaan was gekomen, met drie mannen in donkere kleding, en een extra paard.

Mijn broer was goed begonnen. Voor de mensen van het huishouden sprak hij met vaste stem en was zijn manier van doen een geloofwaardige imitatie van die van Liam; een houding die zekerheid en gezag uitstraalde. Maar later, nadat ze het lichaam van onze oom hadden teruggebracht en wij hem voor de begrafenis hadden gereedgemaakt en hem in de zaal hadden opgebaard, omringd door kaarsen, was het heel anders. Beneden kwamen mensen binnen om langs de roerloze gestalte van hun gevallen heer te lopen en te kijken naar zijn strenge gelaat, dat nauwelijks verzacht was door de slaap des doods. Zijn lichaam was nauwelijks getekend. Degene die zijn pijl had afgeschoten, was een kundig schutter. Liams wolfshonden wilden niet bij hun meester weggaan; de ene lag aan zijn hoofdeinde, de andere aan zijn voeten. Ze maakten geen enkel geluid terwijl een rij mannen en vrouwen met grauwbleke gezichten langzaam langs het opgebaarde lichaam trok, om te mompelen: 'Ga in vrede, heer,' of: 'Behouden reis, heer Liam.'
'Wie had dat nou kunnen denken?' zei Janis somber terwijl ze bier schonk voor het huishouden en tersluiks met haar handrug over haar wangen wreef. 'Eerst Sorcha, en nu hij, nog nauwelijks een seizoen later. Het is niet goed. Er is iets niet goed. Wanneer komt de Grote Man thuis?'
Johnny was bij het kindermeisje, en Sean en ik zaten samen in de familiekamer boven, waar Niamh had geprobeerd verzet te bieden tegen de mannen van de familie, en verslagen was. Sean was erg stil, en toen ik naar hem keek, zag ik dat hij, na zich de hele lange dag beheerst te hebben, nu toch eindelijk huilde.
'Ik vind het heel erg voor je,' zei ik, al wist ik dat het niet veel zou helpen. 'Hij was als een vader voor jou, dat weet ik. Je hebt het vandaag goed gedaan, Sean. Hij zou trots op je zijn.'
'Je had het me eerder moeten zeggen. Je had mij moeten waarschuwen, of hem. Jij had dit kunnen voorkomen, Liadan.' Zijn stem was schor van verdriet, en zijn woorden deden me pijn.

'Waarom heb je ervoor gekozen het te laten gebeuren? Is er misschien een of andere samenzwering in het spel waar ik niets van weet? Want iemand heeft hem aan de Britten verraden. Iemand heeft tegen hen gezegd waar hij zou zijn, en wanneer, en dat hij alleen zou zijn.'

'Niet doen, Sean.' Mijn eigen stem was ook allerminst vast. 'Dit is onzin, dat weet je ook wel.'

'O, is het onzin? Zeg me dan eens wie wist van de bijeenkomst waarheen Liam op weg was, behalve onze eigen bondgenoten en de Beschilderde Man? Hij was hiervan op de hoogte gesteld met precies het tegenovergestelde doel – om ervoor te zorgen dat de aandacht van Northwoods werd afgeleid van de werkelijke plaats en het doel van dit beraad. Maar hij was in de ideale positie om de informatie direct aan de Britten door te geven. Hoe kan ik nu anders dan geloven dat mijn vertrouwen in jouw vriend volkomen misplaatst was? Uit deze moord blijkt zonneklaar dat hij niet meer is dan een bedrieger, zoals zijn reputatie zegt, een man die zijn trouw naar believen van de ene partij naar de andere verplaatst. Mijn eigen onbezonnen vertrouwen in deze man heeft mijn oom het leven gekost.'

'Waarom zou Bran zoiets doen?'

Sean meesmuilde. 'Misschien betaalt Edwin van Northwoods meer dan ik. De kans om mijn oom van het toneel te verwijderen en tevens onze onderhandelingen met de Uí Néill te verstoren, zal ongetwijfeld een goede prijs waard zijn geweest.'

'Bran zou zoiets niet doen, Sean. Hij had zijn opdracht van jou ontvangen. Hij sprak nooit anders dan met respect over jou. Dit is niet zijn werk geweest, daarvan ben ik overtuigd.'

'Zo'n man is niet te vertrouwen.' Sean zei het op minachtende toon. 'Het was stom van me om te doen wat ik gedaan heb; en van jou was het nog stommer je door zijn mooie woorden te laten inpakken. Nu is onze oom dood en is het bondgenootschap in gevaar. Besef je niet dat dit onze onderneming jaren zou kunnen vertragen? Jij draagt hiervan een deel van de schuld, Liadan. Ik kan niet geloven dat je het beter vond niets tegen me te zeggen.'

Ik zat en zweeg terwijl zijn woorden over me heen kwamen als een boze regenbui. Wat Janis had gezegd, was maar al te waar geweest. Het was niet goed. Niets ervan was goed.

'Ik wil Aisling zien,' zei Sean opeens, en zijn stem brak nu hij zich niet langer kon beheersen. 'Ik moet Aisling hier hebben. Maar ze antwoordt niet op mijn boodschappen, en ik kan er niet heen rijden om haar te halen; ik kan niet weg van Zeven Wateren tot onze mensen zich van deze slag hebben hersteld. Wat zag je in je visioen, Liadan? Welk gevaar bedreigde Aisling?'

Maar ik wilde geen antwoord geven, want hij had me te diep gekwetst.

'Liadan. Zeg het.'

'Ik zeg het niet. En ik ga me niet verdedigen; ik zeg alleen dat je spreekt vanuit je verdriet en dat je woorden me pijn doen, want ook ik voel het verlies van Liam. Ook ik hield van hem en bouwde op zijn kracht. Het zou niet nodig moeten zijn tegen jou te zeggen dat het Gezicht niet altijd ware beelden van toekomstige gebeurtenissen toont. Als ik elke keer zou waarschuwen, zou ik zo'n onrust zaaien dat we nauwelijks ons dagelijks leven konden leiden, want we zouden voortdurend op onze hoede zijn. En je vergist je wat Bran betreft. Hij is een betrouwbaar man, en dit kan hij gewoon niet gedaan hebben. Hij hecht veel waarde aan zijn vriendschap met mij, en hij zou zijn zoon niet willen schaden door onze familie aan de vijand te verraden. Wie dit geheim ook heeft laten uitlekken, het was niet de Beschilderde Man.'

'Je vertrouwen in hem is strijdig met de logica. Het is misschien meer gebaseerd op lichamelijke begeerte dan op zoiets als gezond verstand. Je had er beter aan gedaan met Eamonn te trouwen, die je enige mate van vastigheid had kunnen verschaffen, dan je te verbinden aan een bandiet die kennelijk geen respect heeft voor jou of voor zijn kind.'

'Ik zou nooit met Eamonn zijn getrouwd. Ik denk dat ik helemaal nooit zal trouwen. Wat je argumenten betreft, je kunt beter ophouden iemand de schuld te geven zonder dat je het kunt bewijzen. Schenk liever aandacht aan je beveiliging, want het lijkt erop dat er ergens een zwakke schakel is. Ik ontken niet dat iemand een geheim heeft verraden en dat dit de oorzaak is geweest van de dood van onze oom. Maar dat was niet Bran; dat weet ik, Sean, en je moet me geloven. Je moet die verrader ergens anders zoeken.'

'Liadan.' Zijn stem was zacht geworden, zoals de stem van onze vader soms ook zacht werd.

'Wat?' vroeg ik vermoeid.

'Zou je iets voor me willen doen?'

Brighid bewaar ons. Wat verwachtte die jongen van me, nadat hij zijn verbitterde gemoed op mij had gelucht en mijn hart had verkild met zijn slecht gekozen verwijtende woorden?

'Wat dan?'

'Ik kan niet naar Aisling toe gaan. En wanneer ik boodschappers naar haar broer stuur, wordt hun de toegang geweigerd. Eamonn wil hen niet te woord staan. Maar jou zou hij niet weigeren. Jij zou ervoor kunnen zorgen dat hij luistert. Wil jij naar Sídhe Dubh gaan en met hem praten? Wil je voor mij naar Aisling toe gaan en proberen haar hierheen te halen?'

De moed zonk me in de schoenen. 'Ik denk niet...'

'Op die manier zou je het goed kunnen maken,' zei mijn broer.

'Er valt niets goed te maken,' snauwde ik. 'En Eamonn is wel de laatste die ik op dit moment zou willen opzoeken. Ik heb niet het verlangen om ooit weer naar Sídhe Dubh te gaan, Sean. Er is... Eamonn koestert een wrok tegen mij. Dit zou erg moeilijk voor me zijn. Bovendien ben ik hier ook nodig. Er zijn mensen die op mij rekenen. En hoe zou het met Johnny moeten?'

'Alsjeblieft, Liadan.' Heel even leek het wel of ik Niamh hoorde, die ook altijd op die manier een gunst bij me aftroggelde.

'Ik weet het niet. Je schijnt geen vertrouwen meer te hebben in mijn beoordelingsvermogen, of dat van jezelf. Misschien kun je beter iemand anders sturen. Als je gelooft dat Bran zich zonder meer tegen je zou keren, waarom zou ik dat dan niet ook doen?'

'Je hebt dus toch nog vertrouwen in hem.' Zijn stem klonk effen.

'Hij zou je nooit op die manier verraden, Sean. Door dat te doen zou hij zijn opdracht verzaken. Als hij niet is teruggekomen, komt dat waarschijnlijk doordat... doordat...'

In een flits kwam het Gezicht over me. Het was donker, het was zo donker dat ik aanvankelijk niet wist wat onder en wat boven was, en of de muren een eind van me af stonden of vlakbij waren. Het leek alsof ik in een krappe ruimte zat, met mijn knieën onder mijn kin en mijn armen over mijn hoofd gebogen. Ik probeerde te bewegen en inderdaad, daar waren de muren, heel dichtbij, heel klein, en het was benauwd en ik kon niet ademen. Ik mocht geen geluid maken, geen kik geven, anders zouden ze het me betaald zetten wanneer ze me eruit lieten. Daarom schreeuwde de stem in stilte in mijn hoofd en vielen mijn tranen heet en heftig neer langs mijn wangen. Het snot liep uit mijn neus, en ik kon zelfs mijn neus niet ophalen uit angst dat ze me zouden horen. *Waar ben je? Waarom heb je me losgelaten?*

'Liadan,' zei Sean zacht. 'Liadan!' en ik kwam huiverend weer terug in mezelf. 'Je huilt,' zei hij.

'Ik heb niet om de gave van het Gezicht gevraagd,' zei ik beverig. 'Geloof me, ik zou alles geven om geweten te hebben dat ik Liams dood had kunnen voorkomen. Maar zo werkt het niet. Ik had hem kunnen waarschuwen, en hij had een andere weg kunnen nemen, en toch gestorven zijn. Je kunt het nooit weten.'

Sean knikte ernstig. 'Het spijt me. Het is moeilijk om je niet de schuld te geven. Ik vraag me soms ook wel af of je verbintenis met de Beschilderde Man je beoordelingsvermogen heeft aangetast.'

Ik zuchtte. 'Je maakt je zorgen over Aisling, en met reden. Ik heb hetzelfde met Bran. Je lijkt niet goed te kunnen begrijpen dat ik net zo goed kan liefhebben als jij.'

'Je had misschien een verstandiger keus kunnen maken. Die man kan nooit deel uitmaken van Zeven Wateren. Hij is... een wild dier.'

'Dat weet ik. Maar mijn keus is gemaakt. Nu heb jij hem weggestuurd op een erg gevaarlijke missie, om redenen die jou aangaan. Je hebt hem van verraad en mij van zwakheid beschuldigd. En nu vraag je mij een gunst.'

Er viel een stilte.

'Je weet wat je hebt gezien. Was je visioen over Aisling zodanig dat je denkt dat ze direct gevaar loopt?'

Ik knikte met tegenzin.

Sean was erg bleek. 'Ik kan er niet heen gaan, Liadan. Mijn mensen hebben me nodig. Doe dit alsjeblieft, voor mij en voor haar. Eamonn zal je niet weigeren; hij zou jou niets kunnen weigeren. Ik zal voor een sterk escorte zorgen om je te begeleiden; je zou morgenochtend kunnen vertrekken. Neem als je dat wilt Johnny en je kindermeisje mee.'

'Ik zal erover nadenken,' zei ik, maar de kou sloeg me om het hart bij het vooruitzicht dat de fortmuren van Sídhe Dubh zich weer om me zouden sluiten, en helemaal bij de gedachte dat ik Eamonn om iets zou moeten vragen, wat dan ook. 'Morgen zal het niet zijn. Ik kan Johnny niet op tijd klaar krijgen voor de reis.'

'Het moet wel snel.'

'Dat weet ik.'

Toen ik opstond om naar mijn slaapvertrek te gaan, gebruikte hij de stem van de geest. *Het spijt me, Liadan. Liam had gelijk. Ik ben hier nog niet klaar voor. Maar ik moet het toch doen. Ik moet dit in me wegsluiten en sterk zijn voor iedereen. Jij bent mijn zuster, en ik zal er altijd voor je zijn, welke keuzes je ook maakt. Dat weet ik.* Ik draaide me om, maar hij keek niet naar mij. Hij zat voorovergebogen, met zijn hoofd in zijn handen. *Je zult een krachtig en wijs leider zijn, Sean. Jouw en Aislings kinderen zullen deze zalen weer met hun gelach vullen.*

Met die woorden had ik me verbonden te doen wat hij vroeg. Maar ik had angst om deze reis te maken. Ik had gedacht dat er weinig was dat me angst inboezemde; maar ik besefte dat ik bang was voor Eamonn, voor zijn vreemde huis in de moerassen en voor de half geziene visioenen van slechte dingen die daar binnen de stenen muren plaatsvonden. Ik zou veel liever met Johnny thuis zijn gebleven, om de vrouwen te helpen in de keukens en hoestsiroop te brengen aan de zieke dorpelingen, veilig in het hart van het woud. De Feeën hadden me gewaarschuwd. Conor had me gewaarschuwd. Het was gevaarlijk om hier weg te gaan.

Het was niet de bezorgdheid van Sean die me uiteindelijk overhaalde om het te doen, maar iets veel angstaanjagenders. De maan begon af te nemen, en deze nacht ging haar licht schuil achter zware wolken. Een krachtige zuidoostenwind bracht het geluid van doorbuigende takken en ruisende bladeren in mijn stille kamer terwijl ik me gereedmaakte om naar bed te gaan. Het kindermeisje was gaan slapen en had Johnny bij mij achtergelaten; hij lag vast te slapen, ingestopt onder zijn veelkleurige dekentje. Wanneer hij wakker werd voor zijn voeding zou ik hem bij me in bed nemen, want zijn kleine, warme aanwezigheid was een welkome barrière tegen de kwade gedachten die me nu dreigden te overspoelen. Fiacha zat op de rugleuning van een stoel; ik kon niet zien of hij sliep of wakker was. Ik moest sterk zijn, hield ik mezelf voor terwijl ik een dunne kaars in de sintels van het vuur stak en daarmee mijn speciale kaars aanstak. Heel sterk, want de veiligheid van anderen hing van die sterkte af.

De kaars flakkerde en ging uit. Ik hield mijn hand achter de pit om hem tegen de tocht te beschutten en hield de dunne kaars er weer bij. De pit vlamde even op, en doofde. Het was alsof ik een koude hand over mijn nek voelde strijken. Heel doelbewust nam ik de kaars in zijn kandelaar op en ging van het raam weg om hem op de eiken kist naast het bed te plaatsen. Vreemde schaduwen van de brandende dunne kaars dansten over de muren.

Hier tochtte het niet. Maar de versierde kaars wilde niet branden. Ik keek of de pit lang genoeg was en probeerde het weer. En nog een keer, terwijl een vreselijke angst me aangreep. De pit was vrij; de dunne kaars ernaast brandde met een vaste vlam. Maar zodra ik mijn hand wegnam, begon de kaarsvlam te sputteren en ging uit. Ik hield mezelf voor dat ik me aanstelde, dat ik het zelf liet gebeuren, in mijn paniek. Ik haalde diep adem en probeerde het weer. Ik bleef zo heel lang zitten, telkens weer probeerde ik de kaars te laten branden, tot mijn handen beefden en ik wazig begon te zien door al mijn pogingen. Het was donker buiten; de maan werd nog steeds afgedekt door dikke wolken. En wat ik ook deed, ik kon de kaars niet aan het branden krijgen. Deze nacht zou dit licht niet schijnen in het donker.

Ik zat rillend op mijn bed met een deken om mijn schouders, maar ik sliep niet, die hele nacht niet. Johnny werd twee keer wakker; ik nam hem in mijn armen en voedde hem, en was blij met zijn gezelschap. Maar deze nacht, nu, had ik behoefte aan het Gezicht en wilde het niet komen. Ik kon zelfs dat kind niet horen, dat in het donker schreeuwde. In plaats daarvan was ik het zelf die in mijn geest riep: *Waar ben je? Laat het me zien. Laat het me zien.* Maar er kwam niets, en ik wachtte maar, koud van de angstige voorgevoelens, tot het eerste vale licht van de dageraad in de hemel verscheen.

Ik zei tegen het slaperig kijkende kindermeisje dat ik een dag wegging en Johnny meenam. Ik zei speciaal tegen haar dat ze, als iemand het vroeg, moest uitleggen dat ik een escorte had meegenomen om een kort bezoek af te leggen en dat ik ruim op tijd terug zou zijn om getuige te zijn van de graflegging van mijn oom Liam. Ik wilde die dag niet thuis zijn. Ik had iets belangrijks te doen.

Ik had een uitstekende methode gevonden om Johnny op mijn tochten door het bos te vervoeren. Ik hees hem op mijn rug, gebonden in een sterke lap jute waarvan de uiteinden over mijn schouder en om mijn middel waren vastgeknoopt. Hij vond het heerlijk zo op mijn rug te rijden, dicht bij de warmte van mijn lichaam, maar met de mogelijkheid de rotsen, de lucht en de vele kleuren en patronen van eiken, essen, berken en hazelaars te zien. Wanneer hij een man was, dacht ik terwijl we geruisloos over een met strooisel bedekt pad liepen dat mijn oom Conor me een keer had gewezen, zou hij de herinnering aan deze vormen en tinten diep in zich meedragen, en zou hij het evenals alle kinderen van Zeven Wateren moeilijk vinden om lang van het bos weg te zijn. Ik liep snel. Als het Gezicht me ontzegd bleef, juist nu ik er zoveel behoefte aan had, moest ik aan zoveel mogelijk informatie zien te komen, met alle middelen die ik kon vinden. En nu mijn moeder er niet meer was, kon ik maar één persoon bedenken die me zou helpen zonder een oordeel te vellen, zonder te proberen me te zeggen wat ik moest doen en wat ik niet moest doen.

Het begon een beetje te regenen, maar de grote eiken beschutten ons. Tegen de tijd dat ik tegen de oevers van de zevende beek begon op te klauteren, waar die langs de rotsige helling omlaag golfde in het kalme water van het meer, waren de wolken zo dun geworden dat er een waterig zonnetje doorheen kwam. Fiacha vloog nu eens voor ons uit, dan weer achter ons aan; zo bleef hij bij ons en hield hij de wacht. Ik had niet de kans het koud te krijgen, want daarvoor had ik deze afstand veel te snel afgelegd, met Johnny op mijn rug; ik had zelfs gemerkt dat ik steeds vaker even moest stilstaan om op adem te komen. Misschien had het veelvuldig komen van het Gezicht me verzwakt, of misschien was mijn lichaam nog niet zo volledig hersteld na de geboorte van mijn zoon als ik had gedacht. *Wees sterk, Liadan. Je moet sterk zijn.* Eindelijk kwam ik bij de groepen lijsterbessen, weer felrood van de herfstvruchtjes, en liep onder de wilgen door. Daar voor me lag de geheime bron, de kleine, ronde poel omringd door gladde stenen, een plek waar diepe rust heerste. Ik maakte de lap los die mijn zoon tegen mijn rug hield. Johnny was in slaap gevallen en ik legde hem voorzichtig in de varens onder de bomen. Hij werd niet wakker. Fiacha streek neer op een naburige tak.

Oom? Mijn geest zocht hem al terwijl ik op de stenen bij het water ging zitten. *Ik heb uw hulp nodig.*

Ik ben hier, Liadan. En hij was er; hij stond aan de andere kant, met zijn bleke gezicht en verwarde donkere haar, in vormeloze kleren die de witte massa vleugelveren niet helemaal onzichtbaar maakten. De uitdrukking op zijn gezicht was kalm en zijn ogen waren helder.

Mijn oom Liam is dood. Getroffen door een Britse pijl.

Dat weet ik. Conor is reeds onderweg naar Zeven Wateren. Maar ik ga er niet heen. Ditmaal niet.

Oom. Ik heb een aantal verschrikkelijke visioenen gehad. Ik heb Liams dood gezien, en ik heb hem niet gewaarschuwd tot het te laat was. Mijn broer zei... hij zei...

Ik weet het. Het is erg moeilijk. Het is niet mogelijk om aan dit schuldgevoel te ontkomen, dochter. Ik heb er jarenlang mee geleefd. Je broer zal, net als mijn eigen broers op den duur, erachter komen dat het Gezicht niet beheerst kan worden. Dat zulke waarschuwingen, als ze gegeven worden, een nog veel bitterder oogst kunnen opleveren dan wanneer men de gebeurtenissen hun ware loop laat nemen. Je broer is nog jong. Eens zal hij even sterk zijn als Liam was. Misschien nog sterker.

Ik knikte. *Ook ik zie dat, en ik heb het hem ook gezegd. Maar mij werd een andere toekomst getoond, een toekomst waarin Sean oud en helemaal alleen was. Een toekomst waarin Zeven Wateren leeg was. Verlaten. Om dat patroon te veranderen, zou ik veel willen wagen. Ik zou degenen die onze levensloop vormgeven, willen uitdagen, ook al zijn ze nog zo sterk.*

Finbar begon tot mijn schrik binnensmonds te grinniken. 'O, Liadan. Als mijn weg anders was geweest en ik gezegend zou zijn met een dochter, zou ik er net zo een gehad willen hebben als jij. Jij zet immers telkens weer de vaste patronen van ons leven op de tocht? Kom nu, je wenst een richtlijn, een visioen dat de waarheid toont; ik zie het in je ogen, en ik zie ook dat je er haast mee hebt. Je hebt lang geweend, en ik geloof dat ik kan raden waarom.'

'Mijn kaars, mijn vlammetje in het donker... ik kon hem niet aansteken, hoewel ik het telkens weer heb geprobeerd. En er is geen bericht gekomen. Alleen een vreselijke stilte. En nu zijn de visioenen opgehouden, en ik kan hem niet zien, ik kan zijn stem niet horen. En ik zag Aisling, ik zag...'

'Ik zal je helpen. Als de waarheid je getoond zal worden, zal het hier tussen deze oeroude stenen zijn. Je kind slaapt vast. Er is tijd. Kom, stel je geest open voor de mijne, en laten we samen in het water kijken.'

Dus gingen we op de stenen zitten, en we voelden dat we hier veilig omvat werden, als in de sterke, steunende warmte van moederhanden. Finbar zat aan de ene kant van de poel en ik aan de andere. Ik liet de schilden voor mijn geest verdwijnen, en hij deed hetzelfde. Onze gedachten mengden zich en werden tezamen kalm. Er verstreek tijd, misschien lange tijd, misschien helemaal niet lang, en de enige geluiden waren het kleine geritsel van insecten in het gras, het hoge roepen van vogels boven ons en de wind die zuchtte in de wilgen.

Het wateroppervlak rimpelde en veranderde. Er glansde iets lichts, zilver dat glinsterde in het donker. Ik hield mijn adem in. Een drinkflacon, knap gemaakt; het oppervlak was fraai versierd met een ingewikkeld, wervelend patroon en de stop was van barnsteen in de vorm van een kleine kat. Hier had ik met de Beschilderde Man uit gedronken op de dag van dood en wedergeboorte. Ik zag een hand die werd uitgestoken om de flacon te pakken, de stop eruit te trekken. De man bracht de flacon naar zijn lippen, en het was Eamonn. De poel werd weer donker.

Adem langzaam in en uit, Liadan. Blijf kalm. Mijn oom zond me een beeld van stil water, van beukenblad in lentezon, van een slapend kind. Ik legde mijn hamerende hart mijn wil op zodat het weer langzamer ging kloppen en ik dwong mijn geest de angst opzij te zetten. Ik keek weer in het water.

Ditmaal vloeiden de beelden in elkaar over, en ik had de indruk dat ze gelijktijdig gebeurden. Aisling, die met haar gezicht omlaag op haar bed lag en huilde tot ze geen tranen meer had. Een dienares die de kamer binnenkwam met een blad vol eten en drinken; die een soortgelijk blad wegnam, onaangeroerd. Die de deur afsloot; mijn vriendin opsloot. Toen waren we plotseling beneden in de grote zaal van Sídhe Dubh. Het was avond, want rondom langs de muren brandden toortsen, en de stenen beesten leken woest nu het flakkerende licht over hun kleine, boosaardige koppen speelde. Starende ogen, grijpende klauwen, puntige tanden, vurige tongen. Nu zag ik daar ook twee mannen: Eamonn, gezeten in een gebeeldhouwde eikenhouten zetel, met zijn glanzende bruine haar keurig op zijn schouders en een kalme uitdrukking op zijn gezicht. Alleen zijn ogen verraadden zijn opwinding. En Bran, de lichte kant van zijn gezicht bont en blauw opgezwollen; boven zijn oog liep een diepe snee waaruit bloed vloeide, en om zijn hals en nek zag ik een paarsig witte streep, alsof hij bijna door wurging was gedood. In Eamonns bruine ogen lag een uitdrukking van kwaadaardige triomf.

'Je voorkeur voor het afhakken van lichaamsdelen kennende,' merkte hij poeslief op, 'heb ik besloten om met de kleinste vinger te beginnen en geleidelijk naar binnen toe te werken. Het lijkt me interessant te zien hoeveel pijn een man kan verdragen. Maar misschien voelt een zwarte man pijn niet zoals wij.'

Brans stem was rustig en vlak. 'Ik ga niet onderhandelen over zijn veiligheid, en hij zal dat ook niet over de mijne doen.'

Eamonn liet een verachtelijke lach horen. 'Het was niet mijn bedoeling om ruimte te geven voor onderhandelingen. Jij gaf mij die ook niet toen je voor mijn ogen mijn mannen afslachtte. Ik wilde je alleen op de hoogte houden van de stand van zaken bij je vriend. Op de plek waar jij heen gaat, zul je iets nodig hebben om je geest bezig te houden. Ja zeker, ik heb plannen voor jou. Jullie beiden zullen me uitstekend vermaak leveren, voor het einde. Ik hoor dat je een zekere afkeer hebt van afgesloten ruimtes, dat je niet graag het licht dooft. Wie had dat nou kunnen denken? De Beschilderde Man die bang is in het donker?'

Het bleef even stil.

'Ik walg van je,' zei Bran. 'Je bent een verrader, net als je vader. Ook hij keerde zich immers tegen zijn bondgenoten, net als jij hebt gedaan. Ze zeggen dat hij aan beide kanten van het water verfoeid en gehaat werd. Geen wonder dat Liam ervoor heeft gezorgd dat hij aan zijn eind kwam voordat hij nog meer kwaad kon doen. Heb je dat verhaal weleens gehoord? Het is een erg publiek geheim. Je eigen grootvader was erbij betrokken, evenals de twijfelachtige Hugh van Harrowfield. Ze hoopten jou te zien opgroeien tot een beter mens dan je vader. IJdele hoop, zo is gebleken. Welke prijs heb je voor ons beiden betaald, Eamonn Dubh?'

'Gebruik die naam niet.' Eamonn stond op en liep naar zijn gevangene toe. Hij bewoog voorzichtig, alsof hij werd gehinderd door een kwetsuur. Misschien zat er een verband om zijn ribben, verborgen onder zijn hemd. Zijn hand ging omhoog en deelde een felle klap uit, hard in Brans gezicht. Ik zag dat Brans handen strak vastgebonden waren, en dat zijn enkels aan elkaar gebonden waren. Hij leek onaangedaan, maar stond door deze klap op zijn benen te zwaaien. 'Liam is dood,' vervolgde Eamonn. 'Er is een nieuwe meester op Zeven Wateren, eentje die jong en onervaren is. Hun positie is sterk verzwakt.'

'Dood. Hoe?' Bran kneep zijn ogen half toe. Dit had hij kennelijk niet geweten.

'Dat hoef jij niet te weten, want je zult hier nooit weg komen, bandiet. Ik zal mijn pleziertje hebben van jou en de zwarte wilde die jij je vriend noemt, en dan zul je... worden afgevoerd. Je zult gewoon spoorloos verdwijnen. De mensen zeggen al dat je Zeven Wateren aan de Britten hebt verraden. Later zullen ze zeggen dat Liams mensen snel hebben gehandeld om zijn dood te wreken en voorgoed van jou af te zijn. Je hebt mijn doen en laten niet te kritiseren. Wat zou een man zoals jij kunnen weten van bondgenootschappen en trouw. Je kunt de betekenis van die begrippen waarschijnlijk nauwelijks begrijpen.'

'Als ik niemand trouw heb beloofd,' zei Bran zonder zijn ogen van het gezicht van Eamonn af te wenden, 'kan ik tenminste ook niemand verraden.' Het leek of hij diep nadacht, alsof hij probeerde een raadsel op te lossen.

Eamonn kuchte even. 'Wat er gebeurd is, komt... ongelukkig uit. Maar het kan in mijn voordeel uitpakken. Stel eens dat mijn grootvader en de Uí Néill hoorden dat de jonge Sean een overeenkomst had gesloten met de Beschilderde Man? En dat ze hoorden dat zijn zuster met een bandiet had geslapen, onder de struiken haar benen voor hem heeft gespreid toen ze langs de weg kampeerden? De reputatie van Zeven Wateren zou daar misschien onherstelbaar door worden geschaad.'

Bran hield zijn stem effen. 'Eens zul je spijt hebben van die woorden. Ja, nu houd je me gevangen en denk je dat ik machteloos ben. Maar elk smerig woord dat je over haar zegt, brengt je dood een stapje dichterbij.'

'Je bent een idioot, als je niet begrijpt waarom ik zo'n hoge prijs heb betaald om jou in handen te krijgen. Vanaf het moment dat je mijn mannen doodde, was ik uit op je dood. Maar toen ik eenmaal wist dat jij degene was die Liadan van me af heeft genomen, toen ik wist dat het jouw smerige handen waren die haar hebben aangeraakt, had ik er een fortuin voor over. Ik vraag me af wat haar moeder dacht toen ze op haar sterfbed hoorde dat haar dochter zich had vergooid aan tuig van de richel? Toen ik de waarheid eenmaal wist, was het nog slechts een kwestie van tijd. Ik zou alles over hebben gehad voor de voldoening jou te zien lijden en sterven. Je voelt je niet helemaal lekker, hè? Je maat zal vannacht pijn lijden. Gloeiend ijzer op een verse wond, dat prikt behoorlijk. Hij heeft niet geschreeuwd. Niet één keer. Verbluffende geestkracht.'

Er kwam geen antwoord. Brans ogen waren afstandelijk, alsof hij op de een of andere manier afstand had genomen van de plaats waar hij was en van wat hij hoorde. Eamonn liep nu heen en weer. 'Je vindt het niet prettig mij over Liadan of over het kind te horen spreken, hè? Dat is vreemd, gezien de manier waarop je haar hebt behandeld.'

'Wees voorzichtig met je woordkeus.'

'Huh! En dat terwijl je opgebonden bent als een braadkuiken en geen stap kunt doen zonder om te vallen. Een man die geen maanloze nacht door kan komen zonder een lantaarn naast zich; een man die bang is voor zijn eigen dromen. Ik lach om je tartende houding, straathond.'

'Ik heb je gewaarschuwd. Je begeeft je op glad ijs wanneer je in mijn bijzijn over haar spreekt.'

'Ik zal zoveel spreken als ik maar wil, schoelje. Dit is mijn huis, mijn zaal, en jij bent mijn gevangene. Ik zal je zeggen wat ik je allang heb willen zeggen. Jij denkt dat je aanspraak kunt maken op de dochter van Zeven Wateren omdat je haar hebt bezoedeld; omdat je misbruik hebt gemaakt van haar onschuld en haar tegen mij hebt opgezet. Maar ze is niet van jou, en dat is ze nooit geweest. Als ze dat tegen je heeft gezegd, heeft ze tegen je gelogen. Een vrouw zegt alleen de waarheid wanneer het haar uitkomt. Liadan is mij al lang geleden toegezegd, toen we nog kinderen waren. En ze is een gulle geefster. Ik heb haar lichaam gekend, elk zoet stukje ervan, lang voor jij haar met je lelijke handen aanraakte.' Hij zweeg even om zijn woorden te laten inwerken. 'Grappig, nietwaar? Eigenlijk kan niemand zeggen of het kind van jou is of van mij.'

Het werd volkomen stil, en nu kon Bran de woede niet langer weghouden uit zijn ogen of zijn hortende ademhaling beheersen. 'Nee. O, nee,' fluisterde ik, en ik ving Finbars stilzwijgende waarschuwing op. *Wees stil, Liadan, als je dit beeld niet wilt kwijtraken.*

'Je liegt,' zei Bran. Zijn stem was niet meer vast.

'O ja? Ik denk dat je moeilijk kunt bewijzen of dit wel of niet waar is. Waar is je bewijs?'

Bran ademde diep in en deed een poging zijn schouders breed te maken. Ik had de indruk dat er nog meer blauwe plekken waren die niet te zien waren. Hij keek Eamonn recht in de ogen.

'Ik heb geen bewijs nodig,' zei hij zacht, en hij had zijn stem nu weer met moeite in bedwang. 'Liadan zou niet tegen mij liegen. Ik zou haar mijn leven toevertrouwen. Wat er tussen ons is, kun jij met je vuile woorden niet vergiftigen. Zij is mijn licht in de duisternis, en Johnny is mijn weg naar de toekomst.'

De tranen stroomden over mijn gezicht toen ik zag dat Eamonn zijn wachten riep en dat Bran de zaal uit werd gesleept. 'Uit mijn ogen met dat hondsvot.' Eamonns stem klonk koel. 'Stop hem in het donker waar hij thuishoort. Laat hem daar maar wegteren.'

Toen was Eamonn alleen, en zijn gezicht was allesbehalve kalm. Hij schonk zich een kroes bier in, dronk die leeg en smeet de lege beker door de kamer met zo'n kracht dat het metaal spleet tegen de stenen van de haard. 'Die woorden zul je terugnemen voor ik met je klaar ben,' fluisterde hij. Het oppervlak van de poel werd weer donker.

Haal diep adem, Liadan. Ik voelde de troostende kalmte van Finbars gedachten terwijl hij mijn sidderende geest in de zijne wikkelde. Hij liet me licht op water zien, het vlammende geel van eiken in herfsttooi, de toorts op de kleine curragh waarin mijn moeder lag, een brandende kaars, de stralen van de middagzon die mijn zoontje beschenen, die stil onder de wilgen lag te slapen. *Nu. Beter? Dat was erg zwaar. Wat ga je doen?*

'Ik heb geen keus,' zei ik hardop, en wreef met mijn mouw over mijn natte wangen. 'Sean heeft me gevraagd erheen te gaan, om Aisling te halen. Ik moet meteen vertrekken, en wanneer ik er aankom, moet ik...' Mijn geest schrok terug voor het vooruitzicht. Ik kon Sean niet vertellen wat ik gezien had. Ik kon zijn stem nu horen: *Zo'n man is niet te vertrouwen... hij was in een ideale positie om deze informatie direct aan de Britten door te geven.* Wie zou het woord van de Beschilderde Man geloven tegenover dat van Eamonn van de Moerassen? Wie zou de schimmige visioenen van het Gezicht als bewijs accepteren? Sean had gezegd: Jij draagt hiervoor een deel van de schuld, Liadan. Ik kon niets tegen Sean zeggen. Ik wilde maar dat vader thuis was. Hij zou weten wat ik moest doen. Maar vader was nog niet terug van Harrowfield en er was geen bericht gekomen. Nu was er geen tijd meer. Ik zou geen hulp gaan vragen bij Conor. Ik wist wat hij zou zeggen. *Die man heeft zijn doel gediend. Verspil je energie niet aan hem. Het gaat om het kind.*

'Wat ga je doen?' Uit Finbars klare blik sprak medeleven. Hij gaf me geen advies.

'Allereerst,' zei ik, 'het kind voeden en verschonen; dan teruglopen naar Zeven Wateren. Morgenochtend op weg gaan naar Sídhe Dubh. En hopen dat wanneer ik daar aankom, ik zal weten wat er moet gebeuren.'

Finbar knikte. 'Ik vroeg me wel af,' zei hij, 'ik vroeg me wel af... het is lang geleden dat ik in een wereld van bondgenootschappen, strategieën en verraad leefde. Maar ik had de indruk dat er iets onuitgesproken bleef.'

'Iets wat ik zou kunnen gebruiken, als het waar was.'

'Inderdaad. We dachten dus hetzelfde.'

'Ik kan haast niet geloven dat Eamonn tot een dergelijk verraad in staat is,' zei ik, maar achter in mijn geest zag ik de uitdrukking in Eamonns ogen toen ik het huwelijk afwees dat hij me aanbood; de uitdrukking van een man die alleen ziet wat hij wil zien; een man die niet kan verdragen dat hij een nederlaag lijdt.

'Ga vooral heel voorzichtig te werk,' zei Finbar. 'Ik zou je meer hulp geven als ik kon. Maar je hebt natuurlijk al een boodschapper uit de Andere Wereld.' Hij keek naar Fiacha, die op de onderste tak van een lijsterbes zat, vlak bij de plek waar Johnny nu begon wakker te worden in de varens.

'Ik heb een boodschapper, ja.' Ik boog me over Johnny heen om zijn vochtige kleertjes te verwisselen. Hij was wakker, maar stil; deze keer kon hij wachten op zijn voeding. Het was alsof de heimelijkheid en rust van deze plek zelfs indruk maakte op zijn zuigelingenbewustzijn.

'Een krachtige boodschapper. Ik hoef natuurlijk niet te vragen wie je die heeft gestuurd.'

'Hij is op Zeven Wateren geweest,' zei ik; ik wist dat Finbar de enige was met wie ik veilig hierover kon spreken. 'Ciarán. In de nacht van de wake voor moeder. Hij liet deze vogel achter, en hij vertelde me de waarheid over wie hij was. Oom...'

'Wat zit je dwars, Liadan?'

'Het is vreselijk wat ze gedaan hebben, dat ze ons niet de waarheid hebben verteld zodra bekend was dat mijn zuster en Ciarán van elkaar hielden. Als ze dat hadden gedaan, zou Niamh tenminste begrepen hebben dat Ciarán haar niet zomaar in de steek liet. Daar had ze zich aan vast kunnen houden in die moeilijke tijd. En ik had eerder begrepen wat mijn kind bedreigde.'

'Ben je bang voor Ciarán, ook al heeft hij je dit gegeven?'

'Ik weet het niet. Ik weet niet of hij een vriend of een vijand is. Ciarán zei... hij zei dat zijn moeder hem macht had aangeboden. Dat ze wachtte tot hij een beslissing zou nemen. Hij was erg boos.' Ik huiverde. 'Boos en verbitterd.'

Finbar knikte langzaam. 'Hij is nog jong. En van zijn leerjaren moet hij toch iets opgestoken hebben. Conor zou zeggen dat het zich zo zal ontvouwen als het moet.'

'Dat is precies wat Conor zei.'

'Zo vader, zo zoon. Dat is nu juist zo jammer. Er was een goede reden voor ons stilzwijgen, Liadan, zowel toen als eerder, toen het kind werd teruggehaald naar het woud. Niemand van ons wilde dat ons halfbroertje zou worden grootgebracht door vrouwe Oonagh, zodat hij zich zou ontwikkelen tot een wapen om ons te vernietigen. Conor streefde ernaar de jongen te wapenen tegen deze invloeden. Maar het oude kwaad is heel sterk. Oonagh is maar een van de werktuigen waarvan het zich bedient; misschien is er een donkere kant in Ciaráns ziel die ondanks hemzelf altijd tot uiting zal moeten komen, om verwoesting te zaaien onder de vijanden van zijn moeder. Wat er gebeurd is, was geen toeval. Elk van ons zag dat datgene waarvan we dachten dat het verslagen was, weer tot leven was gekomen en in ons midden was. En we twijfelden aan ons vermogen om tegen de macht ervan te strijden. We voelden allen dezelfde angst, het ontwaken van een vrees zoals we in ons leven nog maar één keer eerder hadden gekend. Voor veel mensen was het kwaad dat Oonagh de kinderen van Zeven Wateren aandeed, een soort legende geworden, een zonderlinge gebeurtenis uit een of ander magisch sprookje van lang geleden. Maar ik hoef mijn ogen maar te sluiten om te zien hoe ze voor me stond en me in mijn gezicht uitlachte, met haar haar als een donkere vlam en haar ogen als giftige bessen. En dan voel ik dat ik begin te veranderen, dat ik tril van angst terwijl mijn menselijk bewustzijn me verlaat. Ik zal nooit meer dezelfde zijn; de weg die ik eens voor me zag, is voorgoed vernietigd. In wat er met Niamh en Ciarán gebeurde, zag ik wederom de wreedheid van vrouwe Oonagh en de pijn van mijn zuster. Wat de tovenares die dag verrichtte, blijft levenslang bestaan; de angst, de schuld, de pijn ervan blijven al onze levensdagen bij ons. Hoe kun je deze last ook maar enigszins delen met een zoon of dochter? Hoe kun je leven met het verdriet als je ziet dat het ook onze sterke jonge levens begint aan te tasten? Misschien hebben we de waarheid ontkend, zelfs tegenover onszelf.'

'U hebt mijn visioen gezien; als ik er niet heen ga om hem te helpen, zal Bran sterven, en anderen ook, en dat zal een ware overwinning zijn voor de machten van het kwaad. Maar ik ben bang. Niet voor mezelf, maar voor Johnny. De Feeën hebben me gewaarschuwd hem niet weg te halen. En dan is er nog de profetie. Moeder zou niet gewild hebben dat ik daar tegenin ga.'

'Je bent sterk. Maar wat je gaat proberen, is zeker gevaarlijk.'

'Ik voel me nu niet sterk.' Ik legde mijn zoon aan de borst en dwong mezelf langzamer te ademen. 'Ik voel me machteloos en bang. Ik ben bang dat ik te laat zal komen.'

Het bleef even stil, toen kwam de stem van Finbars geest, ongewoon aarzelend. *Ik geloof dat ik je een tijdlang niet zal zien, Liadan. Vergeet mij niet. Want mijn toekomst is verbonden aan die van het kind. Dat heb ik gezien. Het is belangrijk, lief kind. Vergeet het niet. Er zal veel zijn dat je kan afleiden.*

Ik zal het niet vergeten. En ik dank u voor uw hulp. U bent er

bijzonder knap in, deze visioenen binnen de perken te houden, de
angsten van de geest te bezweren.
Jij bent ook al behoorlijk knap. En je begint te leren het in te tomen. Je bent beslist een opmerkelijke jonge vrouw. Je man sprak
een waar woord toen hij je een licht in de duisternis noemde. Ach.
Nu zie ik je weer huilen. Het is beter deze tranen nu te vergieten,
want na vandaag zul je geen tijd meer hebben om te huilen.

HOOFDSTUK VEERTIEN

Het zou een lange rit worden. Sean had de afstand een keer in minder dan een dag afgelegd; hij had zich toen door het donker gespoed in antwoord op mijn dringende roep om hulp. Maar met een baby zou het nodig zijn onderweg stil te houden, om hem te voeden en te laten rusten, en zelf zou ik ook eerder vermoeid zijn als ik met hem op mijn rug te paard zat. Een wagen was uitgesloten, te traag, en te lastig om op smalle wegen te manoeuvreren en te verdedigen. We hadden Liam in de schemering ten grave gedragen, onder de grote eiken van Zeven Wateren. Er waren onopvallend berichten uitgestuurd; Conor zou komen, maar hij was weg geweest en kon ons niet op tijd bereiken. Padriac was al vertrokken van het huis van Seamus Roodbaard in Glencarnagh; misschien was hij al scheep gegaan om een nieuwe reis naar verre landen te maken. Hij bezocht ons maar zelden; hij had nooit deel willen hebben aan het leiderschap over landerijen en gemeenschap. Maar het was droevig dat er geen broers, geen zus in het vervagende licht onder de oude bomen stonden om afscheid te nemen van dit strenge clanhoofd.

We maakten een vuur en verbrandden monnikskap en dennennaalden. Sean sprak over de kracht en moed van onze oom, ik van zijn toewijding aan familie en túath. De mensen van huishouden en nederzetting stonden er zwijgend bij. Het was een somber heengaan voor zo'n groot man; misschien zouden we later de gelegenheid hebben om zijn leven en zijn heengaan te eren met een grote bijeenkomst van mensen, met de gastmalen en muziek die hij verdiende. Maar nu niet. Het was een gevaarlijke tijd, en het nieuws van zijn plotselinge dood mocht niet zonder meer worden verspreid.

Na afloop dronken we in stilte een beker bier in de keukens, om het vuur. Buiten, in de nachtlucht, klonk een vreselijk geluid, een gehuil van verdriet en verlatenheid dat de leegte in ons eigen hart reflecteerde. Deze jammerklacht ging maar door, tot het galmde in mijn hoofd en ik mijn tranen niet meer kon inhouden. Toen stond Sean op, liep naar de deur, en riep, naar buiten kijkend in het donker: 'Neassa! Broc! Genoeg nu. Naar binnen, jullie!'

Na korte tijd hield het gehuil op en kwamen de twee wolfshonden van mijn oom binnen vanuit het donker, met hun besnorde koppen gebogen en hun staart tussen de poten. Sean ging weer zitten, en de honden gingen naar hem toe de ene ging aan zijn linkerkant zitten en de andere aan zijn rechterkant. Ik geloof dat het op dat moment was dat mijn broer meester van Zeven Wateren werd.

Johnny en ik waren klaar bij zonsopgang, en Sean stond op de trap om ons goede reis te wensen. Ik bereed het vreemde paardje dat ooit van de Beschilderde Man was geweest, en ik had de indruk dat het popelde om te vertrekken, een gretigheid die meer was dan het vooruitzicht van lichaamsbeweging en frisse lucht. Fiacha zat vlakbij op een paal te wachten, met zijn kop schuin. Toen ze hem zagen, werden de paarden onrustig.

'Ik ben je erg dankbaar, Liadan,' zei mijn broer op barse toon. 'Breng haar mee terug, als je kunt. En zeg tegen Eamonn dat ik met hem moet praten. Je zult hem het bericht van Liams dood moeten brengen. Daarna zal hij wel inzien dat het dringend nodig is dat er een nieuw overleg wordt gehouden. Het bondgenootschap moet zich hergroeperen, en snel ook. Ik moet mijn eigen plek verwerven; duidelijk maken dat ik mijn eigen koers vaar. Vraag aan hem of hij naar me toe wil komen. Maar zorg er allereerst voor dat Aisling veilig is.'

'Ik zal doen wat ik kan. Nu moeten we gaan. Het is een heel eind. Vaarwel, Sean. Moge de godin je weg verlichten.'

'Behouden reis, Liadan.'

Een dag, een nacht en een deel van de volgende morgen, zo lang deden we erover, en bij elke stap wilde ik dat het sneller ging. Ik knarsetandde elke keer dat mijn zoon wakker werd en begon te huilen, en we weer stil moesten houden om aan zijn behoeften te voldoen. Ik slikte woorden van teleurstelling in toen mijn gewapende escorte me meedeelde dat heer Sean erop had gestaan dat we stilhielden om te slapen, in elk geval een tijdlang, en dat ze een behoorlijke maaltijd voor me maakten. Van een dame kon niet verwacht worden dat ze zich op reis alles ontzegde, zoals een krijger zou kunnen doen. Dus sloegen ze een kleine schuiltent voor me op, en stonden op wacht terwijl ik daar lag, met open ogen in de nacht, en naar de wolkjes keek die voor de afnemende maan langstrokken. En op de ochtend van de tweede dag reden we over de verhoogde weg naar Sídhe Dubh, terwijl Fiacha met zijn donkere vleugels boven ons vloog.

We waren de buitenste wachtposten zonder veel problemen gepasseerd. De mannen daar kenden mij en herkenden de mannen van mijn escorte, die gekleed waren in de witte tuniek van Zeven Wateren met het embleem van verstrengelde torques. Ze lieten ons passeren en trokken alleen een wenkbrauw op toen ze Fiacha krassend zagen rondcirkelen. Ook bij de toegang tot de verhoogde weg werden we niet tegengehouden. Maar een van de wachten schudde bedenkelijk zijn hoofd en zei: 'U zult niet worden toegelaten. Hij laat niemand naar binnen, en hij zal geen uitzondering maken, zelfs niet voor een dame.' Iets in zijn stem wekte de indruk dat de situatie hem niet helemaal beviel. Maar ze hadden kennelijk hun orders.

We staken dus over naar de toegangspoort, de ingang van de lange, slingerende ondergrondse weg die naar de binnenplaats met de hoge muren eromheen leidde. Evenals de vorige keer waren er twee reusachtige wachten met bijlen in hun handen en twee forse zwarte honden, die naar ons grauwden.

'Maak u bekend!'

De wachten deden een stap naar voren en de honden trokken hun lijn strak.

'Vrouwe Liadan van Zeven Wateren, die de dochter des huizes komt bezoeken,' zei de aanvoerder van mijn escorte. 'Wij behoren allen tot dat huishouden, en het verbaast me dat je ons niet herkent, Garbhan, aangezien het nog geen seizoen geleden is dat we hier in de grote zaal een kroes bier met jullie hebben gedronken. Open je poorten voor ons. De vrouwe heeft ver gereisd en is vermoeid.'

'Niemand wordt toegelaten. En er worden geen uitzonderingen gemaakt.'

'Ik denk dat je het niet goed begrijpt.' De stem van mijn geleide straalde zelfvertrouwen uit. 'De vrouwe is gekomen om haar vriendin te bezoeken. Ze heeft een klein kind bij zich, zoals je ziet. Dit is de zuster van Sean van Zeven Wateren. Als je eraan twijfelt, laat het dan alsjeblieft aan vrouwe Aisling berichten. Ik weet zeker dat ze ons gezelschap welkom zal heten.'

'Er worden geen uitzonderingen gemaakt. Orders van heer Eamonn. Maak nu dat jullie wegkomen, voor ik de honden loslaat.'

De honden leken niets liever te willen dan te worden losgelaten, want Fiacha begon duikvluchten uit te voeren, waarbij hij net buiten bereik bleef van hun happende kaken. Hij vloog weer omhoog om de manoeuvre te herhalen, begeleid door spottend en uitdagend gekras. Johnny werd wakker en begon te huilen.

Ik liet mijn paard voorwaarts gaan. 'Laat dit aan mij over,' zei ik tegen mijn mannen. Ik probeerde net zo spreken als ik Liam wel had horen doen. 'Haal heer Eamonn,' zei ik. 'Hij zal mij zeker te woord willen staan. Zeg hem dat Liadan hier is en met hem moet spreken. Zeg hem dat ik hem iets heb mee te delen, en dat het belangrijk is, en dat ik geen nee accepteer.'

'Ik weet het eigenlijk niet, vrouwe. Heer Eamonn mag niet gestoord worden, en hij heeft duidelijk gezegd: geen uitzonderingen.'

Fiacha vloog rakelings langs zijn gezicht, zo dichtbij dat de dodelijke snavel bijna een oog had kunnen uitpikken.

'Ga het tegen hem zeggen.'

'Ja, vrouwe.'

We wachtten. Eamonn kwam niet naar beneden, maar na een tijdje kwam de wacht terug en werd de ketting losgemaakt en de poort ontsloten. We reden langs de kwijlende honden en over de lange slingerende weg omhoog naar de binnenplaats. Er waren veel wachten, langs de hele weg omhoog. Genoeg wachten, dacht ik somber, om ook de lastigste gevangene vast te houden. Diep vanbinnen wist ik dat Bran hier ergens moest zijn. Hij moest nog leven en in staat zijn een ontsnappingspoging te doen, want waarom zouden er anders zoveel gewapende mannen staan? Toen we naar buiten kwamen in het licht, wemelde het ook op de binnenplaats van de krijgers, en voor de ingang van het huis stond Eamonn, met een strenge en afstandelijke uitdrukking op zijn gezicht. Hij kwam naar me toe om me te helpen afstijgen. Johnny huilde en de vogel voegde zijn eigen aparte geluid aan het rumoer toe.

'Liadan,' zei Eamonn met gefronst voorhoofd. 'Wat doe jij hier?'

'Wat is dat voor manier om een vriendin te verwelkomen?' vroeg ik. 'We zijn moe en ik moet het kind verzorgen.'

'Waarom ben je hier gekomen?'

Mijn gewapende escorte was afgestegen, en stond te luisteren.

'Ik heb nieuws voor je, Eamonn. Heel belangrijk nieuws, dat ik je onder vier ogen moet meedelen. En ik moet Aisling spreken. Misschien zou je mijn mannen wat bier kunnen geven, en mij een rustige plek waar ik mijn zoon kan verzorgen. Daarna zou ik je alleen willen spreken, wanneer het je schikt.'

Toen hij zich omdraaide om orders te geven en de groep mensen die te hoop waren gelopen te verspreiden, zag ik dat hij werkelijk een tikje voorzichtig bewoog, als iemand die nog niet geheel hersteld is van een ernstige verwonding, zoals een messteek. Er kwam een dienares om me voor te gaan naar binnen en een rustige plaats voor me te zoeken waar ik mijn zoon kon verschonen en voeden. Er werd een dienblad met eten en drinken gebracht. Aisling was nergens te bekennen, en ik vroeg niet waar ze was.

Er ging wat tijd voorbij. Johnny kreeg zijn eten en was stil, en de zon bewoog boven ons buiten de smalle raampjes. De dienares kwam terug met twee andere; ze maakten kirrende geluiden en bewonderden het kind, en boden aan een tijdje op hem te letten, zodat ik kon rusten.

'Ik zou Aisling graag willen bezoeken,' zei ik. 'Is zij hier?'

'De vrouwe voelt zich niet goed. Ik denk niet dat ze iemand wil ontvangen,' zei de oudste van de vrouwen, die Johnny in haar armen hield.

'Ik zou misschien iets voor haar kunnen doen,' probeerde ik. 'Ik heb kennis van de geneeskunst. Wat is er met haar aan de hand?'

'U kunt dat beter aan heer Eamonn vragen.'

'Maar...'

'Vraagt u het liever aan hem.'

Schoorvoetend liet ik toe dat ze Johnny meenamen naar de keukens, want hij leek heel tevreden in hun gezelschap. Ik was inderdaad moe, maar ik wist niet goed wat ik nu moest doen. Fiacha vloog achter hen aan, tot grote schrik van de vrouwen. Met zo'n bewaker dacht ik dat mijn zoon voorlopig wel veilig zou zijn. Ik keek uit het raam, naar de binnenplaats beneden, in de hoop iets ongewoons te zien, iets waaruit zou blijken dat er in dit fort werkelijk een paar heel bijzondere gevangenen waren. Maar afgezien van de aanwezigheid van al die gewapende mannen leek alles heel gewoon.

Eindelijk liet Eamonn me ontbieden. Hij bevond zich in de grote zaal, waar hij op zijn eikenhouten zetel zat. Toen de dienaar was weggestuurd, waren we alleen.

'Zo, Liadan. Neem alsjeblieft plaats. Een beker wijn, misschien? Deze wijn komt helemaal uit Armorica. Hij smaakt uitstekend, moet ik zeggen. Ik verwachtte geen bezoek van jou. Dit is geen geschikt moment.'

'Voor dit nieuws is er geen goed moment. Mijn oom Liam is dood. Gedood door de Britten, toen hij op weg was naar een bijeenkomst met de Uí Néill. Iemand heeft ons verraden, en het bondgenootschap is ernstig verzwakt. Sean heeft mij gevraagd je dit bericht zelf te brengen en je te vragen of ik Aisling mee terug kan nemen, want hij heeft behoefte aan haar steun. En hij wil jou dringend spreken.'

'Ach, zo.' De uitdrukking van geschokt medeleven op zijn gezicht leek volkomen gemeend. 'Dit is zeker een ernstig bericht. Wanneer is dat gebeurd?'

'Een paar dagen geleden. Sean wil dat er geen bekendheid aan wordt gegeven, om voor de hand liggende redenen. We hebben bericht gestuurd aan je grootvader, en ik ben hierheen gekomen om het jou te vertellen. Buiten dat weet niemand het, maar zodra Northwoods besluit zijn aanslag bekend te maken, zullen de vijanden van het bondgenootschap wellicht proberen iets tegen ons te ondernemen.'

Hij trok zijn wenkbrauwen op. 'Ik had geen idee dat je zo goed op de hoogte was van strategische zaken, Liadan.'

'Ik leer snel bij,' zei ik.

'Aisling kan niet mee naar Zeven Wateren. Ze is... ongesteld.'

'Mag ik naar haar toe? Als ze ziek is, kan ik helpen.'

'Dit keer niet. Ik vrees dat je niet naar haar toe zult kunnen gaan, en ze kan zeker niet reizen.'

'Dan is ze waarschijnlijk ernstig ziek. Ik ben genezeres, Eamonn. Je zou mij de gelegenheid moeten geven haar te behandelen. Aisling is mijn vriendin, en de verloofde van mijn broer. Je zou me de kans moeten gunnen haar te helpen, als ik dat kan.'

'Je zult hier niet lang genoeg blijven om haar te helpen. Ik kan geen gasten in huis hebben. Aisling zal zonder jouw hulp ook wel herstellen. Ze is alleen... koppig geweest, en heeft zich daardoor ziek gemaakt. Je kunt niet naar haar toe.'

Ik antwoordde niet. Het gesprek had iets van een spel. Hier een klein risico nemen, daar een kleine winst behalen. Het was moeilijk strategische zetten te doen als je de regels niet kende.

'Zeg tegen Sean dat Aisling niet in staat is de reis te maken,' zei hij. 'Breng hem mijn deelneming over met zijn verlies.' Hij stond op alsof hij wilde weggaan, en er viel weer een pijnlijke stilte. 'Je zult vermoedelijk een nacht rust nodig hebben voor je weer naar huis kunt rijden. Het verbaast me dat je je kind helemaal hierheen hebt meegenomen, Liadan. Maar hij lijkt het goed te hebben doorstaan.'

'Je zult wel merken dat tuig van de richel over een opmerkelijke innerlijke kracht beschikt,' zei ik zacht. 'Een meer dan gewoon uithoudingsvermogen.'

Het duurde even voor zijn reactie kwam. 'Wat zei je daar?'

'Ik ben hier om met je te onderhandelen, Eamonn. Ik ben gekomen om je gevangenen vrij te kopen.'

Ik vond eerst al dat hij bleek zag, maar nu werd zijn gezicht zo wit als een doodsmasker.

'Ah... zo,' zei hij voorzichtig. 'Weet je broer van deze zotte onderneming?'

'Sean is niet op de hoogte van mijn plannen,' zei ik, en mijn hart begon te bonzen. 'Maar hij weet dat ik hier ben en verwacht me snel terug, met of zonder Aisling.'

'En aan wat voor gevangenen had je eigenlijk gedacht?'

'Je hoeft geen spelletjes met me te spelen, Eamonn. Ik bedoel de Beschilderde Man en een lid van zijn bende, die je beiden hier gevangen houdt. Ik ben hier om met je te onderhandelen over hun uitlevering aan mij en over een vrijgeleide uit Sídhe Dubh.'

'Onderhandelen? Hoezo, onderhandelen?'
'Een ruilovereenkomst. Ik weet zeker dat je er al vele hebt afgesloten.'
Hij stond op en begon heen en weer te benen.
'Je verbaast me, Liadan. Zelfs na wat er gebeurd is, zelfs na alles wat er tussen ons is voorgevallen, dacht ik nog altijd dat je in staat was tot een verstandig oordeel. Die man is slecht, een plaag. Hij zou nooit meer vrijgelaten mogen worden. En dat wordt hij ook niet. Maar vertel me nu,' en hij bleef vlak voor me staan en legde zijn handen op mijn schouders, 'hoe kon je weten dat hij hier was? Hoe heb je dat kunnen ontdekken? Niemand wist ervan.'
'Je doet tenminste niet alsof hij niet je gevangene is. Ik neem aan dat je trots dat verhindert. De bron van mijn informatie is vertrouwelijk. Maar ten minste één ander lid van de familie van Zeven Wateren weet wat ik weet, en zal het bekendmaken als mij iets overkomt.'
'Iets overkomt? Waarom zou jou iets overkomen? Jij vormt geen bedreiging voor mij, en bovendien... nee, laat ik niet sentimenteel worden. Ik zal je zeggen waar het op staat, Liadan. Het interesseert geen mens of deze man leeft of sterft. Je zou van de daken kunnen schreeuwen dat ik hem gevangenhield, hem gemarteld en geslagen had, van plan was hem terecht te stellen. Er is geen levend wezen dat een vinger uit zou steken om hem te helpen. Hij is een uitgestotene, een hopeloos geval.'
'Je vergist je,' zei ik zacht. 'Je vergist je heel erg. Zo'n man kan mensen inspireren tot innige trouw, zoals je tot je nadeel zult ontdekken.'
'Huh! De trouw van andere sloebers zoals hij, en misleide meisjes die een perverse opwinding vinden in de armen van een ontaard monster. Ik kan niet geloven dat je je aan hem hebt gegeven, terwijl je...'
'Terwijl ik jou had kunnen krijgen? Ik vind het erg jammer dat je dat niet kunt geloven, Eamonn, want het heeft je hele geest vervuld met verbittering, zozeer dat je niet goed meer ziet wat je doet, of waarom. Deze haat verteert je zo erg dat je je familie en vrienden kwetst en een donkere vloek over je eigen toekomst afroept. Het is nog niet te laat om je terug te trekken. Nog net niet.'
'Als je mij had geaccepteerd, zou ik een andere weg zijn gegaan,'

zei hij op sombere toon. 'Als je nu ontdekt dat het je niet aanstaat hoe ik geworden ben, is dat je eigen schuld.'

'Je handelingen zijn je eigen werk,' zei ik, mijn boosheid onderdrukkend. 'Je maakt je eigen keuzes. Ieder van ons draagt een schuld, voor genomen of niet genomen beslissingen.' Ik zag een klein beeld van mijn oom Liam, die op de weg lag met een pijl in zijn borst. 'Je kunt hierdoor je hele leven laten regeren, of je kunt het achter je laten en verder gaan. Alleen een krankzinnige laat zijn levensloop door jaloezie bepalen. Alleen een zwakkeling geeft anderen de schuld van zijn eigen fouten. Wil je nu met me onderhandelen of niet?'

'Ik zou niet weten wat je denkt me aan te kunnen bieden,' zei hij stijfjes. 'Maar ik neem aan dat een vrouw altijd één dienst heeft die ze een man kan leveren. En er is een tijd geweest, niet lang geleden, dat ik misschien veel zou hebben betaald om jouw lichaam te bezitten. Ik zou betaald hebben met mijn trots, met mijn reputatie, met alles wat ik bezit. Maar nu niet meer. Niet nu ik hem in mijn greep heb. Hem te zien lijden is me oneindig veel meer waard dan een nacht in jouw bed. Hoewel het interessant zou zijn om dat te doen, alleen om hem te kwellen. Jammer genoeg is hij dat punt al voorbij.'

'Wat bedoel je?' Ik kon niet verhinderen dat mijn stem beefde, en ik dacht dat hij merkte hoe ik schrok.

'Wist je dat je bandietenheld bang is in het donker? Wist je dat hij het in zijn broek doet als hij te lang wordt opgesloten? Dat heb ik ontdekt. Het kostte veel spitwerk om daarachter te komen. Hij kan zijn geheimen goed bewaren. Je zult hem niet helemaal in dezelfde staat aantreffen als je hem hebt achtergelaten, vrees ik. Wat die ander betreft, die ziet er behoorlijk slordig uit.'

Ademen, Liadan. 'Ik geloof dat je niet goed hebt begrepen wat ik bedoel wanneer ik het over onderhandelen heb,' zei ik, terwijl ik een slokje wijn nam, alleen om mijn handen iets te doen te geven en het beven te doen ophouden. 'Het is niet zozeer een kwestie van wat ik kan aanbieden in ruil voor hun vrijheid. Het is meer een geval van wat jij bereid bent te geven om mijn zwijgen te kopen.'

'Zwijgen? Waarover zwijgen? Wat bedoel je?'

'Ik heb informatie die bijzonder schadelijk voor jou zou kunnen zijn, Eamonn. Informatie die, als ze mijn broer of Seamus ter ore zou komen, jou zou uitsluiten van het bondgenootschap en ervoor zou zorgen dat je de rest van je leven op je hoede zou moeten zijn voor een man met een mes. Informatie die, als de Uí Néill ervan op de hoogte zouden raken, ervoor zou zorgen dat je nooit meer met hen aan een overleg deel zou nemen. En je gebied ligt niet handig. Precies op de weg van verkeer vanuit Tirconnell. Daarom kun je beter naar me luisteren.'

'Ik geloof mijn oren niet.' Hij ging weer zitten en staarde me aan. 'Hoe zou jij nu over informatie kunnen beschikken die je broer niet al bekend is? Een meisje, thuis met een kind, opgesloten midden in het bos. Dit is enkel bluf.'

'Bluf. Goed, laten we er dan even op doorgaan. En vergeet niet dat de bende van de Beschilderde Man weet heeft van vele geheimen, en in vele kampen een oor te luisteren kan leggen. Mijn nieuwsbronnen zijn misschien niet dezelfde als die van Sean, maar ze zijn precies even doeltreffend.'

'Ga door,' zei hij met een ijzige stem. Op dat moment kwam er een man binnen met een dienblad waarop nog een karaf wijn stond en een schotel met brood, kaas en verschillende soorten in plakken gesneden vlees. Hij zette het blad op een tafel en Eamonn zond hem met een rukbeweging van zijn hoofd heen. Toen de man weg was, liep hij naar de deur en schoof de grendels erop.

'Ziezo,' zei hij. 'Wat voor informatie?'

De zon scheen schuin door de ramen naar binnen. Het was na het middaguur; twee hele dagen waren verstreken sinds ik dat visioen had gezien waarin Bran werd weggesleept uit deze zaal, sinds ik Eamonn had horen zeggen: *Stop dat hondsvot in het donker.* Nu was het ogenblik aangebroken dat ik alles moest inzetten op een vermoeden; dat ik moest hopen dat Finbar en ik toevallig op de waarheid waren gestuit.

'Ik weet welke prijs je aan Northwoods hebt betaald,' zei ik met een moeizaam verkregen vaste klank in mijn stem. 'Ik weet dat de dood van mijn oom veroorzaakt is door de informatie die jij onze vijand hebt gegeven. Je hebt het bondgenootschap verraden, Eamonn. Je hebt Liam opgeofferd omwille van je eigen perverse wraakzucht. Vanwege je razende jaloezie. En dat zal ik aan Sean en aan Seamus vertellen, tenzij je me geeft wat ik vraag.'

'Dit is ongehoord!' Zijn stem beefde van geschokte woede. 'Je

kunt dit niet met bewijs staven. Ik heb geen idee hoe je een dergelijk verhaal hebt kunnen verzinnen, en ik weet ook niet wie je
zou geloven als je het vertelde.'

'Ik heb er bewijs voor. Een zeer geloofwaardige getuige, die ook
precies weet met welk doel ik hier ben gekomen. Als je weigert,
zal je geheim spoedig bekend worden, of ik nu veilig thuis terugkeer of niet. Dat zal je einde betekenen, Eamonn.'

Hij bleef een tijdlang zwijgen. 'Hoe kun je me garanderen dat deze informatie niet bekend zal worden, ook al zou ik instemmen
met je belachelijke verzoek?' zei hij, en er begon een klein vlammetje van hoop in me te branden. 'Je zou kunnen krijgen wat je
wilt, en het toch vertellen. Hoe kun je me beloven dat anderen
hun mond zullen houden?'

'Je weet best dat ik dat niet zal doen,' zei ik. 'Eens, nog niet zo
lang geleden, heb je gezegd dat ik de enige vrouw was die je ooit
tot echtgenote zou nemen, of woorden van gelijke strekking. Ik
geloof dat je dat toen meende. Nu merk ik dat je elk respect dat
je ooit voor me had, hebt verloren. Maar we zijn ooit vrienden
geweest. Als ik je mijn woord geef, zal ik het houden. Ik zal ook
zorgen dat anderen zwijgen. Maar ik zal nooit mijn broer in gevaar brengen. Ik zal alleen blijven zwijgen zolang jij je aan onze
overeenkomst houdt.'

'Ik kan dit niet geloven. Het lijkt wel alsof je in een... in een soort
monster veranderd bent, net als de man die je in bescherming
neemt.'

Nee, nee, dacht ik. *Jij bent degene die een monster is geworden;
een man die verraad pleegt, en martelt, en moordt, uitsluitend
vanwege je obsessieve jaloezie. Jij, de man met wie ik eens had
kunnen trouwen.* 'Heel goed,' zei ik. 'Je zult het bondgenootschap
respecteren. Je zult je verplichtingen aan mijn broer in de toekomst
nakomen, en eerlijk tegen hem zijn, en je verdediging met hem delen, net als met Liam.'

'En verder?'

'Dat is de overeenkomst op lange termijn. Zodra je je er niet aan
houdt, vertel ik het hun.'

'En op de korte termijn?'

'Allereerst laat je Aisling hierheen halen. Mijn gewapende escorte zal haar meenemen naar Zeven Wateren, nu, vanmiddag al. Ze

blijft daar tot het voorjaar, tot Sean en zij getrouwd zijn. Ze zal hier niet terugkomen. Jij zult bij het huwelijk aanwezig zijn, met een glimlach op je gezicht, en hun je zegen geven.'

'Aisling is niet gezond. Ze kan niet reizen.'

'Dat zal ik zelf beoordelen. Ik denk dat ze wel mee zal gaan. Mijn mannen weten hoe een dame moet worden vervoerd en verzorgd.'

'Je spreekt alsof je niet van plan bent haar te vergezellen. Wat houdt de rest van deze duivelse overeenkomst in, Liadan?'

'Ik zal hier blijven tot Aisling veilig van Sídhe Dubh is vertrokken. Dat hoeft niet lang te duren. Vervolgens zul je deze twee gevangenen vrijlaten. Je zult ons drieën, en mijn zoon, een vrijgeleide geven tot aan je grenzen.'

Hij liet een holle lach horen. 'Het is duidelijk dat je me inderdaad voor een zwakkeling houdt.'

'Ik denk dat je nog genoeg gezond verstand over hebt om te weten wanneer je geen kant meer op kunt,' zei ik voorzichtig. 'Zul je doen wat ik vraag?'

'Je geeft me erg weinig keus. Maar ik ben niet geheel gespeend van trots, ook al probeer je me te vernederen waar je kunt. Ik zal Aisling laten gaan. Het zou dom van me zijn om daar niet mee in te stemmen, of om het eerste deel van de overeenkomst te weigeren. Ik vraag me af of je er ooit genoeg van zult krijgen me, jaar in jaar uit, in de gaten te houden om te zien of ik soms in de fout ga? Dat zou erg vervelend kunnen worden.'

'Ik ben de dochter van Zeven Wateren. Mijn broer verdient mijn trouw en mijn steun, en hij zal ze krijgen. Onze familie begrijpt het belang hiervan, ook al begrijpt de jouwe het niet.'

'Je zou er misschien beter aan doen je tong in bedwang te houden. Ik heb nog niet ingestemd met het tweede deel van de overeenkomst.'

'Het is alles of niets. Als je de gevangenen niet vrijlaat, gaat de overeenkomst niet door.'

'Ik heb tijd nodig.'

'Je krijgt geen tijd. Als ik zou willen, zou ik mijn broer dit nieuws op ditzelfde moment kunnen geven, hier in jouw aanwezigheid. Ik zou mijn geest voor de zijne kunnen openen, en het hem vertellen. Als je zou proberen me kwaad te doen, zou hij het onmiddellijk weten. Ik zou niet aarzelen.'

'Krijg de pokken jij, Liadan! Vervloekt jij met je toverkunsten!'
'Zul je deze mannen vrijlaten?' Het begon steeds moeilijker te worden om me te beheersen.

'Heel goed,' zei hij plotseling. 'Neem je ellendige minnaar en zijn bizarre metgezel dan maar mee. Kijk maar wat je nog aan ze hebt na hun korte maar veelbewogen verblijf onder mijn hoede. Maar van een vrijgeleide kan geen sprake zijn. Er is niet één man in mijn garnizoen, of waar dan ook in mijn gebied, die de Beschilderde Man naar de grens zou willen brengen zonder hem een mes in de rug te steken. Zodra je buiten deze muren bent, zul je het alleen moeten doen.'

'Je zegt dat je ons zult laten gaan, zodat je boogschutters ons neer kunnen schieten voor we een voet op de weg zetten? Daar heb ik niets aan. Ik moet iets beters hebben. Wil je soms dat ik met mijn broer praat? Zal ik hem aanroepen?'

'Nee. We gaan een spelletje spelen, denk ik. Wanneer Aisling weg is, als ze tenminste in staat is om te gaan, laat ik je een soort verstoppertje spelen. Eerst moet je je bandiet zoeken. Daarna neem je hem mee naar buiten. Daar zullen we je bij helpen, anders ben je de hele nacht bezig. Er wordt geen "voet op de weg" gezet. Laat hem weggaan zoals hij ooit binnen is gekomen, door de moerassen. Ze zeggen toch dat er niets is wat hij niet kan? Dat zou dus gemakkelijk moeten gaan. Over de verborgen weg, met een vrouw en een klein kind, en een man die zijn handen niet goed kan gebruiken. Heel eenvoudig, lijkt me. Dan zul je wel zien wat voor soort held hij is. Misschien moeten we je een bepaalde tijd geven om dit voor elkaar te krijgen. Je zult weg moeten zijn als het gaat schemeren, denk ik. Daarna komen we naar beneden met toortsen, en dan gaan we weer schieten. Mijn mannen hebben de laatste tijd weinig spannende dingen om handen.'

'Dat is... boosaardig,' fluisterde ik, terwijl ik hem ongelovig aanstaarde. Was dit de man met wie ik ooit had gedanst op Imbolc, een man die ik ooit had beschouwd als een geschikte toekomstige echtgenoot, als het me was gelukt hem te leren glimlachen? Was het echt mijn schuld dat hij zo volkomen was veranderd, alleen doordat ik nee had gezegd? Mijn hart was koud. 'Ik stelde toch de voorwaarden voor deze ruil?'

'Niet helemaal. Je zou kunnen besluiten je geheim nu te vertellen, te proberen je broer te overtuigen van wat je weet, op afstand. Dat zou je kunnen doen, en zodoende mijn leven te gronde richten. Maar zodra je dat doet, sterft de Beschilderde Man. En je kwam hier om hem te redden. Bedenk dat je broer niets om die bandiet geeft. Hij is niets dan een stuk op het bord dat veroverd of verloren kan worden.'

Ik likte langs mijn plotseling uitgedroogde lippen. 'Heel goed. We zijn het eens. Laat nu Aisling halen.'

'Je zult hierover niets tegen mijn zuster zeggen. Dat moet wel duidelijk zijn.'

'Het is duidelijk, Eamonn. Laat haar nu halen en laat ook mijn gewapende geleide komen.'

Aisling zag er ziek en akelig uit. Haar sproetige gezichtje was asgrauw en ik zag de beenderen onder de huid. Haar ogen waren paars en gezwollen, en haar krullende rode haar was onverzorgd. 'Liadan,' fluisterde ze, zonder te letten op de grimmige uitdrukking op het gezicht van haar broer en de zes gewapende mannen die in de zaal stonden te wachten. 'O, Liadan, je bent gekomen! Waar is Sean?'

'Hij wacht op je op Zeven Wateren,' zei ik kalm, hoewel ik had kunnen huilen om de toestand van mijn vriendin. 'Je broer heeft je toestemming gegeven om te gaan. Deze mannen zullen je er veilig heen brengen. Ik heb de vrouwen gevraagd om een paar dingen voor je in te pakken, en je paard staat klaar. Je zult dadelijk vertrekken.'

'O, Liadan, dank je wel. O, dank je, Eamonn!'

Het was maar goed, dacht ik, dat ze zo ongelukkig en uitgeput was dat ze niet op het idee kwam om vragen te stellen. Ze zouden ongetwijfeld later bij haar opkomen, wanneer ze al onderweg was.

'Vrouwe...' De aanvoerder van mijn escorte had bezorgd zijn voorhoofd gefronst.

'Dit zijn je orders,' zei ik beslist tegen hem. 'Vertrek nu dadelijk. Reis zo snel mogelijk terug naar Zeven Wateren, maar denk eraan dat vrouwe Aisling ziek is geweest en zal moeten rusten, net als ik. Zeg tegen mijn broer dat ik later zal komen.'

'We hadden orders u te bewaken.' Er klonk twijfel in zijn stem. 'Als wij weggaan, hebt u geen escorte.'

'Heer Eamonn kan mij de nodige bescherming geven,' zei ik. 'Ik zal hier nog korte tijd blijven. Zeg tegen mijn broer dat heer Eamonn contact met hem zal opnemen. Ga nu, dan zijn jullie er morgen voor de avond.'

'Heel goed, vrouwe.'

Ik beklom de trap naar de plaats waar de schildwachten heen en weer liepen. Ik keek uit over de dijk en de lange, rechte weg die de enige veilige uitweg vanuit Sídhe Dubh vormde. Ik bleef daar staan kijken tot Aislings roodbruine haar en de leren helmen van het gewapende escorte in de verte waren verdwenen. Toen ging ik naar de keukens, eiste mijn zoon weer op en voedde hem. Ik bond hem weer op mijn rug, zodat we reisvaardig waren. Buiten op de binnenplaats stond Eamonn te wachten. 'Ik was van plan om naar dit spel te kijken,' zei hij. 'Maar bij nader inzien heb ik er geen zin in. Maak je niet ongerust, mijn wachten hebben opdracht om je vrij rond te laten lopen. Als je sleutels nodig hebt of een sterke man om hier en daar een grendel los te maken, hoef je het maar te vragen, dan zullen ze je helpen. Maar je vindt dit soort dingen toch leuk, Liadan. Ik heb gehoord dat je hier rondsloop als een krolse kat, de laatste keer dat je hier was. Vooruit dus maar. Het duurt tenslotte niet meer zo lang voor het avond wordt. O, en doe alsjeblieft iets aan die vogel van je. Als hij nog één keer een duikvlucht uitvoert op een van mijn wachten, zal hij zijn volgende entree maken op de dinertafel, netjes ingepakt in pasteideeg.'

We liepen over de binnenplaats terwijl hij dit zei, en Fiacha vloog over ons hoofd om neer te strijken op de disselbomen van een lege wagen die daar stond.

'Vooruit maar, jij,' herhaalde Eamonn alsof hij een lastig kind wegstuurde.

Ik wist vrij zeker waar ik zou moeten zoeken, en ik vreesde voor wat ik zou vinden. Ik nam een snel besluit en keek Fiacha recht in zijn glinsterende, wijze oog. Ga, zei ik tegen hem. *Haal hulp. Ga nu. Ik heb hulp nodig voor de avondschemering.*

Weg was hij, snel als een pijl uit de boog, een donkere streep die omhoog schoot in de lucht op weg naar het zuiden, steeds naar het zuiden. Toen nam ik mijn rokken op en liep de ondergrondse weg in, het donker in.

Het was moeilijk voor de wachten, geloof ik. Ze hadden hun orders en die zouden ze gehoorzamen. Maar toch wisselden ze blikken van verstandhouding en mompelden onderling terwijl ik hun ondergronds domein doorzocht, de ene donkere cel na de andere. Ik beet mijn kiezen op elkaar om de tranen in te houden en probeerde mijn bonkend hart tot rust te laten komen en rustig te ademen terwijl ik telkens weer vergeefs een lege cel bekeek.

'Waar zijn ze?' vroeg ik. 'Zeg het!' Maar de wachten schuifelden met hun voeten en hielden hun mond dicht. De Beschilderde Man had van Eamonns mensen niets te verwachten dan angst en afkeer.

Achter de kleine cellen waarvan ik het bestaan al wist, bevond zich een deur met ijzeren grendels. Ik vroeg om hulp, en een grote, grijsharige man met spieren als knoestige koorden kwam naar voren om hem voor me open te maken. Achter de deur leidden ruwe treden naar beneden.

'Ik heb een lantaarn nodig.' Johnny zat te kronkelen op mijn rug, want hij had er genoeg van niet te kunnen bewegen. Nu hij net geleerd had zichzelf voort te bewegen, had hij zin in nieuwe onderzoekingstochten en avonturen. Ik wilde niet aan Johnny denken of aan het pad door het moeras. Ik wilde alleen denken aan wat er op dit moment voor me lag.

'Heer Eamonn heeft niets over lantaarns gezegd.'

'Ik heb licht nodig. Het is daar beneden aardedonker. Ik zou kunnen vallen en het kind zou zijn nek kunnen breken. Wil je dat soms vanavond aan je vrouw vertellen?'

Niemand bewoog. Verbeten nam ik mijn rokken bijeen en begon de treden af te gaan. Een. Twee. Het was zo donker dat ik geen hand voor ogen kon zien.

'Hier, vrouwe.'

Er flakkerde licht op de stenen muren. De grijsharige wacht stond op de trede achter me met een lantaarntje in zijn hand. Ik stak mijn hand uit om het aan te pakken.

'Ik zal het voor u dragen. Let u maar goed op voor het kind. Deze treden zijn oud en ongelijkmatig.'

Er waren tien treden, en een nauwe gang diep onder de grond. Het was heel stil hier. Als er ratten of torren in deze onderaardse plek huisden, was er geen spoor van te zien. Het flauwe licht onthulde ijzeren ringen die met bouten aan de met spinrag overdekte muren waren bevestigd. Aan het eind van het gangetje weer een deur, of eerder een traliehek, vastgemaakt met een zware ketting. Het was hier bedompt, benauwd.

'Vrouwe.' De wacht sprak met gedempte stem, verlegen. 'Dit zijn bandieten, nauwelijks waard om op de mesthoop te gooien. U kunt hier beter mee ophouden, en uzelf en het kind redden. U zult nooit weg kunnen komen door het moeras. Als u dat probeert, bent u zo goed als dood, en uw kindje ook. Geef het op. Wij zorgen ervoor dat u veilig thuiskomt. Niemand van ons wil dit op zijn geweten hebben.'

'Geef me de sleutel,' zei ik. Hij gaf me de sleutel aan en zei niets meer.

Achter de traliedeur was weer een kleine ruimte, en daar vond ik Meeuw. Ik hoorde zijn ademhaling net voor het licht zijn donkere gezicht onthulde, dat nu een ziekelijke grijze kleur had. Zijn starende ogen schitterden van de koorts en zijn kleren waren gescheurd en bevlekt. Zijn polsen waren boven zijn hoofd in ijzeren kluisters geslagen, zodat hij niet van de plaats kon komen waar hij scheefgezakt in zijn boeien hing. Smerige, bebloede lappen waren ruw om zijn handen gewonden.

Ik deed een stap naar voren en klemde mijn kiezen op elkaar.

'Maak de handen van deze man los, en vlug wat!'

'Liadan,' kraste Meeuw, terwijl de wacht omhoog reikte naar de kluisters. Toen zoog hij zijn adem naar binnen, want zijn polsen waren plotseling los, en zijn armen vielen langs zijn zijden omlaag alsof er geen leven meer in zat.

'Het zal veel pijn doen wanneer het gevoel erin terugkomt,' zei ik terwijl hij op de vloer ineenzakte met een gierend geluid van pijn. 'Maar we hebben geen tijd. We moeten hier weg. Waar is Bran? Waar is de Baas?'

Meeuw bewoog zijn hoofd heen en weer, zwakjes, om aan te geven dat hij het niet wist.

'Je moet het weten! Iemand moet het weten! We moeten hier voor de avondschemering weg zijn, meer tijd is er niet!'

'Kan... lopen. Kan... mee.' Meeuw hees zich moeizaam op tot hij op handen en knieën zat, toen alleen op zijn knieën, en toen stond hij op, zwaaiend op zijn benen. 'Klaar... om te gaan.'

'Goed zo, Meeuw. Heel goed. Probeer je arm om mijn schouders te leggen – kijk uit voor de jongen – ja, zo. Ik zal je helpen.' Ik wendde me tot de wacht. 'Zeg me waar hij is. Zeg het alsjeblieft. Wilt u dan dat we allemaal dood zijn voor de zon ondergaat?' Maar de man bleef zwijgen en zijn ogen waren ijskoud toen hij keek naar de strompelende, bevende pogingen van Meeuw om te lopen. De lucht was zwaar en dicht om ons heen, en elke ademhaling kostte moeite. Johnny jammerde zacht. Als we nu weggingen, zou er nog enige tijd daglicht zijn. Als we nu weggingen, zou er een kans zijn om voor de schemering uit het gezicht te zijn. Het was mogelijk dat ik zou zoeken en zoeken tot het helemaal te laat was, en hem toch niet zou vinden. *Stop die straathond terug in het donker, waar hij thuishoort.*
'We kunnen beter weer naar boven gaan,' mompelde de wacht. 'Nog niet,' zei ik. 'Sta stil. Maak geen geluid.' Want er was iets: een klein kreetje in het donker, een gevoel van angst, het oproepen van wilskracht om te verdragen wat onverdraaglijk was. *Waar ben je?* Ik wist niet of het mijn eigen verbeelding was die dit opriep of dat ik werkelijk de kreet van dat eenzame kind hoorde, dat mijn gedachten had gekweld sinds ik was begonnen achter de waarheid over de Beschilderde Man te komen.
De stem van mijn geest fluisterde in het donker. *Ik ben hier. Reik me je hand.*
Stilte. Machteloze, huiverende stilte.
Strek je hand naar me uit, Johnny. Ik zal je helpen. Laat me zien waar je bent. Het was niet mijn zoon tegen wie ik sprak, mijn zoon die nu gelukkig weer stil was, die warm en veilig tegen mijn rug lag. Meeuw leunde op mijn schouder en ik voelde hem beven in zijn pogingen zijn beschadigde lichaam te beheersen, staande te blijven en onhoorbaar te ademen zodat ik kon luisteren. *Waar ben je? Geef me je hand. Strek hem nog iets verder uit.*
Er kwam geen geluid, ik kon niets horen. Niet in de buitenwereld, en ook niet in het schimmige domein van de geest. Maar ik wist het. Plotseling wist ik het. Ik liep door de traliedeur naar buiten, met Meeuw strompelend naast me, terwijl de wacht ons volgde met de lantaarn en een meesmuilend gezicht. Halverwege de schemerige onderaardse gang hield ik stil.
Je kon het bijna niet zien. Hij was keurig afgewerkt, op gelijke

hoogte met de vloer; de enige tekenen van het bestaan ervan waren de vaag zichtbare lijn rondom de randen en een kleine indeuking in de steen, waar de valdeur geopend kon worden. Eamonns voorvader had inderdaad een ongewone en vindingrijke geest bezeten.

'Open deze valdeur.'

'Dat kan een man niet alleen.'

'Open hem, vervloekt jij! Haal er een ander bij, als dat nodig is. En schiet op!'

Het duurde lang, akelig lang terwijl ik rillend wachtte. *Houd vol*, zei ik tegen hem. *Ik ben hier. Het duurt niet lang meer.*

De valdeur was zwaar, een massieve plaat steen, een handbreedte dik. Het mechaniek leek fijngeregeld en uitstekend onderhouden. Toch hadden de twee wachten al hun kracht nodig om hem omhoog te trekken. Eindelijk stond hij open.

'Geef me de lantaarn,' zei ik en ze gaven hem me aan. Ik zette hem op de rand van de rechthoekige opening in de vloer, en keek in het gat.

Het was maar een kleine ruimte. Net groot genoeg om een man te bevatten die niet al te groot was, als zijn knieën opgetrokken waren tot aan zijn kin en zijn armen over zijn hoofd waren gebogen. Er kon lucht binnenkomen, maar niet veel. Licht was er natuurlijk niet. Geen ruimte om te bewegen. Een graf, waarin een man een tijdlang in leven zou kunnen blijven. Hoelang, dat zou afhangen van de kracht die hij misschien diep in zichzelf zou kunnen vinden. Als je hem er van tijd tot tijd uithaalde en te eten gaf, en hem liet ademen voor je hem er weer in stopte, zou hij best een tijd in leven kunnen blijven om je te amuseren.

'Bran?' Het was natuurlijk dom van me om een antwoord te verwachten. Hij leek wel dood, zijn gezicht afgrijselijk bleek, zijn opgekrulde vorm bewegingloos. 'Haal deze man eruit. Vlug!'

Ze deden het, want ze hadden orders om me te helpen, tot op zekere hoogte. Maar niemand had hen opgedragen voorzichtig te zijn, en tegen de tijd dat de slappe figuur uit het kleine gat was gesleurd waar ze hem in hadden geduwd en aan mijn voeten was neergelegd, nog steeds opgekruld, had hij er nog een paar blauwe plekken bij. Ik knielde naast hem neer, en Meeuw hurkte met een gesmoorde vloek naast me.

'Hij leeft nog,' zei ik; mijn vingers voelden aan de plek onder aan de hals, waar het bloed zwak stroomde; mijn oor ving zijn zwakke ademhaling op, traag, heel traag. De lantaarn gaf weinig licht, maar ik kon zien dat hij erg was toegetakeld. Er zaten bloederige korsten op zijn hoofd, waar nieuwe, zachte haartjes de opvallende tekening van de huid bedekten.

'Klap op zijn kop,' mompelde Meeuw. 'Diep. Hard. Hij was... er bijna geweest. Wat nu?'

'We gaan hier weg,' zei ik beslist, terwijl ik voelde hoe de tranen achter mijn ogen zich ophoopten en mijn innerlijke stem voortdurend herhaalde: *Ademen, Liadan. Wees sterk. Wees sterk.* 'En dan zien we wel verder.' Ik wendde me tot de wachten. 'Til deze man op en draag hem. En doe hem geen pijn. Jullie hebben genoeg schade aangericht. Breng ons naar buiten.'

'Schade? Nooit genoeg schade voor dat slag,' gromde de tweede wacht, en ze waren allesbehalve voorzichtig toen ze Brans hulpeloze lichaam van de grond tilden en hem de trap opdroegen. Meeuw en ik volgden hen zo goed en zo kwaad als het ging. Ik ondersteunde Meeuw en droeg de lantaarn, en uiteindelijk kwamen we weer uit in de ondergrondse weg, waar de toortsen fel brandden, zo fel dat het pijn deed aan mijn ogen en Meeuw zijn gezicht afschermde met zijn ene kapotte hand. De zwijgende mannen sloegen onze hortende voortgang gade.

'Onze orders zijn, jullie naar beneden te brengen tot bij de rand van het moeras en jullie daar te laten.'

'Doe dat dan maar,' zei ik.

Brans lichaam was zo slap als een zak met graan; hij hing tussen de wacht die zijn schouders vasthield en de ander die zijn knieën ondersteunde. Zijn hoofd hing slap opzij. Er waren kneuzingen over kneuzingen; er scheen geen enkel stuk ongedeerd te zijn. Wat er van zijn kleding over was, stond stijf van het bloed en het vuil. Johnny, die het leuker vond nu er weer lichtjes en stemmen waren, zat vrolijk te brabbelen.

'Kom mee,' zei ik tegen Meeuw. 'Hier naar beneden. Je kent de plek. Dan zijn we verder alleen.'

'Alleen,' herhaalde hij, en ik vroeg me af hoeveel hij had begrepen, met die koorts en de pijn aan zijn gemartelde handen. Hij was aan beide handen vingers kwijt, dat zag ik wel; hoeveel er over waren, werd verborgen door het verband. 'Oversteken,' zei hij. 'Overkant.'

Terwijl we langs de ondergrondse weg naar beneden en langs de grauwende honden naar buiten strompelden, nam ik in gedachten de mogelijkheden door. Als Bran bij bewustzijn kwam en zou kunnen lopen... als Johnny stil en rustig bleef en ons niet afleidde... als er voor donker hulp kwam, dan zouden we het er misschien levend afbrengen en niet neergeschoten worden als vluchtelingen op de loop voor de gerechtigheid. Als... er waren te veel zinnetjes met 'als'. Toen we stilstonden op de noordkant van de heuvel, stond de zon al laag aan de hemel en begon het daglicht af te nemen. Op dit moment besefte ik dat dit de dagelijkse werkelijkheid van Brans leven was, en van dat van Meeuw; dat hun hele bestaan aan elkaar hing van zulke momenten, wanneer de kansen onmeetbaar klein leken, en je werkelijk de beste moest zijn, oplossingen moest vinden voor de moeilijkste problemen, en een kracht in jezelf moest ontdekken die bijna van de Andere Wereld was, alleen al om in leven te blijven.

'Weet u dit wel zeker?' Ze lieten Bran gewoon aan mijn voeten neervallen, waarna de grootste wacht een stap naar voren deed; hij praatte zacht. Hoog boven op de muur van het fort stonden mannen te kijken. 'Het is zelfs nu nog niet te laat. Laat dit galgenaas barsten en ga zelf naar huis met uw kleine jongetje.'

'Gaan jullie maar liever.' Ik knielde neer en nam Brans hoofd op mijn schoot. 'Heer Eamonn zal ongetwijfeld jullie verslag willen horen.'

'Laat u dan het kind hier. U kunt zo'n overtocht niet levend volbrengen. Die straathond is zo goed als dood, en de ander kan nog niet eens in een rechte lijn lopen. Als jullie dat pad nemen, zijn jullie er allemaal geweest. U zou de jongen achter kunnen laten. Er zijn hier mensen die voor hem zouden zorgen en hem veilig thuis zouden brengen.'

Er schoot me iets te binnen: de stem van mijn oom Finbar, lang geleden, die zei: *Het kind is van jou. En je wilt de man ook... is het weleens bij je opgekomen dat je ze misschien niet allebei kunt krijgen?*

'We nemen deze weg samen,' zei ik bijna tegen mezelf, en mijn hand streek zacht over Brans geschoren schedel, waar het weer aangegroeide krulhaar het woeste, raafachtige patroon verzachtte. 'Allemaal samen.'

De wacht zei niets meer, en even later hadden Eamonns mannen zich teruggetrokken binnen de muren van het fort, behalve twee wachten met een hond, die vlakbij patrouilleerden. We waren daar achtergelaten aan de rand van het donkere, sidderende moeras: Bran lag hulpeloos languit op de stenen, ik zat naast hem met het kind nog op mijn rug, en Meeuw keek over de wijde moerasvlakte uit naar de verre heuvels in het noorden. Hij stond lichtelijk op zijn benen te zwaaien.

'Slang,' mompelde hij. 'Otter. Anderen. Overkant.'

'Denk je dat ze er zullen zijn, als we aan de overkant kunnen komen?'

'Anderen. Aan de overkant.' Hij wankelde van de ene voet op de andere en ging plotseling zitten. 'Hoofd. Spijt me. Handen.'

'Ik zou er graag iets aan doen als ik kon. Wanneer we daar zijn... wanneer we een veilige plek bereiken, zal ik de pijn voor je kunnen verlichten en je een aftreksel geven om de koorts te laten zakken. Ik heb een boodschapper uitgestuurd om hulp te halen; maar ik kan niet met zekerheid zeggen dat die hulp zal komen, Meeuw. Begrijp je dat?'

'Begrijp dat,' herhaalde hij met zwakke stem.

'We hebben nog tijd tot de schemering om weg te komen. Zodra de zon ondergaat, zullen Eamonns boogschutters beginnen te schieten, en dan komen ze ook naar beneden met toortsen. Er is maar één pad dat we kunnen nemen. Als Bran... als de Baas niet op tijd bijkomt, weet ik niet wat we moeten doen.'

Op dat moment besloot Johnny om te laten merken dat hij er ook nog was, en er zat niets anders op dan hem los te maken en mijn jurk te openen om hem te voeden. Het leek erop dat Meeuw niet helemaal door de koorts beneveld was, want hij schoot snel toe om Brans hoofd en schouders met zijn knieën te ondersteunen, terwijl ik mijn zoon ging voeden. Daar zat ik dan, met Johnny aan de borst, in het licht dat om ons heen al verbleekte tot de tere tint van verse lavendelbloesem. Er was geen ander geluid te horen dan de schelle kreten van reigers in het moeras; en Bran lag daar maar, bewegingloos en onbereikbaar als een gebeeldhouwde krijger op een graftombe. En toen kon ik eindelijk mijn tranen niet meer inhouden. Wat had ik gedaan? Waarom had ik gedacht dat ik de waarschuwingen van de Feeën zelf in de wind kon slaan? Ik had op de een of andere manier gedacht dat ik deze mannen kon redden, dat ik voor hen en voor mezelf een toekomst kon maken. Nu leek het erop dat we allemaal zouden omkomen, en Johnny ook. Hem had ik kunnen beschermen, als ik niet zo ellendig trots was geweest.

'Hij gaat dood,' merkte Meeuw somber op. 'Klap op zijn kop. Wordt niet wakker. Hij zou om het mes vragen, als hij kon.'

'Maar dat kan hij niet,' snauwde ik, mijn tranen vergetend. 'De beslissing is niet aan hem. Hij mag niet doodgaan. Ik sta het niet toe.'

Ik hoorde iets wat op grinniken leek. 'De regel overtreden, jullie met zijn tweeën. Dat moet ik aan Slang vertellen...' Zijn woorden stierven weg in een snik van pijn.

'Meeuw. We zullen dit moeten proberen.'

'Begrijp ik. Lopen. Dragen. Ik ben sterk genoeg.'

'Daar twijfel ik niet aan. En je kent de weg, want je hebt mijn zuster ook naar de overkant gebracht. Maar je bent gewond en uitgeput, en hij zal je niet kunnen helpen.'

'Sterk genoeg. Dragen.'

'Dan moeten we nu gaan, zodra het kind genoeg gedronken heeft. Het gaat gauw schemeren, en het ziet er niet naar uit dat er op tijd hulp zal komen.'

Meeuw maakte een knorrend geluid en draaide Bran op zijn zij. 'Klaar,' zei hij. 'Jij moet wel helpen. Handen, onbruikbaar. Hiervoor.' Want het is natuurlijk onmogelijk om de arm of een plooi van de kleding van een man te pakken en hem op je rug te hijsen wanneer je handen zo zwaar gehavend zijn als die van Meeuw waren. Bij de minste aanraking vertrok zijn gezicht van pijn.

Stap voor stap. Dat was de enige manier om het te doen, met kleine stukjes tegelijk, en proberen niet te ver vooruit te denken, want als je dat deed, zou de moed je in de schoenen zinken en had je niet eens meer een strohalm om je aan vast te grijpen. Ik pakte Johnny weer in en bond hem zo stevig als ik kon op mijn rug vast. Hij was nu tenminste stil. Ik bukte om Brans schouders van de grond te tillen en probeerde Meeuw te helpen er zijn eigen schouder onder te krijgen, zodat we de hulpeloze man omhoog konden wrikken. Meeuws handen waren volkomen onbruikbaar. Hij kon zijn arm om Brans schouder buigen en kracht zetten met zijn knieën, maar vasthouden of iets pakken ging niet. Ik slikte de woorden in die op mijn lippen lagen. *Hoe kun je hem nou dragen? En als hij van je afglijdt?* Terwijl we samen ons best deden, lieten we hem al drie keer vallen voor Meeuw moeizaam op zijn knieën ging zitten en vervolgens wankelend overeind kwam met zijn vriend dwars over zijn schouders, het hoofd aan de linkerkant, de benen rechts en de armen erbij bungelend. Meeuw hield zijn eigen armen in elkaar gehaakt op zijn rug, zodat de gehavende handen stijf omhoog wezen in hun bebloede omhulsel. Vanaf de transen boven ons hoorden we hier en daar spottend applaus.

'Goed zo,' zei ik bemoedigend. 'Heel goed, Meeuw. Nu moeten we gaan.'

Er riepen nu talloze vogels, overal in het onbegaanbare terrein; ze kwamen in zwermen overnachten in de verlaten uithoeken van dit ongastvrije land dat hun thuis was. De ondergaande zon kleurde de poelen van open water bloedrood.

'Nu gaan,' zei Meeuw, en we keken elkaar aan en wendden beiden onze ogen af. Ik zag de waarheid in zijn door de koorts schitterende ogen. Dit was de weg naar de dood.

'Ik vind dat we hier straks samen een flacon heel sterke drank op moeten drinken, aan de overkant,' zei ik. Uit mijn woorden sprak zelfvertrouwen, maar het trillen van mijn stem verraadde me.

Toen stapte Meeuw het moeras in, heel voorzichtig; zijn blote voeten verplaatsten zich van de ene pol gras naar de volgende, rechts, dan weer rechts, dan links. En ik volgde hem op de voet, met mijn rokken in mijn gordel gestopt; het kind was gelukkig nog stil. Ik voelde dat het koude zweet me uitbrak over mijn hele lichaam; ik hoorde het snelle, ongelijkmatige geluid van mijn eigen ademhaling en voelde het bonzen van mijn hart. Een stap; en weer een. We kwamen langzaam vooruit, zo langzaam dat ik niet achterom durfde te kijken om de afstand te schatten waarover een boogschutter zijn doel nog zou kunnen raken, zijn doel nog zou kunnen vinden bij het licht van toortsen. En toen kwamen we bij een gedeelte waar de pollen vegetatie verder uit elkaar lagen, een flinke stap voor een man of voor een vrouw met lange benen, zoals mijn zuster Niamh. Voor mij een sprong. Ik aarzelde, maar voor me ging Meeuw verder. Ik kon niet zeggen: wacht, anders zou hij misschien schrikken en misstappen. *Snel, Liadan*, zei ik tegen mezelf. *Anders zie je hem niet meer, en dan...* Ik sprong, kwam ongelukkig terecht en mijn schoen gleed uit over het natte groen. Ik zwaaide met mijn armen om mijn evenwicht terug te vinden en dat lukte, wankelend stond ik weer op mijn benen. Rondom in het donkere bruin van de modder hoorde ik zuigende en blubberende geluidjes, hongerige geluiden. Meeuw kwam wel gestaag vooruit, al ging het nog steeds erg langzaam. Een stap; wachten; dan weer een stap. Hij liep diep voorovergebogen onder het gewicht van Bran; het zou wel moeilijk voor hem zijn om te zien waar hij heen moest.

'Liadan?' Zijn stem kwam terug naar mij, vreemd lichaamloos in de leegte.

'Ik ben hier.'

'Het is bijna donker.'

'Ik weet het.' Later, als er geen wolken kwamen, zou er weer wat licht zijn. Maar het zou een afnemende maan zijn, te zwak, en te laat. 'We moeten toch maar doorgaan, zolang het enigszins gaat.' Hij antwoordde niet, maar ging weer verder, en ik zag hoe zijn blote voeten houvast zochten op het onvoorspelbare oppervlak. Zijn tenen krulden zich en zijn voet zorgde dat het lichaamsgewicht goed verdeeld werd. Ik zag ook dat hij, zelfs met machteloze en verminkte handen, de last die hij droeg goed onder controle had, en zich naar links of rechts boog, meer naar voren of meer rechtop, om stevig te kunnen staan. Maar in het donker zou hij de weg niet meer kunnen vinden. Dan deed het er niet veel meer toe hoe sterk hij was, of hoe handig hij hierin was.

Nu het licht begon te verflauwen, voelde ik korte, scherpe prikjes op mijn handen, op mijn enkels, mijn gezicht en in mijn hals en nek. Ik hoorde een hoog zoemgeluidje dat kwam en ging. Zwermen stekende insecten stegen op uit het moerassige terrein, waarschijnlijk dolblij een grote, sappige maaltijd aan te treffen. Johnny begon plotseling te huilen, met een scherp gejammer van nood. Ik kon niets doen om hem te helpen, en zijn paniekerige stemmetje schalde onbeantwoord over het moeras. En in de verte meende ik een andere kreet te horen; een hol, onaards geluid dat het midden hield tussen een gil en een lied. Misschien voorspelde deze stem weer iemands dood, zoals een jonge krijger een keer had gezegd. Ik zei tegen mezelf dat ik niet zo raar moest denken. Maar het geluid was er nog; het galmde in mijn hoofd, vibreerde in de ongezonde moeraslucht, brulde in het paarse licht van de schemering, aan alle kanten om me heen. De jammerkreet van de moerasgeest. Johnny was nu woedend aan het krijsen. Het was voor het eerst in zijn korte leventje dat hij huilde en dat er niet meteen iemand kwam om hem te helpen met wat hij nodig had: droge kleertjes, beschermende armen, lieve woordjes, een lotion van alsem en kamille om die kleine, zoemende beestjes weg te jagen die hem telkens weer prikten en niet wilden ophouden.

'Stil maar, Johnny,' mompelde ik terwijl ik wiebelend mijn evenwicht probeerde te vinden op een belachelijk klein plekje droge grond. Meeuw verwachtte toch niet dat ik helemaal dáárheen zou springen? Dat was te ver; het was niet eerlijk. Zo ver kon ik niet springen, zeker niet met het kind op mijn rug. Hield Johnny nou maar op met huilen; ik wou dat hij ophield... Ik tuurde voor me in het halve licht. Aan de overkant van een breed, ononderbroken vlak zwarte modder was Meeuw stil blijven staan. Hij stond heel stil en ik voelde dat hij zijn ogen dicht had. Hij zei iets, maar ik kon de woorden niet horen. Het was te ver. Ik zou halverwege in de modder neerkomen, en het moeras zou mij en mijn kind opslokken, en alles zou voorbij zijn. Mijn keel was droog, mijn lichaam klam van het zweet. Mijn hoofd bonsde. *Dit kan ik niet... ik kan het niet...* Toen zei Meeuw weer iets, en ik verstond wat hij zei.

'Liadan? Ben je daar nog?'

'Ik ben hier. Maar ik geloof niet dat ik hier...'

'Hulp nodig. Handen. Houd hem niet.'

Dana geef me kracht. Hij mocht niet loslaten, dat mocht niet. We waren toch niet voor niets zo ver gekomen?

'Ik kom eraan,' riep ik en ik sprong; door pure wilskracht dwong ik mijn lichaam over de onmogelijke afstand heen te komen. Ik kwam net voor het grotere plekje droog terrein neer waar Meeuw stond, zodat mijn voeten in de zachte modder wegzonken en mijn lichaam voorover viel op de met gras begroeide grond. Ik greep me stevig vast aan het gebladerte toen ik de gulzige greep van de modder om mijn benen voelde, die me omlaag trok. Johnny snikte in sidderende halen; hij vertelde me zijn kleine verdriet omdat de wereld plotseling anders was, en hij wilde dat ik er iets aan deed, liefst nu meteen. Mijn gezicht vertrok van inspanning terwijl mijn handen grepen en klauwden in de natte bladeren, en toen liet de zuigende modder me met een beslist onprettig geluid los. Ik kroop weg van de rand en krabbelde overeind naast Meeuw. Er was bijna geen licht meer; ik kon zijn gezicht nauwelijks zien. 'Doe je handen omhoog,' fluisterde hij, en zijn stem verried de pijn die ik in het donker niet meer op zijn gezicht kon zien. 'Neem het gewicht over. Niet lang. Rusten. Handen.'

Ik ging achter hem staan en duwde mijn handen omhoog tegen Brans slappe lichaam. Toen probeerde Meeuw zijn armen los te maken die hij omhoog had gebogen om zijn vriend stevig op zijn schouders te houden. Maar ze waren zo verkrampt dat hij ze bijna niet kon bewegen. Hij verbeet stoïcijns een kreet van pijn toen hij zijn omwonden handen langzaam omlaag bracht. Nu we stilstonden, leek Johnny te rekenen op een snelle reactie op zijn protest, want zijn stem werd luider en dringender.

Meeuw wankelde opzij en herstelde zich weer. Het enige wat ik kon doen om hem te helpen, was zorgen dat Bran niet van zijn schouders afviel; we zouden hem nooit meer omhoog kunnen krijgen, want één foutje op dit kleine plekje veilig terrein en hij zou eraf rollen in de zuigende modder.

'We kunnen niet zeker verder?' vroeg ik Meeuw op de man af.

'Verder.' Hij trachtte zijn vingers te buigen en maakte een hijgend geluid. Toen boog hij zijn ellebogen om ze te beproeven, maar kreunde erbij. 'Verder... moet wel. Wat anders?'

'We kunnen niet zien waar we lopen. En je kunt hem niet eindeloos op je rug houden.'

'Kunnen niet blijven. Mannen. Toortsen. Verder... overkant.'

Maar het was donker, en we konden niet verder gaan.

'Misschien moet je hem maar neerleggen.' De kou sloeg me om het hart, maar ik dwong mezelf om het te zeggen, hoewel dit eigenlijk hetzelfde leek als zeggen dat het mislukt was. Verder gaan had geen zin. Als Meeuw instortte, wat elk ogenblik waarschijnlijker leek, waren beide mannen verloren. En dat zou het einde betekenen voor Johnny en mij. Zonder Meeuw om ons te leiden konden we vooruit noch achteruit.

'Kan niet neerleggen. Nooit... meer optillen.'

'Goed. Laat me even nadenken. Misschien is er een oplossing.'

'Mannen... toortsen,' herhaalde Meeuw met een stem die bijna niet meer te horen was.

'Ze komen vast niet in het donker over het moeras achter ons aan.' Eamonn had alleen gezegd: *We zullen toortsen aansteken, en we zullen schieten.* Niet dat ze achter ons aan zouden komen.

'Dacht je van wel?'

'Luister,' zei Meeuw. En inderdaad, nu hoorde ik het, tussen Johnny's gesnik door, door het vreemde gorgelende lied van het moeras heen, tussen het schelle kwaken van kikkers en het onophoudelijke zoemen van de bloed zuigende insecten door. Ik hoorde mannenstemmen, wel ver weg, maar ze kwamen steeds dichterbij. Toen ik achterom tuurde in het donker dacht ik dat ik lichtjes kon zien, die langzaam naar ons toe kwamen over het inktzwarte oppervlak.

'Leg hem neer, zei ik treurig, 'want we kunnen niet verder.' Als we dan toch moesten sterven, zou ik dat doen met hen beiden in mijn armen, Johnny en zijn vader, en met de best denkbare vriend naast me. Daar was het weer, een spookachtige achtergrond van de nachtgeluidjes: die verre, klagende jammerkreet die de ziel in ijs veranderde.

'Sterk,' fluisterde Meeuw. 'Sterk. Staan. Dragen.' En hij hief zijn armen weer op en strekte ze omhoog om het lichaam van de ander te ondersteunen. Op mijn rug werd Johnny plotseling stil.

Toen kwam er opeens een ander geluid, een schorre kreet, en ditmaal kwam het van de andere kant, voor ons. Een krassend, schel geluid. De stem van een raaf. Mijn hart maakte een luchtsprong.

'Misschien is er hulp gekomen,' zei ik met een droge mond. 'Misschien is er eindelijk hulp gekomen.'

Nu konden we, in het noorden boven het moerasland, een kleine, dansende lichtbol zien, een vreemde, flikkerende vorm die snel naar ons toe leek te vliegen, en al naderend met Fiacha's stem riep. Boven het donkere oppervlak kwam deze vreemde verschijning steeds dichterbij. En naarmate ze dichterbij kwam, hoorde ik een soort geruis en gekraak, alsof het moeras zelf veranderde waar ze passeerde. Meeuw stond zwijgend naast me. En Johnny was nu stil, maar zijn handjes hadden mijn haar stevig vast. Al dat ge-spring en gehops was te veel geweest, zeiden die handjes, en ik moest maar liever zorgen dat het nu afgelopen was.

Meeuw slaakte een zachte uitroep in een vreemde taal, en ik zei binnensmonds: *Dana, moeder der aarde, houd ons veilig in uw hand.* We zagen een licht dat leek op een brandende toorts in de vorm van een vliegende raaf, niet zozeer een vogel als wel een vuur uit de Andere Wereld in de vorm van een vogel. En waar dit licht over het moeras vloog, rezen vreemde planten op uit de modder, met lange takken en sterke ranken, die zich in elkaar weefden met hechtend loof en dooreenwarrelende twijgen om een smal pad boven het oppervlak te vormen; een pad dat voor ons uit leidde, recht naar het noorden, recht naar de lage heuvels waar het veilig was. Het licht, dat misschien Fiacha was, misschien ook niet, zweefde erboven en liet ons de weg zien.

Ik schraapte mijn keel. 'Gelukkig maar dat je hem niet hebt neergelegd,' zei ik. 'Kom mee.'

'Mee,' zei Meeuw, en stapte op de teer uitziende massa planten, amper twee handbreedten breed. Ze kraakten onder zijn gewicht, maar hielden het. Ik liep achter hem aan, en Johnny maakte een protesterend geluidje. Ik begon voor hem te zingen, heel zacht, om Meeuw niet af te leiden, die nog steeds heel voorzichtig moest lopen. We hadden nog een flink eind te gaan en hij moest zijn last ondersteunen en recht blijven lopen. Ik zong het oude wiegelied, een lied dat zo oud was dat niemand meer wist wat de woorden betekenden. Deze taal was misschien nog ergens bekend: misschien tussen de staande stenen met hun cryptische opschriften, die zwijgend hadden toegekeken toen ik met Bran in de regen lag en dit kind maakte. Misschien in de kernen van de oudste eiken die op de diepe, geheime plekken van het woud van Zeven Wateren stonden. Ik zong, en Johnny was stil, en we vorderden gestaag in noordelijke richting. De lichtbal vloog van de ene kant naar de andere, soms achter ons, soms voor ons, en bleef voortdurend bij ons. Het was beslist Fiacha. Een keer keek ik achterom, want de stemmen van Eamonns mannen waren nog steeds ergens in het donker te horen. En ik zag dat achter ons, waar wij over een smal, veilig pad van verwarde planten hadden gelopen, geen pad meer was, alleen een streep van bellen in de modder. Na enige tijd werden de stemmen achter ons zachter en verdwenen de lichtjes, en wij waren alleen in de nacht met onze vreemde gids. Er was hulp gekomen, zoals me was gezegd, op het moment dat onze nood het hoogst was, toen onze eigen krachten nagenoeg uitgeput waren en we geen oplossingen meer wisten. Ik was doodmoe en mijn hoofd bonsde, maar ik stond mijn geest toe voorzichtig te denken aan wat ons te doen stond wanneer we droog terrein bereikten. Meeuw zei dat Bran te ver heen was om wakker te worden. Hij had gezegd dat de Baas om het mes zou vragen als hij kon. Als ik dat wilde weigeren, moest ik er een goede reden voor hebben. Ik had het mis gehad bij Evan, en had zijn lijden gerekt. Dit keer moest het lukken, als ik zei dat ik hem kon genezen. Ik moest hem weer tot leven brengen.

'Overkant,' zei Meeuw, die een eindje voor me liep. De krassende, fladderende bal licht die Fiacha was, vloog voor hem uit en de gestalte van Meeuw tekende zich af tegen het licht, voorovergebogen, zijn arme handen nog steeds machteloos naar boven wijzend. Ik zag de bewusteloze man, die stevig werd ondersteund door de brede schouder en steunende armen van zijn vriend. Deze mannen hadden zoveel kracht, zo'n enorm uithoudingsvermogen dat het geen wonder was dat eenvoudige lieden geloofden dat ze geen gewone stervelingen waren. Ze hadden samen een broederschapsband en waren zo trouw aan elkaar dat hun eigen leven nauwelijks telde wanneer hun kameraad in moeilijkheden was. Zo waren ze gewoon, zonder dat ze zich er zelf van bewust waren.

'Ja,' antwoordde ik. 'We moeten doorgaan tot we aan de overkant zijn. En hopen dat er hulp in de buurt is, want Eamonns mannen kunnen nog altijd gebruik maken van de weg, en zijn misschien al onderweg.

'Nee,' zei Meeuw. 'Overkant. Kijk.'

Verbaasd keek ik vooruit, en voelde mijn uitgedroogde lippen breed grijnzen, en mijn ogen vol tranen schieten. Geen tien passen voor ons uit was een oever die schuin omhoogging, met bovenaan een rij ruige struiken, en daar stond iemand met een lantaarn. We hadden de overkant bereikt, met ons vieren. Het was ons gelukt.

HOOFDSTUK VIJFTIEN

Het viel niet mee om op het laatst dat behoedzame tempo over de smalle, geheimzinnige weg vol te houden; om niet toe te geven aan de plotselinge golf van opgetogenheid die lichaam en geest overstroomde waardoor je voorwaarts wilde rennen, lachend van opluchting. Maar Meeuw liep rustig verder, elke stap precies afmetend, en ik kwam achter hem aan, stap voor stap, want we droegen beiden een kostbare last, die niet mocht worden afgelegd tot we heel zeker wisten dat het veilig was. De gestalte met de lantaarn stond heel stil. Een lange man met een zwarte mantel en kap. Na wat Meeuw had gezegd, had ik gehoopt dat er een aantal van hen in de buurt zouden zijn: Otter of Slang of Spin; als het meezat een aantal van hen en paarden. We liepen langzaam over het laatste stuk moeras, en ik kon het vervlochten pad achter me in de modder horen wegzinken. Niemand zou nog gebruik maken van deze weg. En eindelijk zag ik Meeuw op het droge stappen en een paar passen tegen de oever op wankelen, waarna hij bukte om Bran van zijn schouders op de grond te laten rollen. Ik liep verder tot ik naast hem stond, en keek op.

Fiacha, een lichtende, vlammende bal, vloog naar de schouder van de lange gestalte met de kap om daar neer te strijken. Zodra hij landde, was het licht weg en was hij weer een gewone raaf, als er tenminste een raaf is die gewoon genoemd kan worden.

'Zo,' zei Ciarán ernstig. 'Jullie zijn hier, en hij leeft nog. Dit was een moedige daad.' Hij keek even naar Meeuw en toen weer naar mij. 'Er is hulp in de buurt.'

'D-dank je,' stamelde ik; mijn vingers voelden aan Brans voorhoofd, voelden hoe koud hij was, en ik besefte hoe weinig tijd we nog hadden. 'Fiacha heeft je dus gevonden. Ik verwachtte niet dat je zelf zou komen. Wij vieren danken ons leven aan jou.'

'Aan Fiacha. Dat past beter.'

'Waarom heb je ons geholpen?' vroeg ik. 'Waarom heb je dit gedaan? Druist dat niet in tegen wat zij... wat je moeder zou willen?'

Hij keek me onbewogen aan, met iets wat leek op de gelaatsuitdrukking van mijn oom Conor. 'We zijn je iets verschuldigd, Niamh en ik. Nu is de schuld eindelijk ingelost, althans voor een deel. Wat de vogel betreft, ik ben zijn hoeder, maar hij maakt zijn eigen keuzes.'

'Dat was geen antwoord op mijn vraag.'

'Laten we er hulp bij halen. Deze man is de dood nabij. Je moet hem hier weghalen voor het te laat is.' Hij liet een kort, schel gefluit horen, en Fiacha kraste. 'Je moet snel handelen als je hem wilt redden.'

'Dat weet ik. Hoe heb je dit gedaan? Hoe heb je...' Ik maakte een gebaar naar het moeras achter me, waar nu geen spoor van een pad meer was.

'De vermogens van een druïde houden in dat hij gebruik maakt van wat er al is,' zei Ciarán. 'Wind, regen, aarde, vuur. Die vermogens hebben te maken met het begrijpen van de grenzen tussen wereld en Andere Wereld; ze hebben te maken met de wijsheid van al wat groeit. Wat ik deze avond heb gedaan, is niet zo veel. Een kunst die ik in de nemetons heb geleerd, meer niet. Er is hier geen sprake geweest van hoge magie. Maar ik ben geen druïde meer; en Conor zal eens beseffen dat zijn lessen voor mij slechts het begin waren. Hij zal ontdekken waartoe ik eigenlijk in staat ben.'

'Je bent zijn broer,' fluisterde ik.

'Als hij me dat had willen vertellen toen hij begon met zijn lessen, was het misschien anders geweest. Nu betekent het niets.'

'Wil je daarmee zeggen dat je van plan bent de weg van vrouwe Oonagh te volgen? Een afdaling in het kwade, omwille van de macht? Toch bescherm je Niamh als een kostbare schat; je bent gekomen om mij te redden en... en het kind.'

Zijn strenge gelaatstrekken werden verzacht door een uiterst vluchtige glimlach. Boven op de oever hoorde ik mannenstemmen, en er vlamde een toorts.

'Mijn moeder beschouwt mij als een bruikbaar werktuig voor haar doeleinden,' zei hij zacht. 'En ze kan me inderdaad veel leren. Conor zelf heeft me leergierigheid bijgebracht. Bovendien, dit is immers niets anders dan een groot strategisch spel? Maar goed, je mannen zijn er en ik moet gaan. Niamh kan niet lang alleen worden gelaten.'

Ik voelde een brok in mijn keel. Hij was mijn laatste schakel met mijn zuster en ik had het gevoel dat dit een afscheid voor lange tijd zou zijn. 'Ik wens je het beste,' zei ik. 'Ik wens je alle mogelijke vreugde. En... en dat je niet de weg naar de duisternis zult kiezen.'

'Ik ben voor alles gehouden je zuster te beschermen.'

'Zeg tegen Niamh dat ik haar koester in mijn hart,' zei ik zacht, al was ik er allerminst zeker van dat hij haar zou vertellen dat hij hier was geweest of dat hij mij en mijn zoontje had gezien.

Ciaráns stem klonk heel ernstig. Ik had de indruk dat hij nu bijna tegen beter weten in sprak. 'Ik aarzel het te zeggen,' zei hij, 'maar als je wilt dat je kind veilig is, denk ik dat je met hem weg zou moeten gaan. Zo ver weg als je kunt. Er zijn mensen die er veel voor zouden doen om te zorgen dat hij nooit opgroeit tot een man en een leider. Maar goed, het schijnt jullie beiden niet aan beschermers te ontbreken.'

Terwijl hij dit zei, naderde door de struiken een aantal mannen; mannen met vreemde, uitheemse tekens op de huid van hun gezicht, hun ledematen en hun lichaam, mannen gekleed in buitenissige kledij die gemaakt was van wolfshuiden, veren en metaal. Ze droegen helmen die hen het uiterlijk van wezens uit de Andere Wereld gaven, half mens, half dier. Ik voelde een domme grijns van opluchting op mijn gezicht komen, terwijl ik daar zat met Brans hoofd op mijn schoot en Meeuw naast me neergezakt op de grond. En toen ik weer naar Ciarán keek, was hij weg.

'Here Jezus!' Het was Slang, de man met het kledingstuk van leer en de tekening op polsen en voorhoofd. 'Wat is er met hem gebeurd?' Hij hurkte neer bij Bran en stak zijn vingers uit om de wondkorst op het hoofd te bevoelen. 'Een diepe wond; dagen oud. Je weet wat hij zelf zou zeggen.'

Ik hoorde gemompel van de mannen die in het donker om ons heen stonden.

'Vraag het haar,' zei Meeuw zwakjes. 'Vraag het aan Liadan.'

Slang richtte zijn felle, schitterende blik op mij. 'Denk je dat je hem kunt redden?' vroeg hij. De mannen werden heel stil.

Nu ik eenmaal zat, voelde ik me buitengewoon zwak en vreselijk moe. De stem van Slang leek van heel ver te komen, en mijn eigen stem klonk vreemd.

'Natuurlijk kan ik dat,' zei ik met geveinsde zekerheid in mijn stem. 'Maar we moeten snel zijn. Hij moet eerst in veiligheid worden gebracht. Buiten het gebied van Eamonn. Ik wil naar die plek waar we al eens hebben gekampeerd. Je weet waar ik bedoel. De plaats waar de staande stenen zijn. Waar je onder de grond kunt komen.'

Slang knikte. 'Een heel eind rijden,' zei hij.

'Dat weet ik. Maar we moeten er toch naartoe. En Meeuw moet ook hulp hebben. Zijn handen zijn ernstig verwond. En...'

Johnny begon weer te huilen, nu heel zacht, alsof hij wilde zeggen: Waarom luistert niemand naar mij? Ik ben moe, en nat, en ik heb honger, en dat *heb ik al tegen je gezegd.*

Weer hoorde ik gemurmel van stemmen en iemand floot zacht.

'Een kind!' riep Slang met gedempte stem. 'Van jou? Ben je over het moeras gekomen met een kind op je rug?'

'Mijn zoon.'

Weer floot er iemand.

'En waar is zijn vader dan?' vroeg iemand tamelijk brutaal van achter in de groep.

'Dat gaat je niets aan,' snauwde een stem waarin ik die van Spin herkende.

'Dit is zijn vader,' zei ik; het leek me beter dat ze de waarheid nu wisten, om het niet ingewikkelder te maken dan het al was. 'En hij gaat dood, als we niet gauw gaan. We hebben weinig tijd meer. Jullie kunnen de Baas beter op de rug van een van jullie sterkste mannen binden, zodat hij niet te veel door elkaar wordt geschud. Is er een paard voor mij?'

Heel even stonden ze aan de grond genageld, met stomheid geslagen. Toen begon Slang snel bevelen te geven. Spin kwam naar me toe om heel voorzichtig met zijn lange vingers het hoofdje van de baby aan te raken en bood aan hem voor me te dragen.

'Dank je wel,' zei ik, 'maar hij is aan mij gewend, en hij is moe en angstig. Misschien later.' Ik had gedacht dat ik nog genoeg kracht had om op een paard te rijden. Maar toen er twee mannen kwamen om Bran heel voorzichtig op te tillen en Otter mijn hand pakte om me overeind te helpen, begaven mijn knieën het en tolde mijn hoofd. Er leken veelkleurige sterretjes voor mijn ogen te dansen. Toen werd er even overlegd wie mij en mijn kind voor zich op het paard zou nemen, tot Slang, die de leiding scheen te hebben, Spin aanwees, waarna Spin ons met een brede grijns op zijn grote paard tilde en er achter ons op sprong.

Het was een lange, vermoeiende reis. We hielden twee keer stil, op verborgen plekken tussen rotsen, en na wat rusten en een maaltijd en veel aandacht werd Johnny weer rustig, alsof onze gevaarlijke reis gewoon weer een nieuwe variatie in zijn leventje was. Echt een zoon van zijn vader, dacht ik lichtelijk verbitterd, en het verhaal van Cú Chulainn en Conlai schoot me weer te binnen. Het zou mijn taak zijn te zorgen dat ons eigen verhaal niet hetzelfde patroon zou volgen.

Bran werd door Otter vervoerd, op zijn rug gebonden zoals we ooit met Evan de smid hadden gedaan. Toen we stilhielden, liet ik hem tegen een boomstam neerzetten. Ik liet hen een beker vullen en proberen wat water bij hem naar binnen te krijgen. Ik had wel kunnen huilen, hem daar zo hulpeloos onderuitgezakt tegen die boom aan te zien zitten. Ik wist heel goed wat hij zou zeggen als hij zichzelf zou kunnen zien. Deze man is verder nutteloos, zou hij zeggen. Ik zag hoe Slang, de man met die woeste blik, heel voorzichtig het aangekoekte bloed van de diepe hoofdwond wiste en hoe de keiharde Otter een warme mantel om de slap liggende ledematen instopte. Ik zond een stille bede naar Díancécht, de grote genezer van de Túatha Dé Danann. Geef mij de kracht om deze taak te verrichten. Geef mij de kundigheid. Ik mag hem niet verliezen. Ik wil het niet.

Meeuw kon zelf niet rijden. Hij zat voor een grote, zwijgende man die ze Wolf noemden, op een groot, stil zwart paard. Toen we een rustpauze hielden, bekeek ik zijn gewonde handen. Ik kon niet veel doen zonder mijn genezerstas, zonder kruiden, zalven en instrumenten, zonder schoon verband en tijd. Maar ik zei zacht tegen Slang wat ik allemaal nodig zou hebben wanneer we onze bestemming bereikten, en hij antwoordde dat ze alles wat ik nodig had op de een of andere manier zouden halen. Het leek me beter om maar niet te vragen wat dit precies betekende.

Meeuw was drie vingers kwijt aan de ene hand en twee aan de andere. De wonden waren netjes dichtgebrand; maar mijn hart verkilde bij de gedachte dat dit het werk van Eamonn was, de man met wie ik getrouwd had kunnen zijn. Het deed er niet toe wie met de bijl had geslagen, hij of een ander. Het was zijn geest die deze wrede straf had bedacht.

'Barbaars,' mompelde ik terwijl ik een reep stof van mijn hemd afscheurde en hem om Meeuws hand wond. 'Een krankzinnige wraakhandeling.' Maar achter in mijn geest hoorde ik Eamonns stem, somber als de winter. Als het je niet bevalt wat ik geworden ben, is dat je eigen schuld. Een huivering voer door me heen.

'Doet me denken aan de smid,' zei Meeuw. 'Toen de Baas zijn arm afzaagde en jij de wond dichtschroeide met een heet zwaard. Toen ging ik bijna van mijn stokje. Dit is net zoiets.'

'Je hebt veel voor hem verdragen.'

'En jij dan? Je bent een bijzondere vrouw, Liadan. Geen wonder dat hij de regel voor jou heeft overtreden.'

'Op dat punt heeft hij de regel vast al eerder overtreden. Een man van zijn leeftijd kan niet zo sterk zijn in zelfverzaking,' zei ik, terwijl ik de uiteinden van het verband netjes wegstopte.

'Ik ken hem sinds hij nauwelijks meer dan een jongen was en ik heb hem nooit met een vrouw zien weggaan. Niet één keer. Zelfbeheersing. Vindt hij belangrijk. Misschien te belangrijk. Met jou was het anders. Jij gaf hem partij. Toen hij jou had gezien, was het alleen een kwestie van tijd.'

Ik antwoordde niet, maar er gingen veel vragen door mijn hoofd. Zou het mogelijk zijn dat die betoverde nacht die we samen hadden gehad, ook voor Bran de eerste keer was geweest? Vast niet. Dit soort dingen was anders voor een man. Een man vond het minder ingrijpend dan een vrouw, en bovendien had een man zoals hij natuurlijk gelegenheid te over. Ik voelde dat ik bloosde en draaide mijn gezicht weg van Meeuw.

'Liadan?' Zijn stem was zacht. 'We staan allemaal achter je, meid. We kunnen niet zonder de Baas. Zonder hem zijn we niets.'

'Je bent zo sterk geweest.' Mijn vermoeidheid klonk door in mijn stem. 'Zonder jou had ik het opgegeven.'

'Je had het niet opgegeven, hoor.' Plotseling veranderde zijn stem. 'Ik wil dat je het me zegt.'

'Je wat zegt?' Maar ik wist wat er zou komen.

'Wat zijn mijn kansen? Hoe erg zal dit me belemmeren? Het gevecht is mijn enige beroep, begrijp je. Als ik niet kan vechten, als ik me niet uit een moeilijke situatie kan redden, of als het nodig is zo'n situatie kan opzoeken, is het afgelopen voor mij. Vertel me de waarheid. Hoe ziet het eruit?'

'Waarom was je daar eigenlijk? Ik dacht dat het een eenmansopdracht zou zijn.'

'Wist je dat? Ja, hij ging er alleen opuit, en wilde ons niets vertellen, de idioot. Je zou haast denken dat hij wilde dat Northwoods hem zou doden. Het volgende wat we hoorden, was dat hij op weg was naar Erin in een kleine boot, bemand door mannen in het groen. Ik wist dat dat waarschijnlijk niet bij het plan hoorde. Ik probeerde de held uit te hangen. Een reddingsactie. Ik was een nog grotere idioot dan hij. Toch lukte het bijna. Eamonn was ons alleen net te slim af, speelde ons tegen elkaar uit. Dit is het resultaat. Zeg het nu.'

'Je zult een boog kunnen spannen met je linkerhand. Dat zul je jezelf opnieuw moeten leren. Je zult kunnen paardrijden, als je je handen blijft oefenen terwijl ze genezen. Je zult geen zwaard kunnen hanteren, geen steile wanden kunnen beklimmen of je vingers kunnen gebruiken om een man zijn strot dicht te knijpen. En je kunt leren genezer te worden. Dat zou ik je zelf kunnen leren. Deze bende heeft zo iemand nodig.'

'Ik dacht dat jij misschien...' begon hij, en zweeg toen.

'Dat hangt ervan af,' zei ik. 'Het hangt van hem af. Van wat hij wil.'

Meeuw bleef een tijdje zwijgend naar zijn verbonden handen staren. 'Wat zou de Baas zeggen? Zou hij me nog bruikbaar vinden?'

'Hij zal vinden dat je het waard bent bij de bende te blijven, denk ik. Vooral als ik hem vertel hoe je mij en zijn kind hebt gered. Hoe je hem op je rug door het moeras hebt gedragen.'

Meeuw keek me recht in de ogen. 'Jij hebt ons gered,' zei hij zacht. 'Als jij niet zo moedig was geweest, zouden we zijn omgekomen in Eamonns kerkers. Weet je het zeker? Weet je zeker dat je hem terug kunt halen?'

'Jij was degene die daarginds niet toestond dat ik de moed opgaf,' fluisterde ik.

We reisden langs verscholen wegen, zoals tevoren, en als er van tijd tot tijd een paar mannen alleen wegreden, om enige tijd later in de groep terug te keren met een kleine tas of een bundeltje dat ze eerst niet bij zich hadden gehad, werden er geen vragen gesteld. Het was kort voor zonsopgang toen we de grote grafheuvel bereikten en afstegen onder de hoge beuken die de lage ingang overschaduwden. Spin hielp me van het paard af. Johnny had het laatste deel van de reis op de rug van een jongeman meegereden die ze Rat noemden, en het leek hem geen kwaad te hebben gedaan. Met zijn grijze oogjes keek hij aandachtig naar de veranderende vormen en kleuren rondom, en probeerde het allemaal te begrijpen.

'Goed,' zei Slang, terwijl de mannen wegliepen zonder orders te hoeven krijgen, om paarden te verzorgen, de wacht te gaan houden en een kookvuur te maken. 'Waar wil je de Baas hebben? Binnen, waar hij beschut ligt?'

'Nee,' zei ik, met een blik op de vreemde gezichtjes op de lateibalk boven de oude deuropening. 'Niet daar binnen. Je weet hoe hij... gebruik de grafheuvel liever voor je mannen, want daar kunnen veel mannen veilig en droog slapen. Kunnen ze voor ons een kleine schuiltent maken onder de bomen, misschien aan de andere kant bij het water? Droog en afgezonderd, maar ergens waar hij de hemel kan zien wanneer hij wakker wordt. Ik zal ook een vuurtje nodig hebben, en lantaarns voor later; en er zal wel wacht moeten worden gehouden. Ik zal een man nodig hebben om me te helpen.'

'Dat zullen we om beurten doen.' Ze waren intussen bezig Bran los te maken en hem voorzichtig van Otters paard af te halen, terwijl Otter zelf zijn ledematen boog en zijn rug strekte en ietwat voorzichtig afsteeg.

'Kruiden,' zei ik. 'Ik heb iemand nodig om ze te verzamelen. Ik moet een kompres maken voor de hoofdwond, en een geneeskrachtig aftreksel. Dat kan Meeuw ook goed gebruiken. Ik heb heelkruid nodig. En wijnruit, die bloeit nog wel, en ik weet dat ze hier groeit. Als jullie wilde tijm en steentijm kunnen vinden, zal ik de gekneusde blaadjes in een kommetje doen en dat naast hem neerzetten. Deze kruiden helpen verdriet te verdrijven; we moeten hem herinneren aan de goede dingen die hij achterlaat als hij niet bij ons wil terugkomen.'

Slang knikte. Hij gaf een paar snelle bevelen waarna de mannen Bran op een plank legden en hem naar de andere kant van de grafheuvel droegen. Paarden werden weggeleid, voorraden uitgepakt. Er heerste een kalme, ordelijke sfeer terwijl de mannen zo bezig waren. Ik hoorde het stemmetje van Johnny; de woorden waren onverstaanbaar, maar het klonk heel zelfbewust.

'Ik moet eigenlijk voor mijn zoontje zorgen,' zei ik, want ik vond dat degene die hem onder zijn hoede had, wel moest weten wat baby's wel en niet mochten eten, en waar ze wel en niet veilig waren. 'Die insectenbeten... ik kan een aftreksel maken om ze mee te betten, met helmkruid...'

'Het zal wel gaan met hem,' grijnsde Slang. 'Rat komt uit een groot gezin; je zult een goed kindermeisje aan hem hebben. Ga jij maar uitleggen wat je nodig hebt voor de Baas. Daarna moest je maar liever gaan rusten, en het kind ook. Het was een lange rit, voor een meisje.'

'Dat zeker. Het lijkt een eeuw geleden dat ik van Zeven Wateren weg ben gegaan. We zijn je veel verschuldigd. Hoe wist je wanneer jullie moesten komen, Slang, en waar?'

'We wisten waar ze waren, Meeuw en hij. We houden dat kasteel, Sídhe Dubh, onafgebroken in de gaten, sinds Eamonn zich al eens tegen een vriend van ons heeft gekeerd. Hij had een bondgenoot in het noorden, iemand die de Baas kende, een man die ons een paar keer een gunst had bewezen, ons onderdak en vrije doorgang had verleend toen niemand anders dat wilde doen. Deze man had een duidelijke overeenkomst met Eamonn over een stuk grond, dat dacht hij tenminste. Hij had ervoor betaald met mooie runderen, de koop was rond. Toen hebben de mannen in het groen op een nacht zijn buitenpost overvallen en tot de grond toe afgebrand, met de wachten er nog in. Wat het nog erger maakte, was dat een van de wachten zijn gezin daar op bezoek had, zijn vrouw en zijn dochtertjes. Allemaal dood, verbrand. Toen de

Baas dat hoorde, zei hij dat hieruit maar weer eens bleek dat zonen altijd naar hun vader aarden. De oude Eamonn, de vader van deze, die heeft zijn bondgenoten aan de Britten verraden.'

'Dat weet ik.'

'Ik dacht wel dat je dat zou weten. Maar goed, die buurman van Eamonn riep onze hulp in, en we hebben hem geholpen. Met Eamonns troep afgerekend op een manier die hem de stuipen op het lijf zou jagen. De Baas kon de verleiding niet weerstaan er een eigen accent aan te geven, met een afgehakte hand en zo. Die was natuurlijk van een man die allang dood was. Zoiets werkt goed, maar is niet leuk om te zien. Het is echt iets voor de Baas.'

'Maar,' kon ik niet nalaten te zeggen, 'de verhalen die ze over jullie vertellen, over de Baas en jullie allemaal – aan de bende van de Beschilderde Man worden allerlei wreedheden toegeschreven die minstens zo erg zijn. Hoe kunnen jullie Eamonn veroordelen als jullie precies hetzelfde doen?'

Slang fronste zijn voorhoofd. 'Wij zijn beroepsmoordenaars,' zei hij na een tijdje. 'Wij doden geen vrouwen en kinderen. Wij maken geen fouten door tegelijk met de vijand onschuldigen te laten verbranden. Bovendien moet je die verhalen niet geloven. Als wij verantwoordelijk waren voor alles wat ze ons toedichten, zouden we op vijftig plaatsen tegelijk moeten zijn. Vraag Rat maar eens wat hij van Eamonn Dubh vindt. Het waren zijn moeder en zijn zusjes die in die brand zijn omgekomen.'

Ik keek naar de plaats waar nu een lange rookpluim van het vuur opsteeg in de vroege morgenlucht, een eindje lager op de helling. Rat had Johnny op zijn knie en zijn vingers deden een spelletje waardoor mijn zoon op en neer hopste van pret. De lichte huid van het kind was bespikkeld met gemene rode bulten waar de moerasinsecten hem hadden gebeten; de grapjes van Rat verhinderden de handjes over de bulten te wrijven en de jeuk nog erger te maken. Ik kon zien hoe deze jongeman aan zijn naam kwam. Zijn ogen stonden dicht bij elkaar naast een lage, spitse neus, en hij had een onregelmatig gebit in een brede, lachende mond.

'Het is een beste jongen, die Rat,' zei Slang. 'Hij leert snel, al ziet hij er niet zo slim uit. Ga nu maar naar de Baas en laat de kleine Johnny een poosje bij ons. We zullen je roepen als het ontbijt klaar is.'

'Je hebt geen antwoord gegeven op mijn vraag. Hoe wisten jullie wanneer jullie moesten komen?'

'We kregen een boodschap. Een jongen met rood haar; hij zag er heel vreemd uit. We waren al in de buurt, want we wisten dat ze daar zaten, maar niet hoe we hen eruit moesten krijgen, want Eamonn had zijn verdediging versterkt. Die jongen zei dat we naar de oever moesten gaan en onder dekking moesten wachten op een teken. Niet lang daarna waren jullie er opeens. Als bij toverslag.'

'Dat klopt,' zei ik, en toen dwong ik mijn vermoeide lichaam om in beweging te komen. Ik liep omlaag naar de andere kant van de grafheuvel, waar de gladde stenen uitzicht gaven op de stille vijver. Waar de staande stenen, ingekrast met tekens zo oud dat zelfs een druïde hun betekenis niet kon interpreteren, zwijgende hoeders waren van de diepe mysteriën van de aarde. En toen ik erlangs liep, dacht ik dat ik een stem hoorde zeggen: *Goed. Goed.* Dit was geen plek van de Túatha Dé, met hun goden en godinnen, hun verblindende schoonheid en angstwekkende macht. Het was een veel oudere plek, veel donkerder. Een plek van de Ouden die mijn eigen voorouders waren geweest, als het verhaal over de bandiet Fergus en zijn Fomhóire-bruid geloofd mocht worden. Ik geloofde het. Ik voelde het vanbinnen toen ik mijn hand op de stenen van de grote grafheuvel legde. Er kwam een traag vibreren van diep in de aarde, en dat zei weer: *Goed.*

Erg weinig tijd. Erg weinig tijd om hem weer bij zichzelf te brengen voor hij bezweek aan zijn wonden, of aan wanhoop, of gewoon aan dorst. Bran kon niet drinken. De mannen hadden een schuiltent gemaakt bij de rotsen, een doek uitgespreid als dak. De voorkant was open zodat je uit kon kijken over de stille poel, of naar het vuurtje kon kijken dat tussen de stenen brandde. Hij lag daar bewegingloos op een stromatras.

'Je moet wel op het kind letten met dat vuur,' waarschuwde een man. 'We hebben het wat hoger aangelegd, als voorzorg.'

Maar het bleek dat ik me over Johnny geen zorgen hoefde te maken. Ze brachten hem bij me om gevoed te worden en te slapen; daarna stopte ik hem in op het bedje van varens dat ze hadden gemaakt en bedekte hem met een vossenpels als dekentje. Zijn eigen dekentje, dat met zoveel liefde gemaakt was, was achtergebleven in Sídhe Dubh. En als Johnny wakker was, zag ik hem ergens in de armen van grote, in leer geklede kindermeisjes, of hij werd gewiegd in een keurige hangmat, of hij werd hoog op brede schouders gedragen, of hij zat naast Rat op de met bladeren bedekte grond, met een korst brood in zijn ene handje, waar hij zijn nieuwe, mooie tandjes op uitprobeerde. De insectenbeten werden al minder; iemand had inderdaad helmkruid gevonden. Rat vertelde me dat het kind erg voorlijk was voor zijn leeftijd, en ik was het met hem eens. Ik aanvaardde het feit dat Johnny plotseling meer ooms had dan een jongetje ooit nodig kon hebben, en ik liet hen maar begaan, al speet het me wel. Hij was zo klein, zo onbevreesd.

Wat Bran betrof, durfde ik de anderen niet te laten weten hoe bang ik was. Ik had een kompres aangebracht op de hoofdwond, zodat hij een keurig verband om zijn hoofd had, over de snel groeiende krullen. Meeuw was degene die me hielp; hij weigerde weg te gaan om te rusten; ook Slang bleef in de buurt rondhangen. We zetten Bran rechtop en hielden zijn hoofd omhoog om een natte spons tegen zijn lippen te drukken. Maar de vloeistof liep langs zijn kin en over de deken, alsof hij de wil had verloren om zichzelf te helpen.

'Hoelang kan hij zonder water blijven leven?' vroeg Meeuw.

'Nog één dag misschien.' Ik probeerde mijn radeloosheid te verbergen, maar mijn bevende stem verried me. Ik kon zien dat het vlees van zijn wangen was weggeteerd, zodat de beenderen scherp uitstaken onder de woest getekende huid. Ik voelde hoe skeletachtig zijn vingers waren, hoe breekbaar zijn pols, waar de kleine beeltenis van een gevleugeld insect zich aftekende tegen de droge, bleke huid. Ik kon horen hoe zwak en traag zijn raspende ademhaling ging. Hoelang Bran in dat benauwde ondergrondse graf gevangen was gehouden, kon Meeuw niet zeggen, want hij was de tel van de dagen kwijtgeraakt terwijl ze in Sídhe Dubh waren.

'Je moet iets voor me doen,' zei ik tegen Slang, die aan het voeteneind van de stromatras stond.

'Alles wat je wilt.'

'Ik wil dat je iemand uitstuurt om te proberen mijn vader te vinden. Hij is Iubdan van Zeven Wateren, maar vroeger heette hij Hugh van Harrowfield, een Brit. Het is een lange man, krachtig gebouwd, met rood haar. Moeilijk over het hoofd te zien. Hij is vorig jaar midzomer over het water gegaan en had allang op Zeven Wateren terug moeten zijn. Hij zou op de terugweg kunnen zijn; dat zou hij zelfs moeten zijn, als het nieuws van thuis hem heeft bereikt. Als iemand hem kan vinden, zijn het jouw mannen wel. Maar ze moeten het wel snel doen.'

'Opdracht wordt uitgevoerd.'

'Dank je,' zei ik. 'Later wil ik dat de mannen hier bijeenkomen. We moeten... we moeten proberen de Baas terug te roepen. Op de een of andere manier moeten we hem laten begrijpen dat hij nog niet kan gaan; dat hij hier nodig is.'

'Ik zal hen halen. Als je hulp nodig hebt, moet je het aan ons vragen, Liadan. Je mag jezelf niet uitputten. Laat ons sterk zijn voor jou.'

Ik raakte zacht zijn pols aan, waar de armband van getekende slangen om zijn gespierde arm kronkelde. 'Dat zijn jullie al, Slang. Jij, en de anderen.'

Ik hield mijn bange voorgevoelens voor me. Ik twijfelde er niet aan of dit was de taak waarover Finbar had gesproken, een genezende taak die alles van mijn kennis en vaardigheden zou vergen. Maar Bran lag er levenloos bij, diep in zichzelf teruggetrokken, alsof hij vrijwillig gevlucht was in de kleine, donkere gevangenis waarin Eamonn hem had opgesloten. Haast alsof hij geloofde dat hij daar thuishoorde. Terwijl ik de zon omhoog zag gaan in de lucht, en daar zijn baan zag beschrijven, wist ik dat hij van me weggleed. Hij had een keer over zichzelf gezegd: *Alleen geschikt om in het donker te leven*, en: *Ga terug in je hok, straathond*. En in uiterste nood was dat precies wat hij gedaan had. Hij droeg zijn gevangenis vanbinnen mee en de deur was vergrendeld. Om die te vinden en te ontsluiten moest er een weg worden gezocht door donkere herinneringen, door geheimen waarvan hij had gezegd dat ze beter begraven konden blijven.

Maar ik was niet alleen. Misschien konden we samen de kracht opbrengen om hem terug te roepen, wij allen die van hem hielden. Dat zou de eerste stap zijn. Wat de tweede stap betrof, die kon ik niet zonder begeleiding zetten, want het was een taak waarvoor de dapperste ziel nog zou terugschrikken.

Slang was weg; Meeuw hield naast Bran de wacht. Ik ging naar buiten om op de stenen boven de poel te gaan zitten, waar Bran en ik ooit in elkanders armen hadden gelegen, zonder ons te storen aan de regen. Ik keek met een gevoel van groeiende zekerheid in het water en liet een stilzwijgende roep uitgaan naar mijn oom Finbar.

Oom? Ik ben hier, en ik moet u iets vragen.

Hier, onder de staande stenen, kwam het antwoord onmiddellijk, al was het zwak; een haast niet zichtbaar beeld op het oppervlak, nauwelijks de beeltenis van een man, meer een speling van het licht waardoor je dacht dat er heel misschien iemand was.

Liadan. Je bent dus in veiligheid.

Ik wel. Maar hij niet, nog niet. Hij is ver in zichzelf verzonken, en ik moet weten of ik gelijk heb, of ik hem terug kan vinden. Ik ben ervan overtuigd dat dit de taak is waarover u hebt gesproken, en ik zal hem uitvoeren. Maar het maakt me bang, oom. Ik ben bang voor wat ik zal ontdekken.

De man in het water knikte ernstig. *Wees gewaarschuwd, dochter. Hij zal al zijn kracht tegen je gebruiken, en zijn kracht is enorm. Hij zal zich tot het uiterste verzetten. Het is een wrede taak, want je moet de banden die zijn hart binden, losmaken en het blootleggen. Daar zetelt een diepe pijn; een pijn waarvan hij jou geen deelgenoot wil maken. Daar zit een verstard kind dat zich verstopt heeft in een gevangenis van verloren dromen. Vind dat kind; neem het bij de hand en leid het uit dat donkere oord naar buiten.*

Ik was koud tot op het bot. Hij praatte als een stem uit een andere wereld.

Ik zal het doen.

Als ik je kon helpen, zou ik het doen, kind. Maar dit is jouw taak. En je moet nu beginnen. Hoe langer je het uitstelt, hoe verder hij van je wegvlucht, tot er geen weg terug meer is.

Het water rimpelde, en hij was weg.

Ik riep Slang, en hij kwam met mij naast Meeuw onder de schuiltent zitten.

'Ziezo,' zei ik. 'Ik denk dat ons twee dingen te doen staan. Eerst het roepen, om hem uit zijn schuilplaats te voorschijn te laten komen. En dan het helen; hem weer in elkaar zetten, zodat hij bij ons zal blijven. Met het eerste kunnen jullie me allemaal helpen. Het tweede zal ik alleen doen.'

'Niet veel tijd,' zei Meeuw zacht.

'Dat weet ik. Het moet voor zonsopgang gebeurd zijn, anders zal hij ons ontsnappen. Jullie moeten nu de mannen roepen, dan zal ik het hun uitleggen.'

'Liadan,' zei Slang schuchter. 'Je weet dat hij dit vreselijk zou vinden.'

'Wat wil je dan dat ik doe? Hem laten sterven van dorst, hem hier laten omkomen, rondzwervend in een oord dat wij niet kunnen zien? Of misschien hem een handje helpen met een scherp mesje? Is dat wat ik volgens jou zou moeten doen?'

'Niet een van de mannen hier zou dat zeggen. Alleen de Baas zelf. Als hij buiten zichzelf kon staan en dit zou zien, zou hij de eerste zijn om het mes over zijn keel te halen. Wij staan allemaal achter je, Liadan. Alleen wil niemand degene zijn die dit aan hem moet gaan uitleggen wanneer hij terugkomt.'

'Ik zal het aan hem uitleggen. Ga nu de mannen halen.'

We gingen naast Bran zitten en wachtten. Hij had zich niet bewogen; zijn gezicht was bleek en kalm, alsof hij sliep. Er was geen uitwendig teken van leven, behalve het geringe, trage op en neer gaan van zijn ademhaling. Zijn vingers waren slap en koud, en ik stopte de deken over hem in en hield zijn hand in de mijne. Ik vroeg me af of hij ergens, diep vanbinnen, kon voelen dat ik hem niet had losgelaten.

De mannen kwamen, alleen of met zijn tweeën, zacht aanlopen ondanks hun zware laarzen. De meeste van hen waren gewapend. Allen droegen de vreemde uitdossing van hun beroep, de huiden, veren en versieringen die hun trots en identiteit waren. Ze keken allemaal ernstig en verzamelden zich om de stromatras, zittend, gehurkt, staand, en zwegen. Niet de hele groep; zelfs op zo'n moment moest de wacht worden gehouden.

'Heel goed,' zei ik. 'Hij kan ons horen, dat is wel zeker. Hij heeft een hoofdwond, een ernstige wond, maar mannen zijn wel van erger hersteld, en hij is heel sterk, dat weten jullie. Maar hij kan niet slikken, en een man houdt het niet lang vol zonder water. We moeten hem uit zijn slaap halen.'

'Maar als hij er niet uit wil komen?' Dit was de grote man met de donkere baard, Wolf. Ik had hem nog niet eerder horen spreken; hij had een diepe stem en een zwaar accent.

'Dat is het nu juist,' zei ik. 'Hij denkt dat het niet de moeite waard is om bij ons terug te komen. Wij moeten hem van het tegendeel overtuigen. Hij moet weten hoe jullie hem waarderen; hij moet eraan herinnerd worden welke goede dingen hij voor jullie heeft gedaan, en wat dat voor jullie betekent. Hij moet gaan inzien wat hij gegeven heeft, en wat hij te geven heeft. Alleen jullie kunnen hem daarbij helpen.'

Ze keken elkaar aan en bewogen onrustig.

'Wij zijn vechters,' zei Rat, die Johnny tegen zijn schouder hield en op zijn ruggetje klopte. 'Geen barden, geen geleerden.'

Een andere man zei verontschuldigend: 'Ik zou niet weten wat we zouden moeten zeggen.'

'Herinneren jullie je de verhalen die ik jullie verteld heb?'

Ik zag knikjes en vage glimlachjes.

'Nou, het is net zoiets, alleen korter. Elk van jullie vertelt een verhaaltje, een verhaal over de Beschilderde Man. We gaan het om beurten doen. En met onze verhalen roepen we hem terug. Het is eigenlijk heel eenvoudig.' Ik merkte dat Meeuw me een beetje spottend aankeek, en ik vermoedde dat hij wist dat mijn kordate zelfvertrouwen volkomen gespeeld was. Onder dat masker was ik koud van angst dat het niet zou lukken. Op hun gezichten begon een sprankje hoop te gloren.

'Goed zeg,' zei een man bewonderend. 'Hoe kom je erop. Jij bent me er eentje. Mag ik eerst?'

'Natuurlijk.'

De verhalen waren heel gevarieerd. Sommige waren aangrijpend, andere grappig, weer andere diep tragisch. We hoorden het verhaal hoe Bran Hond had gered van de vikingschepen, en Slang zei dat Hond, ook al was die arme kerel nu dood, er in elk geval iets voor had teruggedaan, want als Hond mij die dag in Littlefolds niet een klap op mijn hoofd had gegeven zou ik de Beschilderde Man nooit hebben ontmoet, en zou er geen Johnny zijn geweest. En, zei Slang verder, nu de Baas mij had, en zijn zoontje, zou hij wel gek moeten zijn als hij niet wakker wilde worden. Er waren verhalen uit het zuiden en verhalen uit het noorden, verhalen uit Cymru, uit Brittannië en uit Armorica. Er werden verhalen verteld door Noormannen, door Ulstermannen en door Galliërs. Alle mogelijke verhalen. Maar er was een rode draad die door alle verhalen liep. In elk verhaal had de Beschilderde Man de hand gereikt aan een uitgestotene, aan een man die nergens heen kon in de wereld, en hij had hem welkom geheten in een bende kameraden, met een regel en een doel. Meeuw vertelde zijn verhaal fluisterend, een verhaal van bloed en verlies, van ellende en wanhoop. 'Je hebt me naar het leven teruggeroepen toen ik er een eind aan wilde maken. Jouw hand hield de mijne tegen toen ik wilde toegeven aan de duisternis. Nu volg ik jouw weg. Ik vraag je: ga niet verder weg, maar kom terug bij ons. Je werk is nog niet klaar. We hebben je nodig, vriend. Het is nu mijn beurt om je terug te roepen.'

We besteedden de hele middag aan het weven van een net van woorden. Het was een mooi, sterk net, net als de mannen die het hadden gemaakt. Nu naderde de schemering.

'Luister naar Meeuw,' zei ik, mijn tranen bedwingend. 'Luister naar ons allemaal.' Ik had tegen hen gezegd dat Bran ons kon horen. Nu betwijfelde ik of dat waar was, want hoe ik het ook probeerde, ik bespeurde niet het kleinste vonkje van denken in hem, niet het vaagste fragment van een beeld in zijn geest. Als hij niet al weg was, had hij een buitengewoon krachtige barrière opgetrokken.

'Bran,' zei ik zacht, en ik streek met mijn vingers langs de ingevallen wang. 'We houden van je. We zijn je vrienden. We zijn je familie. Kom naar buiten. Kom terug uit die donkere plek. Kom uit de schaduwen te voorschijn, lieverd.'

Meeuw maakte een kleine beweging met zijn verbonden hand, en toen kwamen de mannen een voor een naar voren om Brans arm aan te raken of hem even bij de schouder te pakken, en hier en daar zag ik iemand heimelijk een traan wegvegen.

Toen ze allemaal waren weggegaan, behalve Meeuw en Rat, nam ik Johnny in mijn armen en ging buiten bij het vuur zitten om hem te voeden; nu stond ik mezelf toe te huilen. Terwijl ik daar zat, kwam Slang terug met Wolf, en ze verschoonden Brans kleren en sponsden zijn lichaam af. Onder het werk praatten ze, een opgewekt, praktisch gesprek over een wapensmid in het noorden die een nieuwe procedure had ontwikkeld om ijzer te temperen, en dat hij een prachtig, precies uitgebalanceerd zwaard maakte, en welke prijs voor zo'n superieur wapen betaald zou moeten worden. Ik wist dat dit gesprek voor de Baas bedoeld was, en ik was dankbaar voor hun pogingen. Maar ik was moe, bijna misselijk van moeheid, en onmetelijk treurig, en ik sloot mijn ogen terwijl ik daar zat. Toen was ik opeens in de greep van een nachtmerrie. Muren kwamen op me af, volkomen duisternis, geen gevoel van tijd of ruimte, geen geluid behalve het bonzende hart en de zwoegende ademhaling, en ik was bang, ik was bang dat oom me weer zou slaan. Ik voelde de stekende pijn op mijn rug en benen van de vorige keer, ik voelde de pijn in mijn armen van de keer dat ik die grote steen boven mijn hoofd moest houden... Ik had het niet volgehouden, ik had hem laten vallen, en als de riem pijn deed, was het mijn eigen schuld, want je werd alleen gestraft als je niet sterk genoeg was... er liep snot uit mijn neus, en ik veegde het gedachteloos weg, en mijn hart klopte sneller... geen geluid maken, dat was de regel, geen geluid of er zwaaide wat... het was moeilijk om niet te huilen als je in je broek had geplast en je het veel te warm had en dorst had en bang was en er niemand kwam... wanneer je niets anders kon doen dan tot tien tellen, telkens en telkens weer... als je wachtte en wachtte of ze bij je terug zou komen, want misschien, heel misschien, als je maar heel flink was, zou ze nog komen, ook nu nog...

Ik kwam met een schok tot mezelf, mijn hoofd bonsde, mijn hart bonkte. De angst was reëel, alsof ik zelf in die kleine donkere ruimte zat. Ik knipperde met mijn ogen en dwong mezelf langzaam te ademen; dwong mijn ogen het roerloze water van de poel te zien en de zachte wilgen, grijsblauw in de schemering. Ik voelde het warme gewicht van de baby in mijn armen.

'Liadan?' Meeuw stond naast me, zijn gezicht was bijna onzichtbaar in het afnemende licht. 'Gaat het wel?'

Ik knikte. 'Ja. Hij is er nog, Meeuw. Niet ver weg. Daar, net onder de oppervlakte, en hij is te bang, of misschien schaamt hij zich te erg, om naar buiten te komen. Hij heeft ons gehoord, dat weet ik.'

'Hoe kun je dat weten?' vroeg Meeuw met verbazing in zijn stem.

'Ik... ik hoor zijn gedachten. Ik kan zijn herinneringen en gevoelens delen, als hij me toelaat. Het is een gave, en een vloek. Het...

ik denk dat het gebeurd is toen hij nog heel jong was, wat het ook geweest is. Heeft hij jou ooit verteld...?'

'Hij niet. Leeft volgens de regel. Geen verleden, geen toekomst. Hij heeft nooit een woord losgelaten. Volgens mij is die man oud geboren. Ik wou dat ik kon helpen.'

'Het geeft niet,' zei ik, maar de moed zonk me in de schoenen. 'Dan moet ik gewoon mijn best doen hem te bereiken. Ik moet vannacht alleen met hem zijn. Ik zal Johnny in bed leggen in de tent, en dan moeten jullie ons alleen laten. Allemaal.'

'Ik blijf hier buiten op wacht staan.'

'Ach, Meeuw. Met die handen zou je in een ziekenhuis moeten liggen, waar goed voor je gezorgd werd. Je neemt te veel hooi op je vork. Zorg toch dat je in elk geval wat slaap krijgt.'

'En jij dan? Jij kunt ook niet onbeperkt doorgaan.' Hij legde zijn hand op mijn schouder. 'We zouden voor je zorgen, moet je weten. Als hij... dan zouden we voor jou en de jongen zorgen.'

'Houd op!' Mijn stem klonk schel. 'Zeg dat niet! Hij zal leven. Er wordt hier niet over een nederlaag gepraat.'

Het bleef even stil. Toen zei Meeuw: 'Jullie zijn voor elkaar geschapen. Allebei niet in staat om te falen. De jongen zal ongetwijfeld opgroeien tot een groot leider. Dat moet haast wel. Nu zal ik een hapje eten voor je laten halen en dan zullen we doen wat je zegt. Maar er moet iemand op wacht staan. Dat maakt niets uit, want we doen vannacht toch geen van allen een oog dicht.'

Ik was van plan geweest om hen allemaal naar de grafheuvel te sturen, zodat wij hier alleen waren op de plek van onze bestemming, bij de donkere poel onder de maanloze hemel. Hier roerden zich oude dingen; ik voelde hun aanwezigheid in de schaduwen, en wist dat dit een nacht van veranderingen was. Ik had gedacht dat Bran misschien in het donker naar me zou reiken zoals hij al een keer eerder gedaan had, en dat ik zijn hand zou kunnen pakken en vasthouden tot de morgen kwam.

Maar dit was geen plaats voor eenzame, uit wanhoop geboren handelingen; dit was een plaats van kameraadschap. Slang bracht eten en bier, en stond erop dat ik het buiten bij het vuur opat. En toen ik op een platte steen zat, met een kom stoofpot op mijn schoot, kwamen er anderen uit het donker naar voren om zwijgend om me heen te staan. Ik keek met nieuwe ogen naar Rat, nu ik zijn verhaal had gehoord. De brand die Eamonns mannen hadden aangestoken, had hem een groot onrecht aangedaan. Spin en Otter waren er niet; ze waren de hele dag afwezig geweest.

'Ik moet je iets vragen,' zei Spin schuchter.

'Wat?'

'Stel dat je een wonder verricht, en dat hij hieruit komt. Dat hij plotseling wakker wordt, en zegt: Waar ben ik? Hoe denk je dat hij kan leven met wat er gebeurd is? En hoe moet het met jou en het kind? Hij wil jou. Jij wilt hem. Maar hij zou het nooit goed vinden dat je hier bij ons bleef; geen leven voor een dame of voor een klein jochie. Hij zou jullie nooit op die manier in gevaar willen brengen. En hij zal dit leven ook nooit opgeven. Het is het enige wat hij kent; de enige manier om te rechtvaardigen dat hij doorgaat. Was je van plan hem op te lappen en dan weer naar huis te gaan? Dat zou voor alle partijen een wrede afloop zijn.'

'Vraag je me dat in ernst?'

'Misschien niet. Ik zie jou niet zoiets doen. Maar je weet hoe hij is. Hij zal je niet laten blijven. Hij stuurt je weg naar huis, en dan zal hij ervoor zorgen dat hij zo snel mogelijk gedood wordt. Ik denk dat het zo zou gaan.'

Er viel een stilte. Meeuw keek naar mij en naar Slang, en het leek alsof hij iets wilde zeggen, maar het niet deed.

'Wat is er, Meeuw?' vroeg ik.

'Ik heb eens nagedacht,' zei hij voorzichtig.

'Nou, zeg op dan.' Hij had meteen de aandacht van Slang. 'Als je een plan hebt, willen we het horen. Er is weinig tijd.'

'Een plan. Dat is het niet echt. Een idee, meer niet. Het spookte de hele tijd door mijn hoofd, toen we op weg waren door dat godvergeten moeras. Toen ik het eenmaal had bedacht, bleef het en werd het groter. Ik weet dat we niet terug kunnen gaan om weer in de wereld te leven als boeren, vissers en zo meer. Maar we kunnen wel het een en ander. Varen op zee, ongezien iemand achtervolgen, op allerlei manieren vechten. We weten hoe we een overval moeten beramen en perfect uitvoeren. We kunnen ergens binnendringen en er weer uit komen op manieren waar nog nooit iemand anders aan heeft gedacht. We hebben onze eigen methoden om problemen op te lossen en informatie te krijgen. Er zijn heel wat clanhoofden, in dit land en aan de overkant van het water, die er mooie runderen en zilverstukken voor zouden betalen als we hun mannen die dingen zouden leren.'

Voor de zoveelste keer verbaasde ik me over Meeuw. Wolf luisterde met grote ogen.

'Waar dan?' vroeg Slang botweg. 'Er is geen uithoek van Erin waar we langer dan een paar nachten welkom zijn. Als we ons vestigen, komt er voor je het weet een of ander heertje dat we beledigd hebben met zijn beulen om ons kamp in brand te steken en ons in de nacht af te slachten. We moeten altijd twee stappen vooruit zijn. We moeten altijd in beweging zijn. Zelfs hier is het niet veilig; niet lang.'

Ik schraapte mijn keel. 'Bran heeft een keer gezegd... hij zei dat hij een plek had. Hij had een plek. Waar is die?'

'Daar weet ik niets van,' zei Slang. 'Hij is niet iemand om zich te vestigen, onze Baas.' Wolf en hij keken beiden naar Meeuw.

'We hoeven voor Liadan geen geheimen te hebben,' zei Meeuw zacht. 'Zij hoort bij ons.'

Na enkele ogenblikken knikte Slang, en Wolf bromde instemmend.

Meeuw wendde zich weer tot mij. 'De Baas heeft het jou dus verteld,' zei hij, met een blik op de man die bewegingloos in de open schuiltent lag.

'Ja. Lang geleden. Wat is dat voor plek, Meeuw?'

'Een eiland. In het noorden. Het is een woest, onherbergzaam oord. Gemakkelijk te bewaken. Minder gemakkelijk te bereiken. Heel mooi, op een bepaalde manier. Je zou daar een kamp kunnen bouwen. Er zouden mensen kunnen komen om les te krijgen.'

'Net als dat eiland in het verhaal,' zei Slang afwezig; zijn gedachten waren kennelijk zijn woorden vooruit gesneld. 'Het eiland van die krijgsvrouw, weet je nog? Hoe heette ze ook weer? En jij zou er natuurlijk ook moeten zijn, jij en de jongen. Net als in het verhaal.'

'Ik zeg het maar meteen: ik ben niet van plan de levensloop van Scáthach na te volgen, en ook niet die van haar dochter,' zei ik droog. 'Maar je hebt toch gelijk. Wat er ook gebeurt, ik wil bij hem blijven.'

'Welk clanhoofd zou goed zilvergeld betalen aan lui zoals wij?'

vroeg Rat. 'We hebben toch een slechte naam? Die heren moeten oppassen voor hun bondgenootschappen. Er is er vast niet één die vertrouwen zou hebben in zo'n onderneming.' Ondanks zijn woorden straalde de hoop uit zijn ogen.

'Wat dat betreft,' zei ik langzaam, 'denk ik dat het mogelijk is dat jullie onderneming na verloop van tijd geaccepteerd zou worden. Je hebt alleen een begin nodig. Beschermheerschap van een in hoog aanzien staand leider. Misschien ook nog wat extra middelen; daarover zou te praten zijn. Mijn broer zou in beide kunnen voorzien.'

'Je broer?' Meeuw trok zijn wenkbrauwen op. 'De heer van Zeven Wateren? Zou hij openlijk met lui zoals wij onderhandelen?'

Ik knikte. 'Ik geloof het vast. Mijn broer had het al eens over het leveren van gespecialiseerde diensten. Hij heeft zeker oog voor de waarde van wat jullie te bieden hebben. Toen Bran gevangen werd genomen, was hij bezig een opdracht van mijn broer uit te voeren. Sean is mij daarvoor een gunst verschuldigd, en voor een andere... transactie die ik voor hem heb uitgevoerd. Ik denk zeker dat hij hiermee zal instemmen.'

Slang floot zacht.

'Jullie zouden kunnen overwegen om jullie werkterrein uit te breiden,' vervolgde ik. Ik begon warm te lopen voor het idee. 'Een leger heeft behalve krijgers ook chirurgijns, genezers, astrologen en navigators nodig. En mannen moeten leren dat het leven meer inhoudt dan dood en vernietiging. Ik heb geen verlangen de enige vrouw op dat eiland te zijn.'

'Vrouwen?' Er klonk ontzag in Wolfs stem. 'Zouden er vrouwen zijn?'

'Ik zie geen reden waarom ze er niet zouden zijn,' zei ik. 'De wereld bestaat voor de helft uit vrouwen.' De mannen keken even naar Bran en naar elkaar.

'Werk aan de winkel,' zei Slang terwijl hij opstond. 'Denken. Plannen maken. Ik ga dit aan de andere jongens voorleggen. Wat een verandering zou dat zijn. Maar wie gaat het aan hem vragen?'

'Misschien moeten jullie strootjes trekken,' zei ik.

De mannen waren al diep in gesprek terwijl ze terugliepen naar het hoofdkamp en mij alleen achterlieten met Meeuw. De opgewekte, enthousiaste stemming zakte meteen weg; voor er over een toekomst kon worden gedacht, moest de strijd van de komende nacht gewonnen worden.

'Meeuw,' zei ik. 'Het is nieuwe maan.'

Hij knikte zonder iets te zeggen.

'Als ik hem vannacht niet kan bereiken, is het afgelopen. Laat me nu maar alleen. Geen licht. Laat het vuur uitgaan.'

'Als je denkt dat dat beter is.'

'Ik weet het zeker. Ik beloof dat ik zal roepen als ik je nodig heb. Maar houd de anderen weg. Ik mag niet gestoord worden, anders zou ik hem kunnen verliezen.'

Hij pakte de lantaarn en liep langs het vuur weg, zodat ik in het donker achterbleef. Johnny sliep. Ik legde mijn arm over Bran heen en legde mijn hoofd naast het zijne op de stromatras, zodat mijn gezicht vlak bij zijn gezicht was. Zijn ademhaling was opper- vlakkig, met een eindeloze pauze voor hij weer nieuwe lucht in- zoog. Bij elk keerpunt was er toch nog iets wat hem ertoe bracht die wilsinspanning te leveren. Ik sloot mijn ogen en vertraagde mijn eigen ademhaling, zodat we gelijk ademden... in... uit... le- ven... dood... en ik dwong mezelf om terug te gaan langs de weg van de tijd, langs de geheime weggetjes en kronkelpaden van het geheugen. Ik reikte met al mijn geestkracht naar hem, om hem te vinden in dat kronkelende labyrint. En eindelijk begon hij me door te laten, door schaduwsluiers en door lagen van donkerte heen.

Geen lucht, kan niet ademen, hart bonst, bloed stroomt snel, veel te snel... een en twee en drie, vier en vijf en zes... hoelang, hoe- lang voor de volgende keer... hoelang voor het weer licht is... ga niet op zoek naar deze man, hier in het hok, in het donker... hij is weg... allang weg...

De gedachten vervaagden en waren weg. Ik reikte verder, dieper in de schaduwen. *Zeg het me. Zeg het.* Het was alsof mijn eigen geest in de zijne vloeide en een deel van hem werd, terwijl mijn eigen lichaam een schelp was, zonder bewoner. *Laat het me zien. Verhaal. Vertel me een verhaal. Lang verhaal, vele nachten. Er was een jongen die een verkeerd pad insloeg... hij dacht dat hij wist waar hij heen ging... vier, vijf, zes... maar hij verdwaalde, verdwaalde in het donker, en er kwam niemand... hij dwaalde en viel... viel naar beneden...*

Ik zal je hand vasthouden, waar je ook gaat; wie je ook bent, zei ik tegen hem. *Ik zal iets wat ik liefheb nooit loslaten, tot het eind der tijden niet, dan nog niet. Kijk op, lief hart. Kijk op en volg het licht. Kom naar buiten, kom naar me toe.*

Hond, met zijn darmen uit zijn lijf. Evan, zo sterk en op het laatst zo hulpeloos. Meeuw, opgesloten bij die slager. Deze mannen volgden hem, en hun beloning was lijden en dood. Ze volgden hem tot in de schaduw... zovelen verloren... een verpletterende last... tel ze... tel de stenen in Sídhe Dubh, de lagen duisternis boven zijn hoofd die hem terneer drukken... uitvaagsel, niet waardig hoop te hebben... vlucht voor hem, want zijn aanraking betekent de dood... zijn liefde is een vloek...

Als je wilt tellen, tel dan de sterren, lief. Hoeveel sterren aan de hemel, die op ons neerkijken terwijl we in elkaars armen liggen en de vreugde proeven? Hoeveel glanzende vissen in het meer waar ik onze zoon in het water laat spetteren, terwijl zijn vreugdekreten door de heldere lucht schallen? Je hebt een mooie kleine zalm gemaakt, die nacht in de regen. Hoeveel keren klopt het hart, hoe snel stroomt het bloed wanneer we elkaar eindelijk aanraken, en weer aanraken, en dezelfde wanhopige verlangende adem inademen? Tel die dingen, want daaruit bestaat het leven, daarop is de hoop gericht.

Hoop... deze man is de hoop ontzegd. Raak deze man aan, en hij zal je meetrekken in het hok, in het donker. Woorden dwarrelen voorbij als dorre bladeren, fluisterend in de leegte... hij kan ze niet horen...

Hij ging weer van me weg, ontsnapte aan mijn greep, vluchtte door de lange, donkere gang naar zijn schuilplaats, diep vanbinnen. Hoe kon ik hem volgen? Hoe kon ik hem vinden wanneer de schaduwen hem weer verborgen? Ik riep al mijn kracht op en reikte naar hem. *Het verhaal. Vertel het. Een jongen. Een man. Hij ging op reis. Vertel me zijn verhaal.*

Toen het kwam, was het uiterst ijl, een gedachtedraadje. Maar het was een verhaal: zijn verhaal.

Vertellen... het verhaal vertellen... er is een man, en ze hebben hem geslagen, ze zijn ermee klaar, en iemand in groene kleren stopt hem in het gat in de grond en doet de deur dicht. Het is donker. Het is te donker, en klein. Maar hij moet doorgaan, omdat... omdat... hij weet niet meer waarom, maar het moet. Hij weet hoe hij moet doorgaan, hij heeft dit eerder gedaan. Hij heeft dit vele malen eerder gedaan. Tellen, om de andere dingen weg te houden, tellen, een, twee, drie... Er is een kind, en hij wordt op en neer geschud in haar armen, en hij vindt het niet prettig. Ze huilt en ze rent, en daardoor moet hij ook huilen. Dan zegt ze: 'Het komt wel goed, Johnny. Maak je nu klein en houd je heel stil. Het zal niet lang duren, schatje. Ik kom je halen zodra ik kan. Wees niet bang; maar blijf heel rustig en stil zitten, wat je ook hoort.' Ze stopt hem in een gat in de grond en doet de deur dicht. Duim in zijn mond, hand over zijn hoofd, knietjes opgetrokken, bonzend hart. Een, twee, drie, telt hij terwijl hij buiten lawaai hoort, gillen, en brandlucht en bloed ruikt. Vier, vijf, zes. Telkens weer herhaalt hij de cijfers, als een beschermende talisman. Een, twee, drie... een, twee, drie... Zo donker. Zo lang. Te lang. En toen... en toen...

De gedachten aarzelden en hielden op. Ik voelde me zo moe alsof ik in een veldslag had gevochten; mijn hoofd bonsde, mijn handen beefden, ik had tranen in mijn ogen. Ik bracht Brans koude hand naar mijn lippen.

'Goed,' fluisterde ik beverig. 'Dat is een begin.' Maar ik begreep er niet veel van. Had zijn moeder hem, lang geleden, in de steek gelaten? De Margery over wie mijn moeder met zoveel liefde en respect had gesproken. Hoe kon dat?

Laat me meer zien, vroeg ik met de stem van de geest. Ik probeerde hem zonder woorden te laten voelen dat, hoe zijn verleden ook was geweest, we nu van hem hielden en hem nodig hadden. Aan Sean, of Conor, of Finbar had ik zo'n bericht in een oogwenk kunnen overbrengen. Iemand zoals mijn vader, of Niamh, of zelfs Meeuw had ik met iets meer moeite kunnen bereiken, hoewel ze niet meer gevoeld zouden hebben dan een soort verlichting, een gevoel van welbevinden; ze zouden niet hebben geweten wat ik deed. Zo had ik op mijn zuster ingewerkt op Sídhe Dubh, toen ze bijna door wanhoop was overmeesterd. Maar ook al was hij gewond, Bran was een man met een geweldig sterke wil, en zoals Finbar had voorspeld, vocht hij tegen me. En ik was nu al uitgeput van mijn pogingen.

Kom naar buiten!

Mijn hart bonsde heftig. De Ouden waren gekomen om me te helpen. Hun stemmen riepen vanuit de diepten van de aarde, zacht en krachtig.

Kom uit het donker naar buiten. Wil je je zoon soms vaderloos achterlaten, je vrouw alleen en verdrietig? Wil je je mannen als wrakhout achterlaten, zonder doel? Kom naar buiten en neem deze uitdaging aan.

'Let niet op hen.'

Ik ging met een ruk rechtop zitten en klemde Brans hand in de mijne. Dit was een andere stem, en de eigenares ervan stond in een griezelige belichting aan het voeteneind van de stromatras. Het was de Vrouwe van het Woud; haar gezicht lichtte wit op in het donker en haar mantel was donker als de nacht, afgezien van de blauwe glans die erover lag. De Heer met het vurige haar stond achter haar; zijn licht was gedempt tot een spookachtig gloeien. Hun gezicht had een strenge uitdrukking, hun ogen stonden koel. Het werd me bang te moede toen ik hen hier zag, want ik herinnerde me hun woede toen ik had geweigerd te doen wat ze zeiden. Bran lag volstrekt hulpeloos naast me, en mijn zoontje was hier ook, en had niemand om hem te verdedigen behalve mij.

'Schenk geen aandacht aan deze stemmen,' zei de Vrouwe weer. 'Ze brengen je op een dwaalspoor. Ze zijn oud en in de war. Een oud, verdwaasd volk van de rotsen en bronnen. Hun woorden hebben geen betekenis.'

'Vergeef me,' zei ik huiverend. 'Volgens mij zijn het mijn eigen voorouders, want de mensen van Zeven Wateren stammen af van een sterfelijke man en een vrouw van de Fomhóire. Zij die u verdwaasd noemt, willen niets anders dan mij helpen bij mijn taak. De tijd dringt. Als u niet gekomen bent om te helpen, moet ik u vragen ons met rust te laten.'

De wenkbrauwen van de Heer werden hemelhoog opgetrokken. Hij wilde iets gaan zeggen, maar zij weerhield hem.

'Liadan,' zei ze, en haar stem klonk verdrietig. 'Deze man is stervende. Je zult hem niet terugroepen. Het is wreed hem zo vast te houden. Laat hem gaan. Hij verlangt ernaar om verlost te zijn. De man is beschadigd en gebroken, geen geschikte levensgezel voor een dochter van Zeven Wateren. Hij kan het kind niet beschermen. Laat hem gaan en breng de jongen terug naar het woud.'

Ik beet mijn kiezen op elkaar en zei niets.

'Luister naar ons, meisje.' Terwijl de Heer sprak, stegen er sterretjes op van zijn haar en zijn gewaad, zodat hij in een stralenkrans van gouden licht stond. Het gaf de ingevallen trekken van Bran een spookachtige schijn van gezondheid. 'Duistere krachten reiken naar je kind. Er zijn elementen die alles zouden doen om te verhinderen dat hij blijft leven. Wij kunnen hem veiligheid bieden. We kunnen ervoor zorgen dat hij sterk wordt naar lichaam en geest, geschikt voor de taak die in de toekomst ligt. Je moet hem terugbrengen. Of...'

Ik zag het begin van een idee opkomen in die veranderlijke ogen, en bliksemsnel sprong ik op en griste de slapende Johnny weg uit zijn bedje van varens, om hem stevig in mijn armen te nemen.

'Jullie nemen hem niet mee!' beet ik hun toe, terwijl een golf van schrik en woede door me heen sloeg. 'Of jullie nu Feeën zijn of niet, jullie zullen niet mijn zoon stelen en mij een of ander wisselkind in de maag splitsen! En jullie hoeven je ook niet van zijn vader af te maken. Ze zijn van mij, allebei, en ik houd ze allebei bij me. Ik ben niet dom. Ik ken het gevaar. Ik weet van vrouwe Oonagh, en... en...'

Ik liep terug naar de stromatras, waar ik mijn hele gezinnetje in mijn armen kon nemen, waar ik een sterke muur van liefde kon maken om ons drieën bij elkaar te houden. 'We zullen veilig zijn. We zullen voor elkaars veiligheid zorgen,' zei ik uitdagend. 'Dat weet ik zeker. We hebben hier veel beschermers. En wat de profetie betreft, als die vervuld moet worden, zal zij vervuld worden, wat ik ook doe of niet doe. Zij zal zich ontvouwen zoals zij zich moet ontvouwen.'

Terwijl ik dit zei, voelde ik een verdichting in de lucht, en de nacht die toch al diepzwart was, werd nog donkerder. Er trok een ijzige kou door me heen, die meer was dan kou; het was alsof ik tot in het merg bevroor. Er was nog een aanwezigheid; een wezen dat nu naast de stromatras stond en toekeek. Ik meende in het donker een golvend gewaad en een diepe kap te onderscheiden, en in die kap, waar een gezicht zou kunnen zijn, zag ik alleen oud gebeente, met lege holten als ogen.

'Je wilt tegen ons in gaan,' zei de Vrouwe ernstig. 'Maar háár kun je niet loochenen. Als zij hem komt halen, moet hij gaan. Het is zijn tijd. Zij zal hem van je afnemen, al klamp je je nog zo aan

hem vast. Laat los, Liadan. Bevrijd deze gebroken ziel van de ketenen van het leven. Het is geen liefde, maar zelfzuchtige wreedheid om hem zo vast te houden. De donkere wacht. Zij zal hem
de rust geven waarnaar hij smacht.'

Ik knarsetandde en knipperde mijn tranen weg. Toen ik mijn stem
weer terug vond, was het niet meer dan gefluister. 'Niet waar. Hij
mag niet gaan. Wij hebben hem hier nodig. Ik kan hem vasthouden. Ik kan het.'

De donkere gestalte bewoog en ik zag even een uitgestrekte hand,
een hand die slechts uit beenderen en pezen bestond.

'Ga weg,' fluisterde ik. 'Allemaal. Ga nu weg van hier. Het kan
me niet schelen wie of wat jullie zijn. Ik tart jullie vermogens en
jullie eisen. Ik ben genezeres; mijn moeder heeft mij met liefde en
tucht haar ambacht geleerd. Deze man zal niet sterven, zolang ik
hem in mijn armen houd. Zolang ik zijn hart met mijn eigen hart
verwarm, zal hij niet van me weggaan. Jullie kunnen hem niet
wegnemen. Hij is van mij.'

En toen de gestalte met de kap niet weg wilde gaan, maar bleef
staan, wenkend met haar skeletachtige vingers, begon ik te zingen. Ik zong heel zacht, alsof ik een kind in slaap wiegde. Telkens
opnieuw neuriede ik mijn wijsje, en mijn vingers streelden de nieuwe haartjes op de getekende schedel van mijn gevallen krijger. Ik
staarde in het donker en legde een uitdagende blik in mijn vermoeide ogen. *Hij is van mij. Jullie krijgen hem niet.*

'Dom meisje,' mompelde de Heer met het lichtende haar. 'Onza-
lige sterveling. Dat er van dat slag zoveel afhangt.'

Maar de Vrouwe stond naar me te kijken; ze dacht na. Ik vroeg
me af waarom ze niet gewoon hun magische vermogens gebruikten om mij te dwingen mijn zoon aan hen te geven, of Bran van
zijn laatste ademtocht te beroven, of zelfs om alle Britten van de
Eilanden te verjagen, als dat was wat ze wilden. Johnny hoestte
even in zijn slaap en zuchtte.

'Zoals je zégt, kind,' zei de Vrouwe. 'Het zal zich ontvouwen.
Jouw keuze bepaalt wellicht of dat tegen een hoge prijs gebeurt,
met bloed en duisternis. Jouw blik reikt niet ver; jij kunt niet zien
wie te vertrouwen is en daarom zijn je beslissingen gebrekkig.
Maar de keus is aan jou, niet aan ons. Onze tijd loopt bijna ten
einde; het is aan jouw soort om de loop der gebeurtenissen te lei-

den en het tij te doen keren. Wat er ook gebeurt, wij zullen vervagen en ons verbergen, net als de Ouden hebben gedaan. We zullen weinig meer dan een herinnering zijn, voor de zoons en dochters van jouw kindskinderen. De weg die jij hier inslaat, zal lang voortgaan, Liadan. Wij kunnen niet voor jou kiezen.'

Word wakker. De stem van de aarde riep, zong, kreunde diep, zwaar van het gewicht van eeuwen. *Word nu wakker, krijger.*

Er kwamen tranen in mijn ogen en ik fluisterde ten antwoord. 'Ik zal hem wekken. Vertrouw op mij.' Ik wendde me weer naar de lange wezens die in het donker voor me stonden. 'Voor mij is er maar één keus,' zei ik standvastig.

'Het bloed van je zoon zal aan je handen kleven.' De stem van de vurige Heer beefde van een razernij die ver boven sterfelijke woede uitging, het geluid leek op de donder, maar toch verroerde het slapende kind zich niet. 'Je wilt te veel. Je wilt meer dan je kunt krijgen.' Hij verbleekte tot ik niet meer van hem kon zien dan een vage omtrek in vonkjes.

'Het is een lang verhaal,' zei de Vrouwe van het Woud. 'We dachten dat het eenvoudiger zou zijn. Maar het patroon begint zich te vertakken. Je zuster werd verleid. Jij bent gewoon koppig. Je hebt te veel van je vader in je. We moeten daarom langer wachten dan we hadden gedacht. Maar jij zult zien hoe het zich ontvouwt, Liadan. Je zult zien wat je vannacht hebt teweeggebracht.'

Ik huilde zacht terwijl ook zij vervaagde; ik huilde omdat ik wist wat ik moest doen, en omdat haar woorden uitdrukking gaven aan een vreselijke angst en een knagend schuldgevoel, dat ik al had geprobeerd te negeren sinds ik op weg was gegaan naar Sídhe Dubh, sinds ik voor het eerst had gevoeld dat Bran in moeilijkheden was en me nodig had. Stel dat ik me vergiste? Stel dat mijn koppigheid de dood van mijn zoon zou veroorzaken en opnieuw het kwaad zou afroepen over de mensen van Zeven Wateren? Wie was ik, dat ik de waarschuwingen van het Feeënvolk zelf in de wind sloeg?

Ik voelde iets. Een uiterst kleine beweging tegen mijn hand die Brans hand vasthield, alsof zijn vingers zwakjes probeerden zich om de mijne te buigen. Had ik me dat verbeeld? Nu was zijn hand weer slap en bewegingloos. Misschien was het Johnny, die had bewogen; hij lag lekker ingestopt naast zijn vader op de stromatras. Maar ik was er toch bijna zeker van dat ik iets had gevoeld. Ik mocht het niet opgeven. Ik zou het niet opgeven. Ik moest weer beginnen, nu meteen, want de tijd ging snel voorbij en ik vond Brans ademhaling trager en oppervlakkiger dan daarstraks, de ademhaling van een man die over het laatste stuk weg loopt. De gestalte met de kap had zich teruggetrokken, maar ik voelde dat ze daarbuiten in het donker wachtte. Misschien kon zij geduld oefenen, want uiteindelijk nam ze immers iedereen mee?

'Help me,' fluisterde ik, en de stemmen kwamen terug, diep en zeker. *Kom, kom uit de schaduwen naar voren, krijger. Er wacht een opdracht op je. Wandel uit het duister weg.* Ik sloot mijn ogen weer.

Vertellen... het verhaal vertellen... er is een jongen, groter nu. Hij zit vol blauwe plekken, van de afranselingen. Hij moet gestraft worden omdat hij niet deugt, omdat hij uitvaagsel is. Dat zegt oom. Wanneer oom echt boos wordt, sluit hij de jongen op in het hok. In het hok is het donker. En nauw, steeds nauwer naarmate hij groeit. Hij leert zich stil te houden. Hij telt in zijn hoofd. Hij leert niet te huilen, niet te snuiven, niet te bewegen, tot het deksel opengaat en het licht naar binnen stroomt, fel en verblindend. Ze sleuren hem eruit, verkrampt en stinkend, en dan krijgt hij nog meer straf.

Er is een vrouw. De man slaat haar ook, en ze doen iets, dat grommende, stotende, zweterige iets. Hij moet toekijken van oom. Hij moet vaak toekijken van oom, ook bij andere dingen. De jongen zegt tegen zichzelf dat hij dat nooit zal doen. Het is iets donkers, geestloos, dierlijks; donker als de gruwel van het hok. Als hij dat doet, zal hij hetzelfde zijn als oom.

Er is een tijdlang een hond. De hond komt op een koude avond aanlopen en besluit te blijven. Hij is schurftig, de ribben steken eruit, de ogen staan wild. De jongen slaapt die winter warm, opgerold naast de hond in het stro van de schuur. Overdag loopt de hond achter hem aan, sjokt op zachte voeten in zijn schaduw.

Op een mooie lentemorgen slaat oom de hond omdat hij kippen heeft doodgebeten, en de jongen houdt hem vast terwijl hij sterft. Wanneer de jongen de hond begraaft, zweert hij een eed. Wanneer ik een man ben, zweert hij, de komende winter of de daar-

opvolgende, zal ik hier doen wat er gedaan moet worden, en ver-
der gaan. Ik zal verder gaan en nooit achterom kijken.

Ik voelde tranen over mijn wangen rollen, die het linnen onder
Brans hoofd en het mijne nat maakten. *Houd vol, lieverd.* Kon
hij de stem van mijn geest horen, door de schaduwen die hem be-
laagden heen? *Ik ben hier naast je, met mijn arm om je heen. We*
hebben je hier nodig, Bran. Kom terug bij ons. Deze donkere
droom is afgelopen.
En zwak, heel zwak, dacht ik een antwoord te horen, als een zucht,
een ademtocht, een gedachteflard.
... Liadan... ga niet weg...
Toen was er buiten plotseling licht bij het bijna gedoofde vuur,
en het geluid van voetstappen, en Bran was weg; zijn innerlijke
stem was ruw tot zwijgen gebracht, de broze verbinding onmiddellijk verbroken. Ik sprong woedend op en wankelde de schuiltent uit, want ik had niet beseft hoezeer mijn inspanningen me
hadden uitgeput of hoelang ik daar zonder te bewegen had gezeten. Het was waarschijnlijk al diep in de nacht. Hoe durfden ze
ons te storen? Ik had het toch duidelijk gezegd. Hoe durfden ze
dit te doen?
'Ik heb het toch gezegd!' snauwde ik toen Meeuw naar me toe
kwam. 'Ik had je gezegd dat je hier vannacht niet moest komen.
Wat doen die mannen hier?'
'Het spijt me,' zei Meeuw berouwvol. Iets in zijn stem maakte dat
ik op meer bleef wachten. 'Ik dacht dat je hiervoor wel gestoord
zou willen worden.'
Bij de restanten van het vuurtje stonden vier mannen. Een daarvan was Slang en een was Spin, dat zag ik aan de lange, magere
benen en de onhandige manier waarop hij met zijn handen gebaarde. De derde was Otter, met zijn brede schouders en zijn
borstkas als een biervat, en dan nog een lange man met haar zo
rood als een zonsondergang in de herfst. Terwijl ik naar voren
liep, draaide deze man zich naar me toe, en het was mijn vader.
Ik rende naar hem toe en hij drukte me stijf tegen zich aan, en ik
doorweekte de voorzijde van zijn hemd met mijn tranen. De andere mannen stonden zwijgend naar ons te kijken, tot Meeuw verlegen zei: 'We gaan wel weg, als je dat wilt.'

'Dat is misschien het beste,' snoof ik. 'Ik… ik moet jullie bedanken omdat jullie mijn opdracht zo snel en zo goed hebben uitgevoerd. Ik verwachtte niet…'

'Zo moeilijk was het niet,' bromde Otter. 'Iubdan hier was al op de terugweg. We hebben hem alleen tegengehouden. Die vader van jou kan hardhandig met de stok omgaan, hoor, het spijt me dat ik het zeg.' Hij wreef voorzichtig over zijn achterhoofd.

'Ik moet je alleen spreken, Liadan,' zei mijn vader. 'Je weet vermoedelijk al dat Liam dood is. We moeten morgenochtend teruggaan naar Zeven Wateren.'

'Hoezo, *we?*' vroeg Slang onvoorzichtig.

'Liadan kan niet mee.' Meeuws stem klonk effen, maar beslist. 'We hebben haar hier nodig.'

'Met alle respect,' zei mijn vader heel kalm met een stem die mannen geleerd hadden te vrezen, 'dat is aan mijn dochter en aan mij om te beslissen. Ik hoop dat jullie zo beleefd zijn om ons enige tijd onder vier ogen te gunnen.'

'De Baas is stervende,' zei Slang, en zijn ogen leken spleetjes toen hij mijn vader van top tot teen opnam, misschien om zijn leeftijd af te wegen tegen zijn grootte. 'Hij heeft haar nodig. Ze kan niet weg.'

Ik ging tussen de twee mannen in staan en pakte elk bij een mouw. 'Genoeg,' zei ik, zo kordaat als ik kon. 'Ik heb mijn vader nu nodig om me te helpen. Wat de andere kwestie betreft, zal ik jullie bij zonsopgang een antwoord geven. Ga nu.'

'Weet je het zeker?' vroeg Slang binnensmonds.

'Je hebt gehoord wat Liadan zei,' zei Meeuw. 'Schiet op nu. Doe wat ze zegt.'

Even later waren mijn vader en ik alleen.

'Zo,' zei Iubdan, terwijl hij zijn lange gestalte liet zakken om op de rotsen te gaan zitten en zijn gelaarsde benen voor zich uitstrekte. 'Ik verwachtte niet jou hier te vinden. Wat moet ik toch met jou, Liadan? Je schijnt de smaak te pakken te hebben gekregen van regels overtreden en conventies aan je laars lappen. Begrijp je niet hoe gevaarlijk het hier voor je is?'

'Vergeet dat nu maar even,' antwoordde ik kortaf. 'Er is een veel dringender kwestie waar we aan moeten werken.'

'Wat kan er dringender zijn dan de noodzaak terug te gaan naar

Zeven Wateren, nu Liam gedood is en Sean alleen is, nu onze buren zich verzamelen en eropuit zijn om hun voordeel te doen? We zouden daar moeten zijn, niet hier bij dit tuig.'

'Ik weet dat u naar huis moet gaan,' zei ik zacht. 'Sean heeft u harder nodig dan hij zelf beseft. Hij staat voor een grote uitdaging, en moet gesteund worden. En... en hij heeft behoefte aan mensen om zich heen die het hoofd koel houden, ervaren mannen die kunnen beoordelen welke bondgenoten te vertrouwen zijn en welke in de gaten moeten worden gehouden. U moet snel gaan. Maar ik heb hier een vreselijke taak te vervullen, vader, en ook ik heb uw hulp nodig. Slang sprak de waarheid. Bran is stervende. Hij staat op het punt de hoop op te geven, want hij denkt dat hij het niet waard is gered te worden. Zijn leven hangt aan een zijden draadje. Ik heb uw hulp nodig om dat draadje heel te houden, tot ik zijn hand kan pakken en hem terug kan halen. Moeder heeft u over het water gestuurd om de waarheid voor ons te ontdekken. Ik moet weten welke waarheid u hebt gevonden. Het is nodig dat u me dat nu vertelt, en snel.'

'Ik begrijp je haast, Liadan; ik erken de band die je aan deze man bindt en het vertrouwen dat je in hem stelt. En ik weet dat je genoeg gezond verstand hebt. Maar nu verwacht je toch wel een enorme gedachtesprong van me, dochter. Zijn dit niet juist dezelfde bandieten die je zuster hebben geroofd en haar bijna hebben verloren? Het is waar dat ze me boven verwachting beleefd hebben behandeld. Als je hoorde hoe ze over jou spraken, zou je haast denken dat je half koningin, half godin was. Maar waarom willen ze me niet vertellen hoe je hier terecht bent gekomen, zo ver van huis, en zo snel na het verlies van je oom? Ik kan haast niet anders dan vrezen voor jouw veiligheid.'

'Deze mannen zouden hun leven voor mij geven, en voor mijn zoon, stuk voor stuk. We zijn hier veilig, vader.'

'Je zoon? Is Johnny hier ook? Maar...'

'Alsjeblieft, vader. Vertel me alsjeblieft wat je hebt ontdekt. Ik moet weten wat er met Bran gebeurd is; wat er met zijn moeder gebeurd is. Ben je het verhaal van Margery te weten gekomen?'

'Ja, dochter, en het bleek een treurig en verwrongen verhaal te zijn. Ik heb ernaar gezocht in de nederzettingen van Harrowfield; ik heb het tot achttien jaar terug uitgezocht. Ik kan je niet het hele verhaal vertellen, maar in het dorpje Elvington, dat vanuit Harrowfield over de heuvels ligt, heb ik een deel ervan ontsluierd, dat lang geheim is gebleven.'

'Vertel het me. Of nee, kom liever mee om naast hem te zitten, en vertel het aan ons beiden. Hij... hij denkt dat zijn moeder hem heeft verlaten, dat ze hem in de steek heeft gelaten. Dat is een diepe wond in zijn ziel die hij al die jaren met zich meedraagt. Maar mijn moeder heeft me verteld dat Margery dol was op haar zoontje, en ik kan niet geloven dat ze hem uit vrije wil heeft verlaten.'

'Het aan jullie beiden vertellen?' Vader keek stomverbaasd terwijl we naar de tent liepen om bij de man te gaan staan die daar roerloos en met een grauw gezicht lag. 'Hoe kan hij ons horen? Deze man heeft toch geen besef meer van de wereld om hem heen. Hij is niet meer te redden. Misschien dat je door je liefde wonderen verwacht. Maar wonderen zijn zeldzaam, liefje. Ik heb wel vaker mannen gezien die er zo aan toe waren...'

'Houd op!' riep ik. 'Houd op! Als u alleen kunt praten over dood en nederlaag, had u net zo goed niet kunnen komen! Ik heb uw hulp nodig, geen onheilsboodschappen. Vertel ons nu uw verhaal.'

Ik nam Brans getekende hand in de mijne en drukte hem tegen mijn wang.

Vader staarde me aan, zijn blauwe ogen lichtten bijna. 'Ik heb gezien,' zei hij, 'hoe de mannen je in dit bandietenkamp onvoorwaardelijk gehoorzamen. Ze spreken je naam uit met een eerbied die aan ontzag grenst. Toch begrijp ik de situatie niet. Geen man wil zijn dochter in dergelijke omstandigheden zien. Je moet me mijn openhartige woorden vergeven. Ik spreek zo omdat ik het vreselijk zou vinden als jou iets zou overkomen. Je moeder had het altijd bij het rechte eind. Ik heb haar nooit gezegd wat ze moest doen. De keuzes die jij maakt, zijn... voor mij moeilijk te accepteren. Maar ik heb je ooit iets beloofd, en ik zal me daaraan houden, al gaat het me aan het hart je zo te zien.'

'Vertel het verhaal.'

'Goed dan. Het is een verhaal van tegenslag, van gemiste kansen; een verhaal dat inderdaad enige kracht verleent aan de bewering van deze man dat ik zelf tot op zekere hoogte verantwoordelijk ben voor wat hij geworden is. Dat kan ik nog goedmaken. Het verleden kan ik niet veranderen; dat verhaal is al geschreven. Het begon in het jaar dat Margery's zoon drie jaar oud was en zij met vrienden naar Elvington reisde, voor de wintermarkt.'

Ik luisterde naar zijn rustige, beheerste stem. Buiten had Meeuw de wacht weer op zich genomen bij het vuur, een donkere gestalte in het diepe duister van de maanloze nacht. Buiten de lichtcirkel waren schaduwen bijeengekomen onder de hoge beuken, tussen de oude stenen, en aan de overkant van de donkere poel. Daarbuiten wachtte ergens een aanwezigheid met een kap, zwijgend en bewegingloos, alsof ze zelf slechts een schaduw was.

'Je weet al,' zei mijn vader, 'hoe mijn vriend en verwant John gedood is terwijl hij mij diende. Verpletterd onder vallend gesteente terwijl hij je moeder bewaakte. Ik had hem dat opgedragen; maar Richard van Northwoods was degene die opdracht gaf tot de moord. Margery had het erg moeilijk na de dood van haar man. Ze waren innig verknocht aan elkaar, en haar man te moeten missen terwijl hun zoontje nog maar een baby was, dat was wel heel hard. Ze werd stil en teruggetrokken, en alleen haar kleine Johnny gaf haar de kracht om door te gaan. In hem zag ze de toekomst die John ontzegd was gebleven; in hem zag ze haar eigen levensvervulling.

In die eerste tijd, toen de wond van het verlies nog vers was, ging al haar aandacht uit naar haar kind. Zoals je weet, ben ik zelf binnen een jaar na Johns dood van Harrowfield weggegaan; Margery was toen nog in de rouw. Later wisten vrienden haar ervan te overtuigen dat het goed voor haar zou zijn als ze zich wat meer onder de mensen begaf. Daarom reisde ze, in de winter waarin Johnny drie jaar oud was, met een klein gezelschap van Harrowfield naar Elvington voor de midwintermarkt. Niet zo'n verre rit. Het kan gemakkelijk in een dag worden gedaan, of als je het kalmer aan doet, met een overnachting onderweg. Dat laatste deden ze, want het kind reisde mee en was eerder moe.

Hier begint het verhaal verward te worden. Mijn broer vertelde me dat het gezelschap ergens in de heuvels boven Elvington is overvallen. Wie deze overvallers waren of wat ze wilden, blijft onduidelijk. Misschien een troep Picten van over de grens, die schapen kwamen stelen. Toen er een groep mooi geklede mensen op hun weg kwam, moet dat een gelegenheid hebben geleken die ze niet konden laten lopen. Later die dag vond een herder de lijken van de reizigers naast de weg, in de buurt van een van de afgelegen hutten; alle mannen en vrouwen waren gedood. Maar het kind niet. Hij werd niet gevonden, hoewel ze hem hebben gezocht. Dat was vreemd. Het idee dat de Picten hem misschien hadden meegenomen, als slaaf of gijzelaar, werd algauw verworpen. Daarvoor was hij gewoon te jong, te lastig voor trekkende mannen. Maar er werd geen klein lichaam gevonden. Wilde honden, was uiteindelijk de conclusie. Wilde honden hadden hem ergens naartoe gesleept, zoals ze een konijn of een hertenjong zouden meeslepen. Het had geen zin om verder te zoeken. Het bericht bereikte mijn broer en hij accepteerde het met spijt. Het was een droevig einde voor Margery, die vol verwachting als jonge bruid op Harrowfield was gekomen.

Dat had dus het einde van het verhaal kunnen zijn. Er verstreken zes jaren. De namen van John en Margery zakten weg in de geschiedenis van Harrowfield, evenals mijn eigen naam: heer Hugh, die eens meester van het landgoed was geweest, en die hen had verlaten voor een groenogige tovenares van over het water, een heks wier broers half mens, half dier waren. En zo gingen de jaren voorbij. Mijn broer huwde. Het werk op Harrowfield ging door. Edwin had Northwoods opgeëist en begon zijn manschappen te versterken.

En toen, bij de eerste volksvergadering van het nieuwe jaar, niet lang na midwinter, kreeg mijn broer Simon een heel vreemde zaak voorgelegd. Aanvankelijk was er geen reden om aan te nemen dat dit een vervolg was van hetzelfde verhaal. Er was een man vermoord in een afgelegen hut in de heuvels boven Elvington; een wrede, gemene kerel die door zowel buren als dorpsbewoners gehaat en gevreesd werd. Het had iets van een executie, keurig uitgevoerd met een kleine, precies aangebrachte steek recht in het hart. Het wapen was een smal, getand mes, een gereedschap dat meestal gebruikt werd voor het ontbenen van gevogelte. Pas na enige tijd was het lichaam gevonden, want niemand ging er graag heen. Rory kon een monster zijn als hij een biertje op had; hij was onderhevig aan gewelddadige woedeaanvallen en keek bovendien te begerig naar de jonge meisjes. Toen Simon me de naam van die man vertelde, herinnerde ik me hem heel goed. Hij was eens voor me verschenen wegens ernstige aanklachten; hij was ervan beschuldigd dat hij de dochter van een dorpeling had verkracht en een kind bij haar had verwekt. De straf die ik hem oplegde, beviel hem niet; ik heb nog nooit zo'n lelijk spervuur van bedreigingen en vloeken gehoord. Ik bepaalde dat de familie van het meisje schadeloos zou worden gesteld en ik verbande hem gedurende vijf jaar van mijn land. En nu was hij dood. Hij had geen vrouw; toen niet meer. Zij was domweg verdwenen, en geen wonder, zeiden de mensen. Hij sloeg haar geregeld, en de theorie was dat hij een keer te ver was gegaan en haar in stilte had opgeruimd. Niemand vroeg ernaar. Niemand durfde iets te vragen. Maar wie had hem dan gedood? Wie zou zoiets proberen, laat staan het zo doeltreffend doen? Velen wensten hem dood, maar niemand had de moed om het te doen. Er was niemand. Niemand behalve het kind.'

Ik had moeten raden dat dit nu zou komen, want dit had Bran me al verteld. *Ik zal doen wat me hier te doen staat, en verder gaan.* 'Vertel me over het kind,' zei ik.

'Er was een jongen,' zei mijn vader. 'Sommigen zeiden dat hij Rory's zoon was, anderen dat hij een vondeling was, iemands bastaard, een zwerfkind dat niemand wilde hebben, dat op een dag in de hut was beland en had mogen blijven. Een extra paar handen. Niemand kon zich herinneren wanneer hij daar was gekomen. Ze konden zich niet herinneren dat Rory's vrouw een baby had gehad. Ze zeiden alleen dat ze dat zielige, broodmagere jochie hadden gezien, onder de blauwe plekken. Een geestverschijning, leek het wel, maar geen zwakkeling. De jongens plaagden hem wel, en dan vloog hij ze aan als een wild beest. Op den duur leerden ze bang voor hem te zijn en hem met rust te laten.

Zo was de situatie dus: Rory met een keurige kleine wonde in de hartstreek en geen spoor van de jongen. De mensen van Elvington legden dit aan mijn broer voor, in het formele verband van de volksvergadering. Wat moest er gedaan worden? Moest de moordenaar vervolgd worden? En de hut van Rory, en zijn kippen? Wie zou die krijgen?

Simon gaf opdracht dat er navraag moest worden gedaan. Hij was zelf niet met John bevriend geweest en had Margery nauwelijks gekend. Maar ze waren bloedverwanten, en als de jongen nog leefde, moest hij gevonden worden. Het ging er niet zozeer om dat hij voor de rechter moest verschijnen, want het heengaan van Rory was een zegen voor de mensen van Elvington. Het was meer een kwestie van de waarheid blootleggen en fouten uit het verleden goedmaken. Er werd een onderzoek ingesteld, en daarbij werden Rory's hut en zijn schuren ondersteboven gekeerd. Er werd niet veel gevonden. De winst die de man met zijn kippen maakte, werd door hem opgedronken. Maar ze vonden wel iets vreemds, dat herinneringen bij de dorpelingen wakker maakte. Onder de vloer van de schuur was een kleine bietenkelder, in de aarde uitgegraven en ruw met planken gestut. En toen een paar van de dorpelingen dat zagen, begonnen ze zich dingen te herinneren van de enkele keer dat ze er waren geweest om een leghen of een paar eieren te kopen.'

Ik knikte. 'Daar sloten ze hem altijd voor straf in op,' zei ik.

Mijn vader keek me verbaasd aan. 'Hoe kun jij dat nu weten?'

'Dat heeft hij me verteld. Niet in woorden. Hij heeft het me laten zien. U zei dat hij geen besef meer heeft van de wereld. Maar u vergist zich. Zijn geest is nog volop bezig. Maar alleen maar met akelige herinneringen. Hij heeft nog niet zo lang geleden gevangengezeten in een kleine donkere ruimte. Als ik hem er niet uit kan leiden, lijkt het erop dat hij daar voorgoed in moet blijven. Ik heb gebruik gemaakt van mijn vermogen te zien wat hij ziet; ik heb mijn gedachten aan de zijne gekoppeld. Op deze manier hoop ik hem te bereiken voor het te laat is. Vertel nu wat de mensen zeiden over die ontdekking?'

'Je beneemt me de adem, Liadan. Dit is een gave, groter dan zelfs Conor tot zijn beschikking heeft. Een gevaarlijke gave.'

'Vertel het, vader.'

'Ze gingen zich dingen herinneren. Keren dat de jongen nergens te bekennen was, en Rory had gezegd dat je een bastaard beter in zijn hok kon houden, tot hij leerde gehoorzamen. Keren dat ze aan de deur waren geweest en geluidjes vanonder de vloer hadden horen komen, een kleine beweging, gekrabbel. Een rat, zei Rory. Een van de mensen had het gezien; hij had gezien dat Rory's vrouw het kind eruit haalde, bevend, rillend, zwijgend; zijn kleren bevuild waar hij zijn behoefte had moeten doen. Smerig zwijn, had ze gezegd, en hem een klap in het gezicht gegeven. Het vreemde was dat hij niets zei. Geen tranen. Ook probeerde hij niet zich te verweren. Hij bleef gewoon staan en wachtte tot ze klaar was. Daar werd ze nog bozer van, en ze sloeg nog harder. Mensen kwamen er niet graag; het beviel hun niet wat ze zagen. Maar niemand trad ertegen op. Ze waren doodsbang voor Rory. Bovendien, zeiden ze, wat iemand in zijn eigen huis deed, daar had een ander niets mee te maken.'

'Hoe kwamen ze erachter wie het kind was?'

'Ah. Dat kwam naar voren bij het doorzoeken van het huis. Daar was een voorwerp verstopt waaruit het duidelijk bleek.' Hij stak zijn hand in zijn zak en haalde er iets kleins, iets zachts uit, gemaakt van een mooie, sterke stof met een zijdeachtige glans erover. Hij legde het plat op de dekens tussen ons in, ter hoogte van Brans hart. Er was niet veel licht, maar ik kon iets van fijn borduursel zien, blaadjes, bloemen, kleine gevleugelde insecten. 'Het lijdt geen twijfel van wie dit was,' zei mijn vader. 'Margery was erg goed in borduren. Je hebt misschien wel soortgelijke figuren gezien op de blauwe jurk die je moeder vaak droeg...' Zijn stem stierf weg, want die wond was nog vers.

'Ja, zeker,' zei ik zacht.

'Margery kwam uit een familie van imkers, in het zuiden,' zei hij. 'Dit was haar buideltasje, waarin ze haar kostbaarheden bewaarde. Ze zal wat zilver bij zich hebben gehad, voor de jaarmarkt. Dat was natuurlijk weg; Rory verbraste alles wat hij in handen kreeg. Hij kon dit tasje niet verkopen, en de inhoud ook niet; daaruit bleek haar identiteit, en iedereen wist dat ze in die buurt was omgekomen. Het is niet te geloven dat Rory wist wie de jongen was, maar het toch liever geheimhield. Hij moet het geweten hebben zodra er met zoeken werd begonnen; misschien heeft hij zelf wel meegedaan, samen met de mannen van mijn broer. Waarom kwam hij niet voor de dag met het kind, om het naar huis, naar Harrowfield te laten brengen? Maar Rory liet de mensen liever het verhaal van de wilde honden geloven. Om de een of andere reden besloot hij de jongen te houden. Zulke mannen genieten van de macht die ze hebben. Ik vermoed dat hij dit slaafje grappig vond. Rory wist dat het kind familie van me was en hij koesterde uitsluitend haat en wrok tegen mij na wat ik met hem had gedaan. Dat is ongetwijfeld de bron van de verbittering van deze man jegens mij. Hij heeft natuurlijk niets dan kwaad over mij en de mijnen gehoord toen hij opgroeide.'

'Wat zat er in het buideltasje?' vroeg ik.

Mijn vader gaf me een klein metalen voorwerp dat aan een fijn kettinkje zat. Ik hield het in mijn hand en voelde het medaillon meer dan ik het zag; het leek me van zilver, gegraveerd met fijne lijntjes rondom een geëmailleerd middenstuk. 'Wat zit hierin?'

'Twee haarlokken. Een bruine, krullende lok; de andere blond en fijn als zijde. De eerste is van John; de tweede was van hun dochtertje dat kort na de geboorte is gestorven. Het medaillon was een geschenk van John, toen ze merkten dat zij in verwachting was. Een geschenk dat hoop uitdrukte. Margery droeg het altijd. Ze konden niet vermoeden dat het een symbool van dood en verlies zou worden. Hoe het in Rory's hut terechtkwam, weet niemand.'

'Ah,' zei ik. 'Maar hij herinnert het zich, en dus weet ik het wel.'

'Hoe kan hij zich dat herinneren? Hij was amper drie jaar oud.'

'Haar stem. Haar handen. Ze verstopte hem in de bietenkelder. Ik vermoed dat ze dicht bij die hut waren, die alleen in de heuvels staat, toen ze werden aangevallen. Naar binnen gaan om zich te verstoppen zou zinloos zijn; de Picten hebben geen eerbied voor eigendommen, en zouden hen eruit hebben verdreven door de hut in brand te steken, of zich gewoon met hun bijlen en messen toegang hebben verschaft. Maar ze kon het kind wel verbergen, lang genoeg. Ze droeg hem op stil en rustig te blijven terwijl ze hem in de kleine donkere ruimte onder de vloer liet zakken. Hij deed wat ze zei, al vond hij het donker niet prettig, en de vreemde geluiden die van buiten kwamen ook niet. Ik denk dat ze haar kostbaarheden ook in de ruimte stopte – de buideltas, haar zilverstukken, het medaillon dat de liefde bevatte van de mensen die ze verloren had. Toen ging ze naar buiten en rende weg, om hun aandacht af te leiden, net zoals een moedervogel fladdert en haar vleugel laat hangen om het jagende dier weg te lokken van het nest waar haar hulpeloze jongen wachten. En zo stierf ze, en het kind hield zich stil. Het bleef vertrouwen, ook al duurde het steeds langer. Hij wachtte, en wachtte, en uiteindelijk werd zijn kleine gevangenis opengemaakt. Maar de handen die hem kwamen bevrijden waren niet die van zijn moeder. Het waren de handen van een monster; en toen maakte de duisternis zich werkelijk van hem meester.'

Mijn vader knikte ernstig. 'Ik moet je wel geloven, want dit komt precies overeen met het verhaal dat de mensen vertellen. Ik vroeg aan mijn broer waarom de mensen het niet vreemd vonden dat er plotseling een kind verscheen, terwijl een ander kind verdwenen was. Maar ik kreeg op die vraag in Elvington geen bevredigend antwoord. Het scheen dat het kind eerst lange tijd verborgen was gehouden. De mensen hoorden soms wel gehuil. Maar in plaats van dat dat hun nieuwsgierigheid wekte, had het een tegenovergestelde uitwerking. Het is een bijgelovig volkje in die streken. Ze zeiden dat het een geest was, de geest van het kind dat door de wilde dieren was meegenomen. Dat hield de mensen weg. Later, toen de jongen wel gezien werd bij de hut en in het dorp, dacht niemand dat het dezelfde jongen kon zijn. Ze zeiden dat dat joch er niet uitzag als de zoon van deftige mensen.'

'Ze lieten hem al die jaren geslagen en mishandeld worden, en niemand deed er iets aan.'

'Er is veel moed voor nodig om je met de zaken van een man als Rory te bemoeien. Groot, sterk, gemeen. Een man met een reputatie. Iedereen was bang voor hem. Simon wist daar toen niets van. Als hij het geweten had, zou hij misschien hebben ingegrepen. Maar hij had zijn eigen problemen. Ik voel de verantwoordelijkheid hiervoor, die zwaar op me drukt. Dat Johns zoon onderworpen is geweest aan zoveel wreedheid, zo dicht bij huis, is onvergeeflijk. En je man had dus gelijk toen hij mij de schuld ervan gaf. Als hij een uitgestotene is geworden, kan hij mij daarvoor verantwoordelijk stellen. Ik had de dood van zijn moeder niet kunnen voorkomen. Maar ik had hem wel kunnen beschermen.'

'Het verleden kan niet herschreven worden, vader.'

'Dat is zo. Maar de toekomst kan beïnvloed worden. Als hij in leven blijft.'

'Hij zal in leven blijven. Hij moet alleen maar inzien dat er ooit iemand van hem hield, dat hij ooit het kind was van een man en een vrouw die goede mensen waren, die alles hadden willen geven om hem veilig en gelukkig te zien opgroeien, om hem iets van zijn leven te zien maken. Als hij dat inziet, zal hij vrij zijn.'

'Ik kan niet geloven dat hij ons heeft gehoord.'

'U zult het hem nog een keer moeten vertellen. U zult hem moeten vertellen wat dit voor u betekent. Misschien hoort hij het. Onze woorden vullen in elk geval de stilte op. Hoe gaat het verhaal verder?'

'Rory was dood, vermoord. Niemand liet een traan om hem. Het enige wat ze wilden, waren de hut en de kippen. Heeft de jongen hem gedood?'

'Hij heeft hem straf toegediend. Op doeltreffende wijze, zoals alles wat hij doet. Hij wachtte tot hij een man was, nam toen het heft in handen en liep weg van de nachtmerrie. Maar die was er nog, als een brandmerk in zijn ziel geschroeid. Zelfs nu draagt hij haar nog met zich mee.'

'Een man? Hij was toch pas negen jaar?'

Ik knikte. 'Oud genoeg om zijn eigen weg te gaan. Waarom heeft uw broer niet kunnen ontdekken wat er daarna van hem geworden is?'

'Hij heeft het geprobeerd maar hij beschikte slechts over beperkte middelen. Simon kreeg te maken met allerlei moeilijkheden. Edwin had Northwoods inmiddels stevig in zijn greep en de vete laaide weer op. Mijn afvalligheid, zoals ze het zagen, maakte het bepaald niet gemakkelijker voor Harrowfield om neutraal te blijven. En Simon was niet zoals ik opgeleid om het landgoed te beheren. Hij moest het snel leren. Elaine hielp hem enorm; zij heeft het meer in de vingers dan hij ooit zal hebben. Maar mensen herinneren zich alles. Men kon mij niet vergeven wat ik gedaan had, en er werden zware eisen aan mijn broer gesteld. Zelfs nu, zoveel jaren later, is zijn weg nog allerminst gemakkelijk.'

'Wat bedoelt u?'

'Het bericht van Sorcha's dood kwam erg hard bij hem aan. Hoewel hij een echtgenote heeft en respect geniet bij zijn mensen, behoorde zijn hart altijd aan je moeder toe. Dat verhaal is nooit in zijn geheel verteld, en dat zal het nooit worden. Hij leek bijna wanhopig. Hij vroeg me te blijven, maar dat was uiteraard niet mogelijk. Ik heb angst om hem, Liadan. Harrowfield heeft geen erfgenamen, en Edwin van Northwoods houdt de zaak scherp in het oog.'

'Geen erfgenamen?'

'Ze hebben geen zonen. De naaste bloedverwanten zijn Sean en ik. En... deze man.' Hij keek neer op het holwangige gezicht van Bran.

'Uw woorden verontrusten me, vader. Zou u terug willen gaan? Zou u weer de leiding willen nemen over Harrowfield?'

'Mijn broer heeft hulp nodig. Hij heeft iemand nodig met een sterke hand en een helder hoofd; iemand die zijn verdediging weer op peil kan brengen en Northwoods duidelijk kan maken dat hij zich Harrowfield niet zomaar kan toe-eigenen. Als Liam nog zou leven, zou mijn weg duidelijk voor me liggen. Maar ik kan de zaken van Zeven Wateren niet aan Sean alleen overlaten. Hij is nog jong en wil alles te snel, ook al heeft hij grote kwaliteiten. Mettertijd zal hij een uitstekend en kundig leider zijn, maar nu heeft hij mijn hulp nog nodig om zijn bondgenootschappen te herstellen en zijn plaats duidelijk te maken. We moeten opnieuw beginnen, met de Uí Néill. Mijn eerste plicht ligt bij mijn zoon. En ik vergeet ook mijn dochters niet. Ik wil jou veilig onder de pannen hebben. En Niamh; ik heb haar niet goed behandeld, en ik moet zekerheid hebben dat haar toekomst in goede handen is.'

'Maar uw broer dan? Zou Harrowfield niet verloren kunnen gaan als u wacht? Als Edwin zich meester maakt van Simons bezittingen, is onze kans om de Eilanden terug te krijgen zeker verkeken.'

'Inderdaad. Het is een dilemma, want het zou dwaasheid zijn als ik, of Sean, zou proberen aan beide kanten van het water een landgoed te beheren. Maar er is nog een mogelijkheid.' Hij keek weer naar de bewusteloze man.

'Bran?' fluisterde ik geschrokken. 'Dat is... dat is toch zeker ondenkbaar?'

'Ik heb zo'n vermoeden,' zei Iubdan effen, 'dat voor een man als hij niets ondenkbaar is, en niets onmogelijk. Dat zeggen ze toch over hem?'

'Jawel, maar...'

'Deze man is de zoon van mijn bloedverwant; hij is geboren in de vallei. Hij is, hoor ik steeds, zowel sterk als vindingrijk, maar hij zit nu enigszins op een verkeerd spoor. Je zou kunnen zeggen dat Harrowfield zijn bestemming is, Liadan, en ook de jouwe.'

'Er is zoveel waarmee hij in het reine moet komen; hiermee kunt u hem onmogelijk belasten. Nog niet.'

'Denk je dat hij niet de moed zou hebben om daarheen terug te gaan, naar de plaats waar zijn nachtmerrie begon? Dat valt niet te rijmen met de leider over wie zijn mannen met zoveel respect spreken, een man die elke uitdaging aankan. Het valt niet te rijmen met de liefde en trouw die jij hem betoont.'

Ik slikte. Zijn woorden maakten me bang, maar ook blij. Dit was een opdracht: een stralende toekomst. Maar eerst moesten de ketenen van het verleden verbroken worden.

'Vader,' zei ik. 'Ik moet nu alleen zijn; alleen met Bran. Meeuw zal u een plaats wijzen waar u kunt rusten. Vertel me alleen nog één ding.'

'Wat is dat, dochter?'

'Vertel me snel, geef me een beeld van John en Margery, voordat die gruwelijke dingen hun overkwamen. Hoe ze samen waren, met hun zoontje.'

'John vond Margery het mooiste wat er bestond. Het kostbaarste. Hij zag haar op de boerderij van haar vader, waar ze honing gaarde. Hij nam haar mee naar het noorden. Vanaf het begin straalde de liefde tussen hen als een zon. Hij was een man van weinig woorden; sommige mensen noemden hem gesloten. Maar je kon het in zijn ogen zien wanneer hij naar haar keek. Je kon het zien in de manier waarop ze elkaar aanraakten. Ze verloor een kind kort na de geboorte, en ze rouwden samen om het verlies. Toen werd Johnny geboren, en bleef in leven. John was geweldig trots. Hij schaamde zich niet om met zijn zoontje te spelen, hem in de lucht op te gooien en hem in zijn sterke handen te vangen terwijl het kind kraaide van opwinding. Er was een keer brand in huis, en ik zal nooit de uitdrukking op Johns gezicht vergeten toen hij naar boven rende om zijn zoontje te redden, en evenmin de uitdrukking in Margery's ogen toen ze beiden veilig te voorschijn kwamen. Margery waakte over het kind en ze was dol op hem. De mensen zeiden dat hij snel leerde. Hij kon vroeg kruipen, vroeg lopen, vroeg woorden zeggen. Margery leerde hem al tellen. Ze legde een rij witte steentjes op de vloer en speelde een spelletje met hem. Een, twee, drie. Nooit is een kind met meer liefde grootgebracht, Liadan.'

'Dank u, vader,' zei ik. 'Misschien zijn het deze dingen die hem tot nu toe door de schaduwen heen hebben geleid. Vannacht zal ik hem dit vertellen. Nu kunt u beter gaan.'

'Deze man mag zich gelukkig prijzen, net als ik,' zei mijn vader zacht. 'De liefde van zo'n vrouw te winnen is een kostbaar geschenk. Ik hoop dat hij er de waarde van begrijpt.'

'We hebben beiden dat geschenk ontvangen, hij en ik,' zei ik.

'Ik heb nog een kort verhaaltje te vertellen, en dan zal ik doen wat je zegt. Het gaat om iets wat Margery zei, iets wat ze me vertelde voor ik van Harrowfield wegging. Haar zoon was geboren op midwinterdag, net voor zonsopgang. Ik heb goede redenen om me dat te herinneren. Ze zei: een kind dat met midwinter geboren wordt, komt ter wereld op de kortste dag van het jaar. Vanaf dat punt worden de dagen steeds langer. Daarom loopt een kind dat met midwinter geboren is, altijd naar het licht toe. Zijn leven lang. Ze had het kind in haar armen toen ze dit tegen me zei. Onthoud dat goed, Johnny, zei ze tegen hem. Sorcha was ook een midwinterkind, en bij haar kwam deze kleine voorspelling zeker uit. Maar het lijkt erop dat deze man het vergeten is en alleen naar het donker streeft.'

'Zo lijkt het, maar dat is de oppervlakte. Diep vanbinnen is een lichtje dat nog steeds brandt. Vannacht zal ik het vinden.'

'Je bent erg zeker van je zaak.'

'Derde regel van het gevecht. Nooit twijfelen aan jezelf. Ga nu weg, want de tijd dringt.'

'Liadan.'

'Wat is er?'

'Je doet net of dit heel eenvoudig is.'

'De wereld is in wezen eenvoudig, geloof ik. Leven, dood. Liefde, haat. Verlangen, vervulling. Magie. Dat is misschien het enige ingewikkelde.'

Hij fronste zijn voorhoofd. 'Je streeft ernaar zijn wonden te genezen. Hem te bereiken, en op de een of andere manier zijn beeld van het verleden te veranderen. Dat is gevaarlijk, Liadan. Bovendien zei je immers zelf dat het verleden niet herschreven kan worden?'

'Ik ken de gevaren. Ik ben ertegen gewapend. Gewapend met liefde, vader. Mijn streven is niet deze wonden te laten verdwijnen, alsof ze er nooit geweest waren. Ik weet dat hij altijd de littekens zal dragen. Ik kan er niet voor zorgen dat zijn weg breed en recht wordt. Hij zal altijd kronkelen, en bochten maken, en nieuwe moeilijkheden opleveren. Maar ik kan hem bij de hand nemen en naast hem lopen.'

HOOFDSTUK ZESTIEN

Meeuw had het vuur gedoofd en zijn lantaarn uitgemaakt. Ik vermoedde dat zowel hij als mijn vader niet ver van me af op wacht stond in de zwarte nacht. Huiverend in de herfstlucht trok ik mijn schoenen, jurk, hemd en onderkleren uit. Toen schoof ik onder de dekens en ging naast Bran liggen. Aan zijn andere kant sliep Johnny nog steeds, als een klein, warm wezentje dicht tegen zijn vader aan. De duisternis was diep en maakte alles onzichtbaar. Boven, onder, links, rechts, het bestond allemaal niet meer. Je wist niet of de muren ver van je af waren of vlak naast je stonden en je insloten.

Dichterbij, fluisterden de oude stemmen. *Dichterbij*. Daarom verstrengelde ik mijn lichaam met dat van Bran, huid tegen naakte huid, en ik sloeg mijn armen stevig om hem heen. Ik kon zijn hart voelen kloppen tegen het mijne; mijn adem hield gelijke tred met de zijne. *Zo is het beter*, leken de stemmen te murmelen. *Blijf dichtbij. Laat niet los. Vannacht ben jij het enige licht.*

En ditmaal hoorde ik hem meteen, bijna alsof hij op me had gewacht.

... donker... te donker... een, twee, drie... te donker...

Het is vannacht nieuwe maan. Er zijn al eerder zulke nachten geweest. Maar nu is het anders. Ik ben hier bij jou.

... te donker... kan niet... te lang...

Ze zei dat ze terug zou komen om je te halen. Maar ze kon niet terugkomen, Johnny. Ze kon niet komen, al wilde ze het wel, meer dan wat ook. Ik kom je halen in haar plaats. Heb je nooit gevraagd waarom ze niet gekomen was?

Zijn hart begon razendsnel te kloppen en ik streelde zijn huid met mijn vingertoppen. Ik wendde al mijn wilskracht aan om hem en mezelf kalm te laten blijven. Zijn geest was vol beelden van duisternis, pijn, verdriet; halfvoltooide beelden, verwrongen, door elkaar gehusseld. Mes; bloed; gegil; handen die loslieten. Dood. Verlies.

... ze is nooit teruggekomen... nooit teruggekomen...

Ze hield van jou. Ze gaf haar leven, opdat jij veilig zou zijn. Ze liet je niet in de steek, Johnny.

... uitvaagsel... de bastaard van een slet... mijn eigen moeder moest me niet eens... nog niet goed genoeg voor de mesthoop...

Dat zijn leugens. Ik zal het je laten zien. Neem me mee terug, Bran. Neem me mee terug naar voor die tijd.

Er is niets voor die tijd. Ze liet me achter. Heel stil zijn, Johnny... zo stil als een muisje, liefje, wat je ook hoort... wacht op mij... ik zal je komen halen zodra ik kan... haar handen, ze duwden me omlaag, omlaag naar het donker. Haar handen lieten me los. Deden de deur dicht. Ze is nooit teruggekomen. Dat is alles. Iets anders is er niet.

Ah. Maar ik ben gekomen om je te halen. Zij kon het niet doen, maar ze hield van je en wilde dat je veilig was. Neem mijn hand, Bran. Ik ben vlakbij. Strek je hand naar me uit.

Buiten de schuiltent ruisten de bomen rond de poel. Maar er was geen wind.

... het is donker... Ik kan je niet zien...

Neem me mee terug naar voor die tijd. Doe het, Bran. Doe het.

Ik zeg je toch, er is niets voor die tijd. Haar handen lieten me los... verder niets.

Wie heeft je leren tellen, een, twee, drie, helemaal tot tien? Een slim kind. Een kind zoals je eigen zoon, begerig naar kennis, belust op avontuur. Wie legde de witte steentjes voor je neer en leerde je de cijfers?

... een. Twee, drie, vier... haar vingers wijzen, haar nagels zijn schoon geboend, haar handen, klein en fijn... ik kom tot tien en ze klapt in haar handen. Ik kijk op, tevreden over mezelf, en ze lacht naar me. Haar haar is als zonlicht, haar ogen stralen. Goed zo, Johnny, goed zo. Wat ben je een knappe jongen! Zullen we

het nog eens doen? Laten we onze biggetjes op twee rijtjes leggen; ja, zo. Nu gaat de boer ze tellen, de helft gaat naar de markt, de helft wordt vetgemest voor de winter. Hoeveel liggen er in dit rijtje... een, twee, drie... maar ze ging weg... ze liet me gaan...
Ze zou nooit vrijwillig bij je zijn weggegaan. Ze verstopte je, en toen gaf ze haar leven voor je. Heb je het verhaal niet gehoord dat mijn vader vertelde? Je moeder was een buitengewoon moedige vrouw. Ze wilde een vreugdevol en zinvol leven voor haar midwinterzoontje; ze wilde dat hij altijd naar het licht toe zou lopen. En wat je vader betreft, zijn gezicht straalde van trots wanneer hij je hoog optilde in zijn sterke handen... je gaat omhoog, omhoog in de lucht... je gaat heel hoog, en je weet dat die handen je altijd zullen opvangen.
... ik kan niet... ik...
Altijd, altijd ving hij je op. Elke keer weer. Zijn ogen waren even grijs en zijn blik was even vast als de jouwe, en even waarachtig. Ga terug, Johnny. Ga terug naar de tijd ervoor.
Op, op en neer. Op, op en neer. Ik vlieg omhoog in de lucht. Ik val in zijn handen. Hij lacht. Krullend haar, verweerd gezicht. Zijn ogen stralen van trots. Ik schreeuw van opwinding. Nu niet meer, zoon, lacht hij, anders word ik te moe. Nog één keertje dan, op, òp en neer. Dan, armen om me heen, warm, sterk. Ik leg mijn hoofd op zijn schouder, mijn duim in mijn mond. Goed. Veilig.

Ik voelde een druppel water op mijn gezicht, een warme druppel in de nachtelijke kou. Ik durfde mijn hoofd niet op te heffen om te kijken. Ik durfde niets te veranderen aan de houding waarin ik lag, dicht tegen hem aan gedrukt, uit angst iets kapot te maken dat zo breekbaar was als één draadje spinrag. Ik haalde diep adem en voelde het gewicht van diepe uitputting over me komen, bijna verpletterend. Rondom ons bewoog het hele bosje, de bladeren ruisten, de takken kraakten, het water golfde; zelfs de stenen leken te roepen in het zwart van de nacht.

'Help me,' fluisterde ik in het donker. En ik neuriede een stukje van het oude liedje, alleen het refrein met de rustgevende melodie. De vreemde wind streek over de top van de grafheuvel en maakte een krachtige stem los, een diep geluid dat bijna onder de gehoorgrens lag, een roep ouder dan de oudste herinnering van het mensdom. Het schalde vanuit de grote heuvel, het klonk vanuit de diepten van de aarde, het vibreerde vanaf de staande stenen, een roep die niet genegeerd kon worden.

Kom naar buiten, krijger! Er ligt een opdracht voor je, een levenslange opdracht, die veel uitdagingen biedt, en waarvoor de beloning van onschatbare waarde is. Kom nu naar buiten en laat ons ware moed zien. Laat ons ware geestkracht zien, zoals je vele jaren geleden ook hebt gedaan. Want de kracht van het kind is de kracht van de man. Het kind en de man zijn één.

Het roepen hield op en het ruisen nam af tot een diepe, verwachtingsvolle stilte. Er werd iets van me verwacht, dat voelde ik, iets meer. Bran lag er nog even roerloos bij als daarnet. Vanbuiten was er niets veranderd, behalve de tranen die langzaam over zijn gezicht dropen en op het mijne vielen, zodat we het verdriet deelden om de goede mensen wier leven te vroeg beëindigd was, om de gemiste kansen. Ik moest iets doen, maar ik was moe, zo moe dat ik dacht wel eeuwig te kunnen slapen, warm ingestopt met mijn man en mijn zoontje, de diepe, onschuldige slaap van een klein kind... maar nee, daar mocht ik niet aan toegeven. Het werd bijna dag, en ik had hem nog niet. De stilte was volkomen, afgezien van een fluisterstemmetje in mijn geest. *Doe het.* Maar wat? Wat? Als hij al niet wakker was geworden door die klaroenstoot uit de oudheid, wat kon ik dan zeggen dat nog dringender kon zijn? Ik had alles gedaan, en nog steeds werd hij niet wakker. Mijn vader had gezegd dat ik deed alsof dit heel eenvoudig was. Maar het was niet eenvoudig, het was het moeilijkste wat ik ooit had gedaan... en toch was het antwoord uiteindelijk misschien heel eenvoudig.

Kom, Johnny. In mijn geest stak ik mijn hand uit en reikte omlaag naar het kind dat ineengedoken in de kleine, donkere ruimte zat. Hij wilde niet naar me opkijken; hij bedekte zijn ogen met zijn vingers, alsof hij door het licht tegen te houden zelf onzichtbaar zou blijven. *Neem mijn hand, Johnny. Er gaan tien treden naar boven, zie je wel? Maar misschien kun je nog niet tot tien tellen. Je kunt het wel? Dan lopen we met één tree tegelijk naar boven, terwijl we ze tellen. Wanneer we bovenaan zijn, zal de nacht voorbij zijn. Neem mijn hand, Johnny. Steek je handje nog iets verder uit. Ja. Ja, goed zo. Brave jongen. Nu tellen. Een, twee,*

drie... vier, vijf... goed zo... zes, zeven... acht... niet ver meer...
je kunt het... negen... tien... goed zo, lief hart. Heel goed...
De stemmen van de Ouden herhaalden mijn laatste woorden, diep,
sonoor, wijs. *Goed. Goed.* Toen werd ik, plotsklaps en totaal,
overmand door vermoeidheid. Ik viel in een diepe slaap en droomde een heerlijke droom: ik lag hier naast Bran en voelde de zoute tranen op zijn wangen; hij werd wakker en legde zijn arm om
me heen, drukte zijn lippen op mijn slaap, en was weer zichzelf.
In mijn droom sloeg ik mijn armen om zijn hals en voelde ik zijn
lichaam warm en levend tegen het mijne, en ik zei tegen hem dat
ik van hem hield, en hij zei ja, dat wist hij.

Plotseling was ik wakker en het was licht, niet het zachte licht van
de dageraad maar later, veel later, het volle licht van de ochtend.
Hoe had ik mezelf kunnen toestaan in slaap te vallen, hoe kon ik?
Ik stak mijn hand uit en voelde de kleine, slapende vorm van mijn
zoon, in de deken gerold; we lagen samen op de strozak. Was ik
half wakker geworden, had ik hem gevoed en was ik weer inge-
slapen zonder het te merken? Hoe kon ik zoiets doen? Ik strekte
mijn hand verder uit. Bran was weg. Mijn keel werd droog en
koude vingers sloten zich om mijn hart. Hij kon niet wakker zijn
geworden en zijn opgestaan. Dat was onmogelijk na zo'n lange
tijd zonder eten en drinken, hij zou te zwak zijn. Dat betekende...
dat kon alleen betekenen... Ik ging rechtop zitten en herinnerde
me nu pas dat ik helemaal naakt was. Ik reikte naar mijn jurk,
die ik vannacht naast de strozak had laten vallen. Mijn handen
beefden. Ik kon hem niet vinden, en mijn hemd ook niet. Er lag
wel een oud hemd, dat tot mijn knieën zou reiken. Ik trok het
over mijn hoofd en strompelde de schuiltent uit. Er zaten drie
mannen bij het opnieuw aangestoken vuur: Meeuw, Slang en mijn
vader. Ze draaiden als één man hun hoofd naar me om.
'Waar... wat...?' was het enige wat ik uit kon brengen.
Mijn vader zag meteen aan mijn gezicht wat er in me omging, en
hij stond op om mijn handen in de zijne te nemen en me gerust-
stellend toe te spreken. 'Alles is goed, Liadan,' zei hij. 'Haal maar
eens diep adem. Hij is wakker en bij zijn volle verstand. Je ziet zo
bleek als een geest, dochter. Hier, kom even bij ons zitten.'
'Ik... ik... waar?'

'Niet ver; we houden hem in het oog. Daar beneden.' Meeuw maakte een hoofdbeweging naar de andere kant van de poel, vanaf de grafheuvel gezien.

'Hij wilde niet dat we je wakker maakten,' zei Slang verontschuldigend. 'Hij is niet in een al te best humeur, de Baas. Dat hadden we al voorspeld. Maar hij leeft. Het is je gelukt.'

'Is hij opgestaan, en kan hij lopen?' Ik kon het niet geloven. Hij was bijna dood geweest. Dit was natuurlijk weer een akelige droom. 'Hij hoort nog in bed te liggen. Hoe konden jullie toelaten dat hij...?'

'Hij liet ons geen keus. We kregen de volle laag. Maar hij heeft een hoop water gedronken, en zoals ik zei, hij wordt in de gaten gehouden. Voorlopig kunnen we hem beter met rust laten.'

'Wat zie je er elegant uit,' zei Meeuw, terwijl hij me van top tot teen opnam.

Ik bloosde. 'Waar zijn mijn kleren?'

'Ergens waar ze netjes voor je worden opgeknapt. We zullen wat nieuwe kleren voor je zoeken. Die zul je wel nodig hebben.'

'Ik moet naar... ik moet...'

'Nu misschien nog niet,' zei Meeuw. 'We hebben opdracht gekregen. Laat hem met rust. Later misschien.'

Mijn vader schraapte zijn keel. 'Ik heb tamelijk uitvoerig met hem gepraat, Liadan. Ik heb hem het verhaal verteld, zoals je me had gevraagd. Misschien is het het beste als je de raad van deze mannen ter harte neemt en hem tijd gunt.

'Dat denk ik niet,' zei ik, en ik liep weg onder de beuken op blote voeten en in mijn veel te grote hemd, naar de noordkant van de poel, waar lang geleden een grote boom was omgevallen. De massieve stam was inmiddels helemaal begroeid met fijne mossen, en de spleten en holten en de kleine donkere gangetjes daarin waren de schuilplaatsen van een menigte kleine beestjes.

Ik denk dat ik het nog niet echt geloofde, tot ik hem zag. Hij zat op de rotsen achter deze boom, met zijn rug naar me toe en een koppigheid in de houding van zijn schouders die ik maar al te goed herkende. Hij droeg zijn oude kleren van onbepaalde kleur, en ze slobberden om hem heen alsof ze aan een veel grotere man toebehoorden. Hij keek omlaag en zijn handen draaiden het zilveren medaillon om en om. Ik wilde niets liever dan op hem af rennen, mijn armen om hem heen slaan en mezelf ervan overtuigen dat dit werkelijkheid was en geen visioen. Maar ik liep er voorzichtig heen en zorgde dat mijn blote voeten geen geluid maakten. Maar ja, deze man was nu eenmaal erg goed in zijn vak. Hij hoefde zich niet om te draaien om me toe te spreken, zodat ik op tien pas afstand bleef staan. Zijn stem klonk uiterst beheerst.

'Je vader vertrekt vanmorgen. Je kunt het beste je spullen pakken en met hem meegaan. Dat is het beste voor jou. En voor het kind. Je hebt hier niets te zoeken.'

Ik had het laatste beetje wilskracht dat ik bezat nodig om niet in tranen uit te barsten, om hem niet weer de gelegenheid te geven te zeggen dat een vrouw huilde wanneer het haar uitkwam, alleen om te krijgen wat ze wilde. Ik had het laatste beetje beheersing dat ik kon opbrengen nodig om niet naar hem toe te lopen en hem een oorvijg te geven, en te zeggen dat ik misschien geen dankbaarheid verwachtte, maar er toch niet op had gerekend weggestuurd te worden als een huurling die zijn opdracht heeft uitgevoerd. Ik had veel geleerd sinds ik hem had leren kennen. Ik had geleerd dat deze allerongrijpbaarste, allerlastigste prooi met zorg, geduld en fijngevoeligheid gevangen moest worden.

'Ik... ik herinner me dat je een keer hebt gezegd,' zei ik, terwijl ik probeerde mijn stem zo vast mogelijk te laten klinken, 'dat je niet tegen me zou liegen. Heeft mijn vader toevallig nog iets gezegd over een belofte die hij me heeft gedaan?'

Het bleef lang stil voor hij antwoordde.

'Maak dit niet nog moeilijker voor ons allebei, Liadan,' zei hij. Toen ik dichterbij kwam, zag ik dat zijn handen, die het medaillon vasthielden, beefden.

'Nou?'

'Ja.'

'Heel goed. Dan weet je dat dit mijn eigen keuze zal zijn, en niet die van mijn vader.'

'Hoe kan er een keuze zijn? Het is gewoon een kwestie van gezond verstand, dat je bij me weg moet gaan. Wat voor toekomst kan er zijn voor... voor...'

Ik ging naar hem toe en kwam voor hem staan, op drie pas afstand. Als de regel ditmaal weer doorbroken zou worden, zou het niet door mij zijn.

'Kijk naar me, Bran,' zei ik. 'Kijk naar me en zeg tegen me dat je wilt dat ik wegga. Vertel me de waarheid.'

Maar hij staarde op zijn handen neer en wilde me niet aankijken. 'Je zult me nu wel helemaal zwak vinden,' mompelde hij. 'Hierna verdien ik helemaal geen respect meer.'

En ondanks zijn verwoede pogingen zag ik een traan op zijn gezicht. Hij blonk aan de getekende kant van zijn gezicht; deze keer had hij hem niet kunnen tegenhouden.

'Ik zou willen dat ik je tranen kon drogen,' zei ik zacht. 'Ik zou zo graag willen dat ik dit beter kon maken voor jou. Maar ik weet niet hoe.'

Nog een ogenblik was het stil; een hartenklop in de tijd, waarin de bomen, rotsen en winden hun adem in leken te houden. Toen strekte hij blindelings zijn hand uit, pakte mijn arm en trok me naar zich toe. Ik stond daar met zijn hoofd tegen mijn borst en mijn armen om zijn schouders, terwijl hij de rest van de tranen liet stromen die hij zo lang had tegengehouden.

'Toe maar, Bran. Het is goed. Alles is nu goed. Huil maar, lief hart.'

Het duurde lang, of niet zo lang. Wie zou het kunnen zeggen? De mannen lieten ons met rust, en de hoge beuken keken zwijgend toe terwijl de zon hoger klom in een koele herfsthemel. Het is echt niet zo vreselijk als een volwassen man huilt. Vooral niet wanneer hij achttien jaren aan verdriet en rouw in zich draagt en wanneer hij eindelijk, na zo'n lange en pijnlijke reis, de waarheid heeft gevonden. Na verloop van tijd hield hij op met huilen. Ik nam een hoek van mijn onfatsoenlijke kledingstuk om zijn gezicht voor hem te drogen, en zei op strenge toon tegen hem: 'Je had nog niet eens uit bed mogen zijn. Heb je wel gegeten, vanmorgen, of had je het te druk met bevelen geven?'

Ik ging naast hem zitten op de rotsen, dicht bij hem, zodat onze lichamen elkaar bleven aanraken.

'Het was een wonderbaarlijke ervaring om wakker te worden,' zei hij met een stem die nog wat beverig klonk, 'en te merken dat jij daar naast me lag, met geen draadje kleding tussen ons in. Een wonderbaarlijke, maar ook frustrerende ervaring, omdat ik zo zwak was dat ik alleen maar naar je kon kijken. Zelfs nu kan ik mijn arm nauwelijks opheffen om hem om je heen te leggen, laat staan profiteren van dat interessante kledingstuk dat je aan hebt. Ik heb zo'n vermoeden dat er niet veel onder zit.'

'Aha,' zei ik, en ik voelde dat er een blos op mijn wangen kwam. 'Je begint gevoel voor humor te krijgen. Dat bevalt me wel. Er komen nog meer ochtenden.'

'Hoe zou dat kunnen, Liadan. Hoe kan er tijd voor ons zijn? Jij kunt niet temidden van de mannen leven, ongezien reizen, altijd achterom kijkend, uitgestoten, vervolgd. Ik zou jou, of hem, nooit aan dat gevaar kunnen onderwerpen. De beslissing heeft niets meer te maken met wat jij en ik misschien voor onszelf zouden willen. Jouw veiligheid staat voorop. Bovendien, hoe zou je bij me kunnen blijven na wat er gebeurd is? Ik heb mezelf door die... die man laten pakken; ik heb toegelaten dat Meeuw verminkt werd, en dat jij op een afgrijselijke manier behandeld werd, jij en mijn zoon. Zelf ben ik niet meer dan een rillende, jammerende schim van een man. Wat moet je wel van me denken?'

'Ik heb mijn mening over jou niet herzien sinds onze laatste ontmoeting,' zei ik op vaste toon.

'Wat zeg je nou, Liadan?' Hij staarde nog steeds naar de grond en wilde me niet aankijken. Ik liet me van de rots waarop we zaten afglijden en ging op mijn knieën voor hem zitten, zodat hij wel naar me moest kijken. Ik nam zijn handen in de mijne zodat het zilveren medaillon nu door ons beiden werd vastgehouden en beschermd.

'Weet je nog,' zei ik kalm, 'dat je me toen op Zeven Wateren vroeg wat ik voor mezelf wilde? Ik zei dat je er nog niet aan toe was dat te horen. Denk je dat je er nu aan toe bent? Hoeveel herinner je je van wat hier gebeurd is?'

'Genoeg. Genoeg om te weten dat we door jaren heen zijn gelopen, niet door dagen. Genoeg om te weten dat jij daar naast me was. Juist dat maakt het zo moeilijk. Ik zou je moeten bevelen weg te gaan, en daarmee uit. Ik weet wat juist is om te doen. Maar... maar ik merk dat ik dit keer, uiteindelijk, niet bij machte ben afscheid van je te nemen. Hier in mijn hand houd ik de liefde van mijn moeder, en ik weet dat liefde voortduurt, tot na de dood. Dat een hart dat eenmaal is weggeschonken, altijd geschonken blijft.'

Ik knikte, en de tranen waren gevaarlijk dichtbij. 'Ze heeft de dierbaarste dingen die ze had verstopt,' zei ik. 'Dit medaillon, met de aandenkens aan de mensen die ze verloren had. Haar beursje, met daarop de symbolen van wie ze was en waar ze vandaan kwam. En haar zoontje. Ze heeft haar leven voor je gegeven. John gaf zijn leven in de dienst van zijn vriend en verwant. Dat is de waarheid.'

Hij knikte nuchter. 'Ik heb me in een aantal dingen vergist. Je zult mij niet horen zeggen dat Hugh van Harrowfield een held is; maar ik heb gemerkt dat de man een paar goede kanten heeft. Hij was erg openhartig tegen me. Dat respecteer ik. Hij heeft meer van jou dan ik me had kunnen voorstellen.'

'Hij staat bekend om zijn eerlijkheid.'

'Liadan.'

Ik keek in zijn ogen. Zijn gezicht was erg bleek, zijn trekken leken uitgeput, leeg. Maar de ogen brachten een heel andere boodschap over. Ze keken hongerig.

'Ik heb nog geen antwoord gegeven, hè? Ik heb nog niet gezegd wat ik wil? Is het nog nodig dat ik het zeg, Bran?'

Hij knikte zonder een woord.

'Ik zei dat ik mijn mening over jou niet had gewijzigd, sinds je bij me kwam op Zeven Wateren en we de rest van de wereld een tijdlang bijna vergaten. Wat er in de laatste dagen is gebeurd, maakt deel uit van de reis die we samen maken. Samen lijden we, doorstaan we, en veranderen we, en lopen dan weer voorwaarts, hand in hand. Volgens mij ben jij ongelooflijk sterk; soms sterker dan goed voor je is. Ik zie in jou een leider, een man met durf en visie. Ik zie een man die nog steeds niet goed durft lief te hebben of te lachen, maar die bezig is allebei te leren, nu hij de waarheid over zichzelf weet. Ik zie de enige man die ik als echtgenoot zou willen hebben, en de vader van mijn kinderen. Jou en geen ander, Bran.'

Hij hief zijn hand op en stak hem uit om heel voorzichtig mijn wang aan te raken, alsof hij opnieuw moest leren hoe dat ging, nu alles veranderd was.

'Is dit... een huwelijksaanzoek?' vroeg hij aan mij, en er was een spoortje van een glimlach bij zijn mondhoek, iets wat ik nog nooit had gezien.

'Ik denk het wel,' zei ik en bloosde weer. 'En zoals je ziet, doe ik het zoals het hoort, geknield.'

'Hmm. Maar wat je aanbiedt zou, neem ik aan, een verbintenis tussen gelijkwaardige partijen zijn?'

'Heel beslist.'

'Ik kan de woorden niet over mijn lippen krijgen. Ik kan het niet opbrengen je te weigeren. Maar aan de andere kant, hoe kan ik het aannemen? Je vraagt het onmogelijke.' Zijn gezicht stond weer somber. 'Je vraagt me om de mensen van wie ik het meest houd te onderwerpen aan een leven van gevaar en vlucht. Hoe kan ik daarmee instemmen?'

'Ah,' zei ik. 'Ik had je dit liever nog niet willen vertellen, maar je laat me geen keus. Het schijnt dat er een plaats voor jou – voor ons – is, in Brittannië. Op Harrowfield. Een plaats, en een opdracht. Dat hoor ik van mijn vader. Zijn broer heeft moeite zijn greep op het landgoed te handhaven; Edwin van Northwoods ligt op de loer en hoopt zijn eigen gebied te kunnen uitbreiden. Mijn vader kan niet teruggaan om te helpen, maar jij zou erheen kunnen gaan. Het hoeft niet meteen, maar het is iets wat je in overweging zou kunnen nemen. Het is het land van je vader, Bran; het is het volk van je vader. Je hebt heer Hugh een keer gehoond omdat hij Harrowfield de rug had toegekeerd om zijn hart te volgen. Nu geeft hij jou de kans om te doen wat hij zelf niet kan doen: Simon helpen deze goede mensen opnieuw sterk en eensgezind te maken.'

Het bleef lang stil en ik begon spijt te krijgen van mijn woorden. Misschien had ik zo-even gelijk gehad. Misschien was het nog te vroeg om hem dit te vertellen.

'Zou Hugh van Harrowfield dat aan mij toevertrouwen?' vroeg Bran zacht.

Ik keek in zijn ogen. En daar zag ik onmiskenbaar een nieuw licht branden: een vonk van hoop, een doel.

'Hij zou het Johns zoon toevertrouwen,' zei ik. 'En de mensen van Harrowfield zouden dat op den duur ook doen, wanneer je jezelf hebt bewezen.'

'En zou jij dat doen? Zou je met me meegaan, helemaal naar Brittannië? Temidden van buitenlanders leven, ver van je familie?'

'Ik zou niet van mijn familie weg zijn, Bran. Overal waar wij met zijn drieën heen reizen, ben ik thuis. Bovendien vergeet je dat ik zelf een halve Brit ben. Simon van Harrowfield is mijn oom; deze mensen horen zowel bij mij als bij jou.'

Hij gaf een knikje; zijn hand greep de mijne steviger vast. 'Ik kan dit nauwelijks geloven,' zei hij. 'En toch geloof ik het. Mijn gedachten snellen al vooruit naar wat er gedaan kan worden, en hoe we dat zullen bereiken. Ik heb angst om daarheen terug te gaan; het is een plek van donker en doodsangst. En toch verlang ik ernaar terug te gaan en alles weer in goede banen te leiden. Ik verlang ernaar te bewijzen wat onmogelijk leek: dat ik de zoon van mijn vader kan zijn.'

Ik moest bijna huilen door zijn woorden; ik was nog doodmoe van de afgelopen nacht, en van veranderingen die zo snel kwamen dat ik het nauwelijks kon bijhouden.

'De mannen,' zei Bran opeens. 'Hoe moet het met de mannen? Waar moeten zij heen? Ik kan hen niet achterlaten, zonder een plek en een doel.'

'Tja,' zei ik. 'Het zou weleens kunnen dat deze mannen meer in hun mars hebben dan jij denkt. Laten we naar het vuur gaan. Kun je staan? Lopen, als ik je help? Mooi. Steun maar op mijn schouder. Toe maar, doe het. Niemand verwacht dat je de kracht van een god hebt, behalve jij zelf misschien. Alleen die hoofdwond was al genoeg om een man te doden. Je hebt dagenlang honger geleden en je bent een en al blauwe plek. Ik wil je een beetje water zien drinken en wat pap zien eten. Je mannen hebben een voorstel dat ze je willen voorleggen. Het zal je interesseren, en een antwoord zijn op zorgelijke vragen. Ze hebben heel trouw de wacht gehouden voor hun Baas, Bran. Misschien lukt het je een paar vriendelijke woorden uit te brengen. En ik moet afscheid nemen van mijn vader, want ze hebben hem thuis nodig. Later zullen we deze dingen verder met hem bespreken.'

'Ik...' Hij stond met een krijtwit gezicht te zwaaien op zijn benen, alsof hij zijn eigen geest was.

'Kom, lief hart. Steun op mij, en laten we samen het pad oplopen.'

Ze kenden hem heel goed. Daarom sprong noch Meeuw, noch Slang, noch een van de anderen overeind om steun aan te bieden toen we langzaam en voorzichtig op het vuur kwamen toe wandelen. Niemand deed bezorgd, niemand zei iets. Maar er was plaats waar we beiden konden gaan zitten, en water om te drinken, en ook bier, en simpele havermoutpap in aardewerken kommen. Mijn vader was er nog, maar hij was al gekleed voor de reis. 'Jullie hebben me iets te vertellen, begrijp ik,' zei Bran met een dreigende trek op zijn gezicht toen hij was gaan zitten. Rondom ons waren veel mannen bijeengekomen, alle mannen, dacht ik, behalve de paar die verplicht de wacht hielden aan de buitenrand van het kamp. Er hing een verwachtingsvolle sfeer, maar die werd snel verstoord toen Rat eraan kwam met mijn huilende zoon in zijn armen.

'Jullie moeten het maar zonder mij doen,' zei ik, terwijl ik het kind overnam en opstond. 'Dit zijn toch mannenzaken, denk ik.'

'Jij hoort erbij,' zei Bran kalm. 'We zullen op je wachten.' Hij draaide zich om zodat hij naar Meeuw kon kijken, met zijn handen in het verband; naar Slang, wiens getekende gezicht bleek was door meer dan één slapeloze nacht; naar Otter en Spin, die te paard een opdracht hadden vervuld; naar de grote, grimmige Wolf en naar de jonge Rat, die zich ontfermd had over het kleinste en kostbaarste. 'Ik heb een paar dingen tegen jullie te zeggen,' begon hij.

Terwijl ik Johnny voedde in de schuiltent, keek ik naar deze mannen. Ik hoopte dat ze niets zouden zeggen over Eamonn, en wat hij gedaan had. Het was duidelijk dat mijn vader de waarheid nog niet had gehoord; en het was ook beter dat hij er onkundig van bleef. Op dit moment was het evenwicht tussen de deelnemers aan het bondgenootschap erg wankel, en ik moest Bran zo snel mogelijk vertellen wat ik met zijn vijand was overeengekomen om zijn vrijlating te verkrijgen.

Johnny was al snel klaar en kronkelde op mijn schoot, klaar voor nieuwe avonturen. Ik zette hem op de grond en zag dat hij andere kleertjes aanhad dan het keurige hemdje en broekje waarin hij van Zeven Wateren was vertrokken. Dat leek erg lang geleden; het was alsof de hele wereld was veranderd sinds die dag. Iemand had de naald gehanteerd, en nu droeg mijn zoon een jakje van hertenvel en laarsjes van hetzelfde zachte bont, keurig genaaid met smalle repen leer. Onder het jak zat een soort tuniek die tot de bovenkant van de laarsjes reikte. De stof ervan was geweven in strepen van blauw, bruin en dieprood. Een mooie stof; iemand had zijn eigen kledingstuk opgeofferd zodat dit kleine meesterstuk kon worden gemaakt. Johnny begon onder de tent uit te kruipen, en ik nam hem in mijn armen en ging naar buiten.

'Ik neem hem zolang wel,' zei mijn vader toen ik aan kwam lopen. 'Jullie zullen wel niet willen dat ik erbij ben als jullie plannen maken.'

'Volgens mij moet u erbij blijven.' Terwijl ik dit zei, keek ik vragend naar Bran. 'Want als dit plan doorgaat, zal mijn broer erbij betrokken zijn, en u dus ook. Het is beter dat u ervan weet.'

De uitdrukking op Brans gezicht werd nog dreigender.

'Ze heeft gelijk,' zei Meeuw. 'Of we doen dit met de hulp van Zeven Wateren, of het blijft zoals het is. Het levert geen gevaar op als we het hem vertellen.'

'Zo te horen bevalt dit me helemaal niet,' zei Bran. 'Maar vooruit, vertel op.' Zijn stem klonk woest; maar toen ik naast hem ging zitten en mijn hand in de zijne schoof, voelde ik dat die trilde. Ik wist dat hij de grootste moeite deed om de schijn op te houden. De dreigende uitdrukking straalde een duidelijke boodschap uit. *Ik ben de Beschilderde Man. Wie denkt dat ik zwak ben, moet het zelf maar weten.*

En dus vertelden ze hem hun plan. Ze zetten het uiteen, terwijl mijn vader op de grond zat met zijn kleinzoon tussen zijn benen, en een spelletje speelde met takjes en blaadjes. De een na de ander voerde het woord. Ze hadden het goed ingestudeerd. Meeuw schetste het plan in grove lijnen. Slang gaf wat meer bijzonderheden. Er werden geen gevoelsargumenten aangevoerd; er werd niets gezegd over vrouwen, over een vaste plek om zich te vestigen. Alleen een sluitende logische structuur; over de voordelen die het meebracht en winsten die te behalen waren, en hoe bepaalde problemen konden worden overwonnen. De volgende was Otter. Hij kon pas sinds de vorige avond van het plan hebben afgeweten, maar hij gaf gedetailleerd aan hoe de onderneming gefinancierd zou worden, hoe mijn broer erbij betrokken kon worden en hoe de winsten onderling verdeeld konden worden nadat de kosten van het voeren van de onderneming gedekt waren. En hoe de investering van Sean na verloop van tijd kon worden terugbetaald, in zilver, rundvee of diensten.

Bran zei geen woord, en de uitdrukking op zijn gezicht verried niets. Wat mijn vader betreft, het was maar goed dat hij een eindje verderop zat en op Johnny lette, want ik zag de geschokte uitdrukking op zijn gezicht, en dat hij moeite had om zich erbuiten te houden.

'Dan is er de kwestie van een onderkomen.' Het was nu de beurt van de grote Wolf, gewoonlijk een man van weinig woorden. 'Ik hoor dat er op dat eiland een paar boerderijtjes zijn, en nog wat stenen muurtjes om ervoor te zorgen dat de schapen niet van de kliffen vallen. We zullen meer nodig hebben. Eenvoudige, lage hutten, gebouwd voor slecht weer. Ik heb wat ervaring met bouwen. Ik zou het de anderen kunnen leren. We zouden het zo kunnen doen...' Hij hurkte neer en begon met een stok in de aarde te tekenen, en allen keken geconcentreerd toe. '... riet op het dak, goed vastgebonden... een oefenveld...'

Ik was moe en legde mijn hoofd op Brans schouder zonder er bij na te denken. Zijn hand klemde zich vaster om de mijne, en ik ving de blik van mijn vader. Daarin lag alweer de schaduw van een volgend afscheid.

Ze waren klaar. Er viel een stilte, waarin niemand de eerste scheen te willen zijn die iets zei. Iubdan was degene die de stilte verbrak. 'Willen jullie dat ik dit... voorstel... aan mijn zoon voorleg, wanneer ik terug ben op Zeven Wateren? Jullie beseffen, neem ik aan, dat Sean nog maar sinds kort het leiderschap over zijn túath bekleedt, en een zware last draagt voor zo'n jonge man?'

Bran knikte. 'Heer Liam was een krachtig leider, een evenwichtig man. Hij zal in deze streken zeker gemist worden. Maar je zoon heeft het in zich om het op den duur beter te doen. Hij heeft visie. Het is niet nodig dat jij hem hierover aanspreekt. Ik moet er eerst zelf over nadenken. Als ik besluit het te doen, zal ik een bijeenkomst beleggen. Ik heb informatie voor Sean; informatie waarvoor hij mij erop uit heeft gestuurd.'

'Die zou ik natuurlijk voor hem mee kunnen brengen,' zei mijn vader. Zijn stem klonk allesbehalve enthousiast.

Bran fronste zijn voorhoofd. 'Dat soort inlichtingen kan beter niet aan derden worden meegedeeld, tenzij het strikt noodzakelijk is. Het risico is het kleinst als de ene man ze rechtstreeks aan de andere overbrengt. Ik zal met Sean gaan praten wanneer de tijd rijp is.'

Iemand floot zacht. En Meeuw zei ongelovig: 'Zeg je nou dat je er toch in bent geslaagd de opdracht uit te voeren, ondanks alles? Dat je het voor je hebt gehouden, zelfs toen...'

'Geen opdracht is te moeilijk voor de Beschilderde Man,' bracht ik snel in het midden. 'Het verbaast me dat je dat nu nog niet weet.'

'En nu weer aan het werk jullie, allemaal,' zei Slang terwijl hij opstond. 'Er is veel om over na te denken, en om in overweging te nemen. De Baas zal ons zijn antwoord geven wanneer hij zover is. Brengen jullie Iubdans paard in gereedheid, en degenen die hem begeleiden, controleer jullie wapens en proviand. Hij moet langzamerhand gaan.'

'Hier,' zei Rat, en hij hurkte neer bij mijn vader en stak zijn handen naar Johnny uit. 'Ik zal hem nu weer nemen.' Hij pakte het kind op en Johnny's armpjes sloten zich vol vertrouwen om zijn hals.

Mijn vader stond op. 'Heel goed,' zei hij met een afstandelijke klank in zijn stem, en hij stak zijn hand uit om zijn kleinzoon zacht over zijn wang te strelen. Toen was Rat vertrokken, in looppas naar het hoofdkamp met zijn kleine vriendje in zijn armen, hopsend en opgewonden kirrend. De mannen gingen uiteen, alle mannen behalve Meeuw, want toen hij hen wilde volgen, pakte Bran hem bij zijn arm en zei: 'Nee. Jij blijft hier.'

En daar zaten we dus met zijn vieren bij het vuur, met zoveel onuitgesproken woorden tussen ons dat je nauwelijks wist waar te beginnen. Na verloop van tijd keek Bran op naar mijn vader en begon zacht te spreken.

'Liadan heeft me verteld van je voorstel met betrekking tot Harrowfield. Er kan daar veel worden gedaan, denk ik. Bondgenootschappen kunnen opnieuw worden opgebouwd, grenzen beveiligd, de verdediging kan worden versterkt.'

'Je wilt misschien de tijd nemen om erover na te denken,' zei mijn vader voorzichtig. 'Je bent vermoedelijk niet gewend een dergelijke rol te spelen. Maar je bent familie van mij, en van Simon; je kunt er aanspraak op maken een functie te bekleden op het landgoed, en je kundigheid lijkt onbetwist.'

'Ik hoef er niet over na te denken,' zei Bran. 'We nemen de uitdaging aan. In de onmiddellijke toekomst wil ik Liadan en mijn zoon hier veilig weg hebben. We zullen naar het noorden trekken en een tijd weg zijn. Mijn mannen moeten hun plek vinden in hun nieuwe onderneming; dat zal niet eenvoudig zijn. Zodra dat gebeurd is, zullen we naar Harrowfield gaan. Liadan, ik en Johnny. Ik moet open kaart met u spelen. Ik stem hiermee in, niet vanwege heer Hugh, maar vanwege mijn vader en mijn moeder, en de plek waar ik geboren ben. Ik wil bepaalde dingen achter me laten; op die manier kan dat gedaan worden en kan ik een nieuw begin maken.'

Vaders blauwe ogen stonden koel. Maar met een kleine buiging van zijn hoofd erkende hij Brans kracht; ik zag wel dat dit hem verraste en dat hij onder de indruk was.

'Goed,' zei hij. 'Ik zal ervoor zorgen dat Simon discreet wordt ingelicht over onze plannen. Het nieuws zal hem een hart onder de riem steken. Ik ben niet helemaal gerust over de onmiddellijke toekomst. Ik zou je willen vragen erop toe te zien dat mijn dochter en mijn kleinzoon veilig zijn. Maar zo'n vraag lijkt hier niet gepast.'

Ik voelde Brans hand verstrakken in de mijne, ik hoorde hem zijn adem inzuigen.

'Hij is volkomen gepast, vader,' zei ik. 'Maar ik heb u verteld dat deze mannen dat heel goed afkunnen. U hebt immers vertrouwen in mijn oördeel?'

'Liadan is bij ons in goede handen,' merkte Meeuw op, en ook hij was boos. 'Ze is hier veiliger dan in de huizen van sommige mensen die u uw vrienden noemt.'

'Wat bedoel je?'

'Niets, vader. Meeuw doelt op het vermogen van deze mannen om ongezien overal te komen, om zich niet te laten opsporen en ongewone verdedigingsmethoden te gebruiken. U hoeft zich over mij geen zorgen te maken. Ik had nooit gedacht dat ik ver van Zeven Wateren weg zou gaan. Maar dit is de juiste keus. De enige keus.'

'Je wilt me dus mijn dochter afnemen,' zei Iubdan, terwijl hij Bran strak aankeek.

Bran keek hem ook aan, en de blik in zijn grijze ogen was vast en helder. 'Ik neem niet meer dan wat me vrijwillig gegeven wordt,' zei hij.

'U kunt beter gaan,' zei Meeuw. 'Het is een heel eind rijden. Onze mannen zullen u begeleiden tot aan uw grenzen.'

'Dat hoeft niet.' Vaders stem klonk koel. 'Ik ben nog niet zo gevorderd in jaren dat ik mezelf niet kan verdedigen of me van een vijand kan ontdoen.'

'Dat hebben we ook gehoord,' zei Bran. 'Maar toch zijn er gevaren waarvan je je niet bewust bent. Wie weet welke valstrikken voor een eenzame reiziger op de loer kunnen liggen? Mijn mannen zullen je begeleiden.'

'Ik zou graag nog onder vier ogen met mijn dochter willen spreken,' zei Iubdan zonder glimlach op zijn gezicht. 'Als dat kan worden toegestaan.'

Bran liet mijn hand los. 'Liadan neemt haar eigen beslissingen,' zei hij. 'Als mijn echtgenote zal ze dat blijven doen.'

Meeuw trok zijn wenkbrauwen op, maar hij zei niets.

Ik liep met mijn vader naar de waterkant en keek toe terwijl hij een gladde, witte steen opraapte en die over het water liet stuiteren, een, twee, drie keer.

'Zal dat lukken, denk je?' vroeg hij. 'Een school voor krijgers? Een tehuis voor bandieten?'

'Dat zal aan hem liggen. Het plan zal waarschijnlijk worden aangepast, gewijzigd en verbeterd in overeenstemming met zijn eigen ideeën. Het is een nieuwe weg voor hem; er zijn veel veranderingen die hij nog onder ogen moet durven zien.'

'Hij heeft je nodig. Ze hebben je allemaal nodig. Dat begrijp ik ook wel. Toch is het nog steeds een schok voor me dat je deze keuze gemaakt hebt. Ik geloof dat ik me vergist heb toen ik je zag opgroeien. Je lijkt in alle opzichten zo sterk op je moeder dat ik geen verrassingen van jou verwachtte. Ik heb nooit serieus gedacht dat je het woud zou verlaten. Maar ja, ik heb zelf ook zo'n soort keuze gemaakt, tegen alle regels in. En je bent net zo goed mijn dochter als de hare. Dat je later terug zult gaan naar mijn ouderlijk huis, naar Harrowfield, vervult me met trots en hoop. Ik zou willen dat ik het gezicht van mijn broer kon zien wanneer hij jou voor het eerst ziet. Maar ik kan me Zeven Wateren niet voorstellen zonder je moeder en jou. Het zal zijn alsof het hart van het huis stilstaat.'

'Conor zou het vast met u eens zijn. Maar het hart van het woud klopt heel krachtig en heel traag, vader. Er is meer dan dit verlies nodig om dat ritme stil te zetten.'

'Er zijn nog andere dingen die me zorgen baren. Er zijn hier geheimen die ik niet begrijp, die me verontrusten. Bedekte toespelingen. Een deel van het verhaal dat nog niet verteld is.'

'Dat moet onverteld blijven, vader. Ook ik ben gebonden door een belofte.'

'Je zei dat Niamh nog leefde en naar een veilige plaats is gebracht. Ze is mijn dochter, Liadan. Ik heb gesproken over onrecht dat ik wilde herstellen. Er is daar sprake van een onrecht waaraan ik aandacht moet besteden, daarvan ben ik overtuigd. Als je me kunt zeggen waar ze is, zou je dat moeten doen. Je moeder wilde heel graag dat we het goed zouden maken.'

'Het spijt me,' zei ik zacht. 'Ik heb een vermoeden waar ze zou kunnen zijn, maar ik mag het u niet vertellen. Alleen dat ik weet dat ze veilig is en dat er goed voor haar wordt gezorgd. Ze wil ons niet meer zien, vader. Ze wil niet terugkomen.'

'Dan ben ik jullie dus allemaal kwijt,' zei hij dof. 'Niamh, Sorcha en jou. En de kleine ook nog.'

'Er zal over een paar jaar een stoet kinderen op Zeven Wateren zijn. En u zult mij en Johnny van tijd tot tijd zien, daar zal ik voor zorgen. U zult het druk hebben, vader; te druk voor verdriet en spijt. Nu moet u naar huis gaan, naar Sean en Aisling, en hun uw steun geven. Jullie moeten gedrieën hard werken om Zeven Wateren sterk te houden. Jullie zullen te zijner tijd van ons horen. En breng Sean mijn beste wensen over.'

'Dat zal ik doen, lieverd.'

'Vader.'

'Wat is er?'

'Zonder u had ik dit niet kunnen doen. Waar ik ook heen ga, ik zal nooit vergeten dat ik uw dochter ben. Ik zal daar altijd trots op zijn.'

Toen riepen ze hem, en hij omhelsde me, snel en stevig, en verdween, een lange gestalte met vuurrood haar die met grote passen wegliep naar het kamp, waar mannen wachtten met paarden. Ik stond bij de poel en keek uit over het zilverige oppervlak, en terwijl ik keek, verscheen er een beeld, een weerspiegeling in het stille water: een statige, witte zwaan die daar dreef met toegevouwen vleugels. Geen echte weerspiegeling, want op het oppervlak was niets, er zwom niet één vogel op dat spiegelgladde water. Ik knipperde met mijn ogen en wreef ze uit. Het beeld bleef, veren als sneeuw in de winter, sierlijke gebogen hals, ogen kleurloos als helder water, diep, heel diep.

Je hebt het heel goed gedaan, Liadan. Het was de stem van mijn oom Finbar. *Je bent hier een meester in, en ik groet je eerbiedig.* U bent de meester. U hebt me laten zien hoe dit moest.

Ik had niet kunnen doen wat jij gedaan hebt; de donkere uitgedaagd en een man teruggehaald van de rand van de dood. Ik verbaas me over je kracht. En over je moed. Ik zal jouw weg, en de zijne, met belangstelling volgen. Vergeet me niet, Liadan. Je zult me nodig hebben, later. Het kind zal me nodig hebben.

Een plotselinge kou kwam over me. *Wat bedoelt u? Wat ziet u?* Maar in het water viel de mooie, omgekeerde vorm van de zwaan in stukken uiteen; ze verspreidden zich over het oppervlak en waren weg.

Drie dagen later waren we gereed om te gaan. Ik had me heel streng moeten opstellen en had ervoor moeten zorgen dat Bran at, dronk en rustte, want als ik hem zijn gang had laten gaan, zou hij geprobeerd hebben zijn beschadigde lichaam te dwingen onmiddellijk weer als vanouds te functioneren, met rampzalige gevolgen. Toch liet hij geen ogenblik verloren gaan. Wanneer hij verplicht rustte, was hij nog steeds bezig met plannen maken en bevelen geven, en popelde hij om weer op te staan en aan de gang te gaan. 's Nachts sliep ik, al had ik het liever heel anders gewild, afzonderlijk van hem en lag ik samen met mijn zoon op een bed van varens. Bran zei hier niets over. Ik had die nacht veel durf gehad, durf genoeg om me helemaal uit te kleden en zijn lichaam met het mijne te verwarmen. Nu voelde ik me weer wat verlegen, want wat er tussen ons was, was nieuw en breekbaar, en er waren veel mannen in de buurt. Bovendien leek het me dat sommige dingen moesten wachten tot hij weer op krachten was gekomen.

Er werden plannen gemaakt. De bende zou zich opsplitsen in drie groepen. Er was veel te doen. Otters groep zou naar het zuiden gaan met een niet nader aangeduide opdracht. Slangs groep ging naar het noordwesten, in de richting van Tirconnell. Onze eigen groep zou te paard naar het noorden gaan, naar de beoogde plek, en die in ogenschouw nemen voordat de definitieve beslissing zou worden genomen. Wolf zou nagaan of het eiland wel toegankelijk was voor mannen met bouwmaterialen. Meeuw zou bekijken wat er ter plaatse aan vakkennis aanwezig was en inschatten hoe de mensen tegenover zo'n onderneming zouden staan. Op een vastgesteld tijdstip zouden de anderen zich weer bij ons voegen, en dan zou de toekomst van de bende worden bepaald. Hij zou geen overhaaste beslissingen nemen, zei Bran tegen de mannen. Er stond te veel op het spel.

Het had me veel moeite gekost hem te weerhouden onmiddellijk naar het zuiden te galopperen en zich bloedig te wreken toen hij dacht dat hij wel weer te paard kon zitten. Ik had moeten uitleggen wat ik was overeengekomen om Meeuw en hem uit Sídhe Dubh weg te krijgen. Dat ik had beloofd te zwijgen in ruil voor hun vrijlating.

'Een belofte aan zo'n man is niets,' zei hij met een strakke mond. 'Na wat hij jou heeft aangedaan, is de dood nog te goed voor hem. Als ik hem niet koud maak, zullen je vader en je broer dat zeker doen wanneer ze de waarheid vernemen.'

'Die zullen ze niet vernemen,' zei ik. 'Niet van mij, en ook niet van jou of van Meeuw of van een van de anderen. Dit verhaal mag niet verteld worden. Ik heb Eamonn mijn woord gegeven dat we niets zouden zeggen, en met reden. Hij mag dan een overloper zijn, een man die verblind door zijn eigen begeerten en zijn belustheid op macht niet meer ziet wat goed is, maar niemand kan ontkennen dat hij een krachtig leider is. Hij is rijk, hij heeft invloed en hij is slim. En hij heeft nog geen erfgenamen. Als hij er niet meer zou zijn, zou er in zijn gebied een machtsstrijd ontbranden die het bondgenootschap ernstig zou ontregelen. Seamus Roodbaard is oud, en zijn kind is nog heel klein. Er zouden van alle kanten pretendenten komen. Het zou een bloedbad worden. Eamonn kan beter blijven. We moeten hem alleen goed in de gaten houden.' Over de bange voorgevoelens die dieper in mij leefden, zei ik maar niets. Want ik herinnerde me de waarschuwingen van de Feeën en Ciaráns woorden. Er was ergens iemand die nergens voor zou terugschrikken om te verhinderen dat mijn kind zou opgroeien tot een man. Iemand die haar eigen redenen had om niet te willen dat de profetie in vervulling ging. Ik had de uitdrukking op Brans gezicht gezien toen hij keek naar zijn zoontje wanneer het lag te slapen of boven op Rats schouders zat en met

verstandige oogjes om zich heen keek. Ik had op de harde gelaatstrekken van Bran het licht van een pas ontdekte verwondering gezien, en ik wist dat ik het niet tegen hem kon zeggen.
'Je kunt onmogelijk vertrouwen hebben in Eamonn Dubh,' zei hij
met een gefronst voorhoofd. 'Hij zou zich immers elk ogenblik tegen je broer kunnen keren?'
Ik glimlachte. 'Dat denk ik niet. Mijn broer trouwt in het voorjaar
met Eamonns zuster. Ik heb ervoor gezorgd dat dat zal gebeuren.
En Eamonn weet dat ik hem in de gaten houd. Ik heb keihard met
hem onderhandeld, met mijn en jouw stilzwijgen als inzet.'
'Juist,' zei Bran langzaam. 'Je bent een gevaarlijke vrouw, Liadan.
Een uitgekookt strateeg. Maar je zet mij de voet dwars. Mijn handen zullen altijd jeuken om deze man de nek om te draaien. Als
ik hem ooit weer tegenkom, kan ik er niet voor instaan wat ik
zou kunnen doen.'
'Op de plaats waar wij heen gaan, zul je het te druk hebben om
daar ook maar aan te denken,' zei ik.
'Je gaat er dus van uit dat we met deze onderneming doorgaan.'
'Ik weet dat je het niet over je hart zou kunnen verkrijgen de mannen hun droom te onthouden.'
Hij keek me aan en om zijn strenge mond speelde weer dat begin
van een lachje. 'Ik zie wel dat ik voor jou geen geheimen kan hebben,' zei hij. 'Ik hoefde maar te zien hoe hun ogen straalden en
de hoop in hun stemmen te horen, om te weten welke keus ik
moest maken. Maar dat kon ik niet tegen hen zeggen. Toen nog
niet. Dat zou een zwakke indruk gemaakt hebben. Bovendien is
dit wachten een goede manier om hen te testen. Het dwingt hen
het plan van alle kanten te bekijken, de sterke en zwakke punten
ervan te peilen en de problemen aan te pakken.'
'Dat weet ik,' zei ik.

De plannen waren gemaakt, en er was nog maar één dag voor we
zouden vertrekken. Het was ochtend onder de grote beuken, die nu
kaal waren tegen een lichte hemel. Het was mooi, maar koud weer.
Als het meezat, zouden we de afstand snel kunnen afleggen, ook al
hadden we een kind bij ons. Deze laatste dag was bestemd voor
overleg tussen de leiders van de drie groepen, en voor het opbreken van het kamp en het uitwissen van elk spoor van onze aanwe-

zigheid. Deze werkwijze zou veranderen wanneer de onderneming van start was gegaan. De mannen zouden eraan moeten wennen in hun eigen bed wakker te worden, het gezicht van een vrouw bij de haard te zien, een vaste plek te hebben. Er zou een eind komen aan het patroon van vluchten en voortdurende verandering. Moeilijk voor hen, maar misschien niet al te moeilijk als ze zich ervoor inzetten. Ik dacht aan Evans vrouw, Biddy, met haar twee zoontjes. Misschien wachtte ze, ergens in Brittannië, nog steeds tot haar man haar zou komen halen. Zo te horen was ze een sterke, handige vrouw. Ze zouden een paar van dat soort vrouwen nodig hebben. Ik dacht dat ik daar later wel een balletje over op kon gooien.

Ik zat bij de poel met Johnny op schoot en droomde een beetje terwijl ik steentjes in het water gooide. Johnny vond het plonzende geluid dat ze maakten leuk en leek er tevreden mee rustig te zitten kijken. Achter me in het kamp nam het werk van de dag zijn loop, ordelijk en gedisciplineerd als altijd. Het was een vreemd gevoel, te weten dat ik morgen weg zou rijden en nooit terug zou komen in het woud, behalve als bezoeker; dat ik in de toekomst op het landgoed van mijn vader zou wonen en mijn zoon zou grootbrengen temidden van Britten. Ik hoopte dat mijn moeder dit niet als verraad zou hebben beschouwd. Ik hoopte dat de Feeën zich vergist hadden in wat dit zou betekenen.

Beter nu gaan.

De oude stem deed me schrikken; ik had niet gedacht dat ik de Ouden nog eens zou horen spreken, nu Bran gered was en onze weg bepaald was.

We gaan ook, zei ik stilzwijgend. *Morgenochtend. We zullen hier niet terugkomen.*

Ga nu. Ga. De woorden kwamen langzaam en laag, zoals altijd, maar ditmaal waren ze een waarschuwing.

Nu? U bedoelt... nu meteen? Maar waarom?

Het was dom van me om dat te vragen. In een oogwenk kreeg ik een visioen van het Gezicht. Ik zag een jonge krijger vechten, en ik dacht dat het Bran was, tot ik het gezicht zag zonder enige tekening, behalve een heel lichte tekening op het voorhoofd en rondom zijn ene oog, een vage aanduiding van een ravenmasker. Hij was gewond; ik zag hoe bleek hij was en hoorde zijn schorre ademhaling. Hij deed een uitval naar voren, en met een snelle beweging sloeg zijn tegenstander het zwaard uit zijn hand. Ik zag in de ogen van de jonge krijger dat hij besefte dat hij ging sterven. Zijn ogen waren grijs en vast; er was geen angst in zijn gezicht. Ik drukte het kind op mijn schoot stijf in mijn armen, zodat hij piepend protesteerde. Het visioen veranderde. Nu zag ik een meisje, een huilend meisje; haar hele lichaam schokte van het snikken en ze hield haar handen voor haar gezicht in een zinloze poging haar verdriet te beheersen. Haar krullen waren dieprood, haar huid blank als verse melk. Terwijl ze luid haar leed bejammerde, laaide rondom haar een vuur op, met knetterende vlammen, hongerig, verterend; en ik kreeg het vreemde gevoel dat juist haar kreten dit vuur aanwakkerden tot een woeste gloed. Toen was het visioen plotseling verdwenen.

Beter nu vertrekken, zei de stem nog eens, en zweeg.

Zo'n waarschuwing mag je niet naast je neerleggen. Ik ging op zoek naar Bran en vertelde hem dat het Gezicht me had laten zien dat we onmiddellijk moesten vertrekken. Wat ik precies had gezien, hield ik voor me. Dit was een kolfje naar hun hand. Nog voor de zon in het westen begon weg te zinken, waren we vertrokken en reden we geluidloos en doeltreffend weg in drie verschillende richtingen. Mijn eigen bende reisde via geheime wegen naar het noorden. We hielden stil toen het donker werd, want Bran stond erop dat het kind en ik zouden slapen. We kampeerden onder rotsen, halverwege een helling. Ik voedde Johnny; Bran en Wolf stonden op wacht; Rat maakte een vuurtje en kookte eten. Meeuw verzorgde de paarden, want hij wilde beslist zijn aandeel van het werk doen, ondanks zijn kapotte handen.

Na een tijdje kwam Bran de heuvel weer op om naast me neer te hurken. Johnny had genoeg gedronken; ik hield hem tegen mijn schouder en zo viel hij in slaap.

'Het spijt me,' zei ik zacht. 'Dat ik je plannen heb verstoord. We hadden waarschijnlijk nog wel een dag kunnen blijven. Het Gezicht laat niet altijd ware beelden zien, en die stemmen kunnen misleidend zijn.'

'Misschien niet,' zei Bran. 'Kom maar even buiten, ik wil je iets laten zien.'

Ik volgde hem naar buiten, naar een plaats op de rotsen waar je een ver uitzicht had naar het zuiden. Hier zou je bij daglicht misschien wel helemaal tot het grote woud van Zeven Wateren kunnen kijken. Nu was alles donker. Alles behalve een bepaalde plek, niet erg ver achter ons; daar laaide een hoog vuur op.

'Vreemd, nietwaar?' merkte Bran op. 'Een blikseminslag misschien? Maar de hemel is helder; er is niets wat op onweer lijkt. En het heeft geregend; bomen, struiken en zelfs gras branden nooit zo fel, met zo'n verterende hitte, behalve als het heel lang droog is geweest. Zie je hoe dat vuur zich verplaatst en alles op zijn weg verwoest? En toch is het windstil. Buitengewoon vreemd.'

'Het is daar, hè?' fluisterde ik huiverend. 'Op de plaats waar we waren?'

Bran legde tamelijk voorzichtig zijn arm om me heen, alsof hij nog bezig was te leren wat hij van zichzelf mocht doen.

'Als jij er niet geweest was, zouden we vannacht allemaal door dat vuur zijn verzwolgen,' zei hij. 'Die gave van jou is krachtig. Je hebt ook een keer mijn dood gezien. Herinner je je dat nog?'

'Ja.'

'Ik heb het gevoel dat jij mijn sterven hebt voorkomen; dat je de dood hebt tegengehouden. Dat je de loop der gebeurtenissen hebt veranderd. Er zijn weinig dingen die mij bang maken, Liadan. Ik heb mezelf erin geoefend alles wat op mijn weg komt, tegemoet te treden. Maar dit maakt me bang.'

'Mij ook. Ik ben erdoor blootgesteld aan... aan allerlei invloeden, aan stemmen die ik liever niet zou horen, aan tegenstrijdige visioenen. Het is vaak erg moeilijk om te weten wanneer ik er gehoor aan moet geven en wanneer ik gewoon mijn gang moet gaan. Maar toch zou ik de gave niet willen missen. Als ik haar niet had gehad, zou ik jou niet hebben kunnen terughalen.'

Hij antwoordde niet, en de stilte duurde zo lang dat ik ongerust begon te worden.

'Bran?' vroeg ik zacht.

'Ik vraag me af,' zei hij aarzelend, 'ik vroeg me wel af of je misschien... of je daar misschien spijt van had. Bij nader inzien, bedoel ik. Nu je gezien hebt... nu je die dingen over me weet, dingen die ik nooit aan een mens heb verteld... ben ik niet de man die je eerst dacht dat ik was. Ik dacht dus dat je misschien...' Hij kon geen woorden meer vinden.

'Waarom?' Het verbaasde me wat hij had gezegd. 'Waarom zou

je dat geloven, dat ik je daarom niet zou willen, dat ik daarom minder van je zou houden? Ik heb je gezegd dat je de enige man op de wereld bent die ik naast me wil hebben. Niets zal daar ooit iets aan veranderen. Ik kan het niet duidelijker maken.'

'Maar...' Hij bleef weer steken.

'Maar wat, lief hart?'

'Waarom wilde je dan...' hij praatte zo zacht dat ik mijn best moest doen om hem te verstaan. 'Waarom wilde je dan ergens anders slapen, waarom vermeed je mijn bed na die nacht, die langste aller nachten toen ik wakker werd en jou daar naast me vond, als een geschenk zo waardevol dat het een leven vol schaduwen wegvaagde? Ik verlang er zo naar dat ogenblik weer te beleven, je tegen me aan te drukken, je te voelen, en... ik heb hier geen woorden voor, Liadan.'

Misschien was het maar goed dat het donker was. Ik lachte en huilde tegelijk, en kon nauwelijks bedenken wat ik zou zeggen.

'Als ik het kind niet vasthield,' zei ik beverig, 'zou ik je nu meteen laten zien hoe vurig mijn lichaam naar het jouwe verlangt. Ik vind dat je wel kort van memorie bent. Ik herinner me een middag aan het meer van Zeven Wateren, toen alleen de tussenkomst van onze zoon ons beiden weer bij zinnen bracht. En de afgelopen dagen wilde ik alleen je gezondheid sparen. Je hebt een zware beproeving doorstaan. Je bent nog steeds lichamelijk en geestelijk gewond. Ik wilde niet... meer van je eisen dan je zou kunnen...'

Ik voelde aan dat zijn gezicht woest vertrok, maar kon het in het donker niet zien.

'Dacht je dat ik onmachtig zou zijn? Was het dat?'

'Ik... nou ja, ik ben tenslotte genezeres, en het is niet meer dan logisch...'

Hij snoerde me de mond met een kus, een stevige, nuchtere kus. De kus duurde korter dan ik had gewild; Johnny zat tussen ons in en dreigde te worden platgedrukt.

'Liadan?'

'Mmm?'

'Kom je vannacht in mijn bed slapen?'

Ik voelde een blos naar mijn wangen stijgen. 'Reken maar,' zei ik tegen hem.

De godin zegende ons, denk ik. Iemand was ons die nacht goed gezind, want Johnny viel in slaap en werd pas de volgende morgen weer wakker; en de anderen slopen weg en regelden de wacht, en we hoorden geen van de drie ook maar een woord fluisteren. En mijn man en ik, wij lagen in elkaar verstrengeld onder de beschutting van de rotsen, en we hielden ons niet meer in dan we die middag bij het meer hadden gedaan, want het was lang geleden. We klampten ons hijgend aan elkaar vast en huilden van verlangen naar elkaar, tot we eindelijk uitgeput in slaap vielen, samen onder een deken, onder het grote gewelf van sterren. Bij zonsopgang werden we wakker uit de zoete warmte van een gezamenlijke slaap; we bewogen nauwelijks, behalve om elkaar zacht aan te raken, om met lippen over huid te gaan, om woordjes te fluisteren, tot we Rat hoorden die met het vuur bezig was, en Meeuw die iets zei over waar we waren.

'Er komen nog meer ochtenden,' zei ik zacht.

'Tot dit moment heb ik dat eigenlijk nooit geloofd.' Bran stond met tegenzin op en bedekte zijn prachtig versierde lichaam met de eenvoudige reiskleding die hij het liefste droeg. Ik keek ongegeneerd toe en verwonderde me over het geluk dat me ten deel was gevallen.

'We moeten het maar geloven,' zei ik, en op dat moment werd Johnny wakker en begon dringend om zijn ontbijt te roepen. 'We moeten geloven in een toekomst, voor hem, voor deze mannen en voor onszelf. De liefde is vast sterk genoeg om daar een basis voor te vormen.' Ik geloof dat deze woorden meer voor het Feeënvolk bedoeld waren dan voor ons. Maar als ze me hoorden, lieten ze het niet merken. Ik had mijn beslissing genomen. Ik had de loop van de dingen veranderd. Als dat betekende dat ik nooit meer iets van hen zou horen, dan moest dat maar.

En dus reden we weer weg naar het noorden, zonder veel omhaal, een kleine, ordelijke groep reizigers, gehuld in kleding die geen aandacht zou trekken. Een man wiens gezicht een studie in licht en donker was, wiens trekken getekend waren met het moedige, felle patroon van de raaf en tegelijkertijd jong en blank waren. Welke kant je zag, hing alleen af van de manier waarop je naar hem keek. Een vrouw met donker haar in een vlecht op haar rug en vreemde groene ogen. Een zwarte man met handen die er raar uitzagen en met een meeuwenveer in zijn gevlochten haar. Een jongeman die een kind vasthield, en een grote, zwijgende kerel op een groot, zwijgend paard. Steeds verder naar het noorden reden we, naar de ruige kust die uitkijkt naar Alba, waar de krijgsvrouwen wonen. Achter ons ontwaakte het land van Ulster in de morgen; een herfstzon verlichtte een nevelige, zachtgroene vallei, het fonkelende meer en de donkere pracht van het grote woud van Zeven Wateren. Achter ons was de brand bijna uitgedoofd; een grijze rookpluim markeerde nog de plaats waar zijn vernietigende kracht tekeer was gegaan, een kracht die met Anderewereldse precisie en woede had toegeslagen. Misschien dacht de tovenares dat wij dood waren, dat wij in die oven waren omgekomen. Maar wij keerden die plek de rug toe en reden steeds verder weg, en al rijdend hoorde ik het nog een keer in mijn hoofd, al lag de plaats van de grafheuvel nu ver achter ons; het diepe, zoemende geluid van de westenwind die over de top van de oude aardheuvel streek, en over de nauwe opening die daarin was uitgespaard om de midwinterzon toe te laten als een geheimzinnige pijl van licht. Het leek de lage, oude klank van een groot instrument; een groet van erkenning en vaarwel. *Goed gedaan, dochter*, bromden de stemmen van mijn voorouders. *Ja, moedig gedaan.*

FOR

Otto, Alexander, Livia and Sofie

CONTENTS

The endless cycle of idea and action,
Endless invention, endless experiment,
Brings knowledge of motion, but not of stillness;
Knowledge of speech, but not of silence;
Where is the wisdom we have lost in knowledge?
Where is the knowledge we have lost in information?

T.S. Eliot, *The Rock*, 1934

ACKNOWLEDGEMENTS

My biggest debt of gratitude is to the team with which I worked in the Bank of England for twenty-two years. When I arrived in the Bank in 1991 to become its Chief Economist, I soon realised how lucky I was. I was surrounded by a group of extraordinarily bright young economists who worked together as a team. Over the years, the Bank has managed to recruit exceptionally congenial as well as talented people. Without such committed staff, none of the achievements of the past twenty years – during which the Bank of England has changed from an institution operating in the shadows and behind the scenes to an independent central bank wielding enormous power – would have been possible. From my arrival on 1 March 1991, I was totally absorbed in a turbulent, yet ultimately constructive period for economic policy in the United Kingdom. Most of that period was spent in the magnificent Herbert Baker building, which fronts Threadneedle Street, with many weekends spent in international meetings in a range of windowless rooms from Basel to New York and Frankfurt to Washington. On the day of my departure on 30 June 2013, which coincided with the annual 'Governor's Day' party for Bank staff and their families at the Roehampton sports ground, I knew that I was leaving one family to return to my own. The warmth of our send-off was reciprocated.

All of my colleagues over the years deserve thanks for making my job much easier than it would otherwise have been. They include everyone on the staff of the Bank, as well as the members of the Monetary Policy Committee from 1997 to 2013, the Financial Policy Committee from 2011 to 2013, and the Board of the Prudential Regulation Authority in 2013. Because the Bank is a team, it would be invidious to pick out names, with the exception of one group. As I explain in the Introduction, this is not a memoir. Indeed, the recollections of the crisis that would be of most interest and importance are not those of the principals but of their private secretaries. Through their conversations with opposite numbers in government, at home and abroad, and the private sector, and with a wide range of people inside their own institution, their memoirs would be much more revealing, and dare I say it objective, than those of their bosses. I shall forever be indebted to my private secretaries and economic assistants during my time at the Bank: Alex Brazier, Alex Bowen, Mark Cornelius, Spencer Dale, Phil Evans, Neal Hatch, Andrew Hauser, James Proudman, Chris Salmon, Tim Taylor, Roland Wales, Jan de Vlieghe and Iain de Weymarn. As they move up the ladder in their respective careers, I shall watch with pride and friendship.

I am still asked how I coped with the stress of life at the Bank of England during the crisis. My reply – then and now – is that stress comes when you lose your job and have the responsibility of a family to support, not when you have a job with the wonderful dedicated and loyal support over many years from my office team including Aishah Aslam, Nikki Bennett, Ian Buggins, Carol Elliott, Alexandra Ellis, Sue Hartnett, Michelle Hersom, Lucy Letts, Michelle Major, Jo Merritt, Nicole Morey, Verina Oxley, Frances Pearce, Vicky Purkiss, Lisa Samwell and Jane Webster. Since leaving the Bank I have been indebted to my personal assistants, Rachel Lawrence in England and Gail Thomas in New York, for replacing that support team.

I am very grateful to both the Stern School of Business and the Law School at New York University for allowing me to join the community of faculty and students, and to participate in the broader intellectual life in that most extraordinary city. It could not have been a better adjustment path to integrate back into 'civilian' life. Robert S. Pirie encouraged and helped to facilitate my spending time in New York. He was a great friend until his sad death in early 2015. He is missed by so many. I am also grateful to the London School of Economics for allowing me to return to a place with happy memories and a most stimulating intellectual atmosphere.

Over the years I have learned an enormous amount from conversations with colleagues in academia and the policy world, many of whom straddled both. They are too numerous to mention, but among those with whom I spoke frequently are Alan Budd, my opposite number in the UK Treasury and then a fellow member of the Monetary Policy Committee; Martin Feldstein, my tutor at Harvard and with his wife Kate friends for over forty years; Stanley Fischer, who as Governor of the Bank of Israel and long-time friend was someone in whom it was possible to confide and discuss; Charles Goodhart, who was co-director with me of the LSE Financial Markets Group for several years and whose knowledge and judgement of central banking is legendary; Otmar Issing, who was the intellectual leader of the European Central Bank during its first critical years; Larry Summers, whose intellectual brilliance and imagination in policy analysis are unmatched; and John Vickers, who followed me as Chief Economist at the Bank of England and under whose chairmanship the Independent Commission on Banking produced a most effective report on the reform of banking in the UK. There are many others, and

I can only apologise for not including their names. I have also benefited greatly from conversations over many years with Bernard Connolly, one of the most perceptive writers on the global economy in recent years; Nick Stern, whose friendship both personal and intellectual over many years afforded great support; Adair Turner, who while Chairman of the UK Financial Services Authority worked with me during the crisis and whose ability to produce at speed incisive and innovative reports and books never ceases to amaze me; and not least Martin Wolf, whose books and columns for the *Financial Times* add up to one of the most important commentaries on our world.

Among those who provided detailed comments on earlier drafts of the manuscript are Alan Budd, Marvin Goodfriend, Otmar Issing, Bethany McLean, Geoffrey Miller, Ed Smith, and graduate students from the Stern School of Business and the Law School at New York University. I also benefited from visits to the University of Chicago, Princeton University, Stanford University and seminars with students at the London School of Economics. Invaluable research assistance was provided by David Low, Diego Daruich and Daniel Katz.

I am indebted to my literary agent, Andrew Wylie, whose encouragement and support were crucial to the completion of this enterprise. And I was fortunate to work with publishers who patiently and ceaselessly helped me to think carefully about the ideas in this book and how to explain them. At Little, Brown in the UK, my thanks go to Tim Whiting, Iain Hunt and Emily Burns, and at Norton in the US, to Drake McFeely, Jeff Shreve and Rachel Salzman.

This book is dedicated to my four grandchildren because it is their generation who will have to develop new ways of thinking about macroeconomics and to redesign our system of money and banking if another global financial crisis is to be prevented. Without my wife Barbara this book would have been neither started nor completed. Barbara speaks many languages and seems to find the right word when writing in each of them. She was and is my severest critic and strongest supporter – before, after and especially during the crisis.

INTRODUCTION

'It was the best of times, it was the worst of times, it was
the age of wisdom, it was the age of foolishness, it was
the epoch of belief, it was the epoch of incredulity . . .'

Charles Dickens, *A Tale of Two Cities*

The past twenty years in the modern world were indeed
the best of times and the worst of times. It was a tale of
two epochs – in the first growth and stability, followed in the
second by the worst banking crisis the industrialised world
has ever witnessed. Within the space of little more than a
year, between August 2007 and October 2008, what had been
viewed as the age of wisdom was now seen as the age of foolishness, and belief turned into incredulity. The largest banks in
the biggest financial centres in the advanced world failed, trig-
gering a worldwide collapse of confidence and bringing about
the deepest recession since the 1930s.

How did this happen? Was it a failure of individuals, institutions or ideas? The events of 2007–8 have spawned an
outpouring of articles and books, as well as plays and films,
about the crisis. If the economy had grown after the crisis at

the same rate as the number of books written about it, then we would have been back at full employment some while ago. Most such accounts – like the media coverage and the public debate at the time – focus on the symptoms and not the underlying causes. After all, those events, vivid though they remain in the memories of both participants and spectators, comprised only the latest in a long series of financial crises since our present system of money and banking became the cornerstone of modern capitalism after the Industrial Revolution in the eighteenth century. The growth of indebtedness, the failure of banks, the recession that followed, were all signs of much deeper problems in our financial and economic system. Unless we go back to the underlying causes we will never understand what happened and will be unable to prevent a repetition and help our economies truly recover. This book looks at the big questions raised by the depressing regularity of crises in our system of money and banking. Why do they occur? Why are they so costly in terms of lost jobs and production? And what can we do to prevent them? It also examines new ideas that suggest answers.

In the spring of 2011, I was in Beijing to meet a senior Chinese central banker. Over dinner in the Diaoyutai State Guesthouse, where we had earlier played tennis, we talked about the lessons from history for the challenges we faced, the most important of which was how to resuscitate the world economy after the collapse of the western banking system in 2008. Bearing in mind the apocryphal answer of Premier Chou Enlai to the question of what significance one should attach to the French Revolution (it was 'too soon to tell'), I asked my Chinese colleague what importance he now attached to the Industrial Revolution in Britain in the second half of the eighteenth century. He thought hard. Then he replied: 'We in China have learned a great deal from the West about how competition and a market economy support industrialisation and create higher living standards. We want to emulate that.' Then came the sting in the tail, as he continued: 'But I don't think you've quite got the hang of money and banking yet.'[1] His remark was the inspiration for this book.

Since the crisis, many have been tempted to play the game of deciding who was to blame for such a disastrous outcome. But blaming individuals is counterproductive – it leads you to think that if just a few, or indeed many, of those people were punished then we would never experience a crisis again. If only it were that simple. A generation of the brightest and best were lured into banking, and especially into trading, by the promise of immense financial rewards and by the intellectual challenge of the work that created such rich returns. They were badly misled. The crisis was a failure of a system, and the ideas that underpinned it, not of individual policy-makers or bankers, incompetent and greedy though some of them undoubtedly were. There was a general misunderstanding of how the world economy worked. Given the size and political influence of the banking sector, is it too late to put the genie back in the bottle? No – it is never too late to ask the right questions, and in this book I try to do so.

If we don't blame the actors, then why not the playwright? Economists have been cast by many as the villain. An abstract and increasingly mathematical discipline, economics is seen as having failed to predict the crisis. This is rather like blaming science for the occasional occurrence of a natural disaster. Yet we would blame scientists if incorrect theories made disasters more likely or created a perception that they could never occur, and one of the arguments of this book is that economics has encouraged ways of thinking that made crises more probable. Economists have brought the problem upon themselves by pretending that they can forecast. No one can easily predict an unknowable future, and economists are no exception. Despite the criticism, modern economics provides a distinctive and useful way of thinking about the world. But no subject can stand still, and economics must change, perhaps quite radically, as a result of the searing experience of the crisis. A theory adequate for today requires us to think for ourselves, standing on the shoulders of giants of the past, not kneeling in front of them.

Economies that are capable of sending men to the moon and producing goods and services of extraordinary complexity and innovation seem to struggle with the more mundane challenge of handling money and banking. The frequency, and certainly severity, of crises has, if anything, increased rather than decreased over time. In the heat of the crisis in October 2008, nation states took over responsibility for all the obligations and debts of the global banking system. In terms of its balance sheet, the banking system had been virtually nationalised but without collective control over its operations. That government rescue cannot conveniently be forgotten. When push came to shove, the very sector that had espoused the merits of market discipline was allowed to carry on only by dint of taxpayer support. The creditworthiness of the state was put on the line, and in some cases, such as Iceland and Ireland, lost. God may have created the universe, but we mortals created paper money and risky banks. They are man-made institutions, important sources of innovation, prosperity and material progress, but also of greed, corruption and crises. For better or worse, they materially affect human welfare.

For much of modern history, and for good reason, money and banking have been seen as the magical elements that liberated us from a stagnant feudal system and permitted the emergence of dynamic markets capable of making the long-term investments necessary to support a growing economy.

The idea that paper money could replace intrinsically valuable gold and precious metals, and that banks could take secure short-term deposits and transform them into long-term risky investments, came into its own with the Industrial Revolution in the eighteenth century. It was both revolutionary and immensely seductive. It was in fact financial alchemy – the creation of extraordinary financial powers that defy reality and common sense. Pursuit of this monetary elixir has brought a series of economic disasters – from hyperinflations to banking collapses. Why have money and banking, the alchemists of a market economy, turned into its Achilles heel?

The purpose of this book is to answer that question. It sets out to explain why the economic failures of a modern capitalist economy stem from our system of money and banking, the consequences for the economy as a whole, and how we can end the alchemy. Our ideas about money and banking are just as much a product of our age as the way we conduct our politics and imagine our past. The twentieth-century experience of depression, hyperinflation and war changed both the world and the way economists thought about it. Before the Great Depression of the early 1930s, central banks and governments saw their role as stabilising the financial system and balancing the budget. After the Great Depression, attention turned to policies aimed at maintaining full employment. But post-war confidence that Keynesian ideas – the use of public spending to expand total demand in the economy – would prevent us from repeating the errors of the past was to prove touchingly naive. The use of expansionary policies during the 1960s, exacerbated by the Vietnam War, led to the Great Inflation of the 1970s, accompanied by slow growth and rising unemployment – the combination known as 'stagflation'. The direct consequence was that central banks were reborn as independent institutions committed to price stability. So successful was this that in the 1990s not only did inflation fall to levels unseen for a generation, but central banks and their governors were hailed for inaugurating an era of economic growth with low inflation – the Great Stability or Great Moderation. Politicians worshipped at the altar of finance, bringing gifts in the form of lax regulation and receiving support, and sometimes campaign contributions, in return. Then came the fall: the initial signs that some banks were losing access to markets for short-term borrowing in 2007, the collapse of the industrialised world's banking system in 2008, the Great Recession that followed, and increasingly desperate attempts by policy-makers to engineer a recovery. Today the world economy remains in a depressed state. Enthusiasm for policy stimulus is back in fashion, and the wheel has turned full circle.

The recession is hurting people who were not responsible for our present predicament, and they are, naturally, angry. There is a need to channel that anger into a careful analysis of what went wrong and a determination to put things right. The economy is behaving in ways that we did not expect, and new ideas will be needed if we are to prevent a repetition of the Great Recession and restore prosperity.

Many accounts and memoirs of the crisis have already been published. Their titles are numerous, but they share the same invisible subtitle: 'how I saved the world'. So although in the interests of transparency I should make clear that I was an actor in the drama – Governor of the Bank of England for ten years between 2003 and 2013, during both the Great Stability, the banking crisis itself, the Great Recession that followed, and the start of the recovery – this is not a memoir of the crisis with revelations about private conversations and behind-the-scenes clashes. Of course, those happened – as in any walk of life. But who said what to whom and when can safely, and properly, be left to dispassionate and disinterested historians who can sift and weigh the evidence available to them after sufficient time has elapsed and all the relevant official and unofficial papers have been made available. Instant memoirs, whether of politicians or officials, are usually partial and self-serving. I see little purpose in trying to set the record straight when any account that I gave would naturally also seem self-serving. My own record of events and the accompanying Bank papers will be made available to historians when the twenty-year rule permits their release.

This book is about economic ideas. My time at the Bank of England showed that ideas, for good or ill, do influence governments and their policies. The adoption of inflation targeting in the early 1990s and the granting of independence to the Bank of England in 1997 are prime examples. Economists brought intellectual rigour to economic policy and especially to central banking. But my experience at the Bank also revealed the inadequacies of the 'models' – whether verbal descriptions or mathematical equations – used by economists to explain swings in total spending and production. In particular, such models say nothing about the importance of money and banks and the panoply of financial markets that feature prominently in newspapers and on our television screens. Is there a fundamental weakness in the intellectual economic framework underpinning contemporary thinking?

An exploration of some of these basic issues does not require a technical exposition, and I have stayed away from one. Of course, economists use mathematical and statistical methods to understand a complex world – they would be remiss if they did not. Economics is an intellectual discipline that requires propositions to be not merely plausible but subject to the rigour of a logical proof. And yet there is no mathematics in this book.[2] It is written in (I hope) plain English and draws on examples from real life. Although I would like my fellow economists to read

the book in the hope that they will take forward some of the
ideas presented here, it is aimed at the reader with no formal
training in economics but an interest in the issues.

In the course of this book, I will explain the fundamental
causes of the crisis and how the world economy lost its balance;
how money emerged in earlier societies and the role it plays
today; why the fragility of our financial system stems directly
from the fact that banks are the main source of money creation; why central banks need to change the way they respond
to crises; why politics and money go hand in hand; why the
world will probably face another crisis unless nations pursue
different policies; and, most important of all, how we can end
the alchemy of our present system of money and banking.

By alchemy I mean the belief that all paper money can be
turned into an intrinsically valuable commodity, such as gold,
on demand and that money kept in banks can be taken out
whenever depositors ask for it. The truth is that money, in
all forms, depends on trust in its issuer. Confidence in paper
money rests on the ability and willingness of governments not
to abuse their power to print money. Bank deposits are backed
by long-term risky loans that cannot quickly be converted into
money. For centuries, alchemy has been the basis of our system
of money and banking.[3] As this book shows, we can end the
alchemy without losing the enormous benefits that money and
banking contribute to a capitalist economy.

Four concepts are used extensively in the book: disequilibrium, radical uncertainty, the prisoner's dilemma and trust.
These concepts will be familiar to many, although the context
in which I use them may not. Their significance will become
clear as the argument unfolds, but a brief definition and explanation may be helpful at the outset.

Disequilibrium is the absence of a state of balance between
the forces acting on a system. As applied to economics, a

disequilibrium is a position that is unsustainable, meaning that at some point a large change in the pattern of spending and production will take place as the economy moves to a new equilibrium. The word accurately describes the evolution of the world economy since the fall of the Berlin Wall, which I discuss in Chapter 1.

Radical uncertainty refers to uncertainty so profound that it is impossible to represent the future in terms of a knowable and exhaustive list of outcomes to which we can attach probabilities. Economists conventionally assume that 'rational' people can construct such probabilities. But when businesses invest, they are not rolling dice with known and finite outcomes on the faces; rather they face a future in which the possibilities are both limitless and impossible to imagine. Almost all the things that define modern life, and which we now take for granted, such as cars, aeroplanes, computers and antibiotics, were once unimaginable. The essential challenge facing everyone living in a capitalist economy is the inability to conceive of what the future may hold. The failure to incorporate radical uncertainty into economic theories was one of the factors responsible for the misjudgements that led to the crisis.

The **prisoner's dilemma** may be defined as the difficulty of achieving the best outcome when there are obstacles to co-operation. Imagine two prisoners who have been arrested and kept apart from each other. Both are offered the same deal: if they agree to incriminate the other they will receive a light sentence, but if they refuse to do so they will receive a severe sentence if the other incriminates them. If neither incriminates the other, then both are acquitted.[4] Clearly, the best outcome is for both to remain silent. But if they cannot cooperate the choice is more difficult. The only way to guarantee the avoidance of a severe sentence is to incriminate the other. And if both do so, the outcome is that both receive a light sentence.

But this non-cooperative outcome is inferior to the cooperative outcome. The difficulty of cooperating with each other creates a prisoner's dilemma. Such problems are central to understanding how the economy behaves as a whole (the field known as macroeconomics) and to thinking through both how we got into the crisis and how we can now move towards a sustainable recovery. Many examples will appear in the following pages. Finding a resolution to the prisoner's dilemma problem in a capitalist economy is central to understanding and improving our fortunes.

Trust is the ingredient that makes a market economy work. How could we drive, eat, or even buy and sell, unless we trusted other people? Everyday life would be impossible without trust: we give our credit card details to strangers and eat in restaurants that we have never visited before. Of course, trust is supplemented with regulation – fraud is a crime and there are controls of the conditions in restaurant kitchens – but an economy works more efficiently with trust than without. Trust is part of the answer to the prisoner's dilemma. It is central to the role of money and banks, and to the institutions that manage our economy. Long ago, Confucius emphasised the crucial role of trust in the authorities: 'Three things are necessary for government: weapons, food and trust. If a ruler cannot hold on to all three, he should give up weapons first and food next. Trust should be guarded to the end: without trust we cannot stand.'[5]

Those four ideas run through the book and help us to understand the origin of the alchemy of money and banking and how we can reduce or even eliminate that alchemy.

When I left the Bank of England in 2013, I decided to explore the flaws in both the theory and practice of money and banking, and how they relate to the economy as a whole. I was led deeper and deeper into basic questions about economics. I came to believe that fundamental changes are needed in the

way we think about macroeconomics, as well as in the way
central banks manage their economies. A key role of a market
economy is to link the present and the future, and to coordinate decisions about spending and production not only today
but tomorrow and in the years thereafter. Families will save
if the interest rate is high enough to overcome their natural
impatience to spend today rather than tomorrow. Companies
will invest in productive capital if the prospective rate of
return exceeds the cost of attracting finance. And economic
growth requires saving and investment to add to the stock of
productive capital and so increase the potential output of the
economy in the future. In a healthy growing economy all three
rates – the interest rate on saving, the rate of return on investment, and the rate of growth – are well above zero. Today,
however, we are stuck with extraordinarily low interest rates,
which discourage saving – the source of future demand – and,
if maintained indefinitely, will pull down rates of return on
investment, diverting resources into unprofitable projects. Both
effects will drag down future growth rates. We are already
some way down that road. It seems that our market economy
today is not providing an effective link between the present
and the future.

I believe there are two reasons for this failure. First, there
is an inherent problem in linking a known present with an
unknowable future. Radical uncertainty presents a market
economy with an impossible challenge – how are we to
create markets in goods and services that we cannot at present
imagine? Money and banking are part of the response of a
market economy to that challenge. Second, the conventional
wisdom of economists about how governments and central
banks should stabilise the economy gives insufficient weight to
the importance of radical uncertainty in generating an occasional large disequilibrium. Crises do not come out of thin air

but are the result of the unavoidable mistakes made by people struggling to cope with an unknowable future. Both issues have profound implications and will be explored at greater length in subsequent chapters.

Inevitably, my views reflect the two halves of my career. The first was as an academic, a student in Cambridge, England, and a Kennedy scholar at Harvard in the other Cambridge, followed by teaching positions on both sides of the Atlantic. I experienced at first hand the evolution of macroeconomics from literary exposition – where propositions seemed plausible but never completely convincing – into a mathematical disci-pline – where propositions were logically convincing but never completely plausible. Only during the crisis of 2007–9 did I look back and understand the nature of the tensions between the surviving disciples of John Maynard Keynes who taught me in the 1960s, primarily Richard Kahn and Joan Robinson, and the influx of mathematicians and scientists into the sub-ject that fuelled the rapid expansion of university economics departments in the same period. The old school 'Keynesians' were mistaken in their view that all wisdom was to be found in the work of one great man, and as a result their influence waned. The new arrivals brought mathematical discipline to a subject that prided itself on its rigour. But the informal analysis of disequilibrium of economies, radical uncertainty, and trust as a solution to the prisoner's dilemma was lost in the enthusiasm for the idea that rational individuals would lead the economy to an efficient equilibrium. It is time to take those concepts more seriously.

The second half of my career comprised twenty-two years at the Bank of England, the oldest continuously functioning cen-tral bank in the world, from 1991 to 2013, as Chief Economist, Deputy Governor and then Governor. That certainly gave me a chance to see how money could be managed. I learned, and argued publicly, that this is done best not by relying on gifted individuals to weave their magic, but by designing and building institutions that can be run by people who are merely professionally competent. Of course individuals matter and can make a difference, especially in a crisis. But the power of markets – the expression of hundreds of thousands of investors around the world – is a match for any individual, central banker or politician, who fancies his ability to resist economic arithmetic. As one of President Clinton's advisers remarked, 'I used to think if there was reincarnation, I wanted to come back as the president or the Pope or a .400 baseball hitter. But now I want to come back as the bond market. You can intimidate everybody.'[6] Nothing has diminished the force of that remark since it was made over twenty years ago.

In 2012, I gave the first radio broadcast in peacetime by a Governor of the Bank of England since Montagu Norman delivered a talk on the BBC in March 1939, only months before the outbreak of the Second World War. As Norman left Broadcasting House, he was mobbed by British Social Credits Party demonstrators carrying flags and slogan-boards bearing the words: CONSCRIPT THE BANKERS FIRST! Feelings also ran high in 2012. The consequences of the events of 2007–9 are still unfolding, and anger about their effects on ordinary citizens is not diminishing. That disaster was a long time in the making, and will be just as long in the resolving. But the cost of lost output and employment from our continuing failure to manage money and banking and prevent crises is too high for us to wait for another crisis to occur before we act to protect future generations.

Charles Dickens' novel *A Tale of Two Cities* has not only a very famous opening sentence but an equally famous closing sentence. As Sydney Carton sacrifices himself to the guillotine in the place of another, he reflects: 'It is a far, far better thing that I do, than I have ever done ...' If we can find a way to end the alchemy of the system of money and banking we have inherited then, at least in the sphere of economics, it will indeed be a far, far better thing than we have ever done.

1

THE GOOD, THE BAD
AND THE UGLY

'I think that Capitalism, wisely managed, can probably
be made more efficient for attaining economic ends than
any alternative system yet in sight.'

John Maynard Keynes, *The End of Laissez-faire* (1926)

'The experience of being disastrously wrong is salutary;
no economist should be spared it, and few are.'

John Kenneth Galbraith, *A Life in Our Times* (1982)

History is what happened before you were born. That
is why it is so hard to learn lessons from history: the
mistakes were made by the previous generation. As a student
in the 1960s, I knew why the 1930s were such a bad time.
Outdated economic ideas guided the decisions of governments
and central banks, while the key individuals were revealed

in contemporary photographs as fuddy-duddies who wore whiskers and hats and were ignorant of modern economics. A younger generation, in academia and government, trained in modern economics, would ensure that the Great Depression of the 1930s would never be repeated.

In the 1960s, everything seemed possible. Old ideas and conventions were jettisoned, and a new world beckoned. In economics, an influx of mathematicians, engineers and physicists brought a new scientific approach to what the nineteenth-century philosopher and writer Thomas Carlyle christened the 'dismal science'.[1] It promised not just a better understanding of our economy, but an improved economic performance.

The subsequent fifty years were a mixed experience. Over that period, national income in the advanced world more than doubled, and in the so-called developing world hundreds of millions of people were lifted out of extreme poverty. And yet runaway inflation in the 1970s was followed in 2007–9 by the biggest financial crisis the world has ever seen. How do we make sense of it all? Was the post-war period a success or a failure?

The origins of economic growth

The history of capitalism is one of growth and rising living standards interrupted by financial crises, most of which have emanated from our mismanagement of money and banking. My Chinese colleague spoke an important, indeed profound, truth. The financial crisis of 2007–9 (hereafter 'the crisis') was not the fault of particular individuals or economic policies. Rather, it was merely the latest manifestation of our collective failure to manage the relationship between finance – the structure of money and banking – and a capitalist system. Failure to appreciate this explains why most accounts of the crisis focus on the symptoms and not the underlying causes of what went wrong. The fact that we have not yet got the hang of it does not mean that a capitalist economy is doomed to instability and failure. It means that we need to think harder about how to make it work.

Over many years, a capitalist economy has proved the most successful route to escape poverty and achieve prosperity. Capitalism, as I use the term here, is an economic system in which private owners of capital hire wage-earners to work in their businesses and pay for investment by raising finance from banks and financial markets.[2] The West has built the institutions to support a capitalist system – the rule of law to enforce private contracts and protect property rights, intellectual freedom to innovate and publish new ideas, anti-trust regulation to promote competition and break up monopolies, and collectively financed services and networks, such as education, water, electricity and telecommunications, which provide the infrastructure to support a thriving market economy. Those institutions create a balance between freedom and restraint, and between unfettered competition and regulation. It is a subtle balance that has emerged and evolved over time.[3] And it has transformed our standard of living. Growth at a rate of 2.5 per cent a year – close to the average experienced in North America and Europe since the Second World War – raises real total national income twelvefold over one century, a truly revolutionary outcome.

Over the past two centuries, we have come to take economic growth for granted. Writing in the middle of that extraordinary period of economic change in the mid-eighteenth century, the Scottish philosopher and political economist, Adam Smith, identified the source of the breakout from relative economic stagnation – an era during which productivity (output per head) was broadly constant and any increase resulted from discoveries of new land or other natural resources – to a prolonged period of continuous growth of productivity: specialisation. It was possible for individuals to specialise in particular tasks – the division of labour – and by working with capital equipment to raise their productivity by many times the level achieved by a jack-of-all-trades. To illustrate his argument, Smith employed his now famous example of a pin factory:

> A workman ... could scarce, perhaps, with his utmost industry, make one pin in a day, and certainly could not make twenty. But in the way in which this business is now carried on, not only the whole work is a peculiar trade, but it is divided into a number of branches. One man draws out the wire, another straights it, a third cuts it, a fourth points it, a fifth grinds it at the top for receiving the head ... The important business of making a pin is, in this manner, divided into about eighteen distinct operations, which, in some manufactories, are all performed by distinct hands.[4]

The factory Smith was describing employed ten men and made over 48,000 pins in a day.

The application of technical knowhow to more and more tasks increased specialisation and raised productivity. Specialisation went hand in hand with an even greater need for both a means to exchange the fruits of one's labour for an ever wider variety of goods produced by other specialists – money – and a way to finance the purchase of the capital equipment that made specialisation possible – banks. As each person in the workforce became more specialised, more machinery and capital investment was required to support them and the role of money and banks increased. After a millennium of roughly constant output per person, from the middle of the eighteenth century productivity started, slowly but surely, to rise.[5] Capitalism was, quite literally, producing the goods. Historians will continue to debate why the Industrial Revolution occurred in Britain – population growth, plentiful supplies of coal and iron, supportive institutions, religious beliefs and other factors all feature in recent accounts. But the evolution of money and banking was a necessary condition for the Revolution to take off.

Almost a century later, with the experience of industrialisation and a massive shift of labour from the land to urban factories, socialist writers saw things differently. For Karl Marx and Friedrich Engels the future was clear. Capitalism was a temporary staging post along the journey from feudalism to socialism. In their *Communist Manifesto* of 1848, they put forward their idea of 'scientific socialism' with its deterministic view that capitalism would ultimately collapse and be replaced by socialism or communism. Later, in the first volume of *Das Kapital* (1867), Marx elaborated (at great length) on this thesis and predicted that the owners of capital would become ever richer while excessive capital accumulation would lead to a falling rate of profit, reducing the incentive to invest and leaving the working class immersed in misery. The British industrial working class in the nineteenth century did indeed suffer miserable working conditions, as graphically described by Charles Dickens in his novels. But no sooner had the ink dried on Marx's famous work than the British economy entered a long period of rising real wages (money wages adjusted for the cost of living). Even the two world wars and the intervening Great Depression in the 1930s could not halt rising productivity and real wages, and broadly stable rates of profit. Economic growth and improving living standards became the norm.

But if capitalism did not collapse under the weight of its

own internal contradictions, neither did it provide economic security. During the twentieth century, the extremes of hyper-inflations and depressions eroded both living standards and the accumulated wealth of citizens in many capitalist economies, especially during the Great Depression in the 1930s, when mass unemployment sparked renewed interest in the possibilities of communism and central planning, especially in Europe. The British economist John Maynard Keynes promoted the idea that government intervention to bolster total spending in the economy could restore full employment without the need to resort to fully fledged socialism. After the Second World War, there was a widespread belief that government planning had won the war and could be the means to win the peace. In Britain, as late as 1964 the newly elected Labour government announced a 'National Plan'. Inspired by a rather naive version of Keynesian ideas, it focused on policies to boost the demand for goods and services rather than the ability of the economy to produce them. As the former outstripped the latter, the result was inflation. On the other side of the Atlantic, the growing cost of the Vietnam War in the late 1960s also led to higher inflation.

Rising inflation put pressure on the internationally agreed framework within which countries had traded with each other since the Bretton Woods Agreement of 1944, named after the conference held in the New Hampshire town in July of that year. Designed to allow a war-damaged Europe slowly to rebuild its economy and reintegrate into the world trading system, the agreement created an international monetary system under which countries set their own interest rates but fixed their exchange rates among themselves. For this to be possible, movements of capital between countries had to be severely restricted – otherwise capital would move to where interest rates were highest, making it impossible to maintain either differences in those rates or fixed exchange rates. Exchange controls were ubiquitous, and countries imposed limits on investments in foreign currency. As a student, I remember that no British traveller in the 1960s could take abroad with them more than £50 a year to spend.[6]

The new international institutions, the International Monetary Fund (IMF) and the World Bank, would use funds provided by its members to finance temporary shortages of foreign currency and the investment needed to replace the factories and infrastructure destroyed during the Second World War. Implicit in this framework was the belief that countries would have similar and low rates of inflation. Any loss of competitiveness in one country, as a result of higher inflation than in its trading partners, was assumed to be temporary and would be met by a deflationary policy to restore competitiveness while borrowing from the IMF to finance a short-term trade deficit. But in the late 1960s differences in inflation across countries, especially between the United States and Germany, appeared to be more than temporary, and led to the breakdown of the Bretton Woods system in 1970–1. By the early 1970s, the major economies had moved to a system of 'floating' exchange rates, in which currency values are determined by private sector supply and demand in the markets for foreign exchange.

Inevitably, the early days of floating exchange rates reduced the discipline on countries to pursue low inflation. When the two oil shocks of the 1970s – in 1973, when an embargo by Arab countries led to a quadrupling of prices, and 1979, when prices doubled after disruption to supply following the Iranian Revolution – hit the western world, the result was the Great Inflation, with annual inflation reaching 13 per cent in the United States and 27 per cent in the United Kingdom.[7]

Economic experiments

From the late 1970s onwards, the western world then embarked on what we can now see were three bold experiments to manage money, exchange rates and the banking system better. The first was to give central banks much greater independence in order to bring down and stabilise inflation, subsequently enshrined in the policy of inflation targeting – the goal of national price stability. The second was to allow capital to move freely between countries and encourage a shift to fixed exchange rates both within Europe, culminating in the creation of a monetary union, and in a substantial proportion of the most rapidly growing part of the world economy, particularly China, which fixed its exchange rates against the US dollar – the goal of exchange rate stability. And the third experiment was to remove regulations limiting the activities of the banking and financial system to promote competition and allow banks both to diversify into new products and regions and to expand in size, with the aim of bringing stability to a banking system often threatened in the past by risks that were concentrated either geographically or by line of business – the goal of financial stability.

These three simultaneous experiments might now be best described as having three consequences – the Good, the Bad and the Ugly. The Good was a period between about 1990 and 2007 of unprecedented stability of both output and inflation – the Great Stability. Monetary policy around the world changed radically. Inflation targeting and central bank independence spread to more than thirty countries. And there were significant changes in the dynamics of inflation, which on average became markedly lower, less variable and less persistent.[8]

The Bad was the rise in debt levels. Eliminating exchange rate flexibility in Europe and the emerging markets led to growing trade surpluses and deficits. Some countries saved a great deal while others had to borrow to finance their external deficit. The willingness of the former to save outweighed the willingness of the latter to spend, and so long-term interest rates in the integrated world capital market began to fall. The price of an asset, whether a house, shares in a company or any other claim on the future, is the value today of future expected returns (rents, the value of housing services from living in your own home, or dividends). To calculate that price one must convert future into current values by discounting them at an interest rate. The immediate effect of a fall in interest rates is to raise the prices of assets across the board. So as long-term interest rates in the world fell, the value of assets – especially of houses – rose. And as the values of assets increased, so did the amounts that had to be borrowed to enable people to buy them. Between 1986 and 2006, household debt rose from just under 70 per cent of total household income to almost 120 per cent in the United States and from 90 per cent to around 140 per cent in the United Kingdom.[9]

The Ugly was the development of an extremely fragile banking system. In the USA, Federal banking regulators' increasingly lax interpretation of the provisions to separate commercial and investment banking introduced in the 1933 Banking Act (often known as Glass-Steagall, the two senators who led the passage of the legislation) reached its inevitable conclusion with the Gramm-Leach-Bliley Act of 1999, which swept away any remaining restrictions on the activities of banks. In the UK, the so-called Big Bang of 1986, which started as a measure to introduce competition into the Stock Exchange, led to takeovers of small stockbroking firms and mergers between commercial banks and securities houses.[10] Banks diversified and expanded rapidly after deregulation. In continental Europe so-called universal banks had long been the norm. The assets of large international banks doubled in the five years before 2008. Trading of new and highly complex financial products among banks meant that they became so closely interconnected that a problem in one would spread rapidly to others, magnifying rather than spreading risk.[11] Banks relied less and less on their own resources to finance lending and became more and more dependent on borrowing.[12] The equity capital of banks – the funds provided by the shareholders of the bank – accounted for a declining proportion of overall funding. Leverage – the ratio of total assets (or liabilities) to the equity capital of a bank – rose to extraordinary levels. On the eve of the crisis, the leverage ratio for many banks was 30 or more, and for some investment banks it was between 40 and 50.[13] A few banks had ratios even higher than that. With a leverage ratio of even 25 it would take a fall of only 4 per cent in the average value of a bank's assets to wipe out the whole of the shareholders' equity and leave it unable to service its debts.

By 2008, the Ugly led the Bad to overwhelm the Good. The crisis – one might say catastrophe – of the events that began to unfold under the gaze of a disbelieving world in 2007 was the failure of all three experiments. Greater stability of output and inflation, although desirable in itself, concealed the build-up of a major disequilibrium in the composition of spending. Some countries were saving too little and borrowing too much to be able to sustain their path of spending in the future, while others saved and lent so much that their consumption was pushed below a sustainable path. Total saving in the world was so high that interest rates, after allowing for inflation, fell to levels incompatible in the long run with a profitable growing market economy. Falling interest rates led to rising asset values and increases in the debt taken out against those more valuable assets. Fixed exchange rates exacerbated the burden of the debts, and in Europe the creation of monetary union in 1999 sapped the strength of many of its economies, as they became increasingly uncompetitive. Large, highly leveraged banks proved unstable and were vulnerable to even a modest loss of confidence, resulting in contagion to other banks and the collapse of the system in 2008.

At their outset the ill-fated nature of the three experiments was not yet visible. On the contrary, during the 1990s the elimination of high and variable inflation, which had undermined market economies in the 1970s, led to a welcome period of macroeconomic stability. The Great Stability, or the Great Moderation as it was dubbed in the United States, was seen – as in many ways it was – as a success for monetary policy. But it was unsustainable. Policy-makers were conscious of problems inherent in the first two experiments, but seemed powerless to do anything about them. At international gatherings, such as those of the IMF, policy-makers would wring their hands about the 'global imbalances' but no one country had any incentive to do anything about it. If a country had, on its own, tried to swim against the tide of falling interest rates, it would have experienced an economic slowdown and rising unemployment without any material impact on either the global economy or the banking system. Even then the prisoner's dilemma was beginning to rear its ugly head.

Nor was it obvious how the unsustainable position of the world economy would come to an end. I remember attending a seminar of economists and policy-makers at the IMF as early as 2002 where the consensus was that there would eventually be a sharp fall in the value of the US dollar, which would produce a change in spending patterns. But long before that could happen, the third experiment ended with the banking crisis of September and October 2008. The shock that some of the biggest and most successful commercial banks in North America and Europe either failed, or were seriously crippled, led to a collapse of confidence which produced the largest fall in world trade since the 1930s. Something had gone seriously wrong.

Opinions differ as to the cause of the crisis. Some see it as a financial panic in which fundamentally sound financial institutions were left short of cash as confidence in the credit-worthiness of banks suddenly changed and professional investors stopped lending to them – a liquidity crisis. Others see it as the inevitable outcome of bad lending decisions by banks – a solvency crisis, in which the true value of banks' assets had fallen by enough to wipe out most of their equity capital, meaning that they might be unable to repay their debts.[14] But almost all accounts of the recent crisis are about the symptoms – the rise and fall of housing markets, the explosion of debt and the excesses of the banking system – rather than the underlying causes of the events that overwhelmed the economies of the industrialised world in 2008.[15] Some even imagine that the crisis was solely an affair of the US financial sector. But unless the events of 2008 are seen in their global economic context, it is hard to make sense of what happened and of the deeper malaise in the world economy.

The story of what happened can be explained in little more than a few pages – everything you need to know but were afraid to ask about the causes of the recent crisis. So here goes.

The story of the crisis

By the start of the twenty-first century it seemed that economic prosperity and democracy went hand in hand. Modern capitalism spawned growing prosperity based on growing trade, free markets and competition, and global banks. In 2008 the system collapsed. To understand why the crisis was so big, and came as such a surprise, we should start at the key turning point – the fall of the Berlin Wall in 1989. At the time it was thought to represent the end of communism, indeed the end of the appeal of socialism and central planning. For some it was the end of history.[16] For most, it represented a victory for free market economics. Contrary to the prediction of Marx, capitalism had displaced communism. Yet who would have believed that the fall of the Wall was not just the end of communism but the beginning of the biggest crisis in capitalism since the Great Depression?

What has happened over the past quarter of a century to bring about this remarkable change of fortune in the position of capitalist economies? After the demise of the socialist model of a planned economy, China, countries of the former Soviet Union and India embraced the international trading system, adding millions of workers each year to the pool of labour around the world producing tradeable, especially manufactured, goods. In China alone, over 70 million manufacturing jobs were created during the twenty-first century, far exceeding the 42 million working in manufacturing in 2012 in the United States and Europe combined.[17] The pool of labour supplying the world trading system more than trebled in size. Advanced economies benefited from an influx of cheap consumer goods at the expense of employment in the manufacturing sector.

The aim of the emerging economies was to follow Japan and Korea in pursuing an export-led growth strategy. To stimulate exports, their exchange rates were held down by fixing them at a low level against the US dollar. The strategy worked, especially in the case of China. Its share in world exports rose from 2 per cent to 12 per cent between 1990 and 2013.[18] China and other Asian economies ran large trade surpluses. In other words, they were producing more than they were spending and saving more than they were investing at home. The desire to save was very strong. In the absence of a social safety net, households in China chose to save large proportions of their income to provide self-insurance in the event of unemployment or ill-health, and to finance retirement consumption. Such a high level of saving was exacerbated by the policy from 1980 of limiting most families to one child, making it difficult for parents to rely on their children to provide for them in retirement.[19] Asian economies in general also saved more in order to accumulate large holdings of dollars as insurance in case their banking system ran short of foreign currency, as happened to Korea and other countries in the Asian financial crisis of the 1990s.

In most of the advanced economies of the West, it was the desire to spend that gained the upper hand, as reflected in falling saving rates. Napoleon may (or may not) have described England as a nation of shopkeepers, but it would be more accurate to say that it is a nation that keeps on shopping. Keen though western consumers were on spending, their appetite was not strong enough to offset the even greater wish of emerging economies to save. The consequence was that in the world economy as a whole there was an excess of saving, or in the vivid phrase of Ben Bernanke, Chairman of the Federal Reserve from 2006 to 2014, a 'savings glut' in the new expanded global capital market.[20]

This glut of saving pushed down long-term interest rates around the world. We think of interest rates as being determined by the Federal Reserve, the Bank of England, the European Central Bank (ECB) and other national central banks. That is certainly true for short-term interest rates, those applying to loans for a period of a month or less. Over slightly longer horizons, market interest rates are largely influenced by expectations about the likely actions of central banks. But over longer horizons still, such as a decade or more, interest rates are determined by the balance between spending and saving in the world as a whole, and central banks react to these developments when setting short-term official interest rates. Governments borrow by selling securities or bonds to the market with different periods of maturity, ranging from one month to thirty years or sometimes more. The interest rate at different maturities for such borrowing is known as the yield curve.

Another important distinction is between 'money' and 'real' interest rates. Money interest rates are the usual quoted rate – if you lend $100 and after one year receive $105, the money interest rate is 5 per cent. If over the course of that year the price of the things that you like to buy is expected to rise by 5 per cent, then the 'real' rate of interest you earn is the money rate less the anticipated rate of inflation (in this example the real rate is zero). In recent years, short-term real interest rates have actually been negative because official interest rates have been less than the rate of inflation. And the savings glut pushed down long-term real interest rates to unprecedentedly low levels.[21] In the nineteenth century and most of the twentieth, real rates were positive and moved within a range of 3 to 5 per cent. My estimate is that the average ten-year world real interest rate fell steadily from 4 per cent or so around the fall of the Berlin Wall to 1.5 per cent when the crisis hit, and has since fallen further to around zero.[22] As the Asian economies grew and grew, the volume of saving placed in the world capital market by their savers, including the Chinese government, rose and rose. So not only did those countries add millions of people to the pool of labour producing goods to be sold around the world, depressing real wages in other countries, they added billions of dollars to the pool of saving seeking an outlet, depressing real rates of interest in the global capital market.

Lower real interest rates and higher market prices for assets boosted investment. From the early 1990s onwards, as real interest rates were falling, it appeared profitable to invest in projects with increasingly low real rates of return. On my visits to different towns and cities across the United Kingdom I was continually surprised by the investment in new shopping centres, justified by low rates of interest and projections of unsustainable rates of growth of consumer spending.

For a decade or more after the fall of the Berlin Wall, the effects of the trade surpluses and capital movements seemed wholly benign. Emerging markets grew rapidly and their citizens' income levels started to converge on those of advanced economies. Consumers in advanced economies initially benefited from the lower prices of consumer goods that they imported from emerging economies. Confronted with persistent trade deficits thanks to this growth in imports, the United States, the United Kingdom and some other European countries relied on central banks to achieve steady growth and low inflation.[23] To achieve that, their central banks cut short-term interest rates to boost the growth of money, credit and domestic demand in order to offset the drag on total demand from the trade deficit. So interest rates, both short-term and long-term, were at all-time lows. Such low interest rates, across all maturities, encouraged spending and led it along unsustainable paths in many, if not most, economies.[24] With high levels of saving in Asia and rising debt in the West, saving and investment in a number of large countries, and in the world economy as a whole, got out of kilter and produced a major macroeconomic imbalance or disequilibrium. What started as an imbalance between countries became a disequilibrium within economies.

When the world economy is functioning well, capital normally flows from mature to developing economies where profitable opportunities abound, as happened in the late nineteenth century when Europe invested in Latin America. A strange feature of the savings glut was that because emerging economies were saving more than they were investing at home, they were actually exporting capital to advanced economies where investment opportunities were more limited. In effect, advanced economies were borrowing large sums from the less developed world. The natural direction of capital flows was reversed – capital was being pushed 'uphill'.[25]

Much of those capital flows passed through the western banking system, and this led to the second key development before the crisis – the rapid expansion of bank balance sheets, or in the phrase of Hyun Song Shin, Chief Economist at the Bank for International Settlements, a 'banking glut'.[26] A bank's balance sheet is a list of all the bank's assets and all its liabilities. The former are the value of the loans it has made to customers and other investments. The latter is the value of the deposits and other borrowing that the bank has taken in to finance its operations. The difference between the assets and liabilities to others is the bank's net worth and is the value of the bank to its owners – the shareholders. As western banks extended loans to households and companies, particularly on property, their balance sheets – both assets and liabilities – expanded rapidly.

Bank balance sheets exploded for two reasons. First, low real interest rates meant that asset prices rose around the world. The rise in asset prices induced a corresponding and rational rise in debt levels. Housing provides a good example. The housing stock gradually passes down the generations from old to young. As houses are sold, the older generation invests the proceeds in other financial assets and the younger generation borrows in order to buy the same houses. When house prices rise sharply following a fall in real interest rates, the young have to borrow more than their parents did. The young end up with more debt and the old with more financial assets. The household sector as a whole has a higher ratio of both debt and assets to income. During the Great Stability, banks financed much of the higher borrowing by the young as housing was transferred down the generations, and the balance sheets of banks expanded rapidly.

There was nothing irrational in this – *provided* the belief that real interest rates would stay at that new lower level was itself rational. The market clearly thought it was, and still does. In mid-2015 the ten-year real rate in the industrialised world was close to zero.

There was, however, a second and less benign reason behind the expansion of bank balance sheets. With interest rates so low, financial institutions and investors started to take on more and more risk, in an increasingly desperate hunt for higher returns, without adequate compensation. Investors were slow to adjust and reluctant to accept that, in a world of low interest rates and low inflation, returns on financial assets would also be at historically low levels. Greed and hubris also led them to demand higher returns – such behaviour became known as the 'search for yield'. Central banks warned about the consequences of low interest rates, but by allowing the amount of money in the economy to expand rapidly did little to prevent the search for yield and increased risk-taking.[27] In addition, financial institutions, such as pension funds and insurance companies, were coming under pressure to find ways of making their savings products more attractive and reduce the rising cost of pension provision in the face of falling real interest rates.

Banks played their part in meeting this search for yield. They created a superstructure of ever more complex financial instruments, which were combinations of, and so derived from, more basic contracts such as mortgages and other types of debt – hence their name 'derivatives'. To increase their yield, banks created instruments that comprised highly risky and often opaque structures with obscure names such as 'collateralised debt obligations'. The average rate of return on a risky asset is higher than that on a safe asset, such as a US or UK government bond, to compensate the investor for the additional risk – the additional return is called the risk premium. Although some of the deals offered to investors were close to being fraudulent, the desire for higher returns meant there was no shortage of willing buyers. Only an optimist could believe that the risk premium in the market was adequate to compensate for the risk involved. It was all too close to alchemy.

Both the complexity and the size of financial assets increased markedly. The total assets of US banks, which for a long time had been around one-quarter of annual gross domestic product (GDP, the total value of goods and services produced in the economy), amounted to close to 100 per cent of GDP by the time of the crisis. In Britain, as the main financial centre in Europe, bank assets exceeded 500 per cent of GDP, and they were even larger in Ireland, Switzerland and Iceland. Bank leverage rose to astronomical levels – in some cases to more than 50 to 1; that is, the bank borrowed more than $50 for each dollar of capital provided by its shareholders. The banking system had become extremely fragile. Regulators took an unduly benign view of the expansion of the banking sector because while real interest rates continued to fall, asset prices rose and investors, including banks, made substantial profits. The political climate supported the development of large and highly leveraged global banks, and regulators were under pressure not to impede the expansion of the sector.

The 'savings glut' and the 'banking glut' combined to produce a toxic mix of a serious disequilibrium in the world economy, on the one hand, and an explosion of bank balance sheets, on the other. It was the interaction between the two that made the crisis so severe. Superficially, the position beforehand seemed sustainable. Trade deficits were a fairly stable share of GDP. But the scale of the borrowing meant that the stock of debt – both external and internal – relative to incomes and GDP kept on rising. Domestic spending in countries whose trade balance was in deficit was deliberately boosted to a level that could not be sustained in the long run. Low interest rates were encouraging households to bring forward spending from the future to the present. That, too, could not continue indefinitely – and it didn't. Sooner or later an adjustment was going to be necessary. And the longer it was delayed, the bigger the adjustment would be.

Which would crack first – the confidence of investors in the soundness of the banks, or the continuation of spending on an unsustainable path? Most policy-makers believed that the unsustainable pattern of spending and saving, and the mirror image pattern of external surpluses and deficits, would end with a collapse of the US dollar, as lenders started to doubt the ability of the United States, the United Kingdom and other borrowers to repay. But the political commitment of emerging economies to their export-led growth strategy was extremely strong. And the US dollar – as the world's reserve currency – was a currency in which China, and other emerging markets, were happy to invest, not least because its own currency, the renminbi, was not convertible into other currencies. There seemed no limit to China's willingness to accumulate US dollars. And that has continued unabated – by the end of 2014, China's foreign exchange reserves exceeded $4 trillion.[28] So the dollar remained strong and it was the fragility of bank balance sheets that first revealed the fault lines.

Behind the scenes, the stocks of credits and debits were building in an unsustainable way, like piles of bricks. It is always surprising how many bricks can be piled one on top of another without their collapsing. This truth is embodied in the first law of financial crises: an unsustainable position can continue for far longer than you would believe possible.[29] That was true for the duration of the Great Stability. What happened in 2008 illustrated the second law of financial crises: when an unsustainable position ends it happens faster than you could imagine.

The 'small' event that precipitated the collapse of the pile of bricks occurred on 9 August 2007 when the French bank BNP Paribas announced that it was stopping, temporarily, further redemptions (that is, investors could no longer ask for their money back) from three of its funds that were invested in so-called asset-backed securities (financial instruments that were claims on underlying obligations, such as mortgage payments), citing 'the complete evaporation of liquidity in certain segments of the US securitization market'.[30] Before long, market liquidity in a much wider range of financial instruments dried up. Attention was focused on risky, irresponsible – and even illegal – mortgage lending in the United States. But the underlying financial problem was the vulnerability of the banking system to US sub-prime mortgages – loans to households on low incomes who were highly likely to default.

At the beginning of September, central bank governors from around the world congregated in Basel at their regular bimonthly meeting. Although young wire service reporters hang around outside waiting for an unwary or publicity-seeking governor to confide his or her thoughts, the meetings themselves are always strictly private. A practice had grown up whereby the heads of the bank regulators from around the world met with central bank governors each September. In 2007 the bank regulators were asked whether the US sub-prime mortgage market was sufficiently large to bring down major banks. The answer was an emphatic no. Although the stock of such mortgages was around $1 trillion, potential losses were not large enough to create a problem for the system as a whole. After all, the loss of wealth in the dotcom crash earlier in the decade had been eight times greater.

This time, however, banks had made large bets on the sub-prime market in the form of derivative contracts. Although these bets cancelled each other out for the banking system as a whole, some banks were in the money and others were under water. The problem was that it was impossible for investors, and in some cases even for the banks themselves, to tell one from the other. So all banks came under suspicion. Banks found it difficult, and at times impossible, to raise money that only weeks earlier had been easily available. They stopped lending to each other. LIBOR (the London Inter-Bank Offer Rate) was supposed to be the quoted interest rate at which banks said they could borrow from each other. It became the interest rate at which banks didn't lend to each other.

From the start of the crisis, central banks provided emergency loans, but these amounted to little more than holding a sheet in front of the Emperor – in this case the banking system – to conceal his nakedness. It didn't solve the underlying problem – banks needed not loans but injections of shareholders' capital in order to be able to reduce their extraordinarily high levels of leverage and to absorb losses from the risky investments they had made. From the beginning of 2008, we at the Bank of England began to argue that banks needed extra capital, a lot of extra capital, possibly a hundred billion pounds or more. It wasn't a popular message. There was a deep reluctance in the banking community to admit that leverage was unsustainably high and therefore banks needed either to be recapitalised or to drastically reduce their lending. For the economy as a whole, the former was obviously preferable to the latter.

The system staggered on for a year. Market confidence in banks ebbed and flowed. But on 15 September the long-established investment bank Lehman Brothers failed – its large losses on real-estate lending combined with very high leverage prompted a loss of confidence among the financial institutions that provided it with access to cash. Although hardly surprising given the growing appreciation of the system's underlying fragility over the previous twelve months, the failure of Lehman

Brothers was such a jolt to market sentiment that a run on the US banking system took off at extraordinary speed. The runners were not ordinary depositors but wholesale financial institutions, such as money market funds. The run soon spread to other advanced economies – and so the Great Panic began. Already extremely chilly, the financial waters froze solid. Banks around the world found it impossible to finance themselves because no one knew which banks were safe and which weren't. It was the biggest global financial crisis in history.

Where banks could still borrow, it was only at a very high premium to official rates. Some banks in Europe, which had borrowed large sums at short maturities in US wholesale markets, found that instead of being able to borrow for three months, they could do so only for one month. Then only for a week. And then only for a day. Banks depend on the confidence of their depositors and others who lend to them, and they had lost it. In early October 2008, two UK banks – Royal Bank of Scotland (RBS) and Halifax Bank of Scotland (HBoS) – found themselves unable to get to the end of the day. The Bank of England lent £60 billion to the two banks to avoid a collapse of the banking system.[31] I can still hear the disbelief in the voice of Fred Goodwin, the CEO of the Royal Bank of Scotland, as he explained to me in early October 2008 what was happening to his bank. And Goodwin wasn't the only one to be taken aback. Other central banks took similar action with their own banks.

The Great Panic lasted less than a month from the failure of Lehman Brothers to the announcement of the recapitalisation of the banks – twenty-eight days that shook the world. In October 2008, the finance ministers and governors of the G7 group of seven major industrialised countries (the US, UK, Japan, Canada, France, Germany and Italy) met in Washington DC amid the chaos and fear that followed the failure of Lehman. At that meeting I suggested to Hank Paulson, the US Treasury

Secretary at the time, that we tear up the standard (and rather lengthy) communiqué drafted overnight by the G7 deputies and replace it with a short, succinct statement of solidarity and intent to work together.[32] To his great credit, Paulson took up the idea and the statement was a turning point in the handling of the crisis. At last, there was an acceptance among governments, and among at least some banks, that the crisis reflected not just a shortage of liquidity but a much deeper problem of insufficient capital.

When the western banking system teetered on the verge of collapse, only drastic intervention, including partial nationalisation, saved it from going over the edge. The potential catastrophe of a collapse finally provoked action to recapitalise the banking system, using public money if necessary; the UK was first to respond, followed by the United States and then continental Europe. That action ended the bank run. The problem was that governments ended up guaranteeing all private creditors of the banks, imposing on future taxpayers a burden of unknown magnitude.

Between the autumn of 2008 and the summer of 2009, there was a collapse of confidence and output around the world. World trade fell more rapidly than during the Great Depression of the 1930s. Around ten million jobs were lost in the United States and Europe, almost as many as were employed in US manufacturing prior to the crisis. The period became known as the Great Recession. The economic consequences were seen well beyond countries that had experienced a banking crisis. My opposite numbers in Brazil and India, for example, talked to me about the puzzle of why demand for cars and steel in their countries had 'fallen off a cliff'. For almost a year, the collapse in confidence was global. It seemed that, just as in the 1930s, much of what we had to fear was fear itself. Spending had fallen around the world because people feared that others would no longer go on spending. The situation cried out for a Keynesian policy response in the form of monetary and fiscal stimulus. Central banks and governments duly supplied it, and the policy was endorsed by the summit of the Group of Twenty (G20), which included both industrialised and emerging market economies, in London in May 2009.

The banking crisis itself could be said to have ended when the US Treasury and Federal Reserve announced on 7 May 2009 the results of the stress tests carried out on US banks to see if they were capable of withstanding the losses incurred under a range of adverse scenarios and the amount of new capital which those banks would be required to raise in the market or accept from the US government – $75 billion in total. By the summer of 2009, emerging market economies were starting to recover. But although the banking crisis had ended, the problems of the global economy remained. The shock of the events of 2008, and the subsequent sharp downturn, made western households and businesses reluctant to spend and banks unwilling to lend. Uncertainty prevailed. By 2015 there had still been no return to the growth and confidence experienced during the Great Stability.

This account captures, I believe, the essence of what happened in the run-up to and during the crisis of 2007–9, a journey from the Great Stability through the Great Panic to the Great Recession, but not yet to the Great Recovery. Much of my explanation has appeared in one or other previous account, with widely varying degrees of emphasis, and has become conventional wisdom. But it leaves some big unanswered questions.

Three questions

First, why did all the players involved – governments, central banks, commercial banks, companies, borrowers and lenders – take no action to change direction while steaming ahead on a course destined to lead to serious problems and a major adjustment of the world economy? The three experiments on which the West had embarked were all beginning to fail, and their outcomes – the Good, the Bad and the Ugly – were becoming evident. Of course, big shocks to financial markets, such as a sharp fall in share prices or the failure of a bank, always come as a surprise. Some events are unpredictable, at least in their timing. But the economic path on which the world economy was proceeding was clearly unsustainable. Why was there such inertia before the crisis, and why were concerns about macroeconomic unsustainability not translated into actions by regulators and policy-makers?

Second, why has so little been done to change the underlying factors that can be seen as the causes of the crisis? The alchemy of our present system of money and banking continues. The strange thing is that after arguably the biggest financial crisis in history, nothing much has really changed in terms either of the fundamental structure of banking or the reliance on central banks to restore macroeconomic prosperity. Real interest rates have fallen further. Capital has continued to flow 'uphill'. Industrialised economies have struggled to recover. Output, even if growing slowly, is well below the pre-crisis path. Real wages have continued to stagnate. The same banks dominate Main Street and the high streets of our towns.

There has certainly been a vast effort to change the regulation of banks – in the United States with the Dodd-Frank Wall Street Reform and Consumer Protection Act of 2010, in the United Kingdom with the Banking Act of 2009 and Banking Reform Act of 2013, in Europe with a move towards a common regulatory system in the European Union, and internationally through changes in the way banks are required to finance themselves.[33] These initiatives have made banks more resilient by reducing their leverage and limiting their ability to put highly risky assets on the same balance sheet as deposits from households. But they have not changed the fundamental structure of banking.

The banking and financial crisis of 1931, and the resulting Great Depression, had a dramatic effect on politics and economics at the time and in many ways shaped the intellectual climate of the post-war period. The response to the recent crisis has so far been much more muted. Of course, the immediate impact on many people was dampened by the response of policy-makers, who threw the monetary kitchen sink at the economy to restore demand and output. But as the impact of such policies peters out, and the underlying problems are seen to remain, anger is growing. To many citizens of advanced economies, the recent financial crisis came out of a clear blue sky. For a generation, they had adapted to the discipline of a market economy by accepting reforms to labour markets and, in Europe, the privatisation of ossified state industries, accompanied by the promise of rising productivity and prosperity. Businesses with products that attracted few customers accepted that they should not be supported by the state, and either adapted or closed. Employees accepted that wages might need to fall if conditions deteriorated in the company for which they worked, and the choice would be either lower wages or less employment. And the market economy delivered, as we seemed to reach the Holy Grail of steady economic growth and low inflation. Then came the collapse and the taxpayer bailouts of the very institutions most prominent in advocating market discipline for others – the banks. Why then, in sharp contrast to the 1930s, was there so little enthusiasm for radical reform to our economic system and institutions?

Third, why has weak demand become a deep-seated problem, and one that appears immune to further monetary stimulus? The crisis was not so much a financial earthquake, releasing pressure that had been building up, as a sudden shift to a lower path for demand and output than had seemed normal only a short time earlier, and one that threatens to persist indefinitely. Between the Second World War and 2008, the path of GDP per person in the US and UK fluctuated around a trend growth rate of about 2 per cent a year, with frequent but temporary deviations from that path. Since the crisis, there has been a sharp deviation of output from the previous trend path, such that output is now around 15 per cent below the level that seemed attainable only a few years ago. That gap amounts to around $8500 per person in the US and £4000 per person in the UK – a huge and continuing loss of output.[34] Why have the economic prospects for our grandchildren suddenly deteriorated? When will we see the Great Recovery and what needs to be done to achieve it?

To answer those three questions means going behind and beyond the story of the crisis as told above. It requires a much closer look at the structure of money and banking that we have inherited from the past and at the nature of the disequilibrium in the world economy today. By the end of this book I hope to have suggested some answers.

A capitalist economy is inherently a monetary economy, and, as we shall see, a monetary economy behaves very differently from the textbook description of a market economy, in which households and businesses produce and trade with each other. The reasons for the divergence between the nature of a monetary economy and the textbook model are profound. They derive from the limitations on economic transactions created by radical uncertainty. In practice, buyers and sellers simply cannot write contracts to cover every eventuality, and money and banks evolved as a way of trying to cope with radical uncertainty. Our inability to anticipate all possible eventualities means that we – households, businesses, banks, central banks and governments – will make judgements that turn out to have been 'mistakes'. Those mistakes lie at the heart of any story about financial crises.

Disequilibrium in the world economy

No country is finding it easy to escape from the devastation that followed the collapse of the banking system in the western world in 2008. From 2000 to 2007 the advanced economies grew at an annual average rate of 2.7 per cent. From 2010 to 2014, when those economies should have been rebounding with rapid growth after the sharp fall in output in late 2008 and 2009, GDP rose at an average rate of only 1.8 per cent a year.[35] How can the world economy escape from the comparative stagnation into which it has fallen, despite sharply lower oil prices, since those dramatic days in the autumn of 2008 when central banks stepped in to prevent a complete collapse of the banking system?

After the banking crisis ended in May 2009, confidence in the US banking system was restored. Output started to recover in the emerging economies, and, with the benefit of hindsight, we can see that the falls in output in many of the advanced economies came to an end. A recovery – of sorts – began. Six years later, however, in the middle of 2015, we were still searching for a sustainable recovery despite cuts in interest rates and the printing of electronic money by central banks on an unprecedented scale. Output has started to grow, but only with the support of the prospect of extraordinarily low interest rates for a very long period. Recovery in the United States and United Kingdom has ebbed and flowed, Japan is struggling and the euro area is relying on the stimulus from a lower exchange rate. Growth in China has been slowing for a number of years and its financial system is in trouble. Central banks have thrown everything at their economies, and yet the results have been disappointing. Most sharp economic downturns are followed by sharp recoveries – and the sharper the downturn, the more rapid the recovery. Not this time. So why, after the biggest monetary stimulus the world has ever seen, and six years after the end of the banking crisis, is the world recovery so slow?

Some economists believe that we are experiencing what they call 'secular stagnation', a phrase coined by the American economist Alvin Hansen in his 1938 book *Full Recovery or Stagnation?*[36] Today's American economists, such as Ben Bernanke, Paul Krugman, Kenneth Rogoff and Larry Summers, have been using the more modern literary form of blogging to debate the issue. But it is not exactly clear what they mean by secular stagnation. Does it refer to stagnation of supply or of demand, or indeed both? Growth today seems possible only if interest rates are much lower than normal – at present the long-term real rate of interest is close to zero. The 'natural' real rate is the real rate of interest that generates a level of total spending sufficient to ensure full employment. When asked why demand is weak, economists tend to answer that it is because the natural real rate of interest is negative – in other words, people will spend only when faced with negative real interest rates. And when asked why that is, they reply that it is because demand is insufficient to maintain full employment. The reasoning is circular. Simply restating the phenomenon of secular stagnation in different words and pretending to have offered an explanation does not amount to a theory. Secular stagnation is an important description of the problems afflicting the world economy, but we need a new theory, or narrative, to explain why global demand is so weak and real interest rates are so low.

The conventional analysis used by economists and central

banks is based on the assumption that the economy grows along a steady path from which it occasionally deviates as a result of temporary shocks to demand or supply. Such shocks are called 'headwinds' if negative or 'tailwinds' if positive. Output will return to its full-employment level once the temporary shocks have abated. The role of both monetary policy (interest rates and money supply) and fiscal policy (government spending and taxation) is to speed up the return to the underlying path of steady growth. Applied to current circumstances, the conventional view is that the major economies, such as the United States and the United Kingdom, have been held back by 'headwinds' to which the kind of stimulus to total spending proposed by Keynesians is the right answer until the headwinds in due course abate of their own accord. The statements of the Federal Reserve in recent years are a good example of this viewpoint.

During the Great Stability, this framework seemed adequate to capture the challenges facing policy-makers. But as it became evident, at least to some, that patterns of spending were unsustainable, the inadequacies of the model were revealed, albeit ignored by many policy-makers. What mattered was not just total spending but how it was divided between different types of demand. The factors holding back demand are not just temporary phenomena that will disappear of their own accord but the result of a gradual build-up of a disequilibrium in spending and saving, both within and between countries, which must be corrected before we can return to a strong and sustainable recovery. From its origins in an imbalance between high- and low-saving countries, the disequilibrium has morphed into an internal imbalance of even greater significance between saving and spending within economies. Desired spending is too low to absorb the capacity of our economies to produce goods and services. The result is weak growth and high unemployment (the euro area), falls in productivity growth (US and UK) and potentially large trade surpluses at full employment (Germany, Japan and China). Policy faces much bigger challenges than responding to temporary shocks to demand; it must move the economy to a new equilibrium.

Since the early 1990s, long-term real interest rates have fallen sharply, and this has had enormous implications for all our economies, as described above. Countries such as the United States, United Kingdom and some others in Europe, were faced with what were in effect structural trade deficits. Those deficits – an excess of imports over exports – amounted to a continuing negative drag on demand. So in order to ensure that total demand – domestic demand minus the trade deficit – matched the capacity of their economies to produce, central banks in the deficit countries cut their official interest rates in order to boost domestic demand. That created an imbalance *within* those countries with spending too high relative to current and prospective incomes. In countries with trade surpluses, such as China and Germany, spending was too low relative to likely future incomes. And the imbalance *between* countries – large trade surpluses and deficits – continued.

All this reinforced the determination of central banks to maintain extraordinarily low interest rates. Monetary stimulus via low interest rates works largely by giving incentives to bring forward spending from the future to the present. But this is a short-term effect. After a time, tomorrow becomes today. Then we have to repeat the exercise and bring forward spending from the new tomorrow to the new today. As time passes, we will be digging larger and larger holes in future demand. The result is a self-reinforcing path of weak growth in the economy. What started as an international savings glut has become a major disequilibrium in the world economy. This creates an enormous challenge for monetary policy. Central banks are, in effect, like cyclists pedalling up an ever steeper hill. They have to inject more and more monetary stimulus in order to maintain the same rate of growth of aggregate spending. This problem was building up well before the crisis, and was evident even in the 1990s. It led to a lopsided growth of demand. Rightly or wrongly, central banks took the view that two-speed growth was better than no growth.

Before the crisis, many thought that the Great Stability could continue indefinitely and failed to comprehend that it could not. Their credulity was understandable. After all, GDP as a whole was evolving on a steady path, with growth around historical average rates, and low and stable inflation. But the imbalance in the pattern of spending and saving was far from sustainable, and was leading to the build-up of large stocks of debts. Bad investments were made, encouraged by low real interest rates. The crisis revealed that much of that misplaced investment – residential housing in the United States, Ireland and Spain; commercial property in Britain – was unprofitable, producing losses for borrowers and lenders alike. The impact of the crisis was to make debtors and creditors – households, companies and governments – uncomfortably aware that their previous spending paths had been based on unrealistic assessments of future long-term incomes. So they reduced spending. And central banks then had to cut interest rates yet again to bring more spending forward from the future to the present, and to create more money by purchasing large quantities of assets from the private sector – the practice known as unconventional monetary policy or quantitative easing (QE). There is in fact nothing unconventional about such a practice – as I will explain in Chapter 5, so-called QE was long regarded as a standard tool of monetary policy – but the scale on which it has been implemented is unprecedented. Even so, it has become more and more difficult to persuade households and businesses to bring spending forward once again from an ever bleaker future. After a point, monetary policy confronts diminishing returns. We have reached that point.

The 'headwinds' that the major economies are facing today are not the result of a temporary downward shock to aggregate demand, but of an underlying weakness caused by the earlier bringing forward of spending. Stagnation has resulted from the realisation that domestic spending before the crisis was too high. The focus on short-term stimulus creates a 'paradox of policy'.[37] The policies of Keynesian monetary and fiscal stimulus adopted in the short run in 2008–9 – to encourage consumer spending and borrowing – were necessary then to deal with a dramatic collapse of confidence in the autumn of 2008. The move to inject substantial additional money into the economy was vital to prevent a downward spiral of falling demand and output. It worked. There was no repetition of the Great Depression. The supply of money did not collapse as it had in the United States in the 1930s. But those measures were the absolute opposite of what we needed to do – encourage saving and exports – to correct the underlying disequilibrium. The fact that the recovery is far weaker than we expected, even with the extraordinary monetary stimulus that we have in fact put in place, suggests that something is amiss. We need to tackle the underlying disequilibrium. Easy monetary policy is necessary but it is not sufficient for a sustained recovery. Interest rates today are too high to permit rapid growth of demand in the short run, but too low to be consistent with a proper balance between spending and saving in the long run.

Parallel to these internal imbalances between spending and saving within major economies are the external imbalances between countries. These, too, have not yet been resolved. The sharp fall in demand and output across the world in 2008–9 certainly lowered actual external surpluses and deficits. But surpluses and deficits will re-emerge if countries return to full employment. China's surplus and America's deficit are widening again. Most acute, of course, is the position in the euro area. Germany's trade surplus is now approaching 8 per cent of GDP, and that of the Netherlands is even higher. Those surpluses and the deficits in the periphery countries (the southern members of the euro area with high unemployment) are both consequences of monetary union in Europe.

Correcting the internal and external imbalances will be a long process – the Great Unwinding. It will require many policy changes. The failure to recognise the need for a real adjustment in most major economies, and the continued reliance on monetary policy as the 'only game in town', constitute an error as much of theory as of practice, and are the cause of weak growth today. The underlying problem today is that past mistakes – too much consumption in some countries and too little in others; misdirected investment in most – mean that households have lowered their desired level of consumer spending and businesses are not yet confident that a rebalancing of our economies justifies significant new investment. Low interest rates cannot correct the disequilibrium in the pattern of demand. We are seeing a slow recovery not because the economy is battling temporary headwinds, but as the consequence of a more deep-seated problem.

Although we cannot foresee the future, we can study the past. Recent events, vivid though they are in the memories of participants and spectators alike, are only one episode among the many crises in the history of capitalism. The events of previous crises are an invaluable test bed for new ideas, and I shall refer to several of them in subsequent chapters. An unpredictable future means that there will always be ups and downs in a capitalist economy. But are full-blown crises inevitable? Are they the by-product of the processes that generate economic growth? There are no simple answers to these questions. But they are questions worth asking. Although my Chinese friend was absolutely right in saying that the West had worked out how to use a market economy, with free competition and trade, to raise productivity and standards of living, he was also right to point to our failings in managing money and banking. Such was our obsession with money, and the absurdly high pedestal on which we placed money-men, that we failed to see some of the weaknesses of the system. It would be irresponsible if, through intellectual complacency, we failed to analyse thoroughly the lessons of this and earlier crises, to distinguish between symptoms and causes, and to redesign our institutions to prevent a future generation from suffering in the way that so many are today.

The central idea in this book is that money and banking are particular historical institutions that developed before modern capitalism, and owe a great deal to the technology of earlier times. They permitted the development of a market economy and promised financial alchemy. But in the end it was that financial alchemy that led to their downfall. Money and banking proved to be not a form of alchemy, but the Achilles heel of capitalism – a point of weakness that threatens havoc on a scale that drains the life out of a capitalist economy. Since, however, they are man-made institutions, men – and women – can remake them. To do that we must first analyse how money and banking work today.

2

GOOD AND EVIL:
IN MONEY WE TRUST

'The love of money is the root of all evil.'

1 Timothy, 6:10 (King James Bible)

'Evil is the root of all money.'

Kiyotaki and Moore (2002)

In the United States I studied at Harvard as a Kennedy Scholar.[1] Later in life, I was a member of the interviewing panel to select new scholars. One young man, who was studying theology at Oxford, entered the room and, obviously a little nervous, sat on the chair in front of a line of eminent figures. The chairman, a distinguished philosopher, started by asking, 'Tell me, does God have much of a role in theology these days?' The young man blinked and never recovered. But it made me think that the question one should ask of economists is, 'Does money have much of a role in economics these days?'

Money is misunderstood because it is so familiar, although not as familiar as many of us might wish. Its function in a capitalist economy is complex, and economists have struggled to understand it. It is not even easy to define because the word is used to mean different things: the notes and coins in our wallets, the value of our total wealth, sometimes even the power that wealth confers, as in 'money talks'. Whatever it is, we seem to be in thrall to it. In his Epistle to Timothy, quoted above, St Paul put it more bluntly.

The management of money, in rich and poor countries alike, has been dismal. Governments and central banks may talk about price stability, but they have rarely achieved it. During the 1970s, prices doubled in the United States in ten years and in Britain they doubled in five years. In November 1923, prices in Germany doubled in less than four days and GDP fell by over 15 per cent during the year.[2] That experience helped to undermine the Weimar Republic and contributed to the rise of Nazi totalitarianism.[3] In the film *Cabaret*, set in Berlin in the 1930s, the MC at the Kit Kat Klub performs a song entitled 'Money', which includes the lines:

> A mark, a yen, a buck, or a pound
> Is all that makes the world go around.

Yet in recent years, with central banks printing money like never before (albeit electronically rather than by churning out notes) and a world recovery still elusive, you could be forgiven for thinking that money *doesn't* make the world go round. So what does money do? Why do we need it? And could it eventually disappear?

As Governor of the Bank of England, I would sometimes

visit schools to explain money, especially to the younger pupils. Bemused by the fact that I was actually paid for 'hanging out with my friends' (the only answer I could come up with to their question 'What is a meeting?'), they were nonetheless certain about the value of money. I would hold up a £5 note and ask them what it was. 'Money,' they would scream. 'Surely it's just a piece of paper,' I would reply, and make as if to tear it in two. 'No, you mustn't,' they gasped, as I hesitated and asked them what the difference was between a piece of paper and the paper note in my hand. 'Because you can buy stuff with it,' they explained loudly. And so we went on to discuss the importance of making sure that the amount of stuff you could buy with my note didn't change drastically from one year to the next. They all got the idea that low and stable inflation was a good thing, and that whatever form money takes, it must satisfy two criteria. The first is that money must be accepted by anyone from whom one might wish to buy 'stuff' (the criterion of acceptability). The second is that there is a reasonable degree of predictability as to its value in a future transaction (the criterion of stability).

Most 'stuff' is today bought not with notes and coins, but with cheques, debit and credit cards, and by electronic transfers drawn on interest-bearing bank deposits. Economists have long debated how to measure the amount of money in the economy. But since what is accepted as money changes over time with both technology and economic circumstances, the quest for a precise definition has little point. Some people prefer a narrow definition in which money comprises the notes and deposits issued only by the central bank or government. Others prefer a broad definition that includes deposits issued by private banks and accepted in transactions. Yet others would include unused overdraft facilities that can be spent at the borrower's wish.[4] In normal circumstances the amount of money available for the financing of transactions is better captured by a broad measure, although in a banking crisis, as we shall see, a narrower definition may be more appropriate.

When money satisfies the two criteria of acceptability and stability it can be used as a measuring rod for the value of spending, production and wealth. After the Normans conquered Britain in 1066, they put together an inventory of wealth – houses, cattle and agricultural land – in order to assess the taxable capacity of their new domain. Known as the Domesday Book, the survey (now available online) measured wealth in terms of pounds, shillings and pence, Anglo-Saxon monetary units still in use in my youth before the decimalisation of Britain's currency in 1971.[5]

The view that money is primarily an acceptable medium of exchange – a way to buy stuff – underpins the traditional interpretation of the history of money. Specialisation created the need for people to exchange their own production for that of others. Adam Smith's division of labour did not start with his pin factory. It is as old as the hills, almost literally, with the early specialisation between hunters and cultivators, and the development of a bewildering variety of crafts and skills from early civilisation onwards. Smith described how 'in a nation of hunters, if anyone has a talent for making bows and arrows better than his neighbours he will at first make presents of them, and in return get presents of their game'.[6] A man who spends all day making arrows in order to swap them for meat gives up the possibility of hunting himself for the chance of sharing in a larger catch. To be willing to specialise, the hunter who turns arrow-maker has to be sure that his partner in trade will deliver the 'present' of meat.

Smith explained that 'when the division of labour first began to take place, this power of exchanging must frequently have been very much clogged and embarrassed in its operations.'[7] He was referring to the absence of what economists call a 'double coincidence of wants': the hunter wants arrows and the arrow-maker wants meat. Without that double coincidence, exchange cannot take place through barter. If the arrow-maker wants corn, and the farmer who grows the corn wants meat, then only a sequence of bilateral transactions will satisfy their wants. Since the transactions are separated in time, and probably space, some medium of exchange – money – enters the picture to allow people to engage in their desired trades.

The history of money is, in this view, the story of how we evolved as social animals, trading with each other. It starts with the use as money of commodities – grain and cattle in Egypt and Mesopotamia as early as 9000 BC. Many other commodities, ranging from cowrie shells in Asia to salt in Africa, were deployed as money. It is, of course, costly to hold stocks of commodities with a useful value; salt kept as money cannot be used to preserve meat. Nevertheless, commodities continued to function as money until relatively modern times. Adam Smith wrote about how commodities like 'dried cod at Newfoundland; tobacco in Virginia; sugar in some of our West India colonies' had been used as money and how there was even 'a village in Scotland where it is not uncommon ... for a workman to carry nails instead of money to the baker's shop or the alehouse'.[8] Commodities that had an intrinsic value were used in communities where trust, either in others or in a social convention such as a monetary token, was limited. In the early days of the penal colony of New South Wales, managed by the British Navy, rum was commonly in use as money, and, during the Second World War, cigarettes were used as money in prisoner-of-war camps.

The cost and inconvenience of using such commodities led to the emergence of precious metals as the dominant form of money. Metals were first used in transactions in ancient

Mesopotamia and Egypt, while metal coins originated in China and the Middle East and were in use no later than the fourth century BC. By 250 BC, standardised coins minted from gold, silver and bronze were widespread throughout the Mediterranean world.

Governments played an important role in regulating the size and weight of coins. Minted by the authorities, and carrying an emblem denoting official authorisation, coins were by far the most convenient form of money. Officially minted coins were supposed to overcome the problem of counterfeits and of the need to weigh precious metals before they could be used in a transaction – the need to protect the physical object used as money has always been essential to its acceptability. Adam Smith's close friend, the chemist Joseph Black, said that while teaching at the University of Edinburgh, where students paid the professors in advance, he was 'obliged to weigh [coins] when strange students come, there being a very large number who bring light guineas, so that I should be defrauded of many pounds every year if I did not act in self-defence against this class of students'.[9] Counterfeiting continues today – indeed, coins are counterfeited more often than banknotes.

The use of standardised coinage was a big step forward. Technology, however, did not stand still. As the English economist David Ricardo wrote in 1816:

> The introduction of the precious metals for the purposes of money may with truth be considered as one of the most important steps towards the improvement of commerce, and the arts of civilised life; but it is no less true that, with the advancement of knowledge and science, we discover that it would be another improvement to banish them again from the employment, to which, during a less enlightened period, they had been so advantageously applied.[10]

The drawback of using precious metals as money had been evident since at least the sixteenth century when the first European voyages across the Atlantic led to the discovery of gold and, especially, silver mines in the Americas. The resulting imports of the two metals into Europe produced a dramatic fall in their prices – by around two-thirds. So in terms of gold and silver, the prices of commodities and goods rose sharply. This was the first truly European Great Inflation. Prices increased by a factor of six or so over the sixteenth century as a whole. That experience demonstrated vividly that, whatever form money took, abrupt changes in its supply could undermine the stability of its value.

Even more convenient than coin is, of course, paper money, which has for a long time dominated our monetary system. The earliest banknotes appeared in China in the seventh century AD. Later banknotes from the Ming dynasty in China were made from the bark of mulberry trees – the paper is still soft to the touch today.[11] The penalty for counterfeiting was death – as advertised on the notes themselves.[12] If not backed by gold or some other commodity, paper money is what is known as a pure 'fiat currency' – it has no intrinsic value and, crucially, cannot be exchanged for gold or any other valuable commodity at the central bank. It is useful only insofar as other people accept it at face value in exchange for goods and services, and its value depends upon the trust people have in it. The earliest western experiment with paper money was conducted in the United States – not the new post-revolutionary nation, but the pre-revolutionary colonies on the eastern seaboard. Before American independence, the creation of money was the prerogative of the British government. Thus prevented from minting their own coins, the colonists rightly complained of a lack of money to support commerce.[13] Whatever gold and silver existed in the colonies (sadly there were no gold or silver mines to provide a new supply) rapidly flowed out to pay for a regular excess of imports over exports to England, which resulted from trade restrictions imposed by the mother country. As a consequence, barter systems and commodity monies, such as tobacco, became the main method of exchange in the colonial economies. Students at Harvard College met their bills by paying in 'produce, livestock and pickled meat'.[14] There was a strong incentive to find a way to create a new form of money. In 1690, Massachusetts started to issue paper money and other colonial governments followed. In part the paper money thereby created was backed by explicit promises to redeem the notes in gold or silver at specified future dates, but partly it was a pure fiat currency.[15] This was a monetary experiment on a grand scale. As that great man Benjamin Franklin wrote in 1767:

> Where the Sums so emitted were moderate and did not exceed the Proportion requisite for the Trade of the Colony, such Bills retain'd a fixed Value when compar'd with Silver without Depreciation for many Years ... The too great Quantity has, in some Colonies, occasioned a real depreciation of these Bills, tho made a Legal Tender ... This Injustice is avoided by keeping the Quantity of Paper Currency within due Bounds.[16]

The issuing of such colonial paper money did not, on the whole, prove inflationary.[17] By and large, the colonists understood Franklin's admonitions and created sufficient paper money to meet the needs of commerce but not so much as to generate high inflation.

So far, I have described the traditional view of the history of money. It explains how and why commodity money came into existence, and the role of precious metals as standardised coins. But the replacement of commodity by paper money is more difficult to explain. Of course, it is more convenient to buy stuff with paper, but the paradox of money is that people choose to own something that has no intrinsic value, and pays no interest. Over time people chose to hold less of it, and money today largely comprises bank deposits rather than notes and coin. How did the liabilities of banks come to be used as money? To explain this we need an alternative history of money, one that focuses on the role of money as a store of value.

As early as Roman times, and despite the prevalence of coins, money and credit existed in the form of loan contracts. Wealthy individuals acted as banks by extending loans, with the bank's owner often exploiting personal knowledge of his customers, and those claims on the borrowers were used by the owner to make payments because the recipients could in turn pass them on to pay for their own purchases.[18] The claims met the criterion of acceptability. In medieval Europe, banknotes evolved out of promissory notes – pieces of paper issued as receipts for gold bullion deposited with goldsmiths and other merchants. The paper money so created was backed by the bullion held by the goldsmith. The holder of the paper claim knew that at any time it could be exchanged for gold. As it became clear that most notes were not in fact immediately converted into bullion but were kept in circulation to finance transactions, merchants started to issue notes that were backed by assets other than gold, such as the value of loans made by the merchants to their customers. Provided the holders of the paper notes were content to carry on circulating them, the assets backing those notes could themselves be illiquid, that is, not suitable for conversion quickly or reliably into money. From this practice emerged the system of banking we see today – illiquid assets financed by liquid deposits or banknotes.

The problem with private banks' creation of money is

obvious. Money in the form of private banknotes and deposits is a claim on illiquid assets with an uncertain value. So both its acceptability and stability can from time to time come under threat. The nature of the problem was illustrated by the experience of 'free banking' in the United States, when banknotes were issued by private banks and not central government (the Federal Reserve did not start operating until 1914). The so-called 'free banking' era lasted from 1836, when the renewal of the charter of the Second Bank of the United States was vetoed by President Andrew Jackson, until 1863, when the Civil War led to the passing of several National Bank Acts, which imposed taxes on the new issue of banknotes. During that period, most states allowed free entry into banking. For banks, loans are assets and banknotes and deposits are liabilities; the opposite is true for their customers. Hundreds of private banks made loans and financed themselves by taking deposits and printing banknotes. Their assets were holdings of gold and the value of the loans they had extended, and their liabilities were banknotes and deposits, the former typically comprising a larger proportion of liabilities than the latter.[19]

In principle, banknotes issued by private banks were exchangeable on demand for gold at the bank's head office at face value, and were backed by a mixture of gold (or silver) and the value of the loan assets held by the bank. But when banknotes were exchanged at significant distances from the head office of the issuing bank, they often traded in the secondary market at discounts to their face value.[20] Banknote Reporters – special newspapers that published the latest prices of different banknotes – sprang up to provide information on the value of unfamiliar notes. The discounts varied not only with distance from the head office, but also across banks and, over time, according to perceptions about the creditworthiness and vulnerability to withdrawals of the bank at that moment.

In 1839, an enterprising Philadelphia businessman, Mr Van Court, started to publish what became known as *Van Court's Counterfeit Detector and Bank Note List*. It contained his measures of the discount in Philadelphia, then second only to New York as a financial centre, of different banknotes issued by the many hundreds of banks around the United States. For banks from Alabama, the average discount in Philadelphia varied from 1.8 per cent in 1853 to 25 per cent in 1842, and the maximum discount for a single bank was 50 per cent. Connecticut, a state with many more banks than Alabama, had several banks with discounts of over 50 per cent, but on average its banks rarely suffered a discount of more than 1 per cent. Illinois banks, by contrast, regularly experienced average discounts of well over 50 per cent.[21] During the era of 'free banking' many banks failed and there were frequent financial crises.

The interesting feature of free banking was that it revealed the inherent tension between the use of bank liabilities as money, which requires that notes or deposits exchange at face value, and the risky nature of bank assets. If banknotes in the nineteenth century were exchanged at face value there was a serious risk that the underlying assets might one day be inadequate to support that valuation. There was also the possibility that the owners of banks would issue too many notes, invest in risky assets and, if necessary, shut down the bank and disappear. Worried about such risks, consumers accepted banknotes only at a discount. But since the discount fluctuated over time, the value of banknotes as a means of payment was diminished.

Banknotes were a store of (uncertain) value. If the prices of banknotes always correctly valued the assets of the bank, then the holders of the notes could not be defrauded by over-issue of paper money. But they would in effect have become like shareholders, with a claim on the underlying assets of the bank that varied in value over time. So the value of banknotes as money, with the accompanying requirements of acceptability and stability, was sharply reduced.

The tension inherent in the use of private bank liabilities as money led inexorably to the regulation of banks and, after the experiences with 'free banking', to the creation of the Federal Reserve System as America's central bank. After the Great Depression, the introduction of deposit insurance, with the creation of the Federal Deposit Insurance Corporation (FDIC) in 1933, largely eliminated the risk to ordinary depositors. By transferring the risks to the taxpayer, deposit insurance reduced the likelihood of depositors running on their banks, but it cemented the role of banks as the main creators of money in the form of bank deposits with banknotes issued solely by government.

This alternative view of the history of money has the merit of explaining why bank deposits have come to comprise the vast majority of the money supply. They have an intrinsic value and offer a positive, if small, rate of return (either explicitly as interest, or, in the case of current accounts, implicitly in the form of subsidised money transmission services). As a result, they dominate the value of notes and coin in circulation. Over the past century, the amount of money in the US economy – defined broadly – has remained roughly stable as a proportion of GDP, at around two-thirds, and the share of bank deposits in total money has also been roughly constant at around 90 per cent. Gold and silver, which a hundred years ago amounted to around 10 per cent of total money and were of equal importance to notes and coin, are no longer counted as money. The share of bank deposits in total money is even higher in other major countries, at 91 per cent in the euro area, 93 per cent in Japan and no less than 97 per cent in the United Kingdom.[22] What is striking about these figures is that the production of money has become an enterprise of the private sector. The amount of money in the economy is determined less by the need to buy 'stuff' and more by the supply of credit created by private sector banks responding to the demand from borrowers. In normal times, changes in the supply of credit will be driven by changes in the demand from borrowers to which banks react, and in turn those developments will reflect the influence of the interest rate set by the central bank. So the fact that banks are the main creator of money does not prevent a central bank from being the major influence on the amount of money in the economy. Credit booms are less the result of irresponsible lending by banks and more the outcome of optimism on the part of borrowers, aided and abetted by low interest rates and competition between banks to meet customers' demands.[23] In a crisis, however, changes in the supply of credit may reflect a shift in the willingness of banks to lend, or the market to fund banks, as perceptions of the soundness of the banks are revised downwards. In those circumstances, it is much harder for a central bank to offset the contraction of money by stimulating demand for borrowing, as events since 2008 have shown.

In its role as an acceptable medium of exchange, money is not only necessary, it is a social good. As the historian of Rome, Edward Gibbon, expressed it: 'The value of money has been established by general consent to express our wants and our property, as letters were invented to express our ideas; and both these institutions, by giving more active energy to the powers and passions of human nature, have contributed to multiply the objects they were designed to represent.'[24] But the amount of money created by a private banking system may not always correspond to the amount that is socially desirable. Indeed, where the former exceeds the latter there is a risk of financial excess and inflation, and where the former falls short of the latter there is a risk of a financial crisis. Should money be created privately or publicly? The answer depends on how the choice affects the twin criteria of acceptability and stability.

Acceptability in good and bad times

The traditional view of the history of money stresses the importance of acceptability in transactions for 'stuff' – purchases of goods and services. Far more important, however, in a modern economy is the acceptability of money in financial transactions, including the making or repaying of loans, or the buying and selling of financial assets. In situations of extreme uncertainty, some forms of money may no longer be accepted as a means of payment. Cheques, for example, may be refused if there is doubt about the solvency of the bank on which they are drawn.[25] In October 2008, the Bank of England saw a sharp rise in the demand for £50 notes as confidence in banks fell – matched by a rise in sales of home safes![26] Moreover, in periods of great uncertainty, the amount of money people want to hold as a liquid store of value may rise sharply. To fulfil its functions, money needs to be acceptable in bad times as well as good, and to be available in sufficient quantities. That is why there is a very close link between money and liquidity, where the latter is the property of a non-monetary asset to be convertible into money quickly and at little cost. Some assets are more liquid than others; for example, stocks and shares of large companies are liquid, houses are not.

Before the recent crisis, financial experts believed that the 'deep and liquid' markets in which most financial assets were traded meant that there would always be sufficient access to liquidity. That illusion was destroyed by the events of 2007 and 2008. Some of the 'deep and liquid' markets simply closed, not to reopen for many years (mortgage-backed securities, for example, which are discussed in Chapter 4). Others became suddenly illiquid, with a large difference between the price at which one could buy and the price at which one could sell, such as commercial paper issued by non-financial companies (essentially an IOU promising to pay a fixed sum at a specified date a few months hence). It became clear that the only truly liquid assets were cash and bank deposits. As the latter shrank when banks began to stop lending, the Bank of England and the Federal Reserve stepped in to boost total deposits in the banking system. They did this by creating 'emergency money' with which to buy large quantities of paper assets (primarily government securities) from the non-bank private sector.

When a central bank buys or sells assets it adds to or subtracts from the supply of money. Someone (usually a financial institution in an auction) who sells $1 million of government bonds to the Federal Reserve, receives a cheque drawn on the Fed. When that cheque is deposited in the person's own bank account, which increases by $1 million, the bank presents the cheque to the Federal Reserve, which then credits the bank with $1 million in its reserve account at the central bank. The immediate effect is that both the money supply and central bank reserves rise by $1 million. The same argument holds in reverse when the central bank wants to reduce the money supply. Changing the amount of money in the economy in this fashion using electronic transactions is simpler and faster than printing notes. But it is creating money just the same. It boosts the money supply by increasing bank deposits.

The sharp increase in the demand for liquidity in 2007–8 was met by the creation of more central bank reserves. This was not because households, companies or banks wanted more money to buy 'stuff', but because central bank money was a store of liquidity that offered protection against a very uncertain future for the banking system. Inherent in this role for money is that its demand is liable to sudden and unexpected swings, and it is to such changes that the supply of emergency money must respond. The creation of emergency money adds to the total stock of central bank reserves and notes and coin – known as the 'monetary base'.

Sharp changes in the balance between the demand for and supply of liquidity can cause havoc in the economy. The key advantage of man-made money is that its supply can be increased or decreased rapidly in response to a sudden change in demand. Such an ability is a virtue, not a vice, of paper or electronic money. When there is a sudden increase in the demand for liquidity it is imperative to increase the supply of the asset that constitutes liquidity in order to prevent a damaging rise in the price of that asset and a corresponding fall in the price of goods and services in the economy. Because gold was in limited supply, those countries that used gold as their monetary standard in the late 1920s and early 1930s suffered falling prices (deflation).[27] A sudden fall in the general level of prices tends to go hand-in-hand with a fall in spending today, as households and companies wait to buy things more cheaply tomorrow. The ability to expand the supply of money in times of crisis is essential to avoid a depression. A crisis could, in fact, be defined as a set of circumstances in which the demand for liquidity suddenly jumps.

What the experience of emergency money reveals is that the private sector will not always be able to meet the demand for acceptable money. In bad times, governments may need to issue assets which will be regarded as both acceptable in making payments and reliable as a store of value. To leave the production of money solely to the private sector is to create a hostage to fortune. But there must be confidence in the process that generates changes in money. In an era of paper money, that amounts to trust in the central bank or government that controls money creation.

Stability of the value of money

The second criterion for money to be able to perform its functions in a capitalist economy is that its value – its purchasing power in terms of goods and services – must be in some sense stable. Defining price stability in a world where new goods and services come along that were not available before is a hazardous undertaking. Official statisticians are always adding new entries to the basket of goods and services that they use to calculate the average price level and measure inflation. And they also remove goods and services that no longer account for much of our spending. In 2014, the Office for National Statistics in the UK removed DVD recorders and gardeners' fees from the Consumer Price Index and replaced them by films streamed over the Internet and fresh fruit snacking pots. Leaving measurement issues to one side, the big question is whether governments can be trusted to maintain the value of money.

Since the Civil War, dollar coins in the United States have exhibited the words 'In God We Trust', and the motto has appeared on dollar bills since 1957.[28] Trust is fundamental to the acceptability, and so the value, of money. But it is trust not in God but in the issuer of money, usually governments, that determines its value. And that trust has been sorely tried over the centuries. Whether clipping the coinage (shaving some of the precious metal from the edge of the coin), devaluing the currency or restricting the convertibility of notes into gold, governments, east and west, north and south, have found ways to renege on their promises. It is an old tradition. As Sir William Hunter of the Indian Civil Service wrote in 1868, in his study of Bengal:

> The coinage, the refuse of twenty different dynasties and petty potentates, had been clipped, drilled, filed, scooped out, sweated, counterfeited, and changed from its original value by every process of debasement devised by Hindu ingenuity during a space of four hundred years. The smallest

coin could not change hands, without an elaborate calculation as to the amount to be deducted from its nominal value. This calculation, it need hardly be said, was always in favour of the stronger party.

Much of the financial history of the past 150 years is the story of unsuccessful attempts to maintain the value of money. The willingness of governments to debase the currency has been illustrated many times – indeed, almost all paper currencies have suffered a massive loss of value, through intention or incompetence, at one time or another – including in medieval China, France during the Revolutionary period, the revolutionary war in the United States with its Continental currency, the American Civil War with the greenback dollar, Germany in the 1920s under the Weimar Republic, Eastern Europe following the collapse of the Soviet Union, and, most recently, Zimbabwe in 2008 and North Korea in 2009.[29] Less dramatically, many industrialised countries, including the United States and the United Kingdom, experienced the Great Inflation of the 1970s.

In a democracy, people cannot be forced to use paper money, although after the French Revolution the Jacobins had a try. They made it a capital offence to use commodities as money. This was a desperate and unsustainable action resulting from the Jacobin policy of debasing their paper money – the *assignat* and *mandat* – to make up for a collapse in tax revenues and to finance a war against Prussia. And a few years later, in 1815 when Napoleon, after his defeat at Waterloo, was travelling back to Paris to rally his forces, an innkeeper at Rocroi refused to accept a chit for 300 francs as payment for dinner for the Emperor's entourage, demanding payment in gold instead – 'as sure a sign as any of Napoleon's waning authority'.[30]

When a government is in crisis, there is usually an exodus

from the paper money it issues, a collapse of the currency and 'hyperinflation' – which is usually defined as a period in which the monthly rate of inflation goes above 50 per cent. That may not sound so bad, but it is equivalent to an annual rate of inflation of well over 1000 per cent. Perhaps the simplest definition of a hyperinflation is when it becomes impossible to keep track of the inflation rate. In the worst hyperinflations the peak *monthly* inflation rate was several million per cent. It is easier to measure such hyperinflations by the length of time it takes for prices to double (in *hours*). At the peak of the hyperinflation in Germany, in November 1923, prices doubled every three and a half days. No wonder people paid for their lunch at the beginning of the meal. Printers, busy producing more and more notes, went bankrupt because their machinery wore out sooner than expected and they could not accumulate sufficient reserves to invest in new equipment. The economy collapsed.[31] At the end of the First World War, in November 1918, a gold mark (the standard on which paper money was based) was worth 2.02 paper marks. By November 1923, one gold mark was worth one trillion paper marks![32]

That experience shaped German attitudes to inflation, and the memory lingers today. But it was by no means the worst hyperinflation on record. That was in Hungary in July 1946 when prices, in terms of the pengö currency, doubled every fifteen hours. There are poignant photographs showing children in Germany playing with bricks made out of worthless paper marks and of street cleaners in post-war Hungary sweeping away piles of pengö notes because it was not worth the effort of picking them up from the pavement.

There is a natural tendency to think of hyperinflations as belonging to the history books. Far from it. The second worst hyperinflation in history took place in Zimbabwe during the first decade of this century. Few economies have collapsed quite so spectacularly as that of Zimbabwe. As inflation rose to absurd levels, citizens abandoned the local currency and started to use foreign currencies. Once some did, others followed – an instance of good money driving out bad. The sale of pre-paid minutes of mobile phone time also flourished as a substitute currency, as it did in a number of other African countries. Inflation peaked in November 2008, at which point prices were doubling every day. The use of other currencies, especially the US dollar, became official policy in early 2009. As a result, inflation quickly dropped to single digits and economic growth resumed.

All of these hyperinflations were caused by the excessive printing of money to finance government deficits that had been allowed to spiral out of control. But even in countries with more stable institutions, such as the United Kingdom and United States, inflation has eroded the value of money over the past century.[33] Both countries saw price stability in the nineteenth century, only to experience significant inflation in the twentieth century when prices accelerated rapidly, especially in the immediate aftermath of the First World War and in the later post-war period. The experience of the two countries was broadly similar until the 1970s, when even more rapid inflation in Britain led to a divergence of their price levels. But over the past twenty-five years or so, annual inflation has come under control and averaged close to 2 per cent, which is the current inflation target in the United States, the United Kingdom, the euro area and Japan. Other countries, too, have experienced high inflation; few can match the record of Switzerland, which has experienced an average inflation rate of only 2.2 per cent a year since 1880.

Why has money been so difficult to manage? Part of the answer is the failure of political institutions to avoid the temptation to create money either as a source of revenue or a way to court popularity by engineering a short-term boost to the economy before the resulting rise in inflation becomes apparent. But there have also been significant advances in our understanding of how to manage money. The creation of independent central banks, with a clear mandate to maintain the value of the currency in terms of a representative basket of goods and services (inflation targeting), proved successful in stabilising inflation in the 1990s and early 2000s during the Great Stability. The conquering of inflation across the industrialised world over the past twenty-five years was a major achievement in the management of money, and one, despite the financial crisis, not to be underrated. It was the result of successful institutional design (see Chapter 5).

Nevertheless, designing a system of monetary management that is capable of achieving price stability – providing the right amount of money in good times – and coping with crises – providing the right amount and quality of emergency money in bad times – is by no means straightforward. Neither the private nor the public sector has an unblemished record in striking a balance. That is why over the years, and right up until today, there are those who continue to search for a *deus ex machina* to provide monetary stability.

Gold versus paper

For some the answer is gold. Indeed, in the United States there is a degree of political support for a constitutional amendment to abolish the Federal Reserve Board and allow money supply to be determined by an automatic link to gold.[34] Few debates in economic history have attracted so much passion as that of the merits of gold versus paper as the basis for our monetary system. Two hundred years ago, William Cobbett railed against the iniquities of paper money and the policies of successive

British governments that had broken the link with gold during the Napoleonic Wars. He edited *The Political Register*, a radical newspaper, and used as his motto 'Put me on a gridiron and broil me alive if I am wrong'! He was obviously not an economist. In 1828 he published a book, written while imprisoned for treasonous libel, entitled *PAPER AGAINST GOLD; or, The History and Mystery of the Bank of England, of the Debt, of the Stocks, of the Sinking Fund, and of all the other tricks and contrivances, carried on by the means of Paper Money.*

The book lives up to its title. As the author points out,

> The time is now come, when every man in this kingdom ought to make himself, if possible, well acquainted with all matters belonging to the *Paper-Money System.* It is that System, which has mainly contributed towards our present miseries; and, indeed, without that System those miseries never could have existed in any thing approaching towards their present degree. In all countries, where a *Paper-Money*, that is to say, a paper which could not, at any moment, be converted into Gold and Silver, has ever existed; in all countries, where this has been the case, the consequence, first or last, has always been great and general misery.

Gold has held a special position as money down the centuries and across the globe. The Egyptians used gold bars as a medium of exchange as far back as the fourth millennium BC. Even when paper money came into existence, its acceptance usually depended on its convertibility into gold. Major currencies were readily convertible into gold at a fixed exchange rate – the 'gold standard', as it was called. A country on the gold standard promised to exchange its notes and coin for gold at a fixed price. When a country joined the gold standard its exchange rate against other member countries became fixed. If the exchange rate of, say, the US dollar against the French franc were to fall, then it would be cheaper for American importers of French goods to pay in gold than in depreciated dollars. Gold would flow to France. The US would have less gold to back its supply of paper dollars, which would then contract, pushing up the value of the dollar until it returned to its official price in terms of gold. Although the cost of transporting gold allowed small fluctuations in exchange rates before physical movements of gold became attractive, the automatic nature of such movements kept exchange rates in line.

For most of the nineteenth century, and right up until the early 1930s, the price of gold was fixed at $20.65 per ounce.[35] The Great Depression saw a revaluation of gold to around $35 an ounce, where it stayed until 1971, when the United States abandoned the policy of a fixed dollar price of gold. Inflationary pressures in the US, stemming in part from the Vietnam War, put downward pressure on the dollar. Rather than face the recessionary consequences of the need to lower wages and prices to maintain a fixed rate against gold and other major currencies, President Nixon decided to break the link between the dollar and gold for good. The price of gold (per ounce) then rose steadily to around $160 in the inflationary 1970s, moved higher in the 1980s, and fell back only in the 1990s as inflation was conquered. But from around 2000 it rose steadily again, reaching a peak of almost $1800 in 2011 before falling back to below $1100 by late 2015.[36] The price of gold is not only volatile but highly sensitive to changes in sentiment about the ability of governments to control their monetary system.

The tension between paper and gold as the basis for our monetary system was revealed to me every day during my time at the Bank of England. The Governor's office leads on to a small garden in which are planted a number of mulberry trees. The reasons for choosing that type of tree were twofold. First, it was a deliberate homage to the use of their bark in the production of early Chinese banknotes. Second, mulberry trees grow in shallow soil. The soil in the garden had to be shallow because only a couple of feet below was the ceiling of the enormous vault in which the large gold reserves held by the Bank of England were stored. Paper and gold were linked by the trees in this small garden. The garden – and the Bank – had hedged their bets.

The persistent attraction of gold as an acceptable medium of exchange in any set of circumstances stems from the fact that, apart from new mining, its supply is fixed, independent of human decision, and its weight and value can easily be checked. New mining adds only a small amount to the total stock of gold each year. Today, gold mining uses highly advanced technology to dig gigantic open pits. Arguably the largest hole in the ground anywhere in the world is the Super Pit at Kalgoorlie in Western Australia. After around fifteen years, the diggers in Kalgoorlie have created a hole that is 4.5 kilometres in length, 1.2 kilometres wide and 500 metres deep. Excavating this hole has yielded 27 million cubic metres of earth which, after processing with acid, has yielded just 10 cubic metres of gold.[37] Those few cubic metres were, however, worth around US$8 billion at the prices of early 2015. The investment paid off. Nevertheless, the 200 tonnes of gold mined from this extraordinary hole is small compared with the 5.5 thousand tonnes (the vast majority of it owned by foreign governments and not the UK), worth US$235 billion, that sat in the vaults underneath my office in the Bank of England and the 6700 tonnes, worth almost US$300 billion, in the vault of the Federal Reserve Bank of New York in downtown Manhattan.[38]

For centuries gold has been the most widely accepted form of payment. It is independent of government, and, ironically, governments themselves want to hold reserves in gold because they do not trust other countries to maintain the real value of claims denominated in their own paper currency. But despite its attractions, gold suffers from two major drawbacks as money. First, it is extremely heavy and inconvenient to use, and even when gold coins were used widely by travellers (in the way that we might use travellers' cheques or credit cards today), coins of smaller denominations were usually made out of metals such as bronze or copper.

The second drawback is more fundamental. The attraction of gold to many – namely that its supply cannot easily be expanded by governments – is in fact a serious weakness. In times of financial crisis, paper money can be created quickly and easily when the demand for liquidity is high; not so the supply of gold. Almost invariably, the gold standard was suspended during a financial panic. The most notorious example was in Britain in 1797 during the wars against Revolutionary France, arguably the first financial crisis in a modern economy. An attempted invasion by 1200 French soldiers was thwarted but added to public concern about the value of paper money; a rush to gold ensued. With the Bank of England's gold reserves disappearing fast, William Pitt the Younger slapped an order of the Privy Council on the Bank, suspending the convertibility of notes into gold. The printing of notes was stepped up, and the result was inflation and a series of wonderful cartoons by James Gillray. One showed the Bank as a lady of a certain age being violated by the Prime Minister as he tries to get at her gold.[39] It was the origin of the Bank's later nickname, the Old Lady of Threadneedle Street. Convertibility into gold resumed in 1821 and was maintained right through until the First World War.

In normal times, the problem with the gold standard was that, with gold in effectively fixed supply, economic growth meant upward pressure on the price of gold in terms of goods and services. Since the dollar (and sterling) price of gold was fixed, there was, conversely, downward pressure on the dollar (and sterling) prices of goods and services. That deflationary pressure, squeezing wages and profits, pushed down activity and employment. The commitment to gold was seen as a battle between bankers and financial interests, on the one hand, and working people, on the other. Never was this expressed so forcefully as by William Jennings Bryan, the three-time losing Democratic presidential candidate, who concluded his speech to the party convention in 1896 with the words 'you shall not crucify mankind upon a cross of gold'.[40]

Keynes's famous description of gold as 'a barbarous relic' was apposite.[41] What was especially 'barbarous' was the decision in the 1920s to impose substantial deflation on economies in order to go back to the gold standard at the same parities as existed before the First World War. It is certainly arguable that a return to a different set of parities might have enabled a system of fixed exchange rates to be retained, while not putting those economies through a period of deflation which, in the event, led not only to the Great Depression but to the inevitable abandonment of the gold standard itself, starting with Britain in 1931. But breaking the link to gold made it possible to expand the supply of money, and countries were then free to adopt looser monetary policies at home – an appropriate response to the world of the Great Depression. The search for a reliable anchor for the monetary system has continued ever since.

Following the 2008 crisis, both the Federal Reserve and the Bank of England expanded the supply of money sharply in order to meet a sudden increase in demand for liquidity. If the money supply had been determined solely by the available quantity of gold in the world, then neither central bank would have found it easy to prevent a depression. To be sure, enthusiasts of gold and critics of paper money argue that crises would be much less frequent in the absence of discretionary monetary interventions by governments and their central banks.[42] But the history of nineteenth-century America, before the creation of the Federal Reserve, does not suggest that a world without central banks would be free of crises. The choice between basing our monetary unit of account on either gold or paper money managed by a central bank has largely been resolved in favour of the latter, partly because of the advantages of discretion in controlling the supply of liquidity during a crisis and partly because of the success in conquering inflation during the 1990s.

But for many, the crisis of 2007–9 is evidence of the continuing folly of central banks and the attractions of an automatic standard for the value of money. And if actions speak louder than words, it is striking that most advanced economies still maintain significant quantities of gold in their official reserves of foreign currencies and commodity money. By far the largest holders of gold are the United States (over 8000 tonnes, comprising 72 per cent of its total reserves of gold and foreign exchange) and the euro area (10,784 tonnes, accounting for 57 per cent of total reserves). China's holdings have been rising and are now over 1000 tonnes. By contrast, the United Kingdom has only 310 tonnes (11.6 per cent of total reserves) and Japan 765 tonnes (2.5 per cent of total reserves).[43]

Gold has the advantage that its supply is not dependent on unpredictable human institutions. Its disadvantage is precisely the same – namely that when a discretionary increase in the supply of money would be advantageous to overcome a sudden panic, gold cannot play that role. The evolution of a framework for the issue of paper money, culminating in the 1990s inflation-targeting regime, showed signs of success. But it is still too early to judge whether democratic societies have managed to create sustainable regimes to manage paper money, avoiding the deflationary impact of fixed-supply commodity money on the one hand, and the dangers of excessive inflation from discretionary control of money supply on the other.

Economists and money

In recent years, many economists have been reluctant to use the word 'money'. If one is very clever, it is indeed possible to talk about monetary policy without using the word 'money'. The interesting question is why anyone would want to. The explanation largely lies in a pervasive ideological split between 'Keynesian' and 'monetarist' economists, which dominated debates on economic policy in the post-war period until inflation had been conquered in the 1990s, but has flared up again with the experience of stagnation since 2008. Monetarists, like Milton Friedman of the University of Chicago, believed that the solution to inflation, and the key to stabilising the economy more generally, was to control the rate of increase of the money supply. Friedman pointed to the collapse of the money supply during the Great Depression and advocated a fixed percentage increase in the money supply each year.[44] Keynesians believed that fiscal policy was more powerful in controlling the economy, and doubted whether there was a close link between changes in the money supply and movements in the economy. Yet John Maynard Keynes was a monetary economist, and the full title of his *magnum opus* – published in 1936 and which transformed debates about macroeconomic policy after the Great Depression – is *The General Theory of Employment, Interest and Money*. Whether monetarist or Keynesian, no economist should ignore the significance of money, even if they disagree about what its role is.

For over two centuries, economists have struggled to provide a rigorous theoretical basis for the role of money, and have largely failed. It is a striking fact that as economics has become more and more sophisticated, it has had less and less to say about money. The apparently obvious idea, articulated by David Hume in the eighteenth century, that the level of prices reflects the balance between the demand for and supply of money has been described by the Nobel Laureate Christopher Sims as 'obsolete'.[45] And even the existence of money has proved something of a mystery for economic theorists. As the eminent Cambridge economist, the late Professor Frank Hahn, wrote: 'the most serious challenge that the existence of money poses to the theorist is this: the best developed model of the economy cannot find room for it'.[46]

Why is modern economics unable to explain why money exists? It is the result of a particular view of competitive markets. Adam Smith's 'invisible hand' – the notion that the impersonal forces of competition among a large number of people pursuing their own self-interest would guide resources to activities where they would be used as efficiently as possible – was a beautiful idea. But if the 'hand' was invisible, what exactly did it correspond to in the world? For over two hundred years, economists tried to formalise Smith's proposition and discover under exactly what conditions a competitive market economy would allocate resources efficiently. In the nineteenth century, important contributions came from Frenchman Léon Walras, who taught in Lausanne, and Englishman Alfred Marshall, who taught in Cambridge. Then, in the early 1950s, two economists, Kenneth Arrow and Gerard Debreu, both working in America, finally produced a rigorous explanation of the invisible hand (for which they were subsequently awarded the Nobel Prize).[47] They imagined a hypothetical grand auction held at the beginning of time in which bids are made for every possible good and service that people might want to buy or sell at all possible future dates. The process continues until every market has cleared (that is, demand equals supply) with prices, demands and supplies of all goods and services determined in the auction. Life then starts and time unfolds. Because the auction at the beginning of time has done its job, no market needs to reopen in the future. There are, therefore, no further transactions once life starts. Everything has been settled during the initial auction, and all people have to do is to deliver the services, such as employment, for which they have contracted and take delivery of the goods and services that they purchased in the auction. There is no need for something called money to act as either a medium of exchange (the 'double coincidence of wants' problem is circumvented by the auction), a store of value (there is no requirement for a reserve of savings), or indeed an absolute standard of value (consumers bidding in the auction need only know the relative prices of different goods and services, including labour). Money has no place in an economy with the grand auction.

Central to the Arrow–Debreu view of the world is a special way of dealing with uncertainty about the future. When bidding in the auction, consumers must bid not only for the good they want – lunch in their favourite Manhattan restaurant, say – and the date on which they want it – next Tuesday – but also for the 'state of the world' in which they wish to purchase it. For example, if the restaurant is outdoors you might bid high for a table if next Tuesday were to be sunny and perhaps zero for a table if it were cold or wet. Market-clearing prices are likely to be high in the former 'state of the world' and low in the latter. The key point is that all transactions can be made in advance because it is possible, in this theoretical view, to identify all relevant states of the world and make the auction contingent on them. In other words, radical uncertainty is ruled out by assumption.

Obviously, there are many ways in which the world is very far removed from this abstract description, apart from the obvious impracticability of organising the grand auction. Two are of particular importance – the need for institutions to police a market economy, and the nature of uncertainty.

The importance of trust

In the theoretical world of the auction economy, people are assumed to fulfil their previously contracted obligations to work and consume. But some people might be tempted to renege on their obligations – for example, to stay at home and enjoy leisure instead of working.[48] So there is a strong motive to find a mechanism or institution whereby contracts may be enforced. In practice we rely heavily on the legal system – hugely expensive though it is – to enforce a wide array of contracts. But we also rely on a mechanism that plays an important role in the economic life of all successful societies – trust. The absence of trust leads to economic inefficiency. As the philosopher Onora O'Neill, Chair of the UK Equality and Human Rights Commission, put it in 2002, 'It isn't only rulers and governments who prize and need trust. Each of us and every profession and every institution needs trust. We need it because we have to be able to rely on others acting as they say that they will, and because we need others to accept that we will act as we say we will.'[49]

Economists mistrust trust. They believe that people will pursue their own self-interest given the incentives they face. Finding a cooperative outcome when confronted with the prisoner's dilemma inherent in the short-term advantage of reneging on a contract is difficult. Shame, ostracism and loss of honour are all ways in which a society can penalise the individualistic pursuit of self-interest when it leads everyone to be worse off. The creation of a social ethic or code of behaviour is a means of escaping the prisoner's dilemma.

The consequences of the absence of trust for our ability to exchange goods and services is well illustrated (both in novels such as John le Carré's *Smiley's People* and in reality) by the exchanges of spies during the Cold War. The two sides would approach each other from opposite ends of the Glienicke Bridge, which connected East Germany and West Berlin across the River Havel at Potsdam, meeting in the middle to exchange their prisoners. A classic exchange requiring a 'double coincidence of wants', it was an instance of pure barter.

Trust in others can make it possible for one party to deliver goods and services to another at one date and receive an agreed delivery of other goods and services at a later date. Some economists have argued that the role of money is to embody and cement that trust. Imagine a world in which each generation lives for only two periods, and is in turn succeeded by the next generation. Each generation wishes to work in the first period of life and then enjoy retirement in the second. The economic challenge is to ensure that each young generation hands over part of its earned income to the retired older generation, hoping or believing that in turn their children will do the same for them. There is a potentially profitable trade between successive younger and older generations, but one that is difficult to enforce. Money might be a way to solve this problem, by supporting a convention under which the younger generation saves in the form of 'tokens' that it carries forward into retirement in order to purchase goods and services from the new younger generation.[50] Such tokens, or money, could be called a dollar or 100 dollars, or for that matter a mark, a yen, a buck or a pound. As long as everyone continues to believe that tokens will continue to be acceptable in future, everyone can be better off. The use of money facilitates the trust that is necessary to reach the best possible outcome.[51] More generally, our inability to make credible pre-commitments, or to trust each other, explains why 'evil is the root of all money', to use the phrase coined by the economists Nobuhiro Kiyotaki and John Moore quoted at the beginning of the chapter.[52]

The blunt truth, however, is that the implicit intergenerational cooperation that represents the best outcome is supported by trust, not money.[53] If the younger generation decides not to support the elder, the existence of tokens will make no difference. And if the older generation has invested in, say, housing, they too could renege on the implicit intergenerational transfer by 'consuming' the value of their housing capital by selling it to foreigners or a minority of the wealthy, leaving the young unable to afford to buy the housing stock. That is exactly the intergenerational bargain on which, David Willetts argues, the post-war baby-boomer generation has reneged.[54] Trust obviates the need for money, and money without trust has no value. Perhaps it is trust that makes the world go round.

Money and radical uncertainty

The second big difference between the real world and the grand auction is the nature of uncertainty. The auction requires both that we have an exhaustive and complete list of all possible future outcomes so that we can write contracts contingent on all these states, and that we know the probabilities of different outcomes so that we can work out how much to bid for each contingent good or service at each point in the future. But the essence of a capitalist economy is that we cannot imagine today all the new ideas and products that will be discovered in future. If the future is unknowable, then we simply do not know and it is pointless to pretend otherwise.

In 1972, while Joel Grey, as the MC in *Cabaret*, was singing about money making the world go round, the computer for the whole of Cambridge University was less powerful than that in my smartphone today. The handheld devices we now take for granted were simply unimaginable then. And even if someone had been able to write down a list of possible outcomes that included these developments, I rather doubt that it would have been easy to add to that list all the events that have subsequently occurred in the world, including the fall of the Berlin Wall, the Arab Spring, and other occurrences that were relevant to the profitability of investments and the path of the world economy. Investment is driven by the imagination of individuals who can see opportunities invisible to the rest of us. Their risks are largely uninsurable. Risk-taking by entrepreneurs is an intuitive gamble, not a cool appraisal of expected returns based on a scientific assessment of the probabilities of a known and finite number of possibilities.

How then can people cope with the unimaginable and uninsurable? We may not have a clear idea about the goods and services that we will want to buy in the future, but we know that we need a way to carry forward claims of purchasing power from the present to the future in a form that is generalised in the sense that we do not have to decide today on what we will spend tomorrow. Money gives us the ability to exchange labour today for generalised purchasing power in the future. That is why many savings contracts are denominated in money terms. We do not invest in a bank account that offers us a fixed number of television sets or foreign holidays in the future. We expect to earn an interest rate defined as a percentage increase in the amount of money in our account. Money is not principally a means of buying 'stuff' but a way of coping with an uncertain future. We do not know which new goods and services will exist in future, nor what their relative prices will be. There is no auction mechanism today that will allow us to discover that. Maintaining a reserve of purchasing power denominated in a monetary unit reduces the risk from placing one's eggs in the basket containing only contracts that can be written today. Although we cannot literally insure against the uninsurable, we can try to keep our options open by holding claims on future purchasing power in a general monetary unit of account. Any savings account on which the returns were fixed in money terms would suffice; even a promise of a fixed pension might seem to offer a claim on future purchasing power. But in times of financial stress only money claims issued and guaranteed by government will fully serve the purpose. And in anticipation of the unexpected in a world of radical uncertainty, money does therefore play a special role.

Could a market economy make do without money? It probably could in a simple world where we purchased items for immediate consumption and we all lived in close proximity. In medieval times, village or town markets, often held once a week, played very much that role. But our demand for a growing variety of goods and services outstripped the supply available in a given, small locality long ago. A glance at the Amazon website suggests that we want everything, and we want it now. And the market, whether Amazon or another firm, supplies it. In this more complex world, where people save for, and borrow against, an unknowable future, money plays a special, indeed unique, role. Money is a specific feature of a capitalist economy. Over the centuries, money has evolved from a means of payment designed to circumvent the limitations of a simple barter system to a liquid reserve essential to the operation of a capitalist economy in a real world with an unknowable future.

Money oils the wheels of commerce and finances transactions. There needs to be sufficient money to support the steady expansion of economic activity, but not so much as to generate inflation. Only then can money operate as a credible common measuring rod, whether in the Domesday Book or in modern estimates of gross domestic product. Expanding the amount of money in the economy can be either good or bad, depending on the circumstances. Printing paper money can, as described in Goethe's famous play *Faust*, be a stimulus to production when times are bad.[55] But the alchemy of money creation fosters the illusion of unbounded pleasure and the temptation to issue so much money in good times that the result is not prosperity but rising inflation, leading to economic chaos and the destruction of prosperity. Few countries suffered more from this pact with the devil than Goethe's own homeland in the hyperinflation of 1923.

In normal times, a wide range of assets may be accepted as money. In a crisis, central bank money is the ultimate means of payment and store of value. Although gold is unlikely ever to regain its position at the centre of monetary management, it is a store of wealth that is universally acceptable. Other assets, such as bank deposits, which do function as money in good times, may become illiquid as a result of a loss of confidence in their acceptability, and so in a crisis, sufficient 'emergency money' needs to be supplied to meet the demand for liquidity. These two roles for money – in 'good' and 'bad' times – are usually discussed and implemented separately, with the first being seen as 'monetary policy' and the second as 'financial policy'. That compartmentalisation of the different reasons for a central bank to supply money contributed to the failure to understand the evolving problems of the major economies prior to the crisis.

During the twentieth century, governments allowed the creation of money to become the by-product of the process of credit creation. Most money today is created by private sector institutions – banks. This is the most serious fault line in the management of money in our societies today. In his 'cross of gold' speech, William Jennings Bryan spoke passionately about the evils of the gold standard – the needs of Main Street should come before those of Wall Street. But almost forgotten are the most important sentences in the speech: 'We believe that the right to coin money and issue money is a function of government. We believe it is a part of sovereignty and can no more with safety be delegated to private individuals than can the power to make penal statutes or levy laws for taxation ... the issue of money is a function of the government and the banks should go out of the governing business.' He was consciously reiterating Thomas Jefferson, who said in 1809, 'the issuing power should be taken from the banks and restored to the people, to whom it properly belongs'.[56]

Why have governments allowed money – a public good – to fall under private control? To answer that, we need to understand the role of banks.

3

INNOCENCE LOST:
ALCHEMY AND BANKING

'Was ist ein Einbruch in eine Bank gegen die Gründung einer Bank?' (What is robbing a bank compared with founding a bank?)

Bertolt Brecht, *Die Dreigroschenoper*
(*The Threepenny Opera*), Act 3 Scene 3 (1928)

'"Splendid financiering" is not legitimate banking, and "splendid financiers" in banking are generally either humbugs or rascals.'

Hugh McCulloch, Comptroller
of the Currency, December 1863

In his account of the origins of the First World War, the historian Max Hastings quotes an exchange that took place in 1910 between a student and the commandant of the British Army staff college. Surely, the student suggested, only 'inconceivable stupidity on the part of statesmen' could precipitate a general European war. Brigadier-General Henry Wilson replied, 'Inconceivable stupidity is just what you're going to get.'[1]

Many would argue that 'inconceivable stupidity' was also the cause of the recent financial crisis – bankers were wicked and central bankers incompetent. Of course, the extraordinary events surrounding the start and evolution of the crisis took many by surprise, as did those that initiated the First World War. But the crisis of 2007–9 is not a story about individuals, entertaining though that portrayal might be. To see Dick Fuld, CEO of Lehman Brothers, or Fred Goodwin, CEO of the Royal Bank of Scotland, as the villains who undermined our financial system is a caricature that may satisfy our desire to name and blame – if difficult in practice to shame – but fails to get to grips with why so many people, so many banks, and so many countries took decisions that, with the benefit of hindsight, appear mistaken. Rather, it is a story about deeper forces shaping the constraints that governed the actions of individuals.

No doubt there were bankers who were indeed wicked and central bankers who were incompetent, though the vast majority of both whom I met during the crisis were neither. It would be both arrogant and complacent to assume that all the problems generated in money and banking arose because our predecessors, let alone our contemporaries, fell prey to 'inconceivable stupidity'. Rather, like everyone else, they naturally responded to the incentives they faced. As individuals, they tried to behave in what they saw as a rational manner, but the collective outcome was disastrous. Because they could not affect the behaviour of others, all the key actors in the drama were understandably acting in their own self-interest – given the actions of everyone else. Since, for one reason or another, they could not cooperate with the other players, they all ended up worse off – an example of the prisoner's dilemma.

Banks, too, faced a prisoner's dilemma. If, before the crisis, they had exited the riskier types of lending, stopped buying complex derivative instruments and reduced their leverage, they would, in the short term, have earned lower profits than their competitors. The chief executive would likely have lost his job, and other staff defected to banks willing to take risks and pay higher bonuses, well before the wisdom of the new strategy had become evident. Even understanding the risks, it was safer to follow the crowd. The most famous – now infamous – statement of this dilemma was that of Chuck Prince, the CEO of Citigroup (at the time the biggest bank in the world), who said before the crisis, 'As long as the music is playing, you've got to get up and dance. We're still dancing.'[2] He kept on dancing until the music did eventually stop in November 2007, and at that point he lost his job. Had he stopped dancing to the music of risk four years earlier, when he became CEO, I doubt that he would have survived that long. So it is less 'inconceivable stupidity' than the inherent difficulty of finding a way to a cooperative solution that was the main challenge facing bankers and other economic actors before the crisis. After the event it may seem easy to see how the crisis could have been avoided by some set of actions, but no one at the time had any incentive to take them.

During the crisis, I found that the study of earlier periods was more illuminating than any amount of econometric modelling (that is, the application of empirical statistical methods to economic data).[3] The crisis did not exactly mirror any one episode in the past, but there were uncanny parallels with many such episodes. It was natural for American commentators to look back to the Great Depression of the early 1930s – the previous major episode of bank failures in North America – and

Ben Bernanke, a long-time scholar of that period, brought to discussions among central bank governors a valuable historical perspective on the problems we faced. The collapse of the banking system in the United States in the 1930s was so severe that President Franklin Roosevelt, only a week after his inauguration in March 1933, announced a bank holiday (which lasted a week), shutting the banks to provide a breathing space during which confidence could be restored.[4] In his first fireside chat on the wireless, he talked about 'a bad banking situation', and continued:

> Some of our bankers have shown themselves either incompetent or dishonest in their handling of the people's funds. This was of course not true in the vast majority of our banks but it was true in enough of them to shock the people of the United States for a time into a sense of insecurity and to put them in a frame of mind where they did not differentiate but seemed to assume that an act of a comparative few had tainted them all.[5]

In 2008 we too had a 'bad banking situation', and since then evidence of the repeated scandals of 'a comparative few' have indeed 'tainted them all'.

Banks are part of our daily life. Most of us use them regularly, either to obtain cash, pay bills or take out loans. But banks are also dangerous. They are at the heart of the alchemy of our financial system. As described in Chapter 2, banks are the main source of money creation. They create deposits as a by-product of making loans to risky borrowers. Those deposits are used as money. Banks are able to transform short-term liabilities into long-term assets; in essence, they borrow short and lend long. They are, therefore, vulnerable to any crisis of confidence, real or imagined. The failure in 2008 of several large international banks, threatening not only to bring down the international financial system but to lead us back to another Great Depression, is hardly an isolated incident. Banking crises have been frequent down the years, occurring almost once a decade in Britain and the United States in the nineteenth and twentieth centuries. In one of the earliest crises, in Britain in 1825, many of the patterns apparent in the recent crisis could be seen almost two hundred years earlier: rapid expansion in overseas lending, a stock market boom, a central bank trying to restore price stability, a collapse of the banking system, concern about the interconnectedness of banks, the absence of effective regulation, official purchases of government bonds and drastic intervention by the central bank – the Bank of England – to lend to banks in distress. A familiar story

Banks are also highly visible. In New York, London and any major city, they dominate the skyline. Even on the other side of the world, far from the epicentre of the financial crisis, the names of the tallest buildings you can see from Auckland Harbour in New Zealand are dominated by global financial institutions: HSBC, Citi, Rabobank, ANZ, Westpac, AIG, Zurich, PWC, Deloitte, Ernst & Young. And the historic head-quarters of English cricket at Lord's in London is now sponsored by the American firm J.P. Morgan. Banks are visible not only in our physical but also in our financial architecture. They are huge players in the global economy. The biggest bank in the world is ICBC from China. In an age where inequality is prominent, it is remarkable how equal global banks are in terms of size. Among the twenty biggest banks in the world, the ratio of the assets of the largest to the smallest is little more than two to one.[6]

Taken together, however, these twenty banks accounted for assets of $42 trillion in 2014, compared with world GDP of around $80 trillion, and for almost 40 per cent of total world-wide bank assets.[7] In the league table of countries that are home to the top banks in the world, China, France and the USA share the leading position with four each, followed by Japan and the UK with three each, and one each in Germany and Spain. Of the largest fifty banks in the world, ten are from China and the rest are in the major industrialised countries.[8]

Size isn't everything, although it helps. As Macheath pointed out in Brecht's *Threepenny Opera*, why rob a bank and risk imprisonment when you could start a bank and create money? Both robbers and founders are attracted to banks because that is usually where the money is. But in September 2008 the money wasn't there. Banks were losing money hand over fist as people who had been willing to lend them large sums suddenly refused to make new loans. Unlike the frequent bank runs in the nineteenth century, when individual depositors occasionally panicked and withdrew their funds, the change of heart had come from other financial institutions, wholesale investors such as money market and hedge funds. Unable to replace these sources of funding, banks had to call in loans, sell assets, and, in some cases, seek funding from their central bank. Before the crisis, banks could borrow at the finest interest rates. During the crisis, the rates at which banks could borrow rose very sharply and in some cases funds were not available at any price – a case of innocence lost. Almost all the largest banks in the world received direct or indirect support ('bailouts') from their governments.

Much of the expansion of the banking system described in Chapter 1 resulted from the explosion of so-called derivative instruments (explained more fully in Chapter 4), based on the application of mathematics to finance. It is difficult not to be reminded of the *Titanic* – a marvel of modern engineering whose failure and sinking was unthinkable. But when the *Titanic* sank, at least only one ship was lost and not an entire fleet. In 2008 the whole banking system was at risk.

There has always been a fine dividing line between the respectable activities of traditional banking, managing the deposits of and lending prudently to established customers, and the 'splendid financiering' of those who cross the boundary into more dubious practices. While the chief executives of the world's largest banks were reaching for the sky – literally, in their suites at the top of the new skyscrapers that housed their headquarters – some of their employees were at the same time plumbing the depths of banking by rigging the markets in which they traded. The modern exponents of 'splendid financiering' – investment banks – have been described as, on the one hand, inventing new financial instruments that are 'socially useless' and, on the other, of 'doing God's work'.[9] With their global reach, their receipt of bailouts from taxpayers, and involvement in seemingly never-ending scandals, it is hardly surprising that banks are unpopular. Some bankers of my acquaintance are reluctant to admit their profession in polite company – certainly innocence lost. As the quotations at the head of the chapter illustrate, 'twas ever thus.

In 1873, the English political economist and editor of *The Economist*, Walter Bagehot, published a book that was to become a bible for those interested in how to handle financial crises. *Lombard Street*, a highly successful account of banking and the money market, explained how the Bank of England could and should have prevented earlier banking collapses by the provision of temporary financial support until the crisis had passed. As Bagehot knew only too well, banking crises are endemic to a market economy. Although his description of a central bank's responsibility as a 'lender of last resort' has entered the textbooks, and was frequently cited as justification for their lending by central bankers during 2008–9, it is in need of updating. Banking has changed almost out of recognition since Bagehot's time.

Changes in banking since Bagehot

For almost a century after Bagehot wrote his classic work, the size of the banking sector, relative to GDP, was broadly stable. But, over the past fifty years, bank balance sheets have grown so fast that the size and concentration of banks, and the risks they undertake, would be unrecognisable to him. J.P. Morgan today accounts for almost the same proportion of US banking as all of the top ten banks put together in 1960.[10]

The size of the US banking industry measured in terms of total assets has grown from around 20 per cent of annual GDP one hundred years ago to around 100 per cent today. In the UK, a medium-sized economy with a large international banking centre, the expansion is even more marked, from around 50 per cent of GDP to over 500 per cent. Most of this expansion has taken place over the past thirty years, and has been accompanied by increasing concentration: the largest institutions have expanded the most. Today, the assets of the top ten banks in the US amount to over 60 per cent of GDP, six times larger than the top ten fifty years ago. In the UK, the asset holdings of the top ten banks amount to over 450 per cent of GDP, with Barclays and HSBC both having assets in excess of UK GDP.

While banks' balance sheets have exploded, so have the risks associated with them. Bagehot would have been used to banks with leverage ratios (total assets to equity capital) of around six to one.[11] In the years immediately prior to the crisis, leverage in the banking system of the industrialised world increased to astronomical levels.[12]

How did banks find themselves in such a precarious position? Without a banking system our economy would grind to a halt with people unable to receive wages and salaries, pay bills, service loans and make other transactions. Banking is at the heart of the 'payments system'. As with the supply of electricity, its importance to the economy is much greater than is reflected in the number of its employees or its contribution to GDP. Because of its critical role in the infrastructure of the economy, markets correctly believed that no government could let a bank fail, since that would cause immense disruption to everyone's ability to make and receive payments. Creditors were willing to lend to banks at lower interest rates than would otherwise have been on offer because they were confident – correctly as it turned out – that even if things went wrong taxpayers would see them right.

When all the functions of the financial system are so closely interconnected, any problems that arise can end up playing havoc with services vital to the operation of the economy – the payments system, the role of money and the provision of working capital to industry. If such functions are materially threatened, governments will never be able to sit idly by. Institutions supplying those services are quite simply too important to fail.[13] Everyone knows it. So highly risky banking institutions enjoy implicit public sector support. In turn, the implicit subsidy incentivises banks to take on yet more risk. In good times, banks took the benefits for their employees and shareholders, while in bad times the taxpayer bore the costs. For the banks, it was a case of heads I win, tails you – the taxpayer – lose. Greater risk begets greater size, greater importance to the functioning of the economy, higher implicit public subsidies, and yet larger incentives to take risk – described by Martin Wolf of the *Financial Times* as the 'financial doomsday machine'.[14] All banks, and large ones in particular, benefited from an implicit taxpayer guarantee, enabling them to borrow cheaply to finance their lending.

Although the implicit subsidy was not new, banks were able to exploit its existence to borrow more, and resorted to the use of ever more short-term finance from institutions (known as wholesale funding) in addition to deposits from individual or business customers. The average maturity – the length of life of a loan – of wholesale funding issued by banks declined by two-thirds in the UK and by around three-quarters in the US over the thirty years prior to the crisis – at the same time as reliance on such funding increased. As a result, banks ran a higher degree of mismatch than in the past between the long-dated maturities of their assets, such as loans to companies and households, and the short-term maturities of the funding to finance their lending, often from hedge funds.

Cheap funding fuelled lending. And as the banks got bigger, so did the implicit subsidy – the IMF estimated that in 2011 the cost of the implicit subsidy in the major economies was of the order of $200–300 billion. The bigger banks became, the more they were seen as too important to fail, and the surer markets became that the taxpayer would bail them out. But there are only so many good loans and investments to be made. Banks made increasingly risky investments. To make matters worse, they started making huge bets with each other on whether loans that had already been made would be repaid. As some of those loans went bad, the bets generated large losses. To cap it all, banks held only small quantities of liquid assets on their balance sheets, so they were utterly exposed if some of the short-term funding dried up. In less than fifty years, the share of highly liquid assets held by UK banks declined from around a third of their assets to less than 2 per cent.[15] In the US the share had fallen to below 1 per cent just before the crisis.

The turning point came when the size of the balance sheet of the financial sector became divorced from the activities of households and companies. During the 1980s, a combination of deregulation and the invention of derivatives had two effects. First, it separated the scale of bank balance sheets from the scale of the real household and business activities in the economy. Lending to companies is limited by the amount they wish to borrow. But there is no corresponding limit on the size of transactions in derivative financial instruments, and most buying and selling of derivatives is carried out by large banks and hedge funds. The gross market value of derivatives has fallen since the crisis, but at just over $20 trillion at the end of 2014 it was still around one-half of the assets of the largest twenty banks in the world (and of the same order of magnitude as total lending to households and businesses).[16]

Second, the focus of much of banking changed from making loans, which requires a careful local assessment of potential borrowers, to trading securities, which involves a centralised operation to make and monitor transactions. The rise of US investment banks played a large part in that development. Commercial and investment banking, separated after the Glass-Steagall Act, were merged in large conglomerate banks after the repeal of Glass-Steagall in 1999 by the Gramm-Leach-Bliley Act. Standalone investment banks that were previously organised as partnerships turned themselves into limited liability companies – Morgan Stanley in 1975, Lehmans in 1982 and Goldman Sachs in 1999. Even traditional mutual building societies in Britain (the UK equivalent of US savings and loan associations) decided to convert into limited companies in order to be free to engage in a wider range of banking activities, and every single one that did so from 1990 onwards failed in the crisis.[17]

Those two developments altered the business model and the culture of our largest banks. Size became an objective because a bank that was clearly too important and too big to fail was able to borrow more cheaply, and even a small advantage in funding costs meant that it could offer cheaper loans to its customers. That enabled such a bank to expand more rapidly than its rivals in a virtuous circle of growth. So the size of the financial sector grew and grew. Along the way it included a massive expansion of trading in new and complex financial instruments, covering activities such as sub-prime mortgage lending. When I visited New York in December 2003, I found all the major banks worrying about whether they should either emulate Citigroup's strategy of using its size to obtain a comparative advantage in funding costs or abandon the aim of global reach and try to become a niche player in particular markets. Inevitably, perhaps, when the crisis came it was Citi that required a large bailout. Although it fell from grace in dramatic fashion, the fact that it wasn't allowed to fail vindicated the original strategy.

Before the crisis, banks paid large salaries and bonuses to people who created and analysed new products that could be sold to their clients. But not enough resources were devoted to assessing the riskiness of the balance sheet as a whole. With a growing proportion of bank activity deriving from the trading of complex instruments, it was difficult to work out how big the risks actually were. Certainly, no investor could have done so from the information made available by the banks in their accounts or any other published source. Nor did the banks themselves seem to understand the risks they were taking. And if that was the case, there was not much hope that the regulators, relying on information provided by the banks, could get to grips with the potential scale of the risk.

The expansion of trading rather than traditional lending also altered the culture of banking. New ways of making money relied on recruiting extremely clever individuals – mathematicians, physicists and engineers – whose job was to invent and price new financial instruments, and who were then lost to their former professions. Economists, who love being clever, applauded the application of mathematics to finance and the resulting explosion of transactions in derivatives. Sadly, the growth of trading led also to an erosion of ethical standards. There was a view that being very clever was a justification for making money out of people who were less clever.[18] This attitude encouraged the arrogance of the traders who rigged and fixed prices in what were thought to be competitive markets. Almost all the major banks have been dragged into one or more misconduct scandals. Whether selling oversized mortgages to poor people in the US, selling inappropriate pension and other financial products to millions of people in the UK, rigging foreign exchange and other markets in which banks' own traders were operating around the world, failing to stop overseas subsidiaries in places as far apart as Mexico and Switzerland from engaging in money laundering and tax evasion, there seemed no end to the revelations about what banks had been doing. By 2015, the total fines imposed on banks worldwide since the banking crisis ended in 2009 amounted to around $300 billion – a staggering figure.[19]

Bad behaviour by talented young men is often associated with the sporting world. But it applies equally to the world of finance, and is not a recent phenomenon. As long ago as 1905, the young John Maynard Keynes wrote to his friend Lytton Strachey: 'I want to manage a railway or organise a Trust, or at least swindle the investing public; it is so easy and fascinating to master the principles of these things.'[20] It is a small step from the expression of superiority in a private letter to the public expression of contempt seen on the trading floor. Keynes was, however, badly burned twice by misjudgements in the timing of his buying and selling activities. Towards the end of his investing career he mellowed and put less faith in speculative investments, writing: 'As time goes on, I get more and more convinced that the right method in investment is to put fairly large sums into enterprises which one thinks one knows something about.'[21] Perhaps the enormous losses banks incurred in the crisis, and the fines levied by regulators around the world, will bring a similar change of heart in banking.

Banks and other financial intermediaries create wealth by providing valuable services to their customers. But there is always the risk that they create the illusion of wealth – in the extreme case of the fraudster Bernie Madoff and his funds there was quite a long period when the perception of wealth was substantially higher than the reality.[22] More generally, many of the substantial bonuses that were paid as a result of trading in derivatives reflected not profits earned in the past year but the capitalised value of a stream of profits projected years into the future. Such accounting proved more destructive than creative.

It is clear that the size, nature and culture of banking have changed considerably since the days of Walter Bagehot. To analyse the implications of those changes we need to step back and ask why banks are special.

What is a bank?

What is a bank? The answer may seem obvious. It was actor and comedian Bob Hope who said that a bank is 'a place that will lend you money if you can prove that you don't need it'.[23] But most borrowers from banks do need the money. A growing economy requires new investment to add to the stock of capital (plant and machinery, inventories and buildings, including offices and housing) which, when harnessed to the labour force and supply of raw materials, produces the output that we call GDP. And that investment is financed from the supply of savings from both home and foreign savers.

Savings can be transferred to investors, whether businesses or households, in several ways. Businesses can retain profits to reinvest rather than distributing them as dividends; they can sell new issues of shares or bonds directly to savers; or they can borrow from banks. Equity, bond and bank finance are the essential building blocks of the methods companies use to finance themselves – although they can be combined in complex ways. Several factors influence the form in which savings are transformed into investment, including the tax treatment of different forms of saving and the willingness of savers to take risk. But perhaps the most important factor concerns the difficulty of assessing and monitoring the potential and actual profitability of investment projects. Equity finance (whether the sale of new shares or the retention of profits by companies) requires careful and continuous monitoring of a company's activities. In contrast, one attraction of loan (whether bond or bank) as opposed to equity finance is that monitoring is required only when the borrower fails to make a scheduled payment.

Companies large enough to be quoted on a stock exchange produce annual accounts showing profits, as well as assets and liabilities, which are verified by independent auditors and scrutinised by an army of analysts.[24] Savers who do not wish to rely on such public information can choose to invest in an array of financial intermediaries, such as mutual, pension and hedge funds or insurance companies. In that case, savers are relying on the judgement of the managers of the intermediary. Perhaps the most famous example of such a manager is Warren Buffett, whose company Berkshire Hathaway has an enviable track record of purchasing businesses that are well run and highly profitable. People who bought shares in Berkshire Hathaway, and held onto them, have seen the value of their investments steadily rise.[25] Someone who invested $1000 in Berkshire Hathaway in 1985 would by the middle of 2015 have an investment worth $161,000, a compound annual rate of return of almost 17 per cent. By relying on the judgement of Buffett and his colleagues, such investors did not themselves need to monitor the businesses in which they were investing. Over the past century, financial intermediaries have grown enormously as the wealth of the middle classes has increased. Substantial amounts of wealth are now invested through pension funds, and even house purchases can be financed by sharing the equity in the home with an intermediary.

Banks are a particular type of financial intermediary which provide loan finance to businesses and households. They are particularly well placed to monitor their borrowers' cash flows because they can observe the movements into and out of the bank accounts of the people to whom they lend. In most jurisdictions, the legal definition of a bank is an institution that takes deposits from households and businesses. A bank can raise finance by taking in or creating deposits, issuing other debt instruments and increasing equity invested in the bank. In the days of Walter Bagehot, banks' assets mainly comprised loans and holdings of government debt and their liabilities consisted of deposits and shareholders' equity. Banks today have more complex balance sheets, although the similarities remain. Consider a simplified version of the balance sheet of Bank of America at the end of 2014. Its assets comprised $139 billion of cash (including reserves held at the Federal Reserve), $867 billion of loans to businesses and households, and $1099 billion of financial investments, together with the value of buildings and other real assets. Total assets were $2105 billion.[26] Liabilities comprised $1119 billion of deposits, $743 billion in other forms of borrowing and $243 billion of shareholders' equity capital, giving total liabilities of $2105 billion. In fact, shareholders' equity is simply what is left after all other liabilities have been deducted from the value of total assets.

Two features of the balance sheet are striking. First, loans comprise only around 40 per cent of the bank's assets. Second, although deposits clearly exceed loans, other types of borrowing provide a significant source of finance. There is clearly more to Bank of America than taking in deposits from households and businesses and making loans.

What is it that makes banks special? The distinguishing feature of a bank is that its assets are mostly long-term, illiquid and risky, whereas its liabilities are short-term, liquid and perceived as safe. Returns on risky long-term assets are normally much higher than the returns which the bank has to offer on its safe short-term liabilities. So banking is highly profitable. Unfortunately, the notion that a bank can offer safe returns on deposits that can be withdrawn at a moment's notice by using them to finance long-term illiquid risky investments is, as common sense would suggest, generally false. The transformation of short-term liabilities into long-term assets – borrowing short to lend long – is known as maturity transformation. And the creation of deposits, which are regarded by the depositors as safe, into loans which, by their nature, are inherently risky constitutes risk transformation. Banks combine maturity and risk transformation. This is what makes them special. Moreover, when a bank makes a loan, it creates a deposit of equal value in the account of the borrower. That deposit can be withdrawn on demand and used to make payments. It is money. As explained in Chapter 2, most money today comprises bank deposits.

The transmutation of bank deposits – money – with a safe value into illiquid risky investments is the alchemy of money and banking. Despite innumerable banking crises, belief in the alchemy persists. Economists have shown great ingenuity in coming up with explanations of how the alchemy of money and banking works, and in suggesting some special synergy between bank assets and liabilities. The idea that risk transformation might be possible is based on the view that regional or national banks can diversify their lending across a large number of loans on which the risks are uncorrelated – that is, if a particular loan goes sour, it does not do so in circumstances when other loans also perform poorly. By making a large number of such loans, the bank supposedly avoids any real risk to the loan portfolio as a whole.

Unfortunately, experience suggests that the world does not behave in this way. In normal times, it may be true that the profits on loans to some businesses and households can be used to pay for defaults by others. When there are large swings in the economy, however, then the fates of different businesses move together. Such risk makes the value of the assets of a bank uncertain and prone to volatility. In the post-war period, most of the banking system's large losses have occurred during times of recession and often on property loans that have gone sour.

People believed in alchemy because, so it was argued, depositors would never all choose to withdraw their money at the same time. If depositors' requirements to make payments or obtain liquidity were, when averaged over a large number of depositors, a predictable flow, then deposits could provide a reliable source of long-term funding. But if a sizeable group of depositors were to withdraw funds at the same time, the bank would be forced either to demand immediate repayment of the loans it had made, resulting in a fire sale of the borrowers' assets that might realise less than the amount owed to the bank – or to default on the claims of depositors.

Such a system is fragile for two reasons. First, most banks, especially in recent years, have financed themselves with rather small amounts of shareholders' equity. The result is that even a small item of bad news about the value of a bank's assets might put the value of deposits at risk. Concerns about the size of potential losses would leave depositors scurrying for the door. Second, even without bad news concerning the loan book, if any group of depositors started to withdraw their money it would be rational for other depositors to join the queue and get their money out before the bank had to start calling in loans, with the attendant risk of a loss to the depositors at the end of the queue. A run on the bank is self-fulfilling. And a run on its liquidity reserves can bring a bank down in short order.[27]

A bank run is likely either if there is a loss of confidence in the value of the bank's assets or an unusually high demand for liquidity. In the first case, the run may be specific to a particular bank if, for example, there was a suggestion of fraudulent activity by its managers. In the second case, a change in perception of the value of bank assets more widely might lead to a suspicion of all banks and lead to a general increase in demand for liquidity. Only an increase in overall liquidity of the system will meet this demand. An individual bank will find it difficult to obtain more liquidity when all banks are scrambling for cash. In the extreme case where depositors flee the bank in large numbers, the resulting run on the bank can bring down not only that particular bank but create a sense of panic that spreads to other banks, leading to a collapse of the banking system. It was to avoid just such a panic that central banks lent hundreds of billions of dollars to commercial banks in 2008.

The basic problem with the alchemy of the banking system is that it is irrational for one person to place trust in a bank if others do not. And it is rational to be concerned about whether a bank can make good its promise to return a deposit on demand when radical uncertainty means that it is impossible to know how big might be the losses on loans. Four ways have been suggested to deal with this problem.

First, banks might suspend withdrawal of deposits in the face of a potential bank run. Banks could just shut their doors for a few days until the crisis has subsided. Of course, for a bank to close its doors, even if only because of a temporary shortage of liquidity, would send a signal that might lead to a loss of confidence on the part of depositors. It might only encourage a run to start sooner than would otherwise be the case, and if suspensions were regarded as potentially likely, then bank deposits would no longer function effectively as money.

Second, governments could guarantee bank deposits to remove the incentive to join a bank run. Deposit insurance is now a common feature of most advanced economies' banking systems. Nevertheless, the insurance provided is not fully comprehensive, and on occasions that has created difficulties. In 2007, when the UK bank Northern Rock failed, individual depositors joined a bank run because their deposits were insured only up to a limit and not for their full value. The run stopped only when the UK government belatedly announced a taxpayer guarantee of the deposits. In 2008, financial institutions withdrew their funds from US banks or their new equivalents, known as 'shadow' banks, because those deposits were not insured. The Federal Reserve stepped in to provide a degree of guarantee to stop the run. The provision of deposit insurance is a subsidy and an incentive to risk-taking by banks. It is no panacea, although, as I will argue in Chapter 7, in a world of radical uncertainty some government insurance is probably inevitable.

Third, the benefits of limited liability – the system we take for granted today in which shareholders' losses are limited to their initial investment – could be revoked for the shareholders of banks. In modern times, limited liability originated in the nineteenth century as companies sought to find capital on a scale adequate to finance the expansion of railways and new industrial plants. In the case of banks, unlimited liability would mean that shareholders were responsible for all losses, providing assurance to depositors and making a bank run less likely. In the United States, between 1865 and 1934 (when deposit insurance was introduced), bank shareholders were subject to 'double liability' – in the event of failure they were liable to lose not merely their equity stake but also an additional amount corresponding to the initial value subscribed for the shares they held, which could be used to repay depositors and other creditors. During this period, claims on shareholders in failed banks were quite successful in producing resources to pay out depositors.[28] Following numerous bank failures during the Great Depression, however, limited liability was extended to banks, and reliance placed on deposit insurance to deter runs.

In Britain, the death knell of unlimited liability came somewhat sooner with the failure of the City of Glasgow Bank, the third largest bank in the UK, in October 1878.[29] The bank had been badly managed and its accounts falsified. Following a report that revealed serious problems with the accounts, other banks withdrew their support for City of Glasgow and it closed its doors. Later that month, the directors were arrested and charged with fraud. With a promptness that seems remarkable by today's standards, the directors went on trial the following January, were convicted and sent to prison. It was left to the shareholders to meet the costs of supporting the depositors. Not only individual shareholders but also the trustees of private trusts which owned shares in the bank were personally liable for the losses, and 80 per cent of them went bankrupt. The plight of the shareholders aroused widespread public concern and the government introduced legislation to permit banks to convert to limited liability status.

The Economist magazine backed the legislation, citing the difficult position in which many innocent shareholders found themselves: 'an examination of the share lists of most of our banks exhibits a very large – almost an incredible – number of spinsters and widows, a considerable sprinkling of Clergymen and Dissenting Ministers, professional men, and others, whose occupations do not appear likely to have enabled them to accumulate much wealth ... Out of the whole number more than one third are women.'[30] Admirable though such diversity might seem today, it was seen then as evidence of the vulnerability of small investors. Spinsters and widows, let alone dissenting ministers, could not be expected to monitor and control bank executives. By August 1879, with commendable speed, the Banking and Joint Stock Companies Act, covering little more than three pages, had been passed by Parliament, requiring the publication of audited accounts and permitting banks to take advantage of limited liability.

It seems impossible to imagine now that unlimited liability could be restored. Yet limited liability in a bank with only a small margin of equity capital means that the owners have incentives to take risks – to 'gamble for resurrection' – because they receive all of the profits when the gamble pays off, whereas their downside exposure is limited. That is not in the best interest of the company as a whole. During the crisis, the chairman of one of Britain's largest banks told me of his frustration that he was supposed to act solely in the interests of shareholders and not also in the interests of bondholders and depositors. After the crisis I asked a senior member of Goldman Sachs why he believed that their attitude towards risk management was an example for others to follow. The answer was simple: for a century Goldman Sachs had been a partnership and so every partner had an incentive to help monitor and manage the risks of the firm, a culture that had survived its transition to limited liability company status in 1999. In investment banking, the partnership form of business has much to be said for it. Those who manage other people's money are more careless than when managing their own.

Fourth, central banks could replace lost deposits by providing official loans to a bank experiencing a run. It would, in the phrase that has become only too well known, act as a 'lender of last resort'. If banks experienced a run then the central bank could supply liquidity to enable each individual bank to meet its depositors' demands until the panic subsided and confidence returned. And if the crisis were a purely temporary one and the bank were solvent – in the sense that its assets could be sold once the crisis was over for an amount greater than the value of its liabilities – this 'lender of last resort' policy would achieve the objective of stabilising the banking system.

Flooding the system with liquidity has been seen by many economists, officials and politicians as the answer to almost any financial crisis. But it is never easy to distinguish between a liquidity and a solvency problem. In only a matter of days, a shortage of liquidity can turn into a solvency question. Banks will always claim that their problems result solely from illiquidity rather than a fall in the value of their assets. And the distinction between liquidity and solvency is one that may be observable only after a detailed examination of a bank's balance sheet, difficult for the authorities and impossible for investors. In September 2007, the consensus was that the crisis was solely one of liquidity. But it quickly became clear that it was in fact a crisis of solvency, and that a solution would require the combined efforts of central banks and taxpayers.

The failure before the crisis was a lapse into hubris – we came to believe that crises created by maturity and risk transformation on a massive scale were problems that no longer applied to modern banking, that they belonged to an era in which people wore top hats. There was an inability to see through the veil of modern finance to the fact that the balance sheets of too many banks were an accident waiting to happen, with levels of leverage on a scale that could not resist even the slightest tremor to confidence about the uncertain value of bank assets. For all the clever innovation in the world of finance, its vulnerability was, and remains, the extraordinary levels of leverage. Pretending that deposits are safe when they are invested in long-term risky assets is an illusion. Without a sufficiently large cushion of equity capital available to absorb losses, or the implicit support of the taxpayer, deposits are inherently risky. The attempt to transform risky assets into riskless liabilities is indeed a form of alchemy.

Risk in the system and interconnectedness

Given that banks are inherently fragile, it is not surprising that there have been frequent banking crises. The failure of any one bank can cause serious problems for its depositors, other creditors, and its shareholders. But what really matters for the economy is the risk inherent in the banking system as a whole. Risk in the system is not measured by an average of the risks of each individual bank. The simplest way to see this is to consider an artificial but striking example. Borrowing short to lend long creates risk. Suppose that there are one hundred banks in the economy. The first bank issues demand deposits (that is, deposits that are instantly convertible into cash) and invests in securities issued by other banks with a maturity of six months. The second bank issues liabilities comprising securities with a maturity of six months and invests in bank securities with a maturity of twelve months. And so on. The one hundredth bank issues liabilities with a maturity of forty-nine and a half years and invests in non-bank securities with a maturity of fifty years. Bank regulators are asked to check that each bank is not exposed to an excessive degree of maturity transformation. Since, in this example, that is only six months for each bank, the regulators report a satisfactory compliance with restrictions on the degree to which banks are allowed to borrow short and lend long. But the banking system as a whole is creating demand deposits and investing in long-term securities with a maturity of fifty years. There is massive maturity transformation in the banking system as a whole. This example is clearly artificial – although before the crisis banks did transact extensively with each other in similar ways – but it illustrates the need to examine the system rather than individual banks.[31]

The question of interconnectedness is not restricted to links within the banking system. Since the crisis a great deal of attention has been paid to the need for banks to issue liabilities that can absorb losses in bad times without the need for taxpayer support. This is the basis of calls for banks to issue either more equity or special 'bail-inable' bonds that can be converted to equity capital when substantial losses arise. Such proposals have much merit, but they beg one very important question. Who are the people or institutions who hold the equity and debt that are supposed to absorb losses? If they are pension funds or insurance companies, which play a crucial role in the management of household savings, then it is far from obvious that they are best placed to absorb the risks generated in the banking system. This takes us back to the fundamental question posed by the alchemy of the banking system – we all want deposits to be safe and yet we also want to finance risky investment projects. How do we square the circle? In other words, we need to look at the financial sector as a whole, and not just the formal banking system.

In the run-up to the crisis, new institutions grew up to form a so-called 'shadow banking' system. In the US it became larger in terms of gross assets than the traditional banking sector, especially between 2002 and 2007, largely because it was free of much of the regulation that applied to banks. There is no clear definition of what constitutes 'shadow banking', but it clearly includes money market funds – mutual funds that issued liabilities equivalent to demand deposits and invested in short-term debt securities such as US Treasury bills and commercial paper.

Money market funds were created in the United States as a way of getting around so-called Regulation Q, which until

2011 limited the interest rates that banks could offer on their accounts. They were an attractive alternative to bank accounts. Such funds – and hence the owners of their liabilities – were exposed to risk because the value of the securities in which they invested was liable to fluctuate. But the investors were led to believe that the value of their funds was safe. By the time the crisis hit, such funds had total liabilities repayable on demand of over $7 trillion. And they lent significant amounts to banks, both directly and indirectly through other intermediaries.

It was because they were a significant source of funding for the conventional banking system that the Federal Reserve took action to prevent the failure of money market funds in the autumn of 2008 when, after the failure of Lehman Brothers, concern about the ability of such funds to hold their value led to a run on them.[32] In Europe and Japan, money market funds did not grow to the same extent because banks had more freedom to pay interest, and since the crisis, unlike in the US, such funds have had to choose between being regulated as banks or becoming genuine mutual funds with a risk to the capital value of investors' money.

At one time or another, almost all non-bank financial institutions have been described as shadow banks. In some cases, such as special purpose vehicles set up by banks themselves, the description is merited. Those vehicles were legal entities, such as limited liability companies, set up for the sole purpose of issuing short-term commercial paper, not dissimilar to bank deposits, and purchasing longer-term securities, such as bundles of mortgages, created by the banks themselves.[33] In essence, they were off-balance-sheet extensions of banks, and during the crisis many were taken back on to the balance sheet of their parent bank. Entities such as hedge funds and other bodies carrying out fund management are also sometimes described as examples of shadow banking. But since they do not issue demand deposits, the comparison with banks is much less convincing. The challenge posed by shadow banks is to ensure that institutions engaging in the alchemy of banking are regulated appropriately, and I shall return to this issue in Chapter 7.

Financial engineering allows banks and shadow banks to manufacture additional assets almost without limit. This has had two consequences. First, the new instruments created are traded largely among big financial institutions and so the financial system has become enormously more interconnected. The failure of one firm causes trouble for the others. This means that promoting the stability of the system as a whole by regulating individual institutions is much less likely to be successful than hitherto. As in the stylised example described above, maturity and risk mismatch can grow through chains of transactions among banks and shadow banks without any significant amount being located in any one institution. Shadow banks posed as big a risk to the stability of the financial sector as conventional banks. Second, although many of these positions even out when the financial system is seen as a whole, gross balance sheets are not restricted by the scale of the real economy, and so banks and shadow banks were able to expand at a remarkable pace. When the crisis began in 2007, no one knew which banks were most exposed to risk. Almost no institution was immune from suspicion, the result of the knock-on consequences so eloquently described by Bagehot when he wrote:

> At first, incipient panic amounts to a kind of vague conversation: Is A.B. as good as he used to be? Has not C.D. lost money? and a thousand such questions. A hundred people are talked about, and a thousand think, 'Am I talked about, or am I not?' 'Is my credit as good as it used to be, or is it less?' And every day, as a panic grows, this floating suspicion

becomes both more intense and more diffused; it attacks more persons; and attacks them all more virulently than at first. All men of experience, therefore, try to 'strengthen themselves,' as it is called, in the early stage of a panic; they borrow money while they can; they come to their banker and offer bills for discount, which commonly they would not have offered for days or weeks to come. And if the merchant be a regular customer, a banker does not like to refuse, because if he does he will be said, or may be said, to be in want of money, and so may attract the panic to himself.[34]

The risk premium – the rate of return required by investors over and above the return on safe government debt of the same maturity – on loans even to large banks rose very sharply during the crisis. For most banks the risk premiums on their unsecured debt had more than trebled by October 2008 relative to their levels at the start of 2007. All banks, irrespective of the precise nature of their business and balance sheet, were tarred with the same brush. Even today, risk premiums are higher than before the crisis.

Size of the banking sector

The size, concentration and riskiness of banks have increased in extraordinary fashion over recent decades – as described above – and would be unrecognisable to Bagehot. A banking and financial sector is essential to economic growth. Many poor countries need a growing financial sector as they develop, and many poor people around the world will need greater access to financial facilities. But is the banking sector now too large?

Size has advantages, and not just for big banks themselves. A system comprising a few large nationwide banks may be more resilient than one consisting of a large number of small local banks. In the 1930s, the United States saw the failure of almost 10,000 banks – 4000 in 1933 alone. It was the regional fragmentation of American banking that proved so vulnerable to the downturn because there were limited opportunities to set losses in one area or industry against profits in others. The loss of so many banks was devastating to small businesses in general and agriculture in particular, and exacerbated the depression in the economy. In contrast, the UK did not experience a banking crisis during the Great Depression. One reason was the tradition of national branch banking with its greater resilience and, it is fair to say, a high degree of oligopoly, which restrained competitive pressures on banks to lend in more optimistic times.

A similar benefit from size can be seen in the experience of Canada, a country with a long history of remarkably few banking crises.[35] Canada has a small number of banks (now five) and is not an international financial centre.[36] Those two factors have stood it in good stead and explain the comparatively good performance of Canadian banking during the recent crisis.

Those advantages of size relate to the composition of the banking sector and its concentration. There are three reasons to believe that, before the crisis, the banking sector as a whole became too large. First, because bank deposits are used as money, their failure can prevent people paying bills and receiving wages, so undermining the payments system. That is why governments are unwilling to allow banks, other than small ones, to fail. Banks, as we have seen, are too important to fail. The implicit guarantee of bank liabilities amounts to an effective subsidy, allowing banks to raise finance more cheaply than other entities in the private sector. Depositors and others who lend money to banks believe that they are in effect lending to the government.[37] The belief that when in trouble banks will be bailed out by the state because they are too important to fail leads to an implicit subsidy, which means a larger banking system than is justified by the underlying economics.

Second, many of the examples of high personal remuneration, especially in the form of bonuses, in the financial sector reflect not high productivity but what economists call rent-seeking behaviour. In other words, the remuneration is far higher than is necessary to persuade people to work in the industry. Financial markets are places where delusion and greed find common cause. Many of the transactions in complex financial instruments are zero-sum – a clever trader makes money out of a less clever one. Such activity diverts talent from professions where the social returns are high, such as teaching, to those, such as finance, where the private return exceeds, often substantially, the social return.

Third, financial capital is attracted into the industry by the appearance that there are high profits to be made. Sometimes these are overstated, especially on long-term financial contracts. As mentioned earlier, a common way of exploiting normal accounting conventions for derivative and other complex transactions was to report as current income the present value of expected future cash flows, even though they had not yet been received. Some of those practices reminds me of certain football clubs, which would sell the right to future gate receipts and season ticket sales to outside investors and then report the proceeds as money available for current spending. Indeed, the practice of converting a stream of future profits into a capitalised present value was one of the ways in which Enron, the American energy company that went bankrupt in December 2001, misled the market.[38] The exaggeration of the profitability of complex transactions represented by these accounting practices provides misleading incentives to the use of capital in the banking industry.

For those reasons, when the crisis hit, banks had grown

to a size where it was risky to the system as a whole to allow them to be subject to normal market disciplines, where they had become almost impossible to manage (as the growing revelations of misconduct by most large banks have revealed), and where they were immune to the usual due process of law out of fear of the consequence of their failure for the financial system as a whole. Banks had become too big to fail, too big to sail, and too big to jail. And in some countries, the size of the banking sector had increased to the point where it was beyond the ability of the state to provide bailouts without damaging its own financial reputation – for example in Iceland and Ireland – and it proved a near thing in Switzerland and the UK. The fate of the Bank of Scotland (which in 2001 evolved into HBoS) and the Royal Bank of Scotland, founded in 1695 and 1727 respectively, encapsulates the problems of British banking. Between 2000 and 2008, the exposure of HBoS to commercial property rose by 600 per cent, resulting in a potentially large loss if asset prices were to fall. RBS's exposure to commercial property also rose rapidly, at an annualised rate of 21 per cent, and the fragility of its balance sheet was exacerbated by the ill-timed acquisition of the Dutch bank ABN Amro in the autumn of 2007. Both had to be rescued by the taxpayer, in the form of the Bank of England and the government, in 2008. Millions of passengers in Europe arriving at airport gates emblazoned with the letters RBS are reminded daily not of the successes of UK banking but of its failures.

By 2008, too many banks were an accident waiting to happen. When the banking system failed in September of that year, not even massive injections of both liquidity and capital by the state could prevent a devastating decline of confidence and output around the world. So it is imperative that we find an answer to the question of how to make our banking system safer.

The attempt to link the creation of money, in the form of bank deposits, to the financing of long-term risky investments seems attractive in normal times because the alchemy it represents conceals the true cost of the arrangement. Only when the inherent fragility is revealed by a crisis do the costs become apparent. The demand for a safe reserve of purchasing power in the form of money can increase hugely and suddenly in times of crisis. But banks and even governments cannot create safe assets. To understand the demand for safe assets, and the extent to which our banking system as presently constituted can respond to that demand, requires a deeper analysis of the nature of uncertainty.

4

RADICAL UNCERTAINTY:
THE PURPOSE OF
FINANCIAL MARKETS

And what you do not know is the only thing you know
And what you own is what you do not own
And where you are is where you are not.

T.S. Eliot, 'East Coker', *The Four Quartets*

'You've got to expect the unexpected.'

Paul Lambert, Aston Villa manager,
press conference, 22 November 2013

Are we really capable of expecting the unexpected?[1] In 1998, the hedge fund Long-Term Capital Management (LTCM) failed, although its senior management team comprised two Nobel Laureates in Economic Science, Myron Scholes and Robert Merton, and an experienced practitioner in financial markets, John Meriwether. Their strategy, successful at first, was to create a highly leveraged fund that bought large amounts of one asset and sold equally large amounts of a slightly different asset (for example, government bonds of slightly different maturities), so as to exploit anomalies in the pricing of those assets. The return on each transaction was tiny but done on a sufficiently large scale, it generated huge profits.

The choice of assets was based on sophisticated statistical analysis of high-frequency data over a decade or more. But the data, although voluminous, covered only a short period of history, and when a rare but significant event – the Russian default and devaluation in the summer of 1998 – occurred, past correlations proved a poor guide to asset returns. LTCM failed. Its management argued, in hindsight almost certainly correctly, that given sufficient time they would be able to work their way through the losses to a position of positive net worth. But if you start with a portfolio worth less than nothing, you have to persuade your creditors to allow you to continue. As usually happens in such circumstances, the creditors called a halt. The lesson is that no amount of sophisticated statistical analysis is a match for the historical experience that 'stuff happens'. At the heart of modern macroeconomics is the same illusion that uncertainty can be confined to the mathematical manipulation of known probabilities. To understand and weather booms and slumps requires a different approach to thinking about uncertainty.

The illusion of certainty

Risk, luck, fate, uncertainty, probability theory – we all have names for the game of chance. Most decisions in life involve risk. Sometimes we embrace it, as when we enjoy a bet on the Grand National or the Super Bowl, and sometimes we avoid it, as when we insure our houses against fire. The playing of the hand we are dealt can be a pleasure in a game of bridge and a burden in life. We accept that Lady Luck has her part to play in our personal lives. But we cling to the 'illusion of certainty' in monetary matters. There is a seemingly insatiable demand for economic forecasts. Newspapers and television are only too willing to print the latest forecast of, say, national income with a degree of precision that beggars belief and far exceeds the ability of statisticians to measure it. And at the end of each year prizes are awarded to the forecasters who turned out to be the most accurate. It makes as much sense as it would to award the Fields Medal in mathematics to the winner of the National Lottery.

No economic forecaster has ever been able to match Edmund Halley, who in 1682 made calculations predicting that the comet then visible in the skies would return seventy-six years later. It did – on Christmas Day 1758. Fortunately the length of the economic cycle – the duration of the expansion and subsequent contraction of the economy before it returns to its normal levels of output and employment – is shorter than the periodicity of Halley's Comet – although if it goes on increasing at its present rate even that might not be true. But Halley was able to rely on scientific laws; economic predictions are inherently less reliable because they depend upon human behaviour.

Despite the repeated inability of economic forecasting models to predict accurately, there is a persistent belief that there is, if only we could find it, a 'model' of the economy that will produce forecasts that are exactly right. When giving evidence to the Treasury Select Committee in the House of Commons, I would sometimes respond to questions by saying, 'I don't know, I don't have a crystal ball.' Such an answer outraged many Members of Parliament. They thought it was my job to have an official crystal ball in order to tell them what the future held. Any attempt to explain that not only could I not forecast the future, but neither could they, and nor for that matter could anyone else, was regarded with disbelief. Down the ages, quack doctors selling patent medicines and astrologers selling predictions have been in strong demand. Added to their number today are economists selling forecasts, reflecting a desire for certainty that is as irrational as it is understandable.

Why are we so reluctant to accept that the future is outside our control? The reluctance to give adequate prominence to risks may reflect the fact that many of us feel uncomfortable with formal statements of probabilities. Probability theory is a relatively recent development in our intellectual history, dating back to a flowering of ideas in Europe around 1660 produced by Blaise Pascal, Gottfried Leibniz, Christiaan Huygens and others. Despite advances since then, statistical thinking remains prone to confusion and is often avoided. Television weather forecasts in Britain rarely employ the language of probabilities used by the meteorologists themselves. Professor Gerd Gigerenzer, a psychologist and Director of the Max Planck Institute for Human Development in Berlin, who studies the mental processes that actually underlie decisions in practice, has demonstrated in a series of studies how poorly doctors, lawyers and other professionals understand probabilities.[2] At the start of the crisis in August 2007, the Chief Financial Officer of Goldman Sachs, David Viniar, said that the losses suffered on one of their hedge funds implied that 'we were seeing things that were 25-standard deviation moves, several days in a row'.[3] That certainly is extreme, since such moves should occur even less often than once every 13 billion years, or the time elapsed since the creation of the universe!

In times of genuine uncertainty, even the most hard-bitten financiers become disorientated. And despite Seneca's maxim that 'luck never made a man wise', airport bookshops continue to stock titles on how to become rich written by successful investors and entrepreneurs who are confident that their success is the result of outstanding business acumen rather than good fortune. Matthew Syed, a former table tennis international, argued that sporting success reflected practice more than talent – the result of 'hitting a million balls'.[4] His thesis was widely hailed, in part because it gave us back the feeling that we could be in control of our destiny. Clearly, practice is crucial to success, but as Ed Smith, the writer and former England cricketer, explained, chance, or simply luck, plays a big role in both sporting and personal life – 'stuff happens'.[5] The desire for certainty and control over our destiny is a deep-seated human characteristic.

The difficulty we have in confronting uncertainty, and our strong desire to control our own lives, lead to seemingly irrational decisions. After the terrorist attacks on New York on 11 September 2001, many Americans stopped flying for a period and drove instead. Traffic on interstate highways rose 5 per cent in the three months after the attack, and it took a year before normal patterns of travel were resumed. In that period, around 1600 Americans lost their lives in road accidents because of the switch from flying to driving, some 50 per cent of the death toll incurred on 9/11 itself.[6] Such behaviour might appear irrational. After the attacks, airline security was drastically tightened. But how were people to assess the risk of flying in a world of new uncertainties? They opted for a form of transport more directly under their own control, even if it turned out to be more dangerous.

Coping with unquantifiable uncertainties outside our control is a challenge to our mental discipline. We are tempted to put blind faith in experts who claim certainty. We rely on extrapolations of the past. If house prices have risen each year for a long period, it seems natural to conclude that they will go on rising.[7] Such beliefs can fuel a continuing rise in prices until some external event confronts those beliefs with reality. Much statistical analysis in economics – the use of econometrics – relies on the assumption that past correlations will continue to hold in the future because the underlying 'model' generating observations of economic data remains unchanged. But if the model is wrong, observed correlations will prove a poor guide to the future, as LTCM discovered. Neither house prices nor any other asset price are likely to rise indefinitely, relative to a measure of incomes. Failure to understand the context in which correlations are observed leads to false conclusions. The steady fall in long-term real interest rates since 1990 was always likely to lead to a continuing rise in house and other asset prices. But it was never plausible that such a fall could continue indefinitely. Similarly, before the crisis, banks appeared to be well capitalised and had little trouble attracting funds, until one day they couldn't. It is difficult to cope with the complexity of the world, and so we fall prey to the illusion of certainty. An example from the stock market illustrates the problem.

The stock market is volatile and difficult, if not impossible, to predict over short periods. At the beginning of any particular week the chance of the market rising over the following week is roughly the same as the chance of its falling. So if I were to predict the direction of the market movement correctly for five successive weeks, you might think that I knew something you didn't. Indeed, you might be willing to subscribe to an investment service with that sort of track record. How might one create the illusion of clairvoyance? Select around six thousand names and addresses from the London or New York telephone directory. Divide the names into two groups. To the first group, send a letter predicting that the market will rise over the coming week. To the second, write predicting a fall in the market. At the end of the week keep the three thousand or so names who were given the correct prediction and discard the others. Divide those names in turn into two groups. To the first, predict a rise in the market and to the second, a fall. Repeat this process for five weeks, at which point there will be around 200 people to whom the following letter could be sent: 'You may well have been sceptical when you received our first letter, but by now you will know that we have indeed found the secret of predicting successfully the direction of movement of the stock market. You know that our method really works. To subscribe to our investment service please send £5000 by return.'

My publisher has insisted that I make clear that I am not encouraging any reader to set up such a scheme. But the example illustrates that the interpretation of *ex post* outcomes depends critically on understanding the context from which the observations were drawn. In complicated situations that may require imagination of a high order. The wish for certainty and the belief that it exists are seductive and dangerous. The desire to resolve the cause of apparently inexplicable events means that people can easily be misled into believing a false story by a failure to appreciate the context from which the events they observe are drawn. Coping with uncertainty is by no means straightforward, even for the most highly trained professionals. As Voltaire put it, 'Doubt is not a pleasant condition, but certainty is an absurd one.'[8]

The two types of uncertainty

In coming to terms with an unknowable future, it is helpful to use the distinction between risk and uncertainty introduced in 1921 by the American economist Frank Knight.[9] Risk concerns events, like your house catching fire, where it is possible to define precisely the nature of the future outcome and to assign a probability to the occurrence of that event based on past experience. With risk it is then possible to write contracts that can be defined in terms of observable outcomes and to make judgements about how much we would pay to take out insurance against that event. Many random events take the form of risk, and that is why there is a large industry supplying insurance against fire, theft, accidents and death. Uncertainty, by contrast, concerns events where it is not possible to define, or even imagine, all possible future outcomes, and to which probabilities cannot therefore be assigned. Such eventualities are uninsurable, and many unpredictable events take this form. A capitalist economy generates previously unimaginable ideas, new products and new technologies. For example, a friend decides to open a software business and asks you to be an investor. It may be difficult to assess the value of the software product and impossible to assign probabilities to its success or failure.

The distinction between risk and uncertainty can be illustrated by human mortality. 'In this world nothing can be said to be certain, except death and taxes,' wrote Benjamin Franklin in 1789. It is clear, however, that there is indeed substantial uncertainty about both the likely date of our death and the contributions or taxes required to pay for our pensions. Longevity risk – the probabilities of dying at different ages – can be assessed by looking at the experience of others. In England and Wales in 2012 the most common age of death for women was eighty-seven, but of course most died at different ages. Because those frequencies of death at different ages are observable, individual risk – that we will die either earlier or later than the average for our peers – can be insured by taking out life insurance against early death or by purchasing an annuity to insure against later death.

There is, however, also genuine or 'radical' uncertainty

about the average length of life of people belonging to different generations. Average longevity has increased over time, with a remarkable reduction in infant mortality during the twentieth century and a more recent fall in mortality at later ages. A woman who was sixty in 1902, and subject to that year's mortality rates, would have expected to live for another fourteen and a half years. By 2012 that expectation had increased to over twenty-five years. Changes in average longevity have proved hard to predict. In 1798, the English cleric and scholar Thomas Malthus wrote that 'with regard to the duration of human life, there does not appear to have existed, from the earliest ages of the world, to the present moment, the smallest permanent symptom, or indication, of increasing prolongation'.[10] That past experience was to prove a poor predictor of the future. In 1798, life expectancy in Britain was around forty. Today it is over eighty, and even higher for women. We simply do not know how life expectancy will change in the future.[11] Developments in medical science, especially the results of stem-cell research, may enhance the prospects for life expectancy radically, and new infectious diseases may have the opposite effect. Good judgement rather than statistical extrapolation is key to making assessments about changes not only in longevity but in many economic and social variables.

Economists typically think about risk rather than radical uncertainty. They see the future as a game of chance in which we know all the outcomes that might emerge and the odds of each of them, even though we cannot predict the roll of the dice. In that world, because all future outcomes can be defined, it is theoretically possible to hold the grand economic auction described in Chapter 2, leading to efficient decisions about what to produce and consume.[12] Although such an auction would, of course, be impossible to organise in practice, the real failure of the auction model is more profound. If we cannot imagine the goods and services that may exist in the future, nor conceive of all the eventualities that may befall us, then it is impossible to define the markets that are required by the auction model. Radical uncertainty drives a gaping hole through the idea of complete and competitive markets. Even if the markets that do exist are competitive, many crucial markets for future goods and services are absent. When IBM launched its personal computer (the 'PC') in 1981, there were no markets in the products that subsequently displaced it in the consumer marketplace, such as laptop and tablet devices. Neither producers nor consumers can know what options will be available to them in the future, and so they cannot express preferences in markets that might provide a guide to investment decisions. The markets are simply missing. And how tedious it would be if we could imagine what the future holds. Uncertainty – radical uncertainty – is the spice of life.

Coping strategies as rational behaviour under uncertainty

In a world of pure risk, where we can list possible future events and attach probabilities to them, there is a traditional view among economists of what constitutes rational behaviour – the so-called 'optimising' model. According to this view, individuals first evaluate each possible future outcome in terms of its impact on their well-being or 'utility', and then weight each utility by the probability of the event to which it is attached, so deriving the average or 'expected utility' from a given set of actions. People are assumed to choose their actions (for example, how much to save today) in order to reach the highest level of 'expected utility'.[13] Such optimising behaviour in a world of risk has proved a useful tool in analysing the impact of government interventions in markets and the provision of insurance against known risks. Choosing between different models of car, how many hours to work, how much to pay for insurance against an identifiable event – all such decisions, and there are many of them, can be analysed perfectly well within the conventional framework of economic risk and hence the traditional economists' optimising framework. As the imperial power of the social sciences, economics has extended its reach to theories of marriage patterns, divorce and childbearing. It is striking, however, that such economic analysis is largely concerned with areas of economic choice where risk rather than uncertainty is the norm.[14]

The main defence of the theory of optimising behaviour is the one provided by Milton Friedman in 1953, when he compared people making economic decisions with billiards or snooker players who do not understand Newtonian mechanics, but play as if they did.[15] This 'as if' argument has been powerful in persuading economists that people behave as if they carried out immensely complex mathematical calculations – rather as if they were computers playing chess. But we know that when computers play chess, they do so differently from human beings. The former make millions of calculations; the latter make intuitive leaps of imagination. And that should be a warning of the limitations of the economic calculus underlying traditional economic theories. Human capacity for making conscious calculations is bounded, but the ability of the human brain to engage in lateral thinking is well developed. People are better than computers at recognising faces. Most of my economist colleagues have had their deepest insights through the use of intuition, and have deployed logical mathematical proofs to demonstrate to others why that intuition is correct. But the original insight did not come from making a mathematical calculation.

And it appears that cricketers and baseball players are the same, only more so. If, like calculating billiards players, fielders followed the dictates of Newtonian mechanics, they would observe the ball hit high in the air, compute where it would land, run in a straight line, stand still and catch the ball. Careful video observations have revealed that neither cricketers nor baseball players do that.[16] Rather, they seem to follow a simple rule of thumb: watch the ball and keep the angle between it and the horizon constant.[17] It can be shown that this rule of thumb means that fielders will run, not in a straight line but in an arc, and will end up catching the ball while still running. That pattern of behaviour is exactly what the videos have shown. Traditional optimising behaviour is replaced by a rule of thumb that is simple to follow and robust to the complexities of swirling winds and atmospheric resistance of the ball, a practice sustained by experience.

More generally, in a world of radical uncertainty, where it is not possible to compute the 'expected utility' of an action, there is no such thing as optimising behaviour. The fundamental point about radical uncertainty is that if we don't know what the future might hold, we don't know, and there is no point pretending otherwise. Right through his life, John Maynard Keynes was convinced that radical uncertainty, as it has become known, was the driving force behind the behaviour of a capitalist economy. As he explained, drawing on Knight's distinction between the two types of uncertainty, there is an essential difference between a game of roulette or predicting the weather, on the one hand, and the prospect of war or the scope of new inventions, on the other. Of the latter, he wrote: 'About these matters there is no scientific basis on which to form any calculable probability whatever. We simply do not know.'[18]

The language of optimisation is seductive. But humans do not optimise; they cope. They respond and adapt to new surroundings, new stimuli and new challenges. The concept of coping behaviour does not, however, mean that people are irrational. On the contrary, coping is an entirely rational response to the recognition that the world is uncertain. There is no need to abandon the conventional assumptions of economists that people prefer more consumption, or profit, to less, and that their choices display a degree of consistency.[19] The strength of economics as a social science is the belief that people will attempt to behave rationally. The challenge is to work out how a rational person might cope with radical uncertainty. People aren't dumb. It is just that in a world of radical uncertainty even smart people do not find it easy to know what it means to behave in a smart manner.

The main challenge to the economists' assumption of optimising behaviour comes from 'behavioural economics', a relatively new field often associated with Daniel Kahneman, Richard Thaler and Amos Tversky.[20] It studies the emotional and psychological dimensions of economic choices.[21] Behavioural economics has identified an impressive array of cognitive biases in the way people behave in practice. For example, people are observed both to display overconfidence in their ability to judge probabilities and to underestimate the likelihood of rare events. But behavioural economics assumes that deviations from traditional optimising behaviour result from the fact that humans are hardwired to behave in a way that is 'irrational'. Daniel Kahneman suggested that decisions are made by two different systems in the mind: one fast and intuitive, the other slower, deliberate, and closer to optimising behaviour.[22] In this way he was able to explain aspects of behaviour that appear anomalous in the traditional approach.

But simply patching up the optimising model by making the decision process more complicated – adding an intuitive to a rational self – in order to explain particular observed anomalies does not mean that it is likely to perform better in explaining future behaviour. The gold standard of scientific tests is prediction. Consider the problem of trying to explain the movement of the stock market over the past year. By taking into account more variables and more detail from that year, we would be able to 'explain' a larger proportion of the movement. But much of that would reflect the accidental quirks of the past year rather than any underlying structure of the stock market. A complicated explanation of the past makes it no more likely that we can predict the stock market over the coming year than simply tossing a coin. Many smart people have tried and failed to beat the market. Information is quickly incorporated into stock prices, and explaining why prices moved in the past is no basis on which to predict the future. The stock market is a good example of the tendency of economists 'to excel in hindsight (fitting) but fail in foresight (prediction)'.[23]

The danger in the assumption of behavioural economics that people are intrinsically irrational is that it leads to the view that governments should intervene to correct 'biases' in individual decisions or to 'nudge' them towards optimal outcomes. But why do we feel able to classify behaviour as irrational? Are policy-makers more rational than the voters whose behaviour they wish to modify? I prefer to assume that neither group is stupid but that both are struggling to cope with a challenging environment. After the crisis, the earlier belief that competitive markets were efficient and yielded rational valuations of assets was replaced by a conviction that financial markets were not merely inefficient but reflected irrational behaviour that produced 'bubbles' in asset prices and excessive demand for credit. Both views are extreme. Of course, emotions play an important part in economic decisions, especially in financial markets. Professor David Tuckett of University College, London, interviewed a large number of investment managers in different financial centres to discover what motivated them when making their decisions about how to invest large sums of money. Out of this came a theory of 'emotional finance'. Rather than viewing unconscious emotions and conscious reasoning as two systems in conflict, Tuckett sees them as engaging in a continuous two-way communication. As he argues, 'emotion exists to help economic human actors when reason alone is insufficient'.[24] In other words, emotions help us to cope with an unknowable future and should not be seen as 'irrational'.

The problem with behavioural economics is that it does not confront the deep question of what it means to be rational when the assumptions of the traditional optimising model fail to hold. Individuals are not compelled to be driven by impulses, but nor are they living in a world for which there is a single optimising solution to each problem. If we do not know how the world works, there is no unique right answer, only a problem of coping with the unknown. A different way of thinking about behaviour as neither irrational nor the product of a constrained optimisation problem is, I believe, helpful in understanding what happened both before and after the crisis. In other words, we need an alternative to both optimising behaviour and behavioural economics.

What does it mean to be rational in a world of radical uncertainty? Once we are liberated from the view that there is a single optimising solution, rules of thumb – technically known as heuristics – are better seen as rational ways to cope with an unknowable future.[25] A heuristic is a decision rule that deliberately ignores information. It does so not just because humans are not computers, but because it is rational to ignore information when we do not understand how the world works. As is clear from the example of trying to explain and then predict the stock market, getting lost in the thickets of the past conceals the big picture. Ignoring information is rational when it is likely to be of little help in solving the problem we confront – sometimes less is more. Heuristics are not deviations from the true optimal solution but essential parts of a toolkit to cope with the unknown.

An eye surgeon of my acquaintance told me how his patients responded when he explained to them, as was his duty, the risks of a surgical procedure. Half of the patients had already made up their mind before entering the room, based on their attitude towards risk, irrespective of the probabilities of different outcomes. And the other half made up their mind by listening carefully to the doctor and then making the decision on the basis not of reported probabilities but on their own judgement of the character and personality of the man in front of them. In the words of Frank Knight, 'The ultimate logic, or psychology, of these deliberations is obscure, a part of the scientifically unfathomable mystery of life and mind. We must simply fall back upon a "capacity" in the intelligent animal to form more or less correct judgements about things, an intuitive sense of values.'[26] A coping strategy is a way of capturing that unfathomable mystery. Humans are not pre-programmed to solve complex mathematical optimising problems, because it is impossible to know in advance which problems they will need to solve. But they are programmed to learn and to adapt. Coping strategies are the natural, even perhaps genetic response to the need to adapt to an uncertain world. They are, in Gigerenzer's phrase, 'ecologically rational'; that is, they are decision processes that are well suited to the environment in which they are used.[27] In that sense, in a world of radical uncertainty they are more rational than the economists' assumption of optimising behaviour.

A coping strategy comprises three elements – a *categorisation* of problems into those that are amenable to optimising behaviour and those that are not; a set of rules of thumb, or *heuristics*, to cope with the latter class of problems; and a *narrative*. The set of heuristics may comprise one or several rules of thumb to deal with different problems within the class. Each heuristic is a rule for making decisions which ignores much of the information used in optimising behaviour in order to provide a quick and robust decision. It is specific to the environment in which it is used. The narrative is a story that integrates the most important pieces of information in order to provide a basis for choosing the heuristic and the motive for a decision. Narratives compel us to action, and so play a big part in decisions taken under conditions of radical uncertainty. When we cannot write down a mathematical model with numerical probabilities, we can nevertheless think and talk about the future in qualitative terms.

The heuristic must be operational and the narrative believable. Coping strategies are not universal solutions to all problems in all environments but robust and rational ways of responding to particular problems. When things go wrong, as in the crisis, the cause is not necessarily irrational behaviour, nor an external shock, but possibly a mismatch between the chosen heuristic and the environment. In Chapter 8 I shall use these ideas to describe the continuation of unsustainable levels of borrowing and spending before the crisis.

Two real-life examples from financial markets show what this abstract description of decision-making means in practice. The first concerns J.P. Morgan and its British-born banker Sir Dennis Weatherstone, who started as a bookkeeper at the age of sixteen and rose to become CEO in 1990. The challenge was how to decide which of the many new and obscure financial products suggested by the traders and mathematicians on its staff the firm should sell to its clients. With no past history for the performance of those products, there was no basis for judging which ones were likely to be effective. The new products were an example of radical uncertainty. The strategy

Weatherstone employed was to make sure that any new product was understood by senior management. The narrative underlying the strategy was that if the product could be explained in a conversation among senior managers then there was less risk that something might go badly wrong. Weatherstone, I was told, would give the inventors three slots of fifteen minutes to explain the product to him. If at the end of that he still did not understand the product, the firm would not sell it.[28] In 2008 there must have been many executives who wished they had followed Weatherstone's heuristic.

Just before Barings Bank, one of the oldest banks in the world, collapsed in 1995 under the weight of losses of $1.4 billion caused by a rogue derivatives trader, Nick Leeson, in its Singapore branch, the senior managers in London told the Bank of England that they were pleased with the trading results but slightly puzzled as to how its Singapore business had earned such a large profit. A useful heuristic for managers and regulators alike is to probe not only those parts of a business that are losing a lot of money but also those that are making a lot.

The second example is the problem of how to regulate a bank. If a bank fails and is unable to meet its obligations to depositors and bondholders, the ensuing chaos may lead to a loss of confidence in other banks and disrupt the system of payments of wages and bills in the economy as a whole. To limit the risk of failure of a bank, regulators (the Federal Reserve, the Federal Deposit Insurance Corporation and the Office of the Comptroller of the Currency in the United States, the Bank of England in the United Kingdom, and the European Central Bank in the euro area) insist that a bank finances itself with a minimum amount of equity capital contributed by its shareholders. In that way, the bank has some capital that can absorb any losses that might arise, so reducing the risk of failure. The amount of equity capital the bank is required to issue – known as its 'capital requirement' – is related to the riskiness of the bank's activities.

At first sight this seems eminently sensible. The riskier a bank's assets, the more likely it is that the bank will fail unless it has sufficient equity to absorb losses. Internationally agreed standards set the capital requirement as a proportion of its 'risk-weighted assets', where each type of asset on the bank's balance sheet is weighted by a measure of its riskiness.[29] For example, debt issued by governments has a zero weight, meaning that banks are not required to have any equity to support that type of asset. The justification for the zero weight is that governments are assumed not to default on their debt – an assumption that might have looked reasonable when the standards were drawn up after long negotiations among many countries, but looked decidedly odd during the euro area crisis from 2012 onwards. Risk weights derived from statistical studies of the past, moreover, proved highly misleading in the crisis. For example, past data had suggested that mortgages were a relatively safe asset for banks to own, and yet in the crisis they turned out to be the source of large losses. It is extremely difficult, if not impossible, to judge how the riskiness of different assets will change in the future. The appropriate risk weights can change abruptly and suddenly, especially in a crisis, and are an example of radical uncertainty, not risk, despite the words used by regulators.

Risk-weighted capital requirements appealed to many of my international colleagues because risk was explicitly incorporated into the calculation. But if the nature of the uncertainty is unknown, then the use of such measures can be highly misleading. It is better to be roughly right than precisely wrong, and to use a simple but more robust measure of required capital. Heuristics are better than so-called optimising solutions that assume the wrong model. In the case of bank regulation, it is better to use a measure of leverage rather than a ratio of capital to risk-weighted assets. Leverage ratios measure capital relative to total (unweighted) assets. A Bank of England study of 116 large global banks during the crisis (of which 74 survived and 42 failed) found that the simple but robust leverage ratio was better at predicting which banks would fail than the more sophisticated risk-weighted measures of capital.[30]

The most extreme example was Northern Rock, which failed in the autumn of 2007. At the start of that year, Northern Rock had the highest ratio of capital to risk-weighted assets of any major bank in Britain, so much so that it was proposing to return capital to its shareholders because they had no need of it – under the regulations. At the same time, the bank's leverage ratio was extraordinarily high at between 60 to 1 and 80 to 1.[31] The reason for this remarkable discrepancy between the two measures of capital ratios was that the international standards assumed that mortgages were an extremely safe form of lending and Northern Rock did little else. But Northern Rock had been selling its mortgage loans to other investors rather than holding them on its own balance sheet. When the market for such transactions closed in the late summer of 2007, the bank could no longer obtain funds to finance its assets. The initial threat to Northern Rock did not come from volatility in the value of its mortgages but from the risk that its short-term creditors would withdraw their funds, leaving the bank high and dry. And that is what happened after the shock to markets in August 2007. The bank was left exposed as it tried to find alternative, and more expensive, sources of funding, which were not forthcoming to an institution with such a high leverage ratio. Keeping your eye on the leverage ratio is the banking equivalent of the rule of thumb used by baseball and cricket players. The heuristic of keeping the leverage ratio below some critical level is designed to deal with a situation where we know that

we don't know how to measure the risks facing a bank. That
is where the regulators and executives of the big banks went
wrong.

Financial markets and derivatives

Coping strategies are especially important in financial markets
because these markets are a link between the present and the
future. Radical uncertainty is the key to understanding not
just money and banks but financial markets in general. Of
all the actors in recent economic history, the most infamous,
revered and reviled in turn, were 'the markets'. I wish I had a
pound (or even a dollar or a euro) for each time I had to listen
to a politician explain, always in an infuriated tone, that 'the
markets' didn't understand. But markets are not people. They
are an impersonal mechanism by which many different real
agents – such as businesses, banks, investors, pension funds and
indeed governments – interact in the buying and selling of
foreign exchange, loans, stocks and bonds, and, increasingly, a
bewildering variety of new financial instruments. What is the
purpose of all these financial markets? They channel household
savings into business investment, at home and abroad. They
make it possible to share risk by giving us the opportunity to
insure, hedge, or even speculate, against future events. And
they provide continuous valuations – a financial running commentary – of the myriad activities that make up our economy.

Equity, debt and insurance are the basic financial contracts
underpinning our economy. A corporate stock is a claim on the
earnings of a company in all future eventualities and provides an
uncertain stream of dividends over an indefinite future. A loan
made today is a claim on repayment of principal and interest over
a fixed number of years in all states, except when the borrower
defaults. An insurance contract yields payments under specified

contingencies at unknown dates in the future. The estimated total value of stocks and bonds around the world is somewhere between $150 and $180 trillion. The total 'global financial stock' of marketable instruments plus loans must be well over $200 trillion. Much of this represents the value of the finance raised by governments, households and companies to fund their expenditure, both current and capital. Finance is essential to the ability to invest in real capital assets – houses, factories, railroads, sewers and a host of private and public infrastructure. Even a cursory glance at economic history shows the importance of a banking and financial sector able to channel household savings into investment projects, to share the risks resulting from those investments, to manage our wealth, and to enable us to do mundane things such as pay our bills. The absence of a proper financial sector handicaps development and was well illustrated by the inefficiencies of centrally planned economies.

Over the past twenty years, a wide range of new and complex financial instruments has emerged, expanding dramatically the scale of financial markets. These new instruments are elaborate combinations of the more traditional debt, equity and insurance contracts, and as such they are known as 'derivative' instruments. They package streams of future returns on a wide variety of investments, ranging from housing to foreign exchange. They are claims on returns generated by the underlying basic financial contracts and play a valuable role of filling in gaps in markets, offering new ways both to hedge risks and speculate on future price movements of the underlying contracts, such as stock prices. Derivatives typically involve little up-front payment and are a contract between two parties to exchange a flow of returns or commodities in the future. The principle of derivative instruments is simple, but if you want to make it complicated there are many lawyers, and investment bankers who will help you – at a (significant) price.

Examples of derivative instruments include forward and futures contracts (the purchase of a commodity to be delivered at a future date), options (the right to buy, or sell, a basic contract such as a stock at a given price on or before a given date), and swaps (where two parties exchange a stream of cash flows in different currencies or for different profiles of interest payments to hedge their other exposures). Many of these instruments have real practical value. For example, the Wimbledon tennis championships receives payments in dollars for broadcast rights in the United States. But almost all the costs of running the tournament are in pounds sterling, which creates a risk from unknown future movements in the pound–dollar exchange rate. That risk can be reduced, at a price, by contracting today to sell dollars for pounds at a specific date in the future and at a particular exchange rate. Many, if not most, companies benefit from similar transactions.[32]

During the crisis more complicated derivative instruments, as well as bundles of underlying assets packaged up and sold as 'securitised' instruments, acquired a certain notoriety because the failure to understand their true nature brought down banks and even AIG, a large American insurance company. These included credit default swaps (CDS, where the seller agrees to compensate the buyer in the event of default of some named party), mortgage-backed securities (MBS, a claim on the payments made on a bundle of many hundreds of mortgages, sold to the market by the originator of the mortgages, often a bank), and collateralised debt obligations (CDO, a claim on the cash flows from a set of bonds or other assets that is divided into tranches so that the lower tranches absorb losses first and the higher last, with investors able to choose in which tranches to invest). All of these complex instruments were legitimate financial contracts to create and sell. But the buyer needed to be aware of what he or she was getting. In their New Year sale the

London store Harrods used to offer socks at half price – provided you bought a fixed package of five. When you got home you would discover at least one pair you would never wear (in my case, orange socks). The set of five pairs was rather like a CDO that bundled socks instead of sub-prime mortgages – a legitimate tactic by a sharp salesman.[33]

Talented mathematicians were recruited by banks to invent and market even more complicated instruments that often only they really understood. And even the mathematicians did not fully appreciate that all their sophisticated calculations could take into account only observable risk and not unquantifiable uncertainty. Crucially, since derivatives are not basic contracts representing economic activity but synthetic instruments, there is no limit on the size of the exposure – and the potential losses – that can be created. The scale of exposure inherent in derivatives can be many multiples of the value of the underlying equity or debt claims. In Chapter 1, I described how, at the start of the crisis in 2007, regulators drew comfort from the fact that the size of the basic contracts in sub-prime mortgages was too small to bankrupt the banking system. But the magnitude of the derivative instruments built on sub-prime mortgages was many times greater and led to enormous exposures and losses. It is rather like watching two old men playing chess in the sun for a bet of $10, as one can in Washington Square in New York, and then realising that they are watched by a crowd of bankers who are taking bets on the result to the tune of millions of dollars. The scope for introducing risk into the system rather than sharing it around is obvious. And that is why Warren Buffett described derivatives as 'financial weapons of mass destruction'.[34]

All of this was pointed out to the financial services industry by central bankers and regulators before the crisis.[35] Why, then, did derivatives grow so quickly? One answer is that betting is more addictive than chess, and the trading mentality fed on itself. Derivatives also allowed a stream of expected future profits, which might or might not be realised, to be capitalised into current values and show up in trading profits, so permitting large bonuses to be paid today out of a highly uncertain future prospect. But another answer is that derivatives do have real value when used in the right way – to reduce, not create risk. Many companies and institutions want to hedge (that is, insure against) risk associated with future shifts in the prices of commodities, changes in interest and exchange rates, and other economic variables. Derivatives also create financing options that may not exist in conventional debt markets. Consider investor A, who would like to purchase a bundle of mortgages (an MBS) but can pay for it only by borrowing short term. That creates a risk that when the loan must be repaid it may be either expensive or indeed impossible to take out another loan, as happened to many borrowers in the crisis. Writing a derivative contract with an investor B, under which A pays B fixed amounts over the life of the contract and in return receives the cash flows from the mortgages, amounts to locking in the finance for the purchase of the MBS, which is then used as collateral. Derivatives provide alternative ways to borrow.[36]

Much of the impetus for the creation of a wide range of derivative financial instruments, including options, was the belief that by adding more and more markets a gain to society would be achieved by the effective 'completion' of markets in order to mimic the auction economy described in Chapter 2. In that fictional world of the grand auction, financial markets are redundant. The prices and quantities of every transaction for goods and services, including labour services, are set in the auction, and so financial assets are no more than synthetic packages of those basic components. In reality, where markets for many of those goods and services are missing, as they inevitably are in a world of radical uncertainty, financial markets play a significant role. They can – up to a point – substitute for some of those missing markets. In so doing, they have created the illusion that markets provide almost unlimited ways to cope with uncertainty.

In fact, filling in the gaps between existing markets may serve a valuable purpose, but it cannot deal with the problem of how to create a market in something we cannot imagine. Derivatives do not offer insurance against radical uncertainty. Auctions cannot be held nor contracts written on unimaginable outcomes. As Frank Knight put it, 'it is this *true uncertainty* which by preventing the theoretically perfect outworking of the tendencies of competition gives the characteristic form of "enterprise" to economic organisation as a whole and accounts for the peculiar income of the entrepreneur'.[37] In other words, radical uncertainty is the precondition of a capitalist economy.

Used carefully, derivatives can reduce risk. But the very complexity and obscurity of derivatives can mislead the unwary into thinking that they are hedging risks while in fact they remain exposed to great uncertainty and huge potential losses in the event of even a small change in underlying asset prices. It all brings to mind the previously untold story of what happened when financial markets arrived on a desert island I visited recently, following in the footsteps of Robinson Crusoe.

The parable of financial markets on a desert island

Sitting on his desert island, Robinson Crusoe would have been astonished to learn of the miracles of modern technology and the importance we attach today to financial markets. His descendants, however, learned the hard way. The effects of the explosion of derivative instruments in the financial sector are well captured by the sad story of what happened to that unfortunate island when it inadvertently allowed banking to overtake fishing as its principal activity.

In the beginning, fishing with rods was the only economic activity on the island. Then nets came into use, produced by specialist net-makers. For fishermen, nets were an investment and a banking system came into being to accept deposits, which were then lent to net-makers. The subsequent sale of nets enabled the loans to be repaid. All was going well on the desert island, until one day a banker had a bright idea. Instead of holding on to the loans and paying interest to depositors, he decided, the bank would package together a number of the loans made to net-makers and sell them as a new financial instrument: net-backed securities (NBSs). By selling NBSs to savers, it was possible for the banks to finance further loans and to stop worrying about whether the fishermen would catch enough fish to buy the nets, so enabling the net-makers to repay the loans. That was now the problem of the people who had bought the NBSs.

Some clever islanders with a mathematical bent realised that it was possible to go one step further. They 'sliced and diced' the various NBSs to create new synthetic securities that would allow investors to choose in which quality of net-maker (in the impressive language of the financial advisers, in which tranche of the returns) to invest. These collateralised debt obligations (CDOs) proved highly fashionable. So some of the clever and more mathematically inclined fishermen joined the bank. They created even more complex securities – CDO-squared and even higher orders were not uncommon. Some people were hired to act as 'rating agencies' to demonstrate that the securities were not as risky as might have been feared.

All this activity was rather exciting. The clever people involved in creating and trading the new securities worked out that it was possible to make bets on future fish catches without putting up much capital. As trading in these instruments proceeded, and people's views about the size of the future fish catch changed, so the values of the new securities went up and down. By adopting the modern accounting convention of valuing the new instruments by 'marking to market' – that is, valuing assets at the latest observed price and including all changes in asset values as profits – optimism about the future, whether justified or not, created large recorded profits from the trading of these new securities. In effect, anticipated future profits were capitalised and turned into current profits. From those large reported profits, the clever people paid themselves large bonuses. They acquired more and more claims on the catch of fish. As the wages of people in the financial sector rose, the wages of fishermen fell. There was much concern about rising inequality. But it was explained by the result of the market – trading required high skills. This was undoubtedly true.

The financial sector grew in size, the incomes earned by those in it reached levels not seen before on the island, and there was great admiration for the talents of those who had created such a vibrant and expanding sector. Some visionary islanders even suggested that if only they could find a trading partner across the sea, then it would be sensible for the island to abandon fishing and devote itself entirely to financial activity. Ordinary fishermen felt rather left behind, but they too had to admire the ability of financiers to create such apparently profitable activity and be so successful. Even the community leaders were envious of the power that accrued to the financial sector, and there developed a close, and, in the eyes of many, none-too-healthy relationship between the island's political leaders and the financial sector.

Then one day it all collapsed. The expansion of trading activity had reduced the supply of labour to fishing. Some people started to question whether the old man in the tree,

known as the National Statistician, was right to count the profits on these trading activities – which, for a while, had more
than offset the reduction in the production of fish – as GDP.
As a result, a few people expressed doubts about the underlying
value of many of these new financial securities. To meet their
obligations, some of the banks started to sell the securities for
money. That led to a downward spiral in the prices of these
assets, and to concerns about the solvency of some of the banks.
Markets in the securities closed, as no one was willing to take
the other side. Liquidity disappeared. Banks had nothing with
which to create new money. Panic set in, and the demand for
liquidity soared. But the supply of liquidity fell. The banks
failed and were taken into communal ownership while some
of the clever people were employed to disentangle the web of
complex interrelationships and contracts between the banks.

Everyone on the island felt let down. The cult of finance had
led to the contraction of a successful fishing industry. Too many
talented people had been sucked into trading which, with the
benefit of hindsight, was little more than a zero-sum activity
generating little or no output. How could so many people have
been taken in by the new world of finance?

After a painful post-mortem, it was agreed that the banking system should go back to its traditional role of accepting
deposits and financing loans to net-makers. More people
needed to work in fishing, and to invest in the making of nets
to enhance the future catch of fish. Clever people realised that
their reputation would in future be enhanced by adding to
the social value of production rather than diverting resources
from other people's pockets into their own. Some of them even
moved out of finance into teaching. They recognised that they
had a responsibility to write the history of this episode, and to
convey it to future generations, in order to prevent a repetition
of the near disaster.

The illusion of liquidity

Radical uncertainty also leads to another problem in financial markets – the illusion of liquidity. In the world of the grand auction, liquidity is not an issue. Prices are determined in the auction, and then, as time passes, the commitments entered into are fulfilled. Markets don't reopen. In reality, of course, markets do reopen; financial markets, in particular, remain open almost continuously with buyers and sellers coordinating through an intermediary – a shop-keeper or 'market-maker' – who holds some stock to bridge the time between the arrival of a buyer and a seller. Such continuous trading is particularly important in financial markets, and I shall return to it later in the chapter. Market-makers offer the opportunity to transact immediately once a decision to buy or sell has been taken. Many financial centres boast that their markets are 'deep and liquid'. By that they mean that investors can quickly sell their financial assets, with only a very small reduction, if any, in the price, in order to obtain money.

Liquidity is the quality of 'immediacy'.[38] For liquidity to be valuable it must be reliable. One aspect of the alchemy of financial markets is the belief that markets are always liquid. It is an illusion because the underlying assets (the physical assets and goodwill of a company, for example) are themselves usually illiquid, and liquidity depends on a continuing supply of buyers and sellers on opposite sides of the market. Radical uncertainty can disrupt that supply. Markets can be liquid one day and illiquid the next, as happened on 19 October 1987 ('Black Monday') when the Dow Jones Industrial Average fell 23 per cent in a day and the market-makers temporarily disappeared because they were worried about the risk of buying at one price and being able to sell only at a much lower price a short time later.

Liquidity also waxed and waned regularly during the year from September 2007 to September 2008. The liquid MBS market, for example, became highly illiquid when investors realised that house prices could go down as well as up. Their claims were now dependent on the circumstances of the individuals whose mortgages had been bundled into the MBSs rather than the value of the houses taken as collateral. Investors discovered that they knew very little about the borrowers on whose payments they depended. One MBS was no longer a good substitute for another. Liquidity dried up because it became difficult to value bundles of mortgages without knowing much more about the characteristics of the borrowers.

None of this should really have been surprising. Radical uncertainty makes it likely that from time to time there is a revision in the narrative guiding investor behaviour, or in the coping strategy as a whole, leading to sharp changes in traders' perception of values and willingness to buy or sell financial assets. A market that was previously characterised by a steady flow of trades may see a disappearance of activity. The behaviour of the LIBOR market (in which banks would lend to each other for short periods, say three months, at the London Inter-Bank Offer Rate) in the crisis brought this home forcefully. Banks supplied to a panel daily quotes of the interest rate at which they believed they could borrow from each other. LIBOR was set by the panel broadly as an average of the quotes received.[39] During the crisis, LIBOR became unstable, with large swings in the rate from day to day and from month to month. What became apparent was how few transactions there were in the interbank lending market at a number of maturities. Even well after the crisis, in 2011, there was little borrowing between banks at maturities of four months and above in sterling and above six months in dollars.[40] With few or no transactions taking place, it was difficult and at times impossible for banks to know what rate to quote. Indeed, once markets realised that different banks had different risks of failure then the whole concept of a single interbank borrowing rate became meaningless. Does this matter? Yes – because LIBOR is used as a reference rate in drawing up derivative contracts worth trillions of dollars. The benchmark interest rate used in those contracts had shallow foundations and in a storm it just blew down.

Amid the smoke created by the inability to define LIBOR during the crisis, it became possible for some traders in banks to collude and submit quotes designed to benefit them directly. Regulators later discovered evidence of manipulation and submission of 'false' quotes, and the so-called LIBOR scandal led to the fining of firms and individuals.[41] But at times in 2007–8 there were so few transactions in the interbank market that any quote submitted would have been hypothetical. An understandable response by some banks was to withdraw from the panel to which quotes were reported, only to discover that while being investigated by regulators for the submission of false quotes, they were also being told that they had to keep submitting quotes with no basis in reality. LIBOR has had its day.[42] Liquidity is not a permanent feature of financial markets. Places that boast of deep and liquid markets, the financial equivalent of an infinity pool, should be aware that their depth is variable, with a long shallow end that is sometimes drained.

In the 1980s, economists debated with some passion whether the stock market was 'rational' or 'irrational'. Three participants in the debate were subsequently awarded Nobel Prizes in Economic Science.[43] One of them, Robert Shiller, argued that it was impossible to explain the volatility of stock prices by reference to the volatility of the dividend stream that is the return to stocks. Others argued that expectations of large surprises in the distant future, not captured in the data for dividends in any observable sample, justifies the volatility apparent in stock markets. The issue can never be resolved, for the simple reason that in a world of radical uncertainty it is impossible to know what the future holds and therefore whether or not any particular valuation is rational, only whether it seems to embody a wise or a foolish judgement. Stock prices move around because investors are trying to cope with an unknowable future. Their judgements about future profits can be highly unstable. This instability is fundamental to a capitalist economy.

The Austrian economist Joseph Schumpeter coined the phrase 'creative destruction' for the way a capitalist economy promotes investment in new ideas and ventures, undermining investments in earlier undertakings.[44] Sometimes the message from the markets provides a helpful signal to businesses about when and in what directions to invest. On other occasions, the message tells us about the psychological nervousness, or even panic, among investors. Keynes's description of the stock market has become famous:

> ... professional investment may be likened to those newspaper competitions in which the competitors have to pick out the six prettiest faces from a hundred photographs, the prize being awarded to the competitor whose choice most nearly corresponds to the average preferences of the competitors as a whole; so that each competitor has to pick, not those faces which he himself finds prettiest, but those which he thinks likeliest to catch the fancy of the other competitors, all of whom are looking at the problem from the same point of view. It is not a case of choosing those which, to the best of one's judgment, are really the prettiest, nor even those which average opinion genuinely thinks the prettiest. We have reached the third degree where we devote our intelligences to anticipating what average opinion expects the average

opinion to be. And there are some, I believe, who practise the fourth, fifth and higher degrees.[45]

Narratives play an important role in the coping strategies of investors. Under radical uncertainty, market prices are determined not by objective fundamentals but by narratives about fundamentals.[46] Those stories can be influenced by important players, such as central banks and governments, but also by changes in intellectual fashion or a realisation that the existing story is misleading – as happened in the crises of 1914, when the narrative that war was inconceivable was replaced by the narrative that it was here and would be won, and 2008, when the narrative that previous spending paths were sustainable was replaced by the narrative that they were not (see Chapter 8 for a fuller exposition of this point).

In today's stock market, the competitors trying to second- (or third-) guess market sentiment have been replaced by computers. Over one-half of orders are driven by computer algorithms – mathematical formulae that tell the computer when to buy or sell. Because stock exchanges have made it possible for some extremely large 'high frequency' traders to pay for faster access to the exchange, the computers of such firms can watch the order flow and then send in their own orders microseconds ahead of other traders, so jumping the queue and getting to the market before the price turns against them.[47] Such behaviour is called 'front-running'. It imposes a 'tax' on the transactions of other investors who are less fleet of foot, and encourages investment in expensive technology, not to incorporate new information in market prices, but to exploit information about other people's orders.

There is no social benefit in allowing some traders preferential access to knowledge of the overall balance between orders to buy and sell. One way of eliminating the 'tax' on ordinary investors would be to change the system of trading on organised exchanges to electronic auctions held once an hour, once a minute, or even once a day, depending on the nature of the stock being traded.[48] Moving to auctions separated by intervals chosen to match the likely arrival of relevant news, as opposed to supposedly real-time trading in which some investors can move (very slightly) faster than others, has much to commend it. It is already the case that much trading is carried out close to the opening and closing of the trading day, as investors want to transact when there are many other buyers and sellers so that their own orders have less of an influence on price.[49]

By their very nature, moreover, algorithms cannot easily change their strategy in the light of new information; so far only humans can rewrite the algorithms, and that requires not raw computing power but judgement.

Under radical uncertainty, investors make judgements, perhaps based on a coping strategy, and with the benefit of hindsight these are sometimes described as 'mistakes'. But beliefs change, and who is to know which beliefs are correct? The valuations in financial markets are for the moment. They change quickly, and sometimes violently, reflecting uncertain knowledge of the future. Investors are simply people trying to cope with an unknowable future and behave, as we all do in such situations, sometimes cautiously, sometimes erratically, but always in a fog of uncertainty.

We too can learn from the experience of Robinson Crusoe's descendants. Finance should support, not overshadow, the real economy. Financial markets can help us to cope with an uncertain future provided we do not succumb to the danger of believing that uncertainty has been turned into calculable risk. Central to a capitalist economy is the fact that the future cannot be seen as a game of chance in which the only source of uncertainty is on which number the wheel of fortune will come to rest. The future is simply unknowable. And in a capitalist economy, money, banking and financial markets are institutions that have evolved to provide a way of coping with an unpredictable future. They are the real-world substitute for the economic theorist's concept of a grand auction.

For that reason, a capitalist economy is inherently a monetary economy. Money has a special role. Provided that there is sufficient trust that its value will be maintained from one period to the next, it offers a means by which one can park generalised purchasing power, to be used in the future when unimaginable events occur. Money gives us the ability to exchange labour today for generalised purchasing power in the future. That is why many savings contracts are denominated in money terms. We expect to earn an interest rate defined as a percentage increase in the amount of money in our account. Money is not just a means of buying 'stuff' but a way of dealing with an uncertain future. A rise in the desire for a reserve of generalised future purchasing power lowers spending today, and can lead to a recession or even a depression.

The struggle to cope with radical uncertainty affects not just investors, businesses and households but also the institutions set up to deal with collective problems such as money creation. Central banks, arguably the most important such institutions, need a coping strategy too.

5

HEROES AND VILLAINS: THE ROLE OF CENTRAL BANKS

'There have been three great inventions since the
beginning of time: fire, the wheel, and central banking.'

Will Rogers, American actor
and social commentator, 1920

'I promise on *demand* to pay,' affords,
A sort of fascinating sounding words;
And if I'm not the most deceiv'd on earth,
The *sound* they make is nearly all they're worth.

Anonymous, *The Siege of Paternoster Row*, 1826

Before the crisis, I was wandering around the stacks of the
London Library one evening (not something I was able to
do after the crisis started) when my eye was caught by a title:
The Old Lady Unveiled. How could such a risqué title have

found its way into the section on money and central banks? I soon discovered that the book, not held in any other library of which I was aware, was a devastating critique of the Bank of England. Written during the Great Depression, it began:

> The object of this book is to awaken the public to the truth that the Bank of England, commonly believed to be the most disinterested and patriotic of the nation's institutions, has been since its foundation during the reign of William of Orange a private and long-sustained effort in lucrative mumbo jumbo.[1]

Many would say that little has changed in the world of central banks. Certainly, they are more lucrative than ever, making large profits from their enormously expanded balance sheets. Although mumbo-jumbo surfaces from time to time, plain speaking is now very much the order of the day, with central bank governors giving press conferences, testifying regularly before Congress or Parliament, and appearing on television.

The cult of celebrity has reached even the gloomy halls of central banking. President Clinton was once asked by a journalist what it was like to be the most powerful man in the world. Pointing to Andrea Mitchell, White House correspondent for NBC, he replied, 'Ask her. She's married to him.' Her husband was Alan Greenspan, then Chairman of the Federal Reserve. Put on its cover by *Time* magazine as the key member of the 'Committee to Save the World', lionised by former presidential candidate John McCain (who said in one of the debates, 'I would not only reappoint Mr Greenspan – if Mr Greenspan should happen to die, God forbid, I would do like they did in the movie, *Weekend at Bernie's*. I'd prop him up and put a pair of dark glasses on him and keep him as long as we could'), and subsequently vilified on stage and screen (not to mention in print) as the architect of the financial crisis of 2008, Alan Greenspan is unrecognisable, in either guise, as the thoughtful and careful central banker I knew. So it is vital to strip away the magic and mystique of central bankers and see them for who they really are: people. Only then can we ensure that the system in which individuals operate provides the right incentives to behave in a way that leads to the best outcomes for the rest of us.

Attempts by central bankers, such as Ben Bernanke, who followed Greenspan, to take personality out of central banking met with limited success or outright failure. In his bestseller *The Lords of Finance*, Liaquat Ahmed describes the four shadowy central bank governors who led the world into, and eventually out of, the Great Depression. Eighty years later, the equivalent group of governors, of which I was one, confronted an equally difficult challenge. But the difference was that in the build-up to the crisis that started in 2007, central banks had come out of the shadows into the sunlight. They were embarking on a journey from mystery and mystique to transparency and openness. In the 1990s, central banks, if not their governors, became financial idols. The governors themselves saw it differently. We took to heart Keynes's advice, 'If economists could manage to get themselves thought of as humble, competent people, on a level with dentists, that would be splendid!'[2] Our goal was to make monetary policy as boring as possible.

It is fair to say that we failed in our ambition. You would have to be a hermit on a desert island to describe the past decade as boring. Around the world, central banks were thrust into the spotlight of controversy as the world plunged into its worst ever banking and financial crisis. Money and banking may seem boring technical topics. But they generate more than enough excitement when things go wrong. Rapid inflation can quickly turn into catastrophic hyperinflation, as in Weimar

Germany in the 1920s, and deflation can lead to economic stagnation, as in Japan in the lost decade of the 1990s – and, as many fear, in other parts of the industrialised world today. In 2008 the banking crisis dominated the news.

If money and banks are almost as old as *Homo sapiens*, central banks are the new kids on the block. As institutions go, most central banks are youthful. Indeed, the reputation of central banks as wise and disciplined institutions, in contrast with the wild excesses of finance ministries, belies their respective ages. The first central bank was the Riksbank in Sweden, set up in 1668. To celebrate its tercentenary it endowed the Nobel Prize in Economic Science. But the Riksbank did not acquire its name until 1867 and was really only a commercial bank until 1897.[3] The oldest central bank in continuous existence, the Bank of England, opened for business in 1694 to help the government finance military expenditure. Its tercentenary was a more low-key event: it held a concert and published a book of conference proceedings. Next came the Bank of Spain in 1782 and the Banque de France (founded by Napoleon) in 1800, followed by the Bank of Finland in December 1811 (well before the central bank of Russia, of which Finland was then a part, in 1860).

The United States had two false starts in central banking – with the First Bank of the United States between 1791 and 1811 and the Second Bank of the United States between 1816 and 1836 – before Congress legislated in 1913 to set up the Federal Reserve, which opened for business in 1914.[4] A year after the 1907 financial crisis, when a panic in New York led to a fall in the Stock Exchange of 50 per cent and numerous bank failures, Congress set up the National Monetary Commission to report on 'what changes are necessary or desirable in the monetary system of the United States'. Before recommending the establishment of the Federal Reserve System – a plan which it described as 'essentially an American system, scientific in its methods, and democratic in its control' – the Commission produced twenty-two volumes on monetary and banking systems elsewhere, especially in Europe. A complete set sits proudly in the Governor's anteroom in the Bank of England. The authors noted that 'the important place which the Bank of England holds in the financial world is due to the wisdom of the men who have controlled its operations and not to any legislative enactments'. They did not therefore see the Bank of England as a model, instead recommending the creation of an institution framed by legislation and responsible to Congress. After the Great Depression, further changes were made in the way the Federal Reserve operated, with greater powers for the board in Washington and the introduction of a clear national interest-rate policy.

Older central banks often had their origins as commercial banks and made the transition from private to public institutions as a result of their dominant position in their home banking market. For that reason they were deeply unpopular because they were seen as exploiting that position. From the outset, each time the Bank of England charter came due for renewal, a torrent of pamphlets condemned its privileged position. The Bank Charter Act of 1844, which gave the Bank the exclusive right to issue new banknotes, unleashed a new surge of anti-Bank sentiment. The Bank's directors were variously described as 'torpid as toads' and 'priests of Moloch's blood-stained altar'.[5] Whatever criticisms were directed at central bankers during the crisis, we could console ourselves that they were more moderate in tone.

When, in 1832, President Andrew Jackson vetoed the renewal of the charter of the Second Bank of the United States, he argued that Congress had no constitutional right to delegate the issuance of paper money to any other body:

It is maintained by some that the Bank is a means of executing the constitutional power 'to coin money and regulate the value thereof.' Congress have established a mint to coin money and passed laws to regulate the value thereof. The money so coined, with its value so regulated, and such foreign coins as Congress may adopt are the only currency known to the Constitution. *But if they have other power to regulate the currency, it was conferred to be exercised by themselves, and not to be transferred to a corporation.* If the bank be established for that purpose, with a charter unalterable without its consent, Congress have parted with their power for a term of years, during which the Constitution is a dead letter. It is neither necessary nor proper to transfer its legislative power to such a bank, and therefore unconstitutional.[6]

After the experience of banking crises in the late nineteenth and early twentieth centuries, Congress was persuaded that a central bank was both constitutional and a good idea. What led to the change in view? During the era of free banking, described in Chapter 2, the US had no central bank. Banknotes issued by commercial banks often traded at a discount to their face value. That made them less useful as money that could be used to buy stuff or as a store of value. There were concerns that banks might issue too many notes in order to exploit the lack of information among depositors about the solvency of the bank. And when there was a crisis in the banking system there was no central authority to restore confidence – in 1907 the task of putting together a consortium of banks to support their weaker brethren fell to John Pierpont Morgan, founder of the eponymous bank. In a similar fashion, the German Reichsbank was set up in 1876, not to coincide with unification of the country in 1871 but in response to a financial crisis in 1873. Central banks acquired their modern role as the result of experiences of earlier monetary and banking crises. The position of central banks that started life as commercial banks developed into that of first among equals, organising occasional rescues and acting in effect as the secretary of the club of banks, above the competitive fray in which other banks were engaged.[7]

By the twentieth century, central banks were gradually evolving into today's powerful institutions, responsible for managing the money supply and overseeing the banking system. Concern about the power of central banks remains a popular political position on both left and right, as expressed by the slogan 'end the Fed'.[8] Central banks were seen as heroes for delivering the decade of the Great Stability and for preventing a relapse into a second Great Depression after 2008. They were seen as villains for having failed to rein in the excesses of the banking system in the first place and then for creating money on a massive scale. Compared with the late 1990s and early 2000s when their reputation peaked, central banks are now on the back foot, defending their hard-won independence from the ambitions of politicians of all colours. When the Federal Reserve reached its centenary it felt obliged to describe the event as 'marking' rather than celebrating the milestone, and relied on charitable donations rather than its own funds to finance the accompanying exhibition in the American Museum of Finance on Wall Street. Even the courts are getting in on the action – Judge Thomas C. Wheeler of the United States Court of Federal Claims ruled in June 2015 that the Federal Reserve had acted beyond its legal authority in taking a large equity stake in the insurance company AIG in return for a bailout of the company during October 2008.[9] In Germany, the Federal Constitutional Court has expressed reservations about proposals by the European Central Bank to purchase the sovereign debt of some periphery members of the euro area.[10] Yet despite these challenges to their authority, governments have relied more and more on central banks – especially the Federal Reserve, the European Central Bank, the Bank of Japan and the Bank of England – to deliver a recovery from the Great Recession.

Experience has demonstrated the importance of a public body – normally the central bank – responsible for two key aspects of the management of money in a capitalist economy. The first is to ensure that in good times the amount of money grows at a rate sufficient to maintain broad stability of the value of money, and the second is to ensure that in bad times the amount of money grows at a rate sufficient to provide the liquidity – a reserve of future purchasing power – required to meet unpredictable swings in the demand for it by the private sector (see Chapters 2 and 3 respectively). Those two functions are rather simple to state, if hard to carry out. They correspond to the twin objectives of price stability and the provision of liquidity by a 'lender of last resort'.

Price stability – inflation targeting as a coping strategy

Eighteenth-century thinkers, such as David Hume and Adam Smith, understood the relationship between the amount of money in circulation and the prices at which goods and services were bought and sold: 'if we consider any kingdom by itself, it is evident, that the greater or less plenty of money is of no consequence; since the prices of commodities are always proportioned to the plenty of money'.[11] In the long run, more money means higher prices. The quantity theory of money, later refined and popularised by the American economists Irving Fisher and Milton Friedman, had been born.

Over the years, governments have been unable to resist the temptation to debase the currency, and, with the advent of paper money, to print as much of it as possible to finance their expenditures. Lenin is alleged to have remarked that the best

way to destroy capitalism is to debauch the currency. To judge
by the subsequent experience in Europe after the First World
War, he was right. Even where market economies survived,
inflation was a problem. In the twenty-five years before the
Bank of England adopted an inflation target in 1992, prices rose
by over 750 per cent, more than over the previous two hundred
and fifty years.[12] Inflation was simply taken for granted. Price
stability seemed an unlikely state of affairs.

Alan Greenspan, former Chairman of the Fed, defined price
stability as when 'inflation is so low and stable over time that
it does not materially enter into the decisions of households
and firms'.[13] Alan Blinder, the Princeton economist who was
Greenspan's deputy at the Federal Reserve Board, put it even
more clearly. Price stability, he said, was 'when ordinary people
stop talking and worrying about inflation'.[14] In recent years,
we have started to take price stability for granted; so much so
that some people have become exercised about the possibility
of deflation – when prices fall. Deflation is just as damaging
as inflation. In AD 274 the Roman emperor Aurelian tried to
restore the integrity of the coinage, which had been adulterated
by workmen in the mint. Aurelian exchanged bad money for
good, and ordered the destruction of all accounts drawn up
in the devalued currency. Prices fell overnight. Gibbon, in his
History of the Decline and Fall of the Roman Empire, observed that
'a temporary grievance of such a nature can scarcely excite and
support a serious civil war'.[15] And in the long run the operation
did restore the value of money. But in the short run it caused
hardship. Taking the Keynesian view that in the long run we
are all dead, the population at the time rose in insurrection.
Many of them found that they were dead in the short run as
well; seven thousand soldiers and countless civilians perished
during the suppression of the uprising.

In more modern times, governments, even if they profess

a belief in price stability, have found themselves tempted to depart from the path of righteousness in order to obtain a short-term benefit by stimulating the economy prior to an election in the hope that the inflationary cost will become apparent to the electorate only after the vote. Once having given in to temptation, they are faced with an unpalatable choice between a recession to bring inflation back down again, or high and possibly accelerating inflation. Taken together, the verdict of economics, history and common sense is that both inflation and deflation are costly. Giving a central bank the exclusive right to issue paper money raises the question of how we can prevent the abuse of the power to issue money. We cannot commit future generations – or even ourselves – to a particular policy. So how can we design an institution to create the reasonable expectation that money will retain its value?

By tying the currency to the mast of gold it seemed that price stability over a long period was attainable, as indeed it was for much of the nineteenth century. But even the gold standard could not override national sovereignty, and, when the costs (in terms of lost output and employment) of adhering to the standard appeared too high, governments suspended the convertibility of their currency into gold, as happened on several occasions in Britain and other European countries in the nineteenth century during financial crises. There was an underlying need to find a way to retain domestic control over the supply of money and liquidity while at the same time retaining a long-term commitment to price stability.

Unfortunately, the switch from a fixed rule, such as the gold standard, to the use of unfettered discretion led to the failure to control inflation, culminating in the Great Inflation of the 1970s. Attention turned to the idea of delegating monetary policy to independent central banks with a clear mandate to achieve price stability. Central banks were not born with independence, they had it thrust upon them – literally, in the case of Germany when, after the Second World War, the Allies imposed the model of an independent central bank. The movement towards independence gathered pace in the 1990s as a reaction to the Great Inflation. The Bank of England and the Bank of Japan were made independent in 1997, the Swedish Riksbank in 1999, and in the same year the independent European Central Bank was set up, influenced by the track record of the Bundesbank in Germany which had, since its creation in 1957, achieved lower inflation than in other industrialised countries.[16]

Of course central banks may themselves be tempted to court popularity. One riposte to that concern is that central bankers are different from politicians. Central bankers who have the determination and strength of purpose to 'take the punch bowl away just when the party is getting going', in Federal Reserve Chairman McChesney Martin's memorable phrase, clearly have the right stuff – so why don't they 'just do it'?[17] It would be nice to think that all central bankers were made of the right stuff, and maybe they are. But there is no need to rely on our ability to identify superhuman individuals. Instead, the answer is to devise an incentive structure for the individuals appointed to run central banks.

If the elected government, or its advisers, understood exactly how the economy worked then it could write a contract specifying precisely what the central bank should do in each possible state of the world that might arise in the future. Monetary policy could then be delegated to an independent central bank tasked with implementing the contract. There are two problems with this idea. First, governments might be tempted to tear up the contract in precisely the same circumstances that they themselves would give in to the temptation to allow inflation to rise. Second, in a world of radical uncertainty we cannot write a detailed contract covering all possible future events. The future is literally undescribable. Economists have tended to devote more attention to the first of these problems than the second. I am inclined to think that the reverse should be the case. Coping with temptation is easier than coping with the entirely unknown.

Our inability to identify in advance the challenges that will arise in managing money means that it is sensible, indeed unavoidable, to grant the central bank a degree of discretion in responding to unfolding events. This is the basic idea behind inflation targeting, which originated in New Zealand in 1990. The idea soon spread to Canada in 1991 and the United Kingdom in 1992. The aim was to hold the central bank to account for achieving a numerical target for inflation over a specified period. Central banks were given discretion over the extent to which they responded to short-run movements in inflation.

Such movements are unpredictable. Prices and wages do not adjust instantaneously to clear markets whenever demand and supply are out of balance. Firms change prices only irregularly in response to changes in demand; wages adjust only slowly as labour market conditions alter; and expectations are updated only slowly as new information is received. Such 'frictions' or 'rigidities' introduce time lags into the process by which changes in money lead to changes in prices. These lags in the adjustment of prices and wages to changes in demand – so-called 'nominal rigidities' – and lags in the adjustment of expectations to changes in inflation – 'expectational rigidities' – generate short-run relationships between money, activity and inflation.[18] Monetary policy affects output and employment in the short run and prices in the long run. Central banks care about both. This is captured by the so-called dual mandate of the Federal Reserve, which states its objectives as maximum employment and stable prices.[19] The overriding concern of central banks is not to eliminate fluctuations in consumer price inflation from year to year, but to reduce the degree of uncertainty over the price level in the long run. People will then stop worrying about inflation.

An inflation-targeting monetary policy is a combination of two elements: (a) a target for inflation in the medium term and (b) a response to economic shocks in the short term. From time to time shocks – to oil prices or the exchange rate, for example – will move inflation away from its desired long-term level, and the policy question is how quickly it should be brought back. The answer depends on the relative costs of deviations of inflation from the target and of unemployment from its long-term equilibrium level, and central banks have discretion in making that judgement. From this perspective there is no essential difference between the actions of a central bank with a Fed-style dual mandate and a central bank with a single mandate to meet an inflation target. What is crucial is that households and businesses believe that prices will be stable in the long run.

Inflation targeting has been highly successful, both in its primary aim and as a way of ensuring the democratic accountability of powerful public institutions. Some economists have argued that central banks should be compelled to set policy according to a 'policy rule' set by legislators, or at a minimum to explain why their chosen policy deviates from that implied by the rule. Monetary policy rules have become a major area of research.[20] Perhaps the most famous is the so-called Taylor rule, named after John Taylor of Stanford University. The Taylor rule implies that interest rates should rise if inflation is above its target and output is above its trend level, and fall when the converse is true. In 2014, Representatives Scott Garrett and Bill Huizenga introduced a bill that would require the Federal Reserve to provide Congress with 'a clear rule to describe the course of monetary policy'.[21] Such a rule would be a mathematical formula showing how the Fed would adjust interest rates in response to changes in the economy.

Although it is clearly desirable for the Federal Reserve to be held directly accountable to Congress for its actions, the fundamental flaw in this proposal is that there is no timeless rule that is likely to remain optimal for long. Since our understanding of the economy is incomplete and constantly evolving, sometimes in small steps, sometimes in big leaps, any monetary policy rule judged to be optimal today is likely to be displaced by a new and improved version tomorrow. Whatever rule might be mandated in legislation would be superseded by new research within a year.

A good example was the experience of the Federal Reserve and the Bank of England during 2013 and 2014, when they announced the rate of unemployment at which they would start to consider raising interest rates. What looked in 2013 a plausible unemployment rate that would trigger a rise in interest rates turned out to be much less plausible by 2014, when unemployment had fallen faster than expected without signs of a pick-up in inflation. Monetary policy in practice is characterised by a continuous process of learning. Learning from experience means that it is sensible to be prepared to deviate from a rule constructed even a year or two ago. Rather, the onus should be on the central bank to justify its behaviour in terms of presenting convincing economic arguments and evidence for them. Accountability and transparency are superior to the use of a fixed rule.

Delegating policy to an independent central bank operating under a well-specified regime of 'constrained discretion' was seen as the answer to the unappealing choice between adopting a fixed rule and giving unfettered discretion to an independent body. Such a framework required a clear definition of the constraints to be imposed on central banks. One was a numerical target for inflation, and a second was the establishment of a regime under which central banks could be held accountable for their decisions. From the outset, inflation targeting was conceived as a means by which central banks could improve the credibility and predictability of monetary policy.

Since its adoption in New Zealand, Canada and the United Kingdom in the early 1990s, inflation targeting has spread to more than thirty countries around the world.[22] The big central banks now all have an inflation target of 2 per cent, with the Federal Reserve adopting it in 2012 and the Bank of Japan in 2013. In the language of Chapter 4, delegating monetary policy to an independent central bank with an inflation target is a coping strategy. Its clarity and simplicity mean that the target provides a natural heuristic for central banks and the private sector alike. The heuristic for the former is to set policy such that expected inflation is equal to the target rate, and for the latter it is to expect inflation equal to the target rate. Since expectations of inflation have a major influence on the setting of wages and prices, and hence on inflation itself, anchoring expectations on the target is a key element of any credible monetary policy. And the heuristic frees the central bank from having to commit to any one particular model of the economy when making its judgement about the likely future path of inflation. The great attraction of an inflation target is that it is a framework that does not have to be changed each time we learn something new about how the economy behaves.

Inflation targeting is about making and communicating decisions. It is not a new theory of how money and interest rates affect the economy. But, by anchoring inflation expectations on the target, it can in theory reduce the variability and persistence of inflationary shocks – and has done so in practice. And it has done so without pretending to commit to a rule that is incredible because it is not expected to last.

Old problems and new instruments

There are, however, deeper reasons to ask why central banks should worry only about consumer price inflation rather than the state of the real economy. Inflation targeting is designed to mimic the behaviour of a competitive market economy, one that exhibits none of the nominal or expectational rigidities that prevent prices from adjusting immediately. This makes perfect sense within the confines of the conventional economic models used by central banks. But those models take no account of radical uncertainty. And the problem that central banks need to confront is whether there are other significant imperfections in the economy that justify departing from an inflation target. Confronted with radical uncertainty, it is natural that households and businesses make occasional 'mistakes', for example about their future incomes, and realise their errors only after a considerable time lag. Such mistakes can accumulate into substantial deviations of spending and output from a sustainable path, even though they may have little impact on inflation in the short run. This is not the outcome of short-run rigidities but of misjudgements about the nature of the future.

   The practical significance of this question has been highlighted by the current disequilibrium in the world economy. Should central banks take responsibility for trying to correct such mistakes before households and businesses come to a true appreciation of the situation, or should they stay focused solely on targeting inflation a year or two ahead? Did central banks contribute significantly to the crisis by not trying to correct the big mistakes made by the private sector? To suggest that monetary policy has the purpose of preventing the economy from getting into an unsustainable position is tantamount to arguing that central banks should, on occasions, target the real equilibrium of the economy and not just price stability – a much deeper and more difficult question than that of whether a central bank should have a dual or a single mandate. The fundamental question is whether central banks should take responsibility for preventing substantial deviations of real variables, such as spending and output, from their normal levels, because the cost of permitting the continuation of a large and growing disequilibrium is a crash at some point in the future, followed by economic stagnation and persistently low inflation.

The proper role of a central bank in guiding the economy is, therefore, a thorny and controversial issue. I shall return to it in a concrete context in Chapters 8 and 9, where I ask whether central banks could have prevented or reduced the severity of the crisis by following a different monetary policy, and consider what they should do today. Related concerns about the desirability of inflation targeting have been raised by those who believe that central banks should focus at least as much on 'financial stability' as on 'price stability', meaning that monetary policy can and should try to affect much more than just short-run movements in inflation. The difficulty with this proposition is that failure to achieve financial stability covers a multitude of sins. It may reflect the consequence for asset prices of 'mistakes' by economic agents – the rapid increases often loosely described as 'bubbles'. Or it may reflect excessive fragility in the banking sector resulting from excessively high leverage and interconnectedness. The appropriate policy response depends on the cause of the instability. The provision of an appropriate amount of 'emergency money' (see below) can ameliorate the immediate consequences, but to prevent instability arising may require either action on monetary policy or a change in the structure of the banking sector. Rather than thinking deeply about the framework for monetary policy or radical change in banking, policy-makers have sought new instruments to deal with the potential causes of financial instability. The most important such instruments go under the name of 'macro-prudential policies'.

Macro-prudential instruments include direct controls on financial markets – for example, setting limits on the size of mortgage loans relative to incomes – and indirect controls – such as requiring banks to use more equity finance if they increase lending to areas that are judged particularly risky. These quantitative controls are equivalent to setting different interest rates for different types of transaction. At the Bank of England, the Monetary Policy Committee decides on the level of the official short-term interest rate (Bank Rate) and a new committee, the Financial Policy Committee, set up in 2011, decides on the macro-prudential measures that act as add-ons. The distinction between monetary and macro-prudential policies is not clear-cut. A crude way of thinking about the difference is that the former is about the amount of money in the economy and the latter is about the allocation of credit across sectors.

Before the crisis, central banks believed that their role was not to enter into the allocation of resources, but rather to guide the economy by sending price signals (in the form of interest rates) about the appropriate relative prices of spending today and in the future. Today, the use of measures to intervene in particular asset markets is all the rage. But the scope for tensions between the two sets of decisions is evident. For example, in the Swedish Riksbank from 2010 to 2013 there was a sharp, and often bitter, division between two groups. The first wanted to raise interest rates because of concerns about the pace at which house prices and indebtedness were rising. The second thought that responsibility for dealing with the housing market should be left with the supervisory authority, which, as it happened, was more relaxed about housing developments than were the majority in the central bank.

Quantitative restrictions on credit are by no means a new policy instrument. They were deployed in many advanced economies in the 1950s and 1960s, and still play a role in many emerging and developing economies. As banking and financial markets were liberalised in the advanced economies in the 1970s and 1980s, and opened up to foreign competition, most of these controls were scrapped. Although central banks can determine interest rates in their own currency, they cannot easily restrict the lending activities of foreign banks. Cooperation between regulators has been improved since those days, but how far macro-prudential measures will be successful in today's world of borderless capital markets remains an open question. Nimbleness and the ability to respond quickly to events are important features of interest-rate policy. It will be more difficult to act, and to defend and explain rapid changes in restrictions on lending (for example, the maximum ratio of a mortgage loan to the value of the house) than in interest rates.

Out of a political consensus on the importance of ensuring monetary stability emerged an agreement that democratic societies would delegate to an unelected central bank the power to set interest rates, even though this would have effects on the distribution of income and wealth. But the entry of central banks into the field of direct controls on mortgages and lending more generally is bound to raise the question of whether this is taking delegation too far. It is possible to debate the merits of intervening in the market allocation of credit to help, for example, first-time homeowners and small businesses. But decisions on that type of interference with the market should properly be left to elected politicians with a mandate to take such action. It is hard to see why central banks should want the power to intervene in the microeconomic allocation of credit. If, as has happened over the past twenty years, saving and spending get out of kilter, then central banks will come under increasing pressure to intervene in particular financial markets to correct so-called distortions, which are in fact the result of a macro-economic disequilibrium. And 'distortions' and 'excesses' will then pop up in other markets. Down that road lies a degree of intrusion into individual decisions on saving and credit that is incompatible with an innovative market economy.

Amid the post-crisis confusion about whether central banks should focus solely on price stability, or whether they should take responsibility for guiding the economy to a new equilibrium, or deal with potential 'bubbles' in asset prices, one might be forgiven for thinking that central bankers should follow the example of the Church of England in making a general confession: we have not targeted those things which we ought to have targeted and we have targeted those things which we ought not to have targeted, and there is no health in the economy.[23]

Expectations and communications

When I joined the Bank of England in 1991, I asked the legendary American central banker Paul Volcker for one word of advice. He looked down at me from his great height (a foot taller than I) and said, 'Mystique.'[24] He was talking about the importance of businesses, households and financiers having confidence in the central bank. Today that confidence has to be earned in a much more transparent way. During my time at the Bank of England, it became apparent that politicians and central bank governors were on a divergent path. As they try to make an impression on the electorate, politicians have become taller and taller, whereas central bank governors have become shorter and shorter. Paul Volcker was followed by Alan Greenspan, Ben

Bernanke and Janet Yellen, a steady decline in height. At the Bank of England, Gordon Richardson, the counterpart of Paul Volcker during the 1980s debt crisis, was followed by Robin Leigh Pemberton, Eddie George, myself and Mark Carney. It is evident that central banks have come to rely less on height and hauteur and more on transparency and the ability to look the average person straight in the eye.[25]

Businesses and households base their decisions on expectations of the future, and so the way we expect monetary policy to be conducted in the future affects economic outcomes today. Consider a simple and stark example. Suppose that there were no frictions or time lags in the way the economy responded to changes in monetary policy. Imagine a central bank which, in those conditions, was successful in controlling inflation perfectly by responding to all shocks instantaneously. The outcome would be a constant inflation rate. Interest rates would move around but with no apparent link to or effect on inflation. To an observer – whether journalist or econometrician – interest-rate changes would appear to have little to do with inflation. The central bank would appear to be behaving almost randomly. By assumption, that inference would be false. Indeed, if people did expect the central bank to behave randomly, then the behaviour of households and firms would change and inflation would no longer be stable.

This observation leads to what we might call the Maradona theory of interest rates. The great Argentine footballer, Diego Maradona, is not usually associated with the theory of monetary policy. But his performance against England in the World Cup in Mexico City in June 1986 when he scored twice is a perfect illustration of my point. Maradona's first 'hand of God' goal, when he deliberately punched the ball into the England net unseen by the referee, was obviously against the rules. He was lucky to get away with it. His second and quite brilliant goal, however, was an example of the power of expectations. Maradona ran sixty yards from inside his own half, beating five players before shooting into the English goal. The truly remarkable thing, however, is that, as cameras positioned above the stadium showed, Maradona ran virtually in a straight line. How can you beat five players by running in a straight line? The answer is that the English defenders reacted to what they expected Maradona to do. Because they expected Maradona to move either left or right, he was able to go straight on.

Monetary policy works in a similar way. Market interest rates react to what the central bank is expected to do. In recent years there have been periods in which central banks have been able to influence the path of the economy without making large moves in official interest rates. They headed in a straight line for their goals. How was that possible? Because financial markets did not expect interest rates to remain constant. They expected that rates would move either up or down. Those expectations were sufficient – at times – to stabilise private spending while official interest rates in fact moved very little. An example of the Maradona theory of interest rates in action was seen in the UK in 2002. During that year the Bank of England was able to achieve its inflation target by moving in a straight line with unchanged official interest rates. But, although interest rates scarcely moved, expectations of future interest rates – as revealed in market interest rates – did move around as the economic outlook changed from the expectation of a swift recovery to worries about a protracted slowdown. And in turn those changes in expected future rates affected activity and inflation. In other words, monetary policy was able to respond by less than would otherwise have been necessary because it affected expectations.

Of course, if developments in the economy continue to evolve in the same direction then interest rates will eventually have to move and follow expectations. It should be clear that, just as Maradona could not hope to score in every game by running towards goal in a straight line, so monetary policy cannot hope to meet the inflation target by leaving official interest rates unchanged indefinitely. Rates must always be set in a way that is consistent with the overall strategy of keeping inflation on track to meet the target; sometimes that will imply changes in rates, at other times not. But the key point is that the power of expectations about future rates can often be more important than the current level of the official interest rate itself.

Because the expectation of what central banks might do has become as important as their immediate actions, if not more so, an entire industry of private sector central bank watchers has grown up. They now comment ceaselessly on when the Federal Reserve or other central banks will change interest rates. But they are like characters in a John le Carré novel, working in the shadows and inhabiting a world of double-talk, coded language and private vocabulary. One of the aims of central banks has been to put this industry out of business and to move to a world of simple, clear language. The advent of inflation targeting saw a move from the old central banking tradition of mystery and mystique to openness and transparency. The old world was illustrated by Lord Cunliffe, the Governor of the Bank of England during the First World War, who, when giving evidence before a Royal Commission on the size of the Bank of England's gold and foreign exchange reserves, replied that they were 'very, very considerable'. When pressed by the commission to give an approximate figure, he replied that he would be 'very, very reluctant to add to what he had said'. Today the figures are published monthly. Until February 1994, believe it or not, the Federal Reserve did not even reveal what the official interest rate was, or whether it had changed. Analysts and researchers had to infer from market interest rates whether or not the Federal Reserve had changed policy. Today, the Federal Reserve publishes the decision of each meeting along with minutes of the discussion and reasons for its actions.

Transparency is, however, not an end in itself. Any requirement for transparency in a central bank's deliberations should have the aim of improving the quality of its decisions. The publication of the minutes of meetings of the policy boards of central banks, as well as of regular monetary policy reports or inflation reports, has provided information both to guide expectations as to how the central bank will respond to future events and to explain past decisions. They are the basis for accountability. But the publication of transcripts of meetings can inhibit free and open discussion, and the style of meetings of the Federal Open Market Committee has undoubtedly changed since such transcripts were first disclosed in 1994; prepared formal statements are read out, while the important private discussions take place at earlier, often bilateral, meetings.[26] In any policy setting, there has to be room for private conversations. There are limits to the desirable degree of transparency.

It is also important for central banks to be honest about what they do not know. A case in point was the recent, and rather short-lived, experiment in 'forward guidance' adopted by the Federal Reserve and the Bank of England in 2013. Both central banks wanted to provide more information about the likely future path of official interest rates. In the first instance, this was a laudable attempt to reduce uncertainty about how they might respond to developments in the economy. But it soon became an attempt to predict the future path of interest rates.

They were not the first to be tempted down this path. For some years, the Reserve Bank of New Zealand and the Swedish Riksbank have published forecasts of their own policy rates. This has not been an entirely happy experience, especially in the latter case when the markets did not believe, correctly as it turned out, the Riksbank's forecasts about its own policy actions. The danger is that markets and commentators read too much into central bank forecasts of their own future actions. When, as is almost inevitable, the future turns out to contain surprises, interest rates will deviate from the forecast path. Although the latter is not intended to represent a commitment by the central bank to pursue that path, it is only too easy to paint it as such.

In turn, central banks were reluctant to concede that the path should be adjusted. The confidence that central banks wanted the private sector to have in their forecasts was not consistent with the inherent degree of uncertainty surrounding those forecasts. To retain credibility, it is important that central banks do not claim to know more than they in fact do. And it is clear that central banks are not able to provide accurate forecasts of their own actions. Policy must confront the fact that 'stuff happens'. Making forecasts is inherently difficult. They always turn out to be wrong. The most egregious example of wrong forecasts by central banks was the prediction before the crisis that the Great Stability would continue. Central banks were using forecasting models that ignored the lessons explored in Chapter 4.

New problems and old instruments

Until recently, central banks thought of monetary policy in terms of setting interest rates rather than fixing the supply of money. The two are, of course, closely related. Reducing interest rates stimulates the demand for borrowing and if banks increase their lending, the supply of bank deposits rises. That pushes up the money supply. But frequent and volatile shifts in the demand for money have led central banks to choose interest rates as their principal policy instrument.

Instabilities in the demand for money are not new. In the

early years of the Bank of England, there were unexpected shifts in the demand for money and credit resulting from the uncertain arrival times in the Port of London of ships laden with commodities from all over the world. The uncertainty derived from changes in the direction and speed of the wind carrying ships up the Thames. To cope with this, the Court Room of the Bank of England contained a wind dial linked to a weather vane on the roof, which provided an accurate guide to these shifts in money demand – the weather vane is there to this day, and it still works. If only monetary policy could be as scientific today!

To prevent a repetition of the Great Depression, central banks during 2008 and 2009 cut interest rates virtually to zero, at which point influencing the supply of money directly was the only remaining monetary instrument. The new problem they faced was what to do when interest rates are zero and cannot be lowered any further. When official interest rates have reached zero, modern Keynesians draw the conclusion that monetary policy is impotent and only fiscal policy can return the economy to full employment. Central banks did not accept this proposition, and took steps to expand the money supply.

My own explanation was simple. For most of the post-war period, governors of the Bank of England had been trying to prevent the amount of money in the economy from growing too quickly. If it were to expand at a rate much faster than the ability of the economy to grow, then the result would be inflation. But the problem facing the Bank in 2009 was that the amount of money in the economy available to finance spending was actually falling. The reason was that banks had begun to contract their balance sheets by refusing to roll over loans and no longer making new ones, thus reducing their total assets. The automatic counterpart on the liabilities side was a corresponding reduction in deposits as loans were repaid. Since most money comprises bank deposits, the fall in deposits meant that the amount of money available to finance spending actually fell. If left unchecked, that threatened a depression. So the task of the Bank was to ensure that the amount of money in the economy grew neither too quickly nor too slowly.

In the particular circumstances of 2009, that meant creating more money. It did not create inflation for two reasons. First, the increase in the supply of money was matched by a sharp increase in the demand for highly liquid reserves on the part of the banking system and the economy more generally. Second, the total supply of broad money, including bank deposits, rose only moderately. The 'emergency money' created by the Bank was necessary to prevent a fall in the total money supply. It was precisely because the demand for money and liquidity changed so sharply that monetary developments mattered. It is ironic, therefore, that economists who believe that money matters (for example, Milton Friedman) argue that 'the demand for money is highly stable', whereas Keynesian economists argue that money does not matter because its demand is unstable.[27] Both groups are wrong – money really matters when there are large and unpredictable jumps in the demand for it.

The method used to create money was to buy government bonds from the private sector in return for money.[28] Those bond purchases were described by many commentators as 'unconventional' monetary policies and became known as 'quantitative easing', or QE. They were regarded as new-fangled and untried. If history is what happened before you were born, then many of the commentators must be extremely young. For open market operations to exchange money for government securities have long been a traditional tool of central banks, and were used regularly in the UK during the 1980s, when they were given the descriptions 'overfunding' and 'underfunding'.[29] What was new in the crisis was the sheer scale of the bond purchases – £375 billion by the Bank of England, almost 20 per cent of GDP, and $2.7 trillion by the Federal Reserve, around 15 per cent of GDP. The need for purchases on such a scale reflected the fact that since government and central banks control directly only a small proportion of the money supply – less than 10 per cent, as we saw in Chapter 2 – a large percentage increase in the printing of money is required to create even a moderate increase in the total money supply.

Economists produced convoluted explanations of how and why this extra money might affect the economy through changes in risk premiums and other arcane aspects of the financial system.[30] Ben Bernanke, then Chairman of the Federal Reserve, said in January 2014 that 'the problem with QE is it works in practice, but it doesn't work in theory'.[31] Perhaps there was a problem with the theory.

How does QE work? Such asset purchases inject money into the portfolios of the private sector. Those investors, such as pension funds and insurance companies, who have sold bonds to the central bank will reallocate their higher money holdings among all possible other assets, such as common stocks, corporate bonds and foreign investments. Those purchases change the prices of private sector financial assets, which in turn affects wealth and spending. For example, if investors use their new-found money to buy corporate bonds, the higher price of those bonds will correspond to a reduction in their yield and hence the cost to companies of obtaining finance for new investment.

So, extremely low official interest rates do not exhaust the ammunition of central banks. But when interest rates at all maturities, from one month right out to thirty years or more, have fallen to zero, then money and long-term government bonds become perfect substitutes (they are both government promises to pay which offer zero interest), and the creation of one by buying the other makes no difference. To be sure, a number of advanced countries are close to that position, though none has yet quite reached it. Central bank official interest rates are virtually at zero in many countries. Long-term bond rates, by contrast, as measured by yields on ten-year bonds, are still above zero. In late 2015, bond yields were around 2 per cent in the United States and most other advanced economies, apart from Germany and Japan, where rates were around 1 per cent and 0.5 per cent respectively. Only in Switzerland, of the major economies, were ten-year bond yields slightly negative.

When the yield curve is completely flat, central banks may still create money by purchasing assets other than government bonds – either private sector assets, such as corporate bonds, or overseas currencies (the latter was the main strategy pursued by the Swiss National Bank in a vain attempt to prevent a sharp appreciation of the Swiss franc against the euro). But this means taking on credit risk of a very different kind from that involved in monetary policy, which is limited to buying and selling government bonds of different maturities, and has long been accepted as a legitimate role for central banks. Taking on credit risk, which ultimately falls on taxpayers, means that monetary policy is entering the world of fiscal policy. At this point, it is for governments to take the responsibility of deciding which sectors of the economy should be favoured over others. To be sure, there are circumstances in which the central bank and government, working together, can improve matters. For example, in the midst of the crisis some financial markets (for short-term commercial paper, for example) seized up, and both the Bank of England and the Federal Reserve intervened for a short period as a market-maker of last resort until those markets returned to some semblance of normality. But those crisis conditions in financial markets ended a long time ago. The challenge today is to deal with a period of prolonged weakness in demand.

It is not that monetary policy is completely impotent when

central bank interest rates are close to zero. It is that monetary policy runs into diminishing returns; although continually falling real interest rates encourage households to bring forward spending from the future to the present, there comes a point when they are reluctant to sacrifice more and more future spending to increase current spending. I shall return to this quandary in Chapter 9.

Now that official interest rates are virtually at zero, an even more extreme version of forward guidance has been proposed by some economists as a way of stimulating the economy.[32] The idea is that central banks should promise to allow inflation to go above their normal target at some point in the medium term so that real interest rates – nominal rates less expected inflation – can fall to more negative levels, so stimulating spending. This is a counsel of despair and is literally incredible. Suppose businesses and markets believed that inflation would indeed be higher in the future and that the resulting lower real interest rate did indeed stimulate recovery. The central bank would then be faced with the following dilemma. Should it proceed to allow inflation to rise above the target despite the recovery, or should it be grateful for the recovery and then set policy to keep inflation on track to meet the target? It is not hard to see that for any central bank governor the latter would be more attractive than the former. Markets will anticipate that reaction and so not believe that inflation will be allowed to rise above target. But then real interest rates will not fall and the recovery will not take place. The strategy of promising to generate an inflationary boom is 'time inconsistent'; in other words, what you say you will do in the future is not what you will want to do when you get there.

If it really were thought desirable to generate an inflationary boom in order to bring down real interest rates, then there would be a much simpler answer – abolish independent central banks and return interest-rate decisions to government. Markets would then certainly expect higher inflation in future. But we would be back to where we started, when central banks were handed independent responsibility for controlling inflation.

Inflation is not a beast that can be killed once and for all. Success is a matter of the patient application of policies designed to maintain price stability. Central bankers are like doctors – they need to be on top of the latest technical developments, have several years of experience and a good bedside manner. Even then, it may be impossible to do much more than avoid big mistakes and promote a healthy way of living. Stability is like dieting – it is no good alternating between binge and starvation, boom and bust. It is necessary to follow a few principles consistently and in a sustained manner. Inflation targeting represented a healthy way of living for central banks charged with the task of ensuring monetary stability.[33] Accountability and transparency provide the incentives for central banks to meet the inflation target. Such a framework of 'constrained discretion' is far removed from the world of 1930, when the Deputy Governor of the Bank of England explained to the Macmillan Committee that 'it is a dangerous thing to start to give reasons'.[34]

An event in 2007 illustrates the change in the way in which monetary policy was conducted after inflation targeting was introduced and independence was granted to the Bank of England. At 12 noon on Thursday 10 May, Tony Blair announced his resignation as Prime Minister after ten years at Number Ten. At exactly the same moment the Bank of England announced an increase in interest rates of 0.25 percentage points. Nothing could symbolise more vividly the change in the monetary regime in Britain than that conjunction. Before the Bank of England became independent it would have been inconceivable that interest rates would have risen on a day when there was an important government announcement.

Monetary policy in bad times – emergency money

No central banker should be spared the experience of a financial crisis, and few are. Since 2008, central banks have reoriented their focus towards financial stability and, with inflation low and often below their target, have placed less emphasis on monetary stability. To some extent this change of focus is a return to the historical origins of central banks. It has gone hand in hand with the view that the instruments available to central banks need to be extended well beyond those used during the Great Stability. Inevitably, attention turned to refining the instruments designed and deployed in the dark days of 2008 and after, and to the macro-prudential powers discussed above. What has been missing, however, from this broader vision of central banks is a coherent unifying framework within which to analyse policies in both good and bad times, and especially in the best and worst of times. I shall try to show that an integrated framework can be constructed and, indeed, is necessary if we are to challenge the alchemy of our current system.

As I described in Chapter 3, banks borrow short and lend long. This leaves them open to runs by the people who make short-term unsecured loans to banks. In theory, this could be the result of a temporary shortage of cash in the bank. But often it is related to concerns about losses on the loans the bank has made. Because depositors cannot easily coordinate their actions, if a run begins it is rational to join it. As many depositors discovered in nineteenth-century America, being last at the counter is a recipe for leaving empty-handed. Banks are inherently unstable.

Over the past 150 years the conventional wisdom has been that central banks should stand ready to be the 'lender of last resort' (LOLR) and supply liquidity to the banking system when the public loses confidence in one or more banks. It is a little-known, though not uninteresting, fact that the Wimbledon Championships are viewed in more countries than belong to the International Monetary Fund, and they are certainly more entertaining than the Annual Meetings of the IMF. Just a stone's throw from Centre Court is the house in which Walter Bagehot wrote his classic study of central banking, *Lombard Street*. Setting out the doctrine of the LOLR – lend freely against good collateral at a penalty rate to banks facing a run – it became the bible for central bankers wondering how to respond to financial crises. Ben Bernanke at the Federal Reserve, and other central bank governors, often referred to Bagehot when explaining the measures they had taken to support banks during the recent crisis.[35]

Although the policy is widely attributed to Bagehot, it can be traced back to Henry Thornton in *An Enquiry into the Nature and Effects of the Paper Credit of Great Britain* published in 1802, in which he writes: 'if any one bank fails, a general run upon the neighbouring ones is apt to take place, which, if not checked in the beginning by pouring into the circulation a large quantity of gold, leads to very extensive mischief'.[36] And even before that, in response to the first financial crisis in the United States – the panic of 1792 – Alexander Hamilton, then US Treasury Secretary, intervened to stem the crisis and in so doing was arguably the first person to discover the benefits of a LOLR.[37] He certainly was the first in a long line of US Treasury Secretaries who believed in bailouts.

When Bagehot wrote his seminal work, there were no Wimbledon Championships and banking was very different from the global industry we see today. His vision of a central bank playing the role of LOLR was inspired by the banking crises in London in 1825, 1836, 1847 and 1866. After the end of the Napoleonic Wars, Britain experienced a period of prosperity and the banks were sufficiently carried away that they invested in widely speculative ventures in Latin America, including the country of Poyais that turned out not to exist. In 1825, although many banks failed, the Bank of England, albeit belatedly, was able to stem the resulting panic; as described by one of my predecessors as Governor, Jeremiah Harman, it lent 'by every possible means, and in modes that we had never adopted before ... and we were not upon some occasions over nice; seeing the dreadful state in which the public were, we rendered every assistance in our power'.[38] That description was later used by Bagehot to illustrate the proposition that liquidity support is not designed to save an individual bank but is carried out in the collective interest of the system as a whole. In doing that, the central bank may need to take strong and unpopular action. The Bank also issued around one million £1 notes, which helped to ease the crisis when gold ran short – an early example of the creation of 'emergency money'.

Of particular significance to Bagehot was the failure of Overend, Gurney & Co., an erstwhile competitor of the Bank of England. On Thursday 10 May 1866 the bank announced that it would immediately suspend its activities following a severe run. As *The Bankers' Magazine* put it at the time, the announcement generated 'the greatest possible excitement in the City'.[39] The Bank of England lent unprecedented sums to other banking houses, but it did not step in to prevent the failure of Overend, Gurney itself. For several years, there had been concerns about the health of Overend, Gurney and the reaction when it became a public company in 1865 had been decidedly mixed. But it was more than three years after its collapse when it emerged that the directors of the company, who stood trial on charges of fraud, had published a false prospectus concealing the fact that the firm had been, in essence, bankrupt before it went public. The bank had expanded out of its traditional business of short-term lending in the money market into activities closer to present-day investment banking, becoming an investor in railways and ships, among other things. Despite the scale of lending by the Bank of England, other banks failed and a recession followed.

From his vantage point as editor of *The Economist*, Bagehot observed the 1866 crisis and drew the conclusion that when faced with a sudden and large increase in the demand for liquidity by the public, in other words a bank run – a 'panic' – the responsibility of the central bank was to meet it: 'a panic, in a word, is a species of neuralgia, and according to the rules of science you must not starve it'.[40] One of the unique roles of central banks is the ability to create 'liquidity'.[41] Banks create money, but if people lose faith in banks, the ultimate form of money is that created by the central bank – provided it is backed by the tax-raising power of a solvent government. In Germany in October 1923, as the hyperinflation was nearing its peak, the government was close to insolvent with only 1 per cent of its expenditure financed by taxation. Commercial banks have accounts at the central bank, and in a crisis, the central bank can lend to them against the collateral of their assets. Bagehot's doctrine was that in a crisis central banks should lend freely against the security of good collateral, at an interest rate above normal levels to ensure that the central bank was the lender of last resort not the lender of first resort. What Overend, Gurney revealed to Bagehot was that, although in a crisis it might be difficult to know whether a bank was solvent, it was nevertheless safe for the central bank to lend against good collateral.

His view has since become the conventional wisdom. So much so, that the phrase 'lender of last resort' is widely misused to refer to any action that deals with a financial crisis by dousing the fire with a massive injection of liquidity. It is used to urge the European Central Bank to lend to sovereign governments within the euro area, and to imply that the IMF should lend to any country in difficulty; I have even heard it used by sports teams in financial trouble who believe that the league in which they play should bail them out. The expressions 'lender of last resort' and 'bailout' have become synonymous. It is only a matter of time before there is a demand for a LOLR for the Bank of Mum and Dad. Bagehot's argument was very different. In essence, the problem was that the banking system was an intermediary financing illiquid assets by promising instant liquidity to depositors. For the economy as a whole, the promise cannot be met. When enough depositors want their money back, the banking system cannot provide it. If this additional demand for liquidity is temporary, then the provision of emergency money by the central bank can tide the system over until the panic subsides. But if the assets have genuinely lost value, then the central bank must be careful not to subsidise insolvent undertakings. The problem is that in a world of radical uncertainty it is never clear whether a bank is solvent or insolvent, and in a crisis there is rarely time to find out. Actions by a LOLR can prevent a liquidity problem turning into a solvency problem, although not all solvency problems can be converted into liquidity problems by LOLR lending, as governments have painfully discovered in recent times.

Even in Bagehot's time, however, his views attracted sceptics. Thomas Hankey, a former Governor of the Bank of England, published a book just one year after the failure of Overend, Gurney in which he recognised the alchemy of the banking system: 'the mercantile and Banking community must be undeceived in the idea that promises to pay at a future date can be converted into an immediate payment without a supply of ready money adequate for that purpose'.[42] If banks came to rely on the Bank of England to bail them out when in difficulty, then they would take excessive risks and abandon 'sound principles of banking'.[43] They would run down their liquid assets, relying instead on cheap central bank insurance – and that is exactly what happened before the recent crisis. The provision of insurance without a proper charge is an incentive to take excessive risks – in modern jargon, it creates 'moral hazard'. Both Bagehot and Hankey were right, in their own way. Once a panic has started, the provision of liquidity to others can prevent widespread contagion. But the design of the LOLR mechanism must be thought through carefully beforehand in order to avoid incentives to excessive risk-taking. As time passed, it became easier to flood the system with liquidity when problems arose than to design a framework that would counter moral hazard.

If Bagehot's ideas grew out of his study of earlier financial crises, can we too learn from financial episodes after 1866? Milton Friedman and Anna Schwartz, in their monumental study of the monetary history of the United States, laid the blame for the depth of the Great Depression on the Federal Reserve for failing to create sufficient money and act as a lender of last resort to the many banks that subsequently failed.[44] During that period the money supply fell by around 30 per cent. The Fed was culpable for failing to prevent that contraction of the supply of money, rather than for failing to meet a sudden increase in the demand for liquidity. For lessons on the LOLR role, a more relevant historical episode is the financial crisis at the beginning of the First World War and the creation in unusual circumstances of emergency money.[45]

The centenary of the First World War witnessed a veritable blizzard of new books on that dreadful conflict – almost as many as on the recent financial crisis. Few people have drawn comparisons between the two episodes. But the outbreak of the First World War saw the biggest financial crisis in Europe, at least until the events of 2008, and an equally severe crisis in New York, albeit that the Great Depression was a bigger economic crisis in terms of its impact on output and unemployment. An examination of the crisis of 1914, and in particular of the difference between the outcome in London and New York, throws light not only on our recent experience but on financial crises more generally. After September 2007, when the latest banking crisis began, I often publicly compared current events with those of 1914. Yet I found that few people knew much about the financial crisis of 1914. Even the war memoirs of the Chancellor of the Exchequer at the time, David Lloyd George, devote only fourteen out of 2108 pages to the financial crisis he faced.

So what happened in 1914? Historians have long documented the prevailing disbelief in the likelihood of a European war. Among other things, the economic cost would simply be too high. Complacency among financial policy-makers showed in the failure of both governments and markets to take seriously the likelihood and economic consequences of such a war. Just two days before Britain declared war in August 1914, the Governor of the Bank of England, Lord Cunliffe, was lunching on the yacht of the wealthy and well-connected Clark family, moored off the west coast of Scotland. As Kenneth Clark, the art historian, wrote in his memoirs, 'On the second he [Cunliffe] lunched with us on the yacht. I had fallen in love with his daughter, who had red hair and wore a monocle, and so was glad to be present. "There's talk of a war," said Lord Cunliffe, "but it won't happen. The Germans haven't got the credits." I was much impressed.'[46] John Maynard Keynes too was not immune to the mood of the moment when, on 24 June 1914, he wrote to the Treasury: 'In a modern panic it is improbable that the big banks will come to grief.'[47] Gaspar Ferrer, the key adviser to Lord Revelstoke, the Chairman of Barings Bank, said later: 'The war came like a bolt from the blue.'[48] Even after the assassination of Archduke Franz Ferdinand (heir to the Austro-Hungarian throne) in Sarajevo on 28 June 1914, there was barely a ripple in London markets. It was almost a month before financial markets woke up to the significance of the unfolding political events, and it was the ultimatum from Austria to Serbia (demanding that Serbia take draconian steps to suppress the expression of nationalist opinions) on 23 July that finally changed sentiment.

The next two weeks saw panic in markets and among banks. European stock markets fell sharply, and several were closed. There was a flight to safety, especially to cash, and liquidity dried up in all major markets, including those for foreign exchange, stocks and shares. Three-month interest rates more than doubled. At 10.15 a.m. on Friday 31 July the London Stock Exchange was closed in order to postpone settlement of transactions and thereby prevent a wave of failures among its members as prices plummeted.

That same day, lines formed in Threadneedle Street outside the Bank of England as depositors queued, as was their right, to convert deposits or notes into gold sovereigns, which commercial banks would not provide to them. As Keynes later put it, 'the banks revived for a few days the old state, of which hardly a living Englishman had a memory, in which the man who had £50 in a stocking was better off than the man who had £50 in a bank'.[49]

Meanwhile, on the other side of the Atlantic, the position was no less precarious. Europeans had begun to sell their investments on Wall Street and convert the dollars they received into gold to bring back to Europe. The dollar fell sharply. What happened over the next few weeks, however, was to result in New York displacing London as the money centre of the world. Although the Federal Reserve System had been created by Congress in December 1913, nominations to the Federal Reserve Board stalled in the Senate Banking Committee, and it met for the first time only in August 1914. So although

William McAdoo, as Treasury Secretary (and, coincidentally, the son-in-law of President Woodrow Wilson), was also the first Chairman of the Board, the Fed did not enter the playing field until after the financial crisis had come and gone. As a result, in 1914 the major decisions in dealing with the crisis were taken not by central banks but by the respective finance ministers – Treasury Secretary McAdoo and Chancellor of the Exchequer Lloyd George.

Despite falls in stock prices of around 10 per cent earlier in the week, a meeting of bankers on the evening of Thursday 30 July had seen no reason for closing the New York Stock Exchange. But McAdoo intervened and, worried that if New York remained the only open exchange European investors would take the opportunity to sell and repatriate gold, ordered the exchange to close on Friday 31 July, a matter of hours after the closure of the London Stock Exchange.[50] As it was, there were substantial outflows of gold from New York to Europe during that final week of July. The start of the First World War saw the end of the period during which most countries had fixed the price of their currency in terms of gold (and hence to each other) – the gold standard. In Europe the demands of wartime finance led governments to suspend the convertibility of paper into gold and conserve their holdings of bullion. If the United States could retain its fixed rate between the dollar and gold then it could aspire to be the world's financial leader; in 1914 the British pound sterling and not the US dollar was the safe haven currency. From McAdoo's perspective, it was no time to allow large withdrawals of gold that might force America off the gold standard.

Back in London, on the following day, Saturday 1 August, Basil Blackett, then a Treasury civil servant, wrote to John Maynard Keynes: 'I tried to get hold of you yesterday and today, but found you were not in town. I wanted to pick your brains for your country's benefit and thought you might enjoy the process. If by any chance you could spare time to see me on Monday I should be grateful, but I fear the decisions will all have been taken by then.'[51] Keynes lost no time. On Sunday he rode down from Cambridge in the sidecar of his brother-in-law's motorcycle and went straight to the Treasury.

While Keynes and Blackett were conferring in Whitehall, McAdoo left Washington by train to meet with more than twenty senior bankers in the Vanderbilt Hotel in New York. All those present were desperate to avoid a repetition of the panic in 1907 when a run on the Knickerbocker Trust Company led to the suspension of cash withdrawals. During that earlier crisis, John Pierpoint Morgan had added to his fame by organising a private consortium of banks to lend to banks under suspicion, so averting a major collapse of the banking system, though other banks did suspend payments and there was a sharp contraction of the US economy. From that experience came the impetus to create the Federal Reserve System, which would be able to lend to banks that were temporarily short of funds – to act as a lender of last resort – obviating the need for a Morgan or similar to organise a private consortium to prevent a banking failure. But with the Federal Reserve not yet in operation, what could McAdoo offer the bankers in the Vanderbilt?

Out of the 1907 crisis came another solution to the problems of 1914. The Aldrich-Vreeland Act of 1908 permitted banks to deposit government bonds or short-term paper issued by American companies with the US Treasury and receive 'emergency notes' in return. Emergency banknotes, embossed with each bank's own name and logo, worth $500 million were printed in advance and stored with the Treasury in a new underground vault. Here was a source of emergency money that could be distributed to banks in exchange for collateral without the need for a central bank. There was a limit on the value of the notes that could be obtained of 90 per cent of the value of the bonds and 75 per cent of the value of commercial paper deposited by the banks with the US Treasury. And there was a tax on the value of the emergency notes drawn.

At his meeting with bankers on Sunday 2 August 1914, McAdoo found men in urgent need of emergency currency, and plenty of it. The emergency money began arriving in New York on Monday 3 August, and the printing presses operated around the clock to print additional money. The fact that the Bank of England was not immune from the possibility of a run by depositors energised the American financial community to support the creation of this emergency money. In contrast with 1907, when the money supply fell by over 10 per cent, in 1914 the creation of emergency money allowed the money supply to rise at an annual rate of around 10 per cent. Demand for emergency money peaked at the end of October 1914 and fell gradually, disappearing altogether by the middle of 1915. Despite the absence of any help from the new Federal Reserve Board, not yet up and running, McAdoo had shown how a government could act as a lender of last resort.

In London, Monday 3 August was, fortunately perhaps, a bank holiday. Britain declared war on Tuesday 4 August. The bank holiday was extended by an additional three days. During that first week of August, a series of extraordinary measures was introduced by the Treasury and the Bank of England. The UK government decided to intervene and use taxpayers' money on an unprecedented scale in a mission to 'save the City'. The problem was that London had made, as was then usual, large short-term loans by 'accepting' or guaranteeing – for a price – loans to borrowers on the continent of Europe. Such guarantees could be traded and were known as bills of exchange. In normal times those bills could be bought and sold in the London market. As Lloyd George put it, 'the crackle of a bill on London with the signature of one of the great accepting houses was as good as the ring of gold in any port throughout the civilised world'.[52] With the onset of war in Europe, providing guarantees had become risky. London banks had underwritten loans that were not being repaid when due and might never be. As Lloyd George went on, 'when the delicate financial cobweb was likely to be torn into shreds by the rude hand of war, London was inevitably thrown into panic'.[53]

The first measure – on the Tuesday – was emergency legislation to impose a moratorium on all London bills of exchange for one month. Three days later this became a general moratorium. Debts, except for wages, and taxes and debts owed by foreigners, could not be enforced. The legislation provided that, if necessary, the moratorium extended to bank deposits. This provided temporary relief but did not tackle the underlying solvency problem.

Unfortunately, unlike in 1825, the Bank did not have sufficient stores in its vaults to meet the sudden increased demand for low denomination notes as gold coin was conserved to rebuild the nation's gold reserves. So the second measure to be taken – on the Thursday – was the passage in one day of the Currency and Bank Notes Act, allowing the Treasury to print special £1 notes, to a much lower standard – in the interests of speed – than the Bank of England would have accepted. This amounted to temporary removal of the limits on the fiduciary note issue of the Bank of England, and required the suspension of the Bank Charter Act of 1844, as had previously happened in 1847, 1857 and 1866. Britain had not learned from the US experience in 1907 and had printed no store of emergency money to distribute in a crisis.

Third, on Friday 7 August the government decided that the bank holiday should end and the banks reopened. The crisis had been contained, if not solved. As Keynes put it later:

In the dark and uncertain days, which seemed to divide by an interminable period the last Thursday of July from the first Thursday of August, the City was like a very sick man, dazed and feverish, called in to prescribe for his own case. Its great houses, suspecting the worst, could not then gauge exactly how ill they really were; and the leaders of the City were many of them too much overwhelmed by the dangers, to which they saw their own fortunes and good name exposed, to have much wits left for the public interest and safety.[54]

In the weeks that followed, measures were taken to deal with the underlying insolvency problem in London. In wartime conditions, debtors on the Continent would be unable to repay London banks, discount houses, and other institutions that had accepted bills, and hence many of the assets held by British financial houses would lose their value, leaving those institutions insolvent. As a contemporary author described the position: 'the banking system, was, to put it quite bluntly – "bust". They could not pay what they owed. They had not the money. The outbreak of the War at once revealed the hopeless make-believe of the whole pass-the-buck debt-generating process.'[55] Over five months, Chancellor of the Exchequer Lloyd George and Treasury officials recapitalised the City. The Bank of England purchased a large volume of bills amounting to around 20 per cent of total assets held on bank and other financial balance sheets in London, all potential losses being indemnified by the government on behalf of the taxpayer. The Bank bought one-third of the entire stock of bills, amounting to some 5.3 per cent of GDP. As Lloyd George admitted in his memoirs, by offering the guarantee the government had 'temporarily assumed immense liabilities'.[56] He took the risk of losses on the assets he guaranteed without seeking any compensation. It was a gamble that could have been taken only in wartime.

It worked. The City was saved. When the recapitalisation was complete, the Stock Exchange was able to reopen on Monday 4 January 1915, and the assembled financiers sang all three verses of the National Anthem. The financial crisis 'was over'.

Across the Atlantic, McAdoo's problem was different. It was widely understood that the conflict in Europe would lead to higher prices and volumes of exports of American commodities. The Great War strengthened the US economy. The US banking system faced no solvency problem. But to reopen the Stock Exchange would lead to a resumption of sales of stocks by Europeans anxious to convert dollars into gold, which could then be shipped back to Europe. The solution was to increase European demand for dollars. And the way to do that was to meet the increased European demand for US exports arising from war needs.

To supply that demand more ships were required, and two factors ensured their availability. The first was the creation of the US Bureau of War Risk Insurance in August 1914 to insure American-registered vessels against war damage. The second was the unexpected announcement in October that Britain would not regard cargoes of cotton (essential for the production of explosives) destined for Germany as contraband and they would therefore not be at risk of seizure. Exports of cotton, and agricultural commodities more generally, grew rapidly. The New York Stock Exchange reopened on 15 December 1914. The link between the dollar and gold was maintained. The US government, unlike its British counterpart, had no need to assume 'immense liabilities' to solve the challenges to its financial system. Within a matter of months the dollar had begun its inexorable rise to become the dominant international currency and in due course the United States would replace Britain as the world's leading financial power.

Two broad lessons emerge from the experience of 1914. The first is that the key function of the monetary authorities, whether as government or central bank, is to determine the supply of money in both good times and bad. In 1914 McAdoo had the advantage that the crisis of 1907 had alerted the US authorities to the need to prepare a stock of emergency money, whereas the British had forgotten the events of 1825. It was another example of a law that I saw on many occasions – countries learn only from their own mistakes and not from those of others (the failure of the UK to develop a resolution regime for failing banks despite US experience in the 1930s was another). The second is that a crisis will not be resolved by the provision of liquidity if there is also an underlying solvency problem; in other words, a shortage of capital available to absorb losses and prevent default. In 1914, London had a solvency issue and New York did not. In 2008, the turning point of the crisis was when governments were eventually persuaded that the banking system was suffering from a shortage not just of liquidity but of capital, and had to be recapitalised, forcibly if necessary.[57]

The concept of 'emergency money' is important. It captures the need for a sudden increase in money when there is a sharp rise in the demand for liquidity. A jump in the demand for liquidity can arise for many reasons, including a loss of confidence in the public sector itself. Not long after McAdoo was sending banknotes to New York, local and regional governments in Germany began printing new banknotes: *Notgeld*, the German word for emergency money. In Germany (and also in France and Belgium) the war had led to a sharp increase in the demand for, and hence the value of, metal. Coins made out of metal disappeared because their face value as minted coinage was less than their value to producers of armaments.

Soon there was a big shortage of small change. In response, and in the absence of a centralised solution, local and regional communities began to print low-denomination banknotes. The temptation to use *Notgeld* to promote their local communities proved irresistible, and 'regional memories and loyalties revived, and found an exuberant, colourful expression of local identity and civic pride'.[58] The designs included serious scenes, featuring people such as Luther and Goethe, as well as amusing stories of life at the seaside. In the end, no central bank can act as a LOLR unless there is confidence in the government that underwrites it.

Banks today are very different from banks in Bagehot's time or during most of the twentieth century. They are much bigger, their assets are more complex and difficult to value, they hold far fewer liquid assets, they finance themselves with far less equity capital, and they wield greater political power. As a result, the maxim 'lend freely against good collateral at a penalty rate' is outdated. This creates two problems for the LOLR role envisaged by Bagehot.

First, the definition of 'good collateral'. Both Alexander Hamilton and Walter Bagehot knew that the authorities could lend against the security of government stock. They could not know whether the banks to which they might consider lending were solvent or not, but that did not matter if they could lend against good collateral. Until well into the post-war period, banks held around 30 per cent of their assets in the form of government securities, most of them short-term and all of them liquid. In that world, the central bank could lend $100 against the value of stock of $100. Today, however, bank assets comprise largely illiquid and often unmarketable assets such as loans or complex financial instruments. Such illiquid assets can be turned into good collateral if the central bank lends only a proportion of the value of those assets. If a commercial bank wants to borrow $100 from the central bank, it will therefore have to provide collateral worth more than $100, so that if for some reason it cannot repay the loan there is a suitable margin to provide confidence to the central bank that it will be able to sell those assets for at least the value of the loan. The difference between the amount lent by the central bank and the value of the collateral offered in return is described as the 'haircut' on that type of collateral. In practice, haircuts range from only a percentage point or two, when the collateral takes the form of highly liquid financial assets such as government bonds, to very high haircuts, of 50 per cent or more, in the case of individual loans on which little information is available.

When the European Central Bank lent several hundred billion euros to banks all over Europe in December 2011 and February 2012, many thought that the crisis in the euro area was solved. They were soon to be disillusioned. Although the ECB was willing to lend for three years at a very low interest rate, it still expected banks to repay those loans. A bank that had too little capital to absorb likely future losses was still too risky to attract funding from the private market. So unless the ECB was to provide a permanent source of funding, European banks remained an accident waiting to happen. Moreover, like any central bank, the ECB would lend only against good collateral. What that meant in practice was that banks had to provide the ECB with collateral in the form of claims on their loans before the ECB would provide them with cash. Many of those loans were far from 'good'. So the ECB would lend only a proportion of the estimated value of the loans surrendered by banks. In the operation in February 2012, the haircuts on some of those loans amounted to 60 per cent of their face value. In other words, banks surrendering such loans would receive just 40 per cent of their face value in cash. Only in that way could the ECB be confident that the collateral they received would be sufficient to compensate for the failure of a bank to repay its loan.

But that created a serious problem for those in the market, such as pension funds and insurance companies, who were thinking of lending to banks. For as the ECB increased its lending to banks, so a larger and larger proportion of the assets of those banks were encumbered by claims on them in the name of the ECB. The proportion of a bank's assets available to act as collateral for debt provided by the market diminished. So the cost of unsecured funding – loans made without the security of collateral – to banks started to rise. Banks depend on financing a sufficiently high proportion of their balance sheet by unsecured funding, such as deposits or securities issued to pension funds and insurance companies, to enable them to function. Any attempt to fund the whole balance sheet in secured form – borrowing against collateral – could work only if the haircut required by those lending to the bank was literally zero.

Consider the simple hypothetical example of a bank with $100 million in total assets, financed by $90 million of short-term deposits and $10 million of equity capital. Suppose that for some reason $30 million of deposits are withdrawn, and the bank turns to the central bank for temporary liquidity support. In order to protect itself and, ultimately, taxpayers, the central bank decides that the appropriate haircut on pledged collateral is 25 per cent. The bank must then pledge $40 million of assets as collateral to the central bank so that after the haircut it will receive cash loans of $30 million. The bank has maintained its funding but the remaining depositors, who have a prior claim over shareholders, can see that there are only $60 million of assets left to support $60 million of deposits, whereas before there were $100 million of assets to support $90 million of deposits. And the effect of the haircut is to impose an upper limit of $75 million on the LOLR assistance that can be made available.

When the Bank of England lent to Northern Rock in 2007, it was possible to predict when the LOLR assistance would reach its maximum limit. The limit was duly reached on the date predicted and the government had to take over the financing of the bank and the associated credit risk. The more a central bank lends, the lower the proportion of assets to deposits available to support loans from the private sector. A LOLR supplies temporary funding but at the expense of increasing the incentive for a run by the private sector depositors or short-term creditors. In extreme cases, the LOLR is the Judas kiss for banks forced to turn to the central bank for support.

The second problem with the LOLR role is that banks may be reluctant to accept assistance because of the implied stigma from the revelation that they are in need of liquidity support. The information revealed to the market by the decision to accept central bank liquidity may damage the ability of the bank to obtain funding from elsewhere – partly because of the information itself and partly because of the Judas kiss effect in reducing available collateral – and so make it reluctant to turn to the central bank. This turned out to be a major problem in 2007 and 2008, when attempts to provide liquidity led to great caution on the part of banks reluctant to give a signal that they were in need of support. As a result, central banks created auction facilities in which banks could bid anonymously for liquidity.

But the LOLR must be ready to supply liquidity at any moment, and auctions cannot be organised on a continuous basis. At the height of the crisis, weekly auctions played a useful purpose, but they still needed to be supplemented by direct LOLR when banks experienced an urgent need for additional liquidity. In an effort to overcome the problem of stigma, central banks have traditionally been reluctant to publish details of institutions benefiting from access to special lending until the need for such support has come to an end. Delayed reporting of access by banks to central bank facilities helps to reduce the stigma problem. For example, in 2008, the details of the support for Royal Bank of Scotland and HBoS, although approved by the Chancellor of the Exchequer, were not revealed publicly until many months later when there was no longer any need for such secrecy. Legislators, however, are keen to impose greater disclosure requirements on such facilities. Details of those accessing the central bank 'discount window', at which banks can exchange collateral for money, are published, if at all, only after some delay. In the United States, Congress has mandated the publication of the names of all borrowers at the Federal Reserve discount window no later than two years after they borrow.

The stigma problem is not new. In 1914, there were concerns 'about the potential reputational damage of borrowing from the Bank of England' if it became known to others that advantage had been taken of such a facility.[59] Equally, the creation of emergency money in the United States under the Aldrich-Vreeland Act of 1908 was an opportunity not used by banks until the collective crisis of July 1914. No such emergency money had ever been demanded by a bank until the events of the summer of 1914. As the Comptroller of the Currency warned when the Act was passed, 'the issue of so-called emergency notes ... would at once be a confession of weakness and a danger signal that no bank would dare make until in desperate condition'.[60] And, as the financial historian William Silber later wrote, 'Emergency currency lost its stigma during the first week of August as the Great War threatened major banks throughout the country.'[61] There is no simple or, for that matter, complex solution to this problem, which continues to trouble the designers of central bank liquidity facilities. The importance of stigma is that over the course of history, the reluctance of banks to be seen to accept support from the central bank has probably meant that the size of LOLR operations has probably been too little and too late, exacerbating the severity of crises. Central banks cannot afford to be 'over nice'.

Aware of the importance of 'lending freely' in a crisis, and the problems caused by the need to lend against good collateral and at a penalty rate, central banks and governments have relaxed the conditions of a traditional Bagehotian lender of last resort and turned to bailouts. This creates risks to taxpayers and incentives for banks to expand the alchemy of the system. The solution is to convert the crisis function of the lender of last resort into a regime that determines the amount a bank can borrow in both good times and bad, and ensures that a bank will have posted sufficient collateral in good times that it will have access to liquidity in bad times adequate to meet the demands of short-term creditors. I will explain how this works in Chapter 7.

The future of central banks

Despite some ups and downs, central banks are starting this century well ahead of where they were a century ago. There are more of them, and they have greater power and influence. But has their reputation peaked? Will future historians look back on central banks as a phenomenon largely of the twentieth century? Although central banks have matured, they have not yet reached old age. But their extinction cannot be ruled out altogether. Societies have managed without central banks in the past.

Before the crisis, central banking seemed rather simple. There was a single objective – price stability – and a successful framework within which to make decisions on interest rates – inflation targeting. It seemed a successful coping strategy. Communication became more important, and central banks moved from mystery and mystique to transparency and openness. During the crisis, however, many of those assumptions were challenged, as we learned how inadequate our understanding of the economy and the financial system was. There is more to managing the economy than hitting a target for consumer price inflation. Most of the models used by central banks to forecast the economy proved deficient in explaining the disequilibrium in their own and the world economy, as described in Chapter 1. As a result, policy-makers failed to realise that the period of low inflation and steady growth during the Great Stability was unsustainable, and would probably come to an end with a crash of some sort.

Central banks have a role to play in changing the heuristic used by households and businesses when they see a serious disequilibrium building up. In such circumstances, what is required is a clear and convincing explanation of why it may be desirable to allow inflation to run above or below target for a period in order to restore a sustainable path for the economy. It would be a big mistake to jettison inflation targeting altogether. It is a valuable heuristic for central banks, provided there is room to deviate when circumstances demand.

The crisis also brought home the importance of the framework for liquidity provision to the banking system. Because both banking and central banks have changed out of all recognition since Bagehot wrote his book, it is time to reassess the old doctrines. The Bagehotian lender of last resort is a concept in need of reform. A number of new ideas and instruments were developed on the hoof during the crisis and undoubtedly some will persist. But what has been missing is an integrated single framework within which to analyse the provision of money by central banks in both good and bad times. Such a framework is the key to ending the alchemy of our monetary and financial system, and I shall return to this question in Chapter 7.

Despite those problems, the surprising outcome has been that central banks have been handed greater responsibilities than before the crisis. The Bank of England I left behind was twice as big as the one I inherited. There is a risk in expecting more from central banks than they can, in fact, deliver. Some people seem to believe that central banks are the answer to all of our economic problems – the 'only game in town'. Any central bank that allows itself to be described as the 'only game in town' would be well advised to get out of town. In the end, expecting too much from central banks will produce disillusionment with the central bank independence that played such an important role in the conquering of inflation. With careful design of the mandate for central banks they can continue to be one of the three great inventions since the beginning of time.

Appreciation of central banks' actions was well captured by a pamphleteer in the middle of the eighteenth century:

> There certainly never was a body of men that has contributed more to the Publick Safety and Emolument than the Bank of England, and yet even this great, this useful Company, has not escaped the invectives of malicious tongues ... This flourishing and opulent Company has upon every emergency always cheerfully and readily supplied the necessities of the Nation ... and it may very truly be said that they have in many critical and important conjunctures relieved this Nation out of the greatest difficulties, if not absolutely saved it from ruin.[62]

The popularity of central banks has waxed and waned over the past couple of centuries. One point, however, stands out from that history. The freedom of a central bank to act in a crisis depends on its legitimacy. In turn that requires a clear mandate providing the assurance for the legislature to delegate powers to an independent central bank. Democratic legitimacy has been built up over the years, in part through greater transparency and accountability, and works at national level. It is far from clear, however, that any democratic mandate can function at a supranational level. The attempt to break the link between money and nations has always been fraught with difficulty.

6

MARRIAGE AND DIVORCE: MONEY AND NATIONS

'So they [the government] go on in strange paradox, decided only to be undecided, resolved to be irresolute, adamant for drift, solid for fluidity, all-powerful to be impotent.'

Sir Winston Churchill,
Hansard, 12 November 1936

'Elections change nothing. There are rules.'

Wolfgang Schäuble,
German finance minister, 31 January 2015

What is the relationship between money and nations? From the role that money plays both in normal periods and, even more, in times of crisis, it is clear that there is an intimate link between the nation state and the money that circulates within it. That link runs very deep. The main building of the International Monetary Fund in Washington DC is shaped roughly as an ellipse. As you walk around the corridor on the top floor, on one side are symbols of each of the member nations. On the opposite side are display cabinets of the banknotes used by those countries. There is a remarkable, almost uncanny, one-to-one relationship between nations and their currencies. Money and nations go hand in hand.

Should this surprise us? Is it a natural state of affairs? Although money moves across frontiers at ever-increasing speed, we are no closer to the world currency that idealists like Walter Bagehot imagined in the nineteenth century. Economists have typically looked to economic factors as determining currency arrangements. They argue that we should expect to see fewer currencies than countries because at least some countries will see advantages in forming a currency union with others. The novel idea that money and nations are not synonymous, and that an 'optimum currency area' could encompass several nations, or regions within nations, was popularised by the Canadian economist Robert Mundell in 1961.[1] Sharing a currency reduces the transaction costs of trade within the union. If each of the fifty states in the USA used its own dollar then the cost of doing business across states would be much greater than it is today. Just as there is a federal system of weights and measures, so the dollar is the single monetary unit of account. But whereas there are single international systems of weights and measures for time, length and weight (the last expressed in two forms: imperial and metric), there is no single world currency.

Sharing a currency means pooling monetary sovereignty – accepting a single official interest rate throughout the union. How restrictive and costly that constraint is depends on the degree to which countries would choose different interest rates if they were free to do so. If one country wants to raise rates – because demand is strong and might push up inflation – and another wants to lower rates – because it is facing weak demand, pushing inflation down – then tensions will arise between the members of a currency union. Such 'asymmetric shocks' to demand require, within the union, a flexible labour market encompassing the entire area so that labour can move easily from a country with little demand for it to a country where demand is high.

In contrast, retaining a separate currency means that it is possible to use movements in the exchange rate to coordinate in terms of foreign currency the changes in domestic wages and prices that are necessary following shocks to competitiveness, and to respond to a local fall in demand. In that way it is possible to avoid the high rates of unemployment that might otherwise be required to decrease wages and prices in domestic currency in a decentralised market economy. Experience of the inter-war period across Europe showed that exchange rate changes were more effective than either government edict or mass unemployment in coordinating necessary reductions in real wages.

'Optimal' currency areas comprise countries or regions that experience similar shocks and have a single labour market. They also share similar attitudes to inflation. These embrace the choice of a long-run average inflation target, decisions on the trade-off between inflation and employment in the short run, and credibility in the eyes of markets in delivering those objectives.[2] Far from being solely economic, such factors are highly political. So we should not be surprised that currency arrangements are determined as much by political as by economic factors.

Money and nations are both important social institutions with a long history. As the historian Linda Colley has written, nation states are:

synthetic and imperfect creations and subject to change, and most have been the result of violent conflict at some stage ... In order to persist and cohere, states usually require effective political institutions, a degree of material well-being, efficient means of defence against external enemies, mechanisms for maintaining internal order and, very often, some kind of religious or ideological underpinning.[3]

Much the same could be said of money. As John Stuart Mill put it in the nineteenth century, 'so much of barbarism, however, still remains in the transactions of most civilised nations, that almost all independent countries choose to assert their nationality by having, to their own inconvenience and that of their neighbours, a peculiar currency of their own'.[4] As if to illustrate the point, on 14 November 2014, the extremist militant group Islamic State announced that it intended to issue its own currency, comprising coins made of precious metal, to help create a new country – the caliphate.[5]

More often than not, force was the factor that brought about the domain of empires and their subsequent destruction, creating new nation states in the process. It is important not to see either nations or their monies as fixed. Much of what we now take for granted in the identity and composition of nation states was far from obvious at earlier times – we should not only look through the back window but imagine also peering through the front windscreen to try to understand what did determine the creation of currencies and the nations in which they were used. There has been a remarkable expansion of the number of countries in the world during the post-war period. Today, there are 196 countries in the world (the 193 members of the United Nations plus Kosovo, Taiwan and the Vatican) and 188 members of the International Monetary Fund. And there are around 150 currencies in use in those countries.[6] Back in

1945 when those organisations were founded, there were far fewer countries – fifty-one members of the United Nations and twenty-nine members of the IMF – and a correspondingly smaller number of currencies. Of course in 1945 there were more countries than members of the United Nations. Adjusting for that, the number of countries has still more than doubled in little more than half a century. The increase in the number of nation states reflects the process of decolonisation and the fragmentation of former nation states created by force or by delegates at peace conferences who did not represent the area. One might expect that the expansion of international trade, and the growing use of the English language in finance and commerce, would have strengthened the case for common currency areas and led to a reduction in the number of currencies. That has evidently not been the case.

Monetary unions have a chequered history. There have been many successful marriages, and a number of spectacular divorces. The welding of the North American colonies into the United States of America, with a single currency and a collective federal fiscal policy, guided by the determination of the then Treasury Secretary Alexander Hamilton, is one of the most successful unions. The Continental Congress authorised the issuance of the US dollar in August 1786, and the status of the dollar as the unit of account throughout the new republic was established by the Coinage Act of 1792. The importance of the dollar rose with American economic and political power. In 1871 the Meiji government of Japan adopted a new currency – the yen – which has since become one of the world's major currencies. And one of the oldest currencies in the world, the pound sterling, the origins of which are lost in the mists of time, became the currency of the United Kingdom after the Acts of Union between England, including Wales, and Scotland in 1707.[7]

There have also been a number of break-ups of monetary unions. When empires or nations split up, the associated monetary union also tends to dissolve. That was true of the Roman Empire, the Austro-Hungarian Empire and, more recently, the Soviet Union.[8] When the latter broke up in 1991, the IMF recommended that the successor states continue to use the rouble. But within a short time, they had all adopted new currencies. Less spectacularly, but no less completely, when the British Empire metamorphosed into the British Commonwealth during the post-war period, the sterling area faded away. When Czechoslovakia was divided into the Czech Republic and Slovakia in 1993, the two new states soon moved to distinguish their currencies, and in 2009 Slovakia joined the euro area. That was a relatively amicable divorce. Much less happy was the break-up of Yugoslavia in the 1990s, ultimately into seven successor states, each with its own monetary arrangements.[9]

Monetary unions comprising more than one sovereign state all ran into trouble. In 1866 the Latin Monetary Union (LMU), comprising France, Belgium, Italy and Switzerland, and from 1868 also Spain and Greece, was formed. It fell foul of the temptation of one part of the union to create money in its own interests rather than those of the area as a whole. The LMU was based on a bimetallic standard that set currency values in terms of fixed quantities of gold or silver, with a fixed price of silver in terms of gold. When the market price of silver fell, some member states started to export silver coins and exchange them for gold in order to exploit the difference between the official and market price of the two precious metals. In effect, they were debasing the currency for their own benefit. Not surprisingly, the resulting lack of trust between its members undermined political support for the LMU and from 1878 it was little more than an agreement to conform to the gold standard.[10] Inspired by the example of the LMU, Sweden and

Denmark set up the Scandinavian Monetary Union in 1873, with Norway joining two years later. It came to an end in 1914 when Sweden decided to abandon the gold standard.

The case of Ireland is also telling. After the Easter Rising of 1916, and the subsequent political and military struggle, Irish independence became a reality. The 1921 Anglo-Irish Treaty recognised the Irish Free State but implied that it would remain part of the British Empire. That interpretation was not accepted in Dublin, although the new Free State continued to use sterling as its currency. It made no attempt to design or issue banknotes because those printed by the Bank of England, at that time a private company, did not depict the UK sovereign.[11] When distinctive Irish coins were introduced in 1928, with inscriptions entirely in the Irish language and depictions of animals instead of British heraldry and the King's head, they 'were intended to be unambiguous in declaring a distinct Irish identity and in announcing the arrival of a new sovereign state to the community of nations'.[12] Following independence, the Irish Republic maintained an informal monetary union with the United Kingdom but left in 1979, first to cohabit with and then formalise its relationship with the euro area.

None of the decisions to join and then leave those monetary unions had much to do with the concept of 'optimum currency areas'. Whatever the efficiency considerations, it makes little sense to remain in a currency union with partners who do not share the same objectives and commitment for the management of money. The choice of which money to use is a political act.

Three examples illustrate the complex relationship between money and nations. The first is monetary union in Europe – an example of many countries with a single currency. It is the obvious counter to the post-war trend of fragmentation and its fate will affect the whole world economy. As a marriage of currencies accompanied by no tying of the political knot, it is developing into a battle between political will and economic reality. The second is very different in scale and scope, but no less interesting. It concerns the currency arrangements in Iraq before and after the invasion in 2003, an example of one country with two currencies. And the third relates to the new currency arrangements that might have emerged from the referendum on Scottish independence held in 2014 had the result been 'yes' rather than the actual 'no'.

European Monetary Union

European Monetary Union (EMU) is the most ambitious project undertaken in monetary history. Launched in 1999, it now comprises nineteen members.[13] It was, and is, a great economic and political experiment. No monetary union has survived unless it has also developed into a political union, and the latter usually came before the former, as when a single currency followed the unification of Germany under Bismarck. EMU has not proved to be an easy marriage, with the enterprise trying to navigate a safe passage between the Scylla of political ideals and the Charybdis of economic arithmetic. Since concerns about the Greek economy emerged in late 2009, there has been a series of crises to which the European authorities have responded by trying to build the foundations of a more enduring political union. But the diverging economic performance of the member countries has led to tensions about the appropriate design of any such development. The European Central Bank has found itself in the middle of a political debate and been forced to take what are in essence political decisions in order to hold the monetary union together.

Almost 150 years ago, Walter Bagehot overestimated the longevity of the Latin Monetary Union when he wrote that 'Before long, all Europe, save England, will have one money.'[14]

Monetary union in Europe has always been about France and Germany. In 1929, Gustav Stresemann, a politician in the Weimar Republic and a recipient of the Nobel Peace Prize for his attempts to achieve reconciliation between the two countries, recommended a European currency to the League of Nations. And during the German occupation of France in the Second World War, the head of the bank Société Générale, Henri Ardant, at a reception at the German Embassy in Paris, expressed 'his hopes that Germany would set up a single customs zone in Europe and create a single European currency'.[15]

After the war, proposals for a single currency were planted in the fertile soil of European integration. During that period, several attempts were made to link exchange rates in Europe, of which the most serious was the Exchange Rate Mechanism (ERM). One of the reasons so many countries wished to join the ERM in the 1980s was the belief that by linking their exchange rate to the Deutschmark they would inherit the same commitment to price stability as had been demonstrated by the Bundesbank over many years. But the mechanism broke down first in 1992, when the UK and Italy left it under the pressure of currency speculation, and then more completely in 1993 when the bands within which currencies were permitted to fluctuate against each other were widened to such an extent that the mechanism was ineffective. It did so for two reasons. First, markets saw that countries did not in fact all have the same commitment to price stability; some, when push came to shove, showed themselves unwilling to pay the price to maintain an indefinite commitment to a fixed exchange rate against the Deutschmark. Second, and especially following German reunification, economic conditions in Germany were very different from those in other countries, and different monetary policies were self-evidently appropriate.

The move to European Monetary Union in the 1990s was

designed to overcome the weaknesses of a fixed exchange-rate system by making a permanent commitment to a common currency, the euro. From the German point of view, this had the major disadvantage that the political culture surrounding the management of money would now be determined by a larger group of nations and no longer by the history and experience of Germany itself. Creating a monetary union of separate sovereign states was and remains an enormous gamble, one that required a high degree of mutual trust to be successful. As its founders were aware, there is no successful example of a currency union among independent states that have not gravitated to a high degree of political union. Of course, all great historic steps are gambles. But not all gambles result in historic steps forward. Before the euro was launched, the view in Germany was that monetary union should follow political union only with a time lag, and a long one at that. Elsewhere, especially in southern Europe, the view was that the creation of monetary union would lead to crises that would force the pace of political union.[16] Everything that has happened since has confirmed the wisdom of the former view and the risks of the latter. How long this marriage will last is something known only to the partners themselves; outsiders cannot easily judge the state of the relationship.

A century ago, Mrs Patrick Campbell, a British actress and close friend of George Bernard Shaw, suggested that a married union represented 'the deep, deep peace of the double-bed after the hurly-burly of the chaise-longue'.[17] During the long engagement among the European partners prior to the creation of the euro, culminating in attempts to consummate the relationship by fixing exchange rates through the ill-fated ERM, there was plenty of hurly-burly. But whatever description the members of EMU would give to the first fifteen years of their marriage, it is unlikely to be a deep, deep peace.

To celebrate the launch of monetary union a glamorous ceremony was held in June 1998 for the assembled European elite at the Alte Oper (the old opera house) in Frankfurt, featuring the Irish *Riverdance* performers.[18] It was no time to remind them of the difficulties in persuading the peoples of Europe, with their different languages, histories and cultures, to accept the massive sacrifice of national sovereignty required to create a stable economic and monetary union. Ten years later, on a very hot day in June 2008, the elite reassembled in the Alte Oper, this time for a concert of a more traditional and less exuberant kind, to celebrate the first decade of the euro. Within two years the euro area found itself deep in crisis.

The basic problem with a monetary union among differing nation states is strikingly simple. Starting with differences in expected inflation rates – the result of a long history of differences in actual inflation – a single interest rate leads inexorably to divergences in competitiveness. Some countries entered European Monetary Union with a higher rate of wage and cost inflation than others. The real interest rate (the common nominal rate of interest less the expected rate of inflation) was therefore lower in these countries than in others with lower inflation. That lower real rate stimulated demand and pushed up wage and price inflation further. Instead of being able to use differing interest rates to bring inflation to the same level, some countries found their divergences exacerbated by the single rate. The best measure of 'inflation', which captures a country's international competitiveness, is the GDP deflator – a measure of the average price of all the goods and services produced within a country. From the start of monetary union until 2013, prices on this measure rose by 16 per cent in Germany, 25 per cent in France, 33 per cent in Greece, 34 per cent in Italy, 37 per cent in Portugal, and 40 per cent in Spain.[19] So although the birth of the euro brought about some initial convergence of expected inflation rates, the consequence of a single interest rate was to generate subsequent divergence of inflation outcomes.

The resulting loss of competitiveness among the southern members of the union against Germany is large, even allowing for some overvaluation of the Deutschmark when it was subsumed into the euro. It increased full-employment trade deficits (the excess of imports over exports when a country is operating at full employment) in countries where competitiveness was being lost, and increased trade surpluses in those where it was being gained. Those surpluses and deficits are at the heart of the problem today. Trade deficits have to be financed by borrowing from abroad, and trade surpluses are invested overseas. Countries like Germany have become large creditors, with a trade surplus in 2015 approaching 8 per cent of GDP, and countries in the southern periphery are substantial debtors. Although much of Germany's trade surplus is with non-euro area countries, its exchange rate is held down by membership of the euro area, resulting in an unsustainable trade position. Because of sharp reductions in the level of domestic demand, which have cut imports, the trade deficits of periphery countries have fallen sharply since the global financial crisis, and are now broadly in balance. But unless there is a significant improvement in external competitiveness, they will re-emerge if domestic demand picks up and full employment is restored. When the crisis hit in 2008, employment levels were much higher than today and the trade deficits of Portugal and Spain were around 6 per cent of GDP and in Greece around 11 per cent of GDP. Restoring competitiveness within a monetary union (where there are no intra-union exchange rates to adjust) is a long, difficult and painful process that places strains on a democratic society.

Tensions are inevitable where political identity is aligned with differences between creditors and debtors. None of this has anything to do with the fiscal policies adopted by countries before or after the creation of monetary union. Most of today's fiscal problems are the result of falling demand and output, partly as a result of the downturn in the world economy following the crisis of 2007–9 and partly because the downturn has been exacerbated in the periphery countries by the loss of competitiveness. Fiscal problems have been largely consequences, not causes of the crisis of the euro area.

The crisis in the euro area started in Greece at the end of 2009, when a new government elected in October revealed that the previous administration had been under-reporting the budget deficit, resulting in an increase in the estimated deficit from around 7 per cent of GDP to almost 13 per cent (later revised up to 15 per cent). Trust in the accuracy of Greek statistics, never high, was further damaged. It seemed that Greece had been admitted to the euro area on false pretences. The problem became more serious during 2010 when Greece found itself increasingly unable to borrow from global financial markets and turned to its partners in Europe for emergency loans. At the beginning of May the first of many emergency summits of euro area leaders met in Brussels, and it was agreed to set up a €500 billion fund to bail out Greece and other countries that might find themselves in difficulty. But the crisis did not really subside over the following year. Countries with trade deficits were finding it difficult to borrow from abroad, and the interest rates at which their governments could borrow rose sharply, not only but especially in Greece. As foreign banks and hedge funds withdrew their money, the sharp reduction in those inflows of money to the periphery countries necessitated an equally sharp reduction in the excess of imports over exports. With no ability to use a depreciation of the currency to stimulate exports, the only way to close the gap was to reduce imports. Reductions in government spending and increases in taxes lowered domestic demand and imports. As a result, output fell precipitously.

In July 2011, the euro area crisis took a turn for the worse. It was increasingly difficult to pretend that the problems of countries such as Greece were solely a shortage of temporary liquidity rather than a question of underlying solvency and loss of competitiveness. Yields on the sovereign debt (that is, government bonds) issued by Greece, Ireland and Portugal reached near record highs, making new borrowing very expensive, and Portugal joined Greece in having its debt downgraded to junk status (meaning that the debt was judged by the rating agencies to be a highly speculative investment and therefore not one suitable for a range of funds, including many overseas pension funds). Soon Italy was drawn in, not least because government debt there, at €1.7 trillion, amounted to the third largest in the world, comfortably exceeding the resources available through existing euro area rescue funds.

The summer of 2011 was the start of a six-month period during which governments and commentators regularly called for Germany to act decisively and in an overwhelming show of force to demonstrate its unequivocal support for the continuation of the euro. Unfortunately for Germany, the decisive action envisaged by others was for it to provide sufficient money to enable the periphery countries to regain market confidence. Those countries still had insufficient export revenues to pay for imports and the servicing of overseas debt. Since they also had little access to private markets, the solution envisaged by many was to ask for very significant transfers from German taxpayers to the southern members of the euro area. It was never likely that Germany would be willing to make such a commitment, and certainly Angela Merkel, Germany's Chancellor, was in no rush to do so.

Monetary union was starting to challenge democratic governments elected by their own citizens. A secret letter, leaked later, signed by both the outgoing and incoming ECB presidents, Jean-Claude Trichet and Mario Draghi respectively, was sent to the Italian Prime Minister, Silvio Berlusconi, on 5 August 2011. It demanded that Mr Berlusconi make drastic cuts in public expenditure, open up public services, and enact a number of reforms, including changes to pay-bargaining and employment laws. The letter went well beyond the usual remit of central banks. When its contents became public, Berlusconi's authority was weakened, and after losing his parliamentary majority, he resigned on 12 November. A technocratic Prime Minister was appointed in his place: Mario Monti, a highly respected economist and former European Commissioner. From personal experience, I know that it would have been difficult to find anyone better than Mario Monti to lead Italy in such difficult circumstances. Yet he had not been elected, and had no parliamentary majority. His ability to put in place reforms to improve the supply-side performance of the Italian economy was limited, and his proposals met stiff resistance from numerous interest groups, including lawyers, taxi drivers and, indeed, members of parliament.

Politicians in the euro area believed that they were fighting a battle against the markets. One very senior euro area politician had said at a meeting I attended that 'we will show the markets that we shall prevail'. The strategy adopted by the new President of the ECB, Mario Draghi, who replaced Jean-Claude Trichet on 1 November 2011, was to avoid, as far as possible, controversial purchases of sovereign bonds and instead to channel support directly to the banking system because any immediate threat to the euro would be visible in a run on a major euro area bank. By the following February, the spotlight was back on Greece. Although for years Greece had suffered from incompetent and corrupt governments, which made it difficult for its partners in the euro area to sympathise, the mood inside the country was captured by Archbishop Hieronymos of

Athens, who wrote to the Greek Prime Minister setting out the concerns of the Church:

> Our hearts are shattered and our minds are blurred by recent events in our country. Decent people are losing their jobs, even their homes, from one day to the next. Homelessness and hunger – phenomena last seen in times of foreign occupation – are reaching nightmare proportions. The unemployed are growing by the thousands every day ... Young people – the best minds of our country – are migrating abroad ... Those making decisions are ignoring the voices of those in despair, the voices of the Greeks. Unfortunately, we cannot find a response – neither to explain what has happened, nor to the demands made by foreigners. Indeed, foreigners' insistence on failed recipes is suspect at best. And their claims against our national sovereignty are provocative. The exhaustion of the people cannot be ignored.[20]

Greece became the first major European country to experience a depression on the scale of the 1930s Great Depression in the United States. Between 1929 and 1933, total output in the US fell by 27 per cent. In Greece, output fell between 2007 and 2015 by slightly more than that, and domestic spending (consumption and investment in both private and public sectors) by no less than 35 per cent, an outcome I would never as a student in the 1960s have imagined possible with our new-found understanding of how to prevent depressions. There were, and remain, many inefficiencies in the Greek economy. But in the absence of political union, decisions about them are for the citizens of Greece. In March 2012, Greece defaulted on, or to be precise 'restructured', its debt. The restructuring transferred much of the debt from private to public sector creditors. By 2015, around 80 per cent of Greek sovereign debt was owed to public sector institutions elsewhere in the EU or to the International Monetary Fund. Monetary union, far from leading to greater political integration, was proving the most divisive development in post-war Europe.

By the end of July 2012, exit from the euro for Greece and perhaps others was becoming accepted as likely. The ECB, the European Commission and the German government had plans for how to handle a Greek exit. It was widely assumed that exit would imply the imposition of capital controls in Greece, and probably a bank holiday to allow the government to nationalise many, if not most, of the local banks. Then came the démarche that transformed market sentiment. At a Global Investment Conference on 26 July to mark the start of the London Olympic Games, I chaired a panel of central bank governors. One of them was Mario Draghi. As he stood up to make his remarks, I noticed that, unusually, he did not intend to read from a prepared text. The ECB would, he said, 'do whatever it takes to preserve the euro. And believe me, it will be enough.'[21]

His words reverberated around the world, but just as important was the joint statement made the following day by Chancellor Merkel and President Hollande, indicating their full commitment to the euro and support for Draghi's intention. It was clear that the ECB would buy, or was actively considering buying, Spanish and Italian sovereign debt. Spanish ten-year bond yields fell back from 7.6 per cent to below 7 per cent. Bank shares in the euro area rose between 5 and 10 per cent on the day. It was the start of a marked change in sentiment that was to result in significant falls in sovereign bond yields over the next two years. By the end of 2014, ten-year yields in Greece had fallen from 25 per cent to just over 8 per cent, Portuguese bond yields from over 11 per cent to under 3 per cent, and those in Spain from over 6 per cent to below 2 per cent. Indeed, by the end of 2014 Spain was able to borrow more cheaply than the United States government. Draghi's commitment had obviously done the trick.

But it had also raised a serious problem. The mandate of the ECB does not extend to fiscal transfers. And it was obvious from comments made both publicly and privately that the Bundesbank was strongly opposed to any selective purchases of sovereign debt, which it believed might well be unconstitutional.[22] Certainly, on the face of it, it is hard to reconcile the sovereign debt purchase programme with the 'no bailout' clause in the European Treaty. So it was some weeks before the ECB announced a programme of Outright Monetary Transactions to allow it to buy the government bonds of periphery countries in return for requests from them for assistance from the new European Stability Mechanism (ESM). By 2015, no purchases had been made. Overall, however, the Draghi promise to 'do whatever it takes' brought a sense of calm to financial markets and an end to a long series of crisis weekends. It appeared that Germany had abandoned the idea of a Greek exit from the euro. Investors from outside the euro area were seduced into buying financial assets, particularly sovereign debt, in the periphery countries, bond yields fell further and the ECB was able to reduce its lending to banks.

But the purchase of sovereign debt by overseas investors pushed up the value of the euro. Its effective rate would rise around 10 per cent over the next two years. That led to the next challenge for the euro – in France. The higher exchange rate of the euro exacerbated the loss of competitiveness that had been increasingly evident in the French economy. Unemployment rose and activity stagnated. It was all very well for countries like Greece or Portugal to suffer substantial falls in output, but it was unthinkable politically for France to suffer the same fate. The euro was born out of Franco-German cooperation; divisions between the two would be fatal to the project.

By early 2015, the ECB had decided to embark on a pro-gramme of monetary expansion, following the example of the Federal Reserve and the Bank of England some six years ear-lier. In January of that year it announced a programme of bond purchases to expand its balance sheet back to its previous peak some two years earlier. The aim was clear – to lower the value of the euro. And its initial effect was to do just that. The euro fell to its lowest level against the dollar for more than a decade.

January also saw the election in Greece of a new government, led by the Syriza party, committed to reducing the burden of austerity imposed on the country by the much-disliked 'troika' of the European Central Bank, European Commission and International Monetary Fund. Fruitless negotiations ensued, with all the focus on the country's debt-servicing obligations, which had been significantly reduced by the earlier debt restructuring and rescheduling, rather than on the underlying cause of the problem of weak demand, namely the inability of Greece to find a new lower real exchange rate through devaluation.

Within the confines of monetary union, the route to a lower real exchange rate is via an 'internal devaluation', which entails sustained mass unemployment in order to bring down wages and prices in those sectors of the economy that produce tradea-ble goods and services. Unemployment remains extremely high in a number of euro area countries. By the autumn of 2015, the unemployment rate was over 10 per cent in France, around 12 per cent in Italy and Portugal, 22 per cent in Spain and 25 per cent in Greece. Depressingly, youth (under-twenty-five) unemployment was close to 50 per cent in both Greece and Spain.[23] In recent years several hundred thousand young people have emigrated from Greece, Italy, Portugal and Spain.[24] By contrast, the overall unemployment rate had fallen to 5 per cent in both the United States and United Kingdom, and to similar low levels in the euro area countries with trade surpluses; the rate stood at 6.9 per cent in the Netherlands and just 4.5 per cent in Germany.

Increasingly acrimonious negotiations between Greece and its partners in the euro area led to a breakdown of negotiations in the summer of 2015. Greek banks were shut on Monday 29 June following a decision by the ECB to cap lender of last resort support to them. Cash payments from ATMs were limited to €60 a day and the economy started to grind to a halt. On 30 June, Greece became the first advanced economy to default on a payment due to the IMF. A few days later, on Sunday 5 July, in a national referendum, the people of Greece rejected by a large majority the proposals of their 'partners' in Europe for further austerity in return for a further bailout. Yet the leaders of the euro area reacted to the referendum result by demanding even tougher proposals for reforms from the Greek government. There was no prospect for growth in Greece without substantial debt relief. In practice, that would mean significant losses for taxpayers in Germany and other euro area countries.

By July 2015, it was clear that neither side was prepared to contemplate a Greek withdrawal from the euro. On 13 July, after all-night negotiations, an agreement was reached under which Greece accepted virtually all the creditors' demands for reforms – including, bizarrely, the introduction of Sunday trading hours – in return for additional finance in the form of loans of some €87 billion and the promise of discussions on some debt restructuring. Since the agreement implied an increase in Greece's already unsustainable debt burden and no measures to boost overall demand, it was unclear why either side saw any benefit to it other than preserving the shackles of euro membership. The Greek Prime Minister, Mr Tsipras, called the proposals 'irrational' but said he was willing to implement them to 'avoid disaster for the country'.[25]

Within twenty-four hours the IMF published a report that, given its position over the previous four years, belatedly recognised the obvious. It stated that 'Greece's debt can now only be made sustainable through debt relief measures that go far beyond what Europe has been willing to consider so far', and pointed out that since debt was expected to peak at around 200 per cent of GDP over the following two years, it would be necessary to extend by thirty years the grace period for debt repayment to the rest of the euro area or to make explicit annual transfers to Greece.[26] The rug had been pulled from under the German position that monetary union did not require transfers from creditors to debtors. The spectre of crisis eased after the Syriza government consolidated its position in elections unexpectedly called in September 2015, albeit on the lowest turnout in a Greek election since the restoration of democracy in 1974. Quite how the agreement would restore growth of the Greek economy was unclear, and the underlying problems of lack of competitiveness and unsustainable debt remain.

The approach being followed by the ECB is a 'finger in the dyke' strategy. Of necessity, it adopts the policy best suited to help the country most likely either to exit the euro in the near future or to suffer politically from continuing membership. When Greece was in danger of exit, sovereign debt was forgiven; when other periphery countries were in danger, it bought sovereign debt from those countries in order to bring down their bond yields; and when France was facing a deeper downturn, it adopted a policy of general sovereign bond purchases and money creation to lower the value of the euro. As a result, the ECB has had to choose between allowing the euro to fail and becoming a politicised institution. Naturally, it chose the latter. In years to come that may return to haunt the bank if there are attacks on its independence for straying into political territory.

Before the Treaty on European Union, signed in Maastricht

in 1992, the Bundesbank argued that monetary union required the degree of solidarity characteristic of a nation: 'all for one and one for all'.[27] The experience of monetary union has not demonstrated that degree of solidarity and trust. That is hardly surprising given that for Germany today interest rates are too low – and their savers are losing money – whereas in the periphery countries real interest rates are too high, exacerbating the depression. Keeping the show on the road is a challenge to which the ECB has so far successfully risen. But it begs the question of how a longer-lasting solution to the travails of the euro area can be found.

The economics of such an answer are straightforward. The real challenge is not the state of the public finances but a country's external competitiveness. So the euro area must pursue one, or some combination of, the following four ways forward:

1 Continue with high unemployment in the periphery countries until wages and prices have fallen enough to restore the loss in competitiveness. Since the full-employment trade deficits of these countries are still significant, further reductions will be painful to achieve. Unemployment is already at very high levels in these countries. In small countries, for which a floating exchange rate may seem too risky, such a route may be the only option.

2 Create a period of high inflation in Germany and other countries in surplus, while restraining wages and prices in the periphery, to eliminate the differences in competitiveness between north and south. That would require a marked fall in the euro for a long period, which would be unpopular in both Germany, whose savers would earn an even lower return on their assets than at present, and the rest of the world, which would interpret the fall as a hostile move.

3 Abandon the attempt to restore competitiveness within the euro area, and accept the need for *indefinite* and explicit transfers from the north to the south to finance the full-employment trade deficits in the periphery countries and to service external debt. Such transfers could well exceed 5 per cent of the GDP of the countries in the north, and would require significant conditions to be imposed on the periphery countries to limit the extent of those transfers.[28] Moreover, there is no popular support for transfers on such a scale in either donor or recipient countries.

4 Accept a partial or total break-up of the euro area.

I shall return to the prospects for these alternative ways of dealing with the problem in Chapter 9. When confronted with such a range of unpalatable choices, the leaders of Europe react by saying, 'We don't like any of them.' So they have responded by muddling through and adopting the coping strategy of Mr Micawber (in Charles Dickens' *David Copperfield*), waiting for something to turn up. Since the future is wholly unpredictable, it is certainly possible that something might turn up. But it is hard to believe that it would be an improvement on facing up to the problem and providing a sustainable economic basis for monetary union. The euro is no longer a means to an end, but the end itself. Given the strength of their political commitment to the project, one can sympathise with the dilemma in which those leaders find themselves. They are essentially following the views of John Maynard Keynes who, when confronted with the prospect of war in the 1930s, wrote:

We do not know what the future will bring, except that it will be quite different from anything we could predict. I have said in another context that it is a disadvantage of 'the long run' that in the long run we are all dead. But I could have said equally well that it is a great advantage of 'the short run' that in the short run we are all alive. Life and history are made up of short runs. If we are at peace in the short run that is something. The best we can do is put off disaster, if only in the hope, which is not necessarily a remote one, that something will turn up.[29]

The problem with the Mr Micawber strategy, however, is that whatever else may turn up, it is unlikely to be the economy.

For perfectly understandable reasons, Germany is unwilling to sign up to permanent, or at least indefinite, transfers of the kind that characterise most existing monetary unions (say between northern and southern Italy, or between different states of the United States). It is equally unenthusiastic about either higher inflation or a break-up of the monetary union. Yet trying to restore competitiveness by continued depression does not seem likely to succeed – it didn't in the 1920s after the return to the gold standard. Many commentators seem to believe in the 'progress through crisis' doctrine for Europe. Fred Bergsten, who served as Assistant Secretary for International Affairs during the Carter administration, argued the case when he said in 2014 that 'Germany would pay whatever was necessary, repeat whatever was necessary, to preserve the euro'.[30] That proposition is yet to be tested. But if other member countries come to believe it, then any semblance of fiscal discipline will be lost unless Germany takes control of their economies.

Policies dictated by Brussels and Frankfurt, and supported by policy-makers in Washington, have imposed enormous costs on citizens throughout Europe. The inability of governments to prevent high unemployment and avoid reductions in living standards has led to disillusionment. It was predictable that many voters would seek salvation in parties outside the mainstream. The European elections in 2014 and the Greek elections of 2015 were testimony enough. Putting the cart before the horse – setting up a monetary union before a political union – has forced the ECB to behave like a supranational fiscal authority. But neither it nor governments have a mandate to create a transfer or political union – voters do not want it. The bond market may be powerful, but the belief that a monetary crisis will provoke rapid steps to political union is pie in the sky.

Some German economists would like to return to the original idea of monetary union – with a strict implementation of the no-bailout clause in the European Treaty and the Stability and Growth Pact (SGP), which is a set of rules governing the fiscal policies of member countries of the European Union adopted in 1998–9. Among them is the man who more than anyone else made a success of the European Central Bank, Otmar Issing, its first Chief Economist. As he wrote in 2015, 'Economically and politically, relaxing the no bail-out clause would open the door for a massive violation of the principle of no taxation without representation, creating strong movement toward a transfer union without democratic legitimacy.'[31] But politicians in Europe seem immune to such powerful arguments. The treaty was ignored in the past, and would be again. The reason is that European monetary union is a political, not a constitutional project. As in many instances of nation-building, constitutions play an important role. They legitimise and popularise the essential strands of political ideology that bind people into their 'nation'. The European Treaty contains a number of provisions relating to monetary and fiscal policy to support the monetary union, including a prohibition on the direct financing of governments (Article 123), the no-bailout clause, which makes it illegal for one member to assume the debts of another (Article 125), limits on government deficits and debt (Article 126), and the SGP to enforce the limits on deficits and debt (secondary legislation based on Articles 121 and 126). Although those provisions had the appearance of binding treaty commitments, in times of crisis the treaty was simply ignored or reinterpreted according to the political needs of the moment. For example, in 2003 France and Germany ignored the constraints of the SGP and neither ministers nor the European institutions took any action. A similar reaction occurred in 2014–15 when the economic problems facing France and Italy demanded a relaxation of the constraints of the SGP. After 2010, the no bailout clause was quietly forgotten in the need to restructure Greek debt. The treaty seems to mean whatever the politicians in the big countries want it to mean.

People around Europe quite like the idea of the euro – but they don't like what it is doing to them. As someone once said to me, he wouldn't mind if the UK adopted the euro provided that we could keep our own interest rate. Misunderstanding of the economics of a monetary union is widespread. Just as the internal imbalances between spending and saving within major economies remain, as I discussed in Chapter 1, so do the external imbalances between economies. The sharp fall in demand and output across the world in 2008–9 did lower external surpluses and deficits. But full employment surpluses and deficits remain. Germany's trade surplus is approaching 8 per cent of GDP. To argue, as the German finance minister did, that this is helpful to the euro area as a whole because the German surplus offsets deficits elsewhere is to misunderstand the economic consequences of monetary union.[32] Germany's surplus and the deficits in the periphery countries are two sides of the same coin, and can be managed only by adopting one or more of the four solutions set out above.

The European experience over the past fifteen years or

so suggests three main lessons for the relationship between nations and monetary unions. First, it is sensible to ensure that all partners in a monetary union have fully converged on the same underlying rates of wage and price inflation before they are permitted to join. Although this was the intention of the monetary union in Europe, political pressures led to the admission of countries where inflation rates had not fully converged. Second, once a union has been created, it is important to monitor and prevent the emergence of divergences in wage and price inflation before they lead to losses of competitiveness, which can be reversed only by long periods of mass unemployment. To its credit, the European Central Bank issued many warnings about this, but they were ignored. Third, future economic shocks are inherently unpredictable and monetary union will come under great strain unless there is a high degree of mutual trust and willingness to make transfers to countries that have suffered major shocks. That requires a degree of political integration that is absent in Europe today. Substantial powers have been transferred to European institutions, but democratic legitimacy remains in the hands of national governments.

The crisis of European Monetary Union will drag on, and it cannot be resolved without confronting either the supranational ambitions of the European Union or the democratic nature of sovereign national governments. One or other will have to give way. Muddling through may continue for some while, but eventually the choice between a return to national monies and democratic control, or a clear and abrupt transfer of political sovereignty to a European government cannot be avoided.[33] European leaders, including the British, have for many years failed to make clear the nature of this choice to their peoples, for fear of being seen to rock the boat and thereby lose influence. The leaders of the smaller countries, in particular, have been cowed by threats from the centre, on the one hand, and by the prospect of jobs in European institutions when they stand down from national office on the other. Voters in a growing number of countries have turned away from centre-left and centre-right parties towards more extreme parties that still respect national sovereignty. There is a limit to the economic pain that can be imposed in the pursuit of a federal Europe without a political counter-reaction.

Iraq between the Gulf Wars

The second example illustrating the complex relationship between money and nations is the remarkable story of currency arrangements in Iraq between the First and Second Gulf Wars. It is the unusual story of one country with two currencies, or, perhaps more accurately, a country divided into two halves, one of which had a government and a badly run currency and the other, which had no government but a stable currency.

At the time of the First Gulf War in 1991, the Iraqi currency was the dinar. Following the war, Iraq was divided into two parts that were politically, militarily and economically separate from each other: southern Iraq was under the control of Saddam Hussein, and northern Iraq, protected by a no-fly zone north of the 36th Parallel, became a *de facto* Kurdish protectorate. In the south, Saddam's regime struggled to cope with UN sanctions, and resorted to printing money to finance growing budget deficits. Unable to import notes printed abroad because of sanctions, the official Iraqi government started to print new notes that bore Saddam's image. These were known as 'Saddam' dinars. Citizens had three weeks to exchange old notes for new. So many notes were eventually printed that the face value of cash in circulation jumped from 22 billion dinars at the end of 1991 to 584 billion only four years later. Inflation soared to an average of about 250 per cent a year over the same period.

In the north, however, people were given no opportunity to exchange their banknotes. So the new Saddam dinar did not circulate in the north, and people continued to use the old dinar notes. These were known as the 'Swiss' dinar – so-called because although the notes had been printed by the British company De La Rue, the plates had been manufactured in Switzerland. The Swiss dinar developed a life of its own and in effect became the new currency in the north – a successful coping strategy. No Swiss dinar notes were issued after 1989, and since the region had no issuing authority there was at most a fixed, and probably a declining money stock in the north. As a result, the Saddam and Swiss dinars developed into two separate currencies.

For ten years, therefore, until the invasion in 2003 by the United States and its coalition partners, Iraq had two currencies. In the south the Saddam dinar was issued by the official government of Iraq. In the north the Swiss dinar circulated, even though backed by no formal government or central bank, nor any law of legal tender. For a fiat currency this was an unusual situation. Whatever gave the Swiss dinar its value did not derive from the official Iraqi government, nor indeed from any other government.[34]

Although there was little or no trade between northern and southern Iraq, both the Swiss and Saddam dinars were traded against the US dollar. After 1993, the implied cross-exchange rate between Swiss and Saddam dinars rose in value from parity to around 300 Saddam dinars to each Swiss dinar by the time Saddam was deposed in 2003.[35] The appreciation of the Swiss dinar was clearly a consequence of the evolution of the actual and expected money supplies in the two territories: the supply of Saddam dinars rose rapidly, whereas the supply of Swiss dinars was fixed.

What is less obvious is the interesting behaviour of the Swiss dinar against the US dollar. After fluctuating in the 1990s, the Swiss dinar rose sharply against the US dollar from the middle of 2002 as the prospect of an end to the Saddam regime increased. It rose from around eighteen to the dollar in May 2002 to about six to the dollar by the beginning of May 2003, when the war ended. That appreciation reflected expectations about two factors: first, the durability of the political and military separation of Kurdish from Saddam-controlled Iraq and, second, the likelihood that a new institution would be established governing monetary policy in Iraq as a whole and would retrospectively back the value of the Swiss dinar. The political complexion of northern Iraq led to the assumption that the currency used there would have value once regime change had occurred. In other words, the value of the Swiss dinar had everything to do with politics and nothing to do with the economic policies of the government issuing the Swiss dinar, because no such government existed.

The crucial role of the political regime is illustrated by the behaviour of the exchange rate in the light of beliefs about a likely invasion and its consequences. At the time, financial market traders could, believe it or not, buy and sell futures contracts related to the fate of Saddam Hussein. One such contract paid out $1 if Saddam was deposed by the end of June 2003 and nothing otherwise. The price of the contract, which lay between $1 and zero, was a measure of how expectations about the political order in Iraq were evolving, and traders could bet on the outcome by buying or selling as many contracts as the market would bear. As the chance of Saddam's regime being deposed (and the price of the contract) increased, the Swiss dinar appreciated against the dollar. Later, another futures contract paid $1 if Saddam was captured by the end of December 2003, and nothing otherwise. As the chance of this happening (and the price of the contract) fell during

2003, with Saddam still missing, the Swiss dinar fell against the dollar. It rose again just before Saddam's capture on 13 December 2003.

After American and other coalition forces assumed control of Iraq in July 2003, the head of the Coalition Provisional Authority, Paul Bremer, announced that a new Iraqi dinar would be printed and exchanged for the two existing currencies at a rate that implied that one Swiss dinar was worth 150 Saddam dinars. The exchange was to take place over the period from October to the following January. The new dinars, like the Swiss, were printed by De La Rue in a very short space of time using plants in Britain and several other countries, and were flown into Iraq on twenty-two flights using Boeing 747s and other aeroplanes. The 150-dinar parity was barely half the rate the Swiss dinar reached at its peak. But it was above both the average rate that had prevailed over the previous six years, and the rate that would equalise the purchasing power of the two currencies. For example, around the time when the new conversion rate was being determined, it was estimated that 128 Saddam dinars to the Swiss dinar would equalise the wages of an engineer in the two parts of Iraq, 100 would equate the price of the shoes he wore to work, and 133 the price of his suit.[36] The new Iraqi dinar has remained fixed against the US dollar since, with the exception of the period between December 2006 and December 2008, when the Central Bank of Iraq steadily revalued the currency to prevent a rise in inflation, so that after two years it had appreciated by around 20 per cent.

The circulation of Swiss dinars in Kurdish-controlled Iraq during the 1990s was a market solution to the problem of devising a medium of exchange in the absence of a government with the power to issue currency. Changes in the relative price of Swiss and Saddam dinars show that the value of money depends on beliefs about the probability of survival of the institutions that define the state itself, and not just the policies pursued by the current government. The recent monetary history of Iraq is a telling example of the importance of political stability and the consequences of its absence.

Interestingly, a similar issue arose during the Second World War in the French overseas territories, which were divided between Vichy France and the Free French under Charles de Gaulle. In French Equatorial Africa, Cameroon and other French territories in sub-Saharan Africa, the right to issue banknotes had been vested in the Banque de l'Afrique Occidentale (BAO), which was under Vichy control until 1943. But as Free France began to acquire Vichy territory, it operated a different currency policy – namely, an exchange rate fixed to the pound sterling. So 'francs' meant different things in the two sets of territories, even though the notes were at first indistinguishable. Naturally, this created opportunities for making money by exchanging franc notes into foreign currency in one region and then reversing the exchange in the other. To prevent such activity, in 1941 Free France set up the Caisse Centrale de la France, operating from the Bank of England, as the issuer of its own banknotes and coins.[37] Notes issued by the BAO were exchanged at par for those of the Caisse Centrale in the summer of 1942, and were no longer legal tender. The Free French notes advertised their origin by incorporating in their design a phoenix and the 'Marianne de Londres' as symbols of freedom.

In the very different circumstances of both Iraq and the French overseas territories, the value of the currency depended very much on beliefs about the future political arrangements of the 'nation' that would stand behind it. There is clearly much more to the value of money than the economic issues that dominate the financial pages in the press.

An independent Scotland

The third example of the relationship between money and statehood concerns a country considering a divorce from its partner and the end of a long-standing monetary union. On 18 September 2014, the people of Scotland were asked in a referendum, 'Should Scotland be an independent country?' With a high turnout of 85 per cent, they rejected the proposition by 55 per cent to 45. Much of the referendum campaign centred on the choice of currency arrangements for a newly independent Scotland. The Yes campaign was reluctant to spell out a clear answer to the question of which currency would be used in the event of independence; the No campaign made a series of unsubstantiated claims about the difficulty of finding a satisfactory solution to the question. In fact there was a simple answer which, interestingly, neither side was prepared to spell out, each for its own reasons.

The original vision of the Scottish nationalists, put forward before the crisis, was of an arc of prosperity encompassing Ireland, Iceland and Scotland, within the euro, and with a large and successful banking sector in all three countries. After the crisis hit in 2008, it became clear that the vision was an illusion: Iceland and Ireland were overwhelmed by the cost of supporting a banking sector that had grown far too big for any small country to support, the euro was struggling to survive, and the two British banks that required substantial recapitalisation by the state (Royal Bank of Scotland and Halifax Bank of Scotland, the latter of which became part of Lloyds), and so by taxpayers in the UK as a whole, were both Scottish. Joining the euro was no longer a credible option. Nor was a new Scottish currency that would have floated against sterling and the euro in what had become turbulent monetary waters. With such a large proportion of trade and economic activity taking place with the rest of the UK, the next option was to peg a new Scottish currency to the pound sterling through a currency board. That would have required potentially unlimited reserves of sterling to convince markets that there was no risk to the peg. And that in turn would have meant a large borrowing programme in sterling – not an attractive prospect for a newly independent country trying to convince markets of its fiscal prudence.

So, by the time of the referendum, the Yes campaign proposed that in the event of independence there should be a formal monetary union with the residual United Kingdom, maintaining existing arrangements but with additional representation for Scotland in decision-making on monetary policy at the Bank of England. The No campaign flatly rejected this arrangement and ruled out any possibility of a monetary union, citing the experience of monetary union in Europe, which had shown the need for fiscal rules governing the newly independent country that would undermine the case for independence. The Yes campaign responded by pointing out that, whatever had been said during the campaign, the morning after a vote in favour of independence would be a new situation in which negotiating positions would change. Because the referendum was lost, this was never put to the test. But a formal monetary union cannot occur without the explicit agreement of both Scotland and the residual United Kingdom, and, given the demands of the former and the opposition of the latter, it seems most unlikely that this would have been forthcoming.

When the referendum took place, the currency question remained unresolved. But there was an answer. The simple and straightforward solution was 'sterlingisation'. Following a 'yes' vote, the Scottish government could have announced the next day that an independent Scotland had no intention of issuing its own currency and that all contracts denominated in sterling would always be legally honoured in sterling. There would be no formal currency union. Scotland would simply go on using sterling. Nothing would change. The Yes campaign could not, however, openly advocate such a solution, because it would have made clear that independence would give Scotland no real say over its monetary arrangements – they would be borrowed from England, exactly as they are today, because the relative size of the two economies means that interest rates are largely unaffected by conditions in Scotland. Politically, sterlingisation would have provided an answer to the currency question, but it would have taken the edge off the case for an independent Scotland.

The No campaign was also misleading. To admit that there was a simple and straightforward answer to the currency question would have undermined its argument that independence would be an economic disaster. That proposition was always implausible. There are many small and successful countries in the world, and there is no reason why Scotland could not have joined them. The case for and against the Union is more to do with identity than economics, the political costs of breaking up a three-hundred-year partnership, and whether Scotland needs full independence to manage its own domestic affairs when it already has substantial devolved powers. After the referendum, the Westminster Parliament moved rapidly to grant further powers to the Scottish Parliament.

Sterlingisation is a perfectly reasonable policy for a country that is happy to accept the economic consequences of a fixed exchange rate with sterling, but does not have the option of joining a formal monetary union with the UK. The attraction to Scotland of such a solution is that nothing significant would need to change. Many banknotes issued by banks in Scotland already have distinctive national designs, and the same could occur with coins if another symbol of Scottish identity was desired, as in Ireland following independence.[38]

Dollarisation has worked well for countries looking for a safe haven in stormy monetary conditions – including Cambodia, Ecuador and Panama – and sterlingisation would work for Scotland.[39] It would be the right solution because Scotland has successfully lived in a currency union with England and Wales for three hundred years. Current expectations of inflation and wage settlements are consistent with an enduring exchange rate link. Scotland would not be joining, as were the members of European Monetary Union, a new currency arrangement. Scotland has less need than in the past for subsidies from England to offset adverse shocks specific to Scotland because changes in the industrial structure of both Scotland and England, with the decline of heavy manufacturing and mining and the decreasing contribution from North Sea oil, mean that the two economies tend to move together. Nor would Scotland be faced with a substantial burden in the event of another banking failure. It is true that under sterlingisation major banks in an independent Scotland would have to unscrew the brass plates at their legal headquarters in Edinburgh and move them to London. Effectively, Scotland would have only foreign banks. As a consequence, Scotland would need no ability to act as a lender of last resort to those banks. That role would continue to be performed by the Bank of England, just as it does today for UK banks, such as Barclays, with overseas banking operations. But there is no reason to suppose that there would be any significant change in the number or location of jobs in banks in Scotland – the economic incentives to locate jobs in different places would be unchanged.[40]

Of course, it is always possible that over decades the economic links between the two former partners could diminish. But that is for the distant future; in the short term, sterlingisation is a perfectly feasible solution. In brief, despite the positions of the two sides, the currency question does not need to be at the centre of the debate on the future of Scotland. Independence was, and remains, a question about political identity. Until that issue is resolved, and this writer would be extremely sad to see Scotland choose to leave the Union, the fate of the United Kingdom will remain uncertain. In the General Election of 2015, the Scottish Nationalists won fifty-six out of fifty-nine seats in Scotland. So independence will remain a live issue. If, for example, the UK as a whole were in the future to vote to leave the European Union, while in Scotland a majority voted to remain a member, the clamour for independence would be even more difficult to resist than in 2014.

What do these three examples tell us about the relationship between nations and monies? As we saw in Chapter 2, the key role of governments is to supply the right amount of money in good times in order to avoid the extremes of hyperinflation on the one hand, and depression on the other, and to create emergency money in bad times. In both cases that involves political judgements in the face of radical uncertainty. In good times, monetary policy combines an inflation target, whether implicit or explicit, with a policy for how quickly to react to temporary disturbances to inflation and growth. Judgements about the desirable long-term inflation rate, and the trade-offs between inflation and output in the short term, are inherently political. In bad times, decisions about how much emergency money to create and to whom it should be distributed are highly political, as the popular anger following the financial bailout of banks in the crisis revealed. Institutions, whether national or supranational, are important ways of embodying these political judgements so that monetary management, in good times and bad, can be effective. Moreover, trust in government is a crucial component of successful monetary arrangements.

Traditional economic arguments about 'optimum currency areas' – trading off the loss of flexibility in adjusting to shocks from having your own currency against the greater trade intensity that stems from an integrated monetary area – played only a minor role in shaping monetary arrangements in Europe, Iraq and Scotland. Monetary integration in Europe was driven by a political agenda, and in some cases a belief that economic problems flowing from the common currency would force faster political integration. In Iraq, market prices revealed the importance of political institutions in determining the value of a currency. And in the debate leading up to the Scottish referendum, neither side was prepared to embrace the obvious economic solution to the currency question for fear that it would undermine their political case. In both Iraq and Scotland the immediate questions have been answered. But in the euro area the fight for survival has become a battle between politicians and arithmetic. Although the future outcome is unknowable, history is on the side of arithmetic. The tragedy of monetary union in Europe is not that it might collapse but that, given the degree of political commitment among the leaders of Europe, it might continue, bringing economic stagnation to the largest currency bloc in the world and holding back recovery of the wider world economy. It is at the heart of the disequilibrium in the world today.

The French ambition to curtail the economic power of Germany, and especially its central bank the Bundesbank, by drawing it into a monetary union that would be controlled by French civil servants has failed. The French economy is weaker than that of Germany, and monetary union has increased, not reduced, Germany's political dominance. Responsibility for the economic conditions in other member states will be laid at the door of Germany. The idea of a federal union was intended to represent the birth of a new Europe, born out of the common experience of defeat and occupation during the Second World War among all the original members of the European Economic Community. Attempts to recreate the Holy Roman Empire have often appealed to a European elite, but have foundered on the resistance of its peoples. The relationship between nations and their money reflects politics more than economics. And the same applies to the relationship between nations and their banks.

7

INNOCENCE REGAINED:
REFORMING MONEY
AND BANKING

'How is it possible to expect that Mankind will take
advice, when they will not so much as take warning?'

Jonathan Swift, 'Thoughts on Various Subjects', 1703

'We call upon every man who professes to be animated
with the principles of the democracy, to assist in
accomplishing the great work of redeeming this country
from the curse of our bad bank system.'

William Leggett, *Evening Post*, 6 August 1834

For centuries, alchemy has been the basis of our system
of money and banking. Governments pretended that
paper money could be turned into gold even when there
was more of the former than the latter. Banks pretended that

short-term riskless deposits could be used to finance long-term risky investments. In both cases, the alchemy is the apparent transformation of risk into safety. For much of the time the alchemy seemed to work. From time to time, however, people realised that the Emperor had far fewer clothes than the Masters of the Universe wanted us to believe. Once confidence in the value of money or the soundness of banks was lost, there was a monetary or banking crisis. As Bagehot wrote in *Lombard Street*, 'The peculiar essence of our financial system is an unprecedented trust between man and man; and when that trust is much weakened by hidden causes, a small accident may greatly hurt it, and a great accident for a moment may almost destroy it.'[1] For a society to base its financial system on alchemy is a poor advertisement for its rationality. The key to ending the alchemy is to ensure that the risks involved in money and banking are correctly identified and borne by those who enjoy the benefits from our financial system.

How can we regain the innocence and trust in banking that, as described in Chapter 3, was lost over a long period in which crises became accepted as an inevitable feature of the financial landscape? Many English children used to be brought up on John Bunyan's *Pilgrim's Progress*, published in 1678 – a religious allegory telling the story of the trials and tribulations of Christian's long and difficult journey from his home in the City of Destruction to find the Celestial City on Mount Zion, passing on the way through the Slough of Despond, Hill Difficulty, Vanity Fair, Hill Lucre and Doubting Castle. Much less well known and less well-read than Bunyan's book is *The Political Pilgrim's Progress*, published in 1839.[2] It is the story of the journey of Radical from the City of Plunder to the City of Reform. In the City of Plunder:

Its people seemed active, industrious, and enterprising; but there appeared a singular custom amongst them, which greatly marred their social happiness and unanimity, and this was, that nearly one half of the inhabitants made a practice of putting their hands into the pockets of the other half, and taking their money from them. There was a *law*, indeed, for this singular custom ... fortified by a thing called *'government'* [which] always vehemently affirmed that the mode of making one half of the people work for and support the other half, was the very perfection of human wisdom.[3]

Like Christian, Radical faces many trials and tribulations while passing through many of the same places, particularly Vanity Fair. In that den of iniquity, with his friend Common-sense, Radical is shown the Paperkite-Buildings:

Here the people seemed to talk an altogether new language, different from anything that Pilgrim had hitherto heard in this metropolis. There was an everlasting chatter, like the incessant crowings of a rookery, about stocks, funds, omnium, scrip, debentures, rentes, metalliques, discounts, premiums, exchequer bills, shares, accounts, balances, advances, consols, India stock, bank stock, exchanges, set-tling days, bear and bull accounts, lame ducks, pressures, panics, long annuities, bar gold, bullion, coin, mint prices &c. The agitation and anxiety amongst the moving throng of the *Buildings* were exceedingly interesting. The people were all exchanging bits of paper, one with another; and this act was designated by the phrase of 'the circulating medium', on which many large volumes of books had been written, and which was considered as an occult science in that part of the country.[4]

But when he finally reaches his goal, Radical finds that in the City of Reform 'there was no such thing as a stock exchange or a saving bank, or a bank note for any sum under FIFTY pounds'.[5]

Drawing inspiration from Radical, we might well ask how we can find our way to the City of Reform. The pretence that the illiquid real assets of an economy – the factories, capital equipment, houses and offices – can suddenly be converted into money or liquidity is the essence of the alchemy of the present system. Banks and other financial intermediaries will always try to finance illiquid assets by issuing liquid liabilities because they make profits by paying less on the latter than they earn on the former. That is why, although money is a public good, the bulk of its supply is provided by commercial banks. The problem is that the liquidity promised to investors or depositors can be supplied only if at each moment a small number of people wish to convert their claim on the bank into cash. Liquidity simply disappears if everyone wishes to convert their claim into money at the same time. What may be possible for a small number of people is self-evidently impossible for the community as a whole. And the problem is made worse by the fact that if a depositor believes that others are likely to try to take their money out, it is rational for him or her to do the same and get to the front of the queue as soon as possible – a bank run. Runs reflect the underlying alchemy and make the system unstable.

Liquidity is an illusion; here one day, gone the next. It reminds me of those attractive soap bubbles that one can blow into the air. From a distance, they look appealing. But if you ever try to hold them in your hand, they disappear in a trice. And whenever at the same time many people try to convert their assets into a liquid form, they often discover that liquidity has disappeared without trace. When there is a sudden jump in the demand for liquidity and investors rush to convert their claims on illiquid assets into money, the result is usually a crisis, exposing the alchemy for what it is. Liquidity is, however, only one aspect of the alchemy of our present system. Risk, and its impact on the solvency of banks, is the other. And in the recent crisis, concern about solvency was the main driver of the liquidity problems facing banks. When creditors started to worry that bank equity was insufficient to absorb potential losses, they decided that it was better to get out while the going was good. Concerns about solvency, especially in a world of radical uncertainty, generate bank runs. To reduce or eliminate alchemy, we need a joint set of measures to deal with both solvency and liquidity problems.

If a market economy is to function efficiently, businesses and households need a secure mechanism by which to pay their bills and receive wages and salaries. Ordinary current accounts are not vehicles for speculative investments and it is important that they have a stable value in terms of money, in which payments are denominated. But if a bank has assets that are highly risky, as many of its loans may be, then it is alchemy to pretend that deposits can be secure. So governments decided to guarantee deposits, first by creating deposit insurance and then in the recent crisis by extending blanket guarantees to all bank creditors. Because of their importance to the economy, and their political power, banks had become too important to fail. And the larger they became, the more likely it was that the government would bail them out in times of difficulty. Central banks lent vast sums to commercial banks. That stopped the rot, in the sense of removing the incentive to run on a bank, but at the cost of shifting the risk of the assets of banks on to taxpayers. In the case of Ireland, it almost bankrupted the country.

The toxic nexus between limited liability, deposit insurance and lender of last resort means that there is a massive implicit subsidy to risk-taking by banks. After the 1980s, when banking was liberalised, the degree of alchemy, and hence of subsidy, inherent in the risk and maturity transformation in the system increased. No individual bank could easily walk away from the temptation to exploit the subsidy. Each bank faced a prisoner's dilemma. Only by running down its holdings of liquid assets, and financing itself as cheaply as possible by short-term debt, could it keep up with the rising profitability of its peers.

In short, compared with a century or even fifty years ago, banks have been financing themselves with too little equity and holding too few liquid assets. Before the crisis, equity was insufficient to absorb potential losses from the risks being taken, which meant that it was more likely that depositors or other short-term creditors would think about running on the bank in the wake of bad news. And in the event of a run, there were insufficient liquid assets to enable the bank to douse the flames by paying out. Even governments recognised that something had to change.

Official sector reforms

Since the crisis, the official sector has been hyperactive. Both at the national and international level, regulators have been tightening up on the freedoms given to banks in respect of how they finance themselves, their structure and their conduct. At the international level, a concerted effort has been made by the major countries in the G20, working through the Basel Committee of the Bank for International Settlements, to rectify some of the pre-crisis failures in regulation. The minimum amount of equity a bank must use to finance itself, known as its capital requirement, has been raised, and banks also have to hold a minimum level of liquid assets related to the deposits and other short-term financing that could run from the bank within thirty days, known as the liquidity coverage ratio. Regulators are also conscious of the need to look outside the boundaries of the traditional banking sector to see if elements of alchemy are appearing in the 'shadow' banking sector, and to conduct stress tests to see if banks are capable of withstanding the losses incurred due to particular adverse scenarios.

The Financial Stability Board, a group of officials from the G20, is leading work both on these investigations and on the challenge posed by the potential failure of banks that operate across borders. Nationally, regulators in countries such as Sweden, Switzerland and the United States have imposed additional capital requirements over and above the internationally agreed minimum. Countries such as the United Kingdom and United States have introduced legislation to separate, or ring-fence, basic banking operations from the more complex trading activities of investment banking.[6] And most countries have either improved or introduced special bankruptcy arrangements – known as resolution mechanisms – to enable a bank in trouble to continue to provide essential services to its depositors while its finances are being sorted out and, if necessary, to facilitate a speedy transfer of depositors from a failing to a profitable bank. That represents a significant shift of opinion since before the crisis, when most countries were primarily concerned to ensure that their banking system was not weighed down by heavier regulation than in other countries. Ensuring a safer banking system is now seen as in a country's self-interest. And national regulators, often working together, have pursued cases of misconduct by bank employees and levied substantial fines, as described in Chapter 3, as well as restricting compensation of bank executives.

Moreover, the market itself has imposed its own discipline on banks and other financial institutions. As a result, the banking system has changed a great deal since 2008. The largest banks have become smaller; the balance sheet of Goldman Sachs in 2015 was around one quarter smaller than in 2007. Investment banking is not as profitable now as it was when asset prices were rising in the wake of falling real interest rates. Many banks have cut back on the size of their investment banking operations and some, such as Citigroup and Bank of America, have sold their proprietary trading desks, which bought and sold investments on their own account, and turned themselves back into more traditional commercial banks.

Is all this enough? I fear not, and for one simple reason. Radical uncertainty means that sentiment towards financial firms can change so quickly that regulations which appear too burdensome one moment seem too lenient the next. The experience of 2007–8 illustrates what can happen. Let's ask the following question: how much equity finance does a bank need to issue in order to persuade potential creditors that it is safe for them to lend to the bank? Before the crisis, the answer was hardly any at all. Markets were content to lend large sums to banks at low interest rates, even though banks were highly leveraged. After 2008, the answer was a very large amount. Not even the new higher levels of capital mandated by regulators were sufficient to ensure that markets were happy to restore previous levels and pricing of funding. The innocence that was lost during the crisis was proving very expensive to regain. For investors, the narrative about the wisdom of lending to banks had changed. So it is extremely difficult to know the appropriate level of equity finance a bank should be required to use in a world where alchemy is still a characteristic of the banking system. And the right answer can change from one day to the next. In 2012, the Spanish bank Bankia reported a risk-weighted capital ratio of over 10 per cent, well above the regulatory minimum; three months later it required a capital injection of €25 billion.

Two further aspects of current regulation are difficult to reconcile with radical uncertainty. The first is that official capital requirements are calculated with respect to estimates of the riskiness of different assets on a bank's balance sheet. As described in Chapter 4, each type of asset is given a risk weight, agreed by international regulators, and this is used to calculate the overall amount of equity a bank must issue. Mortgage lending, for example, was thought on the basis of past experience to be relatively safe, and was given a low risk weight. Sovereign debt was believed to be so safe that it was given a zero risk weight, meaning that banks did not have to raise any equity finance in respect of such investments and so had no additional capacity to absorb losses on them. So complex did the system become that banks were allowed to propose their own internal models to calculate risk weights. It turned out that some banks had very different estimates of the riskiness of the same assets than others, undermining confidence in the fairness of the regulations.[7]

The people who designed those risk weights did so after careful thought and an evaluation of past experience. But they simply did not imagine how risky mortgage lending and the sovereign debt of countries such as Greece would become during the crisis, nor how large were the risks inherent in much more complicated financial instruments. Rather than lambast the regulators for not anticipating those events, it is more sensible to recognise that the pretence that it is possible to calibrate risk weights is an illusion. The need for banks to use equity to absorb losses is most important in precisely those circumstances where something wholly unexpected occurs and previous calculations of risk weights are irrelevant. That is why, during the crisis, a measure of equity relative to total assets was a much better indication of safety than equity relative to total risk-weighted assets. Risk weights in the design of capital regulation seem attractive at first sight, but they break in our hands when we try to use them. A simple leverage ratio is a more robust measure for regulatory purposes.

The second problematic aspect of current regulation concerns the requirement for banks to hold a minimum level of liquid assets – the liquidity coverage ratio – so that they can withstand an unusually high demand for the repayment of debt or deposits. I chaired the meetings that eventually agreed on the definition of the ratio. The discussions were overshadowed by one major conceptual problem. How could we define assets that were always liquid? Before the crisis, it seemed obvious that government debt was a safe and liquid asset. But experience showed that the sovereign debt of some countries was far from safe and liquid. Moreover, other countries, such as Australia, had managed their public finances so carefully that there was simply too little government debt outstanding to supply the demand for liquid assets. It seemed rather odd to penalise well-managed countries for not issuing large amounts of government debt! At heart, the problem was the failure to recognise that in a world of radical uncertainty only the central bank can create liquidity, and so liquidity regulation has to be seamlessly integrated with a central bank's function as the lender of last resort.

None of this means that the extraordinary efforts of regulators in recent years to improve the system have been a mistake. But they are in danger of failing to see the wood for the trees. Regulation has become extraordinarily complex, and in ways that do not go to the heart of the problem of alchemy. The objective of detail in regulation is to bring clarity, not to leave regulators and regulated alike uncertain about the current state of the law.[8] Much of the complexity reflects pressure from financial firms. By encouraging a culture in which compliance with detailed regulations is a defence against a charge of wrong-doing, bankers and regulators have colluded in a self-defeating spiral of complexity. No capitalist economy can prosper without sufficient certainty about the way that rights and obligations will be interpreted and enforced. Arbitrary regulatory judgements impose what is effectively a high tax on all investments and savings. The fact that it was in England that the Industrial Revolution began was in part the result of a stable and predictable framework for doing business with others. As the father of English commercial law, Lord Mansfield, put it in 1761 as the Industrial Revolution was gathering pace: 'The daily negotiations and property of merchants ought not to depend upon subtleties and niceties; but upon rules easily learned and easily retained, because they are the dictates of common sense, drawn from the truth of the case.'[9]

Not many people can easily absorb and retain the totality of current financial regulation, and those who try are not left with the impression that it is common sense. The Dodd-Frank Act passed in the US in 2010 contained 2300 pages, with many thousands of pages more expected to cover the detailed rules that will follow, whereas the Glass-Steagall Act of 1933, which separated commercial and investment banking, covered a mere thirty-seven pages.[10] In Britain, the Prudential Regulation Authority and the Financial Conduct Authority have combined rulebooks exceeding ten thousand pages.[11] Such complexity feeds on itself and brings the system into disrepute. Efforts to comply with financial regulation are a barrier to new small firms trying to enter the financial sector, and, in advanced countries, result in the employment of several hundred thousand people. To employ such a large number of talented people to cope with complex regulation constitutes a large 'deadweight' cost to society.

As we saw in Chapter 4, complexity is an inefficient way of coping with radical uncertainty. Can we do better?

More radical reforms

Frenetic activity among the official community cannot conceal the fact that, although much useful repair to the fabric of regulation has been made, nothing fundamental has changed. The alchemy of our banking system remains. Since the bank bailouts in most advanced economies were huge, it is surprising that more has not been done since the crisis to address the fundamental problem. The scale of central bank lending to a relatively small number of financial institutions was so large that one could have paraphrased Winston Churchill by saying that never in the field of financial endeavour had so much been owed by so few to so many – and with so little radical reform. Of course, governments, financial regulators and central banks are all well aware of the nature of the problem, but official efforts to tackle it are in stark contrast with more radical ideas proposed, albeit never implemented, by earlier generations of economists.

Even though the degree of alchemy of the banking system was much less fifty or more years ago than it is today, it is interesting that many of the most distinguished economists of the first half of the twentieth century believed in forcing banks to hold sufficient liquid assets as reserves to back 100 per cent of their deposits. They recommended ending the system of 'fractional reserve banking', under which banks create deposits to finance risky lending and so have insufficient safe cash reserves to back their deposits.[12] The elimination of fractional reserve banking was a proposal put forward in 1933 as the 'Chicago Plan'.[13] The proponents of the plan included the brilliant American monetary theorist Irving Fisher and a distinguished group of economists at Chicago such as Frank Knight, Henry Simons and Paul Douglas; later support came from right across the spectrum of post-war economists, ranging from Milton Friedman to James Tobin and Hyman Minsky.[14] Interestingly, John Maynard Keynes was not part of this group, largely because Britain did not experience a banking crisis in the 1930s and his focus was on restoring output and employment.[15] More recently, a number of economists have proposed variations on the same theme: John Cochrane from Chicago, Jaromir Benes and Michael Kumhof from the IMF, the British economists Andrew Jackson, Ben Dyson and John Kay, Laurence Kotlikoff from Boston and the distinguished *FT* commentator Martin Wolf.[16]

There are two ways of looking at these radical approaches to banking reform, one by focusing on the banks' assets and the other on their liabilities. The essence of the Chicago Plan was to force banks to hold 100 per cent liquid reserves against deposits. Reserves would include only safe assets, such as government securities or reserves held with the central bank. In this way there would be no reason for anyone to run on a bank, and even if some people did withdraw their deposits there would be no incentive for others to join them, because there would always be sufficient funds to support the remaining deposits.

So far, so good. But who would perform the many functions that banks carry out today, especially lending to businesses and households, so enabling them to build factories and pur-chase homes? In other words, who would finance the transfer of existing assets and bear the risk involved in financing new investment? That relates to the liabilities of banks under such radical reforms. If deposits must be backed with safe govern-ment securities, then it follows logically that all other assets, essentially risky loans to the private sector, must be financed by issuing equity or long-term debt, which would absorb any losses arising from those risky assets. As a result, this approach would, in effect, separate safe and liquid 'narrow' banks, carrying out payment services, from risky and illiquid 'wide' banks performing all other activities.[17] It would be illegal for wide banks, including the 'shadow' banking sector, to issue demand, or even short-term, deposits.[18]

The great advantage of reforms such as the Chicago Plan is that bank runs and the instability they create would disappear as a source of fragility. The Chicago Plan breaks the link between the creation of money and the creation of credit. Lending to the real economy would be made by wide banks and financed by equity or long-term debt, not through the creation of money. Money would once again become a true public good with its supply determined by the government or central bank.[19] Governments would not have to fight against the swings in money creation or destruction that automatically occur today when banks decide to expand or contract credit. It was the sharp fall in credit and money after 2008 that led to the massive expansion of money via quantitative easing. As Irving Fisher put it, 'We could leave the banks free ... to lend money as they please, provided we no longer allowed them to manufacture the money which they lend ... In short: nationalize money but do not nationalize banking.'[20] And the clarity and passion of Fisher in the 1930s are echoed in the arguments of John Cochrane and Martin Wolf today. Such reforms would indeed eliminate the alchemy in our banking system, which the official reform agenda fails to tackle.

So why hasn't the idea been implemented? One explanation is that it would eliminate the implicit subsidy to banking that results from the 'too important to fail' nature of most banks. Banks will lobby hard against such a reform. To protect the system of making payments, as crucial to the daily functioning of the economy as electricity is to our daily lives, governments will always guarantee the value of bank accounts used to make payments, and it is therefore in the interest of banks to find ways of putting risky assets on to the same balance sheet as deposits. More importantly, however, eliminating alchemy in this particular way has some other disadvantages. First, the transition from where we are today to complete separation of narrow and wide banks could be disruptive, forcing a costly reorganisation of the structure and balance sheet of existing institutions. It would be easy for the banking community to portray such a move as unwarranted interference in the management of private banks, and even the much more limited ring-fencing adopted in the UK has come under attack for precisely this reason.

Second, the complete separation of banks into two extreme types – narrow and wide – denies the chance to exploit potential economic benefits from allowing financial intermediaries to explore and develop different ways of linking savers, with a preference for safety and liquidity, and borrowers, with a desire to borrow flexibly and over a long period. Constraining financial intermediation would mean that the cost of financing investment in plant and equipment, houses and other real assets would be higher. The potential efficiencies in using different ways of bringing savers and investors together would be lost by legally mandating a complete prohibition on the financing of risky assets by safe deposits – provided that we could find other ways, as I discuss below, of following a path that would lead to the end of alchemy.

Third, and most important of all, radical uncertainty means that it is impossible for the market to provide insurance against all possible contingencies, and one role of governments is to provide catastrophic insurance when something wholly unexpected happens. Ending alchemy does not in itself eliminate large fluctuations in spending and production. In a world of radical uncertainty, where it is possible that households and businesses will make significant 'mistakes' about the future profitability of investment, there is always a risk of unexpected sharp changes in total spending.

Ensuring that money creation is restored to government through the requirement for narrow banks to back all deposits with government securities does stop the possibility that runs on the banking and shadow banking sectors will transmit shocks at rapid speed right across the financial sector, as happened to such devastating effect in 2008. But the risk from unexpected events is then focused on the prices of assets held directly by households and businesses and on the solvency of wide banks. It would be possible for governments to stand back and allow the prices of real assets and claims on those assets, including the prices of the bonds and equity of wide banks, to take the hit. As discussed in Chapter 5 and again in Chapter 9, one of the most difficult issues in monetary policy today is the extent to which central banks should intervene in these asset markets – either to prevent an 'excessive' rise in asset prices in the first place or to support prices when they fall sharply. It is difficult because the case for intervention rests on the view that the central bank knows better than other people when market prices reflect 'mistakes'. I am not sure that their track record justifies an optimistic judgement of the ability of central banks to see the rocks ahead and steer the economy around them. Providing emergency money to meet a sharp jump in the demand for liquidity and central bank reserves is one thing; impeding a move of the economy, and asset prices, to a new equilibrium quite another.

But there is a somewhat more compelling argument for the provision of catastrophe insurance to financial intermediaries. It stems from the importance of debt finance in the financing of the real economy. Since the crisis it has become fashionable to obsess about the role of debt – and it is indeed a good idea not to owe too much in case an unpleasant surprise leads to financial embarrassment. But debt has a special role, especially when held against collateral; that is, when the lender takes a claim on assets owned by the borrower that act as a guarantee of the loan in the event of a failure to repay. The lender will typically lend only a proportion of the value of the collateral, applying a haircut to cover the risk that if the borrower defaults the collateral will still be sufficient to repay the debt. The more liquid and less volatile the collateral, the lower the value of the haircut.

Debt finance of this kind means that the lender does not need to monitor carefully the twists and turns of the venture to which the loan was extended – which may be well-nigh impossible in the case of small or complex businesses – but only the value of the collateral. That is why many small businesses find it difficult to obtain equity finance and their owners have to pledge the value of their home as collateral when borrowing. It is also why banks find lending to students unappealing: it is difficult to monitor their ability to repay and they can offer little by way of collateral. Collateral is valuable precisely because its value does not depend upon the borrower's creditworthiness. The extension of debt backed by collateral helps to overcome the pervasive lack of information about borrowers' creditworthiness.[21] It oils the wheels of those parts of the economy that other sources of finance, such as equity, cannot reach. And one of the key roles of financial intermediaries is to lend against collateral.

Collateralised borrowing is, therefore, an important feature of the financial system, and it will survive the elimination of the incentive to run on deposits and other short-term unsecured debt. Although wide banks cannot create money in the form of deposits, they can still borrow short and lend long. In both cases they use collateral. They lend to households and businesses against real assets, and they borrow against financial securities created for the purpose, which give the impression to purchasers of bank debt of being liquid and safe but ultimately are backed by the long-term loans and other assets of the bank. A large quantity of paper claims on underlying assets has been constructed to satisfy the demand for collateral. In this way, even wide banks create a degree of alchemy. When unexpectedly bad news arrives, collateral falls in value and is perceived as more volatile and less liquid than before. Lenders will want more collateral to continue or roll over existing loans. Borrowers, whether businesses or banks themselves, may be forced to sell assets in order to replace withdrawn loan facilities, and the attempt by all borrowers to obtain sufficient collateral creates a multiplier effect, driving down asset prices further. All this is very much worse in a banking and financial system where runs can occur. But it would not be entirely absent in a world of wide banks. It would create a demand for governments or central banks to provide catastrophic insurance in the form of supporting the value and liquidity of collateral. Undoubtedly, one of the motives for the bailouts of the creditors of banks and other financial firms in 2008 was the conviction that failures of such firms would cause the financial system as a whole to freeze up and contract the availability of credit to the real economy. As former US Treasury Secretary Timothy Geithner wrote in his memoirs, 'the only way for crisis responders to stop a financial panic is to remove the incentives for panic, which means preventing messy collapses of systemic firms, assuring creditors of financial institutions that their loans will be repaid, and ... exposing taxpayers to more short-term risk'.[22]

Whatever the merits of the actions taken in 2008, there is no doubt that an observer could say wryly, 'I wouldn't start from here.' Runs on conventional and shadow banking systems alike led to a collapse of both. The size and cost of creditor bailouts were increased significantly by the inadequate amounts of equity available to absorb losses in the banking system. And attempts to provide liquidity insurance through central bank facilities as the lender of last resort failed to penalise banks that took advantage of such support, not least because to collect insurance premiums when paying out on the policy is rather late in the day and might have made matters worse. The system in place before the crisis provided many incentives for banks to structure themselves in a way that made a crisis more likely – and that is exactly what concern about 'moral hazard' means. Standing ready to do whatever it takes to keep the financial system functioning is not enough. The system itself has to be designed carefully in order to reduce the frequency and severity of crises. There is a case for the provision of catastrophic insurance – but not unconditionally and not in the way that was forced on policymakers in the circumstances of 2008.

Some commentators have taken issue with concerns about moral hazard, arguing, by analogy, that fire departments put out fires started by people who smoke in bed. But as a society we supplement fire services by strict regulations to make it less likely that fires will start. We need to do the same in the financial sector. Too much thinking about how to respond to crises, especially in the United States, has focused on throwing money at the problem once the fire has broken out. We need to anticipate the problem. There is wisdom in the Roman saying 'Si vis pacem, para bellum' – if you want peace, prepare for war.

Can we find a way of retaining the attractive feature of the Chicago Plan – that it ends bank runs – while at the same time reducing alchemy in the wider banking system? Or, to put it another way, can we reduce the cost of eliminating alchemy?

A new approach – the pawnbroker for all seasons

The way forward is to recognise that the prohibition on the creation of money by private banks is not likely to be sufficient to eliminate alchemy in our financial system. Radical uncertainty means that the provision of catastrophic insurance in some circumstances is desirable. Bagehot's concept of a lender of last resort is, in some key respects, outdated. He understood that it was impossible in a crisis to tell whether a bank was or was not solvent, but that would not matter if the central bank could lend against 'good collateral'. In his day, and until relatively recently, banks held large amounts of government securities and secure private commercial paper on their balance sheets. Good collateral was in plentiful supply. But when banks ran down their holdings of liquid assets, that all changed. The result was that in the crisis there was not enough good collateral and central banks had to take 'bad' collateral in the form of risky and illiquid assets on which haircuts, often large ones, had to be imposed to avoid risk to taxpayers. In consequence, central banks could lend only a proportion of the liquid funds that a bank might need. As described in Chapter 5, central bank lending encumbers the balance sheet, reducing the collateral available for other creditors, thereby encouraging them not to roll over their loans to the bank.

The essential problem with the traditional LOLR is that, in the presence of alchemy, the only way to provide sufficient liquidity in a crisis is to lend against bad collateral – at inadequate haircuts and low or zero penalty rates. Announcing in advance that it will follow Bagehot's rule – lend freely against good collateral at a penalty rate – will not prevent a central bank from wanting to deviate from it once a crisis hits. Anticipating that, banks have every incentive to run down their holdings of liquid assets and to finance themselves with large amounts of debt, and that is what they did. It is not enough to respond to the crisis by throwing money at the system to douse the fire while reciting Bagehot; ensuring that banks face incentives to prepare in normal times for access to liquidity in bad times matters just as much.

It is time to replace the lender of last resort by the pawn-broker for all seasons (PFAS). A pawnbroker is someone who is prepared to lend to almost anyone who pledges collateral sufficient to cover the value of a loan – someone who is des-perate for cash today might borrow $25 against a gold watch. Since 2008, central banks have become used to lending against a much wider range of collateral than hitherto, and it is difficult to imagine that they will be able to supply liquidity insurance without continuing to do so. In the spirit of not letting a good crisis go to waste, I think it is possible to build on two of the most important developments in central banking since the crisis – the expansion of lending against wider collateral and the creation of money by quantitative easing – to construct a new role for a central bank as such a pawnbroker. I stress this point because so many proposals for reform create alarm among bankers, and often therefore governments, since they are a step into the unknown. In contrast, the idea of PFAS is a natural extension of measures already introduced.

When there is a sudden jump in the demand for liquidity, the pawnbroker for all seasons will supply liquidity, or emer-gency money, against illiquid and risky assets. Only a central bank on behalf of the government can do this. But it will do so within a framework that eliminates the incentive for bank runs. The idea of the PFAS is a coping strategy in the face of radical uncertainty.

Inspiration for the principle of a PFAS can be drawn from the American journalist William Leggett, who wrote in an article in the *New York Evening Post* in December 1834:

Let the [current] law be repealed; let a law be substituted, requiring simply that *any person* entering into banking business shall be required to lodge with some officer designated in the law, real estate, or other approved security, to the full amount of the notes which he might desire to issue ... Banking, established on this foundation, would be liable to none of the evils arising from panic; for each holder of a note would, in point of fact, hold a title-deed of property to the full value of its amount.[23]

The aim of the PFAS is threefold. First, to ensure that all deposits are backed by either actual cash or a guaranteed contingent claim on reserves at the central bank. Second, to ensure that the provision of liquidity insurance is mandatory and paid for upfront. Third, to design a system which in effect imposes a tax on the degree of alchemy in our financial system – private financial intermediaries should bear the social costs of alchemy.[24]

The basic principle is to ensure that banks will always have sufficient access to cash to meet the demands of depositors and others supplying short-term unsecured debt. The key is to look at both sides of a bank's balance sheet. Start with its assets. Each bank would decide how much of its assets it would position in advance at the central bank – that is, how much of the relevant assets the central bank would be allowed to examine and which would then be available for use as collateral.[25] For each type of asset the central bank would calculate the haircut it would apply when deciding how much cash it would lend against that asset. Adding up all assets that had been pre-positioned, it would then be clear how much central bank money the bank would be entitled to borrow at any instant. Because these arrangements would have been put in place well ahead of any crisis, there would be no difficulty in the central bank agreeing to lend at a moment's notice. The assessment of collateral, and the calculation of haircuts, have become routine since the crisis and would become a normal function of a central bank as a PFAS. The amount which a bank was entitled to borrow against pre-positioned collateral, added to its existing central bank reserves, is a measure of the 'effective liquid assets' of a bank.

The second step is to look at the liabilities side of a bank's balance sheet – its total demand deposits and short-term unsecured debt (up to, say, one year) – which could run at short notice. That total is a measure of the bank's 'effective liquid liabilities'.[26] The regulatory requirement on banks and other financial intermediaries would be that their effective liquid assets should exceed their effective liquid liabilities. Almost all existing prudential capital and liquidity regulation, other than a limit on leverage, could be replaced by this one simple rule. The rule would act as a form of mandatory insurance so that in the event of a crisis a central bank would be free to lend on terms already agreed and without the necessity of a penalty rate on its loans. The penalty, or the price of the insurance, would be encapsulated by the haircuts required by the central bank on different forms of collateral. Just as motorists are compelled to take out third-party car insurance to protect other road-users, so banks should be made to take out a certain amount of liquidity insurance in normal times so that they can access central bank provision of their liquidity needs in times of crisis.

Consider a simple example of a bank with total assets and liabilities each equal to $100 million. Suppose that it has $10 million of assets in the form of reserves at the central bank, $40 million in holdings of relatively liquid securities and $50 million in the form of illiquid loans to businesses. If the central bank decided that the appropriate haircut on the liquid securities was 10 per cent and on the illiquid loans was 50 per cent, then it would be willing to lend $36 million against the former and $25 million against the latter, provided that the bank pre-positioned all its assets as available collateral. The bank's effective liquid assets would be $(10 + 36 + 25) million, a total of $71 million. It would have to finance itself with no more than $71 million of deposits and short-term debt.

Banks would be free to decide on the composition of their assets and liabilities, allowing variety and experimentation in the types of business they transacted, all subject to the constraint that alchemy in the private sector is eliminated. The PFAS adds a desirable degree of flexibility to the Chicago Plan.

It would be possible, and sensible, to implement the scheme gradually over a period of, say, ten to twenty years. The existing degree of alchemy can be calculated as the excess of effective liquid liabilities over effective liquid assets as a proportion of the total size of the balance sheet. Suppose that in the above example the bank today had liabilities of $50 million of deposits, $35 million of short-term unsecured debt (with a maturity of less than one year), $10 million of long-term debt and $5 million of equity. Its effective liquid liabilities would be $85 million, leaving a shortfall from its $71 million of effective liquid assets of $14 million and a current degree of alchemy of 14 per cent. With a twenty-year transition, the bank would be required to reduce that degree by 0.7 per cent each year so that by the end of the transition period it would completely satisfy the rule that its effective liquid assets exceeded its effective liquid liabilities, and there would be zero alchemy. During the transition it would probably be sensible to retain existing prudential regulation, and the ring-fencing restrictions imposed in recent legislation, partly to see how they worked and partly as an incentive for the financial sector to see the transition through. Because the PFAS builds on some of the extraordinary developments in central bank balance sheets, now is the ideal moment to begin reform. It may take something like twenty years to eliminate the alchemy in our system completely, but there is no reason to delay the start of that journey.

As with any reform of this kind, the scheme would apply to all financial intermediaries, banks and shadow banks, which issued unsecured debt with a maturity of less than one year above a *de minimis* proportion of the balance sheet. That is an arbitrary figure, and open to debate. A key challenge is to ensure that alchemy does not simply migrate outside the regulated sector, and end up benefiting from an implicit public subsidy.[27] No doubt there would be other practical issues to resolve, but the reason we employ high-quality public servants is to solve such problems and not allow lobbyists to use them as an excuse for resisting principled reform.

The idea of the pawnbroker for all seasons builds on both the tradition of the lender of last resort and the experience of the crisis of 2008. It has six main advantages.

First, the proposal recognises that in a real crisis the only source of liquidity is the central bank, supported by a solvent government, which can convert illiquid assets into liquid claims.

Second, the idea provides a natural transition to a state in which the alchemy of the present private sector system of money and banking is eliminated.

Third, it avoids the choice between either the status quo or the extreme radical solution of 100 per cent reserve banking with all lending financed by equity. It allows banks and other financial intermediaries to choose for themselves the structure of their balance sheet and how to relate particular types of assets to the structure of their liabilities. In so doing, it offers a way of promoting competition in the financial sector while restricting the degree of alchemy. Compared with the Chicago Plan, it lowers the cost of eliminating bank runs.

Fourth, it solves the moral hazard problem associated with the conventional lender of last resort. Banks will be required to take out insurance in the form of pre-positioned collateral with the central bank, so that, when required, liquidity can be provided quickly and cheaply on demand. There will be no need to apply a penalty rate on lending during a crisis because the disincentive to rely on the provision of central bank liquidity is provided by the haircuts on collateral. And the central bank can assess the collateral in normal times and not, as happened during the crisis, be forced to make snap judgements about collateral when the storm arrives. No doubt in normal times there will be pressure on the central bank to set haircuts to favour politically popular types of bank lending and intense lobbying by banks to lower the haircuts. But central banks are in a stronger position to resist such calls in normal times than after the crisis has hit. Moreover, a distortion of haircuts would not change the fact that with guaranteed access to central bank liquidity under PFAS, the incentive to run on a bank, or not to roll over short-term debt, would disappear. So the stigma of the use of LOLR assistance (see Chapter 5) would be much less.

Fifth, it exploits today's abnormal circumstances by incorporating two of them into a permanent feature of the PFAS. First, by creating money through quantitative easing, central banks have greatly expanded their balance sheets. The creation of this emergency money has raised the proportion of liquid assets on bank balance sheets. For example, the reserves of US banks held with the Federal Reserve rose from only 1 per cent of their total assets before the crisis to just over 20 per cent by September 2015.[28] This new higher level should be maintained, if necessary by central banks continuing to purchase government debt when existing holdings mature. Second, the infrastructure built up within central banks to assess and manage collateral during the crisis should be maintained as a permanent feature. This feature is already part of the regular operations of the Bank of England and the Reserve Bank of Australia.[29]

Sixth, regulation would be drastically simplified, comprising just two provisions: the PFAS rule that effective liquid assets must exceed effective liquid liabilities and a maximum value for the permitted leverage ratio. Most other capital and liquidity regulation could be abolished at the end of the transition. This would bring an enormous benefit in terms of simplicity and allow large amounts of extremely complex regulation to be discarded.

Each country could choose its own path to the end of alchemy, and there would be no need for international agreement on the details of banking regulation. The principle of the Basel regulations was to impose minimum standards on all countries, but the case against alchemy is a natural one, and countries should be allowed to adopt it at their own rate. The ability of a central bank to operate as either a LOLR or PFAS depends on the solvency of the state. A government that is insolvent, or cannot print its own currency, cannot easily support a banking system in a crisis. Regulation is gravitating naturally back to nation states because the provision of liquidity insurance inevitably involves fiscal risks. That is one reason why resolving the problems of the banks in the euro area is proving so fraught in the absence of fiscal and political union. It is likely that governments will increasingly feel that to be able to regulate banking activity appropriately, they must require all banks operating within their borders to be separate subsidiaries and not branches of foreign banks regulated overseas.

The essence of a successful pawnbroker is the willingness to lend to almost anyone against extremely valuable collateral. In 2008, banks had very few 'gold watches' and plenty of broken ones, and central banks were forced to lend against inadequate collateral in order to save the system. Before the next crisis it would be sensible to make sure that the banking system has sufficient pre-positioned collateral, including central bank reserves, to be able quickly to raise the funds to meet the demands of fleeing depositors or creditors who had decided not to roll over funding. Unlike a traditional high-street pawn-broker, central banks will want to take collateral that is more difficult and time-consuming to evaluate than gold watches. The PFAS rule is a strong incentive for banks to bring collateral to the central bank before a crisis.

The biggest problem in asking the central bank to act as a PFAS is the challenge of determining appropriate haircuts. If it is difficult to calculate risk weights for bank assets, why should it be easier to calculate haircuts? The answer is that the purpose of the two calculations is very different. For one, the aim is to compute the overall risk of a portfolio of different bank assets which requires knowledge of all the possible outcomes and the correlations of returns on different assets. For the other, the more limited aim is a rough and ready calculation of the dis-count at which an asset pledged as collateral could be sold when a bank could not repay the central bank, allowing for the fact that in a crisis the central bank would hold the collateral until more normal times had returned to financial markets. Once set, haircuts should remain unchanged for, say, three years and not be altered frequently. As with any pawnbroker, the central bank should be conservative when setting haircuts and, if in doubt, err on the high side. The size of the haircuts on different types of collateral are the equivalent of an insurance premium that banks are required to pay for access to liquidity on demand so that they are not exposed to runs and can cope with wholly unexpected shocks. They are the tax on alchemy. The size of that tax should reflect the cost to taxpayers of providing the implicit insurance in giving banks a call on liquidity on demand in return for pre-positioning collateral.

In a world of radical uncertainty there is no mathematical way of pricing such insurance. On most bank assets, other than reserves with the central bank, haircuts should be large. Under the Chicago Plan – a limiting case – they would be 100 per cent. With a PFAS, haircuts reflect the ability of the central bank to hold collateral while a crisis persists and dispose of it in more normal times. They will reflect the volatility and illiquidity of the assets, and once set, they cannot be altered during a crisis or they would not be a committed source of liquidity. So when setting haircuts on different assets, central banks need to be sure that they can absorb potential losses on collateral – although they would not need to liquidate quickly their holdings of assets brought to them in a general panic. Unlike the financial institutions requiring liquidity, a central bank could afford to wait until conditions returned to something closer to normal.

But that might still involve permanent changes in the relative prices of different assets, and haircuts need to take that risk into account. They are, therefore, likely to be much higher than in the normal commercial provision of short-term lending. And on some assets they may well be 100 per cent. In recent years, central banks have lent at haircuts ranging from only a few per cent to 60 per cent or more, depending on the type of asset in question. Setting large haircuts in normal times is the PFAS equivalent of taking the punchbowl away as the party is getting going. And it is important that central banks do not see their role as underpinning liquid markets in particular assets. It is not the role of central banks to subsidise the existence of markets that would not otherwise exist. For assets that are complex or obscure, a useful heuristic for setting haircuts would be to learn from Dennis Weatherstone of J.P. Morgan (see Chapter 4). If the central bank executive responsible for the management of collateral could not understand the nature of the asset in three fifteen-minute meetings, then the haircut would be 100 per cent.

From time to time banks will fail – indeed failure is part and parcel of a prosperous market economy. With a PFAS, banks at risk of failure would have a year in which to be reorganised. There would be no panic rescues over a weekend, no dramatic tales to retell in subsequent memoirs. Bank resolution – a special bankruptcy regime for banks – would be simpler than it is today because deposits (liabilities) and the collateral lodged with the central bank (assets) could be lifted out of the failed bank, and the deposits transferred to another bank together with the liquid reserves for which the collateral was pledged. That would enable the resolution authority to sort out the rest of the bank without serious disruption to its depositors.

In essence, when a bank fails it needs to be separated into its 'narrow' and 'wide' components. Sorting out the bankruptcy of a large, complex bank is a costly and messy business, as the failure of Lehman Brothers in 2008 showed only too clearly. People made careers out of overseeing the process, and it is still going on. It is important that regulators make banks recognise the true state of their balance sheet sooner rather than later. One lesson from the Finnish and Swedish banking crises of the early 1990s, and also from the decade-long problems in the Japanese banking system, is the importance of recognising losses early and promoting transparency about the true state of the balance sheet. A lack of transparency means that banks have the ability to drag their feet in recognising losses. That means that loans are tied up in businesses with few profitable investment opportunities, thus denying financing to companies with the ability to expand. It is a recipe for stagnation.

The debate about whether banks are 'too important to fail' boils down to a simple question. Are banks an extension of the state, as they are in centrally planned economies, or are they part of a market economy? If the latter, then to correct for the social costs they impose on society in a crisis, banks should be made to take out compulsory insurance through the PFAS and have sufficient 'loss-absorbing capacity', on the liability side of their balance sheets, to reduce the implicit taxpayer guarantee to bank creditors. Only equity finance guarantees that capacity.[30] The introduction of a PFAS would aid the gradual evolution of expectations towards the view that banks will not be bailed out. It is a question of creating a banking and financial system in which governments feel little incentive to step in and bail out failing firms.

Before the crisis, banks used too little equity and owned too few liquid assets. The right response is to require banks to use more equity finance and meet the PFAS rule. A minimum ratio of equity to total assets of 10 per cent would be a good start, compared with the 3–5 per cent common today. A century ago the ratio for many banks was 25 per cent![31] If the amount of equity finance is low, then any item of adverse news makes it more likely that short-term creditors will desert the bank, and shareholders have an incentive to take risks in order to 'gamble for resurrection', because large losses will fall on creditors or taxpayers.

The PFAS rule is not a pipe dream. Some central banks have already moved in that direction. For example, the Bank of England has for some while encouraged banks to pre-position collateral as way of obtaining liquidity insurance. In the spring of 2015, the value of collateral pre-positioned with the Bank was £469 billion and the average haircut was 33 per cent. Together with reserves at the Bank of £317 billion, the effective liquid assets of the banking system were £632 billion, compared with £1820 billion of total deposits.[32] There was still a substantial degree of alchemy, but around one-third of deposits were backed by 'effective' liquid assets and the idea of gradually eliminating alchemy through a PFAS is realistic. Alchemy can be squeezed out of the system by pressing from the two ends – by raising the required amount of equity and keeping central bank balance sheets, and hence bank reserves, at broadly their present level. That would allow the PFAS rule to complete the job. Far from being a radical and unrealistic objective, the elimination of alchemy could be achieved by building on actions that were taken during the crisis and the adoption of the PFAS rule. The idea is new; the means of implementation isn't. There is a natural path from today's 'extraordinary' measures to a permanent solution to alchemy.

The future of money

In a world of radical uncertainty, the demand for liquidity can change in an unpredictable and unexpected manner. Of the three roles for money described in Chapter 2, that of supplying liquidity is satisfied by the pawnbroker for all seasons. But do we really need money for the two other roles – to enable us to buy 'stuff' and to ensure a stable unit of account, or measuring rod, to value production? Could innovations in information technology make money redundant in respect of those two roles?

We no longer need cash to buy 'stuff' and even the use of cheques to make payments has been rapidly declining. We use electronic transfers instead. So should we stop issuing paper money? There would be some advantages. A large proportion of banknotes, especially those of large denominations, are used for illegal transactions, both to evade tax and for other criminal activities. In the United States, over $4000 in notes and coin circulate for every man, woman and child.[33] In Japan, the figure is almost double that. More than 75 per cent of those holdings are in the form of notes of the largest denomination, the $100 bill and the ¥10,000 note.

There is clearly a strong demand for anonymity when making payments. Much of that has been eroded in respect of electronic payments with counter-terrorism surveillance and the introduction of regulation to prevent money laundering that requires the disclosure of large amounts of information to governments. So the demand for paper money is unlikely to disappear quickly, and anonymity for illegal transactions is the opposite side of the coin of individual privacy.

Nevertheless, electronic payments are the way of the future. Even old-fashioned bank robberies are diminishing – they almost halved in the US between 2004 and 2014 – to be replaced by an explosion of cybercrime.[34] At present, electronic transfers simply move money from one bank account to another – convenient but not revolutionary – and banks then clear payments with each other through their own accounts at the central bank. In principle, two parties engaged in a transaction could instead settle directly by a transfer of money from one electronic account to another in 'real time'.

A step in that direction was the creation of bitcoin – a 'virtual' currency launched in 2009, allegedly by one or more individuals under the pseudonym of Satoshi Nakamoto. Ownership of bitcoins is transferred through bilateral transactions without the need for verification by a third party (necessary in all other current electronic payment systems). Transactions are verified by the use of a software accounting system accessible to all users.[35] The supply of bitcoins is governed by an algorithm embodied in the software that runs the system (with a maximum number of twenty-one million). If you can persuade someone to accept payment in bitcoins, then you can use them to buy 'stuff'. The price of bitcoins in terms of goods and services, or currencies such as the dollar, is determined in the market. Without any public body setting the standard for bitcoins as a unit of account, their price is highly volatile – less than $1 when launched, a peak of over $1100 in December 2013, and back to below $400 in late 2015.[36] With no one standing ready to redeem them in terms of any other commodity or currency, bitcoins are a highly speculative investment. They have no fundamental value: their price simply reflects the value that bitcoins are expected to have in the future.

The integrity of the algorithm determining the supply of bitcoins is vital. An indication of what can go wrong when confidence in that process is lost is the fate of a related venture, the auroracoin, a digital currency in Iceland. As an alternative to government-issued paper money, auroracoins were circulated in Iceland by a private entrepreneur in March 2014 through a 'helicopter' drop to every citizen listed on the national ID register. Within a few months they had lost over 96 per cent of their launch value.[37] Moreover, as described in Chapter 2, with any private fiat money new entry can undermine the value of existing currencies. What is to stop some new group of programmers from launching a digital currency under the name 'digidollars'? The aggregate supply of digital currency cannot be controlled by any one issuer, which is why governments have nationalised the production of paper currencies.

Digital currencies attract those who would like to make payments anonymously.[38] As an innovation in payments systems, and hence as a means of payment, bitcoins have generated genuine interest. But as money, they are more akin to a form of digital gold – appealing to those who distrust governments to control the supply of money but highly volatile in value.[39]

But why use money to make transactions when computers offer the possibility to exchange goods and services for wealth? With high-speed electronic transfers it is becoming feasible to transfer stocks and shares and other forms of marketable wealth from the buyer to the seller instead of money, so enabling buyers and sellers to avoid holding some of their wealth in a form that earns little or no interest. Pre-agreed instructions embedded in computer algorithms would determine the sequence in which financial assets belonging to the purchaser were sold and used to augment the financial assets of the vendor, also in a pre-agreed sequence. Assets used in this way could be any for which there were market-clearing prices in 'real time'. Someone buying a meal in a restaurant might use a card, as now, but the result would not be a transfer from their bank account to that of the restaurant; instead there would be a sale of shares from the diner's portfolio and the acquisition of different shares, or other assets, to the same value by the restaurant. The key to any such development is the ability of computers to communicate in 'real time' to permit instantaneous verification of the creditworthiness of the buyer and the seller, thereby enabling private sector settlement to occur with finality. There would be no unique role for something called money in order to buy 'stuff'.

Electronic transfers of wealth in 'real time' sound attractive because they economise on the use of money. But electronic messages that carry the instructions to make payments travel not instantaneously but at a rate bounded by the upper limit of the speed of light. Admittedly this is fast – around 186,000 miles (300,000 kilometres) a second – but not fast enough to avoid problems. Some professionals in financial markets, such as high-frequency traders, have invested heavily in microwave technology that is even faster than fibre-optic transmission to enable them to deploy the tactic known as front-running (see Chapter 4). Regulators are already concerned about this type of behaviour; imagine how much more serious front-running would be if all payments were made by selling and buying financial assets. Since transactions can never be literally instantaneous, I think it unlikely that we will move in the foreseeable future to a system of making payments that is entirely divorced from some form of money. Bank accounts, either to make anticipated payments or to hold a liquid reserve of generalised purchasing power, will be with us indefinitely, and so therefore will be the need for a pawnbroker for all seasons.

One way to reduce the demand for deposits, and to mitigate

the scale of operations of the pawnbroker for all seasons, would be for central banks to allow anyone at all to open an account with them for purposes of making payments to others and to hold liquidity. At present, central banks could not cope with a large influx of customers, although new technology would make the task of handling so many accounts easier to imagine. It is fair to say that anonymity would be unlikely to be a characteristic of such a system. Such a development would simplify and reduce risks in the system of money transmission. International transfers could then be cleared through central banks. But it is unclear why, when we can use the pawnbroker for all seasons to provide liquidity to a competitive banking system, such a benefit would outweigh the costs of foregoing the advantages of competition in the provision of customer services. Whatever arrangements come to dominate how we make and receive payments in future, it is already clear that it will be necessary to guard the computer systems used for settlement purposes as carefully as the gold at Fort Knox is guarded today.

If we ever moved to a world in which we bought and sold 'stuff' by transfers of wealth, then neither money nor central banks, in their present form, would be needed.[40] The need to control the supply of money would be replaced by a concern to ensure the integrity of the computer systems used for settlement purposes. Radical uncertainty means, however, that there will always be a demand for liquidity as a reserve of future purchasing power, and the ultimate source of liquidity is the central bank. Moreover, there is one additional role for a public body that it makes sense to give to the central bank – the regulation of the unit of account. Even if money disappears as a means of payment, we will always need a stable unit of account to price goods and services.[41]

There is an enormous advantage in all of us agreeing to use the same unit of account determined centrally rather than

allowing a profusion of different monies. We rely on weights
and measures inspectors to ensure that retailers who use yards
(or metres) and pounds (or kilograms) as the units of length
and weight define them in exactly the same way. It would be
a great inconvenience if what was meant by a 'yard' was different in New York than in San Francisco or London. We can
just about cope with the translation from yards to metres and
from Fahrenheit to Celsius, but think how difficult it would
be to order goods from different parts of the world if each
locality had its own definition of the unit of length or weight.
Converging on a common unit has enormous value, in the
same way that a telephone is useful only if others can use the
same network (if, in the jargon of economists, there are 'network externalities'). It is striking that Article 1, section 8 of the
United States Constitution conflated the standards for physical
weights and measures with regulation of the currency: 'The
Congress shall have power ... To coin money, regulate the
value thereof ... and fix the standard of weights and measures.'
As George Washington said in the very first annual presidential
message to Congress, 'Uniformity in the currency, weights,
and measures of the United States is an object of great importance.' And as declared in Magna Carta eight hundred years
ago, 'There shall be but one Measure throughout the Realm.'[42]

It may be that we could allow anyone to issue their own
money, as advocated by the economist and Nobel Laureate
Friedrich Hayek, trusting in competition to ensure that we
would all decide to use the money of the 'best' issuer (the sup-
plier most trusted not to abuse their ability to print money).[43]
But competitive monies have arisen rarely, and usually only
in situations where government money is either absent (as, for
example, in the use of cigarettes as currency in prisoner-of-
war camps) or badly managed (as in periods of hyperinflation).
Despite the abolition of foreign exchange controls, competition

among national currencies has not reduced the dominance, within each economy, of a single public currency. There are exceptions, but they are few and far between. The abandonment of their own currency by Panama and Ecuador, and their adoption of the dollar (see Chapter 7), is one example. In Germany, *Notgeld* (see Chapter 5) was an example of a thousand flowers blooming – but they faded when a viable national currency was re-established. Network externalities make it difficult for competing currencies to emerge.[44]

A single unit of account requires collective decisions as to the definition and management of that unit. Unlike measures of length and weight, where a physical definition is determined and monitored by inspectors of weights and measures, the value of money requires a degree of discretionary management to avoid the costs of excessive volatility in output and employment. It is pre-eminently a task for a central bank given a mandate to meet an inflation target over the long term, as explored in Chapter 5.

Whatever happens to money as a way of buying 'stuff', it will always have a future as the only true form of liquidity. There will always be a demand for the liabilities of the central bank and for a stable unit of account. And so central banks will retain their ability to set interest rates and the size of their balance sheet. It may be tempting to imagine that technological innovation will mean that the successors to Bill Gates (the founder of Microsoft) and Steve Jobs (the founder of Apple), although not issuing their own currencies but instead providing a way of exchanging stocks and shares for goods and services, will put the successors to Ben Bernanke and Janet Yellen out of business. But the management of our system of money and banking requires collective decisions.

I hope that by now the reader will have been persuaded that only a fundamental rethink of how we, as a society, organise our system of money and banking will prevent a repetition of the crisis that we experienced in 2008 and from which previous generations suffered in earlier episodes. A major failing before 2007 was that the monetary policy framework designed to deal with good times and the lender of last resort framework for bad times were not properly integrated. In the crisis, massive support was extended not to save the banks but in order to save the economy from the banks. The role of pawnbroker for all seasons demands a great deal of central banks but, as with monetary policy, they would be exercising discretion within a clear framework designed to cope with radical uncertainty.

Before the crisis, hubris – arrogance that inflicts suffering on the innocent – ran riot, and changed the culture in financial services to one of taking advantage of the opportunity to manage other people's money rather than acting as a steward on behalf of clients.[45] But 'the true steward never forgets that he is a steward only, acting for a principal'.[46] The maxim 'my word is my bond', which underpinned the traditions of the City of London for many years, means little if those words are incomprehensible. The sale of complex financial products by people who only half understand the risks involved to those who understand even less is not an attractive advertisement for the financial services industry. What kind of person takes pride in parting a fool from his money?

I have explained the principles on which a successful reform of the system should rest. It is a programme that will take many years, if not decades. There is time to put in place such a programme to protect future generations. But the reform of money and banking will not be easy. Most existing financial institutions, and the political interests they support, will resist strongly. At the end of 2014, Paul Volcker criticised the 'eternal lobbying' of Wall Street.[47] As Radical found when he left the City of Plunder in his quest for the City of Reform:

the party who had long enjoyed the privilege of putting their hands into their neighbour's pockets, were composed of two sects, one called the 'outs' and the other the 'ins'– the 'outs' maintained that there was no such city as that of 'Reform'; while the 'ins' thought there might be such a city as 'Reform', but it was at such a long distance, and the road was so intricate and beset with brambles and thorns, that it was dangerous for anyone to set out on such a journey just at *this peculiar time*.[48]

Keynes's optimism that 'the ideas of economists and political philosophers, both when they are right and when they are wrong, are more powerful than is commonly understood' has flattered academic scribblers ever since.[49] It might be more accurate to reverse Keynes's famous dictum about the influence held by economists over practical men to 'economists, who believe themselves to be quite exempt from any practical influences, are usually the slaves of some defunct banker'.[50] But there is nothing special about finance that requires us to abandon rational argument and leave our future in the hands of the gods of finance.

8

HEALING AND HUBRIS: THE WORLD ECONOMY TODAY

'Time present and time past
Are both perhaps present in time future
And time future contained in time past.'

T.S. Eliot, Four Quartets, 1935

'How is it possible to expect that Mankind will take
advice, when they will not so much as take warning?'

Jonathan Swift, 'Thoughts on Various Subjects', 1703

There is more to life than finance, and more to finance than the events of 2008. The world economy today seems incapable of restoring the prosperity we took for granted before the crisis. Many of the problems that seem to overwhelm us – poverty, rising inequality, crumbling infrastructure, ethnic tensions within and between countries – would all be eased by rates of growth that before the crisis seemed quite normal. But economic growth has fallen back across the developed world. Some blame this on a slowing of innovation and productivity as the information revolution proves less transformative than earlier technological revolutions. I see the issue differently – the struggle to revive the world economy is the result of the disequilibrium that led to the crisis itself.

As we saw in Chapter 1, both Britain and the United States have 'lost' around 15 per cent of national income relative to the pre-crisis growth path. Using actual growth rates between 2008 and 2014, along with IMF projections for the following three years, advanced economies more generally will, over the decade that started with the financial crisis, also have lost significant proportions of income and output. For the G7 economies as a whole the proportion of GDP 'lost' is also of the order of 15 per cent.[1] The lost decade is already upon us. Growth seems to depend upon continually falling interest rates. There is little sign that the lost output is being made up.

Not that this dismal performance has been achieved for want of trying by governments and central banks. Since 2008 we have seen the biggest monetary policy stimulus in the history of the world. Official interest rates across the industrialised world were cut to their lowest rates ever – first to zero and then in 2015 to negative levels in many European countries – and programmes of asset purchases by central banks expanded the monetary base several fold, an extraordinary and unprecedented increase.

Despite that massive policy stimulus to aggregate demand, economies have been limping along. Recoveries following financial crises have historically tended to be slower than downturns unaccompanied by such crises.[2] But there is no unique pattern across different episodes. Diagnoses using expressions such as 'balance sheet recession', 'headwinds' and 'secular stagnation', which have all entered the currency of popular debate, are descriptions of symptoms, not causes.[3] What are the underlying drivers of a prolonged period of low demand and weak growth? Why do 'crises' lead to a long period of stagnation? To answer those questions requires us to look more deeply into macroeconomics – the study of how the economy operates as a whole.

Keynesian and neoclassical macroeconomics

I applied to university in 1965. That was only twenty years after the end of the Second World War, but it felt a world apart. The harsh capitalist system of the inter-war period, with its depression, mass unemployment and poverty, had been banished. The secret was the intellectual revolution engineered by John Maynard Keynes in his magnum opus *The General Theory of Employment, Interest and Money*, published in 1936. We all felt that he had produced the answer to unemployment. Government intervention, through fiscal policy, could stabilise the economy at full employment. Keynesian economics formed a sharp intellectual dividing line between the pre-war capitalist economies and the new post-war confidence in state-led economic policy. We had avoided another Great Depression because of government intervention. So I decided to apply to study at King's College, Cambridge, where Keynes spent most of his life.

No sooner had I arrived at Cambridge than Keynesian economics started to become unfashionable. Government spending was leading to overheating of the economy and rising inflation. The major policy question was how to reduce inflation, not how to boost employment. Stabilising the economy was proving harder in practice than in theory. There were fierce intellectual battles. The disciples of Keynes, including some of his friends and colleagues, such as Richard Kahn and Joan

Robinson, tried to keep the faith and taught us the gospel. Others wanted the subject to develop, and, in particular, to exploit developments in mathematics and statistics that were in vogue in the United States. Their motivation was understandable. *The General Theory*, although it contains some beautiful and compelling prose, includes many arguments that are obscure and difficult, even at times almost incomprehensible.

Macroeconomics in this era became divided into two schools of thought: Keynesian and neoclassical.[4] The former focused on the role of the state in returning an economy from depression to full employment. The latter studied the conditions in which a market economy returns to full employment under its own steam after a temporary deviation from its normal equilibrium. Neoclassical economists often argue that the Keynesian analysis presents a special case in which employment is temporarily below its attainable level, often as a result of misguided government policies. But Keynes did not choose his title carelessly – he meant the book to refer to a general theory of how capitalist economies could run indefinitely at levels of demand and output well below potential. And these same arguments came back into focus when the downturn of 2008–9 turned into a prolonged period of weak growth, or even stagnation, with output in most advanced economies running well below its previous trend path.

The ferocity of the intellectual battle, one of not only ideas but personalities, obscured an important point that the Keynesian disciples made but were unable to translate into the language of modern economics. Expectations of what the future holds are central to the determination of current spending. Keynes attached a great deal of weight to the role of sentiment and expectations in determining investment spending, and hence the speed at which an economy would come out of recession:

a large proportion of our positive activities depend on spontaneous optimism rather than on a mathematical expectation,
whether moral or hedonistic or economic. Most, probably, of
our decisions to do something positive, the full consequences
of which will be drawn out over many days to come, can
only be taken as the result of animal spirits – a spontaneous
urge to action rather than inaction, and not as the outcome
of a weighted average of quantitative benefits multiplied by
quantitative probabilities.[5]

Keynes evidently believed in radical uncertainty. Booms
and slumps would come and go as animal spirits, inherently
volatile, rose and fell. But without any explanation of why and
when animal spirits would rise and fall, this did not amount to
a coherent theory of booms and depressions. As a consequence,
the Keynesian disciples were easily dismissed as backward-
looking intellectual renegades, guardians of a flame that had
already been extinguished, out of touch with the way the subject was developing. Neoclassical economists wanted to build
the foundations of economics on rational 'optimising' behaviour. By ignoring radical uncertainty, however, they failed to
capture the important insights of *The General Theory*.
    Keynes's basic argument was that capitalism might fail to
deliver full employment because it could not coordinate the
spending plans of all the different participants in the economy.
This idea was contrary to the apparently common-sense view
that if every market equates supply and demand for its product,
then adding up across all markets means that aggregate demand
equals aggregate supply in the economy as a whole. How could
one explain this apparent paradox? Keynes was less than clear
on this point, and it was his misfortune to write *The General
Theory* some twenty years before economic theorists provided a
rigorous framework within which it was possible to understand

his intuition. As explained in Chapter 2, Kenneth Arrow and Gerard Debreu described how a grand auction could indeed equate supply and demand overall if, and only if, all of the markets for future goods and services were incorporated into the auction process. Self-evidently, that world is fictional – radical uncertainty means that many of the markets for future goods and services are simply missing. The concept of the grand auction is of value, however, precisely because it shows why Keynes's intuition was correct. In the absence of markets for many of the goods and services that businesses are planning to produce and consumers to purchase in the future, there is no mechanism to guarantee that spending plans for the future will be coordinated among all economic agents.

The oil market provides a good example. World oil production is around 90 million barrels a day.[6] At a price of $50 a barrel, annual turnover is over $1.6 trillion – a lot of money. Higher oil prices should in theory stimulate more investment in production and extraction of oil. But the supply response to higher oil prices is dampened because potential producers cannot be confident of the prices they will receive in future. With long time lags between investment and subsequent production, only the signals from prices set in oil futures markets can provide adequate incentives to encourage exploration and development. Although there is some trading in oil futures in London and New York, contracts are for delivery on dates no more than five or six years ahead, whereas an oilfield might take thirty years or more to develop and exploit.[7] There is one very good economic reason why a liquid futures market for oil to be delivered at dates many years into the future has not developed. It would be attractive to many potential oil producers, such as those developing the Canadian tar sands, to be able to sell oil today for delivery in the future. That would remove the uncertainty about price and make the investment decision a matter of mere calculation rather than entrepreneurial judgement. Equally, those considering investing in alternative sources of energy would have more confidence about the future because they would know the price they would have to match.

But a futures market cannot develop unless there is demand as well as supply. At first sight, it might seem that heavy users of oil, such as airlines, would wish to buy in a futures market. That would reduce the uncertainty surrounding their future fuel costs. But the problem for any airline contemplating doing this is that they cannot sell forward their own outputs, namely airline tickets. So by buying oil forward at the price in today's market, they would be leaving themselves open to competitors who could enter the market if the future price of oil turned out to be well below today's future price. Only by selling forward both their inputs and outputs would airlines and other energy users find it attractive to use a futures market. And the reason there is no futures market in airline tickets is because travellers do not know today where they will want to fly in the distant future, and how much they are willing to pay for the trip. The crucial factor determining the demand for new planes will be the expectations of airline companies about the demand for flights over a particular horizon in the future. Despite the best efforts of airline analysts, those expectations will inevitably be subjective. If they could today sell tickets for the relevant future dates then the market would coordinate supply and demand for flights, and in turn for oil. But in the absence of those futures markets, such coordination is impossible.

The coordination problem is replicated right across the economy. So if families and businesses for some reason become cautious today, and reduce their spending, there are no market signals to tell producers whether this reduction corresponds to a plan to increase spending in the future and, if so, on what goods and services. The inability of households and businesses to coordinate their future spending plans through markets means that aggregate demand may fall below its full-employment potential. If confidence falls, people are likely to spend more only if they are confident that others will do likewise.[8] A failure to coordinate may also generate excess demand if people are too optimistic about future spending, leading to unnecessary investment and an unsustainable boom. The existence of coordination problems tells us little about whether we should expect a boom or a depression, and under what conditions one might lead to the other. In the circumstances of the 1930s, that did not seem important – mass unemployment was evident for all to see – but as a theory it left a gap.

An implication of the Keynesian argument is that it is misleading to think of the economy as a whole as if it were simply a single household. If one household saves more today with a view to spending more tomorrow, its income is unaffected. But if many households try to save more today, total spending falls and so do total incomes and actual saving – the so-called 'paradox of thrift'. Only if households' intention to save today and spend tomorrow can be communicated to producers might investment rise to offset the fall in consumption. But in the absence of a complete set of markets, no producer will receive a signal that the demand for her production in the future has increased. The coordination problem is an instance of the prisoner's dilemma. Collective action is needed to stabilise the economy – for example, by expanding government spending in a downturn or reining in private spending in a boom.

The challenge to Keynes came in the form of two questions. First, why could unemployment not be cured by cutting wages in order to stimulate the demand for labour? Keynes was vehement that – contrary to the beliefs of most of his predecessors and contemporaries – a cut in wages was not the answer to a slump in demand. It took the rigour of the auction model to show why his intuition was correct. In the grand auction, a cut in the price of a good for which supply exceeds demand can restore balance between the two because that price cut takes place only in the context of a complete resetting of all prices to ensure balance between demand and supply in each and every market. In the world, Keynes argued, a cut in wages might, as incomes fell, lead to a fall in consumer spending, which in turn would change the expectations of businesses and households about future demand. That could lead to a self-reinforcing fall in overall spending – a 'multiplier' effect. Wage and price flexibility does help to coordinate plans when all the markets relevant to future spending decisions exist. But in practice they do not, and in those circumstances cuts in wages and prices may lower incomes without stimulating current demand.

The second, and related, question was why would an increase in money supply not stimulate spending, returning the economy to full employment? Keynes's reply was that in a slump the demand for liquidity – emergency money – was so high that further injections of money would simply be absorbed in idle cash balances as a claim on generalised future purchasing power without any impact on current spending. The economy would be stuck in a 'liquidity trap'. The argument was set out in Chapters 13 and 14 of *The General Theory*. They are among the more difficult and obscure parts of the book. It was left to Britain's first Nobel Laureate in Economic Science, Sir John Hicks, to explain them in a famous article published in 1937 entitled 'Mr Keynes and the Classics'. Even almost eighty years on, the article remains a tour de force and a brilliant exposition of the Keynesian framework translated into more modern language. It homed in on the fact that interest rates cannot fall below a certain level (the 'lower bound'), and so monetary policy might be unable to reduce interest rates to the level necessary to stimulate demand and attain full employment.

The lower bound on short-term interest rates was thought to be zero – attempts to impose negative interest rates would lead households and financial institutions to switch from deposits or Treasury bills offering a negative rate to cash offering a zero rate. But by 2015 several central banks had actually instituted negative interest rates on accounts held with them by commercial banks. It remains to be seen for how long it will be possible to maintain such low levels, and whether, as seems unlikely, they will result in negative interest rates on deposits held by ordinary depositors. So the lower bound on short-term interest rates is somewhat below zero but not much below.

The lower bound on long-term interest rates arose from a somewhat different reason. Government bonds pay their holders a regular fixed sum, the coupon payment, the equivalent of the dividend on a stock. But unlike dividends, coupons are fixed in money terms when the bond is first issued. When the long-term interest rate (the rate at which future coupons are discounted back to the present) moves up and down, the price of government bonds moves in the opposite direction. So when long-term rates are close to zero, bond prices are not likely to rise much further but could easily fall sharply. Investment in bonds is almost a one-way bet, with all the risk on the downside. Since most investors have some aversion to risk, there is a ceiling on the price of bonds, which translates into a lower bound to long-term rates. Precisely where above zero that bound is located depends on the risk aversion of investors.

Keynes argued that when short-term and long-term interest rates had reached their respective lower bounds, further increases in the money supply would just be absorbed by the hoarding of money and would not lead to lower interest rates and higher spending. Once caught in this liquidity trap, the economy could persist in a depressed state indefinitely. Since economies were likely to find themselves in such conditions only infrequently, Hicks described Keynes's theory as special rather than general, and relevant only to depression conditions. And this has remained the textbook interpretation of Keynes ever since. Its main implication is that in a liquidity trap monetary policy is impotent, whereas fiscal policy is powerful because additional government expenditure is quickly translated into higher output.

This 'modern' view of Keynes does not, however, do full justice to the fundamental nature of the coordination problems in a capitalist economy. Even when the economy is not in a liquidity trap, the inability to coordinate spending plans may inhibit the response of total demand to monetary and fiscal stimulus. It all depends on expectations. And they will reflect the particular historical circumstances in which the stimulus is applied.

It is, I think, surprising that the Keynesian argument that a cut in wages might not reduce unemployment has not been extended to the corresponding proposition for interest rates. In the past few years it has been taken for granted by economists that if only real interest rates were sufficiently negative then investment and consumption spending would be stimulated, with output returning to its normal level. The zero lower bound on official interest rates is to blame, it is argued, for the inability of central banks to stimulate the economy. But in a world where many key markets are simply missing, coordination problems make this far from obvious.

If wage cuts don't restore employment, then why should interest rate cuts restore spending? Other things being equal, a fall in real interest rates would be expected to stimulate both consumption and investment spending. But other things are not equal. For example, the imposition of a negative real interest rate – effectively a wealth tax – on all forms of financial wealth expropriates the incomes of savers and might alter expectations of future effective rates of wealth taxes. If you are told, for example, that all your assets held in accounts fixed in money terms will be subject to a 5-percentage-point wealth tax, you might, it is true, decide to spend today, but you might well, fearful of what the government could do next year, batten down the hatches and cut spending. Households and businesses might simply conserve their resources to cope with an unpredictable and unknowable future. The outcome will depend on expectations.

The analysis of the 'liquidity trap' that has underpinned much recent analysis of the reason for slow growth is based on the model of the economics of 'stuff' rather than the economics of 'stuff happens'. The common failing of Keynesian and neoclassical models of fluctuations in the economy as a whole is that they are concerned with the economics of 'stuff'. By this I mean that they focus on total spending – aggregate demand – rather than take seriously the fact that it is the very multiplicity of things which households could buy that creates problems in coordinating spending plans in the economy. If the only choice for households and businesses was to buy 'stuff', then it would be easier to coordinate plans because only one price – the real interest rate (the price of 'stuff' today in terms of 'stuff' tomorrow) – would need to move to coordinate total desired saving with desired investment. But the purpose of a market economy is to provide households and businesses with opportunities to spend their money on a wide variety of goods and services, as well as holding some back for unimaginable events or opportunities. Radical uncertainty ('stuff happens') means that many of the markets in which prices might move to produce an equilibrium simply cannot and do not exist. The market economy cannot, therefore, coordinate spending plans. There are too many missing markets. As a result, a market economy is not self-stabilising, leading to occasional sharp ups and downs in total spending. Traditional macroeconomics is the economics of 'stuff'. We need instead the economics of 'stuff happens'.

Even if monetary policy could lower the real interest rate into negative territory, there is no guarantee that demand would pick up. In the world of the economics of 'stuff' it might work by bringing spending forward. But in a world where 'stuff happens', the missing markets for future goods and services provide no price signals to encourage investment to meet future demand. Indeed, digging a hole in expected future demand may actually cause investment to fall. There is a good case to be made for saying that the importance of the zero lower bound on interest rates has been overstated as the source of our macroeconomic problems.

In his otherwise first-rate exposition of the Keynesian model, Paul Krugman (another Nobel Laureate) divides the admirers of Keynes into two types: those who think his most important message is the importance of uncertainty, and those who believe it is the possibility of a general shortfall in aggregate demand.[9] Krugman places himself in the latter camp. But the division is a false one, because the two issues are inextricably linked – the consequence of radical uncertainty is the coordination problem that creates the possibility of boom and slump. Unfortunately, the failure to understand this led to a growing divergence between Keynesian and neoclassical theories. The Keynesian disciples in Cambridge rejected Hicks's formalisation of the master's ideas because the dry though elegant diagrams had sucked the essence of the coordination problems from the analysis. Keynes's key insight was that radical uncertainty means that a capitalist economy needs money and credit and as a result is a different creature from the general equilibrium of the auction economy. The prisoner's dilemma of coordinating individual spending plans and maintaining full employment is ever present. Neoclassical economists thought the Keynesian story lacked a rigorous basis, and they proceeded to develop theories on the assumption that uncertainty about the future could be represented as a known probability distribution defined over an exhaustive list of future outcomes. In other words, radical uncertainty was ruled out.

To be sure, many important aspects of economic behaviour can be understood within a framework of probability. In particular, the role of expectations turned out to be highly significant in trying to understand why rising inflation coincided with high unemployment during the 1970s. Central to the resolution of this puzzle was the idea of 'rational' expectations, that is, expectations consistent with the underlying reality, an idea originated by John Muth at Carnegie Mellon and developed by the Nobel Laureate and Chicago economist, Robert Lucas.[10] Rational expectations are an economist's version of 'you can fool all the people some of the time, and some of the people all the time, but you cannot fool all the people all the time'. And the idea helped to explain why allowing inflation to rise did not lead to a permanently lower unemployment rate. Imagine an economy where unemployment is at its 'natural' rate, with the labour market in balance, and inflation is constant. If the government boosts spending to bring unemployment below its natural rate, then the increased demand for labour will push wages up. But to restore firms' profits, prices will also rise, and real wages will fall back to their original level. If people expect that the government will keep trying to push unemployment down, then wages and prices will chase each other up in an escalating spiral. In the end, unemployment will return to its natural rate, and accelerating inflation will have achieved nothing by way of a permanent reduction in unemployment. That was the fate of the British government which, after the experience of rising inflation and unemployment in the 1960s and 1970s, eventually came to understand that there was no permanent trade-off between the two.

The important idea here was that private-sector expectations reflect systematic patterns of behaviour by governments and central banks as people learn about how the authorities behave. It was central to the development of monetary policy and the case for independent central banks. The impact of changes in interest rates depends upon whether they are unexpected or the predictable result of a systematic 'policy rule'. As we saw in Chapter 5, this way of thinking had a major influence on the way central banks conducted monetary policy. Rational expectations, therefore, became central to modern macroeconomics.

Despite its importance in analysing policy interventions, the concept of rational expectations does not have universal validity. In a world of radical uncertainty there is no way of identifying the probabilities of future events and no set of equations that describes people's attempt to cope with, rather than optimise against, that uncertainty. A common saying among economists is that 'it takes a model to beat a model'. But this overlooks the fact that whereas a world of risk can be described by equations representing optimising behaviour, a world of radical uncertainty cannot be so described. In the latter world, the economic relationships between money, income, saving and interest rates are unpredictable, although they are the outcome of attempts by rational people to cope with an uncertain world.[11] There is no unique 'optimising' behaviour to pin down the equations in the models used by central banks and other economists to make forecasts. It is not that either people or markets are irrational; it is just that we do not understand how rational businesses and households cope with radical uncertainty, and so we cannot predict sharp movements in the economy. As a consequence, many of the statistical estimates of economic relationships turn out to be unstable, and break down during periods of crisis.

By the time the crisis hit with full force in 2008, however, the neoclassical way of thinking had come to dominate the less rigorous Keynesian approach. Some concessions had been made to the idea that markets did not always work smoothly. So-called 'New Keynesian' models (more new than Keynesian) assumed that prices and wages, although not rigid, moved less quickly in response to news than did interest rates or other financial market prices.[12] Changes in money supply and interest rates were not, therefore, immediately reflected in prices but led to temporary changes in real interest rates. Since spending decisions are influenced by real interest rates, central banks could influence the short-term path of output by raising or lowering official interest rates. During the Great Stability such models proved useful in forecasting the relatively small fluctuations in output and inflation that characterised the period before the crisis. But during the crisis they performed poorly.

Most of the large-scale econometric models used by governments and central banks to make forecasts are based on sophisticated versions of 'New Keynesian' models.[13] They afford little role for money or banks, a property that has been a source of embarrassment, both intellectual and practical. They also have one other unfortunate feature – inflation is, in the long run, determined not by the amount of money in circulation but by the expectations of the private sector. Moreover, the inflation target is assumed to be completely and perfectly credible, meaning that people are assumed to set wages and prices in a way that leads the target to become self-fulfilling. As a result, forecasts of inflation made by central banks always tend to revert to the target in the medium term.[14] Because they assume rather than explain inflation in the long run, the models are reminiscent of the old joke about the physicist, the chemist and the economist stranded on a desert island with a single can of food. How are they to open it? The economist's answer is, 'Assume we have a can opener.'

It is not surprising, therefore, that the crisis created a serious challenge to conventional economic thinking. Many of the large shifts in macroeconomic variables, such as productivity and real wages, output and inflation, migration and population size, are determined ultimately by unobservable and unpredictable events: the political changes that led to the oil price shocks of the 1970s; the Vietnam War that led to the political decision to accept high levels of inflation in the United States and elsewhere; the political decision to go ahead with monetary union in Europe in 1999; the political reforms in China that led to its rapid growth and integration in the world economy. None of those would have found a place in the economic forecasting models used by central banks. They are 'political economy' variables. Yet these big surprises were in fact the driving force of major developments in the world economy. They represent not the random shocks of the forecasters' models but the realisation of radical uncertainty.[15] The intellectual framework of the neoclassical model, as implemented empirically in New Keynesian models, appeared the best on offer, but it was inadequate to explain the build-up of a disequilibrium that resulted in the crisis.[16]

To sum up, neither Keynesian nor neoclassical theories provide an adequate explanation of booms and depressions. After the recent crisis there was a resurgence of interest in theories that purported to explain the transition from periods of boom to periods of slump. Foremost among these was the theory of Hyman Minsky, an American economist who tried to reinterpret Keynes, that market economies inevitably exhibit financial instability.[17] Long periods of stability would, he argued, create excessive confidence in the future, leading to the underpricing of risk and overpricing of assets, a boom in spending and activity, and excessive accumulation of debt, ending in a financial crash which, because of high debt burdens, would lead to a deep recession. Inevitably, in the wake of a crisis such ideas appear common sense and highly plausible; up to a point, they are. But they suffer from two problems.

The first is that Minsky believed there would always be a boom before the bust. But in the recent crisis there was no boom beforehand – growth in the major economies in the five years leading up to the start of the crisis was close to its long-term average – although there was certainly a post-crisis bust. There was a rapid rise in asset prices, debt and leverage of the banking system, but output growth, unemployment and inflation were all rather stable. Each crisis has its own distinctive pattern. No two are the same. Their causes differ, although most are accompanied by sharp changes in levels of money and debt and entail problems in the banking sector. Sometimes a crisis is a reaction to a dramatic and wholly unexpected event, as in 1914, when the shock was the realisation of the inevitability of the First World War. Sometimes it is the consequence of the gradual build-up of an unsustainable position where one more apparently modest addition to the pile of credits and debts is the straw that breaks the camel's back, as in 2008. Other times, bad policy judgements by governments or central banks, whether about monetary and fiscal policy or decisions to interfere with well-functioning markets, can cause trouble – as happened in the 1970s, when governments in several countries resorted to direct controls of wages and prices to deal with inflation, and in the 2000s, when the US government distorted the supply of finance to the housing market.

The second problem with Minsky's theory is that it depends on the irrationality of households and businesses. Periods of stability are characterised by excessive optimism, inevitably followed by excessive pessimism. The idea that people have a psychological propensity to underestimate the probability of events that have not occurred for some time – and so underestimate the chances of a crisis – underlies recent work on the psychology of financial crises.[18] A similar story is used in the study of the link between debt and crises by Reinhart and Rogoff, whose thesis is captured by the ironic title of their book *This Time Is Different*. The problem with such explanations is that they share the weaknesses of all behavioural economics, as discussed in Chapter 4: they add complexity in order to explain observed 'anomalies' without improving our ability to predict. It is no accident that interest in Minsky surged *after* the crisis. Exactly the same critique applies to the attempt since the crisis to incorporate features of the banking and financial system into conventional models.[19]

Rather than relying on particular instances of irrational behaviour, I believe it is more fruitful to see 'mistakes' or 'misperceptions' as the result of attempts by economic agents to behave rationally in a world of radical uncertainty. In this way, it may be possible to understand why there was a bust without a prior boom, as I discuss below. To do this we need to look more closely at how families and businesses allocate their spending between the present and the future. The Keynesian analysis of saving is simple – rather too simple. Keynes argued that 'the fundamental psychological law, upon which we are entitled to depend with great confidence both *a priori* from our knowledge of human nature and from the detailed facts of experience, is that men are disposed, as a rule and on the average, to increase their consumption as their income increases, but not by as much as the increase in their income'.[20] The proposition that this is a fundamental psychological law, as opposed to an alleged empirical observation, would have seemed faintly ridiculous had not the circumstances of the times in which Keynes wrote made the theoretical framework less important than the urgent need to deal with mass unemployment.

Keynes could fall back on his earlier quip that 'in the long run we are all dead'.[21] A brilliant debating ploy, but a good example of a witty saying that obscures the real argument. Not only is it untrue – future generations will replace those alive today and we all care to a greater or lesser extent about the welfare of our successors – but it seriously underplays the impact of expectations of the future on the present. Perhaps Keynes was in a hurry to influence economic policy; as Hicks rather unkindly wrote, 'the things against which he [Keynes] protested had usually already happened, so that it was only to a slight degree that he changed the course of events'.[22]

The neoclassical 'optimising' model does a better job of explaining saving and investment decisions. It recognises that when a household can borrow and save, the constraint on its spending is its income over its lifetime, not its current income. In other words, it faces a 'lifetime budget constraint'. Of course, some families may be unable to borrow and are constrained by their inability to access credit. But most consumption is enjoyed by households that can borrow via mortgages and save through pension schemes. For such families, spending today is at the expense of spending tomorrow. Most people do not want to experience sharp falls in their standard of living from one year to the next, so they try to smooth their consumption spending. As a result, permanent changes in a family's income lead to broadly equivalent increases in spending, whereas temporary changes have a much smaller effect on current spending. The problem with the neoclassical approach is that it assumes that the unexpected surprises confronting households take the form of a stable and known statistical distribution of temporary 'shocks'. This characterisation of uncertainty cannot explain crises, except as very exceptional events visited upon us like a biblical plague of locusts.

A different story: fuzzy budget constraints, narratives and disequilibrium

The crisis raised deep questions about the foundations of the economic models used by central banks around the world. Those models ignore radical uncertainty and assume that everyone has rational expectations. In so doing, they assume away the coordination problems that are the consequence of radical uncertainty. Yet the concept of 'rational' expectations has no clear meaning in a world of radical uncertainty. Many economists will be reluctant to abandon the assumption of rational expectations because to do so appears to undermine the subject as a science and opens the door to a line of reasoning where expectations have a life of their own – the indiscipline of behavioural economics. I am sympathetic to those concerns. Great damage was done in the past by drawing policy conclusions from economic models with arbitrary assumptions about expectations. But ideas that by their nature cannot be expressed in a formal mathematical model should not be dismissed out of hand. I do not suggest that we abandon the assumption that people try to behave in a rational manner. But as explained in Chapter 4, the question facing households and businesses is what it means to be rational in the face of radical uncertainty. I suggested that saving and investment decisions might be better understood by referring to them as the result of 'coping' than 'optimising' behaviour.

Faced with an unknowable future, businesses and households create a narrative that guides their decisions on spending and saving. That narrative is embodied in a coping strategy which generates a heuristic to help them respond to information about prices and incomes. The choices of narrative and heuristic do not constitute a general theory of behaviour – they are highly specific to particular historical circumstances.

Central to the choice of a coping strategy is the impact of radical uncertainty on lifetime budget constraints. Ask anyone what they think their lifetime income will be, and the answer will reveal that it is shrouded in uncertainty. Older readers might like to cast their mind back to when they were starting work. How much of what has happened to you since was imaginable, and would you have been able to form then a good estimate of your subsequent lifetime income? No one can honestly be clear about the precise constraint that will be imposed by their lifetime income. Radical uncertainty creates a degree of 'fuzziness' in lifetime budget constraints. This is not to suggest that households behave as if they face no budget constraint at all, but that the precise location of such a path is inevitably vague and cannot be described by a probability distribution.

The problem is not just complexity but also the pretence of knowledge. Since it is impossible to be confident of knowing the future chances of particular income levels, the risk of losing one's job, the correlations between different investment opportunities and countless other relevant factors, the danger in trying to 'optimise', even if one has a large computer, is that the pretence of knowledge leads you to select an optimal solution based on assumptions that are almost certainly false – the right answer to the wrong question. Optimising over a false model is in many instances worse than the use of a coping strategy that works in your particular environment. Rather than attempt complex statistical calculations, it is better to make investment decisions using a choice of heuristic that reflects a sensible narrative.

Fuzzy constraints matter because, if households can borrow and lend, the degree of restriction implied by a lifetime budget constraint is extremely weak in the short term. It is possible for spending to deviate from a sustainable level for a long time.

The feedback from a fuzzy constraint may take several years to impact on spending decisions, creating the possibility of a slow build-up of a big misperception or 'mistake' about the constraint implied by future incomes. The result is a disequilibrium in spending and saving.

The narrative people use to estimate their lifetime income will relate both to individual factors, such as current earnings, job prospects and health, and to a view about the economy as a whole, its likely evolution and stability. That suggests a two-part heuristic for spending decisions. First, if the path for total spending in the economy as a whole appears sustainable, then one should hold expected lifetime income constant. In other words, people infer estimates of changes in 'fuzzy' lifetime incomes from perceptions of the sustainability of current spending rather than, as in conventional economic models, the other way round. Second, one should revise the estimate of lifetime income only in response to individual news (for example, a marked change in personal circumstances such as sickness, sudden promotion, or marriage and divorce) or in the event of a major change in beliefs about the economy that changes the plausibility of the view that the current path is sustainable.

Those estimates of lifetime income would be divided between current and future spending along the lines suggested by neoclassical theory – defer spending if interest rates are high and bring it forward if rates are low. In normal circumstances, with positive real interest rates at their average historical level, planned spending will rise steadily over time because the benefits from deferring consumption to the future – earning interest on the implied saving – will more than offset our natural impatience to spend today rather than tomorrow. In today's conditions, with real interest rates close to zero, the profile of planned spending will be rather flat or, possibly, declining.

The implications of this two-part heuristic – the stability

heuristic – for aggregate consumer spending are twofold. First, in the absence of a major shock to perceptions about the sustainability of the path of the economy, consumption is likely to be rather stable. Changes to personal circumstances may cause a sharp change in the spending of individual families but are unlikely to have a significant impact overall – shifts in beliefs about lifetime budget constraints are idiosyncratic and wash out in the aggregate. The numbers of sicknesses, births and deaths, marriages and divorces, promotions and career disappointments do not change radically from one year to the next, even if their realisation is dramatic for the person concerned. So they will not have a noticeable impact on overall spending. Only a large shock to perceptions of sustainability will prompt households to revise their estimates of lifetime income and hence their current spending. During the Great Stability the heuristic meant that aggregate lifetime income was expected to be remarkably stable.

The second implication is that households and businesses are likely to make 'mistakes' about the consistency of their current estimates of lifetime income with the underlying reality. An apparently stable, but ultimately unsustainable, path of total spending, as was seen in the Great Stability, can lead households to infer that their own spending is consistent with their lifetime budget constraints. Since all households are using aggregate spending to make those inferences, their mistakes will all be in the same direction. The mistakes do not cancel out for the economy as a whole, and lead to a disequilibrium in which current spending plans slowly but steadily drift away from the path implied by the underlying reality. That disequilibrium may appear stable, but it is not sustainable indefinitely. It will persist until something happens to make people revise the narrative of their lifetime income, at which point past mistakes will need to be corrected. That is precisely, I think, what happened in the crisis when it became apparent that expectations about future spending in countries such as the US and the UK had been too optimistic.

The existence of fuzzy budget constraints means that misperceptions and mistakes are almost inevitable, as are their subsequent correction. During the decade before the crisis – one I christened the NICE (non-inflationary consistently expansionary) decade – the rhetoric of economists, central bankers and politicians was largely, if not entirely, directed to the belief that the Great Stability would continue.[23] But the purpose of the NICE label was precisely to point out that it could not continue and that future decades would not be so nice. The longer the disequilibrium persists, the greater the correction will be. And once the narrative has been revised, it is rational to move to the new path of spending quickly.

The concept of rational expectations played an important role in alerting economists to the fact that policy interventions might prove less effective than Keynesians had assumed, but it overlooked the fact that in a highly uncertain world, businesses and households might make persistent over- or underestimates of their true potential spending or wealth. Those mistakes can generate misperceptions of wealth and affect asset prices. Indeed, the existence of financial markets can make matters worse.

Take a very simple, if extreme, example. Two friends meet and talk about the prospects for the stock market over the next year. One is convinced that the market will rise; the other that it will fall. They agree to differ and are about to go home when a bookmaker on an adjoining table offers to arrange a bet of $1 million on the level of the market a year ahead. The first person is so convinced that the market will rise that he bets $1 million that it will be higher a year from now. Sure that he will be much richer in a year's time, he starts to spend now. The second person bets that the market will fall over the coming year and, extremely confident of being much richer, he also starts to spend now. The bookmaker covers his bets.

Financial markets thrive on differences of opinion – they make the horse race. They also create 'mistakes' in perceptions of wealth or spending power. After the bet has been placed, perceived expected wealth is $2 million higher than before – both people think they will be $1 million better off. At the end of the year one person will have won $1 million, as expected, and the other will have lost $1 million and be $2 million worse off than he had expected. The ability to place bets or make transactions on financial markets creates swings in perceptions of spending power and actual current spending. In the world of the grand auction of Chapter 2, markets make people better off. In a world of radical uncertainty, they may lead to big mistakes. This is one of the ways in which financial markets affect the workings of the real economy and generate volatility in asset prices, which in turn affects the stability of the banking system.

A major question for central banks is whether they should try to correct mistakes in beliefs that are leading to an unsustainable path for the economy. In my view, this is the most important challenge for monetary policy, and especially to inflation targeting, in the future. For such an approach to be feasible, a central bank must not only be confident of identifying the mistakes that have led others astray, but also find a way to change the incorrect perceptions of businesses and households without making the state of the economy worse. That is a difficult task, as we will see below when analysing an alternative to the monetary policies adopted during the Great Stability.

The Keynesian story of a recession is one in which the inability to coordinate future spending plans means that a loss of confidence in the willingness of others to spend leads businesses to cut back on investment and production, resulting in a cumulative contraction in total demand – 'the only thing we have to fear is fear itself', in the words of President Franklin Roosevelt in 1933.[24] When we view the problem facing households and businesses in the light of coping strategies, we can see that there is an alternative reason for episodes of weak aggregate demand. There can be lengthy periods during which the information used to construct estimates of lifetime income (here, the stability of the path of total spending) is providing no signal to households that their own current spending is unsustainable. At some point a new signal arrives that leads all households to make corrections in their spending. When the narrative for lifetime income changes, then a major adjustment to spending plans occurs. That new level of demand is not a temporary deficiency of aggregate demand in a Keynesian sense, but a rational response to the realisation that past spending was based on a misperception of lifetime income.

Both explanations of a downturn derive from radical uncertainty, and they are by no means incompatible. But the crucial difference between the two stories lies in the appropriate policy response to weak demand. In a Keynesian downturn, policies to boost aggregate demand in the short term, by monetary or fiscal stimulus, can help to dispel fear and restore both confidence and spending to their previous paths. In a narrative revision downturn, however, it is a mistake to try to return to the earlier path of spending. Policies to boost demand in the short term may appear to help but do not alter the need for a correction of the disequilibrium.

Financial crises are often seen as the materialisation of a low-probability event that was simply not expected. People were caught by surprise. But as Chapter 1 showed, financial crises are fairly frequent. So it seems odd to see them as the consequence of very infrequent events. Another explanation is that people underestimate the likely frequency of extreme outcomes which, in fact, are drawn from probability distributions with 'fat tails', that is, the likelihood of extreme outcomes is much greater than normally assumed. As Alan Greenspan remarked, 'the tails must be not merely fat but morbidly obese to explain what has happened over the years'.[25] The problem with all such interpretations is that they see crises as the result of a throw of the dice by the economic gods, randomness that fools mere mortals. What is missing is the possibility that the evolution of the economy itself creates a build-up of misperceptions and mistakes. Sharp swings in sentiment are not irrational, the product of random changes in 'animal spirits' independent of economic circumstances, but the result of rational attempts to cope with radical uncertainty. And when judgements about lifetime incomes are revised, as reality eventually dawns, they produce the sudden and large changes in asset values associated with a crisis.

Causes and consequences of the 2008 crisis

The economic record of advanced economies between 1950 and 1970 was one of success. Recovery from the devastation of war led to rapid economic growth and rising standards of living in all the major industrialised economies, including those who suffered most from the conflict of the Second World War. A key explanation for the success and stability of the immediate post-war decades was a degree of confidence that Keynesian economics could guarantee stability. While businesses believed in the heuristic that governments could and would ensure steady economic expansion, investment seemed less risky than during the instability of the inter-war period. So investment continued to rise at a steady rate, producing stable growth. Expectations of continued steady growth were self-reinforcing.[26]

Unfortunately, the belief that governments could eliminate the business cycle proved illusory. After the success of the immediate post-war period, problems emerged that could not be concealed by a belief in the effectiveness of Keynesian policy stimulus. The oil price shocks of 1973 and 1979 raised inflation and reduced potential output in the industrialised world. Unemployment could be maintained at previous low levels only by accepting cuts in real wages. But attempts to ignore those shocks by continuing to run economies at low rates of unemployment without reductions in real wages led to rising, indeed accelerating, inflation. It soon became clear that the fall in real wages implied by the rise in oil prices could not be avoided, and that attempts to do so would create unemployment which, if it persisted, would erode skills and lead more people to drop out of the labour force altogether. The only way to reduce the growing level of unemployment, especially in Europe, with its inflexible labour markets, was to lower the 'natural' rate of unemployment as determined by the supply and demand for labour by introducing major reforms. They included legislation to rein in union power, reductions in unemployment benefits relative to average wages, and measures to reduce job protection by introducing temporary labour contracts.[27] Stability-oriented macroeconomic policies could then ensure low and stable inflation. So successful was this approach that inflation fell across the industrialised world, which then experienced an unprecedented period of stable growth and low inflation – the Great Stability.

The conquering of inflation was an important achievement. It was possible to manage paper money in a democracy. But the flaw with the Great Stability was that many people confused stability with sustainability. In the major economies, output during the Great Stability rose at rates close to their previous historical averages. From the perspective of the economics of 'stuff', and conventional macroeconomics, the situation looked sustainable. But the composition of demand was not. The origins of this growing disequilibrium were explained in Chapter 1. Countries such as China and Germany, for different reasons, pursued policies to encourage exports, ensured their exchange rates were undervalued, and as a result ran large trade surpluses.[28] The arithmetic consequence of those trade surpluses was significant lending to the rest of the world. From the early 1990s, more and more savings were invested in the world capital market. Long-term real interest rates – which move to match savings and investment – started to fall. By 2008 they had fallen from over 4 per cent to below 2 per cent a year. An immediate consequence of such a sharp fall in the rate at which future profits and dividends were discounted was that asset prices – of stocks, bonds, houses and most other assets – rose during the intervening period. Households and businesses were encouraged by the fall in real interest rates to bring forward both consumption and investment spending from the future to the present. Countries such as the United States and United Kingdom, facing structural trade deficits, cut their official short-term interest rates in order to boost domestic demand.

The narrative that took hold was one of stability. After all, GDP as a whole was evolving on a sustainable path, with growth around historical average rates and low and stable inflation. Trade deficits and savings ratios were stable relative to GDP. So, using the stability heuristic described above, households inferred that lifetime income was moving along a stable path. Stability at the aggregate level metamorphosed into a belief in its sustainability. Nothing seemed to happen to challenge the narrative. So households and businesses came to believe that levels of domestic demand were also sustainable.

How could households be so misled for so long? Why did they not understand the argument that demand was unsustainably high? Few families have the following conversation over dinner at home: 'Darling, I'm worried that domestic spending in the economy is too high, and that at some point real interest rates will have to rise and the trade deficit come down. At that point, domestic spending will fall and we'll be part of that adjustment. Perhaps we should adjust our own spending now to a new and more sustainable path.' Moreover, at any time when that conversation could have taken place, financial markets and professional investors appeared equally complacent about the growing disequilibrium. Markets set prices in a widespread belief that real interest rates would stay low for a long time. Households were in good company.

The interesting question is why businesses and households, investors in financial markets and policy-makers all believed that for long-term real interest rates to stay so low for so long was compatible with a growing market economy. The explanation is that the intellectual framework that has come to dominate economic thinking, including that of almost all central banks, rules out by assumption the disequilibrium described above.

There was, nevertheless, plenty of room to disagree about the likely effect of rising asset prices. Before the crisis hit, there was a debate between the Federal Reserve and the Bank of England about the impact of house prices on consumer spending. The Federal Reserve argued that an increase in household wealth would boost consumption. Since housing makes up a substantial proportion of total personal wealth, an increase in house prices should increase consumer spending. Statistical evidence for the post-war period seemed to back up this proposition. In contrast, the Bank of England argued that an increase in house prices would in itself not increase household spending. After all, if you are told that the value of your house has gone up by 25 per cent during the past week, you may feel wealthier but you have no more income to spend. The only way in which you could generate funds would be to move into a smaller home or borrow against the higher value of the house (and for most families housing is the best form of collateral which they can pledge).[29] A homeowner is both landlord and tenant in her own property. A rise in house prices increases the wealth of the homeowner as landlord but increases the implicit rent paid by the owner-occupier as tenant. That is an economist's way of expressing the common-sense observation that a rise in the price of the home that you own does not mean that you will now be able to afford a new car or expensive holiday.[30]

The stability heuristic seemed to apply to households and policy-makers alike, and for a time reinforced the stability of spending. The level of spending continued at unsustainably high levels in the United States, United Kingdom and some other countries in Europe, and at unsustainably low levels in Germany and China. That created an imbalance within those countries, with spending either too high or too low relative to current and prospective incomes. And the imbalance between countries – large trade surpluses and deficits – grew. These developments were not irrational, but were the consequence of people struggling to behave rationally in a world of radical uncertainty, part and parcel of a market economy.

All this added up to a disequilibrium within and between major economies. There was neither internal nor external balance. From the mid-1990s, international meetings settled into a pattern in which European officials would berate the United States for saving so little, American officials would lambast Europeans for failing to understand the need for a change in trade balances, and Japanese officials would remain knowingly silent. Chinese officials would report the latest historically high growth rate. But there seemed little understanding of how all these factors fitted together.

The disequilibrium in the world economy became

increasingly serious. Real interest rates were distorted well below the likely expected return on capital investment in an economy growing at its normal rate, encouraging investment in areas where demand was subsequently revealed to be unsustainably high. Real exchange rates were distorted, so creating unsustainable trade deficits and surpluses, along with a flow of capital from countries where returns on investment were high to countries where they were low. Bad investments were made – in housing in the US and some countries in Europe, in commercial property, such as shopping centres, in the UK, in construction in China and in the export sector in Germany. In order to encourage a shift of resources into the export sectors of the countries with trade deficits, it was necessary to raise the price of tradeable goods and services relative to the price of non-tradeable goods and services. But the rigidity of exchange rates and the pursuit of low inflation combined to make it difficult to achieve the rise required.

A good example of the tensions lying below the surface of the Great Stability is the experience of the UK. Only after the crisis hit was it possible, through a sharp fall in the sterling exchange rate and a willingness to let inflation rise above the 2 per cent inflation target for several years while the higher prices of imports and other tradeable products were being absorbed, to start the process of rebalancing the economy. And that process was interrupted in 2014–15 by the understandable desire of the European Central Bank to weaken the value of the euro in order to stimulate the economies of France and Italy, in particular, which reversed the earlier sterling depreciation. Across the world, government policies have, whether by design or accident, impeded movements in exchange rates and pushed long-term interest rates down to unsustainably low levels.

In the long run, these key prices – real interest rates, real exchange rates and the price of tradeable versus non-tradeable goods – must adjust to a new and sustainable equilibrium. If governments do not allow that to happen, then the debts and credits that have built up during the interim period of disequilibrium will eventually have to be cancelled. Capital flows will be transformed from loans to gifts or 'transfers'. Such a development is likely to provoke conflict between creditor and debtor nations. The stability heuristic explains why the horizon over which a disequilibrium persists can be long. And the longer this horizon, the weaker will be demand once expectations of future incomes are brought back into line with the underlying reality.

Something has to give. Stability does not necessarily contain the seeds of its own destruction – in that sense Minsky was wrong. But stability accompanied by unsustainability offers only the appearance of true stability and must at some point come to an end. As in so many crises, the point of greatest vulnerability was in the banking sector. It had become so highly leveraged that, as described in Chapter 1, relatively small items of news from the housing market in the United States in 2006 and the position of some European banks in 2007 led to nervousness about the state of the sector. After the collapse of Lehman Brothers in September 2008, there was both a full-blown banking crisis and an enormous shock to confidence around the world. The stability heuristic was no longer appropriate. The narrative changed. It was now far from obvious how to estimate lifetime income. All that was clear was that spending patterns would have to change. Caution prevailed, borrowers were reluctant to borrow and lenders to lend. There was a synchronised de-leveraging of balance sheets, and a large downward correction in spending and output, in countries where demand had been unsustainably high. That had a substantial consequential effect on countries that had relied on trade to support growth. China, for example, suffered a sharp fall in exports, especially to Europe. From 2000 to 2008, the average annual growth rate of China's exports of goods exceeded 20 per cent. In 2009, exports fell by 11 per cent, and although growth rebounded in 2010 in subsequent years, it has been only at single-digit rates.[31] Around the world, the realisation that a lower path of spending was likely to be appropriate, and the uncertainty surrounding the location of that path, combined to create a period of sustained weakness in both consumption and investment spending.

After 2008 it became commonplace to argue that the crisis originated in the financial sector, or possibly, in the United States, in the housing market. This is to confuse symptoms and causes. Undoubtedly, the fragile nature of our banking system made the crisis acute and fast-moving. But across the world there was a massive macroeconomic disequilibrium both within and between most major economies. The failure to appreciate the nature of this imbalance contributed not only to the build-up of a highly unstable pattern of credits and debts, but also to a faulty diagnosis of the slow and faltering recovery in the advanced economies after the banking crisis came to an end in 2009.

In 2014, Jaime Caruana, the General Manager of the Bank for International Settlements, said, 'there is simply too much debt in the world today'.[32] And Adair Turner, former Chairman of the Financial Services Authority, asserted that 'The most fundamental reason why the 2008 financial crisis has been followed by such a deep and long-lasting recession is the growth of real economy leverage across advanced economies over the previous half-century.'[33] The problem with such statements is that, although they correctly point to the greater fragility resulting from high debt levels, debt was a consequence, not a cause of the problems that led to the crisis. Debt did not descend like manna from heaven but was a conscious response by borrowers to the situation they faced. Most bank lending to households and companies in recent years was to finance property.[34] But banks did not set out to create a bubble in house prices. Rather they were responding to the demand for borrowing that resulted from the need to finance higher values of the stock of property. In turn, those higher values were a rational reflection of the lower level of long-term real interest rates documented in Chapter 1. The real causes of the rise in debt were the 'savings glut' and the response to it by western central banks that led to and sustained the fall in real interest rates.

The danger with the 'economics of stuff', whether Keynesian or neoclassical, is that it leads to the complacent view that a chronic deficiency in demand is always of a Keynesian type and is the sole explanation of slow growth in the world today. Once we recognise that demand is divided between consumption today and consumption tomorrow, and also between consumption of goods made exclusively at home and goods that can be traded overseas (either exports or imports), and that total spending can be either consumption or investment, then it is clear that 'aggregate demand' is an incomplete concept for understanding the current situation. The problem with limiting the diagnosis to a shortage of aggregate demand is that it has led economists to infer that the remedy is to boost current spending through whatever means is to hand – easier monetary policy, fiscal expansion or words of encouragement by governments that the worst is over.

These Keynesian remedies have their place in dealing with a shock to confidence, such as we saw in 2008–9. But beneath the surface was a much deeper disequilibrium between spending and saving, as the choice between spending today and spending tomorrow had been distorted for many years by falling real interest rates. As a result, we experienced, first, the calmness of the Great Stability, then the turbulence of the crisis, followed

by the Great Recession. Policy-makers allowed the disequilibrium to build up, then correctly adopted a Keynesian response
to the downturn in 2008–9 but failed to tackle the underlying
disequilibrium. Understandably concerned with the paradox of
thrift, they adopted policies that led to the paradox of policy –
where policy measures that are desirable in the short term are
diametrically opposite to those needed in the long term.[35]

Short-term Keynesian stimulus boosts consumption, reduces
saving, and encourages households to borrow more. But in
the long term, policy in the US and UK needs to bring about
a shift away from domestic spending and towards exports, to
reduce the trade deficit, to lower the leverage on household and
bank balance sheets, and to raise the rate of national saving and
investment. The irony is that those countries most in need of
this long-term adjustment, the US and UK, have been the most
active in pursuing the short-term stimulus.

Looking back, an example of a downturn in which policy-
makers did not impede adjustment to a new equilibrium, and so
did not create a paradox of policy, was the episode in 1920–1.
In 1919 the Federal Reserve started to raise interest rates to
combat inflation. In 1920, the American economy entered a
deep recession. Commodity prices around the world started
to fall that spring. During the downturn, producer prices
fell by 41 per cent and industrial production by over 30 per
cent. Stock prices fell by almost one-half.[36] Farmers and other
producers defaulted on their debts. No official body in those
days calculated measures of GDP, but subsequent researchers
have estimated that total output fell by between 3 and 7 per
cent.[37] Unemployment rose to not far short of 20 per cent.
Many employees accepted substantial cuts in wages and by the
autumn of 1921, activity had started to recover. The depression came to an end and activity and prices were stabilised.
The striking fact is that throughout the episode there was no

active stabilisation policy by the government or central bank, and prices moved in a violent fashion. It was, in the words of James Grant, the Wall Street financial journalist and writer, 'the depression that cured itself'.[38]

The 'mistake' made in this case by consumers, businesses and banks was to assume that the rise in commodity prices after the First World War, from cotton and sugar to automobiles and steel, was permanent. It led to overinvestment in inventories and stocks of raw materials and finished goods, and generated a natural fall in prices when that excess supply became evident. The excess stock levels were disposed of and the fall in prices stimulated a recovery in demand and employment. Grant argues that it was the wage and price flexibility of the period that enabled a speedy recovery to follow an initial deep down-turn. It is certainly possible that the greater flexibility of wages and prices in the early 1920s, at least compared with the later experience in the 1930s and early post-war period, was helpful in stimulating a more rapid recovery. But part of the reason for that was a rise in the real stock of money as prices fell – a sort of passive stabilising monetary policy.

The key lesson from the experience of 1920–1 is that it is a mistake to think of all recessions as having similar causes and requiring similar remedies. Sharp swings in inventory prices and stocks may be self-correcting. A Keynesian downturn resulting from a lack of confidence can be overcome by policies that restore confidence in the future path of total spending. A recession created by central banks trying to bring down inflation can be undone by restoring monetary policy to its normal setting once inflation expectations have been reduced to a desired level. And a narrative revision downturn can be resolved only by moving the economy to a new equilibrium in which spending comes into line with realistic perceptions of lifetime budget constraints.

The appropriate policy response, therefore, depends upon the nature of the downturn. Sometimes a recession reflects more than one cause. In 2008, the shock to confidence following the banking collapse led to a Keynesian downturn around the world on top of which was superimposed the adjustment to businesses and households' earlier 'mistake' in assessing the sustainable level of spending. As explained above, that complicated the required policy response and led to the paradox of policy. The Great Depression in the 1930s saw violent swings of output and employment. In their classic study of the monetary history of the United States, Friedman and Schwartz argued that this was the fault of the Federal Reserve for remaining passive in the face of a sharp decline in the amount of money as banks failed and reduced lending. Out of this experience was born the view that an activist monetary and fiscal policy was essential. Stabilisation policy was a phrase that entered the textbooks. But policy also had to tackle the underlying solvency issues in the banking sector, leading to the creation of the Federal Deposit Insurance Corporation. No single model will capture all the relevant features of a crisis, and that is one of the dangers of the mindset instilled by the 'economics of stuff'.

An alternative history of the pre-crisis period

Could and should policy-makers have reacted sooner to the disequilibrium that was building up prior to the crisis? What strategies might have been deployed by the G7 countries before the crisis? With the benefit of hindsight, should interest rates have been higher during the period of the so-called Great Stability? We can explore these questions by going back to the pre-crisis period and asking whether there was an alternative policy that might have produced a different result.

As a medium-sized, open economy, the United Kingdom

offers a good example of how to think about an alternative monetary policy prior to the crisis. In the build-up to the crisis of 2007–9, the average growth rate of GDP was only a fraction above the previous fifty-year annual average of 2.75 per cent. There was no 'boom' in output growth that heralded an inevitable 'bust'. Inflation was steady and close to the 2 per cent target; unemployment was close to estimates of its natural rate. In terms of the economy as a whole, the appearance was not just of stability but of sustainability. But although the growth rate of output was sustainable, its composition was not. Since the late 1990s, the UK, like the US, had run a large trade deficit, reflecting the structural surpluses of countries like China and a substantial appreciation of the sterling exchange rate of around 25 per cent against most other currencies. Consumer demand had risen at the expense of exports. Investment had been directed to the sectors producing to meet consumer demand – including commercial property (although not residential housing, which was subject to strong planning restrictions on development). To meet the inflation target it was necessary to stimulate domestic demand, at the cost of exacerbating the internal and external imbalances, in order to compensate for weak external demand.

As early as the late 1990s, there was an intense debate within the Monetary Policy Committee (MPC) of the Bank of England about whether we should try to offset this unsustainable imbalance in the pattern of demand.[39] The problem was that if domestic demand grew too rapidly for too long, then the longer the correction was deferred, the sharper the ultimate adjustment would be, as turned out to be the case when the adjustment finally started in 2008–9.[40] The committee faced an unpalatable choice between continuing with steady growth and low inflation, knowing that this would exacerbate the imbalances and risk a sharp downturn later, and deliberately creating a slowdown in order to return to a more sustainable path for domestic demand at the cost of rising unemployment and inflation below the mandated target in the short run. Not surprisingly, perhaps, the committee opted for the former.[41] The position was summed up by my predecessor as Governor, Eddie George, in 2002 when he said, 'So in effect we have taken the view that unbalanced growth in our present situation is better than no growth – or as some commentators have put it, a two-speed economy is better than a no-speed economy.'[42]

In choosing the 'two-speed growth is better than no growth' strategy, the Monetary Policy Committee endorsed the build-up of imbalances and the likelihood of a subsequent sharp downward adjustment in domestic demand. Should policy have erred on the side of slower growth and undershooting of the inflation target in order to reduce the risk of a destabilising correction later? The alternative policy would have been to keep interest rates higher in the hope that a slowing of domestic demand would change the narrative driving spending decisions. Asset prices, debt and bank leverage might have risen by somewhat less. Any such alternative path for the economy would have implied recession and unemployment, as well as inflation below the target. But it is possible that accepting a smaller recession then would have dampened the Great Recession a decade later.

So what would have happened had the MPC adopted the alternative policy of higher interest rates prior to 2008? It is impossible to be sure, and much depends on what sort of coping strategy households and investors might have employed. On the committee, two views were discussed. One was that by setting interest rates at a much higher level, so dampening domestic demand and output growth, expectations of a sustainable path for domestic demand might be 'jolted' down to a lower, more realistic path. That would, under the stability heuristic, have led to expectations of a fall in the long-term exchange rate, consistent with a sustainable path of domestic demand, lower real wages and lower domestic spending. The narrative underpinning the high level of domestic demand would have changed to one based on lower, and more realistic, expectations of potential consumer spending. The exchange rate would have fallen, allowing higher external demand (exports less imports) to offset weaker domestic demand. After a time, we might have attained 'one-speed' growth, so avoiding the unpalatable choice between 'two-speed' growth and no growth.

The other view was that UK monetary policy alone, by raising interest rates to a level higher than those in other countries, would not have had much impact on beliefs about the long-term sustainability of the economy or on the expected long-term equilibrium value of sterling. In other words, the stability heuristic would have led to unchanged beliefs about the long-term exchange rate. In that case, higher interest rates would instead have caused an immediate upwards jump in the exchange rate in the short term as investors could earn more on sterling than on other currencies. Far from rebalancing the economy, the higher exchange rate would have meant even weaker external demand, and some slowing of growth.[43]

The dilemma was an inevitable consequence of the disequilibrium that had built up in the world economy. The stability heuristic suggests that shaking the confidence of consumers in the sustainability of their path of spending was a necessary precondition of rebalancing the UK economy, but the proposition was never put to the test. Not until years later, when the crisis hit, did people make adjustments to their expectations of real incomes.

The United Kingdom was not the only country facing this dilemma. If all countries had set higher interest rates, then it is possible that the resulting slowdown would have changed the narrative guiding expectations and spending both in countries with deficits and those with surpluses. But no single country seemed able to achieve that. Each central bank acting on its own was faced with the invidious choice between raising interest rates sufficiently to dampen the level of domestic demand, knowing that the likely result would be a recession at home, and continuing on a path that would in the end prove unsustainable and lead to an even bigger recession. And even the former path would not have prevented the global financial crisis. The excessive risk-taking and expansion of bank leverage was the result of low long-term interest rates around the world, not simply short-term official rates in one country. Since the crisis, the twin challenges of healing our economies and overcoming hubris have been exacerbated by the fact that central banks, along with most other players in the story, are facing a prisoner's dilemma.

In a Keynesian downturn the inability of economic agents to coordinate today on their future spending plans creates the possibility that demand may be well below its full employment potential. With radical uncertainty, however, there are other possible explanations of downturns in the economy. In a downturn brought about by a narrative revision, the evolution of the economy is less the result of external shocks to confidence and more the playing out of the build-up and correction of misperceptions about the future. Long periods during which people are liable to misperceive their wealth and future income – supported by the stability heuristic – can lead to a disequilibrium that distorts the balance between spending and saving and the level of asset prices. When the narrative changes, the correction in both spending and asset prices can be violent – the economics of 'stuff happens' rather than the economics of 'stuff'. Both before and during the correction, financial markets are only the messenger and not the cause of these misperceptions.

The failure to allow for such 'mistakes' can, and in the

context of the crisis did, lead to a misdiagnosis of the state of the economy and hence of the appropriate policy response. Relying solely on traditional Keynesian monetary and fiscal stimulus risks recreating the disequilibrium of the previous spending path when a move to a new equilibrium is what is required. Such stimulus may smooth the adjustment for the move to a new equilibrium, but is not a substitute for it. At some point, the 'paradox of policy' must be confronted.

The problems of diagnosing the disequilibrium in the build-up to the crisis were compounded by the fact that no country on its own could easily have found a way to a new equilibrium in the absence of similar adjustments by other countries. All the major economies faced a prisoner's dilemma. After the crisis, the burden of restoring the world economy to health has been laid fairly and squarely at the door of central banks. They continue to struggle with the responsibility of generating a recovery in the world economy. Were there other policy instruments, unavailable to central banks, which might have resolved those coordination problems, and would they contribute to the healing process today? Or are we headed for another crisis?

9

THE AUDACITY OF PESSIMISM:
THE PRISONER'S DILEMMA AND
THE COMING CRISIS

'Hope in the face of difficulty, hope in the face of
uncertainty, the audacity of hope.'

Barack Obama, Speech to the Democratic
National Convention, Boston, 27 July 2004

'What experience and history teaches us is that people
and governments have never learned anything from
history, or acted on principles deduced from it.'

Georg Wilhelm Friedrich Hegel,
Lectures on the Philosophy of History (1832)

In earlier chapters I dwelled on past crises. But what about
the next crisis? Without reform of the financial system, as
proposed in Chapter 7, another crisis is certain, and the failure

to tackle the disequilibrium in the world economy makes it likely that it will come sooner rather than later. Rather than give in to pessimism, however, we have the opportunity to do something about it.

The most obvious symptom of the current disequilibrium is the extraordinarily low level of interest rates which, since the crisis, have fallen further. The consequences have been further rises in asset prices and a desperate search for yield as investors, from individuals to insurance companies, realise that the current return on their investments is inadequate to support their spending needs. Central banks are trapped into a policy of low interest rates because of the continuing belief that the solution to weak demand is further monetary stimulus. They are in a prisoner's dilemma: if any one of them were to raise interest rates, they would risk a slowing of growth and possibly another downturn.

When interest rates were cut almost to zero at the height of the crisis, no one expected that they would still be at those emergency levels more than six years later. A long period of zero interest rates is unprecedented. For much of the post-war period the worry was that interest rates might be too high. Now the concern is that low rates are eroding savings. It is reminiscent of Walter Bagehot's maxim about the archetypal Englishman: 'John Bull can stand many things, but he cannot stand 2 per cent.'[1] For more than six years now, he has had to stand rates well below that.

From its foundation in 1694 until 315 years later in 2009, the Bank of England never set bank rate below 2 per cent. By 2015, the major central banks had all lowered official policy rates to as close to zero as made no difference, and a number of European economies, including the euro area, Denmark, Sweden and Switzerland, had embraced negative interest rates. Some mortgage borrowers on floating rates were actually being paid to borrow. Over the long sweep of history, the long-term annual real rate of interest has averaged between 3 and 4 per cent. The world real interest rate on ten-year inflation-protected government bonds has been close to zero for several years and by 2015 was little more than 0.5 per cent. In part that reflects the belief that short-term official interest rates will remain low for a few years more.

What does the market think will happen in the future? Suppose it takes ten years to get back to somewhere close to normal, a pessimistic view according to most central banks. What is the market expectation today of where the ten-year real interest rate will be ten years from now? An estimate of that can be made by noting that the interest rate today on a twenty-year security is the average of the rate over the first ten years (the rate today on a ten-year security) and the rate over the second ten years (the ten-year rate that is expected today to prevail ten years from now). So we can infer the latter from observations on market interest rates on ten- and twenty-year index-linked government bonds. Such a calculation reveals that the ten-year real rate expected in ten years' time has averaged little more than 1 per cent in recent years and by late 2015 was still below 1.5 per cent, well below any level that could be considered remotely 'normal'. Markets do not expect interest rates to return to normal for many years.

If real interest rates remain close to zero, the disequilibrium in spending and saving will continue and the ultimate adjustment to a new equilibrium will be all the more painful. If real interest rates start to move back to more normal levels, markets will reassess their view of the future and asset prices could fall sharply. Neither prospect suggests a smooth and gradual return to a stable path for the economy. Further turbulence in the world economy, and quite possibly another crisis, are to be expected. The epicentre of the next financial earthquake is as hard to predict as a geological earthquake. It is unlikely to be among banks in New York or London, where the aftershocks of 2008 have led to efforts to improve the resilience of the financial system. But there are many places where the underlying forces of the disequilibrium in their economies could lead to cracks in the surface – emerging markets that have increased indebtedness, the euro area with its fault lines, China with a financial sector facing large losses, and the middle and near east with a rise in political tensions.

Since the end of the immediate banking crisis in 2009, recovery has been anaemic at best. By late 2015, the world recovery had been slower than predicted by policy-makers, and central banks had postponed the inevitable rise in interest rates for longer than had seemed either possible or likely. There was a continuing shortfall of demand and output from their pre-crisis trend path of close to 15 per cent. Stagnation – in the sense of output remaining persistently below its previously anticipated path – had once again become synonymous with the word capitalism. Lost output and employment of such magnitude has revealed the true cost of the crisis and shaken confidence in our understanding of how economies behave. How might we restore growth, and what could happen if we don't?

The coming crisis: sovereign debt forgiveness – necessary but not sufficient

Maintaining interest rates at extraordinarily low levels for years on end has contributed to the rise in asset prices and the increase in debt. Debt has now reached a level where it is a drag on the willingness to spend and likely to be the trigger for a future crisis. The main risks come from the prospect of a fall in asset prices, as interest rates return to normal levels, and the writing down of the value of investments as banks and companies start to reflect economic reality in their balance sheets. In both cases, a wave of defaults might lead to corporate failures and household bankruptcies. By 2015, corporate debt defaults in the industrial and emerging market economies were rising.[2] Disruptive though a wave of defaults would be in the short run, it might enable a 'reboot' of the economy so that it could grow in a more sustainable and balanced way. More difficult is external debt – debt owed by residents of one country to residents of another country – especially when that debt is denominated in a foreign currency.

When exchange rates are free to move, they reflect the underlying circumstances of different economies. Some governments, such as China in relation to the US dollar and Germany in relation to its European neighbours, have limited that freedom so that economies have had to adapt to exchange rates rather than the other way round. As a result, trade surpluses and deficits have also contributed to the build-up of debts and credits that now threaten countries' ability to maintain full employment at current exchange rates. Nowhere is this more evident than in the euro area, although emerging market economies could also run into trouble. Sovereign debts are likely to be a major headache for the world in the years to come, both in emerging markets and in the euro area. Should these debts be forgiven?

The situation in Greece encapsulates the problems of external indebtedness in a monetary union. GDP in Greece has collapsed by more than in the United States during the Great Depression. Despite an enormous fiscal contraction bringing the budget deficit down from around 12 per cent of GDP in 2010 to below 3 per cent in 2014, the ratio of government debt to GDP has continued to rise, and is now almost 200 per cent.[3] All of this debt is denominated in a currency that is likely to rise in value relative to Greek incomes. Market interest rates are extremely high and Greece has little access to international capital markets. When debt was restructured in 2012, private sector creditors were bailed out. Most Greek debt is now owed to public sector institutions such as the European Central Bank, other member countries of the euro area, and the IMF. Fiscal austerity has proved self-defeating because the exchange rate could not fall to stimulate trade. In their 1980s debt crisis, Latin American countries found a route to economic growth only when they were able to move out from under the shadow of an extraordinary burden of debt owed to foreigners. To put it another way, there is very little chance now that Greece will be able to repay its sovereign debt. And the longer the austerity programme continues, the worse becomes the ability of Greece to repay.

Much of what happened in Greece is reminiscent of an earlier episode in Argentina. In 1991, Argentina fixed the exchange rate of its currency, the peso, to the US dollar. It had implemented a raft of reforms in the 1990s, and was often cited as a model economy. At the end of the 1990s, there was a sharp drop in commodity prices and Argentina went into recession. Locked into a fixed-rate regime, the real exchange rate had become too high, and the only way to improve competitiveness was through a depression that reduced domestic wages and prices. Argentina's debt position was akin to that of Greece, and it had a similarly high unemployment rate. So in the face of a deep depression, the exchange rate regime was abandoned and capital controls were introduced. Bank accounts were redenominated in new pesos, imposing substantial losses on account holders. Initially, the chaos led to a 10 per cent drop in GDP during 2002. But after the initial turmoil, Argentina was able to return to a period of economic growth. Commodity prices rose steadily for a decade and Argentina was able to enjoy rapid growth of GDP – almost 10 per cent a year for five years.

It is evident, as it has been for a very long while, that the only way forward for Greece is to default on (or be forgiven) a substantial proportion of its debt burden and to devalue its currency so that exports and the substitution of domestic products for imports can compensate for the depressing effects of the fiscal contraction imposed to date. Structural reforms would help ease the transition, but such reforms will be effective only if they are adopted by decisions of the Greek people rather than being imposed as external conditions by the IMF or the European Commission. The lack of trust between Greece and its creditors means that public recognition of the underlying reality is some way off.

The inevitability of restructuring Greek debt means that taxpayers in Germany and elsewhere will have to absorb substantial losses. It was more than a little depressing to see the countries of the euro area haggling over how much to lend to Greece so that it would be able to pay them back some of the earlier loans. Such a circular flow of payments made little difference to the health, or lack of it, of the Greek economy. It is particularly unfortunate that Germany seemed to have forgotten its own history.

At the end of the First World War, the Treaty of Versailles imposed reparations on the defeated nations – primarily Germany, but also Austria, Hungary, Bulgaria and Turkey.[4] Some of the required payments were made in kind (for example, coal and livestock), but in the case of Germany most payments were to be in the form of gold or foreign currency. The Reparations Commission set an initial figure of 132 billion gold marks. Frustrated by Germany's foot-dragging in making payments, France and Belgium occupied the Ruhr in January 1923, allegedly to enforce payment. That led to an agreement among the Allies – the Dawes Plan of 1924 – that restructured and reduced the burden of reparations. But even

those payments were being financed by borrowing from overseas, an unsustainable position. So a new conference met in the
spring of 1929 and after four months of wrangling produced
the Young Plan, signed in Paris in June at the Hotel George V,
which further lowered the total payment to 112 billion marks
and extended the period of repayment to expire in 1988. But
the economic reality was that, unless Germany could obtain
an export surplus, its only method of financing payments of
reparations was borrowing from overseas. In May 1931, the
failure of the Austrian bank Creditanstalt led to a crisis of the
Austrian and German banking systems, and a month later the
Hoover Moratorium suspended reparations. They were largely
cancelled altogether at the Lausanne conference in 1932. In
all, Germany paid less than 21 billion marks, much of which
was financed by overseas borrowing on which Germany subsequently defaulted.

After the Versailles Treaty was agreed, Keynes and others
argued that to demand substantial reparations from Germany
would be counterproductive, leading to a collapse of the mark
and of the German economy, damaging the wider European
economy in the process.[5] But the most compelling statement of
Germany's predicament came from its central bank governor,
Hjalmar Schacht.[6] In 1934, writing in that most respectable
and most American of publications, *Foreign Affairs*, Schacht
explained that 'a debtor country can pay only when it has
earned a surplus on its balance of trade, and ... the attack on
German exports by means of tariffs, quotas, boycotts, etc.,
achieves the opposite result'.[7] Not a man to question his own
judgements (the English version of his autobiography was titled
My First Seventy-six Years, although sadly a second volume never
appeared), on this occasion Schacht was unquestionably correct.
As he wrote in his memoirs about a visit to Paris in January
1924:

It took another eight years before the Allied politicians realised that the whole policy of reparations was an economic
evil which was bound to inflict the utmost injury not only
upon Germany but upon the Allied nations as well. Of the
120 milliards which Germany was supposed to pay, between
10 and 12 milliards were actually paid during the years 1924
to 1932. And they were not paid out of surplus exports as they
should have been. During those eight years Germany never
achieved any surplus exports. Rather they were paid out of
the proceeds of loans which other countries, acting under a
complete misapprehension as to Germany's resources, pressed
upon her to such an extent that in 1931 it transpired that she
could no longer meet even the interest on them. Finally, in
1932, there followed the Lausanne Conference at which the
reparations commitments were practically written off.[8]

After the Second World War, and with Germany divided,
the problem of German debt reared its ugly head again. In
1953, the London Agreement on German External Debts
rescheduled and restructured the debts of the new Federal
Republic of Germany. Repayment of some of the debts
incurred by the whole of Germany was made conditional
on the country's reunification. In 1990 the condition was
triggered and on 3 October 2010 a final payment of German
war debts of €69.9 million was made. More interesting from
today's perspective is the statement in the Agreement that West
Germany would have to make repayments only when it was
running a trade surplus, and the repayments were limited to
3 per cent of export earnings. The euro area could learn from
this experience.[9] One way of easing the financing problems of
the periphery countries would be to postpone repayment of
external debts to other member countries of the euro area until
the debtor country had achieved an export surplus, creating an

incentive for creditors and debtors to work together to reduce trade imbalances.

It is deeply ironic that today it is Germany that is insisting on repayments of debt from countries that are unable to earn an export surplus, out of which their external debts could be serviced, because of the constraints of monetary union. Schacht must be turning in his grave. As the periphery countries of southern Europe embark on the long and slow journey back to full employment, their external deficits will start to widen again, and it is far from clear how existing external debt, let alone any new borrowing from abroad, can be repaid. Inflows of private-sector capital helped the euro area survive after 2012, but they are most unlikely to continue for ever. It is instructive to quote Keynes's analysis in the inter-war period, replacing Germany in 1922 with Greece in 2015, and France then with Germany today: 'The idea that the rest of the world is going to lend to Greece, for her to hand over to Germany, about 100 per cent of their liquid savings – for that is what it amounts to – is utterly preposterous. And the sooner we get that into our heads the better.'[10]

Much of the euro area has either created or gone along with the illusion that creditor countries will always be repaid. When a debtor country has difficulties in repaying, the answer is to 'extend and pretend' by lengthening the repayment period and valuing the assets represented by the loans at face value. It is a familiar tactic of banks unwilling to face up to losses on bad loans, and it has crept into sovereign lending. To misquote Samuel Taylor Coleridge (in his poem *The Rime of the Ancient Mariner*), 'Debtors, debtors everywhere, and not a loss in sight.'[11]

Debt forgiveness is more natural within a political union. But with different political histories and traditions, a move to political union is unlikely to be achieved quickly through popular support. Put bluntly, monetary union has created a conflict between a centralised elite on the one hand, and the forces of democracy at the national level on the other. This is extraordinarily dangerous. In 2015, the Presidents of the European Commission, the Euro Summit, the Eurogroup, the European Central Bank and the European Parliament (the existence of five presidents is testimony to the bureaucratic skills of the elite) published a report arguing for fiscal union in which 'decisions will increasingly need to be made collectively' and implicitly supporting the idea of a single finance minister for the euro area.[12] This approach of creeping transfer of sovereignty to an unelected centre is deeply flawed and will meet popular resistance. As Otmar Issing, the first Chief Economist of the European Central Bank and the intellectual force behind the ECB in its early years, argued, 'Political union ... cannot be achieved through the back door, by eroding members' fiscal-policy sovereignty. Attempting to compel transfer payments would generate moral hazard on the part of the recipients and resistance from the donors.'[13] In pursuit of peace, the elites in Europe, the United States and international organisations such as the IMF, have, by pushing bailouts and a move to a transfer union as the solution to crises, simply sowed the seeds of divisions in Europe and created support for what were previously seen as extreme political parties and candidates. It will lead to not only an economic but a political crisis.

In 2012, when concern about sovereign debt in several periphery countries was at its height, it would have been possible to divide the euro area into two divisions, some members being temporarily relegated to a second division with the clear expectation that after a period – perhaps ten or fifteen years – of real convergence, those members would be promoted back to the first division. It may be too late for that now. The underlying differences among countries and the political costs of accepting defeat have become too great. That is unfortunate both for the countries concerned – because sometimes premature promotion can be a misfortune and relegation the opportunity for a new start – and for the world as a whole because the euro area today is a drag on world growth.

Germany faces a terrible choice. Should it support the weaker brethren in the euro area at great and unending cost to its taxpayers, or should it call a halt to the project of monetary union across the whole of Europe? The attempt to find a middle course is not working. One day German voters may rebel against the losses imposed on them by the need to support their weaker brethren, and undoubtedly the easiest way to divide the euro area would be for Germany itself to exit. But the more likely cause of a break-up of the euro area is that voters in the south will tire of the grinding and relentless burden of mass unemployment and the emigration of talented young people. The counter-argument – that exit from the euro area would lead to chaos, falls in living standards and continuing uncertainty about the survival of the currency union – has real weight. But if the alternative is crushing austerity, continuing mass unemployment, and no end in sight to the burden of debt, then leaving the euro area may be the only way to plot a route back to economic growth and full employment. The long-term benefits outweigh the short-term costs. Outsiders cannot make that choice, but they can encourage Germany, and the rest of the euro area, to face up to it.

If the members of the euro decide to hang together, the burden of servicing external debts may become too great to remain consistent with political stability. As John Maynard Keynes wrote in 1922, 'It is foolish ... to suppose that any means exist by which one modern nation can exact from another an annual tribute continuing over many years.'[14] It would be desirable, therefore, to create a mechanism by which international sovereign debts could be restructured within a framework supported by the expertise and neutrality of the IMF, so avoiding, at least in part, the animosity and humiliation that accompanied the latest agreement on debt between Greece and the rest of the euro area in 2015. It was, I regret to say, an Englishman, the First Lord of the Admiralty, Sir Eric Campbell-Geddes, who set the tone for the harsh treatment of debtors when he said in a speech before the Versailles Peace Conference that 'we shall squeeze the German lemon until the pips squeak!'

As early as 2003, the IMF debated the creation of a 'sovereign debt restructuring mechanism'. The idea was to ensure a timely resolution of debt problems to help both debtors and creditors, and to recognise the prisoner's dilemma in which an individual creditor had an incentive to hold out for full repayment, even though, collectively, creditors would be better off by negotiating with the debtor. Progress on the creation of such a mechanism was defeated by opposition from the United States, which favoured bailouts over defaults, and Germany, which did not want to encourage the belief that sovereigns might be allowed to default. Neither objection made sense. By failing to impose losses on the private-sector creditors of periphery countries in the euro area in 2012, the IMF and the European institutions took on obligations on which they were subsequently forced to accept losses. It is all too easy to pretend that throwing yet more money at a highly indebted country will solve the immediate crisis. It is only too likely that a sovereign debt restructuring mechanism will be needed in the foreseeable future. Without one, an ad hoc international debt conference to sort out the external sovereign debts that have built up may be needed.

But debt forgiveness, inevitable though it may be, is not a sufficient answer to all our problems. In the short run, it could even have the perverse effect of slowing growth. Sovereign borrowers have already had their repayment periods extended, easing the pressure on their finances. There would be little change in their immediate position following explicit debt forgiveness. Creditors, by contrast, may be under a misapprehension that they will be repaid in full, and when reality dawns they could reduce their spending. The underlying challenge is to move to a new equilibrium in which new debts are no longer being created on the same scale as before.

Escaping the prisoner's dilemma: wider international reforms

A major impediment to the resolution of the disequilibrium facing so many economies is the prisoner's dilemma they face – if they and they alone take action, they could be worse off (see Chapter 8). The task now is how to reconcile the prisoner's dilemma with people's overwhelming desire to control their own destiny. The prisoner's dilemma prevented countries from rebalancing their economies. A coordinated move to a new equilibrium would be the best outcome for all. By this I do not mean attempts to coordinate monetary and fiscal policy. Such efforts have a poor track record, ranging from the policies of the Federal Reserve in the 1920s, which held down interest rates in order to help other countries rejoin the gold standard, so creating a boom that led to the stock market crash in 1929 and the Great Depression, to the attempts in the mid-1980s to stabilise exchange rates among the major economies, which led to the stock market crash in 1987. Moreover, monetary and fiscal policies are not the route to a new equilibrium.

Many countries can now see that they have taken monetary policy as far as it can go. The weakness of demand across the world means that many, if not most, countries can credibly say that if only the rest of the world were growing normally then they would be in reasonable shape. But since it isn't, they aren't. So with interest rates close to zero, and fiscal policy constrained by high government debt, the objective of economic policy in a growing number of countries is to lower the exchange rate.[15] In countries as far apart as New Zealand, Australia, Japan, France and Italy, central banks and governments are becoming more and more strident in their determination to talk the exchange rate down. Competitive depreciation is a zero-sum game as countries try to 'steal' demand from each other. In the 1930s, the abandonment of the gold standard, and hence of fixed exchange rates between countries, allowed central banks across the globe to adopt easier monetary policies. Although the benefits of the reduction in exchange rates cancelled each other out, the easier monetary policies helped to bring about a recovery from the Great Depression. Today, however, monetary policy is already about as loose as it could be. There is a real risk of an implicit or explicit 'currency war'.

These questions are symptomatic of a wider problem in the world economy – a problem that Dani Rodrik of Harvard University has christened the 'political trilemma of the global economy'.[16] It is the mutual incompatibility of democracy, national sovereignty and economic integration. Which one do we surrender? If national sovereignty is eroded without clear public support, democracy will come under strain, as we are seeing in Europe, where democracy and national sovereignty are closely intertwined. Political union, in the sense of a genuinely federal Europe, has stalled. To reconcile democracy and monetary union would require clearly defined procedures for exit from monetary union. There are none. The degree of political integration necessary for survival of monetary union is vastly greater than, and wholly different from, the political cooperation necessary to create a path towards a sustainable economic recovery in Europe. Even if the former could be imposed by the central authorities on countries in the euro area – and there are few signs that this would be a popular development – to extend the same degree of integration to countries outside the euro area would surely shatter the wider union. For the foreseeable future, the European Union will comprise two categories of member: those in and those not in the euro area. Arrangements for the evolution of the European Union need to reflect that fact.

Such issues are a microcosm of broader challenges to the global order. The Asian financial crisis of the 1990s, when Thailand, South Korea and Indonesia borrowed tens of billions of dollars from western countries through the IMF to support their banks and currencies, showed how difficult it is to cope with sudden capital reversals resulting from a change in sentiment about the degree of currency or maturity mismatch in a nation's balance sheet, and especially in that of its banking system. The IMF cannot easily act as a lender of last resort because it does not own or manage a currency. In the Asian crisis, therefore, it was almost inevitable that conditionality was set by the US because the need of those countries was for dollars. The result was the adoption by a number of Asian countries of do-it-yourself lender of last resort policies, which involved their building up huge reserves of US dollars out of large trade surpluses. That, together with their export-led growth strategy, led directly to the fall in real interest rates across the globe after the fall of the Berlin Wall. Resentment towards the conditions imposed by the IMF (or the US) in return for financial support has also led to the creation of new institutions in Asia, ranging from the Chiang Mai Initiative, a network of bilateral swap arrangements between China, Japan, Korea and the ASEAN countries to serve as a regional safety-net mechanism now amounting to $240 billion, to the new Chinese-led Asian Infrastructure Investment Bank that was created in 2015. It is likely that Asia will develop its own informal arrangements that will, in essence, create an Asian IMF, an idea that was floated in 1997 at the IMF Annual Meetings in Hong Kong and killed off by the United States. Twenty years on, the power of the United States to prevent a mutual insurance arrangement among Asian countries is limited.

The governance of the global monetary order is in danger of fragmentation. In the evolving multi-polar world, there are few remnants of the idealism of Bretton Woods. The combination of free trade and American power was a stabilising force. As the financier and historian James Macdonald puts it, 'The unspoken bargain was that the United States would exercise a near monopoly of military force. However, it would use its force not to gain exclusive economic advantages, but as an impartial protector of Western interests. Under the American umbrella, the non-Communist world flourished.'[17]

The world of Bretton Woods passed away a long while ago, and with it the effectiveness of the post-war institutions that defined it – the International Monetary Fund, the World Bank and the Organisation for Economic Cooperation and Development (OECD). The veto power of the United States in the IMF, and the distribution of voting rights more generally, undermines the legitimacy of the Bretton Woods institutions in a world where economic and political power is moving in new directions. It is not easy for any multilateral institution to adapt to major changes in the assumptions that underlay its creation. The continuing refusal of the US Congress to agree to relatively minor changes to the governance of the IMF threatens to condemn the latter to a declining role. The stance of the IMF in the Asian crisis, its role as part of the so-called troika in the European crisis, and its reputation in Latin America mean that it is in danger of becoming ineffective. A key role of the IMF is to speak truth to power, not the other way round as it came close to doing in Asia in the 1990s and in Europe more recently. The United States is still the largest player in the world economy, and the dollar the dominant currency. But little else has remained the same. In Asia and in Europe, new players have emerged. China is now, with output measured in comparable prices, the largest economy in the world, returning to the position it occupied by virtue of its population size in the nineteenth century.[18] China and the United States will have an uneasy coexistence as the two major powers in Asia and, until a new more equal relationship emerges, uncertainty about the most vibrant region of the world will cast a shadow over economic prospects for the continent.[19] A multi-polar world is inherently more unstable than the post-war stability provided by the umbrella of the *Pax Americana*.[20]

Misguided attempts to suppress national sovereignty in the management of an integrated world economy will threaten democracy and the legitimacy of the world order. Yet, acting alone, countries may not be able to achieve a desirable return to full employment. There are too many countries in the world today for an attempt to renew the visionary ideals of the Bretton Woods conference to be feasible. For a short time in 2008–9, countries did work together, culminating in the G20 summit in London in the spring of 2009. But since then, leadership from major countries, the international financial institutions and bodies such as the G7 and G20 has been sorely lacking. They provide more employment for security staff and journalists than they add value to our understanding of the world economy, as a glance at their regular communiqués reveals. Talking shops can be useful, but only if the talk is good.

As time goes by, parallels between the inter-war period and the present become disturbingly more apparent. The decade before 2007, when the financial crisis began, seems in retrospect to have more in common with the 1920s than we realised. Both were periods when growth was satisfactory, but not exceptional, when the financial sector expanded, and when commentators were beginning to talk about 'a new paradigm'. After 2008, the parallels with the 1930s also began to grow. The collapse of the gold standard mirrors more recent problems with fixed exchange rates. The attempt to keep the euro together produced austerity on a scale not seen since the Great Depression, and led to the rise of extreme political parties across Europe.

A prisoner's dilemma is still holding back the speed of recovery. A sensible coping strategy to deal with this problem is not artificially to coordinate policies that naturally belong to national governments, but to seek agreement on an orderly recovery and rebalancing of the global economy. The way in which each country will choose to rebalance is a matter for itself, but it is in the interests of all countries to find a common timetable for that rebalancing. The natural broker for an agreement is the IMF. Our best chance of solving the prisoner's dilemma, while retaining national sovereignty, is to use the price mechanism, not suppress it. Arrangements to fix or limit movements of exchange rates tend to backfire as unexpected events require changes in rates to avoid economic suffering. At the heart of the problem is the question that so troubled the negotiators at Bretton Woods. How can one create symmetric obligations on countries with trade surpluses and trade deficits? The international monetary order set up after the Second World War failed to do so, and the result is that fixed exchange rates have proved deflationary. For a long time the conventional wisdom among central banks has been that if each country pursues a stable domestic monetary and fiscal policy then they will come close to achieving a cooperative outcome.[21] There is certainly much truth in this view. But when the world becomes stuck in a disequilibrium, the prisoner's dilemma bites. Cooperation then becomes essential. Placing obligations on surplus countries has not and will not work. There is no credible means of enforcing any such obligations. Enlightened self-interest to find a way back to the path of strong growth is the only hope. The aim should be fourfold: to reinvigorate the IMF and reinforce its legitimacy by reforms to its voting system, including an end to a veto by any one country; to put in place a permanent system of swap agreements among central banks, under which they can quickly lend to each other in whichever currencies are needed to meet short-term shortages of liquidity; to accept floating exchange rates; and to agree on a timetable for rebalancing of major economies, and a return to normal real interest rates, with the IMF as the custodian of the process. The leadership of the IMF must raise its game.

The two main threats to the world economy today are the continuing disequilibrium between spending and saving, both within and between major economies, and a return to a multipolar world with similarities to the unstable position before the First World War. Whether the next crisis will be another collapse of our economic and financial system, or whether it will take the form of political or even military conflict, is impossible to say. Neither is inevitable. But only a new world order could prevent such an outcome. We must hope that the pressure of events will drive statesmen, even those of 'inconceivable stupidity', to act.

The audacity of pessimism

The experience of stubbornly weak growth around the world since the crisis has led to a new pessimism about the ability of market economies today to generate prosperity. One increasingly common view is that the long-term potential rate of economic growth has fallen.[22] In the United States, there is no shortage of plausible explanations for such a change – the marked fall since the crisis in the proportion of the population who are available to work, slower growth of the population itself, and heavier regulatory burdens on employers. It is important not to be carried away by changes over short periods of time. The US Bureau of Labor Statistics (BLS) estimates the contribution to growth of increases in labour supply (hours worked), the amount of capital with which people work, and the efficiency of the labour and capital employed. Ultimately, the benefits of economic growth stem from this last factor, which reflects scientific and technical progress – 'multifactor productivity', in the phrase of the BLS statisticians. From the mid-1980s until the onset of the crisis in 2007, multifactor productivity rose at about 1 per cent a year.[23] Between 2007 and 2014, it rose by 0.5 per cent a year.[24] As a result, the annual rate of growth of output per hour worked – reflecting both technical progress and the amount of capital with which each person works – fell from just over 2 per cent between the mid-1980s and 2007 to around 1.5 per cent between 2007 and 2014.[25] If that reduction persisted it would affect living standards in the long run. But growth rates of productivity are quite volatile over short periods of time and it is far from clear that they represent a significant change to the future potential of the economy.

Is there good cause for pessimism about the rate at which economies can grow in future? There are three reasons for caution about adopting this new-found pessimism. First, the proposition that the era of great discoveries has come to an end because the major inventions, such as electricity and aeroplanes, have been made and humankind has plucked the low-hanging fruit is not convincing. In areas such as information technology and biological research on genetics and stem cells we are living in a golden age of scientific discovery. By definition, ideas that provide breakthroughs are impossible to predict, so it is too easy to fall into the trap of thinking that the future will generate fewer innovations than those we saw emerge in the past. When Alvin Hansen proposed the idea of 'secular stagnation' in the 1930s, he fell into just this trap. In fact the 1930s witnessed significant innovation, which was obscured by the dramatic macroeconomic consequences of the Great Depression. Alexander Field, an American economist, has documented large technological improvements in industries such as chemicals, transport and power generation.[26] By 1950 real GDP in the US had regained its pre-Depression trend path, and rose by 90 per cent in a decade after the end of the Great Depression.

Second, although the recovery from the downturn of 2008–9 has been unusually slow in most countries, the factors contributing to the growth of labour supply have behaved quite differently across countries. For example, in contrast to the US, the UK has experienced buoyant population growth and rising participation in the labour force. And even some of the periphery countries in the euro area, such as Spain, have recently seen rises in measured average productivity growth. The factors determining long-term growth seem to be more varied across countries than the shared experience of a slow recovery since the crisis, suggesting that the cause of the latter is rooted in macroeconomic behaviour rather than a deterioration in the pace of innovation.

Third, economists have a poor track record in predicting demographic changes. Books on the theme of the economic consequences of a declining population were common in the 1930s. A decade and a world war later, there was a baby boom.[27] Agnosticism about future potential growth is a reasonable position; pessimism is not. History suggests that changes to underlying productivity growth occur only slowly. Many economists in the past have mistakenly called jumps in trend growth on the basis of short-term movements that proved short-lived.

The case for pessimism concerns prospective demand growth. In the wake of a powerful shock to confidence, monetary and fiscal stimulus in 2008 and 2009 was the right answer. But it exhibits diminishing returns. In recent years, extraordinary monetary stimulus has brought forward consumption from the future, digging a hole in future demand. With a prospect of weak demand in the future, the expected return on investment becomes depressed. Even with unprecedentedly low interest rates and the printing of money, it becomes harder and harder to stimulate domestic consumption and investment. What began as an imbalance between countries has over time become a major internal disequilibrium between saving and spending within economies. Spending is weak today, not because of irrational caution on the part of households and businesses following the shock of the crisis, but because of a rational narrative that in countries like the US and UK, consumer spending was unsustainably high before the crisis and must now follow a path below the pre-crisis trend. In countries like China and Germany, exports were unsustainably high, and they too are now experiencing weak growth as demand in overseas markets slows. Neither individually nor collectively have those countries been able to move to a new equilibrium, and until they do, recovery will be held back. In circumstances characterised by a paradox of policy – in which short-term stimulus to spending takes us further away from the long-term equilibrium – Keynesian stimulus can boost demand in the short run, but its effects fade as the paradox of policy kicks in. Only a move to a new equilibrium consistent with the revised narrative will end stagnation. Low growth in the global economy reflects less a lack of 'animal spirits' and more the inability of the market, constrained by governments, to move to a new set of real interest rates and real exchange rates in order to find a new equilibrium.

Plotting a route to a new equilibrium is the challenge we now face. The paradox of policy applies to all countries, both those that previously consumed and borrowed too much and those that spent too little. Short-term stimulus reinforces the misallocation of investment between sectors of the economy, and its impact on spending peters out when households and businesses come to realise that the pattern of spending is unsustainable. China and Germany need investment to produce goods and services to meet domestic consumer demand, rather than to support the export sector. The opposite is the case in the United States, United Kingdom and parts of Europe.

Most discussion of this demand pessimism fall into one of two camps. On the one hand, there are those who argue that our economies are facing unusually strong but temporary 'headwinds' which will, in due course, die down, allowing central banks to raise interest rates to more normal levels without undermining growth. We simply need to be patient, and a natural recovery will then follow. As explained earlier, this view is in my judgement an incomplete and misleading interpretation of the factors that have produced persistently weak growth. A change in the narrative used by households to judge future incomes is not a 'headwind' that will gradually abate, but a permanent change in the desired level of spending. We cannot expect the United States to continue as the 'consumer of last resort' and China to maintain its growth rate by investing in unprofitable construction projects. Central banks, like the cyclist climbing an ever-steeper hill, will become exhausted. And if recovery does not come, they will be seen to have failed, eroding the support for the independence of central banks that was vital to the earlier achievement in conquering inflation.

On the other hand, there are those who advocate even more monetary and fiscal stimulus to trigger a recovery. To be sure, it is hard to argue against a well-designed programme of public infrastructure spending, financed by government borrowing, especially when you are travelling through New York's airports. But the difficulty of organising quickly a coherent plan for expanding public investment, while maintaining confidence in long-term fiscal sustainability, makes this option one for the future rather than today, albeit one worthy of careful preparation. Further monetary stimulus, however, is likely to achieve little more than taking us further down the dead-end road of the paradox of policy. More extreme versions of monetary and fiscal expansion include proposals for an increase in government spending that would be financed by printing money, and 'helicopter drops' of money into the pockets of all citizens. Radical though they sound, neither is in fact different in essence from the policies that have so far failed to generate a return to pre-crisis paths of output. Financing more government spending by printing money is equivalent, in economic terms, to a combination of (a) additional government spending financed by issuing more government debt and (b) the creation of money by the central bank to buy government debt (the process known as quantitative easing). Equally, helicopter drops of money are equivalent to a combination of debt-financed tax cuts and quantitative easing – the only difference being that the size of spending or tax cuts is decided by government and the amount of money created is decided by the central bank. Since both elements of the combination have been tried on a large scale and have run into diminishing returns, it is hard to see how even more of both, producing a short-run boost to demand that will soon peter out, will resolve the paradox of policy. Dealing with the underlying disequilibrium is paramount.

The narrative revision downturn, triggered by the crisis,

has left a hole in total spending. Central banks have, largely successfully, filled that hole by cutting interest rates and printing electronic money to encourage households and businesses to bring forward spending from the future. But because the underlying disequilibrium pattern of demand has not been corrected, it is rational to be pessimistic about future demand. That is a significant deterrent to investment today, reinforced by uncertainty about the composition of future spending. Since traditional macroeconomic policies will not lead us to a new equilibrium, and there are no easy alternatives, policy-makers have little choice but to be audacious. What should they do to escape the trap of rational pessimism? In broad terms, the aim must be twofold – to boost expected incomes through a bold programme to raise future productivity, and to encourage relative prices, especially exchange rates, to move in a direction that will support a more sustainable pattern of demand and production. Those aims are easy to state and hard to achieve, but there is little alternative, other than waiting for a crash in asset values and the resulting defaults to reset the economy. With the audacity of pessimism, we can do better. A reform programme might comprise three elements.

First, the development and gradual implementation of measures to boost productivity. Since the crisis, productivity growth has been barely noticeable, and well below pre-crisis rates. A major reason for this disappointing performance is that there has been a sharp fall in the growth rate, and perhaps even in the level, of the effective capital stock in the economy. Part of this reflects the fact that past investment was in some cases a mistake, directed to sectors in which there was little prospect of future growth, and is now much less productive than had been hoped. Some of the capital stock is worth less than is estimated in either company accounts or official statistics, or even in economists' models. Part reflects pessimism about future demand and uncertainty about its composition which has led to a fall in business investment spending around the world. Current demand is being met by expanding employment. Companies do not wish to repeat the mistake of investing in capital for which there is little future profitable use. If future demand turns out to be weak then it will be cheaper to adjust production by laying off employees. A higher ratio of labour to effective capital explains weaker productivity growth. Reforms to improve the efficiency of the economy, and so the rate of return on new investment, would stimulate investment and allow real interest rates to return to a level consistent with a new equilibrium. Over time, as investment rebuilt the effective capital stock, productivity growth would return to rates reflecting the underlying innovation in a dynamic capitalist economy.

Reforms to boost productivity are not a 'get out of jail free' card – they are easier to conceive than implement, and hit political obstacles from potential losers who express their concerns more vocally than the potential winners. But changing the narrative about expected future incomes is the only alternative to large and costly shifts in relative prices. And there certainly exist opportunities to boost productivity – in the product market to reduce monopolies and increase competition; in the tax system to reduce distortions between saving and spending, eliminate complex deductions and lower marginal tax rates; in the public sector to reduce the cost of providing public services; in the field of regulation to lower the burden imposed on the private sector; and more generally to improve public infrastructure to support the rest of the economy. The specific nature of the microeconomic policies required will vary from country to country. In the past, when economies were already close to full employment, politicians were reluctant to use up political capital to make structural reforms when the benefits were to be seen only in the distant future. Today, however, the attraction of reform is that the anticipation of higher productivity will boost current spending, helping economies to emerge from the present relative stagnation.

Second, the promotion of trade. Throughout the post-war period, the expansion of trade has been one of the most successful routes to faster productivity growth, allowing countries to specialise and exchange ideas about new products and processes. In the latest attempt to reach an agreement on further reductions in tariffs and other trade barriers, the so-called Doha Round (which started in 2001) of the World Trade Organisation has run into the sand. One of the impediments was the attempt by the larger emerging market economies to protect their domestic sectors. The best way forward now would be for the advanced economies to push further liberalisation in trade of services – the dominant part of our economies and a growing proportion of overall trade – not only to benefit from increased trade and its effects on productivity but also to demonstrate to the emerging markets that they cannot block all progress in this area. The US government, if not Congress, has been supportive of such initiatives, both among the Pacific region and with Europe. In October 2015, the US, Japan and ten other Pacific Rim countries signed the Trans-Pacific Partnership (TPP) which lowered trade barriers. It is now up to legislators to implement the agreement. A companion agreement between the United States and Europe – the Transatlantic Trade and Investment Partnership (TTIP) – is being negotiated. Those two agreements are an important part of any attempt to raise real incomes.

Third, the restoration of floating exchange rates. The experiment with fixing exchange rates has not been successful and it is important that exchange rates are free to play their stabilising role in order to correct the current disequilibrium.

The principle behind such a programme is to raise expected

future incomes, not by recreating the false beliefs held before the crisis, but by boosting productivity. Consider first those countries that have become reliant on exports to maintain full employment. Export-led growth is no longer a viable strategy for a large emerging market because Europe and North America cannot sustain the domestic demand required to import so much. China is committed to a gradual transition to domestic demand-led growth, as revealed by the Third Plenum in Beijing in November 2013. For this to occur, the high saving ratio in China must fall, despite a rapidly ageing population. Steps to provide more social insurance against future loss of income would raise current consumption, consistent with the required rebalancing of the Chinese economy. Its growth rate has fallen markedly from a peak of around 12 per cent in 2010 to below 7 per cent today, on the official figures, and the likelihood is that actual growth is much lower. China ceased to be self-sufficient in energy after 1993, and is now the largest oil importer in the world. Similarly, it imports massive quantities of iron ore, copper and indeed food. After the crisis, demand for Chinese exports fell away, especially from Europe, and so the Chinese authorities allowed credit to expand in order to boost construction spending. But before the crisis there was already excessive investment in commercial property. As a result, empty blocks of apartments and offices are a commonplace sight in new Chinese cities. House prices have now fallen. Rates of return on new investment in many parts of the economy are low.

A major challenge to Chinese policy-makers is to lower the high savings of state-owned enterprises. Falling profitability will reduce their surpluses, and so China's saving rate, but the reallocation of investment from exports and construction to enterprises geared to meet consumer demand will not be an easy transition. After substantial overinvestment in property, the necessary slowdown in Chinese construction activity will threaten not only demand and output, but also the health of the financial sector, which financed most of its expansion. Regional governments in China set up wholly owned financing vehicles to borrow from state banks in order to overcome restrictions on their spending imposed by the centre. Many of these are in poor health. China now faces serious risks from its financial sector. A policy of investing one-half of its national income at low rates of return financed by debt is leading to an upward spiral of debt in relation to national income. Sharp falls in stock prices in 2015 and a further slowing in growth showed how difficult it will be to achieve a smooth rebalancing, which is as important for China as for western economies. Even China, long associated with a policy of limiting upward market pressure on its currency, will find that its exchange rate comes under downward pressure.

Japan too has long exhibited 'excess' saving. After gradually restructuring its financial sector following a crash in the late 1980s, Japan has been recovering slowly but steadily from its 'lost decade'. Then in 2012, Prime Minister Abe launched his 'three arrows' of monetary easing, fiscal expansion and structural reforms to boost economic growth. Unfortunately, only one arrow seemed to hit the target – monetary easing – and Japan is now engaging in large amounts of money creation to purchase increasing quantities of government debt. In the absence of any serious structural reforms, Japan is on a path to inflation as the only means of reducing the burden of its growing national debt.

The change in policy required in Germany is rather different. By dint of wage restraint and the reform of labour markets, Germany has become extremely competitive within the euro area. It has an undervalued real exchange rate and a large trade surplus. Conversely, periphery countries such as Cyprus, Greece, Portugal and Spain – and to a lesser extent also France and Italy – have overvalued real exchange rates. If Germany were outside the euro area, its exchange rate would appreciate markedly, helping to rebalance its economy and boost consumption. Unless it finds a way to allow its real exchange rate to appreciate – by leaving the euro area or somehow engineering a much higher rate of wage inflation than in other parts of the euro area – Germany will find that continuing trade surpluses mean that it is accumulating more and more claims on other countries, with the risk that those claims turn out to be little more than worthless paper. That is already true of some of the claims of the euro area as a whole on Greece. Both China and Germany are discovering that being a country in surplus is a mixed blessing in a world that is on an unsustainable trajectory.

In those countries where the composition of demand needs to be rebalanced in favour of exports, finding a solution has been made more complicated by the weakness of the world economy. Following the crisis, households in those countries revised downwards their beliefs about future lifetime incomes. Consumer spending has moved to a lower trajectory. To compensate, exchange rates should fall to stimulate exports and encourage a switch to domestic substitutes for imports. But a slow recovery in the rest of the world, especially the euro area, has led to movements in exchange rates that are perverse in the light of the need for rebalancing. In 2015, the US dollar and sterling both rose. So policies to raise productivity will be even more important if the United States and the United Kingdom are to find a new equilibrium path on which it is possible to grow as real interest rates return to more normal levels.

Over time, and with sufficient investment to support it, a move to a new equilibrium will enable economies to regain their pre-crisis path of productivity.[28] Given the magnitude of the shock to the world economy after the financial crisis in 2007–9, that would be a significant achievement. In the nineteenth century, Karl Marx and Friedrich Engels saw the collapse of capitalism as inevitable – 'what the bourgeoisie produces, above all, are its own gravediggers'.[29] In their view, either the rate of return on capital would continually fall, leading to the end of capital accumulation and economic growth, or the share of capital in national income would continually increase, provoking the workers to revolution. There was no possibility of an equilibrium in which capitalists and workers would receive stable shares of national income. Such a pessimistic analysis fell into disrepute not only because its predictions were not borne out in reality, but also because after the Second World War economists devised theories to explain how stable growth was indeed compatible with a rate of return on capital sufficient to bring forth new investment and steadily rising real wages.[30] Moreover, those theories did conform to experience. The key to squaring the circle was technical progress: ideas for new products or new ways of improving existing processes. It remains key to our economic future because capitalism is about growth and change. It is a dynamic system. It is not a timeless board game in which, as in the textbooks, all we have to do is throw the dice and discover our economic fate.

Equally, there is nothing predetermined about the inevitable triumph of capitalism. Improbable as it seemed after the fall of the Berlin Wall, faith in capitalism has been badly shaken by subsequent events. To restore that belief is both necessary and possible. Capitalism is far from perfect – it is not an answer to problems that require collective solutions, nor does it lead to an equal distribution of income or wealth. But it is the best way to create wealth. It provides incentives for the innovation that drives productivity growth. Only when people are free to pursue, develop and market new ideas will they translate those ideas into increased output.

To restore faith in capitalism will require bold action – to raise productivity, rebalance our economies, and reform our system of money and banking. At present, the world's finance ministers and central bank governors, well intentioned and hard working, meet regularly and issue communiqués rededicating themselves to achieving the objective of 'strong, sustainable and balanced growth'.[31] Whatever can be said about the world recovery since the crisis, it has been neither strong, nor sustainable, nor balanced. There seems little political willingness to be bold, and so perhaps we should fear that the size of the ultimate adjustment will just go on getting bigger. But as Winston Churchill remarked in 1932, 'there is still time … to bring back again the sunshine which has been darkened by clouds of human folly'.[32] We can roll back the black cloud of uncertainty and allow the rays of supply-side sunshine to peer through in order to return to a more balanced and sustainable path of economic growth.

Few of the above solutions to the current disequilibrium of the world economy are new, but the ideas that lie behind them are. Over the past half-century, mainstream macroeconomics has developed an impressive toolkit to analyse swings in aggregate demand and output. But by embracing so closely the idea of optimising behaviour, and by deeming any other form of analysis as illegitimate, it has failed to illuminate key parts of the economic landscape. Optimising behaviour is a special case of a more general theory of behaviour under uncertainty. And in situations of radical uncertainty, where it is impossible to optimise, a new approach is required. I have suggested a possible starting point with the idea of coping strategies; others will be able to take forward the study of macroeconomics under radical uncertainty – the economics of 'stuff happens' rather than the economics of 'stuff'.

Four concepts have run through this book in order to

explain the nature of financial alchemy and the reasons for the present disequilibrium of the world economy: disequilibrium, radical uncertainty, the prisoner's dilemma and trust. It is hard to think about money and banking, and their role in the economy, except in those terms.

In a capitalist economy, money and banks play a critical role because they are the link between the present and the future. Nevertheless, they are manmade institutions that reflect the technology of their time. Although they have provided the wherewithal to accumulate capital – vital to economic growth – they have done so through financial alchemy by turning illiquid real assets into liquid financial assets. Over time, the alchemy has been exposed. Unlike aeroplane crashes, financial crises have become more, not less frequent. Precisely because money and banks are manmade institutions, they can be reshaped and redesigned to support a successful and more stable form of capitalism.

Dealing with the immediate symptoms of crises by taking short-term measures to maintain market confidence – usually by throwing large amounts of money at it – will only perpetuate the underlying disequilibrium. Almost every financial crisis starts with the belief that the provision of more liquidity is the answer, only for time to reveal that beneath the surface are genuine problems of solvency. A reluctance to admit that the issue is solvency rather than liquidity – even if the provision of liquidity is part of a bridge to the right solution – lay at the heart of Japan's slow response to its problems after the asset price bubble burst in the late 1980s, different countries' responses to the banking collapse in 2008, and the continuing woes of the euro area. Over the past two decades, successive American administrations dealt with the many financial crises around the world by acting on the assumption that the best way to restore market confidence was to provide liquidity – and lots of it.

In appreciating the speed and violence of the market response to a collapse of confidence, they were following in the footsteps of earlier leaders. As Lloyd George wrote in his memoirs about the financial crisis at the outset of the First World War: 'I saw Money before the war, I saw it immediately after the outbreak of war. I lived with it for days and days and did my best to steady its nerve, for I knew how much depended on restoring its confidence and I can say that Money was a frightened and trembling thing.'[33] Political pressures will always favour the provision of liquidity; lasting solutions require a willingness to tackle the solvency issues. The same holds true when contemplating the lessons of the crisis for reform of money and banking. Banks need to finance themselves with more equity so that they can absorb likely losses without the prospect of default and taxpayer support. And I have suggested that to prevent runs on banks we should replace the traditional lender of last resort by a pawnbroker for all seasons. It is time to end the alchemy.

The prisoner's dilemma means that it will not be easy for any one country to solve the economic problem or reform its system of money and banking on its own. Changes in the way the world is governed take place more often after periods of war than in times of peace. Only in the former are the fissures that lie dormant in peacetime exposed as the economic and political tectonic plates shift. The experience of designing the post-war settlement was described by one of its progenitors, US Secretary of State Dean Acheson, in his memoirs as being 'present at the creation'.[34] To those of us involved in handling the financial crisis of 2007–9, it was more a case of being 'present at the destruction', as the financial system collapsed. After the longest period of steady economic expansion in living memory, the crisis destroyed the credibility of economic policy and the reputation of the banking system of the advanced economies.

The economic and financial crisis of the past decade has

cast a long shadow. As the eighteenth-century man of letters, Horace Walpole, said, 'the world is a comedy to those that think, a tragedy to those that feel'. The triumph of capitalism is that it has raised the pleasure of the here and now immeasurably for most of us, and we have a responsibility to share that around. Inequality is one of the most important challenges to our economic system, but it was a symptom not a cause of the crisis.

Fifty years from now, will our grandchildren ask why we lacked the courage to put in place reforms to stop a crisis happening again? I hope not. Events drive ideas, and the experience of crisis is driving economists to develop new ideas about how our economies work. They will be needed to overcome the power of vested interests and lobby groups.

Only a recognition of the severity of the disequilibrium into which so many of the biggest economies of the world have fallen, and of the nature of the alchemy of our system of money and banking, will provide the courage to undertake bold reforms – the audacity of pessimism.

Why has almost every industrialised country found it difficult to overcome the challenges of the stagnation that followed the financial crisis in 2007–9? Is this a failure of individuals, institutions or ideas? That is the fundamental question posed in this book. As a society, we rely on all three to drive prosperity. But the greatest of these is ideas. In the preface I referred to the wisdom of my Chinese friend who remarked about the western world's management of money and banking that 'I don't think you've quite got the hang of it yet.' I have tried to explain how we can get the hang of it.

For many centuries, money and banking were financial alchemy, seen as a source of strength when in fact they were the weak link of a capitalist economy. A long-term programme for the reform of money and banking and the institutions of the global economy will be driven only by an intellectual revolution. Much of that will have to be the task of the next generation. But we must not use that as an excuse to postpone reform. It is the young of today who will suffer from the next crisis – and without reform the economic and human costs of that crisis will be bigger than last time. That is why, more than ever, we need the audacity of pessimism. It is our best hope.

NOTES

INTRODUCTION

1　There was no need for him to add that neither has China.

2　Too many simple-minded critics of economics are scathing about its use of mathematics. But as the great British economist Alfred Marshall once wrote: '(1) Use mathematics as a shorthand language, rather than an engine of inquiry. (2) Keep them till you have done. (3) Translate into English. (4) Then illustrate by examples that are important in real life. (5) Burn the mathematics. (6) If you can't succeed in (4), burn (3)' (Marshall, 1906).

3　In a commentary on Goethe's great play *Faust*, Hans Binswanger wrote, in a conscious reference to Clausewitz, that 'The modern economy is a continuation of alchemy by other means.' (Binswanger, 1994, p. 33). Clausewitz's famous dictum was that 'war is a continuation of policy by other means'.

4　This is simpler than the classic prisoner's dilemma in which there are four pay-offs: acquittal, light, medium and harsh sentences. In that form of the 'game' the strategy of incriminating the other is the dominating one, whereas in my example there is some probability that silence will yield the best outcome.

5　Waley (1938), xii, 7, p. 164.

6　James Carville, reported in the *Wall Street Journal* (25 February 1993, p. A1).

1 THE GOOD, THE BAD AND THE UGLY

1　The expression was coined by Carlyle in an essay on the slave trade written in 1849.

2　Temin (2014) describes capitalism as a subset of the full range of market economies as they evolved over the centuries.

3　See Neal and Williamson (2014).

4　Smith (1776), pp. 4–5. British £20 banknotes issued after 2007 have on one side a picture of the pin factory.

5   Maddison (2004).

6   A history of UK exchange controls can be found in the Bank of England archives on http://www.bankofengland.co.uk/archive/Documents/historicpubs/qb/1967/qb67q3245260.pdf

7   In October 1973, in response to western help to Israel during the Yom Kippur War, the Arab members of the Organisation of Petroleum Exporting Countries (OPEC) plus Egypt, Syria and Tunisia proclaimed an oil embargo. By the end of the embargo in March 1974, the price of oil had risen from $3 per barrel to nearly $12. In 1979 decreased oil output in the wake of the Iranian Revolution caused oil prices to rise from around $16 to almost $40.

8   King (2007).

9   Federal Reserve Bank of St Louis and Bank of England, http://www.bankofengland.co.uk/publications/Documents/quarterlybulletin/2013/qb130406.pdf.

10 The Big Bang on 27 October had started as an anti-trust case by the Office of Fair Trading against the London Stock Exchange under the Restrictive Practices Act of 1956. The aim was to end the separation between brokers acting as agents for their clients and jobbers who made the markets, and to allow both foreign and domestic firms combining the two roles to become members of the Stock Exchange.

11 Those new financial products, such as derivatives, are explained in Chapter 4.

12 In the pre-crisis period banks also funded themselves in the short term by putting some of their assets in off-balance-sheet vehicles to which they offered a guarantee. Such contingent liabilities are a form of funding.

13 D'Hulster (2009), Table 2; Kalemli-Ozcan, Sorensen and Yesiltas (2012).

14 In the former camp is Gorton (2012), and in the latter are Admati and Hellwig (2013) and Taylor (2015). The latter states that 'The Global Financial Crisis of 2008 was fundamentally a credit crisis on a massive, international scale.'

15 Notable exceptions are Dumas (2010) and Wolf (2014).

16 In 1989 Francis Fukuyama published a famous essay 'The End of History?' in the international affairs journal The National Interest. He later wrote, 'What we may be witnessing is not just the end of the Cold War, or the passing of a particular period of post-war history, but the end of history as such: that is, the end point of mankind's ideological evolution and the universalisation of Western liberal democracy as the final form of human government.' (Fukuyama, 1992).

17 US Bureau of Labor Statistics website: Workforce Statistics on manufacturing employment; Eurostat website: employment and unemployment database, tables on employment by sex, age and economic activity.

18 World Trade Organisation website: Statistics Database.

19 The policy was relaxed at the end of 2013, and became a two-child policy in October 2015.

20 Bernanke (2005).

21 The fundamental drivers of high saving and weak investment that led to falling real interest rates are a matter for continuing research – see Rachel and Smith (2015).

22 Since the 1980s, it has been possible to measure real interest rates quite accurately by looking at how much governments have to pay to borrow in the form of securities (bonds) on which the returns are indexed to inflation. Such bonds have been issued by a number of industrialised countries over the past thirty years (King and Low, 2014).

23 Germany, with its own objective of promoting its export sector, was a notable exception.

24 Charles Dumas (2004, 2006 (with Chovleva)) provided an early analysis of this problem.

25 Its reversal was a striking feature of what came to be known as the Bretton Woods II international monetary system. Although some foreign direct investment did move from advanced to emerging economies, it was more than offset by financial flows in the opposite direction. This analysis of the Bretton Woods II system was first put forward by Dooley, Folkerts-Landau and Garber (2003). Those authors refined and extended the analysis in a series of papers over the following decade. A key part of their argument is that China wanted to lend large sums to advanced economies so that, in the event of a major economic or political disturbance, these claims would act as 'collateral' against the foreign direct investment made by the same economies in China. This made it possible for China to obtain the direct investment it needed to support development, and required China to run a large and continuing trade surplus. In any event, export-led growth meant that China had to invest overseas the proceeds of its trade surplus.

Some economists have placed more emphasis on the gross flows of capital among countries, and especially within the advanced world, than on the net flows from emerging to advanced economies. The most compelling arguments were set out by Borio and Disyatat (2011) and Shin (2012). It is true that European banks invested more money in the United States than did China. But they also borrowed far more from American money market and hedge funds. Those gross flows of capital were recycling money that could have been channelled through the US banking system but were instead intermediated through European banks, which were eager to grow by granting new loans and acquiring assets, so expanding the size of their balance sheets. When the crisis hit, banks belatedly reduced their leverage and, as a result, gross capital flows between Europe and the United States fell sharply – by almost 75 per cent. But the driver of the fall in real interest rates, and hence in the rise of the prices of bonds, shares and houses, was the additional net saving injected into the world capital market by economies with high propensities to save and large trade surpluses, and the decision by central banks in the West to keep official interest rates low in order to maintain steady growth and an inflation rate close to target.

26 Shin (2012).

27 King (2006).
28 Other Asian countries had experienced the 'Asian crisis' in the late 1990s when borrowing by their banks in US dollars at low interest rates to lend at higher rates in domestic currency led to a currency mismatch in their banking system and so the need to turn to the West to borrow dollars, often with harsh conditions attached. They wanted to build up large dollar reserves as an insurance policy against the need to lend to their own banking system in a crisis.
29 I learned this from the late Rudiger Dornbusch of MIT.
30 BNP press release, 9 August 2007.
31 Lender of last resort support was extended to HBoS on 1 October 2008 and to RBS on 7 October 2008. The former facility was fully repaid by 16 January 2009 and the latter by 16 December 2008. The peak intraday lending by the Bank of England to the two institutions was £61.5 billion on 17 October 2008 (Review of the Bank of England's provision of emergency liquidity assistance in 2008–9, Report by Ian Plenderleith, Bank of England, October 2012).
32 Paulson (2010), p. 349.
33 The so-called Basel capital and liquidity requirements for banks are determined by a group of central banks and regulators drawn from the G20 countries. Much of this work is discussed in the international body encompassing the same group of countries and known as the Financial Stability Board.
34 World Bank Tables and author's own calculations.
35 IMF World Economic Outlook Database, April 2015.
36 The discussion of secular stagnation was revived in an important contribution by Summers (2014).
37 King (2009).

2 GOOD AND EVIL: IN MONEY WE TRUST

1 Created as one element of Britain's national memorial to President John F. Kennedy, the scholarships enable young British graduates to study at either Harvard or MIT. The other element was the gift of an acre of land at Runnymede, which is now US territory.
2 Maddison (2004).
3 One of the best descriptions of the corrosive effects on civil society of hyperinflation in Central Europe in the 1920s is the autobiography of the Austrian writer Stefan Zweig, *The World of Yesterday*.
4 Keynes (1930). Goodhart (2015) provides an excellent discussion of the process of money creation.
5 Domesday was the Old English term for the day of judgement. Its contents are available on the National Archives website, www.nationalarchives.gov.uk
6 Smith (1766).

7   Smith (1776), p. 20.

8   Ibid., pp. 20–1.

9   Rae (1895), p. 49.

10 Ricardo (1816), p. 24.

11 MacGregor (2010), Ch. 72. There is a wonderful example of a later Ming dynasty banknote from the fourteenth century in the remarkable Citi Money Gallery of the British Museum in London.

12 Chinese banknotes of the early Ming dynasty carried the warning: 'Whosoever forges notes or circulates counterfeit notes shall be beheaded' (Kranister, 1989).

13 Following the application of the 1720 Bubble Act to the colonies in 1741, joint-stock corporations (which permitted many people to share in the ownership of a company operating on a much larger scale than any of the owners could individually afford) became illegal, which made banking operations virtually impossible. So no money was created by banks.

14 Johnson (1997), p.75.

15 In 1764 the British Parliament passed the Currency Act, which outlawed the use of all such paper money in the colonies as legal tender. But, as noted in the text, legal tender is far less important than the general acceptability of a currency, and the new bills circulated successfully in the colonies for a number of years. On that episode see Grubb (2015), Celia and Grubb (2014) and Priest (2001).

16 Franklin (1767) in Labaree, Vol. 14, pp. 34–5.

17 Massachusetts was, perhaps, an exception (Priest, 2001).

18 Harris (2008).

19 The proportion had been reversed by the end of the free banking era.

20 There were two episodes, in 1839 and 1859, in which convertibility into gold was suspended. But there were still discounts of the value of banknotes at a distance from head office from the par value that would be offered at head office.

21 Gorton (1989).

22 Data for 2014 from the respective central banks.

23 Goodhart is persuasive on this point (2015). There are also too many examples of the irresponsible encouragement of people on low incomes to borrow for one to be sanguine about the behaviour of the financial services industry.

24 Gibbon (1776), Vol. 1, p. 282.

25 Although when the British bank Northern Rock started to fail in September 2007, a surprising proportion of depositors who withdrew their money were prepared to leave a branch of the bank clutching a cheque drawn on Northern Rock itself.

26 Between the spring of 2007 and the spring of 2009 the demand for £50 notes rose by 28 per cent, double the increase for other denominations. See Bank of England statistics: http://www.bankofengland.co.uk/banknotes/Pages/about/stats.aspx#1

27 Bernanke and James (1991).

28 In 2013 the Freedom From Religion Foundation, a group of atheists, took legal action against the United States Treasury Department claiming that the inclusion of this traditional motto was unconstitutional on the grounds that whenever they used money they were being 'forced to proselytise' for a god in whom they didn't believe. The suit was rejected by US District Judge Harold Bauer Jr because the motto had a long-standing secular purpose, and didn't constitute a 'substantial burden' on atheists.

29 In 2009 the North Korean People's won collapsed in external value and its citizens were given a week to exchange old won for new notes that had two zeroes knocked off their value.

30 Roberts (2014), p. 771.

31 For a detailed study of the impact of the hyperinflation on the society and politics of Germany see Feldman (1993).

32 Using the modern definition of one trillion as 1,000,000,000,000.

33 For a magisterial history of inflation over many centuries see Fischer (1996).

34 For example, Holzer (1981) and Cato Institute (2014).

35 There were periods, especially in the nineteenth century, when some countries, including the United States, used a bimetallic standard linked to gold and silver. Fluctuations in the market price of one metal against the other made the system unstable, as the metal with the higher price tended to disappear from circulation. In the US, bimetallism ended during the Civil War.

36 Data on the gold price may be found on the Bank of England website and on www.kitco.com

37 Data supplied by Diggers and Dealers, Kalgoorlie, Western Australia.

38 Some of the gold in New York is held on behalf of overseas owners; other official US holdings are stored in Fort Knox.

39 In a delicious irony, it was exactly 200 years later, to the month, that the then Chancellor, Gordon Brown, restored the monetary independence of the Bank that had been taken away by Pitt.

40 Speech to the Democratic National Convention in Chicago, 9 July 1896.

41 Keynes (1923a), p. 172.

42 See, for example, Greenspan (1966).

43 Figures on gold reserves can be found on the World Gold Council website.

44 Friedman and Schwartz (1963), Friedman (1960).

45 Sims (2013).

46 Hahn (1982), p. 1.

47 Arrow (1951), Arrow and Debreu (1954), Debreu (1951).

48 If people are expected to renege on their contracts then the auction process will disallow bids that cannot be enforced. That will greatly reduce the benefits from trade. Ultimately it may mean that there is no possibility of trade between individuals. An efficient outcome requires that contracts are enforced.

49 O'Neill (2002), Reith Lectures, No. 1.

50 The idea of an economy comprising 'overlapping generations' was analysed by the great economist Paul Samuelson (1958).

51 The view that money can help to overcome the constraint of the double coincidence of wants and the implied restriction to exchange by barter was set out in detail by Carl Menger (1892), and was modelled explicitly by Nobuhiro Kiyotaki and Randall Wright (1989).

52 Kiyotaki and Moore (2002). Which came first – money or evil? To judge by the book of Genesis, evil appeared in the Garden of Eden before money. But it was not long, in the book of Deuteronomy, before the Lord commanded Moses, 'Ye shall buy meat of them for money, that ye may eat; and ye shall also buy water of them for money, that ye may drink' (Deuteronomy 2:6, King James Bible).

53 Hammond (1975) pointed out that the best outcome in such an overlapping generations model was a cooperative equilibrium of the intergenerational game. For the cognoscenti, in modern game-theoretic terminology, where each generation is represented by a single player, the equilibrium is sub-game perfect and renegotiation proof.

54 Willetts (2010).

55 Binswanger (1994).

56 In the debate over the Re-charter of the Bank Bill (1809).

3 INNOCENCE LOST: ALCHEMY AND BANKING

1 Hastings (2013), p. xvi.

2 *New York Times*, 10 July 2007.

3 When I became Governor of the Bank of England I decided to formalise a long-standing interest in such matters, and so, in conjunction with Charles Aldington (then of Deutsche Bank), I started a dining group to meet regularly and discuss key episodes in financial history. A short account of the Financial History Dining Club was published in 2015 (Aldington et al., 2015).

4 The bank holiday was announced on 6 March. On 9 March Congress passed the Emergency Banking Act. On 13 March, only four days after the emergency legislation came into effect, member banks in Federal Reserve cities received permission to reopen. By 15 March, banks controlling 90 per cent of the country's banking resources had resumed operations. But around 4000 insolvent banks never reopened.

5 Source: https://www.fdic.gov/about/history/3-12-33transcript.html

6 Figures are from the Banker Database: www.thebankerdatabase.com. Data are for end 2014.

7 Worldwide bank assets are the total assets of the largest 1000 banks in the world, as listed in the Banker Database.

8 The Banker Database, www.thebankerdatabase.com

9 The description 'socially useless' was used by Adair Turner, chairman of the Financial Services Authority in the UK from 2008 to 2013, in his Turner Report on the financial crisis in United Kingdom; The phrase 'doing God's work' was used by the CEO of Goldman Sachs, Lloyd Blankfein, in an interview published in the *Sunday Times*, 8 November 2009.

10 Figures from the Banker Database, www.thebankerdatabase.com, as of end 2014.

11 Because for any bank total assets must equal total liabilities, leverage can be measured by the ratio of either assets or liabilities to equity capital.

12 Brennan, Haldane and Madouros (2010).

13 I prefer 'too important to fail' (TITF) to 'too big to fail' (TBTF) as a description of the problem, because a small bank can be significant if it is highly interconnected with other banks or if its failure would be a signal leading to contagion to other banks.

14 Wolf (2010).

15 Bank of England (2009).

16 Bank for International Settlements (BIS), Derivative Statistics 2015.

17 Abbey National demutualised in 1989 and has survived as part of Santander UK.

18 That attitude was brilliantly captured in the book *Liar's Poker* by Michael Lewis (1989).

19 CCP Research Foundation estimates of conduct costs 2010–14, http://conductcosts.ccpresearchfoundation.com/conduct-costs-results. The estimate includes provisions made by banks of around $70 billion for future settlements of conduct cases relating to past behaviour.

20 Moggridge (1992), p. 95.

21 Keynes in a 1934 letter quoted by Chambers et al. (2014).

22 Bernie Madoff, former chairman of the NASDAQ stock exchange, for many years managed funds for private investors in which the money paid out was financed by new money coming in – what is known as a Ponzi scheme. He is estimated to have defrauded his investors of around $18 billion and in 2009 was sentenced to the maximum term in prison of 150 years.

23 Quoted in Alan Harrington, 'The Tyranny of Forms', *Life in the Crystal Palace* (Knopf, 1959).

24 This is not to say that accounting standards guarantee a fair and accurate description of the health of a bank (Dowd, 2015, Kerr, 2011).

25 The success of an investment in Berkshire Hathaway is in part the judgement of Warren Buffett and in part the fact that he does not operate his company as a hedge fund, which would typically charge an annual fee of 2 per cent of capital and 20 per cent of profits. Charges of that size drastically reduce the returns to the ultimate investors.

26 Bank of America Annual Report 2014, Table 6. Financial and other assets comprise holdings of equity, debt, securities purchased through agreements to resell (collateralised repos – where one party contracts to sell and then buy back an asset at an agreed price on a specified date) and other assets. Other borrowing includes short- and long-term borrowing as well as borrowing through collateralised repo transactions.

27 The standard analysis of a bank run when banks engage in maturity transformation was explained in a famous article by Douglas Diamond and Philip Dybvig (1983).

28 Macey, Jonathan R. and Miller, Geoffrey P. (1992).

29 An excellent account of the failure of the City of Glasgow Bank, and the subsequent legislation to remove unlimited liability, is contained in the Masters thesis of Thomas Ward at the University of Edinburgh: 'The Regulatory Response to the Collapse of the City of Glasgow Bank, 1878 to 79', Masters thesis, 21 August 2009.

30 *The Economist*, 25 October 1879.

31 This point was first made forcefully by Hellwig (1995).

32 The fate of money market funds and the response by the Federal Reserve is vividly described in Bernanke (2015).

33 The vehicles were also known as conduits or structured investment vehicles (SIVs). Their liabilities were known as asset-backed commercial paper (ABCP).

34 Bagehot (1873), p. 49.

35 Calomiris and Haber (2014).

36 The five banks are Royal Bank of Canada, Toronto Dominion Bank, Bank of Nova Scotia, Bank of Montreal, and the Canadian Imperial Bank of Commerce.

37 Although deposit insurance schemes are nominally supported by the banking system as a whole, in times of crisis, as in 2008, the government provides the finance to ensure that depositors can be paid.

38 See the account of the rise and fall of Enron in McLean and Elkind (2004).

4 RADICAL UNCERTAINTY: THE PURPOSE OF FINANCIAL MARKETS

1 Paul Lambert lost his job in February 2015, an event which, despite his own advice, took him by surprise.

2 Gigerenzer (2002, 2015), Gigerenzer and Gray (2011).

3 *Financial Times*, 13 August 2007; in other words, the moves in prices that he observed were twenty-five times larger than the standard deviation, a measure of dispersion, of the past experience of changes in prices.

4 Syed (2011).

5 Smith (2012).

6 This example as discussed in Gigerenzer (2014).

7 This is an example of the 'turkey illusion', originated by Bertrand Russell (1912) and popularised by Taleb and Blyth (2011), in which the turkey mistakes the pattern of being fed each day for a process that will continue for ever, and is caught unawares when, the day before Thanksgiving, the farmer kills rather than feeds the turkey. The failure to understand the context, or the model, of the process leads to a big surprise for the turkey, similar to the surprise many homeowners got when house prices stopped rising.

8 Letter to Frederick William, Prince of Prussia, 28 November 1770, in Tallentyre, S.G., (1919), p. 232.

9   Knight (1921).

10 Malthus (1798), Chapter IX. 7.

11 The Actuarial Profession, a body of life assurance companies and annuity providers, forecast in 1980 that a man who was 60 in that year could expect to live another 20 years. At that time, it was thought that someone who reached 60 in 1999 would live a further 21 years. But by 1999 the forecast was that a man of 60 would live another 26 years. Over a twenty-year period, expected length of life was revised up by 5 years.

12 Other sources of inefficiencies in a market economy arise from monopoly, 'externalities' (unpriced outputs, such as pollution) or public goods, which create a prisoner's dilemma in terms of how to fund them.

13 Samuelson (1937) and Houthakker (1950) showed that the assumption that rational agents would maximise expected utility could be derived from one basic axiom – the Generalised Axiom of Revealed Preference – that agents who choose among alternative outcomes A, B and C, and prefer B to C and A to B, would never choose C over A.

14 A good example is the bestseller by Levitt and Dubner, *Freakonomics* (2005).

15 Friedman (1953).

16 Gigerenzer (2002).

17 In the literature, this is known as the 'gaze heuristic' (Gigerenzer, 2014).

18 Keynes (1937a).

19 Although there is also no need to retain them in a world of radical uncertainty where coping strategies are about adapting to new environments, which may naturally result in decisions that appear inconsistent over time.

20 Kahneman (2011), Kahneman and Tversky (1979), Tversky and Kahneman (1974), Thaler (1991), Thaler and Sunstein (2008).

21 An early alternative to optimising theories was the idea of 'satisficing'. It is the rule of thumb of searching through a set of alternatives until one of them meets some threshold of acceptability rather than searching for the optimum among the entire set (a sensible approach to dealing with an extensive menu in a restaurant when one would prefer to speak to a companion), and was proposed by Herbert Simon (1956). Satisficing is one possible rule of thumb for a class of problems where it is relatively easy from past experience to define an acceptability threshold. An interesting application of the concept of satisficing to monetary policy, using the rigorous tool of viability theory, is Krawczyk and Kim (2009). For other problems, where past experience offers little guide, it is of less use.

22 Kahneman (2011).

23 Gigerenzer and Brighton (2009).

24 Tuckett (2011), p.13.

25 For an example of the latest research into heuristics applied to inter-temporal decisions – that is, decisions that have consequences at different points in time – see Ericson, White, Laibson and Cohen (2015).

26 Knight (1921), p. 227.

27 Gigerenzer and Brighton (2009); Gigerenzer (2014).

28 In his remarkably original (and long) book *Antifragile*, Nassim Taleb proposes a general approach to embracing the unexpected. The opposite of fragile, he argues, is not robust but antifragile, a system that learns from shocks. As Taleb puts it, 'A complex system, contrary to what people believe, does not require complicated systems and regulations and intricate policies. On the contrary, the simpler, the better. Complications lead to multiplicative chains of unanticipated effects.'

29 The standards are set by the so-called Basel Committee, comprising central bank governors and regulators of the group of G20 countries.

30 Aikman et al. (2014). 'Failure' is defined to include cases where it is judged that a bank would have defaulted without substantial government intervention of a kind not given to the generality of banks.

31 Shin (2009).

32 Tuckman (2015).

33 I am indebted, in a straightforward way, to Michael Pescod for this example.

34 Warren Buffett in his annual letter to Berkshire Hathaway shareholders of 2002.

35 For example, my own speech at the Mansion House, 20 June 2007: http://www.bankofengland.co.uk/archive/Documents/historicpubs/speeches/2007/speech313.pdf

36 See Tuckman (2013).

37 Knight (1921), p. 232. Arrow and Debreu themselves were well aware that, beautiful though their theoretical construction was, their achievement was to show that the conditions under which a competitive market economy was efficient were so restrictive as to be wholly implausible.

38 Grossman and Miller (1988).

39 The panel comprises between eight and sixteen banks, depending on the maturity and currency of the interest rate, and LIBOR is the average of the quoted rates after discarding extreme observations on either side.

40 Wheatley (2012), p. 30.

41 Similar improper and illegal behaviour was discovered in the foreign exchange market, and in 2015 a number of global banks were fined billions of dollars for their manipulation of the market.

42 The only sensible solution is to abandon LIBOR as a continuous benchmark rate and replace it with a rate on an instrument, such as an overnight official interest rate, not likely to suffer from the occasional disappearance of liquidity. Since such a large proportion of the existing stock of financial instruments uses LIBOR as the reference rate, a switch to an alternative would raise yet another prisoner's dilemma: no one firm on its own could change the benchmark for derivative contracts. A much-needed change will take coordinated action among market participants, prodded by regulators and central banks.

43 The three were Eugene Fama, Robert Merton and Robert Shiller.

44 Schumpeter (1942).

45 Keynes (1936), p. 156.

46 See Tuckett (2012), who argues, 'given that the prices of financial assets

cannot be set by fundamentals – which are unknowable – they are set by stories about fundamentals – specifically the stories which market consensus at any one moment judges true. And because which stories are most popular and judged true can change very much quicker than fundamentals, asset valuations can change very rapidly indeed.'

47   A microsecond is one millionth of a second. The story of high frequency trading is told by Lewis (2014).

48   At present, high-frequency traders can learn about the order flow for a stock by placing a bid, receiving a quotation for the price, and then almost immediately (in microseconds) reversing or withdrawing the bid. With an auction system, they would receive no feedback on the bid until the auction had taken place.

49   This dimension of the structure of trading on stock markets was analysed long ago by Admati and Pfleiderer (1988).

5 HEROES AND VILLAINS: THE ROLE OF CENTRAL BANKS

1   Jarvie (1934).

2   Keynes (1931).

3   Goodhart (1988), pp. 122–3.

4   The Federal Reserve Act was passed by Congress and signed into law by President Woodrow Wilson on 23 December 1913.

5   The former was the description of Sir Joseph Banks, the English botanist who was President of the Royal Society for over forty years; the latter is from the magazine *The Black Dwarf* of 31 March 1819.

6   Veto Message Regarding the Bank of the United States, 10 July 1832 (emphasis added).

7   Goodhart (1988), chapter 5.

8   The slogan is also the title of a 2009 book by Congressman Ron Paul.

9   In his opinion (Ruling 11-779C, 15 June 2015), Judge Wheeler found that the Fed's action 'constituted an illegal exaction under the Fifth Amendment' and that it 'did not have the legal right to become the owner of AIG'. But, he also ruled, 'the inescapable conclusion is that AIG would have filed for bankruptcy' without the bailout and 'the value of the shareholders' common stock would have been zero.' He declined to award any damages. The ruling could be appealed.

10   The concerns relate to Outright Monetary Transactions designed to bring down interest rates on periphery countries' sovereign debt. In 2015 the European Court of Justice (ECJ) ruled them legal, but the German Federal Constitutional Court (FCC) has yet to respond. Whatever the outcome, the respective powers of the FCC and the ECJ are far from clear, creating some uncertainty about the legal powers of the ECB.

11   Hume (1752). See also Smith (1776).

12   In 1992 the UK adopted an inflation target for the Treasury and Bank of

England together to achieve; independence in respect of monetary policy was granted to the Bank only in 1997.

13 Greenspan (2002).

14 Blinder (1995).

15 Gibbon (1776) Vol. 1, p. 346.

16 For a broader investigation of the independence movement among central banks see Crowe and Meade (2007).

17 'Just do it' is the phrase from the well-known Nike advertisement.

18 In a deep sense, only a complete understanding of the nature of the frictions makes it possible to decide on the objectives of monetary policy. Woodford (2003) and others discuss the link between that fundamental analysis and the proposition that monetary policy should aim to stabilise inflation and output.

19 The dual mandate was set out in the Federal Reserve Reform Act of 1977.

20 An excellent example is *Interest and Prices* by Michael Woodford (2003), which builds on the ideas of the Swedish economist Knut Wicksell one hundred years ago that the key to price stability lies in thinking about the appropriate path for future nominal interest rates.

21 The bill was introduced into the House on 8 July 2014.

22 For a discussion of the achievements of inflation targeting in reducing the level and volatility of inflation see King (2012).

23 The general confession in the Book of Common Prayer is 'We have left undone those things which we ought to have done; and we have done those things which we ought not to have done; and there is no health in us.'

24 Paul Volcker was Chairman of the Federal Reserve from 1979 to 1987, and was the architect of the reduction in inflation in the United States during that period.

25 Albeit that the appointments of Mark Carney and Janet Yellen in 2013 added a certain glamour that was missing from their predecessors.

26 In October 1993 Chairman Greenspan disclosed in evidence before Congress that transcripts of committee meetings were kept. Publication of transcripts began in 1994 with a delay of five years.

27 Friedman (1956). Some of the most important and imaginative analysis of a monetary economy is contained in Patinkin (1956).

28 By 'private sector' I mean any private sector person or institution other than a bank. If a bank sells bonds to the central bank, there is no increase in the deposits of the non-bank private sector that corresponds to something that one can call money.

29 The nomenclature reflected the fact that creating money to purchase government bonds effectively meant that the government did not have to sell as much debt to the private sector and so was 'underfunding itself', whereas the opposite was the case when extra bonds were sold to limit the growth of money.

30 An injection of money into the economy will lead those people who sold bonds to the central bank to spend some of the money they received on other financial instruments, pushing up their price and lowering their yields relative to yields on government bonds. The difference between the yields on

government bonds and yields on other financial instruments is called the risk premium or credit spread. Some economists, as a result, call QE credit easing.

31 Bernanke (2014).

32 Woodford (2013).

33 In tribute to the successful French Montignac diet, I like to call inflation targeting the monetary equivalent – Montignac monetarism.

34 Evidence by Sir Ernest Harvey to the Macmillan Committee in 1930.

35 Bernanke (2014).

36 Thornton (1802), p. 145 in the 1807 US edition published in Philadelphia by James Humphreys.

37 Cowen, Sylla and Wright (2009).

38 Evidence by Jeremiah Harman to the Committee of Secrecy on the Bank of England Charter in 1832, Minutes of Evidence, p. 154, response to Question 2217. Harman was Governor from 1816 to 1818 but gave evidence on behalf of the Bank.

39 *The Bankers' Magazine*, June 1866, p. 646.

40 Bagehot (1873), p. 51.

41 See also Mehrling (2011).

42 Hankey (1867), p. 24 of 1887 edn.

43 Ibid, p. 29.

44 Friedman and Schwartz (1963).

45 I expressed my concerns about the parallels with 1914 in a breakfast meeting with Niall Ferguson on 15 December 2006. As he later wrote in a circular for Drobny Associates in 2007, 'In his [the Governor's] view, it was perfectly possible to imagine a liquidity crisis too big for the monetary authorities to handle alone. As in 1914, governments would need to step in.' The two best accounts of the financial crisis of 1914 are Roberts (2013) for the story in London and Silber (2007) for events in New York.

46 Clark (1974).

47 Keynes (1914a), p.4.

48 Quoted in Fildes (2013).

49 Keynes (1914b), p. 473.

50 Grant (2014) and Silber (2007) differ as to the role of McAdoo in the closing of the exchange.

51 Quoted in Roberts (2013), p. 109.

52 Lloyd George (1933), p. 62.

53 Ibid, p. 62.

54 Keynes (1914a), p. 484.

55 A bottle of champagne is offered to the first reader who can identify the source of this quotation.

56 Lloyd George (1933), p. 66.

57 The need to recapitalise the banks was at the heart of the policy discussions between the Bank of England and the British government throughout 2008. It culminated in the announcement on Wednesday 8 October 2008 of a major recapitalisation of UK banks (and a coordinated interest rate cut by the principal central banks).

And the turning point of the crisis was when the Americans followed the UK's example and announced that they would use the money reluctantly appropriated by Congress for the so-called Troubled Asset Relief Program (TARP) to recapitalise their banks instead. When that duly happened in the spring of 2009, following the stress tests of US banks, the banking crisis effectively ended.

58 MacGregor (2014).
59 Roberts (2013), p. 165.
60 Comptroller of the Currency, *Annual Report 1907*, p. 74, quoted in Silber (2007), p. 77.
61 Silber (2007), p. 81.
62 *Daily Gazetteer*, 7 April 1737.

6 MARRIAGE AND DIVORCE: MONEY AND NATIONS

1 Mundell (1961).
2 There is much more to an optimum currency area than considerations of trade and changes in competitiveness. Agreement on the objectives of monetary policy, and in particular on the importance of price stability, is essential to a happy union. Chari et al. (2013) have extended the economic calculus of monetary unions to include the benefits of associating with like-minded countries to insure each other against idiosyncratic shocks to market 'credibility'.
3 Colley (2014), pp. 9–10.
4 Mill, John Stuart (1848), p. 153.
5 http://www.nytimes.com/2014/11/15/world/middleeast/islamic-state-says-it-plans-to-issue-its-own-currency-.html
6 The International Organisation for Standardisation (ISO) lists 152 currency codes for official currencies; the IMF membership, adjusting for monetary unions, accounts for (with the addition of Cuba) 146 currencies – Table 2 of the 2014 IMF Annual Report on Exchange Arrangements and Exchange Restrictions.
7 Wales was formally annexed to England in 1542. The Acts of Union of 1707 created the Kingdom of Great Britain. The Acts of Union of 1800 incorporated Ireland into the United Kingdom of Great Britain and Ireland. Following the creation of the Irish Free State in 1921, and the resulting partition of Ireland, the United Kingdom of Great Britain and Northern Ireland came into being in 1927.
8 In the many discussions I had with colleagues in Europe, I was struck that more than one of them saw in European Monetary Union the opportunity to recreate the Holy Roman Empire.
9 The seven were Bosnia, Croatia, Kosovo, Macedonia, Montenegro, Serbia and Slovenia.
10 In practice the LMU ended in 1914, although some elements of its formal structure limped on until 1927; see Flandreau (2000).

11   Only after its nationalisation in 1946 was the Bank of England able to print notes depicting the sovereign. The first such banknote containing the Queen's head appeared in 1960. Coins were produced not by the Bank of England but by the Royal Mint, under the UK Treasury, and had depicted the sovereign for many centuries.

12   Mohr (2014).

13   Austria, Belgium, Finland, France, Germany, Ireland, Italy, Luxembourg, the Netherlands, Portugal and Spain were founder members in 1999. Subsequent joiners were Greece in 2001, Slovenia in 2007, Cyprus and Malta in 2008, Slovakia in 2009, Estonia in 2011, Latvia in 2014 and Lithuania in 2015.

14   Bagehot (1869), p. 9.

15   Jackson (2001).

16   This view was especially associated with Tommaso Padoa-Schioppa, a key adviser to Jacques Delors, President of the European Commission, and later a leading Italian central bank and government official. He was briefly finance minister of Italy.

17   Quoted in Alexander Woollcott, 'The First Mrs. Tanqueray', *While Rome Burns* (1934).

18   An excellent account of the birth of the euro is Issing (2008).

19   World Bank database.

20   Translation of letter from Archbishop Hieronymos to Prime Minister Papademos by staff at the Bank of England; the letter was posted on the website of the Archdiocese of Athens on 2 February 2012.

21   https://www.ecb.europa.eu/press/key/date/2012/html/sp120726.en.html

22   In January 2015, the Advocate General of the European Court of Justice stated that the programme was in principle compatible with the Treaty on the Functioning of the European Union, provided that it was for the purpose of monetary policy. It is not easy to see how purchases of the debt of some countries but not others can be construed as solely an act of monetary policy. The Advocate General also raised questions about the potential conflict between the ECB's roles in setting conditions for the eligibility of a country to join the programme and in deciding to buy sovereign debt.

23   Figures from Eurostat.

24   http://www.theguardian.com/news/datablog/2014/oct/02/crowdsourcing-youth-migration-from-southern-europe-to-the-uk. See also data from the respective national statistical organisations.

25   http://www.bbc.co.uk/news/world-europe-33535205

26   IMF Country Report No. 15/186, International Monetary Fund, Washington DC, 14 July 2015.

27   Connolly (1997).

28   If full-employment current account deficits (the trade deficit plus the net costs of servicing external debt) as a share of GDP returned to their 2007 levels then the external financing requirements of Greece, Portugal and Spain alone (ignoring Italy and France) would amount to 4.2 per cent of the GDP of Germany and the Netherlands (IMF WEO database, April 2015).

29 John Maynard Keynes, *New Statesman and Nation*, 10 July 1937.

30 Bergsten (2014).

31 Issing (2015).

32 'The German export success of German business also helps others in Europe ... The eurozone as a whole has a level external balance. Without our contribution, we would, in relation to the rest of the world, have a rather serious situation.' Wolfgang Schäuble, German Finance Minister, *Financial Times*, 30 June 2014.

33 The essay by Brendan Simms (http://www.newstatesman.com/politics/2015/07/why-we-need-british-europe-not-european-britain), which argues that political unions are events, not gradual processes, is persuasive in that, having moved to monetary union, the option of a gradual convergence and eventual political union in the euro area has been removed.

34 At no stage did the Kurdish groups lay claim to the Swiss dinar as their currency. They had no control over it, as shown by the interview given to Gulf News on 30 January 2003 by the Kurdistan Regional Government Prime Minister Barzani, who said, 'We don't have our own currency.'

35 Sources for this data include the United Nations (from the oil-for-food programme) and the Central Bank of Iraq.

36 Compiled by the Central Bank of Iraq, based on data collected by the United Nations World Food Program.

37 See Bank of England Museum (2010).

38 Although banknotes issued by Scottish banks are already in existence, by law they have to be fully backed by English banknotes – special million-pound notes printed by the Bank of England for this very purpose.

39 The experience of dollarisation is discussed extensively by Bogetic (2000). In the absence of its own currency, a dollarised country cannot print money to finance government expenditure. A spendthrift government may be tempted to abandon dollarisation and print its own money. In 2014, President Correa of Ecuador announced that it would start to issue its own digital currency. Panama minted its own coins – the balboa – in 2011 – and it is unclear whether these are fully backed by a combination of US dollars and the metallic value of the coins themselves. Several countries have adopted the euro, including Montenegro, which is not a member of the European Union.

40 There would also be no loss of tax revenues to a Scottish government. At present Scotland does not receive tax revenues on the profits of the large banks resident there, because as part of the United Kingdom it has no separate corporation tax.

7 INNOCENCE REGAINED: REFORMING MONEY AND BANKING

1 Bagehot (1873), p. 158–9.

2 Blakey (1839), p. 4.

3 The book is attributed variously to Robert Blakey (by the British Library and the Bodleian), Thomas Doubleday (by Goldsmiths Catalogue, and Ashton, Fryson & Roberts, 1999) and Thomas Ainge Devyr (in a handwritten entry in the first edition in my possession). Robert Blakey was a radical politician in the North-East of England in the nineteenth century. He was the owner of the *Northern Liberator*, a radical Newcastle paper. Thomas Doubleday was a close friend of Blakey and was one of the main contributors to the paper. Devyr, an Irishman, was the paper's sub-editor. He later emigrated to New York to escape prosecution for conspiring to promote violent Chartist activities. Devyr's career was described by an American friend: 'he was a Nationalist in Ireland, a Chartist in England, a kind of revolutionist even in America. Anyway, he had only scorn and contempt for the politicians of America' (Adams, 1903). Blakey was prosecuted for seditious libel, eventually pleading guilty, and was bound over to keep the peace for three years. He closed the *Northern Liberator* in 1840.

4 Blakey (1839), pp. 58–9.

5 In today's money roughly equivalent to £5000.

6 In the UK, ring-fencing followed the recommendations of the Independent Commission on Banking chaired by Sir John Vickers, which reported in 2011, and in the US the Dodd-Frank Wall Street Reform and Consumer Protection Act of 2010 included the so-called Volcker rule, which outlawed proprietary trading for their own account by banks.

7 Basel Committee on Banking Supervision, *Regulatory Consistency Assessment Program Analysis of Risk-weighted Assets for Credit Risk in the Banking Book*, July 2013.

8 Bingham (2010) relates the story of a case in Britain in which neither the lawyers nor the judges realised that the relevant regulations applying to the case at hand had changed between the date of the alleged offence and the date of the hearing because there was no easy way of finding out.

9 Mansfield (1761).

10 Haldane (2013).

11 Information supplied by the Bank of England.

12 A comprehensive survey of proposals to end fractional reserve banking is Lainà (2015).

13 A six-page memorandum describing the plan was circulated confidentially by Henry Simons to about forty individuals in 1933.

14 Fisher (1936a, 1936b), Friedman (1960), Minsky (1994), Tobin (1985).

15 Keynes was nevertheless scathing about bankers. In his memoir of Keynes published by King's College, Cambridge, in 1949, G. Wansborough wrote: 'many of us will remember with what unholy joy we used to read in the *Nation* his annual review of the speeches of the Bank Chairmen, which he greeted, if I remember his words, as "the twittering of swallows to presage the end of winter".' He went on, 'his very brilliance of exposition probably frustrated to some extent the contribution he had to make to the formation of policy; and if he had been more tender of the susceptibilities of those in

high places, his wisdom would probably have brought practical advantage to this country many years earlier than it did.'

16 Cochrane (2014), Benes and Kumhof (2012), Jackson and Dyson (2013), Kay (2009, 2015), Kotlikoff (2010), Wolf (2014).

17 As proposed by Kareken (1986) and Litan (1987).

18 Although the Chicago Plan did not envisage the separation of a bank into two parts, the implication of 100 per cent reserves is that banks could not create deposits by extending loans. In economic terms, therefore, a bank would be in effect a combination of a narrow bank and a wide bank, with no ability to mix the financing of safe and risky assets.

19 The advantage claimed by Benes and Kumhof (2012) that government debt and interest would be sharply reduced relies heavily on the assumption that seigniorage income (the profit derived from printing money) would rise because the central bank would not pay interest on reserves. That is unlikely to be sustainable if public money is to survive on the same scale as private money at present, and paying interest on reserves is a feature of a growing number of central banks for purposes of monetary management.

20 Fisher (1936b), p. 15.

21 See the discussion in Holmstrom (2015).

22 Geithner (2014), p. 508.

23 Sedgwick (1840), pp. 104–5.

24 Bulow and Klemperer (2013, 2015) have been thinking about the use of collateral in the context of reforming the capital regulation of banks and the allocation of losses when banks fail.

25 Such assets could not also be used as collateral with other creditors.

26 A more sophisticated, albeit more complicated, measure of effective liquid liabilities would be to weight liabilities by their remaining duration. Short-term secured borrowing, such as in the repo markets, is excluded because if the lender doesn't roll over the loan the bank receives back the collateral which can be either sold to provide liquid funds, used to borrow from another lender, or taken to the central bank.

27 Institutions that appear to offer to redeem holdings of illiquid assets at fixed prices, money market funds and certain other fund managers, for example, should either make clear that redemptions will be at actual transaction prices or subject to the regulation of the PFAS – see Cochrane (2014).

28 Federal Reserve Board, Banking Statistics Table 5, return H.4.1.

29 Reserve Bank of Australia, Domestic Market Operations August 2015, http://www.rba.gov.au/mkt-operations/dom-mkt-oper.html#tiotb3ls

30 See the persuasive arguments in Admati and Hellwig (2013). In recent years, there has been much interest in the idea of creating new forms of debt that are 'bail-inable' – that is, convertible into equity – in the event that the bank crosses a threshold determined either by a regulator or a particular level of its capital ratio. The most interesting of these new instruments is the proposal for equity recourse notes by Jeremy Bulow and Paul Klemperer (2015), which is designed to provide incentives for banks to issue equity. Once markets

understand that such forms of debt really are bail-inable, and that the authorities will not hesitate to enforce that option, then it is hard to see, other than
its potential to reduce a bank's tax liability, why the market would price
such debt differently from equity. The decision in November 2015 by the
Financial Stability Board to count bail-inable debt issued by other banks as
part of the effective loss-absorbing capacity of banks is a backward step and
weakens the system. Equity has the attraction that it absorbs losses without
the intervention of a regulator to trigger the bail-in. Bank resolution would
naturally go hand-in-hand with a greater reliance on instruments such as
bail-inable debt or contingent capital. Problems will arise if such debt is
held by other leveraged firms, because a bail-in to protect firm A could lead
to problems in firm B and so on. Equity held by final investors is the only
safe buffer to absorb losses. Moreover, all resolution regimes, being legal
instruments, are inherently national in character. Banks are global in life and
national in death. There would be enormous challenges in resolving global
banks that spanned countries with different legal jurisdictions. The prospective failure of a large cross-border bank would, I fear, prompt telephone calls
between political leaders to override regulators and prevent the closure of a
well-known institution. The only satisfactory defence against failure is to
finance with equity.

31 Admati and Hellwig (2013) recommend a ratio of 20 per cent or more. That
    could be a long-term objective.
32 Bank of England, http://www.bankofengland.co.uk/markets/Documents/
    smf/annualreport15.pdf
33 Rogoff (2014).
34 In the US bank robberies fell from 7556 in 2004 to 3961 in 2014 (Federal
    Bureau of Investigation Bank Crime Statistics, 2004 and 2014). The increase
    of cybercrime is analysed in the 2014 US State of Cybercrime Survey, www.
    pwc.com/cybersecurity
35 This system, effectively a public ledger of all current and past transactions, is
    known as the block chain technology.
36 Similar huge swings in prices can be seen in related digital currencies, for
    example Scotcoins in Scotland.
37 http://auroracoin.org
38 Although, unlike cash, transactions with bitcoins leave a permanent record
    in the software accounting system, leading commentators such as Brito
    and Castillo (2013) to describe them not as anonymous but pseudonymous.
    Money stored as bitcoins can also be stolen by hackers or lost through care-
    lessness, just as cash is vulnerable to theft or loss.
39 Yermack (2013) provides data on the relative volatilities of the prices of bit-
    coins, gold and the major currencies. The volatility of bitcoins is an order of
    magnitude higher than the other currencies.
40 Economies of this kind have been discussed by Fama (1980), Hall (1983) and
    Issing (1999).
41 On money as a unit of account see Doepke and Schneider (2013).

42 Magna Carta, chapter 35, translation of the original Latin of 1215.

43 Hayek (1976). A theoretical discussion can be found in King (1983) and the response by Summers (1983).

44 The second possible problem with a free market in paper money is that, even with a common unit of account, new entrants can undermine confidence in existing monies. Suppose that we start with one paper money, which is called a dollar. The cost of printing a dollar banknote is at most a few cents. So the right to print money is very profitable, provided the issue does not have to be backed by real assets of equivalent value. Now suppose that other issuers are allowed to enter. If they can print currency with a face value of a dollar, they might be tempted to issue new notes backed by fewer real assets (whether gold or loans). If the market can correctly value these new notes they will sell at a discount, as in the world of free banking discussed in Chapter 2. But if consumers have difficulty in valuing the notes of different banks, or if by law they must exchange at par, then the new notes will be used to make payments and the older ones hoarded. The new entrants will earn large profits. In the limit, the supply of currency might expand until its value was equal to the cost of printing the notes. Bad money would have driven out good. This phenomenon is known as Gresham's Law, after Sir Thomas Gresham, a sixteenth-century British crown agent, who explained why debased coins issued by Henry VIII were circulating widely and the older coins had disappeared from circulation. That, of course, is exactly the aim of counterfeiters of official banknotes today, and it is why Mr Van Court's Banknote Reporter included information to aid the detection of counterfeits.

45 See the excellent recent book by Kay (2015).

46 A sermon preached to the annual service of Barclays Bank in May 1955 by the Reverend J. d'E. Firth who, as a pupil in 1918, took all ten wickets for Winchester against Eton (reprinted in *The Trusty Servant*, Winchester College, May 2010).

47 *Financial Times*, 19 December 2014.

48 Blakey (1839), p. 6.

49 Keynes (1936), p. 383.

50 Ibid, p. 383: 'Practical men who believe themselves to be quite exempt from any intellectual influence are usually the slaves of some defunct economist.'

8 HEALING AND HUBRIS: THE WORLD ECONOMY TODAY

1 IMF World Economic Outlook Database, Spring 2015.

2 Reinhart and Rogoff (2009).

3 Central banks have been referring to 'headwinds' regularly since 2008; for a number of years the Bank for International Settlements promoted the idea that the risks from rising levels of debt were a threat to stability and that the resulting crisis was a 'balance sheet recession' (see various of their annual

reports). Lawrence Summers, the Harvard economist and former Treasury Secretary, argued at an International Monetary Fund conference on 16 November 2013 that an age of secular stagnation, in which the equilibrium interest rate was negative, might explain the lack of inflationary pressure before the crisis of 2008 and the lack of growth after it.

4 Keynes himself described his work as a contrast to the 'classical' theory of economics. The counter-revolution is described as 'neoclassical' economics, but is in the same tradition as the 'classical' approach of Walras, Ricardo, Marshall and Pigou. More recently, there has been an attempt to integrate the two in a so-called New Keynesian model, which I discuss later in Chapter 8.

5 Keynes (1936), chapter 12, p. 161.

6 US Energy Information Administration.

7 There are many grades of crude oil, but two benchmarks have emerged, Brent and West Texas Intermediate, traded on ICE Futures Europe (formerly the International Petroleum Exchange) in London and the New York Mercantile Exchange (NYMEX) respectively. In addition, there is an active over-the-counter market in bilateral transactions.

8 Several theoretical papers have tried to express coordination failures in terms of an abstract game-theoretic description of an economy; for example, Cooper and John (1988) and, more recently, Angeletos et al. (2014). Such abstraction is not necessary to understand the coordination problem, even if its consequences are fundamental.

9 Krugman (2011).

10 Other path-breaking contributions were made by, among others, the American economists Tom Sargent and Neil Wallace.

11 Random shifts in the distributions generating shocks in a neoclassical model, termed 'extrinsic uncertainty' by Hendry and Mizon (2014), are similar to radical uncertainty.

12 Such models were described as 'New Keynesian' despite the fact that Keynes's view of recessions did not depend on the slow adjustment of wages and prices to external shocks and that the essence of Keynes, namely radical uncertainty and the resulting prisoner's dilemma, was absent from them.

13 They are sometimes described as 'dynamic stochastic general equilibrium' (DSGE) models, and have become the basis for much modern macroeconomics. In particular, the forecasting models used by central banks around the world to analyse monetary policy are New Keynesian DSGE models.

14 In practice, central banks also look carefully at survey estimates of inflation expectations and the behaviour of yields on index-linked government securities when making forecasts, but those forecasts revert to target for the reasons explained in the text.

15 There is room for debate over how many of the political events mentioned here could have been foreseen, and incorporated into model forecasts, and how many represented radical uncertainty. But the general point stands.

16 One view that most economists do not find compelling is that there are times in which people want to spend less and take more leisure, and periods

in which they want to do the opposite. The former are periods in which employment is low and the latter in which it is high. Business cycles are rational phenomena. Such models are called 'real business cycle' models.

17 Minsky (1975, 1986). He died in 1996, some twelve years or so before there was a resurgence of interest in his ideas.

18 See Gennaioli, Shleifer and Vishny (2015), and Eggertsson and Krugman (2012).

19 Such features are sometimes described as 'financial frictions', which gives the game away because they are seen as tweaks to a basically true model rather than posing a challenge to the model itself.

20 Keynes (1936), p. 96.

21 Keynes (1923a), p. 80.

22 Hicks (1974), p. 1.

23 The phrase the 'NICE decade' was used first in King (2003).

24 Inaugural Address of President Franklin D. Roosevelt, Saturday 4 March 1933. More modern discussions of the effect of lack of confidence on aggregate economic activity can be found in the work of George-Marios Angeletos (Angeletos et al., 2014) and Roger Farmer (Farmer, 2012).

25 Greenspan (2014), p. 44.

26 A perceptive discussion of why the post-war period experienced more stable investment growth than in earlier periods is Matthews (1960).

27 Davidsson (2011). In the UK reforms were instituted in the 1980s, and elsewhere in Europe introduced much later. For example, the so-called Hartz plan to make new job creation easier was implemented in Germany by Chancellor Schröder in 2003.

28 After re-unification of Germany in 1990, for a period Germany ran a trade deficit but over time this became a substantial trade surplus.

29 Borrowing against the increase in the value of your home, and using the proceeds to finance consumption, is described as 'equity withdrawal'.

30 One explanation of the Federal Reserve's statistical evidence was that it was drawn from a period in which many of the movements in house prices coincided with upswings and downswings in the economy. Those swings would be likely to have generated corresponding changes in consumer spending, which would be correlated with, but not caused by, changes in house prices.

31 IMF World Economic Outlook Database, April 2015.

32 Caruana (2014).

33 Turner (2014).

34 Taylor (2015).

35 King (2009).

36 Grant (2014).

37 Ibid.

38 Ibid.

39 See the minutes of the Monetary Policy Committee, especially during 2001. All MPC minutes are available at www.bankofengland.co.uk/publications/minutes/Pages/mpc/

40 As anticipated in King (2000).

41 See in particular the minutes of the MPC for January 2002.

42 http://www.bankofengland.co.uk/publications/Documents/speeches/2002/speech156.pdf

43 Consistent with this, those on the MPC most worried about the high level of the exchange rate advocated lower, not higher, interest rates in order to bring about a depreciation, at the risk of making the imbalances more acute.

9 THE AUDACITY OF PESSIMISM: THE PRISONER'S DILEMMA AND THE COMING CRISIS

1 Bagehot (1873), pp. 138–9.

2 Standard and Poor's and *Financial Times*, 23 November 2015.

3 IMF World Economic Database, October 2015.

4 Reparations imposed on countries other than Germany were dropped rather quickly, given the state of their economies.

5 Keynes (1919).

6 Schacht (1877–1970) was not a man to hide his light under a bushel. He was President of the Reichsbank from 1923 to 1930 and again from 1933 to 1939, and later Hitler's Economic Affairs Minister. He was imprisoned for a number of years, and subsequently acquitted by a denazification court in 1950. Schacht was later immortalised by Liaquat Ahamed in his book *Lords of Finance*, about the four central bank governors (Schacht, Montagu Norman, Benjamin Strong and Emile Moreau) who worked together in the 1920s and dominated international finance during that period.

7 Schacht (1934).

8 Schacht (1955), p. 211. As he wrote, 'my opponents in this struggle [against foreign indebtedness] were as short-sighted as they were numerous' (Ibid., p. 217).

9 Benjamin Friedman (2014) has made this point forcefully.

10 John Maynard Keynes (1923b), *Collected Writings*, Vol. 18, p. 14.

11 Samuel Taylor Coleridge's poem *The Rime of the Ancient Mariner*, published in 1798, contained the line 'Water, water, everywhere, nor any drop to drink'.

12 The Five Presidents' Report, 'Completing Europe's Economic and Monetary Union', European Commission, 22 June 2015, Brussels.

13 Issing (2015).

14 Keynes (1923b), p. 41.

15 In economists' language, the equilibrium full-employment exchange rate for a country is, at least temporarily, below its long-term equilibrium level.

16 Rodrik (2011).

17 Macdonald (2015), p. 217.

18 If GDP is measured at purchasing power parity rather than market exchange rates, then China became the largest economy in the world in 2014.

19 A perceptive analysis was outlined by Paul Keating (2014).

20 Macdonald (2015).

21 Taylor (2014).

22 See, for example, Gordon (2016).

23 http://www.bls.gov/news.release/pdf/prod3.pdf

24 Weale (2015) reports similar data for OECD countries as a whole. Experimental data for the UK from the Office for National Statistics (http://www.ons.gov.uk/ons/publications/re-reference-tables.html?edition=tcm%3A77-386314) suggests that over the same period annual multifactor productivity growth fell from around 0.75 per cent to a negative rate. Estimates of negative growth rates suggest measurement error rather than technical progress.

25 http://www.bls.gov/news.release/pdf/prod3.pdf

26 Field (2012).

27 For example, Keynes (1937b) and Reddaway (1939).

28 Whether the pre-crisis path of total output (GDP) will be reached depends on the growth of population and participation in the labour force, both of which are notoriously difficult to predict (Goodhart et al. 2015).

29 Marx and Engels (1848).

30 See, for example, Solow (1956).

31 For example, the communiqué of the G20 finance ministers and central bank governors meeting on 9–10 February 2015 in Istanbul.

32 Winston Churchill, Speech to the Economic Club of New York, 9 February 1932.

33 Lloyd George (1933), Vol. I, p. 74.

34 Acheson (1969).

BIBLIOGRAPHY

Acheson, Dean (1969), *Present at the Creation: My Years in the State Department*, W.W. Norton, New York.

Adams, W.E. (1903), *Memoirs of a Social Atom*, Dodo Press, London.

Admati, Anat and Martin Hellwig (2013), *The Bankers' New Clothes: What's Wrong with Banking and What to Do About It*, Princeton University Press, Princeton, New Jersey.

Admati, Anat and Paul Pfleiderer (1988), 'A Theory of Intraday Patterns: Volume and Price Variability', *The Review of Financial Studies*, Vol. 1, No. 1, pp. 3–40.

Ahamed, Liaquat (2009), *Lords of Finance: The Bankers Who Broke the World*, Penguin, New York.

Aikman, David, Mirta Galesic, Gerd Gigerenzer, Sujit Kapadia, Konstantinos Katsikopoulos, Amit Kothiyal, Emma Murphy and Tobias Neumann (2014), 'Taking Uncertainty Seriously: Simplicity Versus Complexity in Financial Regulation', Financial Stability Paper No. 28, Bank of England, London.

Aldington, Charles, Peter Garber, James Macdonald and Richard Roberts (2014), *Financial History Dinners 2003–2013: A Memoir*, Printed by Blissetts, London.

Angeletos, George-Marios, Fabrice Collard and Harris Dellas

(2014) 'Quantifying Confidence', mimeo, Massachusetts Institute of Technology, Cambridge, Massachusetts.

Arrow, K.J. (1951), 'An Extension of the Basic Theorems of Classical Welfare Economics', in *Proceedings of the Second Berkeley Symposium on Mathematical Statistics and Probability*, J. Neyman (ed.), Berkeley: University of California Press, pp. 507–32.

Arrow, K.J. and Debreu, G. (1954) 'Existence of an Equilibrium for a Competitive Economy', *Econometrica*, Vol. 22, pp. 265–90.

Ashton, Owen, Robert Fyson and Stephen Roberts (1999), *The Chartist Legacy*, Merlin Press, Suffolk.

Bagehot, Walter (1869), *A Universal Money*, reprinted in 'The Collected Works of Walter Bagehot', *The Economist*, 1965.

—— (1873), *Lombard Street: A Description of the Money Market*, Henry S. King and Co., London.

Bank of England (2009), 'Financial Stability Report', June 2009, available at http://www.bankofengland.co.uk/publications/fsr/2009/fsrfull0906.pdf

Bank of England Museum (2010), *La Caisse Centrale de la France Libre: De Gaulle's Bank in London*, Governor and Company of the Bank of England, London.

Benes, Jaromir and Michael Kumhof (2012), 'The Chicago Plan Revisited', IMF Working Paper 12/202, mimeo, Washington.

Bergsten, C. Fred (2014) 'Germany and the Euro: The Revenge of Helmut Schmidt', Kurt Viermetz Lecture, American Academy of Berlin, 5 June 2014.

Bernanke, Ben (2005), 'The Global Savings Glut and the US Current Account Deficit', Sandbridge Lecture, Virginia Association of Economists, 10 March.

—— (2014), 'Central Banking After the Great Recession:

Lessons Learned and Challenges Ahead', Discussion at the Brookings Institution, 16 January 2014.

—— (2015), *The Courage to Act: A Memoir of a Crisis and Its Aftermath*, W.W. Norton, New York.

Bernanke, Ben and Harold James (1991), 'The Gold Standard, Deflation, and Financial Crisis in the Great Depression: An International Comparison', pp. 33–68 in R. Glenn Hubbard (ed.), *Financial Markets and Financial Crises*, University of Chicago Press, Chicago.

Bingham, Tom (2010), *The Rule of Law*, Penguin, London.

Binswanger, Hans (1994), *Money and Magic*, University of Chicago Press, Chicago.

Blakey, Robert (1839), *The Political Pilgrim's Progress*, John Bell, Newcastle-upon-Tyne.

Blinder, Alan (1995), 'The Strategy of Monetary Policy', *The Region*, Federal Reserve Bank of Minneapolis, 1 September 1995.

—— (1998), *Central Banking in Theory and Practice*, MIT Press, Cambridge, Massachusetts.

Bogetic, Zeljko (2000), 'Official Dollarization: Current Experiences and Issues', *Cato Journal,* Vol. 20, No. 2, pp. 179–213.

Borio, Claudio and Piti Disyatat (2011), 'Global Imbalances and the Financial Crisis: Link or No Link?', BIS Working Paper No. 346, Basel, Switzerland.

Brennan, Simon, Andrew Haldane and Vasileios Madouros (2010), 'The Contribution of the Financial Sector Miracle or Mirage?', London School of Economics Report on the Future of Finance, London.

Brito, Jerry and Andrea Castillo (2013), 'Bitcoin: A Primer for Policymakers', Mercatus Center, George Mason University, Arlington, Virginia.

Bulow, Jeremy and Paul Klemperer (2013), 'Market-Based

Bank Capital Regulation', mimeo, University of Oxford, Oxford.

—— (2015), 'Equity Recourse Notes: Creating Counter-cyclical Bank Capital', mimeo, University of Oxford, Oxford.

Calomiris, Charles and Stephen Haber (2014), *Fragile By Design: The Political Origins of Banking Crises and Scarce Credit*, Princeton University Press, Princeton, New Jersey.

Carlyle, Thomas (1849), 'Occasional Discourse on the Negro Question', *Fraser's Magazine for Town and Country*, Vol. X, p. 672.

Caruana, Jaime (2014), 'Debt: The View from Basel', *BIS Papers* No. 80, Bank for International Settlements, Basel.

Cato Institute (2014), http://object.cato.org/sites/cato.org/files/serials/files/cato-journal/2014/5/cato-journal-v34n2-14.pdf

Celia, Jim and Farley Grubb (2014), 'Non-Legal-Tender Paper Money: The Structure and Performance of Maryland's Bills of Credit, 1767–1775', National Bureau of Economic Research Working Paper 20524, mimeo, Cambridge, Massachusetts.

Chambers, David, Elroy Dimson and Justin Foo (2014), 'Keynes, King's and Endowment Asset Management', National Bureau of Economic Research Working Paper 20421, mimeo, Cambridge, Massachussetts.

Chari, V.V., Alessandro Dovis and Patrick J. Kehoe (2013), 'Rethinking Optimal Currency Areas', Federal Reserve Bank of Minneapolis Research Department Staff Report, mimeo.

Clark, Kenneth (1974), *Another Part of the Wood: A Self Portrait*, Harper and Row, London and New York.

Cobbett, William (1828), *Paper Against Gold*, W. Cobbett, London.

Cochrane, John H. (2014), 'Toward a Run-Free Financial System', in (eds.) Baily, Martin and John Taylor, *Across the Great Divide: New Perspectives on the Financial Crisis*, Hoover Press, Stanford.

Colley, Linda (2014), *Acts of Union and Disunion*, Profile Books, London.

Connolly, Bernard (1997), 'Kohl's Compromise Won't Satisfy French Demands', *Wall Street Journal*, 5 June.

Cooper, Russell and Andrew John (1988), 'Coordinating Coordination Failures in Keynesian Models', *Quarterly Journal of Economics*, Vol. 103, No. 3, pp. 441–63.

Cowen, David, Richard Sylla and Robert Wright (2006), 'Alexander Hamilton, Central Banker: Crisis Management During the U.S. Financial Panic of 1972', *Business History Review*, Vol. 83, No. 1, pp. 61–86.

Cowen, Tyler (2011), 'The Great Stagnation: How America Ate All the Low-Hanging Fruit of Modern History, Got Sick, and Will (Eventually) Feel Better', Penguin eSpecial.

Crowe, Christopher and Ellen Meade (2007), 'The Evolution of Central Bank Governance around the World', *Journal of Economic Perspectives*, Vol. 21, No. 4, pp. 69–90.

Davidsson, Johan Bo (2011), 'An Analytical Overview of Labour Market Reforms Across the EU: Making Sense of the Variation', European University Institute, mimeo.

Debreu, G. (1951), 'The Coefficient of Resource Utilization', *Econometrica*, Vol. 19, pp. 273–92.

D'Hulster, Katia (2009), 'The Leverage Ratio', Crisis Report Note: number 11, World Bank, Washington DC.

Diamond, D.W. and P.H. Dybvig (1983), 'Bank Runs, Deposit Insurance, and Liquidity', *The Journal of Political Economy*, Vol. 91, No. 3, pp. 401–19.

Doepke, Matthias and Martin Schneider (2013), 'Money as a Unit of Account', mimeo, http://faculty.wcas.northwestern. edu/~mdo738/research/Doepke_Schneider_1013.pdf

Dooley, Michael, David Folkerts-Landau and Peter Garber (2003), 'An Essay on the Revived Bretton-Woods System', National Bureau of Economic Research Working Paper 9971, Cambridge, Massachusetts.

Dowd, Kevin (2015), 'Central Bank Stress Tests: Mad, Bad, and Dangerous', *Cato Journal*, Vol. 35, No. 3, pp. 507–24.

—— (2015), *No Stress: The Flaws in the Bank of England's Stress Testing Programme*, Adam Smith Research Trust, London.

Dumas, Charles (2004), 'US Balance Sheets Serially Trashed by Eurasian Surplus', Lombard Street Research *Monthly International Review*, No. 143, London.

—— (2010), *Globalization Fractures: How Major Nations' Interests Are Now In Conflict*, Profile Books, London.

Dumas, Charles and Diana Choyleva (2006), *The Bill from the China Shop*, Profile Books, London.

Eggertsson, Gauti and Paul Krugman (2012), 'Debt, Deleveraging, and the Liquidity Trap: A Fisher-Minsky-Koo Approach', *Quarterly Journal of Economics*, Vol. 127, No. 3, pp. 1469–1513.

Ericson, Keith, John White, David Laibson and Jonathan Cohen (2015), 'Money Early or Later? Simple Heuristics Explain Intertemporal Choices Better Than Delay Discounting', National Bureau of Economic Research Working Paper 20948, mimeo, Cambridge, Massachusetts.

Fama, Eugene (1980), 'Banking in the Theory of Finance', *Journal of Monetary Economics*, Vol. 6, No. 2, pp. 39–57.

Farmer, Roger (2012), 'Confidence Crashes and Animal Spirits', *Economic Journal*, Vol. 122, pp. 155–172.

Feldman, Gerald (1993), *The Great Disorder: Politics, Economics, and Society in the German Inflation 1914–1924*, Oxford Books, New York.

Field, Alexander J. (2012), *A Great Leap Forward: 1930s Depression and U.S. Economic Growth*, Yale University Press, New Haven.

Fildes, Christopher (2013), 'Review of *Saving the City* by Richard Roberts', mimeo.

Fischer, David H. (1996), *The Great Wave: Price Revolution and the Rhythm of History*, Oxford University Press, New York.

Fischer, Stanley (2014), 'The Great Recession: Moving Ahead', speech in Stockholm, Board of Governors of the Federal Reserve System, 11 August 2014.

—— (2014), 'The Federal Reserve and the Global Economy', Per Jacobsson Foundation Lecture, Annual Meetings of the International Monetary Fund and the World Bank Group, 11 October 2014.

Fisher, Irving (1936a), *100% Money*, second edition, Adelphi Company, New York.

—— (1936b), '100% Money and the Public Debt', *Economic Forum*, April-June, pp. 406–20.

Flandreau, Marc (2000), 'The Economics and Politics of Monetary Unions: A Reassessment of the Latin Monetary Union, 1865–1871', *Financial History Review*, Vol. 7, No. 1, pp. 25–44.

Franklin, Benjamin (1767), *The Papers of Benjamin Franklin, Volume 14*, ed. Leonard Labaree, Yale University Press, New Haven, 1970.

Friedman, Benjamin (2014), 'A Predictable Pathology', Keynote Address at the BIS Annual Conference, Lucerne, Switzerland, 27 June 2014.

Friedman, Milton (1953), *Essays in Positive Economics, I – The Methodology of Positive Economics,* University of Chicago Press, Chicago.

—— (1956), 'The Quantity Theory of Money – A Restatement', in M. Friedman (ed.), *Studies in the Quantity*

Theory of Money, University of Chicago Press, Chicago, pp. 3–21.

—— (1960), *A Program for Monetary Stability*, Fordham University Press, New York.

Friedman, Milton and Anna Schwartz (1963), *A Monetary History of the United States, 1867–1960*, Princeton University Press, Princeton, New Jersey.

Fukuyama, Francis (1992), *The End of History and the Last Man*, Free Press, New York.

Geithner, Timothy (2014), *Stress Tests: Reflections on Financial Crises*, Crown Publishers, New York.

Gennaioli, Nicola, Andrei Shleifer and Robert Vishny (2015), 'Neglected Risks: The Psychology of Financial Crises', National Bureau of Economic Research Working Paper 20875, mimeo, Cambridge, Massachusetts.

Gibbon, Edward (1776), *The History of the Decline and Fall of the Roman Empire*, page number references to the Everyman edition of 1993, Random House, London.

Gigerenzer, Gerd (2002), *Calculated Risks: How to Know When Numbers Deceive You,* Simon and Schuster, New York.

—— (2007), *Gut Feelings: The Intelligence of the Unconscious,* Viking Books, New York.

—— (2014), *Risk Savvy: How to Make Good Decisions*, Allen Lane, London.

—— (2015), *Simply Rational*, Oxford University Press, Oxford.

Gigerenzer, Gerd and Henry Brighton (2009), 'Homo Heuristicus: Why Biased Minds Make Better Inferences', *Topics in Cognative Science*, Vol. 1, pp. 107–143.

Gigerenzer, Gerd and Muir Gray eds. (2011), *Better Doctors, Better Patients, Better Decisions*, MIT Press, Cambridge, Massachusetts.

Goodhart, Charles (1988), *The Evolution of Central Banks*, MIT Press, Cambridge, Massachusetts.

—— (2015), 'The Determination of the Quantity of Bank Deposits', London School of Economics, mimeo.

Goodhart, Charles, Manoj Pradhan and Pratyancha Pardeshi (2015), 'Could Demographics Reverse Three Multi-Decade Trends?', Morgan Stanley Research Global Economics, mimeo.

Gordon, Robert J. (2012), 'Is US Economic Growth Over? Faltering Innovation Confronts the Six Headwinds', National Bureau of Economic Research Working Paper 18315, Cambridge, Massachusetts.

—— (2016) *The Rise and Fall of American Growth: The U.S. Standard of Living since the Civil War*, Princeton University Press, Princeton, New Jersey.

Gorton, Gary B. (1989), 'Public Policy and the Evolution of Banking Markets', in *Bank System Risk: Charting a New Course*, Proceedings of a Conference on Bank Structure and Competition, Federal Reserve Bank of Chicago, pp. 233–52.

—— (2012), *Misunderstanding Financial Crises*, Oxford University Press, Oxford.

Grant, James (2014), *The Forgotten Depression: 1921: The Crash That Cured Itself*, Simon and Schuster, New York.

Greenspan, Alan (1966), 'Gold and Economic Freedom', *The Objectivist*.

—— (2002), 'Transparency in Monetary Policy,' *Federal Reserve of St Louis Review*, Vol. 84, No. 4, July/August, pp. 5–6.

—— (2014), *The Map and the Territory 2.0: Risk, Human Nature and the Future of Forecasting*, Penguin Press, New York.

Grossman, Sanford and Merton Miller (1988), 'Liquidity and Market Structure', *Journal of Finance*, Vol. 43, No. 3, pp. 617–33.

Grubb, Farley (2015), 'Is Paper Money Just Paper Money? Experimentation and Local Variation in the Fiat Paper Monies Issued by the Colonial Governments of British North America, 1690–1775: Part I', Working Paper Series 2015-07, Department of Economics, University of Delaware, mimeo.

Hahn, Frank (1982), *Money and Inflation*, MIT Press, Cambridge, Massachusetts.

Haldane, Andrew G. (2013), 'Turning the Red Tape Tide', Speech at the International Financial Law Review Dinner, Bank of England, London.

Hall, Robert (1983), 'Optimal Fiduciary Monetary Systems', *Journal of Monetary Economics*, Vol. 12, No. 1, pp. 33–50.

Hammond, Peter J. (1975), 'Charity: Altruism or Cooperative Egoism?' in E.S. Phelps (ed.), *Altruism, Morality, and Economic Theory*, Russell Sage Foundation, New York, pp. 115–131.

Hankey, Thomson (1867), *The Principles of Banking*, Effingham Wilson, London (page references to the 1887 fourth edition reprinted in 2006 by Elibron Classics).

Hargrave, John (1939), *Professor Skinner alias Montagu Norman*, Wells Gardner, Darton & Co Ltd, London.

Harris, William (ed.) (2008), *Monetary Systems of the Greeks and Romans*, Oxford University Press, New York.

Hastings, Max (2013), *Catastrophe*, William Collins, London.

Hayek, Friedrich (1976), *The Denationalization of Money*, Institute of Economic Affairs, London.

Hayward, Ian (ed.) (1999), *Chartist Fiction: Thomas Doubleday, 'The Pilgrim's Progress' and Thomas Martin Wheeler, 'Sunshine And Shadow'*, Ashgate Publishing, London.

Hellwig, Martin (1995), 'Systemic Aspects of Risk Management in Banking and Finance', *Swiss Journal of Economics and Statistics*, Vol. 131, Issue IV, pp. 723–37.

Hendry, David and Grayham Mizon (2014a), 'Unpredictability in Economic Analysis, Econometric Modeling and Forecasting', *Journal of Econometrics*, Vol. 182, No. 1, pp. 186–95.

—— (2014b), 'Why DSGEs Crash During Crises', http://www.voxeu.org/article/why-standard-macro-models-fail-crises

Hicks, John R. (1937), 'Mr. Keynes and the "Classics": A Suggested Interpretation', *Econometrica*, Vol. 5, No.2, pp. 147–59.

—— (1974), *The Crisis in Keynesian Economics*, Basil Blackwell, Oxford.

Holmstrom, Bengt (2015), 'Understanding the Role of Debt in the Financial System', BIS Working Paper No. 479, mimeo, Basel, Switzerland.

Holzer, Henry (1981), *Government's Money Monopoly*, Books in Focus, New York.

Houthakker, Hendrik (1950), 'Revealed Preference and the Utility Function', *Economica*, New Series, Vol. 17, No. 66, pp. 159–74.

Hume, David (1752), 'Of Money' in *Political Discourses*, A. Kincaid, Edinburgh.

Hunter, William W. (1868), *The Annals of Rural Bengal*, second edition, Smith, Elder and Co., London.

Issing, Otmar (1999), 'Hayek – Currency Competition and European Monetary Union', Speech at the Annual Memorial Lecture hosted by the Institute of Economics Affairs, London, 27 May 1999.

—— (2008), *The Birth of the Euro,* Cambridge University Press, Cambridge.

—— (2015), 'Completing the Unfinished House: Towards a Genuine Economic and Monetary Union?', Center for Financial Studies Working Paper 521, Frankfurt, forthcoming in *International Finance*.

Jackson, Andrew and Ben Dyson (2013), *Modernizing Money: Why Our Monetary System is Broken and How it Can be Fixed*, Positive Money, London.

Jackson, Julian (2001), *France: The Dark Years 1940–44*, Oxford University Press.

Jarvie, J.R. (1934), *The Old Lady Unveiled: A Criticism and Explanation of the Bank of England*, Wishart & Company, London.

Johnson, Paul (1997), *A History of the American People*, Weidenfeld and Nicolson, London.

Kahneman, Daniel (2011), *Thinking, Fast and Slow*, Farrar, Straus and Giroux, New York.

Kahneman, Daniel and Amos Tversky (1979), 'Prospect Theory: An Analysis of Decision under Risk', *Econometrica*, Vol. 47, pp. 263–91.

Kalemli-Ozcan, Sebnem, Bent E. Sorensen and Sevcan Yesiltas (2012), 'Leverage Across Firms, Banks and Countries', Federal Reserve Bank of Dallas Conference on Financial Frictions and Monetary Policy in an Open Economy, mimeo.

Kareken, John (1986), 'Federal Bank Regulatory Policy: A Description and Some Observations', *Journal of Business*, 59, pp. 3–48.

Kay, John (2009), 'Narrow Banking: The Reform of Banking Regulation', Center for the Study of Financial Innovation Report, 15 September 2009.

—— (2015), *Other People's Money: The Real Business of Finance*, PublicAffairs, New York.

Keating, Paul (2014), 'Avoiding the Thucydides Trap in Asia', mimeo, Sydney.

Kerr, Gordon (2011), *The Law of Opposites: Illusory Profits in the Financial Sector*, Adam Smith Research Trust, London.

Keynes (1914a), *The Collected Writings of John Maynard Keynes,*

Volume 18, Activities: 1914–1919, Macmillan, London, 1971, p. 4.

—— (1914b), 'War and the Financial System', *Economic Journal*, 24, 1971, p. 473.

—— (1919), *The Economic Consequences of the Peace*, Macmillan & Co., London.

—— (1922), *The Collected Writings of John Maynard Keynes, Volume 17, Activities: 1920–1922: Treaty Revision and Reconstruction*, ed. Elizabeth Johnson, Macmillan, London, 1977.

—— (1923a), *A Tract on Monetary Reform*, Macmillan, London.

—— (1923b), *The Collected Writings of John Maynard Keynes, Volume 18, Activities: 1922–1932: The End of Reparations*, ed. Elizabeth Johnson, Macmillan, London, 1978.

—— (1930), *A Treatise on Money*, Macmillan, London.

—— (1931), 'Economic Possibilities for our Grandchildren', in *Essays in Persuasion*, Macmillan, London.

—— (1936), *The General Theory of Employment, Interest and Money*, Macmillan, London.

—— (1937a), 'The General Theory of Employment', *Quarterly Journal of Economics*, Vol. 51, pp. 209–23.

—— (1937b), 'Some Economic Consequences of a Declining Population', The Galton Lecture published in *Eugenics Review*, XXIX, pp. 13–17.

King, Mervyn (2000), 'Balancing the Economic See-Saw', Speech at the Plymouth Chamber of Commerce and Industry 187th Anniversary Banquet, 14 April 2000, Bank of England website.

—— (2003), Speech in Leicester, 14 October, Bank of England website.

—— (2006), Speech in Ashford, Kent, 16 January, Bank of England website.

—— (2007), 'The MPC Ten Years On', Lecture to the Society of Business Economists, 2 May, Bank of England website.

——— (2009), Speech to the CBI Dinner, Nottingham, at the East Midlands Conference Centre, 20 January, Bank of England website.

——— (2012), 'Twenty Years of Inflation Targeting', Stamp Memorial Lecture, London School of Economics, 9 October, Bank of England website.

King, Mervyn and David Low (2014), 'Measuring the "World" Real Interest Rate', National Bureau of Economic Research Working Paper 19887, Cambridge, Massachusetts.

King, Robert (1983), 'On the Economics of Private Money', *Journal of Monetary Economics*, Vol. 12, No. 1, pp. 127–58.

Kiyotaki, Nobuhiro and John Moore (2002), 'Evil is the Root of All Money', *American Economic Review*, Vol. 92, No. 2, pp. 62–6.

Kiyotaki, Nobuhiro and Randall Wright (1989), 'On Money as a Medium of Exchange', *Journal of Political Economy*, Vol. 97, pp. 927–54.

Knight, Frank (1921), *Risk, Uncertainty and Profit*, Houghton Mifflin, Boston and New York.

Kotlikoff, Laurence J. (2010), *Jimmy Stewart is Dead: Ending the World's Ongoing Financial Plague with Limited Purpose Banking*, John Wiley and Sons, Hoboken, New Jersey.

Kranister, W. (1989), *The Moneymakers International*, Black Bear Publishing, Cambridge.

Krawczyk, Jacek and Kunhong Kim (2009), 'Satisficing Solutions to a Monetary Policy Problem', *Macroeconomic Dynamics*, Vol. 13, pp. 46–80.

Krugman, Paul (2011), 'Mr. Keynes and the Moderns', *Vox*, 21 June 2011.

Kynaston, David (1994), *The City of London: Vol 1: A World of Its Own, 1815–90*, Chatto and Windus, London.

Lainà, Patrizio (2015), 'Proposals for Full-Reserve Banking: A Historical Survey from David Ricardo to Martin Wolf', University of Helsinki, mimeo.

Levitt, Steven and Stephen Dubner (2005), *Freakonomics: A Rogue Economist Explores the Hidden Side of Everything*, William Morrow/Harper Collins, New York.

Lewis, Michael (1989), *Liar's Poker*, W.W. Norton, New York.

—— (2014), *Flash Boys: A Wall Street Revolt*, W.W. Norton, New York.

Litan, Robert (1987), *What Should Banks Do?* Brookings Institution, Washington, DC.

Lloyd George, David (1933) *War Memoirs of David Lloyd George, Volume I*, Odhams Press Limited, London.

Lowenstein, Roger (2015), *America's Bank: The Epic Struggle to Create the Federal Reserve*, Penguin Press, New York.

Macdonald, James (2015), *When Globalization Fails: The Rise and Fall of Pax Americana*, Farrar, Strauss and Giroux, New York.

Macey, Jonathan and Geoffrey Miller (1992), 'Double Liability of Bank Shareholders: History and Implications', *Wake Forest Law Review*, Vol. 27, pp. 31–62.

MacGregor, Neil (2010), *A History of the World in 100 Objects*, Allen Lane, London.

—— (2014), *Germany: Memories of a Nation*, Allen Lane, London.

McLean, Bethany and Peter Elkind (2003), *The Smartest Guys in the Room: The Amazing Rise and Scandalous Fall of Enron*, Portfolio, New York.

Maddison, Angus (2004), *The World Economy: Historical Statistics*, OECD, Paris.

Malthus, Thomas (1798), *An Essay on the Principle of Population*, J. Johnson in St Paul's Church-yard, London.

Mansfield, William (1761), *Hamilton v. Mendes*, 2 Burr 1198.

Marshall, Alfred (1906), Letter to A.L. Bowley in A.C. Pigou (ed.) (1925) *Memorials of Alfred Marshall*, Macmillan, London.

Marx, Karl (1867), *Das Kapital*, Otto Meissner, Hamburg.

Marx, Karl and Friedrich Engels (1848), *The Communist Manifesto*, Section 1, para 53, lines 11–13.

Matthews, Robin (1960), *The Trade Cycle*, Cambridge University Press, Cambridge.

Mehrling, Perry (2011), *The New Lombard Street: How the Fed Became the Dealer of Last Resort*, Princeton University Press, Princeton, New Jersey.

Menger, Carl (1892), 'On the Origins of Money', *Economic Journal*, Vol. 2, pp. 239–55.

Mill, John Stuart (1848), *Principles of Political Economy*, John W. Parker, London.

Minsky, Hyman (1975), *John Maynard Keynes*, Columbia University Press, New York.

—— (1986), *Stabilizing an Unstable Economy*, Yale University Press, New Haven.

—— (1994), 'Financial Instability and the Decline (?) of Banking: Public Policy Implications', *Hyman P. Minsky Archive*, Paper 88. http://digitalcommons.bard.edu/hm_archive/88.

Moggridge, Donald E. (1992), *Maynard Keynes: An Economist's Biography*, Routledge, London.

Mohr, Thomas (2014), 'The Political Significant of the Coinage of the Irish Free State', University College of Dublin Working Papers in Law, Criminology and Socio-Legal Studies Research Paper No. 11, 25 September 2014.

Mundell, Robert (1961), 'Theory of Optimum Currency Areas', *American Economic Review*, Vol. 51, No. 4, pp. 657–65.

Neal, Larry and Geoffrey G. Williamson (eds.) (2014), *The Cambridge History of Capitalism*, Cambridge University Press, Cambridge.

O'Neill, Onora (2002), 'A Question of Trust', *BBC Reith Lectures 2000*, Cambridge University Press, Cambridge.

Patinkin, Don (1956), *Money, Interest, and Prices: An Integration of Monetary and Value Theory*, Row, Peterson and Co., Evanston, Illinois.

Paulson, Hank (2010), *On the Brink: Inside the Race to Stop the Collapse of the Global Financial System*, Business Plus, New York.

Priest, Claire (2001), 'Currency Policies and Legal Development in Colonial New England', 110 *Yale Law Journal*, 1303.

Rachel, Lukasz and Thomas Smith (2015), 'Drivers of Long-Term Global Interest Rates – Can Weaker Growth Explain the Fall?' Bank Underground, Bank of England website.

Rae, John (1895), *The Life of Adam Smith*, Macmillan and Co., London.

Reddaway, W. Brian (1939), *The Economic Consequences of a Declining Population*, Allen and Unwin, London.

Reinhart, Carmen M. and Kenneth S. Rogoff (2009), *This Time is Different: Eight Centuries of Financial Folly*, Princeton University Press, Princeton, New Jersey.

Reinhart, Carmen, Vincent Reinhart and Kenneth Rogoff (2015), 'Dealing with Debt', *Journal of International Economics*, forthcoming.

Ricardo, David (1816), *Proposals for an Economical and Secure Currency*, T. Davison, London.

Roberts, Andrew (2014), *Napoleon the Great*, Allen Lane, London.

Roberts, Richard (2013), *Saving the City*, Oxford University Press, Oxford.

Robertson, James (2012), *Future Money: Breakdown or Breakthrough?* Green Books, Totnes, Devon.

Rodrik, Dani (2011), *The Globalization Paradox*, second edition, Oxford University Press, Oxford.

414 THE END OF ALCHEMY

Rogoff, Kenneth (2014), 'The Costs and Benefits of Phasing Out Paper Currency', National Bureau of Economic Research Macroeconomics Annual, Vol. 29.

Russell, Bertrand (1912), *The Problems of Philosophy*, Williams and Norgate, London.

Samuelson, Paul (1937), 'Some Aspects of the Pure Theory of Capital', *Quarterly Journal of Economics*, Vol. 51, pp. 469–96.

—— (1958), 'An Exact Consumption-Loan Model of Interest With or Without the Social Contrivance of Money', *Journal of Political Economy*, Vol. 68, pp. 467–82.

Schacht, Hjalmar (1934), 'German Trade and German Debt', *Foreign Affairs*, October 1934.

—— (1955), *My First Seventy-Six Years*, Allan Wingate, London.

Schumpeter, Joseph (1942), *Capitalism, Socialism and Democracy*, Harper and Row, New York.

Sedgwick, Theodore Jr. (ed.), (1840), *A Collection of the Political Writings of William Leggett*, Vol. I, Taylor and Dodd, New York.

Shin, Hyun Song, (2009), 'Reflections on Northern Rock: The Bank Run that Heralded the Global Financial Crisis', *Journal of Economic Perspectives*, Vol. 23, No. 1, pp. 101–19.

—— (2012), 'Global Banking Glut and Loan Risk Premium', *IMF Economic Review*, Vol. 60, No. 2, pp. 152–92.

Silber, William (2007), *When Washington Shut Down Wall Street*, Princeton University Press, Princeton, New Jersey.

Simon, Herbert (1956), 'Rational Choice and the Structure of the Environment', *Psychological Review*, Vol. 63, No. 2, pp. 129–38.

Sims, Christopher (2013), 'Paper Money', *American Economic Review*, Vol. 103, No. 2, pp. 563–84.

Smith, Adam (1759), *Theory of Moral Sentiments*, A. Millar, London.

—— (1766), *Lectures on Jurisprudence*, B, Report dated 1766, p. 493.

—— (1776), *Wealth of Nations*, W. Strahan and T. Cadell, London.

Smith, Ed (2012), *Luck: What it Means and Why it Matters*, Bloomsbury Publishing, London.

Solow, Robert M. (1956), 'A Contribution to the Theory of Economic Growth', *Quarterly Journal of Economics*, 70(1), pp. 65–94.

Stiglitz, Joseph (2014), 'Reconstructing Macroeconomic Theory to Manage Economic Policy', National Bureau of Economic Research Working Paper 20517, mimeo, Cambridge, Massachusetts.

Summers, Lawrence H. (1983), '"On the Economics of Private Money" by Robert G. King', *Journal of Monetary Economics*, Vol. 12, No. 1, pp. 159–62.

—— (2014), 'U.S. Economic Prospects: Secular Stagnation, Hysteresis, and the Zero Lower Bound', *Business Economics*, Vol. 49, pp. 65–73.

—— (2015), 'Reflections on Secular Stagnation', Speech at the Julius-Rabinowitz Center, Princeton University, 19 February 2015.

Syed, Matthew (2011), *Bounce: The Myth of Talent and the Power of Practice*, Fourth Estate, London.

Taleb, Nassim (2012), *Antifragile: How to Live in a World We Don't Understand*, Allen Lane, London.

Taleb, Nassim and M. Blyth (2011), 'The Black Swan of Cairo', *Foreign Affairs*, Vol. 90, No. 3.

Tallentyre, S.G. (ed.) (1919), *Voltaire in His Letters*, G.P. Putnam's Sons, New York.

Taylor, Alan (2015), 'Credit, Financial Stability, and the

Macroeconomy', *Annual Review of Economics*, Vol. 7, pp. 309–39.

Taylor, John B. (2014), 'The Federal Reserve in a Globalized World Economy', Federal Reserve Bank of Dallas Conference, September 2014, mimeo.

Temin, Peter (2014), 'The Cambridge History of "Capitalism"', National Bureau of Economic Research Working Paper 20658, Cambridge, Massachusetts.

Thaler, Richard (1991), *Quasi Rational Economics*, Russell Sage Foundation, New York.

Thaler, Richard and Cass Sunstein (2008), *Nudge: Improving Decisions about Health, Wealth and Happiness*, Yale University Press, New Haven.

Thornton, Henry (1802), *An Enquiry into the Nature and Effects of the Paper Credit of Great Britain*, J. Hatchard, London.

Tobin, James (1985), 'Financial Innovation and Deregulation in Perspective', *Bank of Japan Monetary and Economic Studies*, Vol. 3, No. 2, pp. 19–29.

Tuckett, David (2011), *Minding the Markets: An Emotional Finance View of Financial Instability*, Palgrave Macmillan, London.

—— (2012), 'The Role of Emotions in Financial Decisions', The Barbon Lecture, 24 May 2012.

Tuckman, Bruce (2013), 'Embedded Financing: The Unsung Virtue of Derivatives', *The Journal of Derivatives*, Vol. 21, No. 1, pp. 73–82.

—— (2015), 'In Defense of Derivatives: From Beer to the Financial Crisis', *Policy Analysis*, Number 781, Cato Institute.

Turner, Adair (2014), 'Central Banking and Monetary Policy after the Crisis', City Lecture at the Official Monetary and Financial Institutions Forum (OMFIF), London, 9 December 2014.

—— (2015), *Between Debt and the Devil,* Princeton University Press, Princeton, New Jersey.

Tversky, Amos and Daniel Kahneman (1974), 'Judgment under Uncertainty: Heuristics and Biases', *Science*, Vol. 185, No. 4157, pp. 1124–31.

Waley, Arthur (1938), *The Analects of Confucius,* Allen and Unwin, London.

Weale, Martin (2015), 'Prospects for Supply Growth in Western Europe', Speech at the Rijksuniversiteit, Groningen, 12 October, Bank of England website.

Wheatley, Martin (2012), *The Wheatley Review of LIBOR – Final Report*, HM Treasury, London.

Willetts, David (2010), *The Pinch: How the Baby Boomers Took Their Children's Future – And How They Can Give it Back,* Atlantic Books, London.

Wolf, Martin (2010), 'The Challenge of Halting the Financial Doomsday Machine', *Financial Times*, 20 April 2010.

—— (2014), *The Shifts and the Shocks,* Penguin, London.

Woodford, Michael (2003), *Interest and Prices,* Princeton University Press, Princeton, New Jersey.

—— (2013), 'Forward Guidance by Inflation-Targeting Central Banks', mimeo, Columbia University.

Woollcott, Alexander (1934), *While Rome Burns,* Viking Press, New York.

Yermack, David (2013), 'Is Bitcoin a Real Currency?', National Bureau of Economic Research Working Paper 19747, Cambridge, Massachusetts.

Zweig, Stefan (1943) *The World of Yesterday,* Viking Press, New York.

INDEX

ABOUT THE AUTHOR

Mervyn King was Governor of the Bank of England from 2003 to 2013, and is currently Professor of Economics and Law at New York University and School Professor of Economics at the London School of Economics. Lord King was made a life peer in 2013, and appointed by the Queen a Knight of the Garter in 2014.